Attendre bébé

Direction : Jean-François Moruzzi
Direction éditoriale : Pierre-Jean Furet
Responsable éditoriale pour la présente édition : Tatiana Delesalle-Féat
Édition : Caroline Rolland
Couverture et maquette intérieure : Nicole Dassonville
Coordination éditoriale : Anne Vallet
Mise en pages : ■couleurrouge.com
Illustrations : Delphine Bailly (pp. 48, 50, 52, 54, 62, 70, 94, 112, 212, 304, 305, 333, 344), Carole Fumat (pp. 25, 69, 107, 147, 183, 209, 235, 271, 299), Philippe Plateaux (128, 129, 136, 170, 171, 172, 173, 213, 242, 243, 250, 251, 287, 336, 394, 395, 397)
Fabrication : Amélie Latsch

L'Éditeur remercie Bertille Provansal pour son aide précieuse et efficace.

Pr. René FRYDMAN
Christine Schilte

Attendre bébé

Avant-propos

LA MATERNITÉ EST SANS DOUTE LA PLUS GRANDE AVENTURE DE LA VIE D'UNE FEMME, une histoire d'amour totale. Elle concrétise le lien amoureux du couple et le renforce. L'enfant désiré et attendu appartient dès les premiers instants à une famille. Pas plus gros qu'un petit pois, il a pourtant déjà une personnalité. Son père et sa mère lui imaginent un caractère et une apparence construits à la fois de tous les souvenirs familiaux et d'une quantité de projets d'avenirs, tous plus ambitieux les uns que les autres.

Aujourd'hui, la vie des femmes a changé, attendre un enfant n'est plus un destin ou un devoir ; pour la plupart d'entre elles, la maternité est un véritable choix. Pour ces femmes « actives » qui ont trouvé une place dans la société, qui ont aussi le désir de vivre une maternité épanouie, nous avons voulu donner à ce livre un ton direct et vrai ainsi qu'une forme agréable et extrêmement pratique.

La maternité est une expérience extraordinaire, source de bonheur, sans aucun doute, mais aussi une période d'interrogations multiples. Les préoccupations des parents sont innombrables : médicales, psychologiques et pratiques. Les derniers « États généraux de la santé », dont l'un des thèmes était « mieux naître », ont montré ce besoin grandissant des parents d'être informés sur l'enfant et sur leur rôle. Pour satisfaire toutes ces attentes, le libre accès au dossier médical est un premier pas, cependant la présence d'un médiateur reste indispensable : c'est le rôle du médecin. C'est aussi l'objectif de ce livre que d'apporter des réponses précises, concrètes et complètes, toujours proches des recherches actuelles, médicales et psychologiques.

Nous avons choisi pour ce guide une forme originale. Ainsi, vous avez le choix entre deux modes de lecture : soit une lecture traditionnelle qui permet de vous informer, mois près mois, sur le déroulement de votre grossesse, sur le développement de votre bébé et sur les précautions indispensables à suivre pour mener à bien votre projet ; soit une lecture « zapping » pour picorer l'information, çà et là, en fonction de vos besoins ponctuels.

Votre découverte vous conduit de double page en double page. Chacune traite un thème précis sous forme d'un texte principal complété par des informations permettant de découvrir le sujet sous des angles différents.

À l'image de la grossesse, le déroulement de cet ouvrage suit la logique du temps, il est construit mois après mois en réservant, bien sûr, une place aux instants magiques de la rencontre entre la mère et son bébé. Une grossesse est faite d'étapes successives impliquant ou exigeant des comportements adaptés qui sont ici expliqués et développés.
Un tel guide ne pouvait ignorer les fabuleuses découvertes scientifiques qui permettent à des femmes d'être mères alors qu'elles n'en avaient qu'un faible espoir. Vous trouverez dans ce livre les dernières techniques médicales, si fantastiques qu'elles forcent l'interrogation sur la nature humaine et soulèvent bien des réflexions philosophiques et morales.

Moments de bonheur, périodes d'anxiété, toutes ces émotions appartiennent à la maternité, elles sont indispensables et formatrices de l'idée de devenir parents. Ce livre a l'ambition de les expliquer, de les apaiser et de donner à ses lectrices et lecteurs les clefs pour vivre le plus sereinement possible le phénomène extraordinaire de la vie.

Mode d'emploi

Lorsque l'information sur un sujet est importante, elle occupe la totalité de **la double page.**

La réglette couleur suit le développement de votre grossesse et permet de vous repérer rapidement dans le livre. Elle signale par une couleur le mois dans lequel vous vous situez.

Ces textes courts mettent en valeur, sous des éclairages différents, d'autres informations, des conseils pratiques toujours complémentaires du texte de la page de droite.

Le Professeur Frydman signe un texte dans lequel il vous donne son conseil ou son point de vue de médecin spécialiste en contact quotidien avec des futures mamans comme vous.

Le titre du texte principal.

Le texte le plus long donne l'essentiel de ce qu'il faut savoir à ce moment de votre grossesse. Pour trouver des informations complémentaires, reportez-vous aux petits textes de la page de gauche. Pour vous informer sur la totalité du sujet, suivez les renvois de pages.

▌ Ce livre vous propose deux lectures différentes

Mois après mois, il vous guide au fur et à mesure que vous avancez dans votre maternité. Reportez-vous à son sommaire chronologique en début d'ouvrage (p.7).

Thème après thème, c'est la réponse globale à une question qui vous préoccupe : par exemple, tout savoir sur l'échographie ou sur l'alimentation de la future maman. Suivez alors les conseils du sommaire thématique (p.11). ▪

Sommaire

Sommaire thématique

Vaincre la douleur

Bébé est né

Les prématurés

Les jumeaux et les triplés

L'allaitement

Vie pratique

Psychologie

▊ Où trouver les exercices pratiques illustrés ?

Le film de la grossesse

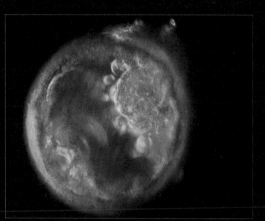

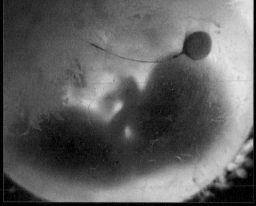

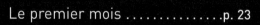

Votre bébé mois par mois

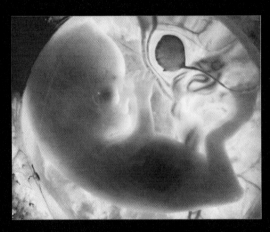

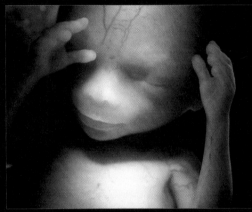

Le film de la grossesse

Votre bébé mois par mois

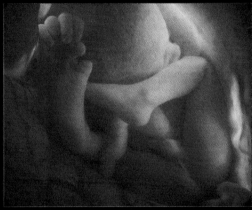

Le film de la grossesse

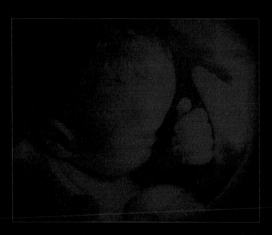

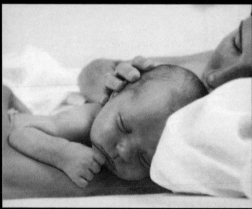

1ᴱᴿ MOIS

Le blastocyste se creuse. La cavité ainsi libérée se remplit de liquide et, à l'intérieur, un bourgeon saillant se forme, le futur embryon. La moitié supérieure, lumineuse, représente ce futur embryon.

2ᴱ MOIS

L'embryon est en perpétuel mouvement, il bouge très vite. Ses mouvements sont plutôt de l'ordre du tressaillement. La future maman le sent rarement car l'embryon flotte dans le liquide amniotique.

3ᴱ MOIS

Tel un astronaute dans sa capsule spatiale, le fœtus âgé de trois mois poursuit sa fantastique odyssée... L'auréole frangée est le sac chorionique qui est attaché au placenta.

4ᴱ MOIS

À quatre mois, le fœtus est totalement formé mais ses organes sont encore incapables de fonctionner de manière autonome. Les traits de son visage se façonnent progressivement, le front s'agrandit et on perçoit le réseau vasculaire sous la peau transparente.

5ᴱ MOIS

À cet âge, le futur bébé acquiert une caractéristique fondamentale de son identité : ses empreintes digitales se dessinent au bout de chacun de ses doigts.

6ᴱ MOIS

Le cordon ombilical est solide et prend des dimensions importantes en fin de grossesse. Les vaisseaux sanguins sont cachés dans une masse gélatineuse qui rend impossible la formation de nœuds et de coudes qui pourraient interrompre la circulation sanguine.

7ᴱ MOIS

Regardez les mains, quelle œuvre d'art ! À présent, le fœtus remue et fait des gestes. S'il arrive qu'un doigt frôle ses lèvres, le réflexe de succion se déclenche.

8ᴱ MOIS

Quand il ne dort pas, le bébé occupe une partie de son temps à faire des galipettes ; à partir du 6e mois, on estime qu'elles sont volontaires.

9ᴱ MOIS

Les bébés dorment beaucoup dans le ventre de leur mère, c'est pour eux le plus sûr moyen de grandir et de grossir afin d'être assez solides pour affronter le monde.

NAISSANCE

Les premiers instants d'un nouveau-né, encore tout couvert du vernix protecteur et qui rampe vers le sein maternel, restent à jamais inscrits dans la mémoire d'une mère.

Le premier mois

1ER MOIS

2^E MOIS

3^E MOIS

4^E MOIS

5^E MOIS

6^E MOIS

7^E MOIS

8^E MOIS

9^E MOIS

LA NAISSANCE

LES 1RES SEMAINES DE MAMAN

LES 1RES SEMAINES DE BÉBÉ

GROSSESSES DIFFÉRENTES

ANNEXES

Le premier mois

Vous

AU DÉBUT, NAÎT LE DÉSIR. Désir d'enfant, souhait de maternité, volonté d'être père. Aboutissement d'une histoire personnelle, début d'une nouvelle aventure. Tout pourrait se résumer en une simple rencontre : union d'un gamète solitaire, rencontrant un autre gamète solitaire à un moment précis, dans un emplacement déterminé.

Et après, se produira, dans l'ombre et la discrétion, le mystère même de la vie, la division cellulaire. Dès cette fusion, tout est joué, de la couleur des yeux à la forme du lobe de l'oreille et, bien sûr, du « genre » féminin ou masculin.

Un matin, vous vous réveillez différente, curieusement moins en forme que d'habitude. Ce n'est pas réellement un malaise physique, c'est de l'ordre de l'impalpable. Dans le secret de votre salle de bains, vous avez réalisé un test, drôle de petite cuisine pour un événement si important. Ils confirment vos espoirs et ceux de votre conjoint. Mais il vous faut une certitude, celle d'une analyse biologique en laboratoire. L'attente des résultats, un jour ou deux, vous semble interminable... La nouvelle est là, écrite noir sur blanc : vous êtes enceinte. Même si ce n'est qu'une confirmation, cet instant est irréel.

Dans votre corps, aucune manifestation n'indique un changement et pourtant, tout vous dit que rien ne sera plus comme avant. Une nouvelle histoire familiale s'écrit. Votre arbre généalogique va se transformer, obligeant les aînés à grimper sur une autre branche, tandis que tous ceux qui vous sont chers prendront une autre place dans votre vie.

Votre bébé

L'ŒUF EST DÉFINITIVEMENT FORMÉ dix heures après la rencontre de l'ovule et du spermatozoïde. Trente heures plus tard, il compte déjà deux cellules parfaitement identiques. La division cellulaire à l'origine de la vie a commencé. L'œuf change de nom, il devient une morula. Celle-ci glisse le long de la trompe vers l'utérus et y flotte quelques jours avant de s'implanter. Elle grossit et envoie des messages chimiques à tout l'organisme maternel afin qu'il se prépare à l'accueillir. La morula se creuse et ses cellules se spécialisent. Elle prend alors le nom de blastocyste, à l'origine du futur embryon.

Au 1e mois

Au 2e mois

L'œuf, devenu morula, choisit de s'implanter le plus souvent au fond de l'utérus ou sur une paroi latérale là où il trouvera le plus d'oxygène.

1ER MOIS

2E MOIS

3E MOIS

4E MOIS

5E MOIS

6E MOIS

7E MOIS

8E MOIS

9E MOIS

LA NAISSANCE

LES 1RES SEMAINES DE MAMAN

LES 1RES SEMAINES DE BÉBÉ

GROSSESSES DIFFÉRENTES

ANNEXES

Les tests de grossesse *en savoir plus*

Les analyses en laboratoire

Pour confirmer votre grossesse, faites faire des tests en laboratoire. Seules des analyses biologiques sont capables de quantifier la fameuse hormone gonadotrophine chorionique (HCG), soit dans les urines, soit dans le sang.

Chaque année, quelque 736 000 tests de grossesse et plus de deux millions de dosages de l'HCG dans le sang sont effectués. Ces examens sont remboursés par la Sécurité sociale sur prescription médicale. Il en coûte environ 25 euros.

À partir du 5e jour de retard des règles, il est possible, dans certains laboratoires, de faire un test simple, uniquement à partir des urines, et d'obtenir un diagnostic sûr en quelques heures. On vous conseillera de boire peu la veille pour que l'urine soit concentrée. Généralement, le laboratoire ne se contente pas uniquement de détecter la présence d'HCG, il dose sa concentration. Les dosages par le sang permettent de diagnostiquer la grossesse un peu plus tôt que ceux effectués à partir des urines. ▪

Rapidité et performance

La plupart des tests de grossesse sont vendus en pharmacie. Le prix moyen varie entre 8 et 20 euros, non remboursés.

Il existe également des tests qui sont vendus en grandes surfaces, mais généralement ils sont moins rapides que les précédents et leur fiabilité n'est pas garantie.

Certains sont conditionnés à l'unité, d'autres par deux, pour permettre une confirmation ou une infirmation de l'autodiagnostic. Seul le respect du mode d'emploi garantit un résultat fiable.

Le nouveau test Clearblue® ne peut être plus clair, il affiche « enceinte » ou « pas enceinte ».

Ce test est fiable à 99 % dès le premier jour de retard des règles et à n'importe quel moment de la journée. Attention, un test négatif ne signifie pas forcément que vous n'êtes pas enceinte.

Si vous avez des doutes, renouvelez l'expérience et, dès à présent, évitez de prendre des médicaments sans prescription médicale.

De même, sachez que le corps de la femme n'est pas une mécanique parfaite et que le moment entre la fécondation et la production de l'hormone HCG est variable d'une femme à une autre. ▪

Les habitudes françaises

Vous pensez être enceinte et vous avez acheté un de ces tests. Voici quelques conseils pour que « l'expérience » marche. La veille du jour J, ne buvez pas trop le soir, ainsi vos urines seront plus concentrées en HCG, si cette hormone est présente. Utilisez uniquement le récipient vendu avec le test, il est parfaitement stérile. La réaction visible des particules colorées est celle d'anticorps spécifiquement actifs contre l'hormone HCG.

Un récent sondage SOFRES révèle que, bien qu'étant 95 % à connaître ces tests, les Françaises ne pensent pas d'emblée à les utiliser, leur préférant les tests en laboratoire. Les utilisatrices ont, en majorité, plus de 25 ans et veulent un enfant ; 92 % leur reconnaissent un intérêt moyen : la rapidité de diagnostic ; celles qui n'y ont pas eu recours leur reprochent, avant tout, leur manque de fiabilité. ▪

Il est important de savoir

Savoir tôt si vous êtes enceinte permet de déterminer le plus exactement possible le début de votre grossesse et de programmer au mieux les examens de surveillance. C'est encore la période où votre grossesse est la plus fragile. Mieux vaut alors ne pas commettre d'imprudences. Plus tôt vous saurez si vous êtes enceinte, plus tôt vous prendrez les précautions indispensables pour que votre grossesse se déroule bien. ▪

Savoir si vous êtes enceinte

1ER MOIS

2E MOIS

3E MOIS

4E MOIS

5E MOIS

6E MOIS

7E MOIS

8E MOIS

9E MOIS

LA NAISSANCE

LES 1RES SEMAINES DE MAMAN

LES 1RES SEMAINES DE BÉBÉ

GROSSESSES DIFFÉRENTES

ANNEXES

VOUS ÊTES PRESSÉE DE SAVOIR SI VOUS ÊTES ENCEINTE, comme toutes les femmes qui souhaitent un enfant. Les tests de grossesse sont un moyen fort simple à votre disposition pour avoir confirmation de votre grossesse.

HCG : la bonne hormone

Ils reposent tous sur le même principe : la mise en évidence d'une hormone, la gonadotrophine chorionique, que vous lisez sur la plupart de vos résultats d'analyses sous la forme de ces initiales : HCG. Cette hormone n'existe pas dans le corps d'une femme qui n'est pas enceinte ; elle est sécrétée par le trophoblaste (couche cellulaire périphérique présente au tout début du développement embryonnaire et à l'origine du placenta), dès que l'embryon est installé dans la paroi utérine. Voilà pourquoi il faut attendre environ dix à douze jours après la fécondation pour qu'elle soit détectable. Le taux d'HCG va s'élever régulièrement au cours des six premières semaines de grossesse. Pour s'assurer de la bonne fiabilité du test, il est préférable de le faire avec les urines du matin ; très concentrées, elles contiennent le plus d'HCG. Il est recommandé d'attendre quelques jours (deux ou trois) après la date présumée des règles.

Mode d'emploi

Ces tests donnent une réponse clairement lisible, dans un temps plus ou moins long (5 à 30 min) suivant le test employé. Selon la marque, on voit apparaître soit un anneau brun au fond d'un tube, soit une coloration des urines en bleu ou en rose, soit un signe + sur une pastille. Plus récemment, des tests sur bandelettes de papier ont été mis au point, ainsi qu'un test qui a l'apparence d'une carte magnétique et qui réagit en faisant apparaître le signe + ou – lorsque l'on y dépose quelques gouttes d'urine.

De plus en plus tôt

Savoir rapidement si vous êtes enceinte permet de déterminer le plus exactement possible le début de votre grossesse pour programmer au mieux les examens de surveillance et fixer la date de l'accouchement, terme à ne pas dépasser. Selon une étude faite par l'Institut national de la consommation (INC), les tests de grossesse les plus performants sont : Prédictor, Primacard, Revelatest G3, Clearblue, Évidence, Hansaplast, Primotest Minute, Blutest, Protex Care et Primastick. Bien que certains proposent un résultat une dizaine de jours après le rapport sexuel, pour plus de sécurité, ils sont pour la plupart à utiliser après deux à trois jours de retard des règles. Malgré tout, il faut savoir qu'un résultat positif n'est pas la certitude d'une grossesse évolutive. Aussi, ce test doit être confirmé par un dosage quantitatif de l'HCG, présente dans le sang maternel, fait en laboratoire. ▪

> " Les trois premiers mois de la grossesse sont les plus délicats pour votre futur bébé, c'est alors que les principaux organes se construisent. "

27

Après la contraception*en savoir plus*

Le stérilet

Si votre méthode de contraception était le stérilet, il n'y a aucun problème – vous avez pu constater d'ailleurs que le fait de l'avoir enlevé n'avait rien changé à votre cycle.

En effet, la fertilité de la femme redevient alors immédiatement normale. Le stérilet agit simplement en évitant la nidation de l'œuf dans la paroi utérine. Il ne bouscule donc en rien l'équilibre hormonal du corps. Si votre grossesse est le résultat d'un « loupé » de cette contraception – le stérilet n'est pas un contraceptif fiable à 100 % –, votre médecin l'enlèvera par le vagin si son fil est encore accessible, car il peut constituer un risque d'infection. Si, par contre, il est remonté dans l'utérus ou si votre grossesse est avancée, il n'interviendra pas. L'embryon se développera alors tout à fait normalement. Tout au plus devrez-vous surveiller que vous n'avez pas de pertes de sang ou d'infection. Le stérilet s'expulsera tout naturellement avec le placenta au moment de l'accouchement.

De même, une grossesse due à une mauvaise utilisation d'un diaphragme ou d'un spermicide se déroulera sans problème. ■

Les ratés de la contraception

Vous preniez la pilule et vous êtes enceinte, cas rare mais qui peut arriver. Il faut savoir que toutes les pilules n'ont pas la même efficacité, parce que, selon le type de pilule choisie, le mécanisme de contraception diffère. Ainsi, les pilules dites combinées (œstrogènes et progestérone) sont efficaces à 100 %. Elles agissent sur l'ovulation mais aussi sur la qualité de la glaire cervicale et de la muqueuse utérine. Alors que les pilules dites séquentielles (œstrogènes puis œstrogènes et progestérone), qui n'agissent que sur l'ovulation, vous protègent d'une grossesse à condition de bien respecter leur mode d'emploi. Un oubli suffit à en modifier l'efficacité. Comme il est impératif de respecter un temps de pause de sept jours entre chaque plaquette, il est tout aussi indispensable de ne pas dépasser de plus de deux ou trois jours ce délai. La micropilule, dont l'action modifie uniquement la glaire cervicale, a un taux d'échec reconnu de 1 à 3 %. Enfin, certains antibiotiques et tranquillisants modifient son efficacité. De même, le stérilet n'a un effet contraceptif qu'à 99 % « année-femme » (sur 100 femmes, si on constate une grossesse au bout de un an, on exprime le taux de 1 % année-femme). Certains anti-inflammatoires, comme l'aspirine, contrecarrent son effet. Et il est toujours possible que vous le perdiez sans vous en apercevoir, mais c'est rarissime, surtout si vous vérifiez régulièrement son placement. Si vous êtes enceinte alors que vous utilisez des contraceptifs locaux, crème, ovule, éponge spermicide (non fiables à 100 %) ou diaphragme, votre grossesse est, probablement, le résultat d'une mauvaise manœuvre. Le bon diaphragme se choisit après un examen attentif de l'anatomie : ils n'ont pas tous la même taille. Votre anatomie ne sera d'ailleurs plus la même après un accouchement. ■

Pas si facile que ça

Pour le docteur Spira, épidémiologiste et chercheur, un couple n'ayant aucun problème de fertilité a 30 % de chances de procréer sur un cycle, à raison de deux ou trois rapports sexuels au bon moment. Un pourcentage qui diminue de manière significative dès que les deux parents ont plus de 35 ans. Concevoir un bébé n'est pas aussi facile que l'on peut le croire. La contraception hormonale n'a aucun effet sur la fertilité ultérieure. ■

Un bébé après la pilule

1ER MOIS

2E MOIS

3E MOIS

4E MOIS

5E MOIS

6E MOIS

7E MOIS

8E MOIS

9E MOIS

LA NAISSANCE

LES 1RES SEMAINES DE MAMAN

LES 1RES SEMAINES DE BÉBÉ

GROSSESSES DIFFÉRENTES

ANNEXES

AUJOURD'HUI, PRATIQUEMENT TOUTES LES GROSSESSES SONT LE RÉSULTAT D'UNE INTERRUPTION DE LA CONTRACEPTION. Si c'est votre cas, peut-être êtes-vous inquiète des effets de celle-ci sur l'enfant à venir. Rassurez-vous, vous n'avez aucune crainte à avoir sur son développement, même si vous avez pris la pilule alors que vous ignoriez être enceinte.

Le bon délai

En revanche, votre médecin vous a peut-être conseillé, après l'arrêt de la pilule, d'attendre un certain nombre de cycles avant de concevoir un enfant. La raison en est que les contraceptifs oraux ont pour but de bloquer l'ovulation en agissant au niveau de l'hypophyse. Il faut donc pouvoir être sûr qu'elle se produit de nouveau normalement et que le système hormonal, bousculé par l'apport d'œstrogènes et de progestérone de la pilule, se rétablit. Dès le premier mois, le fonctionnement du complexe hypothalamus- hypophyse se remet en place naturellement et l'on observe une ovulation. Mais on peut parfois constater des premiers cycles sans ovulation ou encore produisant des ovules de mauvaise qualité. S'il y a alors fécondation, l'œuf ne se développera pas et sera naturellement éliminé. Dans 2 % des cas seulement, le cycle a du mal à se réinstaller. Le délai pour avoir un enfant après la prise de la pilule est allongé de un mois environ par rapport au délai moyen qui est de six mois. Si des troubles de l'ovulation persistent après l'arrêt de la pilule, il est probable, dans la majorité des cas, que ces difficultés étaient latentes avant même la prise du contraceptif.

Comment agit la pilule

La pilule la plus prescrite est faite d'une combinaison d'œstrogènes et d'un progestatif. C'est pourquoi elle porte le nom de « combinée ». Elle freine en permanence le travail de l'hypophyse et de l'hypothalamus et bloque l'ovulation. Elle fait croire au corps de la femme qu'elle est enceinte comme le font naturellement les hormones ovariennes à un moment précis du cycle. Il existe aussi des micropilules faites uniquement de progestatifs. Elles sont prescrites en cas d'intolérance aux œstrogènes. On estime que près de 4 millions de Françaises utilisent la pilule. ■

Grossesse et médicaments*en savoir plus*

Ceux dont il faut se méfier

• Les antalgiques banals, tels les anti-inflammatoires non stéroïdiens (aspirine, ibuprofène), sont susceptibles, à partir du deuxième trimestre, d'occasionner des atteintes rénales et cardiaques. L'aspirine peut encore provoquer chez la mère une hémorragie au moment de l'accouchement.

• Récemment, on s'est aperçu que des antidépresseurs pouvaient être toxiques pour les reins en fin de grossesse. De même, certains somnifères et tranquillisants perturberaient les mécanismes d'adaptation respiratoire et alimentaire.

• Les anxiolytiques et les tranquillisants : certains sont à éviter. Même chose pour les neuroleptiques.

• Parmi les vitamines, notamment de synthèse, sont à éviter : la vitamine A et dérivés ainsi que la vitamine D et dérivés.

• Les antibiotiques : particulièrement les tétracyclines, qui provoquent chez le bébé une coloration des dents.

• Parmi les vaccins, obligatoires, ceux contre la variole, la rubéole, la coqueluche, la poliomyélite, les oreillons ainsi que le BCG sont totalement contre-indiqués par voie buccale.

• L'isotrétinoïne utilisée dans les traitements des acnés sévères. Ainsi le Curacné® Gé est particulièrement tératogène et interdit toute grossesse.

• Parmi les médicaments les plus connus pour leurs méfaits, il faut citer la Thalidomide® qui a provoqué des malformations des membres, le Distilbène®, responsable d'anomalies génitales chez les petites filles, et le Soriatane®, responsable de malformations fœtales. Il faut aussi faire particulièrement attention au bromure de calcium du Calcibronat® et du Neurocalcium®. ▪

Bien lire la notice

Avant toute automédication, qu'il vaut mieux éviter, il est important de lire la notice ou de téléphoner au Centre d'information spécialisé IMAGE, hôpital Robert-Debré, Paris. Pour vous mettre en garde contre une utilisation intempestive des médicaments, vous pouvez trouver trois types d'informations sur la notice à l'intérieur de leur emballage, ou directement sur la boîte. « Contre-indiqué formellement » : son effet tératogène (qui entraîne une malformation embryonnaire ou fœtale) a été démontré ; « contre-indiqué » : spécialité ancienne dont la non-toxicité n'a pas été prouvée mais supposée ; « déconseillé chez la femme enceinte » : les études chez l'animal n'ont rien prouvé, mais le produit est trop récent pour que l'on soit sûr de son innocuité. ▪

▌ MON CONSEIL

C'est pendant la période embryonnaire des trois premiers mois que se forment de nombreux organes. Leur développement risque d'être perturbé lorsqu'il y a prise abusive de médicaments. Bien que réel, le risque est cependant variable. Il dépend de l'étape précise du développement fœtal au moment de la prescription, et de facteurs génétiques qui modifient la sensibilité de l'embryon. Au cours de la période fœtale, et même à partir du début du deuxième mois, on peut redouter des malformations à la naissance telles que kystes, amputations ; après la naissance, des retards psychomoteurs, des troubles du comportement ou troubles endocriniens. En revanche, en fin de croissance, l'effet toxique du médicament sur l'enfant est plus à redouter que des malformations. Ces médicaments sont dits tératogènes. Aujourd'hui, bien que les laboratoires ne puissent pas commercialiser un médicament avant de l'avoir expérimenté sur l'animal, sa toxicité sur le fœtus reste toujours difficile à préciser. ▪

Le bon usage
des médicaments

1ER MOIS

2E MOIS

3E MOIS

4E MOIS

5E MOIS

6E MOIS

7E MOIS

8E MOIS

9E MOIS

LA
NAISSANCE

LES 1RES
SEMAINES
DE MAMAN

LES 1RES
SEMAINES
DE BÉBÉ

GROSSESSES
DIFFÉRENTES

ANNEXES

TOUT AU LONG DE VOTRE GROSSESSE, les médecins vont vous mettre en garde contre l'automédication : cette manie que beaucoup d'entre nous ont de prendre des médicaments sans consulter un praticien. Il faut savoir que médicaments et grossesse ne font pas toujours bon ménage, et qu'un médicament qui est efficace sur la mère peut être redoutable sur l'enfant, voire même dangereux pour les deux.

Des réactions différentes

L'effet d'un médicament sur votre organisme est lié aux protéines plasmatiques et tissulaires. Or, en raison des modifications physiologiques qui se créent en vous, leur taux change, provoquant ainsi un effet autre que celui escompté. La grossesse aurait tendance à augmenter l'efficacité de certains produits. En revanche, en fin de grossesse, le pouvoir curatif d'un médicament peut être atténué sous l'effet de l'augmentation du débit sanguin rénal (de 50 % plus important, p. 79) qui favorise son élimination.

Le filtre du placenta

En ce qui concerne l'enfant, le mécanisme d'absorption du médicament est lié au rôle du placenta (p. 95). Si le médicament pris à bon escient n'est pas réellement dangereux pour la mère, il peut l'être dans certains cas pour le fœtus.
En effet, le placenta laisse passer la plupart des molécules médicamenteuses. C'est d'autant plus vrai en fin de grossesse, lorsqu'il devient un peu plus mince. Le produit toxique se trouvant dans le sang fœtal atteint très rapidement le système nerveux central en raison du système circulatoire très particulier de l'embryon. De plus, ce dernier n'a pas encore le pouvoir d'éliminer les toxiques : les enzymes qui chez l'adulte dégradent, méta-

bolisent et éliminent le médicament ne sont pas encore assez nombreuses ni assez efficaces pour assurer cette fonction. On estime que 4 à 5 % des malformations constatées à la naissance, ou dans les deux premières années de croissance de l'enfant, sont dues à l'absorption de médicaments ou de toxiques (pp. 35 et 119). La toxicité des médicaments est liée à la durée du traitement et à sa périodicité au cours de la grossesse. Avant l'implantation de l'œuf dans la paroi utérine, il semble que les risques de malformation soient faibles. L'œuf est alors éliminé au cours d'une fausse couche (p. 87). ▪

Les MST

Elles doivent être traitées le plus rapidement possible. Elles se signalent par des pertes vaginales de couleurs inhabituelles, d'odeurs particulières ou abondantes, mais aussi par des démangeaisons dans la région génitale, par des troubles urinaires, par des rapports sexuels douloureux, par l'apparition de ganglions à l'aine ou par l'apparition de lésions sur les organes génitaux. Les plus fréquentes sont les chlamydioses, les blennorragies, les condylomes viraux et l'herpès génital.

Le dépistage de la syphilis est important et obligatoire. Si elle est ancienne, une simple vérification de sa disparition suffit. Si elle est plus récente et notamment si les examens découvrent la présence de tréponème pâle, mère et père doivent être soignés pour protéger le bébé du risque de contamination.

Pour la future maman, il est indispensable de suivre un traitement à base de pénicilline dès le diagnostic posé. Des examens de contrôle seront, de plus, prescrits tout au long des neuf mois.

Le traitement à base de pénicilline n'a aucun effet secondaire sur le fœtus. En revanche, une syphilis non traitée peut contaminer ce dernier, entraînant des lésions du squelette, du foie, des muqueuses et de la peau. Devenue rare aujourd'hui, la syphilis est devancée par le Sida. Son dépistage n'est pas obligatoire mais vivement conseillé aux femmes enceintes. Dans les cas malheureux de contamination, un traitement spécifique permet de diminuer le taux de contamination à l'enfant. ■

Éviter la toxoplasmose

Si votre analyse révèle que vous n'êtes pas immunisée contre la toxoplasmose, il vous faut être prudente. Le parasite *Toxoplasmagondii* peut passer la barrière placentaire et atteindre le fœtus, provoquant une fausse couche ou une malformation d'ordre cérébral chez l'enfant. Mais plus la contamination de la mère a lieu tôt au cours de sa grossesse, moins il y a de chances que le virus passe la barrière placentaire ; s'il réussit cependant, l'atteinte sera grave.

Il existe un traitement à base d'antibiotiques pour éviter cette contamination. Si elle se déclare au cours du troisième trimestre, elle a un peu moins de conséquences sur le bébé. Dans tous les cas, des examens complémentaires tels qu'échographies et prélèvement du liquide amniotique permettront de faire un diagnostic. Un enfant né porteur du virus devra être obligatoirement suivi dans ses deux premières années.

Quelques précautions simples peuvent vous éviter la contamination : lavez-vous les mains après avoir manipulé de la terre et de la viande crue ; ne consommez pas de viande crue ou saignante, le virus ne résiste pas à une température de plus de 50 °C et à la congélation ; lavez abondamment tous les légumes et les plantes aromatiques qui doivent être consommés crus ; mettez des gants pour jardiner et, si vous avez un chat, confiez à quelqu'un le soin de changer sa litière quotidiennement et demandez que l'on ébouillante régulièrement son bac. ■

Prévenir certaines malformations grâce à l'alimentation

Bien que peu fréquente, 1 grossesse sur 1 000, les anomalies de fermeture du tube neural ou spina-bifida peuvent être prévenues par une supplémentation en acide folique. La prescription idéale est un mois avant la grossesse dès qu'il existe un projet d'enfant et dans les 8 semaines après la conception. On trouve l'acide folique dans les légumes verts à feuilles ou encore dans le jus d'orange. Votre médecin peut aussi vous prescrire une supplémentation à raison de 0,4 mg par jour. Elle est d'autant plus recommandée qu'il existe des antécédents familiaux. De nombreuses études ont démontré l'efficacité de cette prévention tout en rappelant qu'elle n'est pas totale car malheureusement des facteurs génétiques et environnementaux interviennent aussi. ■

La première analyse de sang

1ER MOIS

2E MOIS

3E MOIS

4E MOIS

5E MOIS

6E MOIS

7E MOIS

8E MOIS

9E MOIS

LA NAISSANCE

LES 1RES SEMAINES DE MAMAN

LES 1RES SEMAINES DE BÉBÉ

GROSSESSES DIFFÉRENTES

ANNEXES

LORS DE VOTRE PREMIÈRE VISITE MÉDICALE, l'analyse de sang est essentielle pour faire le point sur votre santé. Elle va confirmer votre groupe sanguin et, notamment, votre facteur Rhésus et l'existence éventuelle d'agglutinines irrégulières.

À quoi sert-elle ?

Ces informations sont importantes afin de déterminer s'il y a risque d'incompatibilité sanguine entre la mère et l'enfant (il existe des incompatibilités de groupes Rhésus et des incompatibilités de groupes sanguins). Elle va encore vous permettre de savoir si vous êtes immunisée contre certaines maladies qui peuvent être graves au cours d'une grossesse et entraîner un avortement spontané, un accouchement prématuré ou des malformations chez l'enfant. Ces maladies sont d'autant plus sournoises que leurs symptômes, bénins pour la mère, peuvent passer inaperçus.

Rubéole et toxoplasmose

La rubéole se manifeste d'abord par un léger mal de gorge suivi d'une éruption de boutons plus ou moins visibles. Un examen du sang permet de savoir si vous possédez ou non des anticorps. De 5 à 10 % des femmes susceptibles d'être mères ne sont pas immunisées contre la rubéole. Si vous n'êtes pas immunisée contre la toxoplasmose, vous devrez surveiller votre alimentation et effectuer un contrôle mensuel. Vous devez être particulièrement attentive si vous avez de jeunes enfants pouvant être contaminés à l'école. Il existe aujourd'hui un vaccin qu'il serait prudent de prescrire avant la puberté. La toxoplasmose est due à un parasite contenu dans la viande et qui a besoin d'un « véhicule ». Les animaux, consommateurs de viande crue – et en particulier les chats – sont souvent porteurs de ce parasite que l'on retrouve dans leurs excréments. La contamination peut donc se faire soit directement par l'absorption de viande crue ou bleue, soit par l'intermédiaire d'un animal domestique ou encore en mangeant des fruits ou des légumes mal lavés et non épluchés.

Les hépatites

Vous pouvez encore être porteuse d'un virus et l'ignorer totalement, celui de l'hépatite B par exemple (p. 486). Heureusement, si vous n'êtes pas immunisée, il est possible de prévenir la contamination de l'enfant à la naissance en lui administrant un sérum et un vaccin. L'hépatite C peut se transmettre à l'enfant après la naissance par le lait maternel, d'où les conseils de ne pas allaiter si vous êtes porteuse de ce virus. Il n'existe pas de traitement.

Le cytomégalovirus

Ce virus est relativement fréquent et peut être cause de malformations fœtales. Il est donc prudent de savoir si vous êtes immunisée. Vous pouvez demander qu'on en fasse la recherche à l'occasion de cette première analyse, surtout si vous côtoyez des enfants en bas âge. Des précautions sont à prendre. Évitez le contact avec la salive des petits enfants : pas d'échange de cuillères de bouche à bouche, pas de postillons, lavez-vous bien les mains. ■

Produits chimiques et polluants*en savoir plus*

Ceux dont il faut se méfier

Deux études, l'une commanditée par l'association Greenpeace, l'autre réalisée aux États-Unis par Environnemental Working Group attestent que le fœtus, dans le ventre maternel, n'est pas à l'abri de la pollution. L'analyse du sang du cordon ombilical du futur bébé et celui de sa mère a permis de mettre en évidence la présence de molécules chimiques de produits répandues dans l'environnement. Les plus dangereuses sont celles qui perturbent le système endocrinien. Pour l'instant, nous n'avons aucune preuve qu'elles soient à l'origine de maladies ou de malformations chez l'enfant bien qu'elles soient reconnues comme toxiques. Voici ceux dont il faut se méfier :

- Les phtalates, qui sont des produits additifs du PVC et de produits cosmétiques. Certains d'entre eux sont interdits dans les matériaux servant à fabriquer les jouets.
- Les muscs artificiels, fragrances chimiques dérivées du pétrole et utilisées dans certains parfums, cosmétiques et produits odorants. Ils auraient des effets sur les hormones du corps.
- Les retardateurs de flammes bromés sont des substances ignifugeantes utilisées dans les appareils électroniques, les textiles synthétiques et les plastiques.
- Les alkyphénols, notamment le bis phénol-A, sont des additifs du plastique qui sont notamment utilisés pour les vernis qui couvrent les boîtes de conserve.
- Les composés perfluorés utilisés dans les produits antiadhésifs comme les poêles et les moules. Ils auraient des conséquences sur le foie.
- Les molécules organochlorées qui sont dans les pesticides.
- Le triclosan est un antibactérien présent dans de nombreux cosmétiques.

Leur concentration augmente entre le sang maternel et celui du cordon du fœtus. Depuis peu, l'étiquetage des produits doit préciser leur dangerosité pour les futures mamans. N'hésitez pas à bien vérifier les étiquettes. ∎

Les produits anciens et les nouveaux

Méfiez-vous des vieilles peintures et des vieux vernis, ils contiennent souvent de l'arsenic qui se dégage notamment lorsqu'on brûle les bois sur lesquels ils ont été utilisés. De même, il est préférable que la future maman ne fasse pas elle-même la peinture, la pose du sol ou le montage des meubles de la chambre du futur bébé. Les peintures et les colles contiennent souvent des substances toxiques qui se répandent dans l'air ambiant pendant des mois. Dans tous les cas, mieux vaut utiliser des matériaux portant le label NF-Environnement ou Eco-Label.

Depuis cinquante ans, au moins 30 000 nouvelles molécules chimiques ont été utilisées dans l'élaboration de produits qui appartiennent directement à notre environnement. Les conséquences sur notre santé d'à peine une sur cinq ont été évaluées. Le plan national santé-environnement 2004-2008 devrait permettre d'en savoir plus grâce au lancement de grandes études épidémiologiques qui devraient suivre les enfants du stade fœtal jusqu'à l'âge de 20 ans. ∎

Des habitudes « écologiques »

Le matin, aérez au moins une demi-heure l'appartement ou la maison. L'intérieur des lieux de vie est souvent plus pollué que l'extérieur, même en ville. Quand vous passez l'aspirateur, ouvrez les fenêtres.

Utilisez avec modération les désodorisants chimiques en bombe ou sous forme de bougie ainsi que les produits d'entretien, et surtout ne les mélangez pas. Dans beaucoup de cas, l'eau et le savon sont les produits les plus efficaces.

Faites nettoyer et régler régulièrement la chaudière de votre chauffage afin qu'elle ne dégage aucun produit toxique.

Nettoyez une fois par semaine votre réfrigérateur afin d'éviter le développement de salmonelles, colibacilles, staphylocoques et autres bactéries. ∎

Les produits chimiques : une toxicité sournoise

LES PRODUITS CHIMIQUES SONT partout dans l'environnement. Un bon nombre d'entre eux doivent leur efficacité à des molécules agressives sur la santé de la future maman mais aussi de son bébé car certaines d'entre elles passent la barrière placentaire.

Un danger reconnu

Depuis quinze ans, toutes les recherches faites sur les éthers de glycol confirment leur toxicité. Ces solvants, très utilisés dans les produits d'entretien, ont des effets nocifs sur les systèmes à division cellulaire rapide tels que le sperme, le sang et l'embryon. Ils seraient donc à l'origine de certaines malformations fœtales et de certaines stérilités masculines. Sont particulièrement dangereux les éthers type éthylène et les propylènes. Ces solvants devraient être rapidement supprimés des produits qui en contiennent. En attendant, il vous est conseillé de lire attentivement les étiquettes de peinture, vernis, colles, vitrifications et de nombreux nettoyants comme certains produits pour laver les vitres ou les décapants pour four ainsi que les détachants et les produits pour lave-vaisselle.

Des métiers à risque

Si votre activité professionnelle vous oblige à la manipulation de produits chimiques, il est important que vous en parliez dans le détail avec votre médecin. Il en est ainsi pour toutes les femmes qui manipulent les révélateurs photos, les nettoyants utilisés en imprimerie et en sérigraphie ou qui travaillent dans des usines de semi-conducteurs.

Heureusement, depuis quelques années, les règles limitent l'usage de produits dangereux au strict nécessaire dans l'industrie et avec un maximum de précautions. Les futures mamans et les jeunes mamans qui allaitent doivent être impérativement soustraites à leur exposition et un changement de poste doit être proposé.

Les effets des produits chimiques sur l'organisme sont variables. Une étude de l'Inserm, menée auprès d'un certain nombre de personnes exposées, a mis en évidence une diminution du nombre de leurs globules blancs. On a pu ainsi constater un accroissement des anémies. D'autres femmes souffrent d'anomalies de la durée de leurs cycles menstruels et seraient exposées à un plus grand risque d'avortement spontané. Les malformations fœtales n'ont pu être prouvées. Mais pour l'épidémiologiste Lucien Privet trop de malformations embryonnaires n'ont pas de cause déclarée, une sur deux, et doivent sans doute s'expliquer par des conditions environnementales liées à l'activité professionnelle des mères. Il estime encore que la législation qui permet aux futures mamans de changer de poste est totalement insuffisante puisque la plupart des malformations se produisent dans la période embryonnaire soit dans les tout premiers mois de la grossesse alors que la femme sait à peine qu'elle est enceinte et qu'elle n'est pas tenue d'en avertir son employeur. Pour lui, il n'y a aucun doute, il faut interdire tous les produits contenant des éthers de glycol. D'autres produits moins dangereux peuvent les remplacer. ∎

1ER MOIS

2E MOIS

3E MOIS

4E MOIS

5E MOIS

6E MOIS

7E MOIS

8E MOIS

9E MOIS

LA NAISSANCE

LES 1RES SEMAINES DE MAMAN

LES 1RES SEMAINES DE BÉBÉ

GROSSESSES DIFFÉRENTES

ANNEXES

Grossesse et drogues*en savoir plus*

Plus dangereux que le tabac

Le cannabis n'est pas une drogue aussi douce qu'on le dit. Selon l'enquête publiée par *60 millions de consommateurs*, la fumée de cannabis contient sept fois plus de goudrons et de monoxyde de carbone et deux fois plus de nicotine que celle d'une cigarette de tabac. Fumer trois joints par jour équivaut donc à fumer un paquet de cigarettes. ▪

Alcool : pas une goutte !

Le syndrome d'alcoolisme fœtal est la première cause de retard mental d'origine non génétique. On sait que deux ou trois verres par jour, ou même une ivresse occasionnelle de cinq verres, peuvent le provoquer. Mais en réalité, le seuil de dangerosité de l'alcool n'est pas encore précisément connu et il existe de grandes différences individuelles. Heureusement, toutes les futures mamans qui boivent modérément ne mettent pas forcément au monde un bébé malade. Mais par simple principe de précaution, il est préférable de ne boire ni vin, ni bière, ni cidre, ni apéritifs, ni alcool pendant 9 mois, voire plus si la jeune maman souhaite allaiter.

On estime à 5 % le nombre de futures mamans qui consomment un verre d'alcool par jour.

L'alcool bu par la maman passe dans son sang, traverse la barrière placentaire et envahit le liquide amniotique. La concentration en éthanol (molécule chimique de l'alcool) est alors la même que dans le sang maternel. Mais le bébé qui boit le liquide amniotique est d'autant plus intoxiqué que son foie et son tube digestif sont immatures et ne peuvent éliminer tout cet alcool.

On appelle « syndrome d'alcoolisme fœtal » un ensemble de troubles dus à une exposition prénatale à l'alcool. Certains sont facilement identifiables dès la naissance comme l'anomalie de la face, le retard mental et de croissance. Ce sont les suites d'un alcoolisme notable. Par contre, d'autres perturbations se révèlent plusieurs années après la naissance. Des retards scolaires, des troubles du comportement à l'adolescence ou encore une hyperactivité avec un déficit de l'attention sont les conséquences d'une petite ou moyenne consommation d'alcool pendant la grossesse. Il faut se souvenir que l'alcool reste l'un des produits les plus tératogènes connus.

La période la plus « fragile » est celle de la formation de l'embryon. L'alcool serait alors responsable de malformations cardiaques, rénales, osseuses ou dermatologiques. Une autre période est encore sensible, celle de la formation du cerveau qui subit tous les méfaits de l'alcool. À tous ces troubles, il faut ajouter une croissance du fœtus perturbée ; ces enfants naissent petits et de faible poids. La grossesse d'une maman consommatrice d'alcool est elle-même aussi à risque dont la fausse couche, un accouchement prématuré, une grossesse extra-utérine et une hémorragie rétro-placentaire sont les plus répandus. ▪

Héroïne, cocaïne et crack

L'absorption de drogues pendant la maternité a des conséquences communes : fausses couches et accouchements prématurés, bébés de petit poids. Il est parfois difficile de savoir si ces difficultés sont uniquement dues à des problèmes médicaux tant les situations sociales des mères sont précaires. Pourtant, on sait que tous les opiacés traversent le placenta et qu'ils atteignent le fœtus très rapidement. 30 % des nouveau-nés dont la mère est héroïnomane ont un retard de croissance. Mais ils souffrent souvent surtout du syndrome de sevrage.

La cocaïne entraîne une fréquence accrue de pathologies sévères pour la future mère. Chez l'enfant, mis à part la naissance prématurée et de faible poids, on peut craindre de nombreuses lésions et des troubles variés. Ils sont dus à l'effet vasoconstricteur de la cocaïne responsable de lésions de la face, des membres, du cœur et du système nerveux central. ▪

La drogue, dangereuse pour les mamans et les bébés

1ER MOIS

2E MOIS

3E MOIS

4E MOIS

5E MOIS

6E MOIS

7E MOIS

8E MOIS

9E MOIS

LA NAISSANCE

LES 1RES SEMAINES DE MAMAN

LES 1RES SEMAINES DE BÉBÉ

GROSSESSES DIFFÉRENTES

ANNEXES

LES FUTURES MAMANS NE SONT PAS À L'ABRI des addictions aux drogues ou à l'alcool. La consommation de cannabis étant de plus en plus répandue, elle touche aussi les femmes enceintes. Même si on ignore les conséquences précises de ce produit sur le futur bébé, de plus en plus de scientifiques s'inquiètent.

Un cocktail très nocif

Le nombre de femmes qui fument du cannabis est en augmentation et ce de manière régulière. Elles commencent à l'adolescence et ne se débarrassent que très rarement de cette habitude à l'âge adulte. C'est bien dommage au moment de la maternité. On sait aujourd'hui qu'un joint fait de cannabis et de tabac produit beaucoup plus de monoxyde de carbone que le tabac seul. Ce gaz mortel diminue l'oxygénation du fœtus perturbant le développement des organes qui en sont les plus consommateurs, comme le cerveau et le cœur. Mais tous les bébés ne souffrent pas de la même façon sous l'effet de cette drogue. Il existe une relation avec l'indice de masse corporelle de la mère ; plus elle est mince plus le cannabis aura des conséquences sur son futur bébé. Ce phénomène est dû au fait que la substance active du cannabis se fixe majoritairement sur les graisses. Lorsque la future maman n'a pas beaucoup de tissus adipeux, elle se dirige vers le cerveau, le sien et celui du fœtus, qui manifestera un retard de croissance.

La quantité de joints fumés a bien sûr une influence mais il en faut peu pour mettre en danger le bébé : deux joints par semaine suffisent à provoquer un retard de croissance.

Les troubles dont peut souffrir l'enfant se prolongent au-delà du développement fœtal. Mise à part la petite taille de ces enfants, qui peut compromettre leur développement, on constate aussi souvent des perturbations dans leur sommeil. Mais ce qui est sans doute plus étonnant, c'est le syndrome de sevrage que montrent certains bébés à la naissance ; ils tremblent, pleurent très peu et réagissent mal aux stimulations lumineuses. Ces réactions sont observées lorsque la future maman est une consommatrice importante de drogue.

Le produit lui-même

Des expériences faites sur des rats dont le développement cérébral était comparable à celui d'un fœtus humain au troisième trimestre font craindre une baisse importante de l'activité cérébrale pour les enfants de fumeuses de joints. Elle serait caractérisée par une mauvaise mise en place des réseaux de neurones provoquant des difficultés de mémorisation, donc d'apprentissage. Plus tard, entre 7 et 10 ans, les enfants seraient souvent hyperactifs, impulsifs, inattentifs et présenteraient des troubles scolaires deux fois plus importants bien qu'ayant un quotient intellectuel normal. Ce sont aussi des enfants anxieux et dépressifs.

Aux États-Unis, des études similaires sont menées depuis plus de vingt ans. Ce recul permet de constater les effets du cannabis sur les enfants plus grands. Cette drogue serait à l'origine de troubles psychologiques et comportementaux durant l'enfance et l'adolescence. ▪

Vouloir un enfant *en savoir plus*

Le pouvoir de l'inconscient

L'enfant est souhaité afin de se sentir conforme au modèle de la femme dans la société ou pour avoir quelqu'un à aimer et qui vous aime en retour. Comme le développe le professeur Cramer (célèbre pédopsychiatre suisse), l'enfant peut être désiré pour combler un manque, un vide.

Pour lui, le désir d'enfant est avant tout le besoin de retrouver ceux qui nous ont précédés. Il sert de révélateur dans la recherche de ceux que l'on a perdus. L'enfant est alors, au cours de la grossesse et après, chargé de tous les bons et mauvais côtés de celui qu'il a pour fonction de remplacer. Bien des statistiques montrent que la théorie du professeur Cramer se confirme souvent ; à quelques jours de l'anniversaire d'un absent, la conception ou l'accouchement d'un remplaçant se produit, l'inconscient se chargeant de faire le lien avec le physiologique. L'inconscient peut jouer encore d'autres tours. Combien de bébés ont été conçus alors que la situation du couple imposait un choix plus raisonnable. Dans ce cas, conscient et inconscient se sont affrontés et c'est ce dernier qui l'a emporté. C'est ainsi que l'on explique, par exemple, les bébés conçus à la suite d'une mauvaise manœuvre contraceptive. En examinant l'histoire du couple, il est assez simple généralement d'expliquer son comportement qui, à première vue, peut paraître inattendu. Il n'empêche que le désir d'enfant est une envie qui semble mystérieuse mais que plusieurs analyses ont tenté d'expliquer. ▪

Retrouver sa propre mère

Quel qu'en soit le fondement psychologique, pour Freud il n'y a pas de doute : cette envie d'enfant est liée au désir incestueux de posséder son père. Mais l'Œdipe n'est sans doute qu'un des éléments qui conduisent à la maternité. On sait qu'il existe dans le souhait de maternité un lien très fort avec la mère. Selon la psychologue Monique Bydlowski, enfanter est alors reconnaître sa propre mère comme à l'intérieur de soi. Bien souvent, d'une manière inconsciente, le premier enfant est dédié à la mère ; on le fait pour devenir comme elle, pour lui offrir cette vie.

D'ailleurs, les femmes qui ont des relations difficiles avec leur mère attendent ou remettent à plus tard le projet d'enfant, quand ce n'est pas leur corps qui attend à leur place : c'est souvent une cause d'hypofertilité (fertilité moindre), qui n'est pas toujours facile à traiter. ▪

L'enfant idéal pour des parents parfaits

L'enfant à venir peut être porteur des sentiments de nostalgie qu'éprouve la mère vis-à-vis de sa propre enfance. Elle le charge de réparer les injustices qu'elle a subies ou au contraire de les répéter pour mieux les liquider. L'enfant, dans le désir de maternité, est en fait bien souvent un instrument de réparation pour la mère. Les fantasmes sur l'être attendu se développeront au cours des neuf mois de la grossesse.

Se sentir prêt à avoir un enfant, c'est aussi se sentir l'égal de ses propres parents, tout en voulant les surpasser pour devenir des parents parfaits.

Tâche d'autant plus délicate qu'aujourd'hui, en raison de la contraception, on a moins d'enfants donc moins d'essais possibles pour atteindre ce but. La maternité a pris ainsi beaucoup plus d'importance qu'autrefois.

Désirer un enfant, c'est aussi désirer, au plus profond de soi, que ce bébé naisse avec toutes les qualités possibles. C'est projeter ce petit être dans l'avenir, c'est imaginer son devenir, mais c'est aussi élaborer un projet parental qui doit être commun au couple. ▪

La maternité,
l'accomplissement de la féminité

1ER MOIS

2E MOIS

3E MOIS

4E MOIS

5E MOIS

6E MOIS

7E MOIS

8E MOIS

9E MOIS

LA
NAISSANCE

LES 1RES
SEMAINES
DE MAMAN

LES 1RES
SEMAINES
DE BÉBÉ

GROSSESSES
DIFFÉRENTES

ANNEXES

LE PROJET DE « FAIRE UN BÉBÉ » se concrétise lorsque votre désir d'enfant coïncide avec celui de votre conjoint. Il s'agit souvent d'un choix fondamental et qui unit un couple. C'est en fait là que commence l'histoire de tous les enfants.

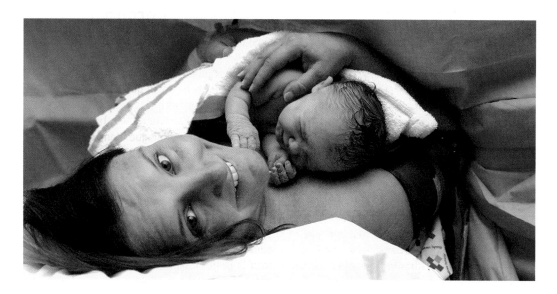

Un désir fondamental...

À l'époque de la contraception et de l'interruption volontaire de grossesse, la grande majorité des enfants sont désirés. Pour certaines femmes, la maternité peut être d'abord un désir de grossesse, preuve que leur corps fonctionne parfaitement. Au fil des mois, le désir d'enfant se substituera à ce premier désir.

Ravivé par votre rencontre amoureuse, ce désir est pourtant né il y a bien longtemps dans votre conscience féminine.

...depuis l'enfance

D'abord chez les petites filles qui, à peine savent-elles marcher, jouent à la poupée, prenant soin de cet objet comme d'un vrai bébé et copiant en cela les gestes quotidiens dont leur mère les entoure.

Ensuite chez les jeunes filles qui, aujourd'hui, ressentent ce désir d'autant plus tôt que leurs relations sexuelles sont plus précoces, mais qui attendent plus longtemps pour faire un enfant, bien souvent à cause d'impératifs sociaux, financiers ou affectifs. Par la suite, le désir d'enfant évolue, prend une autre ampleur : on veut un enfant avec la personne aimée comme gage de fidélité. Le désir d'enfant n'est plus un fantasme : il devient bien réel. On veut un enfant pour reproduire un modèle familial dans lequel on s'est épanoui et pour, à son tour, créer un nouvel espace familial.

Pour 40 % des jeunes femmes de 18 à 30 ans, avoir un enfant est considéré comme une priorité dans la réussite de leur vie. Elles sont 22 % seulement à privilégier d'abord leur épanouissement professionnel. ■

Le sexe du bébé *en savoir plus*

Le gène masculin

Les généticiens pensent que c'est sans doute dans l'ADN du chromosome Y que l'on doit trouver le gène de la détermination du sexe masculin. Grâce à la génétique moléculaire, ils ont isolé tous les gènes du chromosome Y ne se trouvant sur aucun autre chromosome, établissant une véritable cartographie de celui-ci. Il en a été de même pour le chromosome X.

Deux équipes britanniques ont pensé avoir découvert le gène qui implique le sexe masculin (celui ou ceux, car il semble que ce gène soit sous l'emprise d'autres gènes qui induisent une cascade de réactions biochimiques conduisant à la différenciation sexuelle des gonades).

Ce gène a été baptisé SDRY (Sex Determiny Region of the Y). Il a toutes les caractéristiques indispensables. Il est concerné au cours de l'évolution et se retrouve chez toutes les espèces de mammifères où la masculinité est déterminée par le chromosome Y. Il s'exprime particulièrement dans les cellules testiculaires. Pour l'instant, l'état des recherches sur le chromosome X semble indiquer que le sexe féminin se définit par l'absence de ce fameux gène, mais rien n'est arrêté. ■

Ni mâle ni femelle

Il existe dans la nature des déterminations de sexe étonnantes. Ainsi, certaines espèces sont hermaphrodites comme les escargots ou les lézards. Pour d'autres espèces, la définition du sexe est fonction de l'âge ; ainsi, les crabes ou les crevettes sont mâles quand ils sont jeunes et femelles en vieillissant. Certains poissons déterminent leur sexe suivant l'organisation sociale de la communauté. Si le mâle dominant disparaît, une femelle change aussitôt de sexe pour le remplacer. Chez certains reptiles, la température d'incubation des œufs décide du sexe du nouveau-né. ■

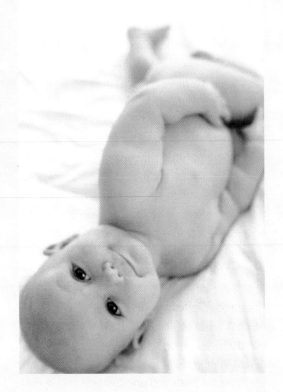

▌ MON CONSEIL

Je vais vous confier un secret. Les médecins ne se trompent jamais lorsqu'ils annoncent aux parents qui le demandent le sexe de leur futur bébé. En effet, il est habituel de leur dire un sexe et d'en inscrire un autre sur le dossier médical. Ils font de même quand ils ont un doute à l'échographie.

Bref, ils se débrouillent toujours pour prédire le bon sexe. Au fond, ils n'ont que 50 % de chances de se tromper ! Et puis, quand le bébé est là, il est toujours accueilli avec bonheur. ■

Fille ou garçon : le jeu du hasard

1ER MOIS

2E MOIS

3E MOIS

4E MOIS

5E MOIS

6E MOIS

7E MOIS

8E MOIS

9E MOIS

LA NAISSANCE

LES 1RES SEMAINES DE MAMAN

LES 1RES SEMAINES DE BÉBÉ

GROSSESSES DIFFÉRENTES

ANNEXES

ON A LONGTEMPS CRU QUE LE SEXE DE L'ENFANT À VENIR était dû au bon vouloir de la mère... Et bien, il n'en est rien et tout est de la « faute » du père puisque c'est lui qui apporte le chromosome X ou Y contenu dans la tête du spermatozoïde fécondant qui s'associe au chromosome de l'ovule.

Les chromosomes X et Y

À l'origine de tout, il y a la cellule. Celle-ci est différente suivant le rôle qu'elle joue dans l'organisme, mais elle est toujours composée d'un noyau qui est fait d'une substance appelée chromatine. Au moment de la division cellulaire, la chromatine change d'aspect et se fragmente en chromosomes.

Normalement, une cellule compte 46 chromosomes regroupés en paires. Chaque chromosome est un ruban de longueur variable contenant, dans son ADN, toutes les informations nécessaires à la formation d'un être humain et à son bon fonctionnement. Le génome humain est maintenant connu : ce sont 35 000 gènes qui régissent notre vie.

L'homme et la femme ont 22 paires identiques de chromosomes, seule la 23e est différente car elle porte les chromosomes qui gouvernent la détermination du sexe.

L'homme est porteur d'une paire XY et la femme d'une paire XX avant la fécondation.

Les cellules sexuelles ne comptent que 23 chromosomes, ce qui permet, après la fécondation, la reconstitution d'une cellule de 46 chromosomes. Chez la femme, tous les chromosomes sexuels sont X, chez l'homme, certains sont X et d'autres Y. L'embryon naît de l'association de deux cellules sexuelles de ses parents pour former une cellule de base de 46 chromosomes.

Le sexe d'un enfant, encore embryon, est donc déterminé dès la fécondation par l'association des chromosomes particuliers X et Y. L'association XX donne naissance à une fille, tandis que l'association XY donne naissance à un garçon.

La différenciation sexuelle

Au cours de la différenciation cellulaire qui conduit à la naissance de l'embryon, certaines cellules se sont déjà spécialisées en un organe sexuel ; ce sont les gonades qui, jusqu'à la 6e ou 7e semaine du développement de l'embryon, sont indifférenciées. L'embryon possède également deux systèmes de canaux dérivés de l'appareil urinaire : les canaux de Wolff (mâles) et les canaux de Müller (féminins) (p. 108). Le chromosome Y, lorsqu'il est présent, est responsable de la fabrication de la testostérone et de l'hormone antimüllerienne qui provoque la régression de l'ébauche de l'utérus et des trompes.

Ce sont donc les mêmes cellules qui donneront naissance à un garçon ou à une fille. Ensuite, seulement, les gonades deviennent mâles ou femelles et conduisent à l'élaboration d'organes génitaux sexués. ■

> " Tous les chromosomes vont par paires sauf ceux qui déterminent le sexe. Ils sont uniques. „

Le choix du sexe *en savoir plus*

Du rêve à la réalité

Dans tous les couples, il y a bien sûr une préférence pour le sexe de l'aîné. Une étude montre que 42 % des couples souhaitent avoir d'abord un garçon contre 24 % une fille. De même, s'ils ne devaient avoir qu'un seul enfant ou plusieurs enfants du même sexe, ils choisiraient à 37 % un (ou des) fils et à 27 % une (ou des) fille(s). Une chose est pourtant réconfortante pour le sexe faible, 72 % des couples ne sont pas prêts à « intervenir » pour modifier le destin. Ils refusent, à une large majorité, d'avoir recours à une méthode, même scientifique. Moralité : la plupart des parents sont bons joueurs.

Enfin, bon nombre d'entre eux ne demanderont pas à l'échographiste le sexe du fœtus et ne montreront aucune précipitation à le connaître au moment de la naissance, qui suffit à les combler. ■

Autant de filles que de garçons ?

C'est toujours le père qui détermine le sexe de l'enfant. Théoriquement, il devrait y avoir autant de spermatozoïdes Y que de spermatozoïdes X. Mais on a observé que les Y étaient plus nombreux et plus rapides que les X. Il devrait donc naître une majorité de garçons. On compte en effet 106 naissances de garçons pour 100 filles.

Une conformation particulière du sperme peut également jouer un rôle dans la détermination du sexe. C'est ce qui expliquerait les « familles » de filles ou de garçons qui étonnent toujours.

On observe aussi que, lors d'une diminution de la quantité et de la qualité du sperme, celle-ci se fait au détriment des spermatozoïdes Y, favorisant ainsi la procréation de filles. ■

▌ MON AVIS

Certains biologistes proposent, à partir d'un éjaculat de sperme, de séparer les spermatozoïdes porteurs d'X de ceux porteurs d'Y. Cela consiste, en fait, à avoir selon le milieu où ils sont placés, une plus forte concentration de l'un ou de l'autre. Ensuite, le médecin pratique une insémination avec le gradient qui correspond au souhait des futurs parents. Mais il apparaît que le taux de réussite de cette manœuvre soit de 60 %, tout au plus. On gagne donc en réalité seulement 10 % de chances d'avoir un enfant du sexe souhaité. Il faut donc en conclure qu'aucune méthode aujourd'hui n'est sûre et que celle-ci ne permet pas aux parents de concevoir un bébé du sexe voulu. C'est sans doute un peu cher payer la réalisation d'un désir dont il faut certainement peser le pour et le contre. Pourtant, on peut regretter qu'il n'existe aucun moyen pour aider les parents qui se savent porteurs d'une anomalie génétique liée au sexe. Il y a dans certaines familles, et heureusement dans des cas très rares, des sexes à éviter. On peut citer par exemple le syndrome de l'X fragile ou l'hémophilie. Les recherches en génétique nous donnent de plus en plus d'informations. Trouver une méthode simple et non traumatisante qui permettrait de déterminer, dans des cas très précis, le sexe de l'enfant à venir au moment de la conception serait un vrai progrès médical. Se poseraient alors, comme presque toujours, des questions d'éthique et de limite. ■

Choisir le sexe du futur bébé

1ER MOIS

2E MOIS

3E MOIS

4E MOIS

5E MOIS

6E MOIS

7E MOIS

8E MOIS

9E MOIS

LA
NAISSANCE

LES 1RES
SEMAINES
DE MAMAN

LES 1RES
SEMAINES
DE BÉBÉ

GROSSESSES
DIFFÉRENTES

ANNEXES

DÉTERMINER LE SEXE DE L'ENFANT est un vieux rêve, qui ne se justifie vraiment que dans le cas de maladies génétiques touchant l'un ou l'autre sexe. Malgré tout, quelques parents sont tentés de programmer le sexe de leur futur bébé. Certaines méthodes sont proposées pour agir sur la détermination du sexe.

Plusieurs méthodes

• La méthode du régime alimentaire : elle est à entreprendre plusieurs mois avant la conception et met en évidence l'importance des facteurs ioniques dans la détermination du sexe. Ce régime, qui enrichit l'alimentation en divers minéraux dans des proportions parfaitement définies, n'est en fait qu'une liste d'aliments défendus. Il est indispensable d'adapter ce régime en fonction de la patiente et de le contrôler médicalement.

• La méthode qui modifie l'acidité vaginale : elle consiste en une injection vaginale, 15 min avant les rapports sexuels, de un litre d'eau tiède dans lequel on ajoute du bicarbonate de soude pour « programmer » une fille ou du vinaigre pour un garçon.

• La qualité et la fréquence des rapports sexuels : ainsi, un rapport sexuel proche de la date de l'ovulation favorise les spermatozoïdes Y, un rapport sexuel à distance de l'ovulation favorise la naissance de filles. On constate encore que plus les rapports sexuels sont nombreux, plus il existe de chances de faire une fille ; en effet, le sperme s'appauvrit au détriment des spermatozoïdes Y. En revanche, si le rapport destiné à la fécondation est précédé d'une abstinence de quelques jours, spermatozoïdes Y et X sont en quantités égales.

Pas de preuve scientifique

D'une manière générale, aucune de ces méthodes n'a donné de résultats scientifiques reconnus. Quant à la méthode du tri des spermatozoïdes, elle n'est efficace qu'à 73 % pour X et 69 % pour Y (scientifiquement, une méthode est jugée efficace lorsqu'elle a un taux de réussite de 90 %). Et il s'avère, en réalité, qu'elle ne dépasse pas 50 % d'efficacité… soit aussi bien que la nature. Encore plus folkloriques sont les méthodes qui prédisent le sexe du bébé in utero sans avoir recours à l'échographie. Ainsi l'aspect du ventre : un dicton affirme que « ventre en pointe, garçon ; ventre rond, fille ». Précisons que rien, scientifiquement, ne permet de l'affirmer et que la forme du ventre dépend plutôt de la tonicité musculaire. L'aspect du visage, la bonne ou la mauvaise mine, le masque de grossesse n'ont aucune valeur prémonitoire. Ces manifestations sont dues à des changements hormonaux qui sont les mêmes que le fœtus soit une fille ou un garçon.

Histoire de l'X et de l'Y

Dans les minutes qui suivent la fécondation, l'identité sexuelle du bébé à venir est déterminée, mais il faudra attendre six ou sept semaines pour que l'embryon décide de révéler son sexe. Voici son aventure : le spermatozoïde et l'ovule sont les seules cellules de l'organisme qui n'ont que 23 chromosomes. Sur ces 23 chromosomes, 22 sont semblables, le 23e détermine le sexe de l'enfant. Chez la femme, la paire de chromosomes « sexuels » se compose de deux chromosomes X. Ceux de l'homme sont X et Y. Tous les spermatozoïdes n'ont pas la même formule, certains ont 22 chromosomes + un X, d'autres 22 + un Y. Si le spermatozoïde fécondant est un « 22 + Y », il naîtra un garçon. •

Le syndrome de l'X fragile

Cette maladie génétique est à l'origine de retards mentaux et touche, en France, près de 15 000 hommes et de 10 000 femmes. Son risque de récurrence est très élevé dans la fratrie, mais aussi chez les neveux, nièces et cousins. Actuellement, on ne connaît pas de traitement à cette maladie. Cependant, un test prénatal, simple et rapide à partir d'une goutte de sang, est aujourd'hui possible ; il est proposé pour l'instant aux familles à risques, mais pourrait dans l'avenir faire partie des examens systématiques de la grossesse. ■

Les anomalies génétiques

Mais l'hérédité, c'est aussi la transmission d'anomalies dues à des modifications des chromosomes ou des gènes qui sont apparues à un moment de l'histoire familiale, en raison d'une mutation génétique. L'anomalie ne s'exprimera pas forcément dès la première conception et pourra sauter des générations. Notamment, dans le cas de gène récessif qui ne s'exprimera qu'à la rencontre d'un gène qui, comme lui, se sera modifié. Ainsi, de l'apport par la mère et par le père d'un même gène porteur de pathologie « naît » une maladie alors qu'il n'y avait aucun antécédent familial.

Une équipe de chercheurs américains a mis au point un diagnostic génétique avant la fécondation. Il concerne les femmes qui connaissent les risques génétiques qu'elles font courir à leur descendance. L'examen de recherche de l'anomalie consiste à analyser les 23 chromosomes du globule polaire de l'ovule avant de le féconder in vitro. L'œuf ainsi formé est réimplanté dans l'utérus de la mère. Mais ce sont encore des voies de recherche. ■

Quand les X et Y s'emmêlent

Il arrive que la nature ne fasse pas toujours bien son travail ; heureusement, très rarement. Certaines femmes sont nées ainsi avec des chromosomes X et Y en plus ou en moins. Il existe des êtres humains qui vivent avec un seul X, d'autres avec trois X, d'autres encore ont deux Y et un X ou deux X et un Y. Ce qui est certain, c'est que le chromosome Y est toujours accompagné d'un ou de plusieurs X.

Dans la plupart des naissances, le sexe de l'enfant est évident. Dès ses premières secondes de vie, pour tous, et surtout pour ses parents, le bébé est fille ou garçon. Pourtant, à la naissance, les organes génitaux externes peuvent être ambigus. Les études génétique, physiologique et endocrinienne peuvent aider à déterminer le sexe réel de l'enfant, mais dans la pratique on s'aperçoit que, le plus souvent, le sexe donné à l'enfant par le chirurgien est celui souhaité ou instinctivement donné par ses parents. Il est encore possible d'agir sur le bébé in utero. Ainsi, dans les familles à risques, avant même le diagnostic anténatal, on peut freiner le virilisme d'un fœtus femelle, virilisme dû à l'absence d'une enzyme produite par les glandes surrénales. Le diagnostic anténatal déterminera, dès la 10e semaine de gestation, la poursuite ou non du traitement. ■

Le génome humain

La grande aventure du siècle prochain sera celle de la génétique. Les dernières recherches sur le génome humain, la carte génétique commune à tous les hommes, évaluent à un peu moins de 35 000 le nombre de gènes qui régissent la vie humaine.

Chacun de ces gènes aurait plusieurs fonctions et pourrait être à l'origine des milliers de protéines qui gouvernent le corps. ■

Que lui transmettez-vous ?

1ER MOIS

2E MOIS

3E MOIS

4E MOIS

5E MOIS

6E MOIS

7E MOIS

8E MOIS

9E MOIS

LA
NAISSANCE

LES 1RES
SEMAINES
DE MAMAN

LES 1RES
SEMAINES
DE BÉBÉ

GROSSESSES
DIFFÉRENTES

ANNEXES

À QUI VA-T-IL RESSEMBLER ? C'est la question qui préoccupe tous les futurs parents. La ressemblance de parents à enfants s'explique essentiellement par des facteurs d'hérédité : l'enfant ressemble à ses parents parce qu'il a pour origine une cellule mixte, résultat du mélange de deux patrimoines génétiques.

Des gènes déterminants

La base de tout organisme est la cellule ; elle se compose essentiellement d'un noyau fait de chromatine. Quand la cellule se divise, la chromatine se fragmente en chromosomes. Ils se présentent comme des filaments microscopiques. Sur le filament que constitue un chromosome, les chercheurs ont trouvé des petits grains : ce sont les gènes, supports de notre hérédité.

Chaque chromosome comporte des gènes déterminant certaines caractéristiques de tout individu. Chacun correspond à un trait physique : la couleur des yeux, des cheveux, la taille, le morphotype en général. Au cours de la division du noyau, chaque chromosome se dédouble longitudinalement. Nous possédons 46 chromosomes groupés en 23 paires (p. 41). Dans chaque paire, un des chromosomes a été apporté par le père et l'autre par la mère. Chaque gène a son double, et ils se répartissent par milliers le long des chromosomes. Mais en fait, un gène peut être responsable de plusieurs caractères et tous les gènes n'ont pas la même valeur.

L'hérédité et les gènes

Ainsi, les traits du visage sont influencés par l'hérédité. Parmi les caractères dominants, on compte la forme du nez et du lobe de l'oreille, l'épaisseur des lèvres, le type de menton et les plis des paupières. La couleur des cheveux est due à un seul gène, les teintes foncées et les cheveux crépus dominant les teintes claires et les cheveux bouclés. Il en est de même pour les yeux, le gène marron étant dominant sur le gène bleu. Même les taches de rousseur sont héréditaires. En revanche, la couleur de la peau est liée à une hérédité complexe, due à l'action combinée de plusieurs gènes, tout comme la taille ou la corpulence. En fait, nous savons encore peu de choses sur ces mécanismes compliqués. Car l'enfant ne ressemblera pas pour moitié à son père et pour moitié à sa mère. Les caractères héréditaires des grands-parents, d'oncles, de tantes, peuvent resurgir après une ou plusieurs générations. Reprenons l'exemple de la couleur des yeux. Un enfant aux yeux marron né d'une mère aux yeux bleus et d'un père aux yeux marron, ou inversement, garde en réserve le gène « yeux bleus ». Si, devenu adulte, il conçoit un enfant avec un partenaire possédant aussi dans son hérédité un gène « yeux bleus », celui-ci pourra naître avec de grands yeux bleus.

Un caractère génétique ne s'exprime pas toujours ou pas forcément avec la même intensité dans une même famille. Les facteurs environnementaux sont capitaux et peuvent modifier les données génétiques. ■

« Faire un bébé, c'est toujours jouer au généticien. »

Les examens diagnostic

Ils se font le plus souvent à partir d'un prélèvement des cellules fœtales ou placentaires permettant d'établir un caryotype, c'est-à-dire une analyse des chromosomes.

• La ponction du trophoblaste vers la 12e semaine d'aménorrhée : sous contrôle échographique, le médecin prélève quelques cellules du placenta. Les premiers résultats peuvent être donnés sous trois jours.

• L'amniocentèse vers la 16e ou 17e semaine d'aménorrhée : l'analyse de la composition chromosomique est faite à partir d'une ponction de 10 à 20 ml environ de liquide amniotique. Le résultat de sa culture permet un diagnostic au bout de deux à trois semaines, qui est plus complet. ▪

La mucoviscidose

Cette maladie héréditaire grave est la plus fréquente en France. Elle provoque chez l'enfant de graves difficultés respiratoires et digestives. Depuis 2002, un dépistage néonatal systématique à partir d'une prise de sang à la naissance permet une prise en charge précoce. Par contre, pour l'instant, un dépistage prénatal est seulement proposé dans les familles à risque lorsqu'un enfant est déjà né atteint de cette maladie ou lorsque l'un des parents se sait porteur de la maladie. ▪

Le gène perturbateur

Une anomalie génétique peut s'exprimer de bien des façons. Elle peut être visible et occasionner une malformation physique, mais peut aussi agir en silence. Le gène, ne transmettant pas de messages corrects aux cellules, les rend incapables de remplir leur rôle ; c'est ce qui explique certaines paralysies, par exemple la myopathie, la mucoviscidose, ou certaines maladies du sang comme l'hémophilie. Enfin, les gènes ne sont pas uniquement responsables des maladies héréditaires. En fait, certains d'entre eux, en contrôlant des fonctions essentielles telles que l'élimination des graisses ou la tension artérielle, prédisposent à certaines maladies. ▪

▍ MON AVIS

Nous possédons aujourd'hui de bons moyens de dépistage des anomalies chromosomiques. Il semble que nous ayons fait des progrès intéressants en croisant les informations données par certaines échographies et certains dosages biochimiques. Le protocole consiste à faire une échographie à 12 semaines d'aménorrhée, une recherche des marqueurs sériques en dosant les bêta HCG et une nouvelle échographie, dite morphologique, à 22 semaines. La combinaison de tous ces examens donne au médecin une idée du risque encouru et lui permet de prescrire une amniocentèse en vue d'établir un caryotype. Récemment, a été mis au point un protocole qui semble encore plus performant. Il consiste habituellement à faire un dépistage biochimique avec un dosage de bêta HCG associé à un dosage d'alpha-fœtoprotéines simplement à partir d'une prise de sang. Ces dépistages ont un double effet : d'une part ils font entrer certaines jeunes futures mamans dans la catégorie des femmes à risques, et d'autre part ils permettent d'éviter le recours à une amniocentèse, si tout est normal, à une femme de 40 ans qui a eu du mal à obtenir une grossesse et pour laquelle on ne veut prendre aucun risque de fausse couche. ▪

Les risques génétiques

1ER MOIS

2E MOIS

3E MOIS

4E MOIS

5E MOIS

6E MOIS

7E MOIS

8E MOIS

9E MOIS

LA
NAISSANCE

LES 1RES
SEMAINES
DE MAMAN

LES 1RES
SEMAINES
DE BÉBÉ

GROSSESSES
DIFFÉRENTES

ANNEXES

PLUSIEURS MILLIERS DE GÈNES sont supports d'hérédité dans l'espèce humaine. Ils sont répartis dans l'ensemble des chromosomes. Les gènes sont régis de façon très précise dans le temps et dans l'espace grâce à des séquences régulatrices placées à côté du gène et qui le commandent en fonction de l'environnement. Presque tous les gènes vont par deux, l'un issu de la mère, l'autre du père, sauf pour les gènes correspondant aux caractéristiques sexuelles qui sont uniques.

Transmettre une maladie

Certains gènes peuvent être porteurs de pathologies. Mais ils ne sont actifs que s'ils sont associés à un autre gène pathologique. De leur rencontre « naît » une maladie, alors qu'il n'y avait aucun antécédent familial.

On estime que chaque homme et chaque femme présentent un seul exemplaire de 5 à 10 gènes porteurs d'une telle maladie, dite récessive autosomique. Mais il existe aussi des maladies autosomiques dominantes. Le gène « malade » s'exprime même s'il est unique. Il est alors transmis par un des parents, lui-même atteint de cette maladie. La maladie se transmet ainsi de génération en génération.

En revanche, dans certaines maladies génétiques dites récessives, les gènes « malades » sont portés par le chromosome X. Dans ce cas, le gène « malade » n'a un effet que lorsqu'il est transmis à un garçon. Les filles ne sont pas malades, mais sont porteuses de l'anomalie et la transmettent à leurs fils, c'est le cas de l'hémophilie.

Les anomalies chromosomiques

On peut aussi constater des anomalies de nombre ou de structure des chromosomes. Les gènes ne sont pas atteints, mais la répartition anormale des chromosomes dans les cellules conduit à un déséquilibre génétique. Sur 1 000 enfants, 6 souffrent de ce défaut. La maladie la plus connue portant sur le nombre de chromosomes est la trisomie ; l'enfant n'a pas 46 chromosomes comme tout être humain, mais 47.

La plus répandue est la trisomie 21. Dans ce cas, les cellules sont porteuses d'un chromosome 21 en trop. Il existe des trisomies 16 et des trisomies 18, anomalies des chromosomes 16 et 18. Mais il arrive aussi qu'il manque un chromosome d'une des paires, ces maladies portent le nom de monosomie. Enfin, on constate aussi des anomalies de structure, un chromosome peut se casser et un des éléments disparaît.

Le gène perturbateur

Une anomalie génétique peut s'exprimer de bien des façons. Elle peut être visible et occasionner une malformation physique, mais peut aussi agir en silence. Le gène, ne transmettant pas de messages corrects aux cellules, les rend incapables de remplir leur rôle ; c'est ce qui explique par exemple la myopathie, la mucoviscidose, ou certaines maladies du sang comme l'hémophilie. Enfin, les gènes ne sont pas uniquement responsables des maladies héréditaires. En fait, certains d'entre eux, en contrôlant des fonctions essentielles telles que l'élimination des graisses ou la tension artérielle, prédisposent à certaines maladies. ▪

L'ovulation*en savoir plus*

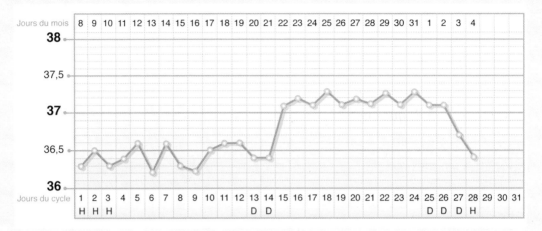

La courbe de température permet de connaître le moment de l'ovulation. La prise de température s'effectue à partir du 8e jour et jusqu'à la fin du cycle. Prenez votre température rectale le matin au réveil à jeun avant de vous être levée et notez, au jour le jour, les événements tels que douleur du ventre (D) ou perte de sang (H). L'ovulation intervient au moment du passage de la température basse à la température haute.

Connaître son ovulation

C'est le seul moyen pour diagnostiquer de manière certaine un début de grossesse. Aussi, si vous voulez programmer précisément votre grossesse, vous devez d'abord connaître votre date d'ovulation. Mise à part la méthode dite des températures qui ne renseigne qu'a posteriori (en dessous de 37 °C avant l'ovulation, et au-dessus de 37 °C après celle-ci), cette recherche s'effectue en laboratoire, mais aussi aujourd'hui à la maison, grâce à des tests d'ovulation vendus en pharmacie. Placés au contact de l'urine, ils donnent 24 heures à l'avance la date de l'ovulation.

• Discretest : son principe est la décoloration éventuelle (en présence de LH ou hormone lutéinisante) d'une solution d'orcolloïdal rouge. Si la solution est rouge, le test est négatif. Quand elle se décolore, il est positif. Le temps de réaction est de 30 minutes environ.

• Ovutest : il se présente sous forme de bandelettes de papier. Plongées dans l'urine pendant 40 minutes, elles se colorent fortement en bleu en présence de LH. La coloration reste stable pendant deux jours, ce qui est très utile en cas d'examens médicaux complémentaires.

• Revelatest (sur bandelette) : si la quantité d'hormones n'est pas suffisante, la bandelette reste blanche ou bleu pâle. En revanche, en présence de LH, elle se colore en bleu foncé.

• Biotester : il se présente comme un bâton de rouge à lèvres. Placer dessus une goutte de salive ou de glaire cervicale ; une réaction en forme de fougère apparaît si vous êtes fertile. La plupart de ces tests se font avec les premières urines du matin, particulièrement concentrées en hormones. Des thermomètres dotés d'un microprocesseur permettent depuis peu de simplifier à l'extrême la méthode naturelle des températures. Grâce à la mémorisation des informations thermiques des cycles, ils repèrent le moment de l'ovulation. Pour l'un, un voyant rouge signale que l'ovulation est proche, un voyant vert qu'elle est éloignée. Si celui-ci clignote vous êtes dans la période idéale. Un autre modèle fait apparaître des bébés lorsque l'ovulation est proche. ■

Le jour J du cycle

1ER MOIS

2E MOIS

3E MOIS

4E MOIS

5E MOIS

6E MOIS

7E MOIS

8E MOIS

9E MOIS

LA NAISSANCE

LES 1RES SEMAINES DE MAMAN

LES 1RES SEMAINES DE BÉBÉ

GROSSESSES DIFFÉRENTES

ANNEXES

*UNE CONCOMITANCE D'ÉVÉNEMENTS EST À L'ORIGINE DE VOTRE GROSSESSE.
La fécondation, rencontre d'un ovule avec un spermatozoïde, ne peut se faire
à n'importe quel moment du cycle. Elle n'est possible qu'au moment de l'ovulation.
Votre cycle menstruel commence le premier jour des règles. Il dure 28 jours
en moyenne, mais quelques femmes ont des cycles réguliers de 25 jours, d'autres
de 34 jours. Dans un cycle normal, l'ovulation se produit le 13e ou le 14e jour.
Certaines femmes reconnaissent cette période car elles ressentent des douleurs
dans le bas-ventre.*

La bonne date

Un rapport sexuel survenant pendant les quelques jours qui précèdent l'ovulation peut aboutir à une fécondation, mais rarement après, puisque l'ovule ne vit en moyenne que 24 heures. Le maximum de chances se situe donc dans les trois jours qui précèdent l'ovulation. Le problème est alors de connaître précisément sa date d'ovulation.

En théorie, elle ne peut être connue que rétrospectivement mais, en pratique, on peut l'approcher à environ un jour près. Pourtant, pour certaines femmes, la date d'ovulation ne se situe pas entre le 13e et le 14e jour du cycle, voire même plus largement entre le 10e et le 17e jour du cycle.

Une recherche effectuée par le National Institute of Environmental Health Sciences (USA) sur 221 femmes montre que 70 % de ces femmes ont ovulé avant le 10e jour ou après le 17e jour. Il est particulièrement important de connaître cette date pour les femmes qui doivent avoir recours à une fécondation par don de sperme ou à une fécondation médicalement assistée avec prélèvement d'ovocytes (pp. 504-507).

La méthode des températures

La manière la plus simple, mais la moins intéressante puisqu'elle ne renseigne qu'a posteriori et ne peut donc être une référence que pour le futur, est la méthode des températures. Il s'agit d'établir une courbe de températures. D'une allure caractéristique, celle-ci se dessine en deux plateaux. Avant l'ovulation, la courbe se situe entre 36,1 °C et 36,7 °C. Cette période correspond à la maturation de l'ovule et dure, en moyenne, 14 jours. Vers le milieu du cycle, la température monte de quelques dixièmes de degré et se maintient au-dessus de 37 °C jusqu'à la fin du cycle. C'est le deuxième plateau. L'ovulation se produit au moment de l'augmentation de la température. Si le décalage entre les deux plateaux est brusque, on considère qu'elle s'est faite le dernier jour de température basse. Si le décalage est progressif ou réparti sur deux ou trois jours, elle a eu lieu le premier jour où la température a commencé à monter. Vous pouvez, bien sûr, vous demander si cette hausse de température est due à un état fébrile. Il est rare que la fièvre soit le seul symptôme d'une maladie et, dans ce cas, la température dépasse très vite les 37,5 °C ou alors redescend. ■

L'appareil génital*en savoir plus*

Une physiologie idéale

L'appareil génital de la femme se compose de la vulve, partie externe, puis du vagin qui relie la vulve à l'utérus. Le vagin est un canal (de 7 à 9 cm) d'une grande élasticité, entouré de muscles qui soutiennent l'abdomen et dont l'ensemble s'appelle le périnée. Un passage étroit le relie à l'utérus. Celui-ci est un muscle creux et épais en forme de poire (de 6 cm de long sur 4 cm de large) dont la partie inférieure se nomme le col et la partie supérieure le fond utérin. L'utérus est tapissé d'une muqueuse, l'endomètre, où se niche l'œuf fécondé.

Dans le fond utérin débouchent les trompes de Fallope, canaux de muscles de 12 cm de long et de 4 mm de diamètre environ, dont les extrémités s'élargissent en un pavillon, découpé de franges mobiles, en contact direct avec l'ovaire. Les trompes captent l'œuf et le font progresser vers l'utérus grâce à leur muqueuse tapissée de cils vibratiles, à leurs mouvements et au liquide qu'elles contiennent. Un mois sur deux, seul un des côtés de l'appareil reproducteur, ovaire-trompes, fonctionne ; en cas de problèmes d'un côté, l'autre prend le relais et travaille tous les mois. ■

Un potentiel énorme

En moyenne, une femme possède 300 000 à 400 000 ovules pour toute sa vie. Ils seront libérés, un par un, au cours de 300 à 400 cycles (de la puberté à la ménopause). Quant à la fécondation, elle ne se réalisera que deux fois pour la majorité des femmes des pays occidentaux. L'ovocyte (futur ovule) se forme au cours de la vie embryonnaire. Ainsi, à 5 mois de vie utérine, l'embryon « femelle » possède déjà 6 millions d'ovocytes dont la majorité dégénérera. ■

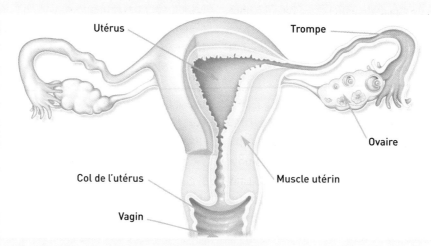

Utérus — Trompe — Ovaire — Muscle utérin — Col de l'utérus — Vagin

Les modifications du col de l'utérus

Le col de l'utérus subit des transformations sous l'effet des œstrogènes. Les glandes qu'il abrite au moment de l'ovulation sécrètent la glaire cervicale, liquide visqueux, transparent, qui va aider les spermatozoïdes à progresser vers les trompes, à se nourrir et surtout à se protéger contre toute attaque microbienne. Le vagin, également sensible aux œstrogènes, devient plus souple, humide et résistant aux infections. Dans la deuxième phase du cycle, l'acidité vaginale se modifie : elle devient plus faible afin de ne pas nuire aux spermatozoïdes. ■

La magie de l'ovulation

1ᴱᴿ MOIS

2ᴱ MOIS

3ᴱ MOIS

4ᴱ MOIS

5ᴱ MOIS

6ᴱ MOIS

7ᴱ MOIS

8ᴱ MOIS

9ᴱ MOIS

LA NAISSANCE

LES 1ᴿᴱˢ SEMAINES DE MAMAN

LES 1ᴿᴱˢ SEMAINES DE BÉBÉ

GROSSESSES DIFFÉRENTES

ANNEXES

DEVENIR MÈRE N'EST POSSIBLE que parce que le corps de la femme est conçu de façon extraordinaire pour fabriquer et abriter un bébé. Dès les premiers mois de la vie intra-utérine du bébé fille, tous les organes de la reproduction sont en place. Il faudra attendre la puberté pour qu'ils acquièrent la maturité nécessaire à leur fonctionnement.

Le fonctionnement des ovaires

L'acteur essentiel dans cette histoire est d'abord l'ovaire. Au nombre de deux, les ovaires sont des glandes blanchâtres, de forme ovoïde de 4 cm de long, 2 cm de large et 1 cm d'épaisseur, situées de part et d'autre de l'utérus. L'ovaire est constitué d'une multitude de coques. Chacune contient un nombre impressionnant de follicules, les follicules de De Graaf. Chacun de ces follicules abrite un ovule dans sa cavité.

Sous l'effet d'hormones venues de l'hypothalamus et de l'hypophyse, un de ces follicules va grossir, multipliant ses cellules et produisant des hormones, les œstrogènes, dont la quantité sera à son maximum 24 heures avant qu'il ne libère un ovule entouré de cellules folliculaires. Le follicule ainsi rompu poursuit son évolution et devient alors ce que l'on appelle le corps jaune (p. 54). Celui-ci produit des hormones (œstrogènes et progestérone), dont le rôle est de préparer la muqueuse utérine à l'implantation de l'œuf fécondé. Il poursuivra sa tâche deux à trois mois après la fécondation jusqu'au moment où le placenta (p. 95) assurera à son tour cette production hormonale.

Le fonctionnement des ovaires est sous la totale dépendance du cerveau qui met en action toute une série de sécrétions hormonales. Dès le début du cycle (28 jours en moyenne), c'est sur son « ordre » que se transforme un follicule de De Graaf qui, au bout de 14 jours, va libérer un ovule. Généralement, l'ovulation se fait dans la plus grande discrétion ; certaines femmes ressentent tout au plus une douleur vague d'un côté ou de l'autre du bas-ventre, selon le cycle. Le seul signe tangible est l'élévation de la température du corps de quelques dixièmes de degré (pp. 48 et 49).

Vers la rencontre

L'ovule libéré est happé par le pavillon de la trompe grâce aux franges mobiles dont elle est tapissée. C'est au tiers externe de la trompe que l'ovule rencontre le spermatozoïde fécondant. Parallèlement, tout au long du cycle, la paroi utérine, l'endomètre, se transforme. Cette muqueuse, très fine après les règles, s'épaissit peu à peu sous l'effet des œstrogènes. Elle sera prête à accueillir l'œuf après la fécondation. ∎

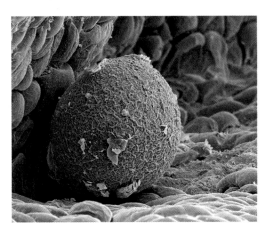

La fécondation *en savoir plus*

Ovule et spermatozoïde : qui fait quoi ?

Depuis quelques années, les biologistes du monde entier cherchent à expliquer ce qui pousse l'ovule et le spermatozoïde à se rencontrer. Deux théories se complètent, l'une américaine, l'autre belge.

La première étude porte sur l'ovule. Elle affirme que celui-ci « séduit » le spermatozoïde. Selon les chercheurs américains, une grande partie des spermatozoïdes attendraient un signal de l'ovule pour remonter vers les trompes. Il serait de nature chimique et pourrait trouver son origine dans les fluides folliculaires qui entourent l'ovule. L'existence de substances chimiques d'attraction pourrait expliquer le nombre réduit de spermatozoïdes mobilisés pour la fécondation.

En outre, si seuls les spermatozoïdes totalement mûrs et sains peuvent percevoir le signal, les substances d'attraction serviraient également à éliminer les plus faibles.

La seconde étude s'intéresse, elle, aux spermatozoïdes. Les chercheurs de l'université libre de Bruxelles ont trouvé que des substances, semblables à celles qui permettent la réception des odeurs, existent dans les cellules germinales testiculaires, matière première des spermatozoïdes.

Ces récepteurs olfactifs sont au nombre d'une vingtaine. À quoi servent-ils ? Et sont-ils présents sur les spermatozoïdes ? Si oui, ces derniers seraient donc équipés pour recevoir des signaux moléculaires émis par l'ovule. Dans ce cas, la fécondation se ferait grâce aux signaux émis par l'ovule, et à la capacité des spermatozoïdes de les interpréter.

Très récemment des chercheurs ont mis en évidence la présence de molécules qui permettent aux spermatozoïdes de s'arrimer à l'ovule. ∎

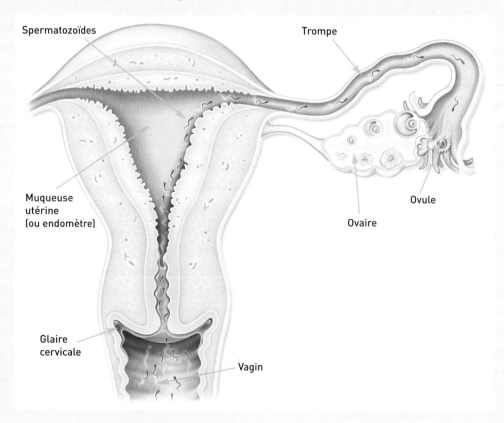

Spermatozoïdes

Trompe

Muqueuse utérine (ou endomètre)

Ovaire

Ovule

Glaire cervicale

Vagin

La rencontre des gamètes

1ER MOIS

2E MOIS

3E MOIS

4E MOIS

5E MOIS

6E MOIS

7E MOIS

8E MOIS

9E MOIS

LA NAISSANCE

LES 1RES SEMAINES DE MAMAN

LES 1RES SEMAINES DE BÉBÉ

GROSSESSES DIFFÉRENTES

ANNEXES

S'IL Y A EU RAPPORT SEXUEL AU MOMENT DE L'OVULATION ou dans les trois jours qui la précèdent, il y aura rencontre des gamètes (ou cellules sexuelles) mâle et femelle. Cette rencontre a lieu dans la partie moyenne des trompes.

La fécondation

Les spermatozoïdes qui vont à la rencontre de l'ovule viennent de terminer leur maturation (p. 63). Ils ont subi une sélection sévère en traversant la glaire cervicale (p. 62) dans la partie moyenne de la trompe. Les spermatozoïdes ainsi élus entourent l'ovule. Ils libèrent au niveau de leur tête des enzymes destinées à digérer la membrane le protégeant. L'intérieur de l'ovule est protégé par une capsule faite d'une masse solide et relativement dure, mais qui présente de minuscules petits trous, voies de pénétration pour les spermatozoïdes. Mais généralement un seul réussira à entrer et fabriquera aussitôt une substance destinée à former une barrière chimique empêchant la pénétration des autres spermatozoïdes. L'intrusion du spermatozoïde dans l'ovule y déclenche toute une série de réactions physiologiques. Dix heures après la rencontre, l'œuf est définitivement formé et commence à effectuer des synthèses ADN, puis il se divise. Trente heures après, il compte déjà 2 cellules puis, deux à trois jours après, il en compte entre 4 et 8.

La préparation de la muqueuse utérine

Cet œuf reste pourtant de la taille de l'ovule d'origine, soit 0,1 mm de diamètre. Dans les jours qui suivent, l'œuf, dans cette première forme de développement embryonnaire, est appelé la morula. Celle-ci continue sa descente vers l'utérus grâce aux contractions tubaires et aux cils vibratiles qui tapissent la trompe. Elle met environ trois à quatre jours pour descendre jusqu'à la cavité utérine. Elle change alors de nom : elle devient le blastocyste, le temps de sa préparation à la nidation (p. 55). La paroi de l'utérus a une faculté de réceptivité sans doute régie par les deux hormones ovariennes, la progestérone et les œstrogènes, et cela pendant un temps très court. Pour qu'il y ait nidation, il faut donc qu'il existe un certain degré de maturation de l'œuf et de la cavité utérine.

L'œuf choisit la place où il trouvera le plus d'oxygène pour se développer : généralement, le fond de l'utérus et les parois latérales. Le noyau de la première cellule de cet œuf est fait pour partie égale d'apports maternel et paternel. En revanche, le cytoplasme qui l'entoure est presque exclusivement maternel.

Huit jours après

L'embryon qui deviendra le futur bébé existe déjà, dès le 8e jour après la fécondation. Sa forme est celle d'un disque composé de deux parties, l'ectoblaste et l'endoblaste. Autour, deux coupoles hémisphériques : l'une constitue la cavité amniotique, l'autre l'écithocèle.

Au 14e jour, l'œuf est relié au placenta (p. 95) par un pont de tissu, préfiguration du cordon ombilical (p. 112). L'œuf mesure environ 2 à 3 mm mais l'embryon qu'il contient est dix fois moins grand. ■

> " Il faut en moyenne six mois pour concevoir un bébé. Il y a toujours un délai entre désir et réalisation. ,,

53

La nidation*en savoir plus*

Diviser pour régner

L'œuf (que l'on appelle alors blastocyste) se colle à l'endomètre dès la 2e semaine après la fécondation. L'enveloppe du blastocyste, le trophoblaste, va se diviser en deux tissus distincts : le premier (le syncitiotrophoblaste) va « attaquer » l'endomètre, l'éroder et former une cavité où va s'installer l'œuf. Le deuxième (le cytotrophoblaste) va fournir les cellules nécessaires au travail et à l'extension du premier tissu.

Sept jours après son arrivée dans l'utérus, l'œuf est totalement enfoui dans la paroi utérine. Ses membranes protectrices envahissent le tissu maternel : elles seront l'ébauche du placenta. Les capillaires sanguins de l'endomètre libèrent du sang maternel récupéré dans les plis du syncitiotrophoblaste. Une véritable circulation s'établit. Mais l'organisme maternel réagit et décide de limiter la progression du syncitiotrophoblaste. Les cellules de l'endomètre se transforment alors et établissent une barrière pour éviter que l'expansion de l'œuf attaque le muscle utérin. Cette implantation dans la paroi utérine est indispensable à la survie de l'œuf. Jusqu'alors, il avait vécu sur les réserves énergétiques de l'ovule, mais elles ne sauraient lui suffire. L'implantation va lui permettre de trouver dans les vaisseaux maternels l'énergie nécessaire à la poursuite de son développement. ∎

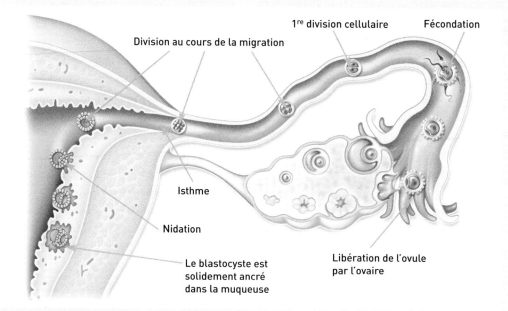

1re division cellulaire — Fécondation

Division au cours de la migration

Isthme

Nidation

Le blastocyste est solidement ancré dans la muqueuse

Libération de l'ovule par l'ovaire

L'alchimie d'une rencontre

Après la fécondation, les spermatozoïdes qui n'auront pas atteint l'ovule vont mourir. Ils sont alors absorbés par la paroi utérine et aideront au développement de l'œuf fécondé. Le corps jaune, lui aussi, va être utile. Il sécrète la progestérone qui permet à la grossesse de se poursuivre pendant quatre mois, et sert à la préparation de la paroi utérine. On sait aujourd'hui que l'embryon d'à peine quelques heures envoie déjà des informations sous forme chimique à tout l'organisme maternel pour qu'il puisse se préparer à la grossesse. ∎

L'œuf s'installe

1ER MOIS

2E MOIS

3E MOIS

4E MOIS

5E MOIS

6E MOIS

7E MOIS

8E MOIS

9E MOIS

LA NAISSANCE

LES 1RES SEMAINES DE MAMAN

LES 1RES SEMAINES DE BÉBÉ

GROSSESSES DIFFÉRENTES

ANNEXES

FRAÎCHEMENT FÉCONDÉ, l'œuf va faire le voyage inverse du spermatozoïde. En trois jours, et avec l'aide des contractions de la trompe et des cils vibratiles qui la tapissent, il va descendre dans l'utérus.

Il lui faudra attendre encore quelques jours pour s'installer dans la paroi utérine, celle-ci n'étant pas encore prête pour l'accueillir. L'œuf flotte alors dans la cavité utérine, comme à la recherche de l'endroit le plus confortable pour s'installer.

Le blastocyste

Dix heures après la fécondation, l'œuf est formé et commence sa division cellulaire, ce qui signifie que, progressivement, il passe de deux cellules à plusieurs milliers. Au sixième jour, il atteint une période déterminante de son développement : le blastocyste (une petite cavité qui s'est créée dans l'œuf et qui est maintenant entourée de centaines de cellules). Il doit alors effectuer sa nidation, c'est-à-dire choisir l'endroit où il va s'implanter et bientôt signaler sa présence à la mère.

La cavité utérine

Celle-ci aussi se prépare. L'ovule fécondé devient un œuf où, pendant 24 heures, les cellules venues de l'ovule et celles venues du spermatozoïde cohabitent côte à côte. Puis, rapidement, ces cellules vont s'unir et se diviser en plusieurs cellules identiques : c'est la morula. Celle-ci est entourée d'une membrane qui absorbe les éléments minéraux nécessaires au bon développement de l'œuf. Tant qu'il est dans la trompe, l'œuf a gardé la taille initiale de l'ovule. Arrivé dans l'utérus, il va commencer à changer de volume.

Naissance de l'embryon

Parallèlement, la morula se creuse et ses cellules se spécialisent, certaines, plus petites, se regroupent à la périphérie, les plus grosses, elles, se regroupent au centre. La cavité se remplit de liquide et un bourgeon saillant se forme à l'intérieur : c'est le futur embryon. Sept jours après la fécondation (p. 53), l'œuf se niche dans l'utérus.

À la surface de l'œuf, les cellules envoient des tentacules, les villosités, qui l'amarrent à la muqueuse de l'utérus. Ces cellules constitueront plus tard le placenta (p. 95). Les villosités atteignent les vaisseaux sanguins de la muqueuse utérine (ou endomètre) apportant ainsi les éléments indispensables à la nutrition de l'œuf.

La muqueuse utérine s'est préparée aussi à cette nidation sous l'effet des hormones ovariennes ; les œstrogènes agissent en épaississant la muqueuse, la progestérone provoque son plissement et charge ses cellules de glycogène, substance nutritive.

De la mère à l'enfant

Mais à aucun moment le sang de la mère et celui de l'enfant ne sont mêlés. Le sang part du placenta et gagne l'embryon par le cordon ombilical. L'échange se fait par l'intermédiaire de la paroi utérine (p. 54).

Les cellules de l'embryon vont se différencier dès la 3e semaine de la grossesse. L'embryon s'isole du reste de l'œuf et n'est plus relié à lui que par le cordon ombilical qui se forme aux alentours de la 4e semaine (p. 112). ∎

Le début de la grossesse *en savoir plus*

Poids et grossesse

Cela peut sembler étonnant, mais certaines femmes perdent du poids au cours des premiers mois de leur grossesse. Il n'y a là rien d'inquiétant. Cela est souvent dû aux nausées et aux vomissements qui entraînent une perte d'appétit. Le poids mettra plus ou moins de temps à se stabiliser, le temps que l'organisme maternel s'adapte à son nouveau statut hormonal.

D'une manière générale, il semble qu'au tout début d'une grossesse l'appétit diminue ; peut-être vous sentez-vous barbouillée, avec du mal à digérer les plats les plus lourds.

Des travaux anglais tendent à prouver que le poids et surtout l'alimentation au moment de la conception influencent le poids de naissance de l'enfant. Ainsi, les futures mamans qui ont eu des apports énergétiques supérieurs à 2800 calories par jour sous forme de laitages, de céréales et de légumes verts mettent au monde des bébés de plus de 3,2 kg. En revanche, la perte de poids après la conception, au cours des premiers mois de grossesse, n'a aucun effet sur le développement du fœtus. En réalité, une alimentation équilibrée suffit à votre bébé. ■

Le mythe de la grossesse nerveuse

Il y a de nombreuses années, on parlait de grossesses nerveuses. Aujourd'hui, il semble qu'en raison de la contraception, les médecins en diagnostiquent de moins en moins. En effet, ce syndrome psychosomatique se rencontre surtout chez les femmes qui redoutent d'être enceintes, crainte qui provoque un dérèglement du fonctionnement de l'hypothalamus sous l'effet de l'angoisse, elle-même facteur du désordre ovarien. Le plus extraordinaire est que le corps de la femme « y croit » et manifeste alors les signes d'une grossesse. ■

La date de votre accouchement

Quand mon bébé naîtra-t-il ? C'est la question que vous vous posez aussitôt après la confirmation de votre grossesse. La date de l'accouchement est l'aboutissement d'un calcul que fera votre médecin lors de votre première consultation. Mais vous pouvez avoir envie de savoir avant. La date de vos dernières règles est essentielle à connaître (début d'aménorrhée). Votre calcul sera d'autant plus fiable que vous avez eu, jusqu'à présent, des cycles réguliers. Le point zéro de votre grossesse est fixé au 14e jour d'un cycle de 28 jours. Une correction est apportée si votre cycle est plus long ou plus court, en sachant que c'est la dernière partie du cycle qui est de longueur constante chez toutes les femmes.

Votre accouchement, comme la plupart, se déclenchera spontanément entre 40 et 42 semaines d'aménorrhée (en comptant à partir du premier jour des dernières règles) ou entre 280 et 296 jours après l'arrêt des règles.

Si vos cycles sont irréguliers ou si votre grossesse est survenue involontairement ou après l'arrêt de la pilule, seul le médecin peut déterminer le terme par un examen clinique et une échographie, à condition que ceux-ci soient faits très tôt. L'échographie est alors très performante car elle permet de déterminer, à quatre jours près, le début de la grossesse (si elle est pratiquée dès 10 à 12 semaines d'aménorrhée). Cette estimation est faite à partir de mesures de l'embryon. ■

Les premières manifestations

1ER MOIS

2E MOIS

3E MOIS

4E MOIS

5E MOIS

6E MOIS

7E MOIS

8E MOIS

9E MOIS

LA NAISSANCE

LES 1RES SEMAINES DE MAMAN

LES 1RES SEMAINES DE BÉBÉ

GROSSESSES DIFFÉRENTES

ANNEXES

MÉDICALEMENT, UNE GROSSESSE N'EST RÉELLEMENT PRISE EN COMPTE qu'à partir de deux mois d'aménorrhée (absence de règles). Et pourtant, que de bouleversements extraordinaires dans votre corps pendant ces huit semaines. Si vous êtes « réglée comme une horloge », si votre cycle menstruel est régulier, le premier signe révélateur de votre grossesse est l'absence de règles. Quelques jours de retard ne sont pas suffisants, il faut attendre plus d'une dizaine de jours pour avoir un début de confirmation. Mais, avant celle-ci, peut-être ressentirez-vous un grand besoin de sommeil, avec des moments de lassitude après les repas ou en fin de journée.

Des signes révélateurs

Bien des femmes enceintes affirment ressentir très rapidement des changements physiques (p. 80). Certaines odeurs paraissent plus fortes ou même, parfois, insupportables ; certains plats ne provoquent plus aucune envie tandis que d'autres deviennent tout à coup délicieux. Pour d'autres femmes, le changement du volume des seins est réellement le premier signe. Ils deviennent durs, lourds, avec parfois des picotements.

L'aréole s'élargit et fonce, les petits renflements qui sont à sa surface, les tubercules de Montgomery, deviennent beaucoup plus apparents. Les bouts des seins sont aussi plus sensibles et mieux formés.

Les troubles digestifs

Dès les quinze premiers jours de gestation, certaines futures mamans souffrent très précocement de nausées (p. 83), qui surviennent souvent au réveil, lorsqu'elles posent le pied par terre. Ces nausées s'accompagnent souvent de vomissements de bile et d'une salivation excessive.

Celle-ci est un phénomène rare et qui reste encore inexpliqué.

Des traitements peuvent être proposés mais ils ne sont pas toujours efficaces. Si les vomissements sont importants, il faut consulter un médecin pour prévenir tout risque de déshydratation.

À ces troubles, peuvent s'ajouter une constipation inhabituelle (p. 82) et un besoin d'uriner un peu plus fréquent que d'habitude (p. 80). Assurément, il se passe quelque chose en vous. Plus qu'un seul de ces signes, c'est l'accumulation d'un certain nombre d'entre eux qui peut faire penser à une grossesse.

Pourtant, certaines femmes n'éprouvent aucun de ces signes ou n'y prêtent pas attention, et c'est beaucoup plus tardivement qu'elles découvrent leur grossesse, notamment si leurs cycles menstruels sont irréguliers, le retard de leurs règles ne les alertant pas forcément.

Pour lutter contre les nausées, le docteur Roger Moatti, phytothérapeute, recommande l'utilisation de la benoîte et de la menthe, en gélules ou en tisane. ■

Quand le bébé se fait attendre

ENTRE LE MOMENT OÙ VOUS AVEZ DÉCIDÉ D'AVOIR UN ENFANT et celui tant désiré de la conception, il peut s'écouler un temps plus ou moins long, variable d'un couple à un autre. Pourquoi tout ne s'est pas passé aussi rapidement que vous l'aviez souhaité ?

Histoire du couple

En premier lieu, il faut savoir que les couples totalement stériles sont rares (moins de 5 %). En revanche, parmi les couples ayant des difficultés, on rencontre une grande majorité de sujets peu fertiles (pp. 498 et 503). La fertilité d'un couple ne s'évalue pas simplement sur les difficultés de l'un des partenaires (ainsi, un sperme de qualité médiocre ne posera pas de problème si la femme est très fertile), mais sur la fécondabilité : c'est-à-dire la probabilité de concevoir un enfant au cours d'un cycle menstruel. On estime qu'elle est de 25 % pour un couple jeune. Avec un âge plus avancé des deux partenaires ou de l'un d'entre eux, ce taux de probabilité devient de plus en plus faible. En général, pour un couple sans problème particulier et jeune (moins de 30 ans), il faut un délai moyen de six mois entre le moment où il décide de « faire un bébé » et celui où son projet se réalise. Et sur 100 couples à la fertilité tout à fait normale, 3 en moyenne n'auront pas réussi à concevoir un enfant au bout de un an. C'est dire la difficulté des couples dont la fertilité est faible (1 % environ de la population). C'est dans ce délai qu'il est normal de consulter un médecin. Ainsi, 4 % des couples qui consultent un médecin sont dans l'impossibilité de procréer, 16 % présentent une hypofécondité et les 80 % restants, devront attendre de un à trois ans avant de réussir à avoir un bébé. Mais les années passant, la proportion de couples infertiles devient de plus en plus importante, les couples n'ayant pas réussi à concrétiser leur projet ont une fécondabilité moyenne diminuée.

Histoire de la mère

La variation de la fécondité dépend non seulement du rythme des rapports sexuels mais aussi d'autres facteurs comme la contraception antérieure. Ainsi, si vous utilisez une contraception orale avant d'envisager une grossesse, vous mettrez un peu plus de temps à être enceinte. On estime qu'il faut ajouter un mois au délai normal. Mais c'est votre âge qui a le plus d'importance. Votre fécondabilité augmente jusqu'à l'âge de 25 ans, reste stationnaire jusqu'à 35 ans puis diminue. En théorie, la fertilité de la femme se situe entre 12 et 52 ans, avec des variables de près de quinze ans d'une femme à l'autre.

Sa puberté a-t-elle été tardive ? sa ménopause précoce ? En réalité, la période dans la vie d'une femme pour avoir un bébé n'est que d'une vingtaine d'années. Il est probable, aussi, qu'un certain nombre de facteurs génétiques soient pris en compte. Les femmes issues de familles nombreuses semblent avoir moins de problèmes.

Des facteurs psychologiques, une grande joie ou encore une grande tristesse, peuvent rendre les choses plus ou moins faciles ou plus ou moins compliquées. Vous avez peut-être pu constater déjà l'importance des émotions sur votre cycle.

1ER MOIS

2E MOIS

3E MOIS

4E MOIS

5E MOIS

6E MOIS

7E MOIS

8E MOIS

9E MOIS

LA
NAISSANCE

LES 1RES
SEMAINES
DE MAMAN

LES 1RES
SEMAINES
DE BÉBÉ

GROSSESSES
DIFFÉRENTES

ANNEXES

Histoire du père

Mais vous n'êtes pas la seule en cause. La qualité du sperme est également importante. Le seuil de fertilité se situe aux alentours de 60 millions de spermatozoïdes par ml, alors que la moyenne est de 98 millions par ml. Mais d'autres paramètres sont également importants, telles la mobilité des spermatozoïdes ou leur morphologie : il y a toujours un pourcentage de spermatozoïdes anormaux qui ne doit pas être trop élevé en cas de difficultés. Et il y a des liens entre ces différents paramètres. Plus la concentration est élevée, plus la mobilité l'est, ainsi que le pourcentage de spermatozoïdes bien formés.

Le temps de la rencontre

En étudiant des grossesses obtenues par insémination artificielle (pp. 505 et 507), les médecins ont pu mettre en évidence un certain nombre de facteurs influençant la réussite d'une grossesse. Ainsi, on a démontré, chiffres à l'appui, le rôle que joue la qualité de la glaire cervicale (p. 62), l'ouverture du col et le jour du cycle (pp. 49 et 51). L'étude met en valeur une période particulièrement féconde, qui se situe trois jours avant celle signalée par le dernier point le plus bas de la courbe thermique du cycle (p. 48). Elle remet donc en cause la valeur de ce jour, jusqu'alors considéré comme particulièrement fécond. À viser ce jour, il semble bien que l'on ne vise pas le meilleur. Aussi conseille-t-on au couple d'avoir des rapports sexuels 48 heures avant le jour qui précède l'ovulation.

Du côté masculin, cette étude, entreprise à partir d'inséminations faites avec du sperme congelé, montre que le caractère le plus déterminant semble être le taux de spermatozoïdes mobiles. Si ce taux est supérieur à 50 %, les chances de succès sont deux fois plus élevées. Des rapports trop fréquents risquent d'appauvrir la concentration de spermatozoïdes dans le sperme.

Enfin, la qualité de vie des couples n'est pas sans importance. Et l'on ne saurait trop recommander au couple désirant un bébé de mener une vie régulière, d'où tout surmenage physique et intellectuel est absent, d'avoir une alimentation saine et variée ainsi que de diminuer les excitants tels que l'alcool et le tabac. ■

Du côté des fantasmes

Certains scientifiques l'affirment, il n'y a aucune raison pour qu'un jour les hommes ne soient pas enceints. Mais, ajoutent-ils, ce sera une manipulation dangereuse pour l'homme autant que pour l'enfant.

La raison de ce progrès tient simplement au fait qu'aujourd'hui ni l'utérus, ni la trompe, ni l'ovaire ne sont indispensables à la grossesse. On peut donc imaginer qu'il est possible, après incision du ventre, de placer un œuf fécondé en éprouvette dans la couche cellulo-graisseuse du péritoine (membrane séreuse tapissant les parois de l'abdomen et la surface des viscères digestifs qu'il contient). Ensuite, il suffirait de renverser l'équilibre hormonal de l'homme par des injections d'hormones.

Mais l'extraction du placenta après la naissance pourrait entraîner bien des complications. Quant aux problèmes psychologiques qu'induirait un tel bouleversement de la nature, ils sont sans doute innombrables et totalement méconnus, les plus importants étant ceux liés à l'identité psychique. Heureusement on est, là encore, dans le domaine de la science-fiction. ■

Les gamètes mâles

Devant l'infertilité d'un couple, le spermogramme est pratiqué systématiquement. Obtenu après masturbation, cet examen permet l'analyse du liquide spermatique (notamment son volume, son pH et sa viscosité), mais aussi celle des spermatozoïdes : leur nombre dans l'éjaculat, leur vitalité et leur morphologie.

Cet examen ne donne que des indications relatives. On ne connaît pas encore tous les critères de fécondité du sperme et seule la combinaison de tous les paramètres recueillis par le spermogramme donne un bilan utilisable. Devant des résultats médiocres, il est indispensable de demander un autre examen trois mois après le premier. Ainsi, une simple fièvre, en raison d'une grippe par exemple, dans les trois mois avant l'examen, fausse tous les résultats.

Un mauvais spermogramme n'induit d'ailleurs pas forcément des difficultés à avoir un enfant. En effet, un sperme médiocre, associé à une bonne fécondabilité de la femme, peut donner une grossesse sans grands problèmes. ■

Le bon âge pour être père

On a longtemps pensé que les hommes pouvaient procréer jusqu'à un âge avancé. Si cela reste vrai techniquement, les scientifiques révèlent de plus en plus que ce n'est pas sans inconvénient. Ils nous ont appris, depuis déjà un certain temps, qu'avec l'âge le sperme devient moins fécondant en raison de la diminution du nombre des spermatozoïdes, de leur morphologie et de leur mobilité, ce qui les rend plus ou moins aptes à la fécondation. Ce phénomène est dû au vieillissement du testicule, qui commencerait dès la trentaine. Il semble encore de plus en plus certain que l'homme âgé de plus de 60 ans est susceptible de transmettre à sa lignée des maladies génétiques et des malformations plus nombreuses qu'à l'âge normal de la procréation. Ce sont, notamment, des troubles dans le développement osseux des membres et du squelette du futur bébé. Il semble que le risque de maladies chromosomiques telles que la trisomie soit accru lorsque le père dépasse la cinquantaine. ■

Devenir père

1ER MOIS

2E MOIS

3E MOIS

4E MOIS

5E MOIS

6E MOIS

7E MOIS

8E MOIS

9E MOIS

LA NAISSANCE

LES 1RES SEMAINES DE MAMAN

LES 1RES SEMAINES DE BÉBÉ

GROSSESSES DIFFÉRENTES

ANNEXES

DÉSIRER ÊTRE PÈRE ET LE DEVENIR EST AUSSI UNE AVENTURE, le résultat d'une maturation psychique. D'ailleurs, l'âge moyen des pères à la naissance de leur premier enfant est de 32 ans. Mais à l'inverse de vous, votre mari, votre conjoint ne peut vivre sa paternité que dans le couple. La naissance d'un enfant et les bouleversements qu'elle entraîne, qu'ils soient d'ordre physique ou psychologique, vont être une épreuve pour vous deux.

Un nouveau statut

Chacun des partenaires doit se trouver un nouveau statut. Le père, dans cette affaire, a encore plus de difficultés que la mère. Car c'est elle qui délimitera, en fait, l'espace qu'elle lui laissera dans sa relation avec son enfant : elle décidera de son intégration ou de son exclusion pendant et après sa grossesse. De plus, le futur père se trouve parfois tenu, pendant cette période, à assumer des tâches qu'il ne connaissait pas ou qui ne lui incombaient pas jusqu'alors ; il aura à donner des soins nouveaux à sa compagne et à lui manifester des attentions particulières.

Trouver ses marques

Pour les psychiatres, le rôle du père dans le couple est fondamental. Il doit accompagner la régression qui aide la femme à devenir mère (p. 86). Il est chargé d'aider, de protéger la mère qui, selon le pédiatre et psychanalyste anglais, D. Winnicott, sombre dans la « folie maternelle » : elle ne pense, n'agit et ne vit que pour et par son enfant. Un soutien que le père doit assurer tout en étant quelque peu exclu de ce que vit la mère qui, momentanément, renonce à beaucoup de ce qui faisait sa séduction. L'homme, pour devenir père, se choisit un rôle. Quel père sera-t-il ? Plusieurs solutions s'offrent à lui : sera-t-il lointain ? maternant ? détaché ? éducateur ? Alors,

comme la mère qui cherche son statut dans son histoire avec sa propre mère (p. 38), il se tourne vers son père, son grand-père. Cette confrontation est souvent bénéfique ; parfois, au contraire, elle se révèle semée d'embûches. Il découvrira peut-être mieux qui était son père et quel type de relations ils avaient noué ensemble. Pour l'homme, devenir père est toujours l'occasion de repenser ou d'enrichir son identité. ∎

Les spermatozoïdes*en savoir plus*

Une sélection rigoureuse

La remontée des spermatozoïdes est très rapide. Ils traversent le vagin en 5 min et atteignent les trompes en moins d'1 h, soit un parcours de 20 à 25 cm. Leur vélocité est décuplée par les contractions des muscles de l'utérus et des trompes. La glaire cervicale élimine près de 50 % des spermatozoïdes d'un éjaculat qui en compte entre 300 millions et 400 millions.

Sont écartés tout particulièrement ceux qui présentent des anomalies morphologiques. La moitié environ des spermatozoïdes présentent des défauts (tête double, pas de flagelle, peu rapides, peu mobiles), qui les rendent incapables de féconder l'ovule. Si, malgré tout, la fécondation a lieu, l'embryon ne se développera pas et, finalement, c'est seulement quelques centaines de spermatozoïdes qui partent à l'assaut de l'ovule.

Au moment de la ponte, l'ovule est entouré d'une couronne de cellules nutritionnelles formant le complexe cumulus-ovocyte. Cet ensemble, happé par la trompe, occupe la totalité du conduit tubulaire, dont l'environnement de nature collante est un véritable piège pour les spermatozoïdes. ■

Le bon moment

Les travaux statistiques des professeurs Schwartz et Spira indiquent qu'il est plus difficile d'obtenir une grossesse après un long moment d'abstinence sexuelle. Ainsi, après un délai d'infertilité de cinq ans, le temps nécessaire moyen pour obtenir une grossesse est de trois ans, alors qu'il est de six mois normalement. De plus, il faut savoir que la qualité maximale des spermatozoïdes est produite chez les hommes vers 30 ans. Après cet âge, le nombre de capillaires entourant les tubes séminifères diminue, entraînant alors une modification dans la différenciation des cellules germinales. ■

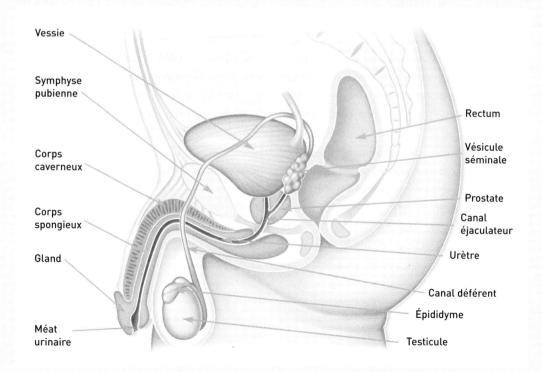

Vessie

Symphyse pubienne

Corps caverneux

Corps spongieux

Gland

Méat urinaire

Rectum

Vésicule séminale

Prostate

Canal éjaculateur

Urètre

Canal déférent

Épididyme

Testicule

La formation des spermatozoïdes

1ER MOIS

2E MOIS

3E MOIS

4E MOIS

5E MOIS

6E MOIS

7E MOIS

8E MOIS

9E MOIS

LA NAISSANCE

LES 1RES SEMAINES DE MAMAN

LES 1RES SEMAINES DE BÉBÉ

GROSSESSES DIFFÉRENTES

ANNEXES

LE GAMÈTE MÂLE, LE SPERMATOZOÏDE, se forme dans les testicules qui sont fixés au fond des bourses, en dehors de la cavité abdominale. Cette particularité est essentielle car la température du corps, en quasi-permanence à 37 °C, est incompatible avec la spermatogenèse. La descente des testicules vers les bourses commence dès la vie intra-utérine pour se terminer vers l'âge de 3 ans. Ces glandes sont en permanence actives, de la puberté à la fin de la vie, que l'homme ait ou non une activité sexuelle. Elles sont formées d'une multitude de petits tubes très fins, les tubes séminifères, enroulés comme les fils d'une pelote.

Le nombre fait la force

Dans sa vie, un homme produit en moyenne 1 000 milliards de spermatozoïdes. Tous ceux qui ne sont pas éjaculés sont naturellement détruits. Chaque testicule renferme 200 à 300 globules testiculaires, contenant eux-mêmes 1 à 4 tubes séminifères. Ceux-ci sont tapissés de cellules germinales qui se transformeront, par différentes étapes, en spermatozoïdes. Il faut 74 jours pour que se produise la spermatogenèse. Les testicules ont encore pour fonction la production de testostérone, hormone qui agit de la puberté à la fin de la vie. Son rôle est essentiel dans la spermatogenèse. Les fonctions des testicules sont sous le contrôle de l'hypothalamus et de l'hypophyse. Dans les testicules, les spermatozoïdes ne sont pas mobiles. Ils le deviendront en traversant les canaux de l'épididyme, transportés par un liquide : le plasma séminal. Celui-ci est produit par la prostate et les glandes séminales. Puis les spermatozoïdes traversent les 30 à 40 cm des canaux déférents pour être mis en attente dans les vésicules séminales placées de part et d'autre de la prostate. Tout cela se fait en une quinzaine de jours et les spermatozoïdes se renouvellent tous les 30 jours environ dans les vésicules séminales. C'est au nombre de 300 millions à 400 millions qu'ils sont libérés lors d'un éjaculat. Ils sont alors mêlés à un liquide, le sperme, destiné à les nourrir et à les transporter.

On constate, dans la population masculine des pays développés, une diminution de la quantité et de la qualité des spermatozoïdes, sans doute pour des raisons de stress et d'environnement. Modifications sans conséquence aujourd'hui sur la fertilité, mais qu'en sera-t-il demain ?

La plus petite cellule

Chaque spermatozoïde a la même morphologie : une tête où sont situées les cellules chromosomiques et un flagelle qui lui donne sa mobilité. C'est la plus petite cellule du corps humain, 50 microns. Il ne prendra son pouvoir fécondant que dans les voies génitales féminines.

Les spermatozoïdes peuvent vivre 3 à 4 jours dans l'utérus féminin, attendant l'ovule. ■

Se déclarer officiellement

Le meilleur moment pour consulter le médecin, afin qu'il ait toutes les informations pour confirmer ou non une grossesse, se situe six à huit semaines après le retard de règles. Aussi, pour prévenir toute grossesse difficile, la première visite prénatale devrait, au mieux, se faire à la fin du 2e mois. Au cours de cette consultation, le médecin vous remettra un formulaire composé de quatre volets. C'est le 3e qu'il faut envoyer à la Caisse primaire d'assurance maladie. La déclaration de grossesse doit être faite avant la 15e semaines aménorrhée. Elle permet la mise en place de l'assurance maternité et le versement des allocations dont bénéficient certaines femmes enceintes. ■

Des examens complémentaires

Le médecin peut aussi demander un frottis. Cela consiste à recueillir sur une spatule en bois des cellules desquamées du col de l'utérus ou du vagin afin de les analyser. Cet examen, s'il n'a pas eu lieu depuis deux ans, aide à dépister une transformation des cellules du col de l'utérus. Un examen des pertes vaginales (s'il y en a d'anormales) peut aussi être effectué afin de rechercher une éventuelle infection. Tous ces contrôles sont complétés, si besoin, par divers examens : échographie (exploration interne de tous les organes génitaux) ; prise de sang (permettant une analyse « numération-formule sanguine » avec numération des plaquettes et les diverses sérologies). ■

La tension artérielle

À chaque consultation, votre médecin prendra votre tension artérielle. Cette mesure est systématique pour tout examen au cours de la grossesse. Son but : dépister au plus vite une hypertension qui peut être grave. Celle-ci touche 1 femme enceinte sur 10 et peut entraîner un retard de croissance du fœtus. De plus, elle peut se compliquer d'une protéinurie (présence d'albumine dans les urines) qui est un signe d'aggravation. Elle peut conduire à une éclampsie (affection caractérisée par des convulsions associées à une hypertension artérielle) mettant en jeu la vie de la mère et de l'enfant. La tension normale d'une femme enceinte est plus basse que celle qu'elle avait avant la grossesse. Cela est dû à l'augmentation de son réseau de circulation sanguine qui irrigue le placenta et le fœtus. Une hypotension légère, en revanche, est tout à fait normale et peut se manifester par de classiques étourdissements lors du passage à la station debout. ■

▌ MON CONSEIL

Certaines futures mamans vont constater un phénomène étonnant et dont nous n'avons pas d'explication physiologique, ce sont les règles anniversaires. Ces femmes ont des saignements plus ou moins abondants à la date habituelle de leurs règles. Celles-ci ne sont pas suivies d'une ovulation et ne mettent pas en danger l'embryon. Mais elles ont l'inconvénient de faire croire à ces femmes qu'elles ne sont pas enceintes et donc de leur faire abandonner les mesures habituelles de prudence en début de grossesse. Elles sont, parfois encore, à l'origine de fausse datation de la grossesse. D'une manière générale, s'il n'y a pas de fausse couche ou de grossesse extra-utérine caractérisée par des saignements abondants et foncés, les petits saignements clairs en début de grossesse ne sont pas rares et ne compromettent pas systématiquement la poursuite de celle-ci. Ils doivent cependant être immédiatement signalés au médecin. ■

La confirmation du médecin

1ER MOIS

2E MOIS

3E MOIS

4E MOIS

5E MOIS

6E MOIS

7E MOIS

8E MOIS

9E MOIS

LA NAISSANCE

LES 1RES SEMAINES DE MAMAN

LES 1RES SEMAINES DE BÉBÉ

GROSSESSES DIFFÉRENTES

ANNEXES

QUE VOUS AYEZ DE FORTES PRÉSOMPTIONS, que votre test de grossesse vous ait déjà révélé la nouvelle, il est important de consulter votre médecin. Cette première consultation peut être longue. En effet, c'est l'occasion d'un bilan médical approfondi. Le médecin va vous interroger sur votre passé médical, personnel et familial. Sont notés les opérations chirurgicales, les allergies, les transfusions, les médicaments pris dans le mois précédent, le moyen contraceptif et sa durée d'utilisation.

Signaler les antécédents

C'est, bien sûr, au cours de cette visite qu'il vous faut signaler tout antécédent gynécologique : le nombre de grossesses menées à terme et celles qui ont échoué, ainsi que tout « accident » important comme une grossesse extra-utérine ou une intervention chirurgicale gynécologique. Les irrégularités du cycle, les pertes doivent également être mentionnées.

À rappeler également des antécédents plus généraux : tuberculose, maladies cardiaques ou rénales, et bien sûr, les interventions chirurgicales ayant touché l'abdomen et le bassin. S'ajouteront les problèmes héréditaires, familiaux.

Toute maladie génétique, même si elle touche un parent fort éloigné, de votre côté comme celui de votre mari, doit être signalée (p. 47).

Pour un second bébé aussi

Si ce n'est pas votre première grossesse, le médecin vous demandera de raconter par le détail les éventuelles perturbations survenues lors de vos grossesses antérieures. La majorité des facteurs de risque peut être cernée lors de cette première visite. Cette consultation est donc fondamentale pour le suivi de votre grossesse.

Un dossier médical solide

Viennent ensuite les questions sur votre situation sociale. Ces informations entrent dans le dossier médical et donnent déjà un profil du déroulement des neuf mois à venir. Tout cela permet de déterminer le jour le plus probable de la conception (p. 48).

Le médecin procède ensuite à un examen médical. Il consiste en une auscultation cardiaque et pulmonaire, un examen des vertèbres, un palper des jambes et des chevilles, afin de déceler d'éventuelles varices ou œdèmes (pp. 166 et 215), la prise de la tension artérielle, qui, normalement, doit être un peu plus basse que d'habitude, puis un palper des seins.

La consultation se termine par un examen gynécologique. Celui-ci comprend un examen au spéculum, un toucher vaginal accompagné d'une palpation de l'abdomen. Enfin, vous ne quitterez pas le cabinet du médecin sans être passée sur la balance. ◾

❝ Pensez à interroger votre conjoint sur les accidents de santé qui ont pu toucher sa famille, même éloignée. ❞

Le deuxième mois

1ER MOIS

2E MOIS

3E MOIS

4E MOIS

5E MOIS

6E MOIS

7E MOIS

8E MOIS

9E MOIS

LA
NAISSANCE

LES 1RES
SEMAINES
DE MAMAN

LES 1RES
SEMAINES
DE BÉBÉ

GROSSESSES
DIFFÉRENTES

ANNEXES

Le deuxième mois

Vous

VOUS VOUS SENTEZ BIZARRE. L'existence de l'enfant qui est en vous est toute théorique et les transformations de votre corps ne sont pas tout à fait ce que vous imaginiez. Votre toute nouvelle grossesse vous donne des élans de fierté et pourtant, pour un rien, vous êtes au bord des larmes. La moindre réflexion de votre entourage vous irrite.

Fixer votre attention est difficile, vos sentiments sont mitigés. En réalité, vous traversez une période d'introspection : « Ce bébé, je l'ai voulu. Pourquoi ? Pour qui ? Serai-je capable d'assumer une telle responsabilité ? » Rassurez-vous, peu de femmes échappent à cet épisode de l'histoire de la maternité, tant celle-ci est bouleversante.

Vous vous observez, attentive aux moindres signes physiques. Vous savez que vous êtes enceinte, votre conjoint aussi, mais personne ne le voit. Votre corps, lui, le sait et il se transforme. Vous sentez vos seins plus lourds, vous vous réveillez le matin le cœur au bord des lèvres et vos nuits sont merveilleusement longues. Ces bouleversements demandent de votre part un peu de prudence. La lente maturation de l'idée que « faire un bébé » demande un peu de disponibilité.

Tout naturellement, vous vous tournez vers votre enfance. De votre mémoire, tel un plongeur qui remonte à la surface d'un simple battement de pieds, les souvenirs de vos relations avec votre mère ressurgissent. Ainsi, vous construisez votre propre histoire de mère. Aujourd'hui ou demain, l'échographie vous révélera que cette belle histoire n'est pas un rêve. Imaginaire et réalité se mêlent. Ils élaborent les premiers sentiments d'attachement mère-enfant.

Votre bébé

1ER MOIS

2E MOIS

3E MOIS

4E MOIS

5E MOIS

6E MOIS

7E MOIS

8E MOIS

9E MOIS

LA
NAISSANCE

LES 1RES
SEMAINES
DE MAMAN

LES 1RES
SEMAINES
DE BÉBÉ

GROSSESSES
DIFFÉRENTES

ANNEXES

L'EMBRYON MESURE 4 CENTIMÈTRES DE LONG quand il atteint l'âge de 8 semaines. Tous les organes du futur bébé sont maintenant en place. Il possède déjà une ébauche de système nerveux, un début de circulation sanguine, un intestin primitif et les prémices de ses précieux organes sensitifs. En état d'apesanteur, l'embryon flotte dans le liquide amniotique... Dans ce liquide, les organes et les tissus sont préservés contre les chocs et la pression. Les substances protidiques du sang maternel sont prélevées par le placenta afin de contenter les besoins continus de la construction des cellules.

Au 1e mois

Au 2e mois

Au 3e mois

L'embryon représente un corps étranger pour l'organisme maternel. Seules des caractéristiques immunitaires particulières et uniques permettent une cohabitation fructueuse.

Des yeux et une bouche

Au cours du 2e mois, les différents organes vitaux ébauchés se transforment en appareils au fonctionnement déjà parfait. Le tube digestif est complet avec l'œsophage, le foie, le pancréas (qui est déjà capable de réguler les apports en glucides). L'appareil respiratoire s'arborise autour du cœur. Les glandes sexuelles apparaissent, mais il n'y a pas encore de différenciation sexuelle. L'appareil urinaire se construit, rectum et canal anal se distinguent de la vessie.

On discerne déjà bien les principaux nerfs, les deux hémisphères du cerveau et l'hypophyse. On remarque les membres avec l'ébauche des doigts et des orteils. Les membres supérieurs sont un peu plus développés que les membres inférieurs.

L'embryon a des yeux mais ils sont recouverts d'une membrane (qui deviendra plus tard la paupière), un nez aplati et une bouche énorme. Bien séparées par le palais, on aperçoit également deux petites fentes qui deviendront les oreilles. Vers 9 à 10 semaines de gestation, le visage du fœtus est pratiquement définitivement constitué. Dès 8 semaines, l'embryon, replié sur lui-même, bouge légèrement dans le liquide amniotique, il lui arrive même d'avoir le hoquet. Il mesure 3 cm environ et pèse 9 g. ■

Ni fille ni garçon

L'embryon n'est ni fille ni garçon. À 6 semaines, il possède deux glandes sexuelles, les gonades, encore indifférenciées et deux systèmes de canaux dérivés de l'appareil urinaire : les canaux de Wolff (mâles), les canaux de Müller (féminins). Le chromosome Y, lorsqu'il est présent, est responsable de la fabrication de la testostérone et de l'hormone antimüllerienne qui provoque la régression de l'ébauche d'utérus et de trompes, et oriente le fœtus vers le sexe mâle. Au 3e mois, les canaux de Wolff se transforment pour donner naissance à la prostate et aux vésicules séminales. C'est donc l'appareil génital interne qui se développe en premier, les organes génitaux externes apparaîtront plus tard dans l'évolution du fœtus. ■

La division cellulaire

L'embryon à 4 semaines

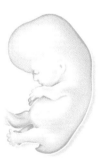

L'embryon à 8 semaines

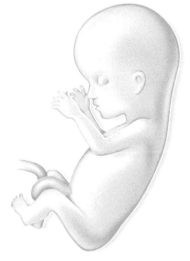

L'embryon à 11 semaines

La mise en place des grandes fonctions

1ᴱᴿ MOIS

2ᴱ MOIS

3ᴱ MOIS

4ᴱ MOIS

5ᴱ MOIS

6ᴱ MOIS

7ᴱ MOIS

8ᴱ MOIS

9ᴱ MOIS

LA NAISSANCE

LES 1ᴱᴿˢ SEMAINES DE MAMAN

LES 1ᴱᴿˢ SEMAINES DE BÉBÉ

GROSSESSES DIFFÉRENTES

ANNEXES

L'ŒUF EST MAINTENANT LOVÉ EN VOUS ET CONTINUE À SE DÉVELOPPER. À un pôle de cet œuf croît ce que l'on appelle le bourgeon embryonnaire. Les cellules qui le composent vont se différencier et donner les différents organes de l'embryon. Les principales parties du corps humain se forment dans les tout premiers mois de la vie intra-utérine. Les cellules se multiplient vite, en suivant un ordre bien établi. Chaque processus de différenciation est marqué d'une date.

Un calendrier bien établi

L'isolement du système nerveux se situe entre le 13ᵉ et le 25ᵉ jour. Un sillon se creuse tout au long de l'embryon : ce sera la moelle épinière. Les bords de ce sillon se rejoignent à la fin du 2ᵉ mois pour former le tube neural. À une extrémité se dilatent des vésicules, le cerveau, dont les circonvolutions commencent déjà à se dessiner. À 8 semaines, le développement des cellules nerveuses est incroyable : plus de 100 000 cellules chaque minute. À peu près au même moment, là où se trouveront les narines et la bouche, s'est formée la membrane pharyngienne et, à l'emplacement des orifices urinaire, génital et digestif, s'installe la membrane cloacale. Deux cordons cellulaires, épais et longitudinaux, se dessinent encore, doublés par deux autres ; cet ensemble est l'ébauche de l'appareil urinaire et des reins. Au 17ᵉ jour, ce sont les vaisseaux sanguins qui apparaissent. La circulation du sang s'y installe avec les premières cellules souches de sang. La formation du cœur se fait à partir d'un gros vaisseau sanguin. Il bat dès la 4ᵉ semaine de grossesse, et dès le 21ᵉ jour, la circulation sanguine est mise en mouvement par le cœur. Parallèlement, un réseau de vaisseaux se développe pour gagner le placenta. Au 21ᵉ jour, l'intestin primitif est formé. Au cours de la 4ᵉ semaine, l'organogenèse se poursuit. L'épiderme se forme à partir de l'ectoblaste, tout comme les poils et les glandes sébacées et sudoripares. Autour de la bouche, on voit naître les organes des sens ; l'œil se forme. Sous le cœur qui remplit déjà bien sa tâche, le foie se met à pousser.

Un rôle précis

À 3 semaines, l'œuf ressemble à un disque constitué de trois couches de cellules superposées. Chaque partie joue son rôle dans la naissance des organes de l'enfant. L'ectoblaste donnera naissance au système nerveux et au cerveau ainsi qu'à l'épiderme. Le mésoblaste sera à l'origine du cœur, des veines, des artères, des reins, des muscles, des os, des cartilages et du derme. L'endoblaste, lui, se chargera de la construction des appareils digestif et respiratoire. ▪

" Dès les premiers mois, le fœtus est un enfant pour les parents. Les médecins le considèrent comme un petit patient au 6ᵉ mois de la grossesse. ""

Des interprétations délicates

L'échographie a changé de manière étonnante le suivi de la grossesse, mais elle n'est pas exacte à 100 %. La qualité des dépistages dépend du matériel, et surtout de la pratique et de la qualification de l'opérateur.

Le Collège national des gynécologues obstétriciens français a édité un compte rendu échographique informatisé, complété par des courbes de croissance fœtale types.

Ce document aide à réaliser un examen précis et de qualité, et est facilement lisible par les patientes. Une ligne est prévue obligeant le spécialiste à préciser qu'il a informé sa patiente des buts et des limites de cet examen.

De son côté, la Haute Autorité de la Santé doit établir une série de recommandations destinées à accompagner le médecin au cours de l'examen. Il y serait rappelé son bon déroulement et ce qui doit être recherché selon l'avancement de la grossesse. Les erreurs les plus courantes sont : l'annonce d'une fausse couche prochaine, de jumeaux, d'une grossesse extra-utérine.

Il semble encore que le diagnostic exact du poids et de la taille du futur bébé soit, dans bien des cas, délicat à poser (imprécision de 10 % environ par rapport à la réalité).

Certaines malformations sont faussement diagnostiquées, la « bévue » la plus courante semble être celle d'un pronostic de césarienne, en raison d'un placenta prævia (inséré trop bas), alors que celui-ci peut retrouver une place normale au cours de la grossesse.

Enfin, le diagnostic du sexe de l'enfant ne semble pas fiable à 100 %, l'échographiste ayant des difficultés d'interprétation de l'image. Mais, rassurez-vous, on estime le taux d'« erreurs » de 0,6 à 0,8 %. C'est peu sur 3 millions d'examens annuels.

Enfin, tous les médecins ou sages-femmes qui pratiquent des échographies doivent posséder un diplôme spécifique. ∎

Vos premières émotions

Le professeur W. Pasini, de Genève, a particulièrement étudié l'échographie sous son aspect psychologique. Certains résultats de ses nombreuses études permettent de mieux connaître les réactions des couples.

Plus de la moitié des hommes et des femmes interrogés se disent émus par l'image échographique et beaucoup plus par les mouvements du fœtus que par les battements de son cœur.

Il semble que la responsabilité de l'échographiste soit très importante pour transformer cette émotion en bonheur. Heureusement, les deux tiers des personnes interrogées l'ont trouvé chaleureux.

Il apparaît encore que les mères plus que les pères établissent, pendant et à la suite de l'échographie (notamment après la première), une communication avec l'enfant.

En revanche, tout à fait mitigées sont les opinions sur la présence du père à cet examen. Les femmes se partagent en trois groupes à peu près équivalents : celles qui ont apprécié sa présence ; celles pour qui cela n'a pas d'importance ; et celles qui auraient aimé qu'il soit là.

Si l'échographie reste une expérience que les femmes aiment à partager, certaines semblent en redouter le « regard » par trop intimiste : le « partage » trop précoce de l'enfant les prive du bonheur de prolonger au maximum le couple mère-enfant.

Enfin, le professeur Pasini a interrogé les mères et les pères sur leur désir de connaître le sexe du bébé avant sa naissance. Une large majorité des couples ne le souhaite pas et un grand nombre d'entre eux n'a même pas posé la question de savoir si c'était possible.

Sur plus de 400 personnes interrogées, 100 ont posé la question et 150 voulaient réellement connaître le sexe de leur bébé. ∎

L'émotion de la première rencontre

LA PREMIÈRE ÉCHOGRAPHIE DE L'ENFANT, bien qu'elle ne soit guère parlante pour la future maman sans les explications de l'échographiste, provoque toujours une émotion intense. Mais ce moment n'est pas vécu par toutes avec le même bonheur. Pour certaines, cette image est la preuve qu'elles sont enceintes et qu'elles sont dès lors reconnues comme telles par leur entourage – notamment par le père de l'enfant – et par la médecine. Elles passent en quelques minutes du rêve à la réalité. Ce qui les étonne toujours, c'est la mobilité de ce fœtus qu'elles ne sentent pas encore bouger en elles.

Une merveilleuse révélation

Tous les parents sont émerveillés, notamment par les battements du cœur. Cela signifie que ce bébé à venir est bien vivant. La mère va pouvoir se le représenter avec d'autant plus de liberté que son âge et la qualité de l'image ne permettent pas de lui attribuer des traits précis. Ce qu'elle voit sur l'écran devient alors un support de l'imagination ; elle y superpose d'autres représentations, beaucoup moins froides et plus poétiques. Pour la plupart des parents, cette image est une révélation. Ils ne savaient pas qu'à ce stade de la grossesse un bébé pouvait déjà être aussi formé, aussi proche de l'humain.

Être rassurée

Mais l'échographie n'a pas ce rôle de révélateur pour toutes les femmes. L'angoisse de la maternité est tellement forte, chez certaines, que l'image de leur bébé ne peut en rien les rassurer ; pour d'autres, l'intensité de la communication fantasmatique avec leur futur bébé est bien plus réelle dans leur tête et dans leur corps que sur l'écran. Enfin, quelques femmes vivent cette première échographie négativement. Elles n'ont pas encore eu le temps de se penser attendant un enfant. La révélation par l'image les perturbe et l'échographie court-circuite le travail intérieur qui les conduit vers l'enfant réel, et qu'elles n'ont pas encore accompli. En fait, il semble que l'échographie ne puisse pas être vécue comme un moment heureux par toutes les femmes, ni pour toutes les grossesses. Les futures mamans les plus inquiètes appréhendent cette première échographie. Cela se traduit en général par deux comportements possibles : celles qui posent quantité de questions et celles qui s'accrochent à la moindre parole de l'échographiste pour se rassurer. On s'aperçoit encore que les parents n'expriment pratiquement jamais le terme « malformation » ; ils utilisent l'adjectif « anormal », réduisant ainsi leurs craintes à une idée de conformité esthétique. Le rôle de l'échographiste est de rassurer sur la normalité de l'embryon, mais aussi de préparer les parents en cas de problème (p. 456). D'ailleurs, une règle semble s'établir entre échographistes : ne sont annoncées que les malformations qui auront des conséquences sur le déroulement ou le devenir de la grossesse, et celles qui demandent des précautions immédiates au moment de la naissance. ∎

1ER MOIS

2E MOIS

3E MOIS

4E MOIS

5E MOIS

6E MOIS

7E MOIS

8E MOIS

9E MOIS

LA NAISSANCE

LES 1RES SEMAINES DE MAMAN

LES 1RES SEMAINES DE BÉBÉ

GROSSESSES DIFFÉRENTES

ANNEXES

Des images bien nettes

Le principe de l'échographie obstétricale repose sur celui des ultrasons qui ont pour caractéristique de traverser ou de résonner de manière différente selon la nature des substances qu'ils traversent et qu'ils rencontrent. Dans l'échographie, les ultrasons traversent l'épiderme, le derme et le liquide amniotique, ils résonnent sur les os et sur les cartilages, puis reviennent vers leur point d'émission pour être matérialisés sur un écran. Il existe différents types d'appareils échographiques. Le plus ancien, apparu en 1970, est à balayage manuel et ne donne qu'une image fixe. Depuis 1980, on utilise l'appareil dit en temps réel. Il permet une succession rapide d'images donnant l'illusion d'un mouvement. Cet appareil se compose d'une sonde équipée d'un fragment de quartz qui, sous l'effet de l'électricité, émet des ultrasons. Il suffit de promener cette sonde sur le ventre de la future maman, enduit d'un gel, pour faciliter le contact. Mais il existe un autre type de sonde dite endovaginale. Elle est alors introduite dans le vagin et, au contact de l'utérus, donne une image d'une parfaite qualité. De plus en plus d'appareils échographiques sont équipés de systèmes informatiques analysant et inscrivant sur les clichés des informations telles que la date des dernières règles, les mensurations du fœtus et la date théorique du terme. ▪

Comme une photo

Depuis peu, une nouvelle technique permettant d'avoir une image échographique en volume est à la portée des futurs parents. Il s'agit d'un cliché semblable à une photo en relief. Ce procédé qui, grâce à la micro-électronique, met en jeu quelque 20 millions d'informations par seconde ne donne plus seulement une image en coupe mais une image en trois dimensions, reproduction plus fidèle du bébé. Cette nouvelle technique est surtout pour les médecins un moyen d'examiner votre enfant de manière encore plus précise. La technique est telle qu'elle leur permettra de faire pivoter l'image pour observer l'enfant sur toutes ses faces, et aussi d'examiner en profondeur le squelette et les organes internes. Ainsi, certaines malformations pourront être précisées par le volume et détectées très précocement. Pourtant, certains spécialistes émettent des mises en garde : ce n'est pas un spectacle, c'est un outil de travail habituellement complémentaire, si l'image 2D nécessite un approfondissement. ▪

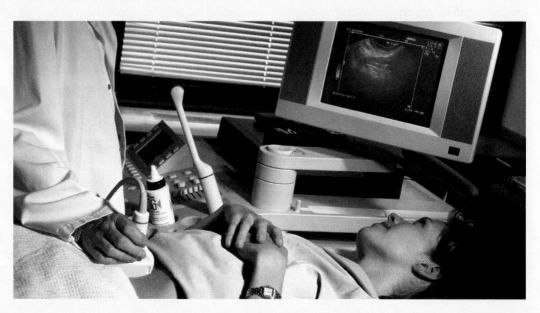

Les échographies

1ER MOIS

2E MOIS

3E MOIS

4E MOIS

5E MOIS

6E MOIS

7E MOIS

8E MOIS

9E MOIS

LA NAISSANCE

LES 1RES SEMAINES DE MAMAN

LES 1RES SEMAINES DE BÉBÉ

GROSSESSES DIFFÉRENTES

ANNEXES

ON PRATIQUE ACTUELLEMENT 3 MILLIONS D'ÉCHOGRAPHIES CHAQUE ANNÉE pour 780 000 naissances, soit quatre par femme en moyenne, mais elles sont inégalement réparties géographiquement et dans le temps. Ainsi, plus de 18 % des futures mamans passent six échographies ou plus. Pour le Collège national des gynécologues et des obstétriciens, trois échographies doivent suffire. Elles permettent de dépister un certain nombre d'anomalies fœtales, de dater la grossesse et de mesurer la croissance du fœtus.

Le premier rendez-vous

La première échographie médicalement nécessaire se fait à 12 semaines d'aménorrhée afin de connaître le nombre de fœtus, de dater exactement la grossesse, de localiser le placenta et enfin de dépister d'éventuelles anomalies. Le contrôle du développement du futur bébé se fait durant cette période de la grossesse, en mesurant le fœtus du haut de son crâne au coccyx, en bas de la colonne vertébrale. Cette mesure est intéressante parce qu'à cet âge il n'y a pas encore de réelles différences entre les bébés. Reportée sur une courbe type, elle permet de savoir si l'enfant a un développement normal pour son âge.

La seconde fois

La seconde échographie, fixée entre 20 et 22 semaines (p. 161), a pour but de détecter les anomalies à expression tardive et de contrôler encore la bonne croissance du futur bébé. C'est l'échographie dite d'étude morphologique.

La troisième rencontre

La troisième échographie se fait entre 32 et 34 semaines (p. 272). Elle contrôle la croissance de l'enfant et détermine de manière assez approximative le poids de naissance. Une très récente étude de l'Inserm montre qu'à 22 semaines un peu plus de la moitié seulement des anomalies sont détectées ; à 32 semaines, ce taux passe à 61 %, d'où l'intérêt d'une troisième échographie à ce terme. Les anomalies révélées le plus tôt sont les anencéphalies (absence de crâne et d'encéphale) et les malformations des membres. Beaucoup plus tard se reconnaissent les hydrocéphalies (augmentation de la quantité de liquide céphalo-rachidien) et les malformations urinaires, les malformations cardiaques et œsophagiennes étant plus difficiles à déterminer.

Tous les échographistes et les radiologues ne sont pas échographistes obstétricaux. Une formation particulière est indispensable. Adressez-vous uniquement à ces spécialistes.

Un matériel sophistiqué

En fait, on s'aperçoit que tout dépend du matériel dont dispose l'hôpital ou la clinique et enfin du degré de compétence de l'échographiste. L'échographie est une discipline en constante évolution. L'équipement – dont les références techniques et notamment la date d'acquisition doivent être mentionnées sur le compte rendu échographique – de plus en plus sophistiqué permet des investigations particulièrement pointues.

L'échographie *en savoir plus*

À quoi servent les échographies ?

La première échographie se pratique vers la 12e semaine d'aménorrhée. Elle permet notamment de dater exactement la grossesse et donne une image assez globale du fœtus avec un examen aisé des membres et de la proportion de la tête. La deuxième échographie se pratique entre 20 et 22 semaines d'aménorrhée. Elle donne une image plus restreinte, mais plus détaillée, notamment du cerveau et du cœur du futur bébé. La troisième et dernière échographie se situe entre 32 et 34 semaines d'aménorrhée et permet, entre autres, de contrôler la position du fœtus et de donner les informations nécessaires au médecin accoucheur pour décider du mode d'accouchement. Dans les trois cas, l'échographiste procède à diverses mesures en appréciant la croissance des os du crâne, des os longs et de certaines parties molles ; il localise le placenta par rapport au col de l'utérus ; il évalue la quantité du liquide amniotique ; il vérifie le stade de développement des principaux organes et leur bon fonctionnement. Ses qualités professionnelles sont importantes dans l'évaluation des risques de malformations. ■

Bien vous préparer

L'examen échographique demande quelques petites attentions, tout simplement pour assurer la netteté de l'image, indispensable à une bonne interprétation.

Voici les consignes à respecter :

– ne pas mettre de crème hydratante ou autre sur votre ventre dans les huit jours qui précèdent l'examen ;

– boire trois quarts d'heure avant l'examen un litre d'eau de manière à remplir votre vessie. Elle va remonter l'utérus et permettre une meilleure image. L'examen se pratique dans une salle spécialement aménagée : on y trouve un divan ou une table d'examen et, bien sûr, l'échographe avec un ou deux écrans. Au moment de l'examen, l'échographiste passe un gel sur la peau du ventre de la future maman pour permettre un meilleur contact de la sonde de l'appareil échographique. Celle-ci émet et reçoit les ultrasons qui sont de très faible puissance. Une étude faite sur une multitude d'examens permet de confirmer leur totale innocuité. Jamais un incident n'a été signalé. ■

▍MON AVIS

L'échographie permet aussi de pratiquer des interventions chirurgicales pour soigner la mère ou l'enfant. Chez la mère, cela consiste essentiellement à effectuer la ponction d'un kyste de l'ovaire s'il est trop gênant. Mais l'échographie est particulièrement précieuse pour soigner le bébé. Il est possible, par exemple, de ponctionner les poumons d'un fœtus atteint de pleurésie. Les médecins soulagent l'enfant et peuvent analyser la nature du liquide qui perturbait le développement des poumons. De même, l'échographie permet d'intervenir pour décongestionner un rein dilaté ou une vessie bloquée. Là encore, la ponction va permettre de savoir si c'est un rein — et lequel — qui fonctionne mal ou si c'est la vessie. Il est alors possible d'installer un drain pour vider la vessie régulièrement. Autre exemple : la ponction, chez un bébé fille, d'un kyste sur un ovaire qui serait lésé sans cette intervention. C'est encore sous échographie que sont faits tous les prélèvements de liquide amniotique lorsqu'on redoute une maladie infectieuse, ou qu'on a besoin d'analyser certains marqueurs biochimiques qui indiquent un mauvais fonctionnement de l'appareil digestif ou une maladie génétique. Cette technique est encore vitale lorsqu'il faut transfuser un bébé anémié. ■

Le Doppler

1ER MOIS

2E MOIS

3E MOIS

4E MOIS

5E MOIS

6E MOIS

7E MOIS

8E MOIS

9E MOIS

LA NAISSANCE

LES 1RES SEMAINES DE MAMAN

LES 1RES SEMAINES DE BÉBÉ

GROSSESSES DIFFÉRENTES

ANNEXES

DANS CERTAINS CAS, LE MÉDECIN PRESCRIRA UN AUTRE EXAMEN :
le Doppler. Cet appareil, lui aussi utilisant la propriété de résonance des ultrasons,
permet de mesurer le flux dans les vaisseaux sanguins. L'appareil analyse la
vitesse du sang dans les artères de l'utérus et les vaisseaux du cordon ombilical :
les ultrasons se réfléchissent alors sur les globules rouges en mouvement.
La variation de fréquence fait surgir un son qui s'exprime sur un graphique.

Améliorer le diagnostic prénatal

Depuis peu, il existe des appareils qui transmettent une image en couleurs. Loin d'être une sophistication inutile, ils améliorent le diagnostic prénatal. L'examen, notamment du cerveau de l'enfant, donne de précieuses indications sur sa santé présente et à venir. L'intérêt de ces examens a été reconnu si la mère a des antécédents obstétricaux, si elle est hypertendue (p. 493), diabétique (p. 491) ou souffre d'une maladie immunitaire, si l'on détecte une anomalie du liquide amniotique ou une malformation fœtale. Il est aussi très utilisé dans la surveillance des jumeaux (pp. 477 et 478).

Différents examens

Selon ce que veut savoir le médecin, il vous prescrira des examens différents.

• La mesure du cordon ombilical : cet examen se fait au niveau d'une des artères du cordon. Il renseigne parfaitement sur la qualité des échanges entre le placenta (p. 95) et le fœtus et permet de présager la croissance de l'enfant. En surveillance systématique, on le fait surtout au 2e trimestre, il sera répété entre la 32e et la 34e semaine, plus, si nécessaire.

• La mesure sur les artères utérines : une des plus délicates, est utile en cas d'hypertension maternelle. Elle permet notamment de chercher les raisons d'un retard de croissance. Elle est pratiquée au cours du 2e trimestre de la grossesse, entre la 22e et la 24e semaine, et est souvent faite conjointement avec l'échographie de dépistage des malformations. Ce Doppler signale aussi les risques de complications vasculaires maternelles. Le Doppler, au cours de la grossesse, est aussi utilisé pour déceler une souffrance fœtale, un retard de croissance du fœtus, lors d'une hypertension maternelle ou lorsqu'il y a risque d'éclampsie (affection grave caractérisée par des convulsions associées à une hypertension).

• La mesure sur les artères cérébrales du fœtus est prescrite si la future maman a déjà eu des difficultés au cours d'une première grossesse. Elle permet d'évaluer une détresse fœtale, notamment en cas de mauvais apport en oxygène. Ce Doppler sera effectué dès le 2e trimestre de la grossesse si l'une des deux mesures précédentes se révèle anormale. Il est pratiqué aussi en cas d'hypertension. En fait, cette mesure confirme bien souvent les observations faites au cours des mesures du cordon ombilical et celles sur les artères utérines. ▪

" L'utilisation des ultrasons en médecine a révolutionné le suivi de la maternité. „

Soignez vos jambes

Le volume sanguin étant plus important, la moindre contraction des tissus veineux provoque parfois une mauvaise circulation au niveau des jambes et entraîne, pour certaines, des risques de varices. Aucun remède n'est véritablement efficace, seule la prévention est possible. Elle passe par de bonnes chaussures. Bannissez les talons hauts : ceux de quelques centimètres sont parfaits. Choisissez aussi des chaussures qui maintiennent bien la cheville, le relâchement musculaire général chez la femme enceinte occasionnant des foulures, des entorses et des chutes plus fréquentes qu'avant.

N'hésitez pas encore à dormir les jambes légèrement surélevées. Le chauffage par le sol et l'exposition des jambes au soleil sont, par contre, à éviter. Profitez du week-end pour faire un peu de marche à pied ou de vélo.

En été, limitez l'exposition de vos jambes aux heures les plus chaudes, faites un peu de marche en bordure de plage, là où s'échouent les vagues. Choisissez de vous épiler avec un épilateur électrique ou à la cire froide. Si vos chevilles ou vos jambes doublent de volume sous l'effet de la chaleur, prenez une douche fraîche en remontant de la plante des pieds à la cuisse.

Si vous devez voyager par avion, n'oubliez pas de porter des bas de contention, ils sont indispensables notamment dans le cas d'un long trajet.

Le docteur Roger Moatti, spécialiste de la phytothérapie et président de l'Association mondiale de phytothérapie, prescrit pour les troubles de la circulation, le marron d'Inde, le mélilot et la vigne rouge, en tisanes ou en gélules.

Pour les dosages, consultez un phytothérapeute. ▪

Et partez d'un bon pied

Vos pieds vont devoir supporter votre nouveau poids et les quelques petits problèmes qui pouvaient vous gêner vont s'accentuer. Le surpoids va écraser encore un peu plus la voûte plantaire qui n'était pas assez solide, va fragiliser les chevilles déjà fatiguées ou traumatisées. Vous souffrirez moins dans des chaussures adaptées à votre nouvelle situation. La bonne chaussure a un petit talon de 2 à 4 cm, et elle ne serre pas (si vous portiez des talons, abaissez leur hauteur progressivement et évitez les bottes qui compriment la circulation). Prenez le temps de faire un peu de gymnastique : faites rouler vingt fois, sous chacune des voûtes plantaires, une balle de tennis ; faites des cercles de la pointe des pieds dans un sens puis dans l'autre ; dressez votre pied sur sa pointe, puis abaissez, une vingtaine de fois avec chaque pied. ▪

Surveillez vos dents

Le dicton « Un bébé, une dent » n'a plus de raison d'être aujourd'hui. Plus aucune jeune maman, à l'alimentation équilibrée, ne souffre de décalcification. Mais il n'est pas rare de voir s'installer lors de la grossesse une gingivite persistante, dite gingivite gravidique. Elle touche 25 % des futures mamans. Elle s'explique par une fragilité des vaisseaux sanguins et peut s'accentuer au cours des neuf mois avec l'apparition de tartre et de plaque dentaire. Brossages trois fois par jour, utilisation de fil dentaire, détartrage et soins réguliers sont recommandés.

Sauf problèmes particuliers, il est souhaitable de prévoir une visite chez son dentiste au 2e mois de grossesse puis au 7e mois. Les caries doivent être ainsi prises au sérieux. Elles peuvent provoquer des infections, libérant des bactéries dans la circulation sanguine de la mère, susceptibles d'atteindre le fœtus. Longtemps, les dentistes ont préconisé le fluor aux futures mamans. Aujourd'hui, celui-ci est remis en cause car son efficacité sur le développement des dents – quoiqu'il passe correctement la barrière placentaire – serait nul. Dans un avenir proche, une consultation dentaire au 4e mois de grossesse devrait être prise en charge par l'assurance maternité. ▪

Votre corps s'adapte

1ᴱᴿ MOIS

2ᴱ MOIS

3ᴱ MOIS

4ᴱ MOIS

5ᴱ MOIS

6ᴱ MOIS

7ᴱ MOIS

8ᴱ MOIS

9ᴱ MOIS

LA NAISSANCE

LES 1ᴿᴱˢ SEMAINES DE MAMAN

LES 1ᴿᴱˢ SEMAINES DE BÉBÉ

GROSSESSES DIFFÉRENTES

ANNEXES

LA GROSSESSE PROVOQUE EN VOUS BIEN DES MODIFICATIONS, notamment biologiques en raison de la présence et du développement d'un enfant en vous.

De grandes modifications

Le volume total de votre sang augmente petit à petit pendant toute la grossesse, passant des 4 litres habituels dans le corps humain à 5 à 6 litres en neuf mois. Comme le nombre de globules rouges reste le même, vous pouvez souffrir d'une forme d'anémie que l'on nomme physiologique pour bien la différencier des anémies pathologiques. La composition du sang change aussi. On note une augmentation des globules blancs, une vitesse de sédimentation légèrement supérieure à la normale et une augmentation du taux des lipides. Pour brasser cette masse de sang plus importante, le débit cardiaque s'accroît, surtout au cours des premières semaines de la grossesse, et se stabilise ensuite à la même fréquence – le pouls d'une future maman bat à 80 pulsations par minute. La tension artérielle diminue, elle doit, si tout est normal, rester en dessous de 13/9.

La respiration est aussi modifiée, l'apport d'oxygène est supérieur à la normale et l'utérus, au fil des mois, va gêner le rythme respiratoire, c'est ce qui peut expliquer que vous ayez facilement de légers essoufflements pour peu d'efforts. Comme votre cœur, vos reins travaillent beaucoup plus : ils filtrent davantage de sang, augmentant donc la production d'urine, vos mictions sont alors plus nombreuses, ne vous en inquiétez pas.

Votre utérus se développe

Mais les parties de votre corps qui subissent le plus de modifications sont l'utérus et les seins.

Lorsqu'une femme n'est pas enceinte, son utérus pèse 50 à 100 g et mesure 6,5 cm ; il a la forme d'une poire. Au 3ᵉ mois, il aura la taille d'un pamplemousse.

Dès le premier mois, certaines futures mamans sentent la modification de leur utérus ; elles ont alors l'impression d'être ballonnées. La pression de celui-ci, plus volumineux, en appuyant sur la vessie leur donne envie d'uriner beaucoup plus souvent qu'auparavant. On remarque aussi une augmentation des sécrétions vaginales.

Prendre soin de sa poitrine

Les seins se modifient très rapidement, ils gonflent, sont tendus voire douloureux ; les veines qui les irriguent sont beaucoup plus apparentes sous la peau. Votre poitrine demande des soins afin d'éviter, après votre grossesse, des désagréments esthétiques. Portez un soutien-gorge de la taille de votre nouvelle poitrine. Il existe des modèles pour futures mamans. Si votre poitrine est très lourde, vous pouvez garder votre soutien-gorge pour dormir. Choisissez un modèle léger et qui ne vous serre pas trop afin de ne pas gêner votre respiration. Il vous semblera encombrant les premières nuits, mais ensuite vous l'oublierez vite.

En prévention des vergetures (p. 165), dues à une perte de l'élasticité de la peau sous l'effet des hormones de la grossesse, enduisez quotidiennement votre poitrine d'une crème spéciale. Enfin, la température du corps est plus élevée que la normale, au-dessus de 37 °C. Cette caractéristique disparaîtra après le 4ᵉ mois. ▪

Les petits maux quotidiens

VOTRE CORPS SE TRANSFORME, il est donc logique que vous en ressentiez quelques manifestations. Elles ne sont jamais importantes et perturbent plus ou moins toutes les futures mamans.

Les bouffées de chaleur

Manifestation classique au cours de la grossesse : la sensation de chaleur, accompagnée d'une transpiration plus importante que la normale. Tout cela est dû au fonctionnement plus intensif des glandes sudoripares, chargées d'éliminer les déchets de l'organisme. Douches et bains sont parfaitement autorisés. Le bain ne devra pas être trop chaud en raison d'une circulation sanguine différente au cours de la grossesse (p. 79), ni trop froid : il pourrait déclencher des contractions utérines. Saunas, bains bouillants et douches vaginales sont, quant à eux, à proscrire.

Les envies fréquentes d'uriner

Elles sont dues à l'afflux sanguin et au basculement de l'utérus (l'antéversion) qui agissent sur les ligaments et les muscles sphincters, mais aussi à l'effet de la progestérone qui assouplit les tissus. Ces petits ennuis sont souvent associés à une légère incontinence pendant l'effort. Certaines femmes y sont plus sujettes que d'autres, elles devront donc plus particulièrement préparer leur périnée à l'accouchement (p. 212).

Les seins douloureux

Sous l'effet des œstrogènes, ils deviennent plus volumineux et hypersensibles. Les chocs, habituellement sans importance, deviennent douloureux. La future maman peut aussi ressentir des démangeaisons ou des picotements.

Les brûlures d'estomac

L'appareil digestif étant paresseux, la digestion se fait plus lentement et les sucs gastriques stagnent, voire, parfois, refluent vers l'œsophage ; d'où les brûlures d'estomac et les aigreurs. Quelques précautions alimentaires peuvent aider à faire passer ces désagréments. Tout d'abord, il est conseillé de manger en moins grande quantité à chaque repas et, si besoin, de fractionner les repas. Certains aliments, comme les œufs, le lait, la purée de pommes de terre, ont le pouvoir de diluer les sécrétions gastriques et d'autres de les provoquer, comme les fruits peu mûrs, les tomates, les groseilles et les plats en sauce. Il existe un certain nombre de pansements gastriques sous forme de pastilles à sucer, de sirop ou de gel unidose qui agissent localement, mais malheureusement de façon temporaire. Évitez le bicarbonate de soude. Il est efficace sur le moment, mais a pour effet de favoriser les sécrétions digestives, provoquant ainsi l'apparition de nouvelles sensations douloureuses.

Les maux de tête

Ils ne sont pas rares au début de la grossesse et sont attribués à des variations de la pression artérielle en raison des modifications de la circulation sanguine (p. 79). La fatigue, une ambiance surchauffée, enfumée en sont souvent la cause. Un peu de calme et d'air frais suffisent en général à les dissiper et, si besoin, utilisez le paracétamol plutôt que l'aspirine.

1ER MOIS

2E MOIS

3E MOIS

4E MOIS

5E MOIS

6E MOIS

7E MOIS

8E MOIS

9E MOIS

LA
NAISSANCE

LES 1RES
SEMAINES
DE MAMAN

LES 1RES
SEMAINES
DE BÉBÉ

GROSSESSES
DIFFÉRENTES

ANNEXES

La salivation excessive

Fort désagréable, elle ne gêne pas, heureusement, toutes les femmes enceintes. Cette salivation abondante n'a pas vraiment d'explication ni de traitement. Seule solution, prendre son mal en patience. Certaines verront le phénomène s'atténuer. Pour d'autres, la sécrétion peut atteindre un litre par jour et devient alors une vraie maladie : le ptyalisme.

Les évanouissements

Il est assez fréquent que les futures mamans ressentent une sensation dite « proche de l'évanouissement ». Elle est peut-être due à un phénomène d'hypoglycémie, chute brutale du taux de glucose dans le sang.

Si vous êtes sujette à ce trouble, préférez les sucres lents aux sucres rapides. Si ce phénomène se produit plutôt le matin, faites-vous apporter votre petit déjeuner au lit et faites une pause assise avant de vous mettre debout.

Les hémorragies nasales

Une légère fragilité des vaisseaux du nez, accentuée par une circulation sanguine plus importante, peut être à l'origine de saignements fréquents.

En cas de troubles persistants, un médecin peut cautériser le ou les vaisseaux en cause.

Les démangeaisons

Mis à part des phénomènes classiques de démangeaison tels que l'urticaire, les futures mamans peuvent souffrir de ce que les médecins appellent le prurit gestationnis. Les démangeaisons se localisent sur le visage et le corps et, dans certains cas, disparaissent après un traitement local. Mais ce prurit peut aussi se compliquer et devenir difficilement supportable. Il est dû alors à un mauvais fonctionnement du foie, perturbé par les hormones nécessaires à la grossesse. Parlez-en sans attendre à votre médecin, il vous prescrira sans doute des examens : un bilan hépatique, la recherche d'albumine et une prise de votre tension artérielle. Heureusement, tout cela rentre dans l'ordre après l'accouchement. ▪

" Sous l'effet des hormones de la grossesse, la production de larmes nécessaires au contact de la lentille sur l'œil peut être réduite. "

La constipation

Plus fréquente chez les futures mamans qui avaient déjà tendance à souffrir de paresse intestinale, la constipation est due à la progestérone qui ralentit le travail des fibres musculaires.

Il est déconseillé d'utiliser en première intention des laxatifs. Ils ont des effets irritants et surtout freinent l'absorption par l'appareil digestif des aliments indispensables apportant vitamines et sels minéraux. Mieux vaut essayer les techniques douces :

• Boire à jeun un verre d'eau fraîche, un jus d'orange ou de pamplemousse, manger du pain mi-complet et remplacer le sucre par le miel.

• Prendre au petit déjeuner des céréales complètes et boire beaucoup d'eau dans la journée.

• Éviter les aliments qui ont la réputation de constiper : banane, coing, champignon.

Attention : le son et les pruneaux, bien qu'aliments déconstipants, sont déconseillés en trop grande quantité. Le son a notamment l'inconvénient de diminuer l'absorption du calcium et du fer, éléments indispensables à la santé de la future maman.

• Enfin, manger beaucoup de légumes, sources de fibres régulatrices du transit intestinal. Un peu d'exercice physique favorise encore le transit intestinal. Si ces conseils d'hygiène de vie sont insuffisants, le médecin peut prescrire la prise de mucilages, de suppositoires à la glycérine ou d'un léger laxatif. ■

La diarrhée

Les diarrhées sont assez rares pendant la grossesse et ne peuvent être que d'origine alimentaire : trop de légumes verts, de fruits, etc. Là aussi les méthodes douces sont les meilleures : riz, carottes cuites, pommes douces, pâte de coing. Et n'oubliez surtout pas boire beaucoup d'eau pour éviter tout risque de déshydratation. ■

Des nausées trop fréquentes ?

1ᴱᴿ MOIS

2ᴱ MOIS

3ᴱ MOIS

4ᴱ MOIS

5ᴱ MOIS

6ᴱ MOIS

7ᴱ MOIS

8ᴱ MOIS

9ᴱ MOIS

LA
NAISSANCE

LES 1ᴿᴱˢ
SEMAINES
DE MAMAN

LES 1ᴿᴱˢ
SEMAINES
DE BÉBÉ

GROSSESSES
DIFFÉRENTES

ANNEXES

LES TROUBLES SONT DE NATURE FONCTIONNELLE ET TRÈS VARIABLES D'UNE FUTURE MAMAN à l'autre. Rarement graves, ils sont même souvent interprétés comme une des toutes premières manifestations de la grossesse. Il semble qu'une femme sur deux en souffre du 1ᵉʳ mois jusqu'à la fin du 3ᵉ mois. Les nausées vont alors disparaître aussi brusquement qu'elles sont apparues.

Une part de mystère

C'est le matin au saut du lit qu'elles se manifestent le plus fréquemment, mais certaines odeurs peuvent aussi les favoriser (tabac ou parfums), tout comme les graisses cuites et les plats en sauce. Peut-être sont-elles dues aux hormones secrétées par le placenta ou au relâchement musculaire de l'estomac ? Il semble, en fait, qu'elles puissent être mises sur le compte de manifestations psychosomatiques plus que sur celui de réels troubles physiques.

Pour mieux les supporter

D'une manière générale, mieux vaut avoir des nausées l'estomac plein que vide. La contraction de l'estomac devient alors douloureuse et s'apparente à un réflexe nerveux. On peut combattre les nausées du matin en prenant son petit déjeuner au lit et en attendant un bon quart d'heure avant de se lever ; en supprimant le mélange café + lait ou thé + lait et en buvant un verre d'eau 10 à 15 min avant de se lever. On peut encore boire une tisane (décoction d'un mélange d'anis vert et de badiane). Si l'on préfère la phytothérapie, il faut utiliser l'huile essentielle de bardane (2 à 4 gouttes trois fois par jour dans un verre d'eau). Votre médecin peut également vous prescrire un médicament adapté. Un autre moyen de prévenir les nausées est de répartir les prises alimentaires sur quatre repas. Le petit déjeuner sera un peu plus copieux avec un apport protéinique tel que œuf, jambon, fromage. Une collation comportant pain, céréales, produits laitiers ou fruits aura le double avantage d'éviter le grignotage et de favoriser l'apport de calcium. Enfin, tout vomissement trop violent et surtout fréquent exige la consultation d'un médecin qui prescrira un antivomitif.

L'expression d'un mal-être

Les vomissements incontrôlables et très importants sont dus aux bouleversements psychiques de la grossesse. Certaines futures mamans ont beaucoup de mal à accepter leur nouveau statut, le plus souvent en raison de grandes difficultés familiales. Les médecins ont souvent constaté que ces troubles disparaissent lorsque la future maman est isolée de son milieu familial. Ces cas extrêmes sont de plus en plus rares, la contraception, aujourd'hui très répandue, réduisant considérablement ces grossesses non désirées. ■

“ Les nausées restent un mystère et sont sans conséquence sur le développement du bébé. ,,

Les médecines douces*en savoir plus*

Se soigner autrement

• **L'acupuncture**, issue de la médecine tradition-nelle chinoise, est pratiquée en milieu hospitalier pour soulager la douleur et aider à l'accouche-ment. Son principe de fonctionnement est la circu-lation de l'énergie dans le corps, souvent mise à l'épreuve au cours de la grossesse. L'acupuncture peut soigner les troubles fonctionnels tels que les nausées, les vomissements, les insomnies, l'anxié-té, la nervosité, la constipation et les hémorroïdes. Elle traite aussi très bien certaines douleurs, notamment les céphalées. L'acupuncture est sans danger pour l'enfant puisqu'aucun produit chi-mique n'est absorbé par la mère. À raison d'une séance par mois jusqu'au 8e mois, elle assure le confort de la grossesse dans 95 % des cas.

• **L'auriculothérapie** a les mêmes applications, la stimulation des points se localisant uniquement sur l'oreille.

• **La phytothérapie** suppose la consultation d'un spécialiste (les plantes peuvent avoir des principes actifs aussi violents que ceux des produits chi-miques). Elle traite les troubles fonctionnels et s'utilise en tisanes, en huiles essentielles, sous forme d'hydrolats ou de gélules.

• **L'ostéopathie et l'étiopathie** utilisent diverses manipulations et soignent l'origine du trouble ; elles sont parfaites pour les problèmes articu-laires, circulatoires et pour les vertèbres, mais donnent aussi de bons résultats quand apparais-sent des troubles digestifs.

• **L'aroméothérapie**
Nelly Grosjean, spécialiste d'aromathérapie, donne les conseils suivants pour toutes celles qui atten-dent un bébé :
– la douche du matin, terminée par un jet d'eau plus fraîche sur les jambes, sera suivie d'une fric-tion d'huiles essentielles de géranium, romarin, lavande, pin, coriandre, muscade ou de citron, géranium, santal de Mysore qui renforcera la vita-lité générale en permettant à l'organisme de se débarrasser des toxines ;

– le soir, mettre dans un bain relaxant, pas trop chaud, 5 gouttes d'huile essentielle de lavande ou de marjolaine, mélangées à 1 cuillère de poudre de lait ou d'huile de germe de blé.

Quels granules pour quels troubles ?

Pour les médecins homéopathes, soigner la mère c'est aussi soigner l'enfant, et certains d'entre eux proposent à celles qui souffrent d'allergie ou de petits problèmes chroniques, des traitements de fond ou de terrain susceptibles de freiner l'hérita-ge familial. Ainsi pourraient être prévenues les maladies de nature allergique : eczéma et asthme, et combattus des terrains sensibles aux infections ou sujets à la dépression.

Pour vous montrer la complexité de la prescription homéopathique, voici, par exemple, comment peu-vent se traiter les nausées : le médecin (ou la sage-femme) prescrira Sépia si elles sont du matin, *Nux Vomica* si elles sont soulagées par le vomissement, Ipéca dans le cas contraire, *Ignatia* si le fait de man-ger les soulage, *Péoleum* si elles s'améliorent en mangeant, *Tahoum* si elles s'accompagnent de sueurs froides, *Cocculus* si elles sont aggravées par le mouvement, *Sahodilla* si elles sont associées à une allergie... Et ce ne sont là que quelques exemples.

C'est au médecin homéopathe qu'il reviendra de prescrire le bon « produit » et son dosage. Car il existe des grandes familles de produits homéopa-thiques permettant de soulager des troubles d'ori-gines diverses.

Par exemple, pour traiter la fatigue, il aura le choix entre Sépia pour une fatigue associée à une hyper-sensibilité, *Kalium Carbonicum* si elle se manifes-te aussi par un mal de dos et une frilosité ou enco-re *Arnica* si cette fatigue est générale et entraîne des courbatures.

Sépia traite aussi les troubles urinaires, le masque de grossesse et la constipation.

La constipation disparaîtra aussi avec *Platina Bryonia*, *Nux Vomica*, et les insomnies céderont avec *Gelsemium*, *Ignatia*, *Pulsatilla*, *Coffea*.

Les bienfaits de l'homéopathie

CE N'EST PAS PARCE QUE BEAUCOUP DE MÉDICAMENTS sont déconseillés pendant la grossesse qu'il faut renoncer à se soigner. Les médecines douces, et en particulier l'homéopathie, peuvent vous soulager des désagréments liés à la grossesse.

Le traitement

Le médecin homéopathe, après consultation, prescrira les granules adaptés aux besoins de chacune de ses patientes, car l'homéopathie est une médecine individuelle, ce qui est efficace pour l'une ne l'est pas forcément pour une autre. Le principe de l'homéopathie est celui des « lois de similitude », en simplifiant on peut dire qu'elle soigne le mal par le mal. C'est pourquoi votre médecin va d'abord vous demander de décrire très précisément vos symptômes et il les rapprochera de ceux provoqués par certaines substances minérales, végétales ou animales. Cette substance, largement diluée, sera la base du traitement.

Renforcer les défenses

Thérapie parfaite pour la future maman, cette médecine respecte les changements de l'organisme ; ces doses infinitésimales sont actives par le signal électromagnétique qu'elles émettent et non par la concentration en substances actives qu'elles contiennent.

C'est une médecine de terrain qui a pour objectif de renforcer les défenses naturelles de l'organisme. Jamais toxique, ni pour la mère ni pour le futur bébé, elle n'a pas d'effets secondaires et ne provoque pas d'accoutumance.

Particulièrement efficace contre les nausées (p. 83), la constipation (p. 82), les hémorroïdes (p. 214), les lourdeurs dans le bas-ventre et les jambes (p. 214), l'homéopathie peut encore préparer les tissus à un accouchement harmonieux, moins angoissant donc moins douloureux. Elle soigne aussi parfaitement les états grippaux. Utilisée au bon moment, elle peut faire régresser les troubles de façon spectaculaire.

Attention à la menthe

Le traitement homéopathique demande simplement, pour être efficace, le respect de quelques règles. Conformez-vous aux indications du médecin pour la posologie. Prenez les granules au moins un quart d'heure avant les repas, l'essentiel étant de n'avoir aucun goût particulier dans la bouche (menthe, café, tabac, alcool ou toute autre substance aromatique) au moment de la prise. Supprimez la menthe de votre alimentation car elle constitue un antidote à l'action de certains médicaments homéopathiques.

Évitez, notamment, les dentifrices à base de menthe.

Les globules et les granules sont à laisser fondre lentement sous la langue, sans les croquer ni les avaler et dans une bouche propre.

Il est recommandé de ne pas les toucher avec les mains. On ne connaît pas d'effets secondaires à l'homéopathie, simplement des réactions d'efficacité différentes selon les personnes. ■

" Homéopathie et allopathie peuvent faire bon ménage. ,,

1ᴱᴿ MOIS

2ᴱ MOIS

3ᴱ MOIS

4ᴱ MOIS

5ᴱ MOIS

6ᴱ MOIS

7ᴱ MOIS

8ᴱ MOIS

9ᴱ MOIS

LA NAISSANCE

LES 1ᴱᴿˢ SEMAINES DE MAMAN

LES 1ᴱᴿˢ SEMAINES DE BÉBÉ

GROSSESSES DIFFÉRENTES

ANNEXES

L'histoire se répète

On peut parler de fausses couches à répétition quand une femme a fait au moins trois fausses couches spontanées. Des examens approfondis vont en déterminer la cause. Il peut s'agir d'une infection, d'une déficience en œstrogènes ou en progestérone, de problèmes immunologiques ou bien encore d'une hypersécrétion d'hormones mâles. Le diagnostic se fait après des dosages de sang ou d'urine. Un traitement approprié permet alors une grossesse normale.

La thyroïde peut être encore à l'origine de certaines fausses couches à répétition, tout comme certaines malformations de l'utérus (cloisonné ou bicorne), et notamment la béance du col : l'anneau musculaire qui ferme le col de l'utérus a perdu l'élasticité et la tonicité nécessaires pour retenir l'œuf à l'intérieur de la cavité utérine. Dans ce cas, on pratique un cerclage.

La recherche des causes de ces avortements répétés est faite par élimination et en fonction d'un interrogatoire précis sur les antécédents médicaux et obstétricaux. L'examen clinique et quelques examens simples permettent d'établir un diagnostic sept fois sur dix. ■

Un moment difficile

Après une fausse couche, différents examens médicaux sont indispensables, notamment une échographie pour vérifier que l'œuf a été totalement expulsé, faute de quoi il faudra procéder à un curetage sous anesthésie générale ; on pratique une injection d'immunoglobulines si la femme est de Rhésus négatif. Enfin, on prescrit quelques jours de repos.

Plus de la moitié des femmes confrontées à une fausse couche sont atteintes moralement. Cette déprime s'explique par une chute hormonale brusque. De plus, l'alternance de périodes d'espoir et de déception peut être à l'origine d'états dépressifs. Mais, pour toutes, la déception est profonde, les fantasmes et les espoirs étaient souvent à leur comble, peut-être même certaines avaient déjà « rencontré » cet enfant grâce à l'échographie. Connaître la raison de cet échec est une étape dans ce « deuil » et devrait répondre en partie aux questions que la femme se pose, la déculpabilisant et lui donnant les armes pour recommencer.

En cas de difficulté, n'hésitez pas à consulter un médecin ou un psychothérapeute. ■

▌ MON CONSEIL

Pour les médecins, la fausse couche est un accident de la grossesse tout à fait banal. Mais pour la femme qui avait mis déjà tant d'espoir dans ce futur bébé, c'est toujours une expérience douloureuse, d'autant plus qu'aujourd'hui, avec la contraception, pratiquement toutes les grossesses sont volontaires. Toutes celles qui ont vécu cette interruption de grossesse reprochent aux services médicaux le peu d'attention qu'on leur a porté. Aussi, je pense qu'il est souhaitable de développer les expériences d'accompagnement psychologique mis en place dans certains hôpitaux pour aider les femmes à « faire le deuil » de cet enfant qui n'a pas voulu s'installer. Il est important de leur dire qu'elles ne doivent pas culpabiliser. Cette fausse couche n'est pas le résultat d'une imprudence, cet œuf n'était pas capable de se développer. Il est souhaitable qu'elles attendent au moins un cycle avant d'envisager une autre grossesse, le temps idéal étant de trois mois. ■

La fausse couche

C'EST EN RÉALITÉ UN INCIDENT ASSEZ FRÉQUENT dans la vie des femmes. Pourtant, elle est très traumatisante physiquement et psychologiquement. Elle se manifeste très souvent par des douleurs dans le bas-ventre dues à des contractions utérines et par des pertes de sang abondantes.

En rechercher la cause

Dans 50 à 70 % des cas, elle est due à une anomalie de l'œuf : c'est ce qu'on appelle un œuf clair, c'est-à-dire non fécondé, dont seul le placenta a commencé à se développer.

Dans d'autres cas, l'œuf peut être de mauvaise qualité et ne peut donc poursuivre son développement. C'est un accident fortuit au moment soit de la formation des gamètes (cellules chargées de la reproduction), soit de la fécondation lorsque l'ovule et les spermatozoïdes se rencontrent.

Enfin, certaines fausses couches sont le fait d'une malformation utérine ou d'un déséquilibre hormonal. La plupart de ces fausses couches se manifestent par des saignements et l'expulsion naturelle de l'œuf. Dans les autres cas, c'est l'arrêt de la croissance de l'utérus, constaté au cours d'un examen médical, qui éveille l'attention du praticien.

L'échographie déterminera s'il s'agit d'un œuf clair, sans embryon, ou d'un œuf embryonné mais dont l'embryon ne présente aucun mouvement ni aucun battement cardiaque. Ce diagnostic n'est pas facile à poser avant la 7e semaine, en raison des limites de la technique échographique. Certaines infections peuvent encore être à l'origine d'une fausse couche, telles que les infections urinaires, à moins que la future maman ne souffre de diabète ou d'hypertension (pp. 491 et 493). Il peut s'agir encore de raisons mécaniques, malformation de l'utérus, fibrome ou béance du col, traumatisme lors d'un curetage ou d'une première grossesse.

Dans le cas d'une fausse couche spontanée, le médecin vérifiera que l'œuf a été complètement expulsé. S'il faut extraire l'œuf, cette opération s'effectuera sous anesthésie générale, par aspiration, et sera suivie d'un curetage. Il est encore possible de provoquer une fausse couche spontanée en prescrivant un médicament contenant des prostaglandines ou en utilisant le « RU 486 », dit pilule du lendemain.

Signaler tout saignement

Certaines fausses couches peuvent avoir des causes physiques accentuées par de profondes perturbations psychologiques : le deuil d'une personne très proche ; un accident de voiture ou une opération chirurgicale indispensable pour la survie de la future maman. Dans tous les cas, un saignement anormal, surtout s'il est abondant, exige la consultation immédiate d'un médecin ou le départ vers le service des urgences d'un hôpital. ▪

" Même si elle est médicalement banale, la fausse couche est une épreuve psychique. "

1ER MOIS

2E MOIS

3E MOIS

4E MOIS

5E MOIS

6E MOIS

7E MOIS

8E MOIS

9E MOIS

LA NAISSANCE

LES 1RES SEMAINES DE MAMAN

LES 1RES SEMAINES DE BÉBÉ

GROSSESSES DIFFÉRENTES

ANNEXES

Les pertes de sang

Quelques petits saignements peuvent se produire en début de grossesse, notamment aux dates anniversaires des règles. N'ayez aucune inquiétude s'ils s'arrêtent rapidement ; ce n'est pas un problème important mais parlez-en à votre médecin.

Celui-ci diagnostiquera peut-être une inflammation du col de l'utérus ou du vagin. Dans tous les autres cas, il devra avoir recours à une échographie pour en déterminer la cause. Ils peuvent être dus à un décollement mineur du placenta qui s'est inséré près du col ou à la présence d'un œuf jumeau qui ne poursuit pas son évolution. Dans aucun de ces cas la grossesse n'est menacée. ▪

Les contractions précoces

Certaines futures mamans n'en ont jamais, ou plus exactement n'en ressentent jamais avant le moment de l'accouchement ; d'autres les subissent très précocement ; enfin certaines se demandent comment les reconnaître. Est-ce une douleur abdominale proche de celle ressentie au moment des règles ? Est-ce tout simplement un durcissement du ventre ? Une chose est sûre, les contractions au cours de la grossesse sont normales. C'est une manifestation du muscle de l'utérus qui change de volume, se réduit, se durcit puis se relâche. Selon les femmes, elles apparaissent plus ou moins tôt au cours de la grossesse et sont plus ou moins ressenties, plus ou moins longues : quelques secondes à presque une minute. Les contractions « normales » doivent être rares et indolores, elles doivent disparaître avec la cause de leur déclenchement. Observez-vous, si elles vous semblent augmenter ou devenir plus douloureuses avec le temps, consultez votre médecin. ▪

Les pertes blanches

Sous l'effet des hormones produites par les ovaires et le placenta, les cellules de la muqueuse vaginale se renouvellent rapidement. Les pertes blanches ne sont en fait que l'élimination des cellules mortes sous la forme d'une substance blanchâtre et épaisse. Elles ne nécessitent aucun soin particulier, mais une hygiène normale, sans douche vaginale. Toutes pertes verdâtres, malodorantes, accompagnées de démangeaisons ou de brûlures locales doivent être signalées au médecin. Elles peuvent être le signe d'une infection de type vaginal, due à un champignon ou à un parasite. Le médecin prescrira alors un traitement, essentiellement local. ▪

▎ MON CONSEIL

Les futures mamans sont toujours inquiètes de ressentir des douleurs abdominales. Il est normal d'éprouver des tiraillements, l'ovaire qui a pondu l'ovule est un peu gros, l'utérus se redresse, les organes se placent, les ligaments s'étirent. Tout cela provoque des douleurs mais c'est leur intensité qui indique s'il faut consulter. La grossesse extra-utérine se caractérise à l'examen par une douleur d'un côté et par la perte de sang très foncé. Il est foncé parce qu'il vient de loin, de la trompe. C'est plutôt mauvais signe. Quant aux saignements rouges qui se produisent parfois après un rapport sexuel ou après l'examen médical du toucher du col, ils peuvent aussi indiquer une petite infection du col. La question qui tracasse toujours les futures mamans est de savoir si elles sauront reconnaître les contractions des autres douleurs. Je peux les rassurer, toutes font la différence. La contraction se caractérise par une sensation de prise en masse de l'utérus et non pas par une douleur ponctuelle. ▪

La grossesse extra-utérine

UN RETARD DE RÈGLES ASSOCIÉ, bien sûr, à de violentes douleurs dans le bas-ventre, des pertes de sang foncé sont les signes classiques d'une grossesse extra-utérine. Mais elle peut aussi se dérouler en silence et sans douleur. Dans ce cas, vous croyez être enceinte puisque vos règles se sont interrompues. Quelques malaises, des vertiges et surtout un utérus anormalement peu développé conduiront le médecin à s'inquiéter du bon déroulement de cette grossesse supposée.

Sa cause

Une infection présente ou passée, une intervention chirurgicale au niveau des trompes peuvent être à l'origine d'une grossesse extra-utérine. Dans ce cas l'œuf, au lieu de se développer dans l'utérus, grossit dans la trompe et le plus souvent la détruit. Cette grossesse doit être diagnostiquée le plus tôt possible. Elle est à craindre lorsqu'il y a, dès les premières semaines, des saignements et surtout de fortes douleurs sur un côté du ventre.

Ainsi, des saignements foncés et abondants, associés à de fortes douleurs dans le bas-ventre, demandent que vous consultiez rapidement votre médecin.

L'examen gynécologique révèle alors un utérus plus petit que ne le voudrait l'âge de la grossesse et surtout l'existence d'une masse à côté de celui-ci.

L'échographie peut compléter le diagnostic : elle montre alors l'absence d'œuf dans la cavité utérine. Les échographies pratiquées à l'aide d'une sonde vaginale sont idéales dans ce diagnostic. Tous ces résultats n'étant pas encore évidents, on a recours à une cœlioscopie qui consiste en une exploration de l'appareil génital faite sous anesthésie. On introduit au niveau de l'ombilic un tube muni d'un système optique qui permet de voir ce qui se passe dans la trompe.

Deux types de soins

Le nombre de grossesses extra-utérines ne cesse d'augmenter : plus 17 % en quelques années. Sont en cause le tabac et les infections sexuellement transmissibles.

Le diagnostic de grossesse extra-utérine est classiquement suivi d'une intervention chirurgicale en urgence car, si l'on n'intervient pas à temps, la rupture de la trompe entraîne une hémorragie interne très importante. Selon le cas, la trompe malade sera gardée, ou supprimée si la seconde est bonne.

Depuis quelque temps, certaines équipes médicales appliquent un autre protocole.

Sous contrôle d'une échographie, le médecin injecte un médicament dans la trompe qui va inhiber la division cellulaire de l'œuf. Celui-ci va se résorber. Cette intervention se fait sans anesthésie générale et sans hospitalisation. La patiente devra simplement être suivie une quinzaine de jours par son médecin.

Quelques mois après, il est possible d'envisager une autre grossesse qui n'a aucune raison de ne pas bien se dérouler. Il est souhaitable simplement d'en surveiller le bon démarrage. ▪

> " La grossesse extra-utérine est une urgence médicale. „

1ER MOIS

2E MOIS

3E MOIS

4E MOIS

5E MOIS

6E MOIS

7E MOIS

8E MOIS

9E MOIS

LA NAISSANCE

LES 1RES SEMAINES DE MAMAN

LES 1RES SEMAINES DE BÉBÉ

GROSSESSES DIFFÉRENTES

ANNEXES

Virus et bactéries *en savoir plus*

La listériose

Le germe de la listériose est assez fréquent, puisqu'il est décelé dans une grossesse sur deux cents. Cette maladie, bénigne pour la mère, est grave pour le fœtus. Mais si elle est détectée à temps, un traitement à base d'antibiotiques mettra heureusement l'enfant à l'abri.

La toxoplasmose

Parmi les parasites, celui de la toxoplasmose (p. 33) est bien connu pour les perturbations qu'il entraîne dans le développement du fœtus, notamment au cours du 1er trimestre, au moment de l'installation du système nerveux. Mais la contamination au cours de ce dernier trimestre est moins grave. Il n'existe aucun vaccin, seule la prévention est possible. Il est recommandé aux futures mamans d'éviter de manger de la viande crue.

La rubéole

Autre virus redoutable, la rubéole (p. 33), surtout si la maladie survient au cours du premier trimestre de grossesse – 90 % des femmes sont immunisées contre la rubéole soit parce qu'elles ont eu la maladie, soit parce qu'elles ont été vaccinées. Pour les 10 % restantes, il est recommandé de contrôler leur sérologie à la rubéole tous les mois au cours des six premiers mois.

L'herpès

L'herpès (p. 156) peut se manifester pendant la grossesse. Le danger réside surtout si une poussée se produit au moment de l'accouchement, car il y a alors risque majeur de contamination pour l'enfant à partir des sécrétions de la mère. Une césarienne peut être alors décidée.

L'hépatite

L'hépatite peut se révéler plus ou moins grave pour l'enfant. L'hépatite A, celle que l'on contracte par l'alimentation, ne semble pas dangereuse pour l'enfant ; les virus des hépatites B et C transmis par le sang sont, eux, susceptibles d'atteindre l'enfant. L'hépatite C est particulièrement dangereuse, mais malheureusement encore mal connue et mal combattue médicalement (p. 486).

La varicelle

Elle est souvent dangereuse pour le développement du fœtus si elle atteint la mère au cours du premier trimestre de la grossesse. Elle est aussi ennuyeuse si elle survient quelques jours avant l'accouchement, l'enfant risque alors de souffrir de varicelle néonatale. Votre médecin a, à sa disposition, des traitements de protection du futur bébé.

La syphilis

Les atteintes de la syphilis (p. 32) sont aussi à surveiller. La recherche de son germe est obligatoire avant le 3e mois. En effet, le germe de cette maladie ne passe pas la barrière placentaire avant le 4e mois de gestation et, reconnu à temps, il est combattu par un traitement à base d'antibiotiques avant qu'il y ait contamination de l'enfant.

Le sida

Parmi les virus qui peuvent passer de la mère à l'enfant, celui du sida reste sans doute un des plus redoutables (p. 495). La future maman peut en être porteuse sans le savoir et il est donc indispensable d'en faire la recherche. Celle-ci ne peut être pratiquée qu'à sa demande. On estime que 20 % des enfants seront contaminés par le virus maternel. Ce chiffre descend à moins de 2 % si elle est correctement traitée.

Le cytomégalovirus

Habituellement bénin, présent dans la salive des enfants en bas âge, il peut être nocif pour votre petit. Évitez les neveux et nièces, le temps de savoir si vous êtes immunisée. ∎

Les dangers des infections

1ER MOIS

2E MOIS

3E MOIS

4E MOIS

5E MOIS

6E MOIS

7E MOIS

8E MOIS

9E MOIS

LA
NAISSANCE

LES 1RES
SEMAINES
DE MAMAN

LES 1RES
SEMAINES
DE BÉBÉ

GROSSESSES
DIFFÉRENTES

ANNEXES

UN CERTAIN NOMBRE D'INFECTIONS peuvent se transmettre de la mère à l'enfant. Il est d'autant plus important de les connaître qu'elles ne se manifestent pas toujours visiblement chez la mère, alors qu'elles sont parfois redoutables pour l'enfant.

Le mode de transmission

Il peut se faire de différentes manières. Le virus, la bactérie ou le parasite, présent dans le sang de la mère, peut franchir la barrière placentaire et atteindre le futur bébé. En fin de grossesse, la contamination se fait parfois aussi par les voies génitales de la mère, le virus ou la bactérie atteignant le liquide amniotique. L'infection peut encore se transmettre au cours de l'accouchement par contact avec les voies génitales.

Attention fièvre

Elle ne doit jamais être prise à la légère, même si elle n'est pas élevée. Trop souvent mise sur le compte d'une légère grippe, elle est, dans bien des cas, le symptôme de diverses infections, causes de naissances prématurées (pp. 282, 283 et 474). Ainsi une forte fièvre est le seul symptôme de la listériose. La rubéole, avant de se manifester par des rougeurs cutanées, se signale d'abord par une petite fièvre.

La fièvre doit donc toujours être prise au sérieux et demande une consultation qui sera rassurante dans la grande majorité des cas.

Les infections urinaires

Parmi les autres causes de fièvre, il faut craindre les infections urinaires, là encore elles commencent par une fièvre légère qui va monter en puissance. À la fièvre, s'ajoute parfois une cystite, plus ou moins douloureuse. Les infections urinaires se reconnaissent plus facilement si les urines deviennent troubles. Une analyse en laboratoire (examen cytobactériologique des urines avec antibiogramme) déterminera les microbes responsables, colibacilles ou entérocoques. Ils seront éliminés par un traitement à base d'antibiotiques.

Toute infection urinaire doit être traitée au plus vite pour éviter une infection plus grave au niveau des reins (pyélonéphrite).

Une seule infection urinaire au cours de la grossesse exige un suivi bactériologique jusqu'à l'accouchement afin de prévenir toute récidive. Il semble qu'il existe des personnes prédisposées à ce type d'infection. La future maman est susceptible d'en souffrir en raison de la dilatation du canal de l'urètre sous l'effet de la progestérone (c'est lui qui conduit l'urine des reins à la vessie), de la baisse générale de ses défenses immunitaires.

Une bonne prévention passe par l'absorption de beaucoup d'eau – un litre et demi à deux litres – par jour, et par une bonne hygiène.

La recherche d'infection urinaire peut se faire chez les femmes sujettes à ce problème, par auto-surveillance par bandelette, du 4e au 8e mois. Si le résultat est positif, un examen cytobactériologique des urines (ECBU) sera pratiqué le matin (urine de la nuit).

Cette mesure permet une réduction du risque de pyélonéphrite, et d'éviter de traiter à tort les cystalgies (douleurs de la vessie) d'origine non infectieuse. ▪

Le grand jour

C'est au cours de la première visite médicale (obligatoire au 3e mois) que le médecin va essayer de déterminer, à partir de vos informations, la date de votre accouchement. Il faut d'abord définir la date de la fécondation, donc, à deux jours près, celle de l'ovulation. Elle est toujours approximative, car, même si vous connaissez bien la date du premier jour de vos dernières règles, date du début du cycle, vous ne savez jamais précisément la durée de la première partie du cycle, avant l'ovulation, car elle est variable d'un mois à l'autre et d'une femme à l'autre. Le principe général de ce calcul se base sur un cycle de 28 jours : l'ovulation se produit donc le 14e jour ; si la femme est réglée tous les 35 jours, l'ovulation se fait au 21e jour. À partir de ces données, on établit une date théorique d'ovulation qui sera donc aussi la date théorique du début de la grossesse. On peut déterminer ainsi la date de l'accouchement. En France, les médecins (pour être en règle avec les prescriptions de la Sécurité sociale) comptent neuf mois à partir de la date de la fécondation.

Dans d'autres pays, on compte neuf mois à partir du premier jour des dernières règles. Ce n'est pas très logique sur le plan obstétrical (date sans rapport exact avec la grossesse), mais c'est souvent le seul repère précis que l'on connaisse.

Mais le jour de l'accouchement est d'autant plus difficile à fixer que chez beaucoup de femmes la date de l'ovulation n'est pas aussi précise que le veut la théorie.

De plus, il existe des facteurs familiaux. On constate aussi des facteurs ethniques : on accouche plus tôt dans le sud de l'Europe que dans le nord, jusqu'à une semaine d'écart. Certains facteurs physiques entrent encore en jeu, les femmes petites accouchant plus tôt que les grandes. On comprend mieux la difficulté à fixer une date précise. ▪

Le gynécologue accoucheur

Vous avez fait le choix d'un gynécologue accoucheur, qui est-il ? C'est un médecin spécialiste ayant obtenu le diplôme d'études spéciales de gynécologie-obstétrique. Après sept ans de médecine générale, la formation est de cinq ans, sous forme d'internat soumis à un concours. Sa présence au moment de l'accouchement dépend du lieu où vous accouchez et des circonstances. Il sera sûrement là si vous accouchez dans une maternité privée ; il ne sera présent dans une maternité conventionnée et surtout dans une maternité hospitalière, que si votre accouchement demande une intervention médicale : épisiotomie, forceps, césarienne, péridurale. ▪

Qui va vous suivre ?

1ER MOIS

2^E MOIS

3^E MOIS

4^E MOIS

5^E MOIS

6^E MOIS

7^E MOIS

8^E MOIS

9^E MOIS

LA
NAISSANCE

LES 1RES
SEMAINES
DE MAMAN

LES 1RES
SEMAINES
DE BÉBÉ

GROSSESSES
DIFFÉRENTES

ANNEXES

VOTRE IMPATIENCE À CONFIRMER CETTE GRANDE NOUVELLE vous a conduite, dans la plupart des cas, dans le cabinet de votre médecin généraliste ou de votre gynécologue, qui n'est pas forcément accoucheur. Même si l'un et l'autre peuvent vous accompagner jusqu'au dernier mois de votre grossesse, il semble préférable de vous faire suivre par le médecin qui va vous accoucher ou par la sage-femme dont c'est la spécialité.

Un suivi médical constant

Mais tout n'est pas toujours aussi simple, surtout lorsque l'on habite à la campagne. Dans ce cas, le suivi de la grossesse peut être effectué, chaque mois, par un généraliste. Il est cependant conseillé, au dernier trimestre, de prendre rendez-vous avec le médecin qui procédera à l'accouchement. Il est également possible d'effectuer les visites trimestrielles avec un spécialiste, et de vous faire suivre pour les autres mois par un généraliste ou une sage-femme.

Le rôle de la sage-femme

À votre arrivée à la maternité la sage-femme vous accueille, vous conduit en salle de travail, installe le monitoring. La plupart des sages-femmes sont attachées à un hôpital, mais certaines exercent en libéral. En quatre ans d'études après le baccalauréat, elles deviennent de véritables spécialistes de l'obstétrique normale. Ce sont elles aussi qui ont la charge des cours de préparation à l'accouchement et qui prennent en charge les accouchements qui ne présentent aucun problème médical. Après la naissance, ce sont encore elles qui examinent le nouveau-né, surveillent la délivrance et tiennent à jour le dossier médical de la mère et de l'enfant. Les sages-femmes peuvent pratiquer tous les examens obligatoires de surveillance de la grossesse à l'ex-

clusion du premier qui doit être fait obligatoirement par un médecin.

Dans toutes les maternités, les sages-femmes sont présentes 24 heures sur 24. Il est encore possible de demander qu'elle soit présente à l'accouchement. En effet, la présence de cette professionnelle avec laquelle vous aurez noué des liens amicaux vous sera d'un grand réconfort. Elle surveillera le bon déroulement de l'accouchement, l'avancement du travail, saura vous aider à contrôler votre respiration et vous réconfortera dans les moments les plus difficiles. ∎

Le placenta *en savoir plus*

Filtre et défenseur

Le placenta est un filtre très sélectif – il arrête certaines substances et en laisse passer d'autres – et sa surface d'échanges est importante : dans les derniers mois de la grossesse, on l'estime à 15 m^2. Le placenta filtre l'eau, le sodium, le potassium, l'urée, le gaz carbonique et l'oxygène. Dans d'autres cas, le transfert se fait à l'aide d'une molécule qui passe de part et d'autre de la membrane ; c'est le cas du glucose. D'autres échanges se font par absorption, puis dégradation par des enzymes et enfin reconstitution des éléments. Quelques-uns d'entre eux, comme le fer et le calcium, ont même des sites récepteurs particuliers sur les villosités. Le placenta a encore le pouvoir de limiter certaines attaques virales et bactériennes dont pourrait être atteint le fœtus, mais pas toutes. Il laisse passer des toxines comme l'alcool, la nicotine ou certaines substances contenues dans les médicaments. On attribue au placenta un rôle tout à fait particulier et essentiel : celui de défenseur de l'embryon contre les anticorps maternels sécrétés au moment de la nidation. En effet, pour le corps de la mère, l'implantation de l'œuf est interprétée comme une attaque semblable à celle pratiquée par une greffe de tissu d'un donneur. Il se défend en fabriquant des anticorps chargés de chasser l'intrus. Le placenta neutralise ces anticorps par une substance qu'il produit, et les utilise même pour sa propre croissance. ■

Une fonction hormonale

Le placenta a un rôle hormonal important. C'est lui qui produit la fameuse HCG, hormone gonadotrophine chorionique qui va permettre d'établir le diagnostic de grossesse. Cette hormone bloque le cycle de l'ovaire et empêche la venue des règles.
Une autre hormone est produite par le placenta, l'hormone lactogène placentaire. Elle est un indice du bon fonctionnement du placenta. On décèle cette hormone de la circulation sanguine maternelle dès la cinquième semaine après la fécondation.
Sa concentration augmente régulièrement jusqu'au 9e mois. Le placenta, dès le 1er mois de grossesse, sécrétera encore les œstrogènes et la progestérone, hormones qui assurent le bon déroulement de la grossesse. C'est peut-être lui qui déclenchera l'accouchement en modifiant leurs dosages (le taux d'œstrogènes va alors augmenter et celui de progestérone va baisser, entraînant l'apparition des contractions, ainsi que le déclenchement de l'accouchement à terme). ■

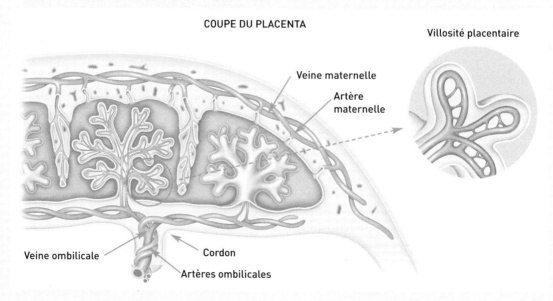

COUPE DU PLACENTA

Villosité placentaire

Veine maternelle

Artère maternelle

Veine ombilicale

Cordon

Artères ombilicales

Le placenta

IL JOUE UN RÔLE ESSENTIEL dans le développement de l'embryon. C'est lui qui assure la « survie » de l'enfant à naître et tous les échanges entre la mère et l'enfant. Il fournit les apports en aliments et en oxygène nécessaires à l'activité cellulaire intense qui se manifeste tout au long de la grossesse.

Sa formation

Dans les quelques jours qui suivent la fécondation il se forme à partir d'une partie périphérique des cellules de l'œuf, le trophoblaste embryonnaire, nom donné au placenta en formation.

Il pénètre la paroi utérine en y tissant un réseau de fins capillaires. L'extérieur de ces vaisseaux est tapissé de cellules capables d'une très grande activité de synthèse.

Vers le 18e jour de la conception, le réseau vasculaire du trophoblaste (ou placenta) va se raccorder aux vaisseaux sanguins de l'ombilic, établissant ainsi une circulation sanguine entre la paroi utérine et l'embryon. Le cordon ombilical du bébé est implanté au milieu du placenta (p. 112).

Un lieu d'échanges

Quand les villosités du trophoblaste ont attaqué la muqueuse utérine, cette dernière s'est défendue. Elle a bouché les brèches autour des villosités par des parois formant des chambres où celles-ci vont tremper. Ces chambres sont irriguées par le sang maternel ; c'est là que se produisent les échanges mère-enfant. Ainsi, jamais le sang de la mère et celui de l'enfant ne seront mêlés. Les échanges se feront à l'échelle moléculaire : molécules gazeuses et molécules des substances nutritives. Le placenta est un filtre au fonctionnement sophistiqué puisqu'il diffère selon les substances.

On sait que ces chambres ressemblent à des petits cubes. Par le bas de ce cube, une artère amène du sang de la mère ; sur les côtés, de petites veines évacuent le sang qui a donné son oxygène à l'embryon. Au-dessus, arrivent les villosités dont les membranes poreuses captent à la fois l'oxygène et tous les aliments transportés par le sang maternel ; parallèlement, elles se déchargent de tous les déchets produits par l'embryon. On pourrait comparer le réseau de vaisseaux irriguant le placenta à un arbre : 15 à 30 gros vaisseaux se ramifient en branches de plus en plus petites se terminant par des bourgeons que l'on nomme villosités placentaires, lieu de tous les échanges entre la mère et son bébé. Le développement normal du fœtus est lié essentiellement à celui du placenta.

Au terme de la grossesse, le placenta ressemble à un disque de 20 cm de diamètre pour 3 cm d'épaisseur. La longueur du réseau capillaire des villosités est évaluée à 50 km. Son poids total est de 500 g. Le placenta croît et se modifie au cours de toute la gestation. Il passe au début de la grossesse par une phase de division cellulaire, puis la multiplication des cellules se ralentit, alors que celles-ci augmentent leur masse.

" Le placenta assure une fonction nourricière, hormonale et immunitaire. „

1ER MOIS

2E MOIS

3E MOIS

4E MOIS

5E MOIS

6E MOIS

7E MOIS

8E MOIS

9E MOIS

LA NAISSANCE

LES 1RES SEMAINES DE MAMAN

LES 1RES SEMAINES DE BÉBÉ

GROSSESSES DIFFÉRENTES

ANNEXES

Un grand bouleversement affectif

VOTRE MATERNITÉ VA ÊTRE L'OCCASION D'UN PEU D'INTROSPECTION,
d'un repli sur vous, d'un retour vers votre propre enfance. L'aventure extraordinaire
que vous vivez vous conduit souvent à éprouver un besoin de protection
que vous chercherez auprès de votre conjoint mais aussi auprès de vos parents.

Des sentiments contradictoires

Cette transformation peut faire naître chez la future maman des changements dans son caractère : elle devient exigeante, susceptible, et peut être sujette aux fameuses envies (p. 216). En fait, tout cela est la simple manifestation d'un besoin d'amour et de sollicitude. Dans son esprit se livre un véritable combat. Elle est à la fois ravie de son nouvel état, fait des projets, imagine son futur bébé mais elle redoute la douleur de l'accouchement et les changements physiques qui, bien obligatoirement, marqueront son corps.

Et puis surtout, il y a la peur de l'enfant anormal. Cette peur ne se fonde pas uniquement sur une réalité précise, tels certains cas que la future maman aurait pu observer autour d'elle. Cette crainte se nourrit en fait de sentiments de culpabilité d'origines très diverses. Il semble que ce fantasme traduise l'angoisse de ne pas réussir sa maternité, de ne pas être à la hauteur de son espoir, de celui de son conjoint et de toute la société. Avec l'arrivée d'un bébé, plus rien ne sera tout à fait comme avant, dans son corps, dans sa vie de couple, dans sa vie familiale et sociale. Lorsqu'on les interroge, la plupart des futures mamans disent se sentir bien plus calmes, plus patientes qu'avant leur grossesse.

Pour un certain nombre d'entre elles, la maternité renforce leur caractère, leur donne une assurance qu'elles n'avaient pas auparavant. Elles ont mûri presque instantanément au moment où elles se sont sues enceintes, passant du stade de jeune femme à celui de mère responsable. Pour d'autres, la « maternité » est plus difficile à accepter. Elles négligent tout ce qui les concerne : leur maison, leur aspect physique, leur travail ; elles se regardent, « s'écoutent se transformer ».

Certaines femmes peuvent traverser une phase dépressive qui nécessite la prise de médicaments dont l'innocuité pour le fœtus doit être bien vérifiée.

Surmonter ses angoisses

Être enceinte, c'est être partagée entre la joie et l'angoisse. Et souvent, si la jeune mère ne peut ou ne veut pas l'exprimer par des mots, c'est alors son corps qui s'en charge : ce sont les fameuses nausées (p. 83), qui peuvent être accentuées par les émotions ou les contrariétés. Se confier, parler de tout ce qui vous bouleverse est sans doute la meilleure des thérapies. Si vous êtes angoissée, votre conjoint, votre mère, votre meilleure amie sont là pour vous écouter. Mais vous pouvez encore parler avec votre médecin, votre sage-femme. Et si cela ne suffit pas, pourquoi ne pas demander le soutien d'autres femmes enceintes ? Il existe des lieux de rencontre spécialement conçus pour ces échanges, très souvent au sein même des maternités. L'assistante sociale de votre quartier ou de votre commune pourra vous en indiquer l'adresse. À coup sûr,

1ER MOIS

2E MOIS

3E MOIS

4E MOIS

5E MOIS

6E MOIS

7E MOIS

8E MOIS

9E MOIS

LA
NAISSANCE

LES 1RES
SEMAINES
DE MAMAN

LES 1RES
SEMAINES
DE BÉBÉ

GROSSESSES
DIFFÉRENTES

ANNEXES

les jeunes femmes les plus angoissées constateront alors que tout ce qui les tracasse, tous les fantasmes qu'elles vivent parfois avec difficulté, sont partagés par toutes leurs semblables. Pensez encore à vous distraire. Vivre agréablement, être détendue, aide à surmonter les angoisses. Pour mieux accepter les transformations de votre corps, faites une activité sportive douce, natation, danse légère (p. 103). Il n'y a guère que dans nos sociétés que le corps de la femme enceinte est vu sous le prisme de la déformation. Dans toutes les autres civilisations, c'est au contraire le moment où la femme est le plus féminine.

L'enfant imaginé

La future maman est en butte à de profonds bouleversements psychologiques ; elle est partagée entre des périodes de bonheur, voire même d'euphorie et des moments où, au contraire, les idées les plus noires la troublent. Toutes les femmes enceintes, un jour, imaginent l'enfant qu'elles portent malformé. Bien que dans la réalité la probabilité soit infime, il est normal d'y penser de temps en temps. En fait, cette crainte est la manifestation du doute qu'inconsciemment la future maman ressent. Sera-t-elle à la hauteur de l'entreprise qu'elle s'est fixée et que lui a mandatée son époux ? De plus, elle se sent alors en rivalité avec sa propre mère. Pourra-t-elle faire aussi bien qu'elle ? Aujourd'hui, toutes les maternités, ou presque, sont volontaires : les femmes décident de devenir mères pour vivre une expérience qu'elles savent enrichissante. La maternité est pour elles une étape indispensable dans la construction de leur identité féminine. Leur vie psychique est alors riche en rêves et en fantasmes qu'elles collectent dans un journal intime. Plus tard, peut-être l'offriront-elles à leur enfant devenu grand. ∎

Des aides spécifiques

Ainsi dans certaines maternités, les sages-femmes en charge de la préparation à la naissance essaient de mettre en rapport les futures mamans célibataires afin de rompre le sentiment de solitude que peuvent éprouver certaines, notamment au moment de l'arrêt de travail.

Les mères célibataires ont encore droit à des aides et à des allocations particulières. Elles peuvent s'informer auprès de l'assistante sociale de leur quartier ou aux services de la PMI de leur commune. Elles sont aussi prioritaires pour l'obtention d'une place en crèche collective ou familiale.

De nombreuses associations se sont créées pour venir en aide à celles qui sont les plus démunies. Là encore, l'assistante sociale leur sera d'une grande aide. Pour les futures mamans en grande difficulté, les services sociaux ont créé les maisons maternelles. Y sont hébergées les jeunes mères pendant les trois mois qui suivent l'accouchement ; l'hôtel maternel, si besoin, prend le relais, en offrant aux mères célibataires un hébergement très économique et une préparation au monde du travail. Les centres maternels tendent à se substituer à ces deux premières institutions pour des raisons administratives. Le cumul des fonctions d'aide et d'accueil évite la rupture de la prise en charge. ■

Attachement extrême

La principale crainte des mères célibataires est d'être trop possessives et surprotectrices. Le risque existe, car l'enfant devient pour elles une forme de compensation en palliant leur manque d'amour. Il recevra donc toute leur affection ; en retour, elles s'attendront à recevoir également beaucoup... peut-être trop. Ces mères risquent encore de voir en cet enfant un moyen de recommencer leur vie. Tout cela concourt parfois à la naissance d'une relation trop étouffante. Seul remède : le couple mère-enfant doit absolument s'ouvrir sur l'extérieur, vivre des séparations et des expériences différentes, pour que chacun des deux trouve son propre statut. ■

Le rôle du « père »

Parmi les enfants naturels, 18 % ne font jamais l'objet d'une reconnaissance de la part de leur père. Ce chiffre n'a pas varié depuis vingt ans. On peut interpréter ces chiffres comme le refus de ces hommes d'être pères. Mais les histoires des couples aujourd'hui sont peut-être plus compliquées qu'autrefois.

Bien des mères célibataires ont dû affronter la déception de constater que l'homme qu'elles aimaient, fuyant dès l'annonce de la maternité, était en fait incapable d'assumer une paternité. Ces hommes se sentent piégés, engagés dans une vie qu'ils n'ont pas choisie. Reste à la mère la lourde tâche de remplacer ce père absent.

Classiquement, les psychologues affirment que pour que mère et enfant aient une relation normale, il faut que dans le couple s'insère une troisième personne : c'est le rôle dévolu au père. Pour la mère célibataire et son enfant, il sera donc souhaitable de trouver un substitut de père. Un parent ou un ami peut parfaitement jouer ce rôle, à condition qu'il soit régulièrement présent auprès de l'enfant et que ce soit une personne stable.

Parallèlement, si la future maman a une image négative du père génétique de cet enfant, elle doit veiller à ne pas la transmettre à l'enfant. Elle placerait ce dernier dans une situation de rejet préjudiciable à son développement et à leurs relations. Ce bébé est un individu indépendant qui a déjà, avant de naître, une histoire un peu compliquée qu'il n'est pas souhaitable d'aggraver. ■

Faire un bébé toute seule

AUJOURD'HUI, LA CONTRACEPTION ET L'INTERRUPTION VOLONTAIRE DE GROSSESSE permettent à la plupart des mères célibataires de l'être intentionnellement. On est loin de l'étiquette réprobatrice de « fille-mère », et ces femmes qui vivent une maternité sont plutôt bien dans leur peau.

Un désir profond

Quand elles expriment leur désir maternel, elles disent qu'il repose essentiellement sur le besoin de se prolonger, sur la volonté de ne pas baser leur vie sur la réussite sociale et professionnelle. C'est aussi l'expression du souhait de ne pas vivre seule toute leur vie. Les mères célibataires volontaires sont aujourd'hui des femmes de plus de 30 ans, dans une situation financière relativement confortable, car la plupart d'entre elles ont déjà fait leurs preuves.

Des sentiments mêlés

Mais dans leur vie comme dans celle de toutes les futures mamans, il y a des hauts et des bas. Les mamans célibataires ne sont pas à l'abri de ces manifestations de légère dépression ou de ces sentiments contradictoires qui peuvent se transformer en angoisses. Car si leur grossesse est volontaire, elle n'est pas menée dans l'inconscience. La responsabilité d'élever seule un enfant, le manque de soutien affectif leur font penser, dans les petits moments de blues, que tout irait mieux si elles n'étaient pas seules. Le soutien affectif de leur famille peut les aider à passer ce cap difficile, car l'image idéalisée du couple attendant et accueillant son enfant reste encore profondément ancrée dans les représentations de notre société et dans les mentalités. Elles cherchent souvent un soutien moral et une aide pratique auprès de leur mère. Leurs liens se resserrent.

Une grossesse volontaire

Or, le désir d'enfant des femmes seules, parfaitement maîtrisé et assumé au vu de tous, n'est jamais aussi évident dès lors qu'on s'attache aux raisons inconscientes. Comme dans tout désir d'enfant se mêlent l'image que l'on a de sa féminité, la compensation de certaines frustrations affectives familiales, le besoin de s'identifier à sa propre mère ou, tout au contraire, celui de prouver que l'on sera capable de faire mieux. Dans ce cas précis, les psychanalystes assimilent ce désir d'enfant à un processus de réparation. De plus, la solitude est presque toujours le résultat de l'échec affectif d'une relation amoureuse. Pour certaines mères célibataires, le phénomène d'introspection qu'entraîne la grossesse révèle leur incapacité à nouer des relations affectives solides. Cependant, toutes les études montrent que les mères célibataires, dans leur grande majorité, vivent bien leur grossesse et que l'absence d'un père à l'accouchement est largement compensée par une équipe soignante disponible.

Bioéthique et célibat

À la différence de certains pays d'Europe, la loi française sur la bioéthique ne permet pas aux mères célibataires d'avoir recours à l'insémination artificielle ou au don d'embryon. Les procréations médicalement assistées ne s'appliquent actuellement qu'aux couples reconnus comme vivant maritalement. ■

1ᴱᴿ MOIS

2ᴱ MOIS

3ᴱ MOIS

4ᴱ MOIS

5ᴱ MOIS

6ᴱ MOIS

7ᴱ MOIS

8ᴱ MOIS

9ᴱ MOIS

LA NAISSANCE

LES 1ᴿᴱˢ SEMAINES DE MAMAN

LES 1ᴿᴱˢ SEMAINES DE BÉBÉ

GROSSESSES DIFFÉRENTES

ANNEXES

Votre poids *en savoir plus*

Les kilos de la jeune maman

Pour le docteur Andréa Genazzi, gynécologue et professeur à l'université de Modane en Italie, ce sont les grossesses qui font le plus grossir les femmes-enfants. Tout ce qui est lié à des modifications hormonales physiologiques entraîne en moyenne une prise de 8 kg pour près de la moitié des femmes. Ce phénomène atteint particulièrement les futures mamans qui ne limitent pas leur prise de poids, au cours de la grossesse, à 10 ou 12 kg. Elles ne se voient pas grossir et se disent qu'il sera toujours temps de se mettre au régime dans neuf mois. ∎

joue un rôle non négligeable dans la probabilité de l'apparition de l'obésité.

Pourtant, riz, pâtes, pommes de terre peuvent être consommés une fois par jour. Il est essentiel de ne pas y ajouter trop de matières grasses et, si possible, d'éliminer toute cuisson de type friture. La viande peut être de temps en temps remplacée par des laitages ou du fromage ; il n'y a alors pas d'apport en fer (présent surtout dans le foie de porc, de bœuf ou d'agneau), mais beaucoup en calcium. Le contrôle du poids se fait comme celui de toute femme soucieuse de sa ligne : soit une fois par semaine, le matin à jeun, nue ou en sous-vêtements, et surtout toujours sur la même balance. ∎

Surveillez votre poids

Une trop grande prise de poids au cours de la grossesse n'est pas sans risques. Les médecins estiment qu'une future maman a alors deux ou trois fois plus de chance de souffrir d'hypertension ou de diabète. L'accouchement sera d'autant plus délicat que l'enfant est gros, par exemple plus de 4 kg. Si au cours des neuf mois de gestation, vous avez multiplié les cellules graisseuses dans votre organisme, vous pouvez redouter le commencement d'une véritable obésité, qui est plus difficile à vaincre que celle acquise dans d'autres circonstances. Au demeurant, manger plus que la normale n'a pas vraiment d'influence sur le poids de naissance de l'enfant. En fonction des rations alimentaires des femmes enceintes, différentes études ont montré, sur des populations entières, des variations de 125 à 200 g sur le poids de naissance. Il faut savoir aussi que le nombre de grossesses

Vitamines et oligo-éléments

En début de grossesse, il est indispensable que votre régime soit riche en vitamines de toutes sortes (pp. 117-118), en acide folique et en oligo-éléments.

Des substances que vous trouvez naturellement dans une alimentation variée et équilibrée. Doivent être notamment privilégiées les vitamines du groupe B, la vitamine D et la vitamine E. Elles vous préservent de l'anémie et jouent un rôle important dans le développement du fœtus. Les supplémentations sont inutiles à ce stade de la grossesse. ∎

Vous arrondir tout doucement

TOUT EST QUESTION D'ÉQUILIBRE. Il n'y a aucune raison pour que votre alimentation soit différente de celle que vous aviez avant si elle était bien répartie. Une alimentation équilibrée est faite de protéines, de glucides, de lipides, de vitamines et de sels minéraux.

Adapter son alimentation

Ce qui importe avant tout pour la mère et le futur bébé est leur juste répartition. Le travail de la grossesse va demander un peu plus de calories que la normale. Aux 2 000 calories habituelles vont s'ajouter 150 à 250 calories supplémentaires par jour selon l'évolution de la grossesse, chiffres indicatifs à moduler selon le poids initial, la priorité étant pour la femme enceinte d'adapter son alimentation à ses besoins nutritionnels. En début de grossesse, presque la moitié des calories va être stockée sous forme de graisses et de protéines. Un tiers des calories absorbées sont nécessaires à l'effort que l'organisme fournit pour la formation du placenta (p. 95) et à l'énergie supplémentaire qu'il brûle lors du développement des seins et de l'utérus. Enfin, le reste de ces calories sera indispensable au développement de la masse sanguine qui alimente le futur bébé. Lors du dernier trimestre, le bébé aura besoin de 100 à 150 calories pour son développement.

Une prise de poids progressive

Concrètement, les nutritionnistes estiment que la quantité quotidienne de protéines doit passer à 90 ou 100 g au lieu des 80 g habituels et que les lipides ne doivent pas dépasser 10 % de toutes les calories journalières.
La prise de poids au cours de la grossesse est progressive. Très faible les trois premiers mois, elle passe de 250 à 300 g par semaine jusqu'au 5ᵉ mois,

de 350 à 400 g jusqu'au 7ᵉ mois et enfin de 450 à 500 g jusqu'au terme de la grossesse avec un plateau les 15 jours précédant l'accouchement. La prise de poids normale au cours de la grossesse se situe entre 10 et 12 kg. Ces kilos sont souvent pris dans les six derniers mois, le premier trimestre étant quelquefois marqué par une perte de 1 à 2 kg. Bien sûr, la prise de poids est aussi fonction de la corpulence initiale. On a remarqué que les femmes maigres ont tendance à prendre davantage de poids que les femmes rondes mais, en revanche, leurs enfants ont toujours un poids plus faible que ceux des femmes rondes. Il faut pourtant savoir qu'aucune femme ne grossit de la même façon. Seules les prises de poids brusques et anormales, 2 kg par semaine par exemple, sont à signaler au médecin.
Il en est de même si aucune variation de poids n'est constatée sur une période de quinze jours. Si la future maman souffre de surpoids, sa ration alimentaire peut être réduite à 1 500 ou 1 800 calories, sous contrôle médical. ■

" Profitez de votre maternité pour changer vos habitudes alimentaires. Les vitamines des fruits et des légumes sont bonnes pour vous et votre bébé. "

1ᵉʳ MOIS

2ᵉ MOIS

3ᵉ MOIS

4ᵉ MOIS

5ᵉ MOIS

6ᵉ MOIS

7ᵉ MOIS

8ᵉ MOIS

9ᵉ MOIS

LA NAISSANCE

LES 1ᵉʳˢ SEMAINES DE MAMAN

LES 1ᵉʳˢ SEMAINES DE BÉBÉ

GROSSESSES DIFFÉRENTES

ANNEXES

Doser les risques

Le premier risque que fait courir l'activité sportive chez la femme enceinte est celui des chutes et des traumatismes. Il convient donc d'éviter les sports violents, surtout à partir du 2e trimestre. Il n'est pas indiqué, par exemple, de faire du ski, même si vous êtes bien expérimentée ; mieux vaut se limiter à des parcours-promenades tranquilles.

Le tennis est déconseillé aux débutantes et, pour les joueuses confirmées, après le 5e mois. L'athlétisme doit être arrêté après deux mois de grossesse. Le volley-ball comme le basket-ball et tous les sports d'équipe font courir des risques de chutes et de coups, ils sont donc à proscrire dès le début de la grossesse.

Quant à l'équitation, il est préférable d'y renoncer tant à cause des chutes éventuelles que des chocs répétés du corps sur la selle. Abandonnez encore l'aérobic parce qu'il demande une mobilisation d'énergie beaucoup trop importante en peu de temps. Préférez-lui la gymnastique traditionnelle, toujours bonne pour la forme. ∎

Les sports autorisés

À la natation et à la marche, vous pourrez ajouter le golf en amateur, la voile, le ski de promenade, la bicyclette sur route plate, mais pas au-delà du 5e mois et à condition qu'ils soient pratiqués en douceur. La gymnastique, la danse et le yoga font partie aussi des meilleurs sports conseillés à une future maman.

Ces disciplines peuvent même, légèrement adaptées, devenir un moyen de se préparer à l'épreuve sportive que représente l'accouchement. Cela semble toujours étonnant, et pourtant certaines sportives de haut niveau sont apparemment capables de pratiquer leur discipline jusqu'au terme de leur grossesse.

Mais attention, ce sont de véritables « pros » qui connaissent bien leurs limites et qui prennent alors des risques professionnels. ∎

Contrôler son rythme cardiaque

Pratiquer un sport, oui... mais en se ménageant. Les médecins spécialistes estiment qu'une future maman ne doit jamais dépasser plus de 70 % de ses possibilités.

Pour cela, mieux vaut se surveiller en mesurant son rythme cardiaque. Ce rythme maximal s'obtient en soustrayant son âge du chiffre 220. Il suffit ensuite de calculer 70 % du chiffre ainsi obtenu. Au cours de l'effort sportif, il faut mesurer son rythme cardiaque (en comptant ses pulsations) pendant 15 secondes et le multiplier par 4 pour obtenir le score sur une minute. On le compare ensuite au nombre autorisé. ∎

Cultiver le moindre effort

Sport et grossesse ne sont pas totalement incompatibles. Les exercices qui mobilisent un grand nombre de muscles ont bien des avantages. Ils maintiennent la future mère en forme et la préparent physiquement à l'accouchement, véritable épreuve sportive.

Grâce à ces exercices, la future maman évite souvent les douleurs lombaires, les crampes, l'œdème malléolaire qui s'installe aux chevilles et la formation des varices.

Mais il y a des limites qu'elle ne doit pas dépasser. Ainsi, l'intensité de l'effort est particulièrement à surveiller au cours du premier trimestre. Il provoque une montée anormale de la température du corps. La redistribution du sang vers les muscles et la peau se fait alors au détriment de l'apport en oxygène du fœtus, ce qui conduira le placenta à produire moins de progestérone et ce qui risque en conséquence de déclencher des contractions. ∎

Nager, marcher... calmement

1ᴱᴿ MOIS

2ᴱ MOIS

3ᴱ MOIS

4ᴱ MOIS

5ᴱ MOIS

6ᴱ MOIS

7ᴱ MOIS

8ᴱ MOIS

9ᴱ MOIS

LA NAISSANCE

LES 1ᴿᴱˢ SEMAINES DE MAMAN

LES 1ᴿᴱˢ SEMAINES DE BÉBÉ

GROSSESSES DIFFÉRENTES

ANNEXES

LA PRATIQUE D'UN SPORT est pour vous un moment agréable de détente ou encore une vraie passion. Votre situation de future maman va changer quelque peu vos habitudes. En effet, si votre grossesse est normale, il n'y a aucune raison, bien au contraire, que vous ne fassiez pas un peu d'exercice physique. Votre corps se transforme, accompagnez-le.

Le plaisir de l'eau

La natation, que vous soyez bonne ou mauvaise nageuse est un excellent exercice ; seule condition : éviter l'eau froide. La bonne température est de 22 à 24 °C. Elle améliore la respiration, entretient la musculature et assouplit les articulations (p. 190). En nageant, vous renforcerez les muscles du ventre, du dos, des reins et des cuisses. Vous assouplirez votre périnée (p. 212). Si vous bloquez quelques secondes votre souffle sous l'eau, vous travaillerez par la même occasion votre respiration (p. 242), ce qui vous sera demandé au moment de l'accouchement. La natation et le bain en général ont aussi des vertus calmantes et relaxantes, idéales pour une future maman légèrement stressée ou angoissée. Vous pouvez nager jusqu'au dernier jour de votre grossesse à condition que le col de l'utérus ne se soit pas encore entrouvert. Les nages les plus adaptées à la grossesse sont le dos crawlé et la nage indienne (sur le côté). Toutes deux entraînent les muscles du dos sans forcer. La plongée sous-marine est déconseillée, mais la natation en courte apnée ne présente, elle, aucun danger. Elle peut même être un bon entraînement à la respiration bloquée demandée au moment de l'accouchement. D'ailleurs il existe une préparation à la naissance en piscine (p. 190). Par contre le ski nautique et le plongeon sont formellement interdits en raison des chutes.

Les bienfaits de la marche

La marche est conseillée à pratiquement toutes les futures mamans, sauf en cas de contractions précoces ou de risque d'accouchement prématuré. Mais si vous n'avez jamais beaucoup marché, ce n'est pas le moment de vous lancer dans l'aventure d'un trekking ou dans des vacances « pédestres ».

La grossesse provoque un relâchement des articulations, notamment au niveau des chevilles, et la femme enceinte a donc tendance à tomber. De même, au fil des mois, votre ventre en s'arrondissant déplacera le centre de gravité de votre corps et pourra être la cause de chutes fréquentes.

L'élévation normale du rythme cardiaque au cours de la grossesse entraîne également une tendance plus rapide à l'essoufflement. Il est donc préférable de marcher d'un bon pas, mais calmement. Une demi-heure de marche quotidienne est une bonne moyenne pour entretenir votre forme. Ainsi vous activerez la circulation de vos jambes (p. 166), stimulerez votre respiration et aiderez au bon fonctionnement de vos intestins. ■

" Aux bienfaits physiques, le sport ajoute détente, relaxation et bien-être. Profitez-en. „

Le troisième mois

1ER MOIS

2E MOIS

3E MOIS

4E MOIS

5E MOIS

6E MOIS

7E MOIS

8E MOIS

9E MOIS

LA NAISSANCE

LES 1RES SEMAINES DE MAMAN

LES 1RES SEMAINES DE BÉBÉ

GROSSESSES DIFFÉRENTES

ANNEXES

Le troisième mois

Vous

LA PREMIÈRE RENCONTRE AVEC LE FUTUR BÉBÉ se produit par écran interposé. L'échographie, c'est un rêve éveillé. Avec émotion, vous distinguez une forme qui ressemble à un petit baigneur faisant du trampoline. Vous découvrez sa tête, ses membres et surtout son cœur qui bat. C'est le film de la vie retransmis par un appareil qui révèle l'invisible. Pour la première fois, vous avez la preuve tangible de votre maternité, une image que vous garderez, la première de l'album de votre bébé. C'est une étape importante et rassurante dans la réalisation de votre projet. L'échographie vous fait entrer d'une manière extraordinaire dans le réel et, tout à la fois, vous amène à faire un pas de plus dans l'imaginaire.

D'imperceptibles changements se produisent dans votre corps. Votre entourage ne les remarque pas encore mais vous, vous voyez déjà les premiers signes de cette discrète métamorphose : quelques taches brunes sur votre visage, une poitrine plus rebondie, un début de ventre que vous êtes seule à percevoir et que vous avez, tout à la fois, crainte et hâte de voir s'arrondir.

D'ailleurs vous déciderez peut-être d'acheter votre première tenue de future maman. Elle n'est sans doute pas indispensable, mais cela vous fait tellement plaisir. Elle vous permet d'entrer un peu dans la peau de votre nouveau personnage.

Tous ces petits signes vous obligent surtout à prendre des résolutions : mieux vous alimenter, dormir plus et surtout, pour certaines, s'arrêter de fumer. Cette nouvelle hygiène de vie ne sera pas particulièrement difficile à suivre tant elle est porteuse d'espoir.

Votre bébé

TOUS SES ORGANES SONT PRÉSENTS. D'embryon, il passe au stade de fœtus, ses organes sont constitués et vont maintenant se développer, croître et embellir. Il y a donc deux phases dans le développement du futur bébé : une phase de constitution des organes à laquelle correspond le nom d'embryon, et une phase de développement de chacun des organes à laquelle correspond le nom de fœtus. Dans les mois à venir, ils vont encore progressivement se développer et se perfectionner. Ses différentes fonctions physiologiques sont prêtes à jouer leur rôle.

1ᴱᴿ MOIS

2ᴱ MOIS

3ᴱ MOIS

4ᴱ MOIS

5ᴱ MOIS

6ᴱ MOIS

7ᴱ MOIS

8ᴱ MOIS

9ᴱ MOIS

LA NAISSANCE

LES 1ᴿᴱˢ SEMAINES DE MAMAN

LES 1ᴿᴱˢ SEMAINES DE BÉBÉ

GROSSESSES DIFFÉRENTES

ANNEXES

Au 2e mois   Au 3e mois   Au 4e mois

  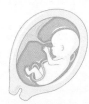

Le fœtus est bien en place dans l'utérus et le placenta, qui a pris de l'importance, assure ses échanges nutritifs, évacue les déchets et produit les hormones dont la grossesse a besoin.

107

De l'embryon au fœtus

AU TROISIÈME MOIS, L'EMBRYON DEVIENT FŒTUS. Ce n'est pas une simple fantaisie de vocabulaire. En fait, à la fin du deuxième mois, l'embryon a tous ses organes et sa morphologie est définitivement en place. Maintenant l'enfant doit se développer. À ce stade, il mesure 10 cm et pèse 45 g.

Sa morphologie

Sur le plan morphologique, on distingue très clairement ses membres, ses jambes sont tendues et ses doigts de pieds tendrement en éventail, ses bras sont assez longs pour que ses mains se rejoignent ; on distingue déjà la trace de ce que seront les ongles.

Sa tête est toujours importante et représente un tiers de son corps. Le visage commence à se modeler, deux creux se forment pour devenir les narines, le nez et la lèvre supérieure s'esquissent, le menton « pousse » et les joues se marquent sous les yeux. Ce visage a encore peu de muscles, ce sont eux qui lui donneront toute sa rondeur. Les paupières sont fermées, elles ne s'ouvriront que dans trois mois. On observe encore la forme première des organes génitaux.

L'apparition du sexe

Une grande transformation intervient, celle de l'appareil génital. On peut dire que c'est à ce moment que se forme un bébé fille ou un bébé garçon. On sait que le sexe est déterminé dès la fécondation. Mais sur le plan anatomique, au cours des deux premiers mois de vie fœtale, il n'y a pas de différence. Le sexe se compose de deux glandes appelées gonades prolongées par les canaux dits de Müller et de Wolff (p. 70).

Pour donner naissance au sexe féminin, l'appareil génito-urinaire se sépare en deux. Les canaux de Müller deviennent les trompes, le vagin et l'uté-rus. En revanche, chez le petit garçon, l'appareil génito-urinaire ne subit aucune modification. Les canaux de Müller s'atrophient et ceux de Wolff se transforment pour donner naissance à la prostate et aux vésicules séminales.

Les prémices de l'autonomie

Le cordon ombilical est bien formé. Il relie le fœtus au placenta. Il se compose de deux artères et d'une veine entourée d'une substance gélatineuse (p. 113). Les artères évacuent vers le placenta les déchets produits par le fœtus. Ces déchets sont à leur tour éliminés par le sang maternel grâce aux chambres situées contre la muqueuse utérine (p. 95).

La veine apporte, elle, les éléments venus du sang maternel et nécessaires à la bonne croissance du fœtus. Le foie fonctionne, les intestins d'allongent, les reins sont en place : le fœtus est donc capable d'assimiler la nourriture que lui apporte le placenta. Les résidus non assimilables sont évacués vers le côlon. C'est ce qui forme le méconium qui sera éliminé dans les premiers jours de la naissance. Au fil des mois, le cordon ombilical s'allonge et se tord sur lui-même. C'est ce qui explique son aspect torsadé au moment de la naissance. Il arrive même qu'il s'enroule autour du cou du bébé, posant de graves problèmes au moment de l'accouchement.

Pourtant il est indispensable qu'il ait une certaine longueur (à la naissance il mesure environ

50 cm), afin de permettre au fœtus de bouger dans le liquide amniotique. Le fœtus a sa propre circulation sanguine. Sa peau, très fine, laisse apparaître en surface de nombreux vaisseaux sanguins où l'on voit le sang circuler. Mais son sang n'a pas encore toutes les caractéristiques qu'il aura au moment de la naissance. Il est, notamment, pauvre en oxygène. Il peut ainsi vivre en hypoxémie, en fait, il s'économise. Protégé par le liquide amniotique, il n'a pas besoin de réguler sa température. Il vit en permanence à 37 °C. Sa tension artérielle est très faible.

Caractéristique de cette période, le foie se développe considérablement et les reins sont achevés. Ces deux organes vont permettre au fœtus d'organiser sa circulation sanguine. Jusqu'alors, ses globules rouges et les cellules souches des globules blancs étaient produits par un organe extérieur, le sac vitellin.

Au troisième mois, le fœtus produit ses globules rouges grâce à son foie et à sa rate, qui deviennent fonctionnels. La moelle osseuse va commencer à produire des globules blancs qui se répartiront ensuite dans les ganglions lymphatiques et le thymus.

Premiers mouvements

Grand événement de ce troisième mois, le fœtus commence à bouger, ce sont de petits mouvements saccadés qui, en raison du liquide amniotique et de l'éloignement des parois de l'utérus des membranes qui protègent le futur bébé, vous sont encore imperceptibles. Son squelette poursuit son ossification, notamment les os de sa colonne vertébrale.

Ses muscles se forment, c'est sans doute ce qui va lui permettre d'effectuer ses tout premiers mouvements. Il bouge, mais dans la plus grande discrétion, en cachette de sa mère. Il bouge un bras, une jambe, il cherche son pouce et agite la tête. Les échographies ont même permis de constater que le fœtus s'entraîne à bouger sa cage thoracique lorsqu'il est en période de sommeil agité. Faut-il y voir un entraînement à la respiration ? Quand il ne dort pas, il fait ses premières galipettes.

Le sens de l'équilibre

Parmi les toutes premières capacités du fœtus, il en est une qu'il semble mettre en sommeil jusqu'au moment de sa naissance : le système vestibulaire. Il réside essentiellement dans l'oreille interne et c'est lui qui permet de contrôler l'équilibre. L'oreille interne commence à être innervée dès 8 semaines de gestation et tout l'appareil vestibulaire est fonctionnel au sixième mois.

Son mécanisme repose sur des canaux situés au niveau de l'oreille, remplis de liquide et dont les mouvements font bouger des cils infiniment petits qui transmettent l'information aux cellules nerveuses. De minuscules cristaux ont pour fonction de permettre à la tête de reconnaître sa position.

On pense que le bébé ne s'en sert pas puisque, lorsque sa mère bouge, il ne fait aucun mouvement et n'essaie pas de rétablir un équilibre ou une position in utero légèrement bousculée. Tout au contraire, c'est lorsqu'elle est au repos, en particulier allongée, qu'il décide de faire des cabrioles et de renforcer ainsi sa toute nouvelle musculature. ∎

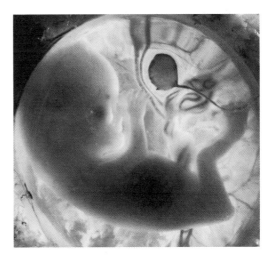

1ER MOIS

2E MOIS

3E MOIS

4E MOIS

5E MOIS

6E MOIS

7E MOIS

8E MOIS

9E MOIS

LA NAISSANCE

LES 1RES SEMAINES DE MAMAN

LES 1RES SEMAINES DE BÉBÉ

GROSSESSES DIFFÉRENTES

ANNEXES

Motricité et sensorialité

Il existe dans la nature humaine un phénomène curieux : le fœtus apparaît de plus en plus comme un être assez étonnamment compétent sur le plan des sens et incroyablement immature pour tout ce qui concerne la motricité. Il suffit d'observer la plupart des bébés animaux, capables dès la naissance de se lever et de faire les quelques pas indispensables pour atteindre la mamelle de leur mère. Quelques heures plus tard à peine, ils prennent place dans le troupeau.

Plus on met en évidence les performances du bébé avant de naître, plus le « handicap » moteur apparaît. Depuis quelques années, de nombreuses recherches tentent d'expliquer ce phénomène. La dernière théorie est celle « des territoires corticaux libres ».

Ces zones représenteraient 30 % du cortex, soit un tiers du cerveau qui ne serait pas programmé et serait libre pour emmagasiner les multiples expériences que vont lui apporter les premières années de sa vie. Ces zones se trouveraient entre celles destinées aux sens et celles programmées pour la motricité et empêcheraient la connexion des deux. Cette particularité expliquerait le manque d'autonomie motrice chez le bébé et serait à l'origine des réflexes archaïques.

En réalité, le seul mouvement dont l'enfant qui naît est capable est le cri. Le petit de l'homme est le seul à crier à la naissance face à son impuissance à agir dans un monde nouveau. Seule la perception de sensations qu'il connaît va le calmer : sa mère va le toucher, le caresser, lui parler, le poser contre elle et lui donner son odeur à respirer. Mis au sein,

il va retrouver des saveurs qu'il a déjà expérimentées. Rassuré, il se tait, prêt à assimiler de nouvelles sensations, celles que lui offre le monde qui l'entoure et notamment celles de la présence de l'autre, sa mère. Ce sont ces expériences qui structurent les zones corticales vierges, permettant à toutes les zones du cerveau de s'associer pour faire jaillir la pensée. ■

Sens et intelligence

Aucun sens ne se développe et ne fonctionne indépendamment des autres ; le bébé à venir développe en fait une sensorialité générale. Ce sont les stimulations appropriées qui aident à son installation en tenant compte d'un calendrier génétiquement programmé. Un déséquilibre dans ces stimulations, de l'ordre du manque ou de la surstimulation, peut entraîner à son tour un déséquilibre dans les acquis. En effet, s'il faut à toute expérience une compétence cérébrale, toute nouvelle acquisition se traduit par une modification neurologique dans la structure.

Celle-ci permettra à son tour que l'analyse de la sensation suivante se confirme, se mémorise et apporte une information complémentaire voire différente. C'est toute la structure cérébrale qui se met en place, celle qui va permettre la vie, la survie face au danger, puis les phénomènes d'apprentissage qui demandent pour la plupart la mise en œuvre de plusieurs sens.

Il semble pourtant que la programmation génétique du développement de ce que l'on peut appeler une pré-intelligence sensorielle laisse une certaine latitude dépendant des stimulations. ■

Le toucher avant tous les autres

Le tact est un des premiers sens qui s'installe ; il regroupe le toucher et la sensibilité cutanée. Les cellules nerveuses indispensables à cette fonction se développent dès la 6e semaine de gestation et s'organisent en couches à partir du 3e mois. Tout le mécanisme sera en place à la fin du 6e mois. Au début, le fœtus ressent des choses confuses ; au fil des semaines, l'expérience aidant, ce qu'il ressent se précise contribuant au perfectionnement du système. ■

Le goût et l'odorat

1ER MOIS

2E MOIS

3E MOIS

4E MOIS

5E MOIS

6E MOIS

7E MOIS

8E MOIS

9E MOIS

LA NAISSANCE

LES 1RES SEMAINES DE MAMAN

LES 1RES SEMAINES DE BÉBÉ

GROSSESSES DIFFÉRENTES

ANNEXES

LE BÉBÉ EST CAPABLE DE SENSATIONS GUSTATIVES TRÈS TÔT. Ses premières expériences, il ne peut les faire qu'en goûtant le liquide amniotique. Le fœtus boit ce liquide, composé d'eau et de déchets cutanés provenant de la desquamation de sa peau. Votre bébé sait déjà distinguer le salé et le sucré grâce à ses toutes nouvelles papilles gustatives.

L'odeur du liquide amniotique

Mais il semble que l'odorat soit développé encore plus tôt. En effet, le nerf et les bulbes olfactifs se constituent à 9 semaines de gestation. C'est à 11 semaines que les premiers récepteurs olfactifs se différencient. On a même constaté, à 13 semaines, la présence de cellules sensorielles très particulières en retrait des narines, les « organes voméro-nasaux ». Ces cellules sont importantes chez les animaux notamment : elles seraient à l'origine du flair. Tout est donc en place sur le plan nerveux pour qu'une odeur puisse être transmise au cerveau et en partie mémorisée. Ainsi, on a pu mettre en évidence qu'un bébé de quelques heures était capable de reconnaître, à l'odeur, le liquide amniotique qui était le sien, dont la composition est très influencée par l'alimentation de sa mère.

Le fœtus ne sachant pas respirer dans le ventre maternel, ces sensations olfactives sont essentiellement basées sur l'analyse chimique des molécules qui flottent dans le liquide amniotique.

Une éducation gustative précoce

N'hésitez pas à utiliser des épices pour parfumer vos plats. Ainsi, votre bébé, par l'intermédiaire du liquide amniotique, commencera son apprentissage du goût. Parmi les plus « odorants » : le cumin, la cardamome, le genièvre, le clou de girofle, la cannelle et l'anis. Une fois né, l'enfant retrouvera dans le lait maternel toutes ces saveurs et toutes ces odeurs. Le lait de sa mère sera aussi parfumé par les aliments qu'elle aura ingérés. Certains chercheurs pensent que les bébés qui refusent le lait « maternisé » le font en grande partie parce que ce lait n'a aucun goût. L'éducation gustative commencerait donc bien avant la naissance.

Il semble même que ces repères aident aussi l'enfant, qui a quitté l'utérus maternel, à reconnaître comme mère celle qui lui a permis de grandir dans son sein.

Dialogue émotionnel

Ces échanges de molécules sont en réalité le début du dialogue mère-enfant. Mais les échanges de la mère avec son bébé sont également de nature hormonale.

On pense que bon nombre d'émotions vécues par la mère sont transmises au bébé par le véhicule des hormones. Ainsi, une mère stressée ou violemment émue crée une accélération du rythme cardiaque de son bébé. Le stress maternel provoque la sécrétion de catécholamines qui passent la barrière placentaire, le bébé s'agitant alors de façon anormale, son cœur faisant un peu de tachycardie. On comprend mieux pourquoi on demande aux futures mamans de vivre dans une atmosphère calme et reposante. ▪

Le liquide amiotique *en savoir plus*

Un lieu d'échanges

Dans le liquide amniotique, l'enfant est en liaison avec l'organisme maternel grâce au cordon ombilical et aux membranes du sac amniotique.

Le cordon ombilical relie le fœtus au placenta. Il est parfaitement formé au 3e mois de gestation. Il est constitué de trois vaisseaux sanguins enroulés sur eux-mêmes : un gros vaisseau, la veine ombilicale au centre, et deux vaisseaux plus petits, les artères ombilicales. Les artères conduisent le sang du bébé vers le placenta, la veine apportant le sang frais venant des échanges placentaires entre la circulation sanguine de la mère et celle du futur bébé. Temporairement le rôle des artères et des veines est inversé. Ces trois vaisseaux sont contenus dans une gaine faite d'une membrane souple et gélatineuse. Elle est parfaite pour éviter que le cordon se noue et elle le rend presque incompressible.

À terme, le cordon ombilical mesure de 50 à 70 cm en moyenne (mais peut même atteindre parfois le mètre), pour un diamètre de 21 mm environ et son débit peut avoisiner les 30 litres par jour. Encore une fois, la nature est bien faite puisque l'endroit où il s'accroche au fœtus est recouvert de quelques millimètres de peau : l'ombilic.

Le liquide amniotique est contenu dans un sac, fait d'une double membrane translucide appelée « amnios » à l'intérieur et à l'extérieur « trophoblaste ». Plus l'enfant se développe, plus le sac grandit au point d'occuper en fin de grossesse tout l'espace utérin.

Les membranes du sac amniotique jouent aussi un rôle important dans les échanges fœto-maternels, par l'intermédiaire du liquide amniotique dont elles modifient la composition. Les membranes sont au nombre de deux, le chorion et l'amnios.

Le chorion est contre la paroi utérine et l'amnios contient le liquide amniotique et le fœtus. Au fur et à mesure que l'un et l'autre vont se développer, l'amnios se rapproche du chorion et, à terme, ils vont s'accoler. Ces deux membranes se composent de plusieurs couches de tissus de nature différente. Elles ne sont ni innervées ni vascularisées, par contre, elles sont poreuses et capables de produire des échanges métaboliques importants. Ainsi les hormones prolactines et stéroïdiennes les traversent de même que les prostaglandines, la relaxine, la vasopressine et d'autres substances encore. ■

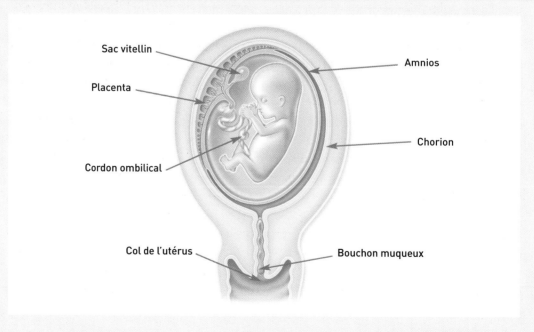

Sac vitellin

Placenta

Cordon ombilical

Col de l'utérus

Amnios

Chorion

Bouchon muqueux

Protégé dans sa bulle

1ER MOIS

2E MOIS

3E MOIS

4E MOIS

5E MOIS

6E MOIS

7E MOIS

8E MOIS

9E MOIS

LA NAISSANCE

LES 1RES SEMAINES DE MAMAN

LES 1RES SEMAINES DE BÉBÉ

GROSSESSES DIFFÉRENTES

ANNEXES

QUEL LIQUIDE ÉTONNANT ! Le liquide amniotique est à la fois fourni par la mère et par l'enfant. Le fœtus en avale beaucoup, le régurgite souvent. Il reçoit notamment ses urines, complètement aseptisées. Le liquide amniotique d'une future maman en bonne santé est clair et abondant. Les cinq premiers mois de la grossesse son volume augmente avec le poids du fœtus. Pour 1 litre que contient l'utérus, 3 à 4 litres sont fournis par jour au terme de la grossesse.

Nutrition et protection

La composition du liquide amniotique est proche de celle du sang et l'on y trouve des cellules de la peau du bébé. Ce liquide unique, composé d'eau riche en sels minéraux à 95 %, contient des cellules fœtales, des protéines indispensables à la croissance du fœtus, de petites particules blanches de vernix caseosa, cette graisse protectrice qui couvre tout le corps du futur bébé jusqu'à sa naissance. Il sert aussi à maintenir le fœtus à température constante (37°). Le liquide amniotique est d'origine maternelle et fœtale. La quantité d'eau absorbée par la mère influence son volume.

C'est encore un merveilleux amortisseur de bruits et de chocs. De plus, son asepsie en fait une précieuse barrière contre certaines infections. Il a un rôle capital dans la préparation de la vie aérienne du futur bébé en favorisant le développement de l'appareil respiratoire. C'est son écoulement qui signale la proximité de la rupture de la membrane et le risque d'accouchement prématuré (p. 282).

Vérifier l'état du liquide amniotique est un des éléments qui permettront, à terme, de contrôler le bon déroulement de la fin de la grossesse. Cet examen se fait à l'aide d'un amnioscope, petit cône qui, introduit dans le col, permet à la sage-femme d'observer l'aspect du liquide à travers les membranes, et notamment sa couleur.

Trop ou pas assez

Trop de liquide amniotique peut être un trouble passager, mais si ce trouble persiste, il s'agit d'un hydramnios (plus de 2 litres). Dans ce cas, l'utérus est anormalement distendu, ce qui peut provoquer des contractions. C'est alors un risque d'accouchement prématuré. Ces problèmes d'hydramnios sont souvent liés au diabète (p. 491), à des malformations fœtales ou aux incompatibilités sanguines (p. 487). Avant toute intervention telle une ponction, l'échographie donnera un bilan du développement du fœtus et parfois la cause de l'hydramnios. Trop peu de liquide amniotique, l'oligoamnios (moins de 200 ml), peut être aussi un trouble passager qui n'est pas alarmant. C'est l'absence, ou l'extrême rareté persistante, qui doit inquiéter. Là encore, l'échographie permet de diagnostiquer des troubles du développement chez l'enfant. Le manque de liquide peut être dû à une fissuration de la poche des eaux.

Très souvent, ce trouble n'est que transitoire, sans que l'on puisse en déterminer la cause. Il semble encore que ce liquide ait un rôle de lubrifiant des voies génitales au moment de l'accouchement, facilitant ainsi le passage du bébé. ■

La biopsie du placenta jeune

Cet examen, qui peut se pratiquer vers la 11e semaine, consiste à prélever une minuscule partie du placenta jeune, ou trophoblaste, à l'aide d'une pince de biopsie de 20 cm de long et de 2 mm de diamètre, ou d'une aiguille. Avant l'examen proprement dit, on pratique une première échographie pour situer la position de l'utérus, celle du trophoblaste et l'endroit où s'attache le cordon ombilical sur la plaque choriale. 5 à 10 mg de villosités choriales seront prélevée. L'analyse de ces cellules permet un diagnostic des maladies métaboliques et l'établissement d'un caryotype sous 48 heures. À partir de ce prélèvement, on peut encore étudier très précocement certains gènes et diagnostiquer des anomalies de l'hémoglobine ou des maladies telles que la thalassémie (désordre sanguin entraînant des maladies graves), l'hémophilie (maladie héréditaire du sang) et, plus récemment, la myopathie de Duchenne (maladie héréditaire des fibres musculaires) et la mucoviscidose (maladie héréditaire des sécrétions des muqueuses). ∎

Dépistage des anomalies chromosomiques

Le dépistage est un calcul de risque ; c'est une probabilité et non une certitude. Aujourd'hui, on ne propose plus un examen des chromosomes du fœtus (caryotype) uniquement en se fondant sur l'âge de la femme (auparavant, on proposait une amniocentèse passé 38 ans). On va certes tenir compte de l'âge, mais l'associer à la mesure de la nuque de l'embryon à l'échographie entre très précisément la 11e et la 13e semaine d'absence de règles, ainsi qu'au résultat d'une prise de sang pratiquée au même moment, qui mesure des marqueurs sériques particuliers. C'est le triple test, qui va permettre un calcul de risque pour chaque femme. Si le total est supérieur à un risque d'anomalie sur 250 (1/100, par exemple), alors on proposera un caryotype du fœtus. Cet examen peut avoir lieu à partir de la 12e semaine d'aménorrhée par une biopsie du trophoblaste, ou un peu plus tard par une amniocentèse (voir page ci-contre). Ces deux examens donnent la certitude de la normalité chromosomique, mais ils comportent un risque de fausse couche estimé à 1 % (légèrement supérieur pour le trophoblaste). On comprend donc que l'on ne les propose pas sans de bonnes raisons car on aboutirait à plus de fausses couches sur fœtus sains que de fœtus trisomiques diagnostiqués.

Le dépistage engage suffisamment pour qu'il ne soit pas pratiqué sans votre accord. On vous demandera de signer un consentement avant de pratiquer la prise de sang à la 12e semaine, pour que vous compreniez bien les conséquences de ce dépistage associé à l'échographie. ∎

Des techniques en pleine évolution

Ces examens ne nécessitent aucune analgésie et se font sous échographie. Ils consistent à introduire une aiguille fine au travers du muscle utérin. Une nouvelle piste de recherche consiste à « capturer » des cellules fœtales passées dans le sang de la mère à partir d'une simple prise de sang pour faire les analyses de l'ADN. Cette technique permettra le diagnostic. Mais pour l'heure cette technique n'est pas encore parfaitement maîtrisée.

Seul le sexe de l'embryon peut être connu par une prise de sang maternelle dès la 8e semaine, lorsqu'il y a un risque de transmission de maladie liée au sexe. ∎

∎ MON CONSEIL

Évitez l'amniocentèse, même au-delà de 40 ans, s'il n'y a pas une indication médicale. Les moyens de surveillance triple test et échographie du 2e et du 3e trimestre vous mette à l'abri, même si l'absence totale de risque n'est jamais possible. Il ne faut pas en rajouter à un bébé qui n'a rien demandé à personne. Seules les amniocentèses d'indication médicale sont remboursées par la Sécurité sociale. ∎

L'analyse du liquide amniotique

1ᴱᴿ MOIS

2ᴱ MOIS

3ᴱ MOIS

4ᴱ MOIS

5ᴱ MOIS

6ᴱ MOIS

7ᴱ MOIS

8ᴱ MOIS

9ᴱ MOIS

LA NAISSANCE

LES 1ᴿᴱˢ SEMAINES DE MAMAN

LES 1ᴿᴱˢ SEMAINES DE BÉBÉ

GROSSESSES DIFFÉRENTES

ANNEXES

UNE AMNIOCENTÈSE PEUT ÊTRE PRESCRITE si l'échographiste a repéré une image anormale ou si votre bébé ne se développe pas comme prévu. Son indication est toujours longuement réfléchie. Elle se fait sous échographie vers la 16ᵉ semaine d'aménorrhée et consiste à prélever, à l'aide d'une aiguille très fine, environ 20 cm³ de liquide amniotique. Mais elle peut également se pratiquer plus tard à tout moment, s'il y a un signe d'appel échographique.

Souvent après une échographie

Les cellules fœtales que contient le liquide amniotique sont mises en culture ; leur étude, trois semaines après, va permettre de diagnostiquer un certain nombre de maladies.

Sont recherchées en priorité, grâce à un caryotype, les anomalies chromosomiques et, selon les cas, les maladies héréditaires métaboliques (par exemple, la mucoviscidose, viscosité anormale du mucus que sécrètent les glandes intestinales et bronchiques). L'amniocentèse permet aussi de déterminer le sexe du fœtus afin de diagnostiquer des maladies spécifiques à l'un ou l'autre sexe ; elle permet également d'effectuer des dosages d'enzymes (dépistage du spina-bifida) ou de protéines et, plus récemment, l'étude de l'ADN des cellules.

Elle est fortement conseillée lorsqu'on a décelé à l'échographie des malformations morphologiques du fœtus ; en effet, elles sont souvent associées à des anomalies chromosomiques.

Bien des futures mères redoutent le moment où l'on va introduire cette aiguille dans leur abdomen. Au-delà de la douleur, elles craignent surtout que leur enfant ne soit piqué, ou encore que cette ponction ne perturbe le milieu dans lequel il vit. En fait, sous contrôle échographique, le fœtus ne court aucun risque. À cette période de la gestation, il flotte dans beaucoup de liquide amniotique et, fait étonnant, on a constaté qu'il semble fuir l'aiguille.

Une demande qui doit être réfléchie

Certes, le prélèvement des 20 cm³ de liquide ne perturbe en rien son milieu, cette quantité étant infime par rapport au volume total ; de plus, il se reconstitue très rapidement (p. 113).

Généralement, le prélèvement se fait en association avec une échographie, le médecin estimant ainsi l'endroit où il va enfoncer l'aiguille et sur quelle longueur. Soit l'échographie se fait avant, soit elle se poursuit tout au long du prélèvement. L'examen ne dure que quelques minutes et ne demande que quelques heures de repos ensuite. Pour les futures mamans de Rhésus négatif, le médecin prescrira la prise de gamma-globulines en piqûres pour éviter toute immunisation.

Cette piqûre dans l'abdomen est toujours impressionnante pour la mère mais à tort, car elle n'est pas plus douloureuse qu'une piqûre normale à tout autre endroit du corps. Le problème est autre ; il y a un risque non réductible de 1 % de complications (fausses couches). Voilà pourquoi, aujourd'hui, on ne décide une amniocentèse ou une biopsie du trophoblaste que si le risque d'anomalie (risque calculé par le triple test) semble supérieur au risque de fausse couche induit par le geste. ∎

Comment consommer fruits et légumes

Pour apporter un maximum de vitamines, fruits et légumes devraient être consommés le jour même de leur cueillette. Les vitamines C et B sont les plus fragiles, elles « disparaissent » à raison de 40 % à 90 % en une journée de stockage. L'épluchage en élimine une bonne part, la cuisson également, celle à la vapeur comme toutes les autres. Il faudrait consommer une crudité et un fruit crus par repas pour être sûr d'avoir un bon apport vitaminique. Pensez à les laver avant de les croquer. ■

Où trouver les vitamines ?

• La vitamine A : elle aide à la croissance du squelette, maintient la souplesse de la peau, renforce le système immunitaire. On la trouve dans les laitages, les huiles de foie de poisson, le foie de veau, les choux, les épinards, les carottes et les tomates. Le taux de vitamine A fluctue au cours de la grossesse, il diminue notamment au cours de l'accouchement.
• Les vitamines B : on compte une quinzaine de vitamines B (B1 - B2 - B3 (ou PP) - B5 - B6 - B12...), huit sont « officiellement » reconnues. Elles ont des rôles variés, mais travaillent en synergie. On les trouve dans les céréales complètes, les abri-cots et les légumes, le lait, les œufs. La vitamine B6 aurait un effet bénéfique sur les nausées et les vomissements caractéristiques de la grossesse.
• La vitamine C : la plus connue des vitamines. Elle joue un rôle interactif avec d'autres nutriments. Elle participe notamment à la synthèse du fer, si important au cours de la grossesse. Un jus d'orange pressé le matin suffit à fournir le taux indispensable à une journée.
• La vitamine D : elle est produite essentiellement par l'organisme sous l'effet du soleil et apportée en très faible dose par les aliments. Prise en excès, elle peut être dangereuse pour le fœtus, il semble donc qu'une vie au grand air soit le seul moyen de ne pas en être carencé. ■

Les cocktails de vitamines

Dans nos pays, avec l'alimentation diversifiée que nous avons, il n'y a aucun risque qu'une future maman manque de vitamines. Le supplément vitaminique est plus un phénomène de mode qu'un réel besoin. Cependant, il est, dans la pratique, difficile à freiner.

Objectivement, les cocktails de vitamines que l'on achète en pharmacie ne peuvent pas faire de mal. Disons qu'ils ont peut-être des vertus psychologiques, les femmes ayant ainsi l'impression qu'elles se font du bien, qu'elles s'occupent de leur santé, donc de leur bébé. À mon avis, ce qui compte avant tout c'est l'équilibre nutritionnel. ■

▌ MON CONSEIL

La plupart des suppléments en vitamines sont vendus librement et sont bien souvent faiblement dosés. Par conséquent, ils ne vous font pas prendre de risques, à condition que vous limitiez leur cure aux durées indiquées sur les emballages et que vous ne preniez pas plusieurs cocktails à la fois. Leur efficacité est très relative et mieux vaut en parler à votre médecin. De plus, aucun de ces produits ne peut remplacer une alimentation équilibrée. ■

Vos besoins nutritionnels

C'EST VOTRE ORGANISME QUI VA FOURNIR LES VITAMINES INDISPENSABLES au développement de votre bébé. On a, à ce jour, répertorié 13 vitamines (mais il est certain que la nature en compte d'autres). Parmi celles-ci, certaines sont plus utiles à la future maman et à son bébé que d'autres.

À chacune son rôle

Toutes les vitamines ne sont pas forcément transmises au bébé. Ainsi, certaines arrivent au fœtus par un mécanisme de transport actif, alors que d'autres passent directement à travers le placenta. Les vitamines B12 et B9 jouent un rôle essentiel dans la division cellulaire et dans la construction des tissus fœtaux. La vitamine B6 aide à la synthèse de l'ADN et de l'ARN de la cellule, et est également importante dans la croissance et la reproduction cellulaire.

Les vitamines B1, B2 et PP sont productrices d'énergie. Les vitamines A, C et E préservent le fonctionnement des cellules. La vitamine A aide à la croissance et renforce le système immunitaire, la vitamine C favorise l'absorption en fer, la vitamine E est anti-oxydante, préservant les acides gras qui composent les membranes des cellules. La vitamine D est essentielle au métabolisme du calcium, indispensable à la formation de l'ossature du bébé.

À l'état naturel

Vous trouverez toutes ces vitamines dans une alimentation équilibrée. Elles sont en quantités variables dans tous les aliments et leur concentration dépend de nombre de facteurs : origine, mode de culture, stockage. Plus un produit est frais, plus il en contient. Il faut savoir que les produits en conserve ou surgelés en possèdent beaucoup plus qu'un produit frais qui a séjourné longtemps au réfrigérateur. Le mode de cuisson a aussi beaucoup d'importance. Lorsqu'ils sont cuits longtemps et dans beaucoup d'eau, la plupart des aliments perdent leurs vitamines.

Si vous vous nourrissez correctement, vous n'avez pas besoin d'apport vitaminique supplémentaire. Méfiez-vous de l'automédication (p. 31) et des cocktails de vitamines en tout genre. Des apports trop importants peuvent être néfastes pour votre santé et celle de votre futur bébé ; c'est par exemple le cas de la vitamine A. En surdosage, elle peut provoquer des malformations fœtales. Mieux vaut, si vous vous sentez fatiguée et déprimée, demander tout simplement conseil à votre médecin.

Cependant, votre médecin peut vous prescrire des vitamines supplémentaires, essentiellement B9, D et fer si vous en manquiez déjà avant votre grossesse, si cette grossesse est trop proche d'une autre ou si, pour des raisons de régime (type végétarien), votre alimentation ne peut couvrir vos nouveaux besoins. Par contre, une future maman qui a une alimentation variée et riche en fruits et en légumes ne risque aucune carence en vitamines. ■

« Les carences en vitamines du fœtus sont très rares et toujours mineures. En fait, il se sert sur les réserves de sa mère. »

1ER MOIS

2E MOIS

3E MOIS

4E MOIS

5E MOIS

6E MOIS

7E MOIS

8E MOIS

9E MOIS

LA NAISSANCE

LES 1RES SEMAINES DE MAMAN

LES 1RES SEMAINES DE BÉBÉ

GROSSESSES DIFFÉRENTES

ANNEXES

Quand les mamans fument...

Une étude anglaise confirme la réalité des effets nocifs du tabac au cours de la grossesse. En effet, sur 14 200 femmes enceintes suivies, dont 21 % ont fumé, l'étude montre d'abord que les effets néfastes du tabagisme sur le déroulement même de la grossesse s'observent surtout au 2e trimestre : le risque d'infection urinaire est double chez les fumeuses par rapport aux non-fumeuses. Mais, surtout, l'étude conforte l'hypothèse selon laquelle les enfants nés de mères fumeuses peuvent subir des altérations des taux d'hormones sexuelles retentissant sur leur propre descendance (même en l'absence de tabagisme dans la deuxième génération). Un questionnaire chez les femmes dont la mère avait fumé durant la grossesse (et qui étaient elles-mêmes fumeuses ou non fumeuses) montre ainsi, outre une apparition plus précoce des premières règles chez les filles, un risque significativement plus grand, lors de leur propre grossesse, de saignements pendant le premier trimestre et surtout de fausses couches. Pour le professeur Jean Golding (Institute of Child Health, Bristol), qui a dirigé l'étude, ces effets pourraient s'expliquer par un processus d'altération des fonctions ovariennes. Ainsi, on a décelé des ovaires atrophiés sur des animaux femelles exposés au tabac. En outre, d'après une analyse de données remontant à l'année 1958, le tabagisme maternel semble aussi avoir un effet à long terme sur le développement sexuel des garçons, provoquant notamment des anomalies de descente des testicules. ▪

Les troubles avérés

Une étude menée par le Centre national de statistiques de santé américain révèle que fumer favorise la formation de bec-de-lièvre chez les bébés. Le risque est proportionnel au nombre de cigarettes fumées. Il est de 50 % en plus si la future maman fume moins de 10 cigarettes par jour et de 78 % au-delà. Une autre étude, néerlandaise, menée sur 3 000 enfants, montre que le tabagisme maternel a une incidence sur les coliques du nourrisson, et indépendamment du fait que la mère allaite ou non. ▪

Les dangers du tabagisme passif

Si les futures mamans fumeuses connaissent pour la plupart les méfaits du tabac sur le déroulement de leur grossesse, bien des pères fumeurs ignorent que le tabagisme passif qu'ils font subir à leur compagne a des effets similaires.
Une future maman qui vit dans une atmosphère enfumée absorbe autant de nicotine et d'oxyde de carbone qu'une fumeuse. Le tabagisme passif pourrait encore entraîner des accidents au cours de la grossesse, tels que des hémorragies et décollements placentaires mais aussi des naissances prématurées. ▪

Les effets à long terme

La nicotine, après avoir traversé la barrière placentaire, atteint la circulation sanguine du fœtus et se dirige plus particulièrement vers le cerveau, les glandes surrénales, le cœur et l'estomac. Des analyses du liquide amniotique et du placenta montrent des taux plus élevés de nicotine que dans le sang maternel. Il en est de même pour l'oxyde de carbone. Les taux de carboxyhémoglobine sont de 10 à 15 % supérieurs chez le fœtus que chez sa mère. ▪

Les bébés n'aiment pas le tabac

1ER MOIS

2E MOIS

3E MOIS

4E MOIS

5E MOIS

6E MOIS

7E MOIS

8E MOIS

9E MOIS

LA NAISSANCE

LES 1RES SEMAINES DE MAMAN

LES 1RES SEMAINES DE BÉBÉ

GROSSESSES DIFFÉRENTES

ANNEXES

SI VOUS ÊTES « PETITE » OU « GROSSE » FUMEUSE, vous avez toutes les chances que votre médecin vous demande d'arrêter de fumer totalement au cours des mois à venir. En effet, la nocivité du tabac pour le bébé en gestation ne cesse d'être démontrée. Donc, plus aucune cigarette pour la future maman.

Des retards de croissance

Redoutable, tel est l'effet du tabac pendant la grossesse, telle pourrait être la conclusion de l'étude faite par le professeur Crimail. Les substances contenues dans le tabac agissant sur la mère perturbent la vie in utero de l'enfant. D'après lui, le tabac serait responsable d'un tiers environ des retards de poids et de taille et il serait associé éventuellement (mais sans certitude) à un retard du développement psychomoteur. Il faut savoir aussi que le tabac peut entraîner des accidents au cours de la grossesse, tels que des hémorragies et des décollements placentaires, mais les avis sont partagés. Qui est responsable ? le tabac ? le degré d'intoxication de la mère ? ou sa physiologie ?

Ainsi, une enquête menée il y a quelques années sur 6 989 femmes par le professeur D. Schwartz de l'Inserm, a démontré l'incidence du tabac dans les naissances à terme d'enfants hypotrophiques (pesant moins de 2 500 g) : 8 % d'enfants de petit poids pour les non-fumeuses, 11 % pour des fumeuses qui n'inhalent pas la fumée et 16 % pour des fumeuses inhalant la fumée. Cette même enquête a révélé une plus grande mortalité in utero chez celles qui fumaient en inhalant la fumée (3,3 %) que chez les non-fumeuses (0,9 %) ou fumeuses n'inhalant pas la fumée (1,3 %).

Une autre étude, menée à Nancy sur 5 000 femmes enceintes, a montré que le taux de prématurité des bébés passait de 5,1 % chez les non-fumeuses à 13,2 % lorsque les mères fumaient 20 cigarettes par jour.

Nicotine et oxyde de carbone

La nicotine, qui est l'alcaloïde essentiel du tabac, est une substance qui agit avec force sur l'organisme. Elle a la propriété de contracter les vaisseaux sanguins, d'augmenter momentanément la pression artérielle et d'accélérer la fréquence cardiaque. L'oxyde de carbone, ensuite, diminue l'oxygénation du sang, ce qui abaisse les performances physiques et augmente les risques de durcissement de la paroi des artères (artériosclérose). Chez une grande fumeuse, les artères du placenta (qui amènent l'oxygène et les aliments au fœtus) sont plus ou moins bouchées, scléreuses, et, dans tous les cas, on a constaté une diminution de leur diamètre, ce qui les empêche de remplir correctement leurs fonctions (pp. 95 et 112). Il arrive donc moins d'aliments constructeurs au fœtus. ■

« C'est maintenant qu'il faut vous arrêter de fumer pour, dans l'immédiat, ne pas contrarier le développement du fœtus et, dans l'avenir, ne pas nuire à la santé du bébé. »

Comment arrêter de fumer

CE N'EST PAS TOUJOURS AUSSI SIMPLE ET FACILE qu'on le croit, surtout si cette habitude est ancrée depuis l'adolescence. Le souhait de ne pas nuire à votre enfant n'est peut-être pas suffisant et il vous faut une aide.

Les consultations anti-tabac

Il existe des consultations anti-tabac dans la plupart des maternités destinées aux futurs parents. On trouve aussi des méthodes de groupe qui permettent aux fumeurs d'exprimer par la parole les mécanismes de la dépendance physique et psychique. N'hésitez pas à vous faire aider car se désintoxiquer seul est très difficile.

Les produits de substitution

Malheureusement, vous ne pouvez utiliser aucune des méthodes médicamenteuses. La plupart utilisent, pour aider au sevrage, la nicotine et celle-ci vous est défendue : si elle passe la barrière placentaire quand vous fumez, elle continuera bien sûr à le faire sous une autre forme. Pourtant, des produits de substitution, qui exposent l'organisme à moins de nicotine, sont spécialement recommandés aux futures mamans. Ce sont les patchs qui se retirent la nuit, et les pastilles allégées en nicotine à sucer.

L'homéopathie

Les médecines douces sont sans risques. L'homéopathie ne vous fera pas passer l'envie de fumer du jour au lendemain, elle soulagera plutôt les effets secondaires dus au manque de nicotine. Sachez qu'il vous faudra trois mois sans cigarettes pour vous considérer comme sevrée. Le médecin homéopathe vous prescrira un traitement en fonction de votre état et de votre « terrain ».

L'hypnose

Cette technique est généralement pratiquée à l'hôpital par un thérapeute psychiatre. Avant tout traitement, un entretien va permettre de mesurer votre foi en la méthode et l'état de votre dépendance au tabac. Les séances suivantes seront réellement consacrées à l'hypnose. La méthode employée est celle classique en médecine. Après quelques instants de relaxation, le praticien vous demandera de fixer un point lumineux ou le balancement d'un métronome. Il accompagnera votre concentration par quelques paroles. Tout naturellement, vous sombrerez dans ce sommeil particulier qu'est l'hypnose. Le praticien vous invitera alors aux rêves, des rêves de senteurs essentiellement, celle d'une forêt un matin de printemps, celle de l'herbe qui vient d'être fraîchement coupée, etc. Toutes ces sensations ont pour but de faire naître dans votre esprit des émotions qui vont renforcer votre motivation. Il vous faudra quatre à huit séances, espacées d'une semaine. Le prix moyen d'une séance est de 50 à 60 euros. (Société française d'hypnose, 19, avenue d'Eylau, 75116 Paris.)

L'accompagnement individuel

Une expérience intéressante, dont l'objectif est de réduire de 25 % le nombre de fumeuses à l'accouchement, est développée dans 18 maternités de la région Nord-Pas-de-Calais depuis 1997. Les femmes enceintes, désireuses de réduire leur consommation ou d'arrêter de fumer, ont la possibilité de rencontrer en entretien individuel des puéricultrices, sages-femmes, infirmières. Les mécanismes de la dépendance physique et psychique, les effets du tabagisme sur le fœtus et sur le déroulement de leur grossesse leur sont expliqués. Conseils sur la diététique, astuces pour moins fumer aident les femmes à se fixer des objectifs à la mesure de leur motivation : réduction complète ou progressive, diminution. Un soutien moral permanent de l'équipe médicale permet, à celles qui essaient de mener à bien cette démarche, d'affronter les moments difficiles de tentation ou de doute. Pour nombre de ces futures mamans, la possibilité d'être entourées et aidées au moment de leur grossesse est déterminante dans leur volonté d'arrêter de fumer. Cette expérience régionale serait la base d'un programme national : Grossesse enfance sans tabac.

L'acupuncture

Le médecin acupuncteur s'entretient d'abord avec sa patiente afin de l'entendre exprimer ses motivations et ses craintes, puis il pose quelques aiguilles en des points précis notamment sur le visage, le nez, les tempes, le front et le dessus des mains.

Chaque séance dure 20 à 30 minutes environ, il faut en compter deux à cinq espacées d'une semaine. Il est possible d'obtenir une prise en charge par la Sécurité sociale.

L'auriculothérapie

Moins contraignante que l'acupuncture, elle fonctionne sur le même principe. En effet, le praticien pose soit en plusieurs séances quelques aiguilles en des points précis de l'oreille, soit un fil de Nylon, sous anesthésie locale, au centre du pavillon de l'oreille.

La mésothérapie

Elle consiste à pratiquer des micro-injections aux points d'acupuncture, d'un mélange de produits dont un est anesthésiant. L'effet cumule celui des médicaments et celui de l'acupuncture. ■

1ER MOIS

2E MOIS

3E MOIS

4E MOIS

5E MOIS

6E MOIS

7E MOIS

8E MOIS

9E MOIS

LA NAISSANCE

LES 1RES SEMAINES DE MAMAN

LES 1RES SEMAINES DE BÉBÉ

GROSSESSES DIFFÉRENTES

ANNEXES

■ MON CONSEIL

Je conseille, bien sûr, d'arrêter de fumer dès le début de la grossesse. Il faut savoir que c'est particulièrement la nicotine qui a des effets sur la croissance du fœtus ou qui encrasse le placenta. En effet, elle agit sur la vascularisation et sur l'apport nutritif du placenta. Si l'arrêt de la cigarette rend la maman nerveuse, boulimique, insomniaque, ou tout simplement impossible à vivre, il est préférable qu'elle fume mais le minimum du minimum et surtout sans avaler la fumée. De la même manière, toute drogue doit être arrêtée même celles qui sont dites douces. Aujourd'hui, nous voyons de plus en plus de problèmes dus au crack ou au LSD. Ces drogues sont à l'origine de fausses couches ou de malformations fœtales. Dans l'ensemble, toutes ces « intoxications » peuvent avoir des conséquences sur la croissance de l'enfant qui naît prématurément et de petite taille. On ne le répétera jamais assez, toutes ces pratiques sont incompatibles avec une maternité sans difficultés et heureuse. Il ne faut pas avoir honte de se faire aider par des spécialistes, bien au contraire. ■

Grossesses pathologiques*en savoir plus*

Vous pouvez être surveillée à domicile

Depuis plus de 15 ans, ce mode de surveillance des grossesses difficiles a été confié à des sages-femmes dans le cadre de la Protection maternelle et infantile (PMI). Celles-ci surveillent les grossesses à risque et détectent les facteurs sociaux et psychologiques pouvant avoir des conséquences graves pour la mère et pour l'enfant. Les futures mamans à risque sont signalées soit par l'hôpital, soit par le centre de PMI, ou encore par les médecins de ville. Les visites peuvent permettre de dépister une anomalie nouvelle telle qu'une infection urinaire ou une hypotrophie du futur bébé. Les renseignements recueillis à chaque visite sont consignés dans un dossier remis par la patiente à son médecin, lors de sa consultation. Aux sages-femmes incombe également un rôle d'information sur la préparation à l'accouchement, l'hygiène, la diététique, la contraception après bébé... Si besoin est, elles peuvent demander à la mairie, au centre de PMI le plus proche ou à leur Caisse d'allocations familiales l'intervention d'une travailleuse familiale ou proposer les services d'une puéricultrice ou encore d'une assistante sociale. ◾

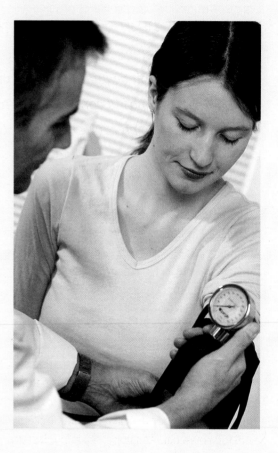

◾ MON CONSEIL

Quand il y a eu des saignements et que l'échographiste diagnostique un décollement du placenta, il est impératif que la future maman se repose pour éviter que l'hématome ne s'accroisse et pour lui laisser le temps de se colmater. Tout mouvement peut aggraver la situation. Au troisième mois, c'est souvent une fatigabilité importante ou un mauvais état de santé général physique ou psychique de la femme qui peut amener la prescription d'un repos qui ne sera pas uniquement physique. C'est plutôt une détente, une relaxation qui lui est demandée. Dans ce cas, il est possible d'organiser, presque partout, une surveillance à domicile par des sages-femmes qui viennent régulièrement, deux à trois fois par semaine, contrôler l'état de santé de la future maman. Elles enregistrent le rythme des contractions et les battements cardiaques du fœtus. C'est encore l'occasion pour la future maman d'avoir un contact avec quelqu'un qui peut l'écouter attentivement et répondre à ses questions, qui peut en réalité la rassurer. ◾

Les grossesses pathologiques

ON A TELLEMENT DIT QUE LA GROSSESSE N'ÉTAIT PAS UNE MALADIE qu'aujourd'hui les futures mamans ne savent plus se ménager. Et toutes les femmes revendiquent le droit de faire un bébé sans changer leur rythme de vie. Seulement, voilà, toutes n'ont pas la constitution pour résister et certaines grossesses demandent plus de précautions que d'autres. C'est ce que, médicalement, on appelle les grossesses pathologiques, soit une sur dix.

1ᴱᴿ MOIS

2ᴱ MOIS

3ᴱ MOIS

4ᴱ MOIS

5ᴱ MOIS

6ᴱ MOIS

7ᴱ MOIS

8ᴱ MOIS

9ᴱ MOIS

LA NAISSANCE

LES 1ᴿᴱˢ SEMAINES DE MAMAN

LES 1ᴿᴱˢ SEMAINES DE BÉBÉ

GROSSESSES DIFFÉRENTES

ANNEXES

Un diagnostic précoce

Sous ce terme se cache essentiellement la crainte d'une naissance prématurée. Aujourd'hui, le suivi de la maternité est tel que la plupart de ces complications sont détectées très tôt pour le plus grand bien de la mère et de l'enfant, et seulement 5 % des futures mamans sont susceptibles d'accoucher prématurément.

Sont aussi considérées comme grossesses à risque : la menace d'accouchement prématuré, la rupture des membranes de la poche des eaux, une toxémie ou une pré-éclampsie, un problème cardiaque ou rénal, les grossesses multiples, un placenta bas inséré, un retard de croissance fœtale et un excès ou un manque de liquide amniotique, auxquels s'ajoutent des pathologies et des intoxications. En effet, ces enfants peuvent souffrir à l'accouchement. Les femmes hypertendues (p. 493), diabétiques (p. 491), cardiaques, souffrant de phlébite (p. 215) sont à suivre particulièrement. Toute une batterie d'examens permet d'établir très précocement un pronostic et de mettre en route une thérapie.

Dans certains cas, l'hospitalisation est indispensable pour quelques jours ou quelques semaines selon la gravité de la situation. Dans la plupart des cas, elle sera suivie d'un accompagnement de la maternité à domicile avec un personnel soignant spécialisé. Dans d'autres cas ce suivi à domicile est suffisant. Certains départements français ont mis au point des équipes de sages-femmes spécialisées qui visitent à domicile les futures mamans trois à quatre fois par semaine.

Les facteurs de risques

Font encore partie des grossesses à risque : les grossesses très rapprochées – soit moins d'un an après le premier enfant – et les grossesses nombreuses, notamment après le 4ᵉ ou le 5ᵉ enfant. Les grossesses de l'adolescente (p. 482), les grossesses gémellaires (p. 477), les grossesses des femmes ayant des conditions de vie ou de travail difficiles, des transports longs et pénibles ou ayant eu des grossesses antérieures compliquées nécessitent également une surveillance particulière.

Plusieurs de ces facteurs s'additionnant, des examens permettent, là encore, un pronostic et la mise en route d'une thérapie avec une hospitalisation ou le suivi de la maternité à domicile. Dans tous les cas, il est demandé à la future maman de profiter des week-ends pour faire une pause réparatrice ; préférez la grasse matinée et la chaise longue aux week-ends découvertes touristiques. Parfois le médecin peut prescrire un arrêt de travail afin de permettre à la future maman de rester allongée le plus longtemps possible dans la journée, voire totalement. ▪

Le choix de la maternitéen savoir plus

Vous avez déjà une idée

Vous désirez accoucher dans une maternité publique ou privée dont la réputation est fort connue. Mieux vaut vous dépêcher de vous y inscrire : certaines « clientes » n'hésitent pas à le faire dès le résultat de leur test de grossesse. Comme le nombre de places n'y est pas extensible, vous n'êtes pas certaine de pouvoir y accoucher en dehors d'une inscription précoce.

Il est nécessaire d'être d'autant plus prévoyante que certains mois de l'année (avril et mai) sont, en France, les plus « chargés ». Vous désirez que ce soit tel médecin ou telle sage-femme qui s'occupe de vous ; demandez-leur de vous indiquer les différentes maternités où ils pratiquent, à vous après de faire votre choix en fonction de votre budget et de vos critères de confort. Toute grossesse difficile, tout accouchement pronostiqué comme délicat nécessite un établissement spécialisé. Certains hôpitaux sont équipés d'un service de néonatalogie et d'un service de chirurgie du nouveau-né. Attention, ces services sont souvent débordés, il est donc préférable d'y réserver votre place dès que vous avez confirmation que votre grossesse nécessite une telle spécialisation. ▪

▌ MON AVIS

Au-delà de la polémique sur la fermeture ou le maintien des petites maternités, il me semble plus intéressant de travailler à élaborer une politique régionale de fonctionnement des maternités en réseaux sans clivage entre le secteur privé et le secteur public. Les réseaux sont de deux types. Le premier relie les maternités classiques aux maternités spécialisées, ce qui permet de transférer la future maman qui a une difficulté vers le centre le mieux adapté pour l'accueillir, parfois juste quelques jours, le temps d'un examen ou d'un soin spécifique ou pour y accoucher si son état l'exige. Le second réseau relie les maternités spécialisées entre elles afin de pouvoir toujours accueillir une future maman en difficulté sans la séparer de son enfant, pour des raisons médicales. Dans un avenir très proche, les médecins qui suivent les futures mamans seront tous reliés par réseaux à un service hospitalier spécialisé afin de pouvoir demander les conseils d'autres médecins lorsqu'ils se trouvent devant une situation délicate. De plus, depuis peu, se mettent progressivement en place dans les régions des « comités de la naissance ». Ils regroupent des professionnels libéraux et hospitaliers mais aussi des usagers. Tous ensemble ont pour mission de pointer les manques constatés dans certains établissements et de les transmettre auprès des agences régionales de l'hospitalisation. Cette nouvelle organisation devrait permettre une meilleure sécurité pour la mère et pour l'enfant. Mais pour qu'elle soit efficace, il est indispensable que les mentalités changent. Les maternités de proximité doivent accueillir la majorité des grossesses sans risque particulier et les maternités des centres universitaires ne doivent pas se considérer comme les seules compétentes. Je ne suis pas pour la fermeture des petites unités mais pour être sûres, elles doivent avoir un personnel suffisant, entraîné, efficace et disponible. L'organisation en réseaux permet aux futures mamans de garder non seulement un contact de proximité et d'avoir accès à des soins préventifs, mais aussi d'avoir la certitude d'être prises en charge en cas de difficulté, et uniquement dans ce cas, par des unités « mère-enfant » spécialisées. ▪

Maternité privée ou publique ?

OÙ ALLEZ-VOUS ACCOUCHER ? Aujourd'hui, la plupart des bébés naissent dans une maternité. On estime à 1 % seulement ceux qui viennent au monde à la maison. Votre choix devra se faire entre un service hospitalier public et une clinique privée. Vos critères seront, dans l'ordre, la sécurité, le coût et enfin le confort.

Des critères de sécurité communs

Actuellement, il existe en France 1 000 maternités. Elles ont toutes plus de 25 lits, les petites maternités de 15 lits environ sont progressivement fermées et regroupées. En effet, le peu de rentabilité financière de ces maternités ne leur permettait pas de se doter du minimum d'équipements de sécurité.

Le nombre d'accouchements pratiqués dans une maternité est un bon critère de sécurité. Ainsi, 1 500 naissances par an représentent un nombre idéal et moins de 500 naissances ne permettent pas à une maternité d'avoir les équipements lourds requis, ni la présence d'un médecin, d'un anesthésiste et d'un pédiatre.

Vous aurez aussi à faire votre choix entre un établissement public et une clinique privée. L'établissement public est alors soit un CHU, centre hospitalier universitaire, ou un CHR, centre hospitalier régional. Les cliniques privées sont plus ou moins importantes.

Une tendance aujourd'hui se confirme : pour être à même d'offrir un accueil soigné et un environnement médical adapté, les cliniques privées se regroupent pour être capables de dispenser des services comparables à ceux des hôpitaux les plus modernes.

Des prises en charge différentes

Dans les centres hospitaliers, la prise en charge de l'accouchement par la Sécurité sociale se fait à 100 %. Les cliniques privées se composent de trois types d'établissements :

• ceux qui sont conventionnés : l'obtention de cette convention est liée à des critères de qualité médicale ; les accouchements y sont pris en charge à 100 % comme dans les établissements publics ;

• ceux qui sont agréés : les clients doivent avancer les frais de l'accouchement ; la Sécurité sociale ne les remboursera que sur la base de 80 % ;

• ceux qui ne sont pas agréés : les accouchements ne donnent lieu à aucun remboursement.

Quelques suppléments

D'une manière générale, au moment de votre inscription, renseignez-vous sur ce que vous devrez payer, ce qui peut être pris en charge directement par votre caisse de Sécurité sociale. Demandez si vous aurez à payer des suppléments d'ordre médicaux tels que dépassements d'honoraires des médecins ou des suppléments pour une anesthésie péridurale. Faites-vous indiquer le tarif d'une chambre seule, de la location de la télévision, des repas supplémentaires. Soyez précises pour éviter les mauvaises surprises. ∎

1ER MOIS

2E MOIS

3E MOIS

4E MOIS

5E MOIS

6E MOIS

7E MOIS

8E MOIS

9E MOIS

LA NAISSANCE

LES 1RES SEMAINES DE MAMAN

LES 1RES SEMAINES DE BÉBÉ

GROSSESSES DIFFÉRENTES

ANNEXES

Les bons critères, sécurité et confort

LA MATERNITÉ QUE VOUS AVEZ CHOISIE vous a été recommandée par une amie qui a le souvenir d'un bon séjour ? La maternité où vous devez accoucher est celle du médecin qui vous suit ? Cela ne vous empêche pas de vous renseigner sur les conditions de votre séjour. Profitez de votre démarche d'inscription pour poser quelques questions et demander à visiter l'établissement.

Pourquoi tant de précautions ?

Parce que, bien que 85 % des accouchements se passent sans problème, il faut prévoir l'urgence. Seul un établissement assurant un suivi de la grossesse parfait, ayant une bonne équipe obstétricale, anesthésique et pédiatrique sera capable de dépister et de prendre en charge à temps tout problème (p. 328).

Respecter la méthode

Le choix du médecin qui fera l'accouchement est souvent déterminant, tout comme la manière dont vous avez décidé d'accoucher. Ainsi, si vous avez choisi d'accoucher sous péridurale (p. 345), assurez-vous que votre maternité la pratique et cela à tout moment de la journée et de la nuit. Ce qui signifie qu'il y a à demeure un anesthésiste spécialisé en obstétrique, ou qu'il peut être appelé à tout moment.

Si votre choix porte sur une méthode douce, sophrologie (p. 198), haptonomie (p. 245), homéopathie ou acupuncture (pp. 197 et 353), il est indispensable de pouvoir bénéficier, dès votre entrée à la maternité, au moins d'une sage-femme spécialisée.

De même, si vous souhaitez une naissance où vous pourrez avoir recours au bain pour vous aider à supporter les dernières contractions, vous devrez choisir une maternité bien particulière, ayant fait ce choix d'accompagnement à la naissance. Les maternités évoluent. Certaines modifient leur architecture pour s'adapter aux nouvelles conceptions de la naissance : confort, convivialité, présence du père, chambre pour le couple, baignoire de détente, lieux de déambulation, péridurale ambulatoire.

Même si votre préparation à la naissance est de type très « classique », sachez qu'il est toujours plus rassurant d'accoucher là où vous avez suivi vos séances de préparation. Vous vous sentirez déjà un peu plus « chez vous ».

Des normes obligatoires

Pour accoucher en toute sécurité, pour la mère et pour l'enfant, il est essentiel que la maternité soit équipée d'une salle de réanimation, d'une ou de deux couveuses et si possible d'un bloc opératoire réservé aux césariennes (p. 349). Il convient également de demander si l'accouchement se déroulera sous monitoring (p. 328), sera ou non déclenché et surtout qui fera naître votre bébé (p. 313). Légalement, une sage-femme doit être à la maternité 24 heures sur 24, c'est un minimum, mais la présence permanente d'un médecin obstétricien chirurgien, d'un anesthésiste est l'idéal. Renseignez-vous encore sur la présence ou non d'un pédiatre attaché à la maternité. S'il n'est pas présent tout le temps, demandez que l'on vous indique en combien de temps il peut se rendre à la maternité.

De plus en plus sûrs

Une grossesse normale, et qui n'a aucune raison d'être difficile, doit être suivie par une structure médicale simple, la plus commode d'accès par rapport aux lieux de vie. Pour une future maman, être suivie dans un milieu hospitalier trop spécialisé, alors que son état ne le justifie pas, engendre plutôt pour elle des sentiments d'angoisse. Depuis quelques années, le système de suivi de la grossesse a beaucoup évolué. Les maternités sont maintenant classées selon leur type de 1 à 3, en fonction de leur activité en obstétrique, néonatalogie et réanimation néonatale. Le type 1 est chargé d'accueillir les grossesses sans problème, le type 2 associe aux soins d'obstétrique de base une unité de réanimation néonatale. Enfin le type 3 est attribué aux maternités hautement spécialisées. Les futures mamans peuvent donc s'adresser à l'établissement qui correspond à la pathologie dont elles souffrent, qu'il soit public ou privé. Ce choix est important car les chiffres montrent que l'avenir du bébé, notamment s'il est prématuré, est étroitement lié au niveau de la maternité où il est né.

Vous et votre bébé

Puis viendront à votre esprit les questions liées à votre confort moral. Votre mari ou votre mère seront-ils autorisés à assister à votre accouchement ? Si vous avez d'autres enfants, pourront-ils venir visiter leur cadet ? La maternité organise-t-elle des réunions de jeunes mamans ? Il est encore important de savoir comment s'organisera la vie quotidienne avec votre bébé au cours de votre séjour. L'enfant dormira-t-il dans votre chambre ? Pourrez-vous le nourrir à la demande ? Aurez-vous la liberté de pratiquer les soins

classiques à un nouveau-né ou une auxiliaire de puériculture pourra-t-elle vous enseigner les premiers soins de maternage ?

Enfin, ne manquez pas de vous informer sur la durée du séjour à la maternité (p. 375). Il est très variable d'un établissement à l'autre. Il dépend à la fois de la « philosophie » du médecin accoucheur et des possibilités d'accueil de l'établissement. Ce séjour s'échelonne de 3 jours à 1 semaine. Le confort physique a, lui aussi, de l'importance. Selon votre souhait, vous mettrez l'accent sur le besoin d'une chambre individuelle, d'un cabinet de douche et de toilettes personnelles.

Toutes ces questions et les réponses apportées vont encore vous donner une idée de l'ambiance de la maternité. Vous pouvez normalement, en sortant, savoir si c'est un endroit où vous vous plairez, et où vous sentez que vous pourrez avoir une relation de confiance avec le personnel. ■

1ᵉ MOIS

2ᵉ MOIS

3ᵉ MOIS

4ᵉ MOIS

5ᵉ MOIS

6ᵉ MOIS

7ᵉ MOIS

8ᵉ MOIS

9ᵉ MOIS

LA NAISSANCE

LES 1ʳᵉˢ SEMAINES DE MAMAN

LES 1ʳᵉˢ SEMAINES DE BÉBÉ

GROSSESSES DIFFÉRENTES

ANNEXES

Gym douce pour rester souple

SI UNE MATERNITÉ N'EST PAS LE MOMENT POUR COMMENCER RÉELLEMENT UN SPORT ou vous entraîner pour maintenir vos performances, c'est pourtant l'occasion de bouger un peu, mais utilement. Quelques mouvements doux de gymnastique vous aideront à combattre vos petites douleurs de dos ou de jambes. Ils assoupliront vos ligaments, aidant ainsi à l'accouchement et à votre remise en forme par la suite.

Bien démarrer

Position de départ : épaules abaissées, bassin basculé (fesses serrées, ventre contracté). Respectez un temps de repos entre deux séries d'exercices. Ces exercices peuvent se faire pratiquement jusqu'au 9e mois.

Quelques conseils pour un bon entraînement

– Faire sa gym à peu près toujours à la même heure.
– Bouger en musique.
– Ne jamais forcer et se ménager toujours un temps de pause et de respiration entre chaque exercice.
– Vous pouvez faire des élongations mais pas de sautillements.

Couchée sur le dos, appuyée sur les avant-bras. Inspirez à fond et expirez en contractant l'abdomen. Lors de la contraction des muscles abdominaux, retenez votre respiration quelques instants. Puis relâchez en inspirant.

Allongée, les jambes repliées.
Redressez-vous légèrement en
expirant, la main droite pousse
le genou gauche. Restez dans la
position quelques secondes.
Recommencez l'exercice de
l'autre côté.

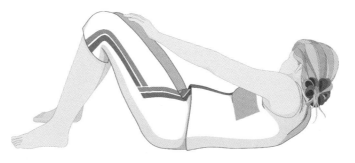

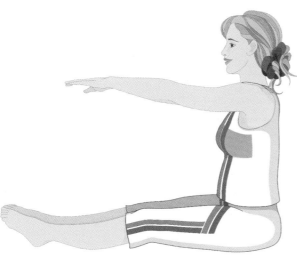

Assise, le dos droit, les
bras tendus en avant.
Repliez les jambes vers
la poitrine en expirant.

Assise, à n'importe quel
moment de la journée,
faites travailler les muscles
fessiers. Contractez, puis
relâchez.

Votre sexualité

VOTRE FUTUR BÉBÉ EST LE RÉSULTAT D'UN ACTE D'AMOUR ; il serait dommage qu'il devienne un obstacle au bon équilibre de votre couple. En effet, les rapports sexuels au cours de la grossesse ont longtemps été considérés comme une cause de fausse couche. Il n'en est rien. Bien au contraire, il est important que durant cette période qui est le prélude à de profonds changements de son avenir, le couple ne vive pas dans un état de frustration. Les médecins sont unanimes : la vie sexuelle d'un couple doit être normale du début à la fin de la grossesse.

Une certaine « paresse »

Un certain nombre de futures mamans ressentent dans les premiers mois de la grossesse une baisse de leur désir. Les célèbres sexologues américains Master et Johnson ont observé ce manque de désir sexuel chez 80 % des femmes qu'ils ont suivies tout au long de leur grossesse. Cela s'explique facilement. Les perturbations physiques telles que les nausées ou les vertiges, les changements psychologiques, le grand besoin et l'envie de dormir ne favorisent pas la libido féminine.

L'extrême sensibilité des seins peut être également un frein à une sexualité normale, car ils sont « lourds », souvent douloureux, bien éloignés de l'image érotique qu'on leur donne habituellement. Ces sensations sont exacerbées par l'excitation sexuelle : l'afflux de sang supplémentaire congestionne alors un peu plus les tissus et peut rendre le moindre effleurement soudainement douloureux.

Enfin, vous êtes peut-être moins insouciante qu'avant, le bon développement de ce futur bébé, sa croissance, son avenir sont autant de soucis qui peuvent surgir alors que l'on ne les attendait pas.

Un tempérament différent

Tout cela peut créer une absence de désir. Parfois encore, c'est le mari qui éprouve un profond respect pour cette femme qui devient mère. De même, certains couples imaginent le bébé comme une troisième personne, présente pendant leurs relations sexuelles. Cependant, à la fin du 3e mois, la fatigue du début disparaît et la femme retrouve son dynamisme sexuel qui diminuera à nouveau nettement au dernier trimestre.

En revanche, certaines femmes voient leur sexualité s'épanouir pendant la grossesse avec, notamment, beaucoup plus de désir. Ce changement de tempérament est également dû aux modifications physiques : le développement de la poitrine, une plus grande humidification vaginale et une certaine congestion pelvienne. Sur le plan psychique, ces femmes éprouvent même une véritable plénitude.

Une plénitude sexuelle pour des lendemains sereins

Interrompre toute relation sexuelle pendant neuf mois peut créer certaines difficultés après la naissance du bébé. Le désir, pour survivre aux perturbations physiques et psychiques qu'entraîne une grossesse, a besoin d'être entretenu. De plus, pour le père qui aura déjà plus ou moins de mal à trouver son statut entre la mère et l'enfant (pp. 61, 219, 221 et 406), cette abstinence au cours de la grossesse ne pourra que conforter son sentiment d'exclusion. L'arrêt des relations sexuelles pendant la grossesse est souvent révélateur d'une mauvaise entente antérieure.

Des petits troubles physiques sans gravité

Petits saignements et légères contractions peuvent être constatés après un rapport sexuel. Les saignements sont dus à une certaine fragilité du col de l'utérus. Les contractions ont deux causes :

l'une mécanique, l'autre chimique. Mécanique d'abord, le pénis touche le col de l'utérus ; chimique ensuite : au moment de l'orgasme, l'organisme de la femme produit des ocytocines et des prostaglandines, hormones importantes dans le mécanisme de l'accouchement. Ces petites perturbations ne sont en rien inquiétantes, mais vous devez en parler à votre médecin. Jamais les relations sexuelles, si votre grossesse se déroule normalement, ne peuvent être à l'origine d'une fausse couche. Par contre, si votre grossesse est en danger, le médecin vous conseillera sans doute d'éviter tout rapport sexuel, du moins tant qu'il y a risque d'accouchement prématuré (p. 282). ■

1ER MOIS

2E MOIS

3E MOIS

4E MOIS

5E MOIS

6E MOIS

7E MOIS

8E MOIS

9E MOIS

LA NAISSANCE

LES 1RES SEMAINES DE MAMAN

LES 1RES SEMAINES DE BÉBÉ

GROSSESSES DIFFÉRENTES

ANNEXES

Les soins du visage et du corps

Ils tiendront essentiellement en un sérieux nettoyage et en une profonde hydratation. Pour le visage, un léger peeling éliminera les cellules mortes, ce qui facilitera le renouvellement cellulaire et permettra aux produits traitants de mieux pénétrer dans l'épiderme. Ces produits sont vendus sous forme de gels ou de crèmes et sont souvent fabriqués à base de plantes, moins agressives pour les peaux fragiles.

Vous pouvez également essayer les masques nettoyants à l'argile. Ils absorbent en douceur les impuretés de la peau. Une crème revitalisante nourrira ensuite l'épiderme. Ce n'est qu'au bout d'une quinzaine de jours qu'il sera possible d'apprécier le résultat du traitement. Certaines mamans constatent aussi que la fatigue laisse des cernes sous leurs yeux. Plus efficace qu'un maquillage-camouflage, il existe toute une gamme de produits anticernes et antirides pour les soins du visage et même des masques spécifiques pour le soin du contour des yeux.

Pour le corps, même traitement. Un bon gommage, fait une fois par semaine avec un produit spécial peau sensible, sera suivi d'une large application de lait adoucissant et, aux endroits légèrement cellulitiques, d'un produit désinfiltrant pour lutter contre la rétention d'eau ou encore d'une crème amincissante associée à un léger massage à la main ou avec un petit appareil. Certaines de ces crèmes, à base de lierre, sont particulièrement efficaces. ▪

Les effets des hormones

La nature de la peau change au cours de la grossesse, elle devient généralement sèche, voire très sèche, tant sur le visage que sur le corps. Tout cela est dû au changement d'équilibre hormonal, les tissus profonds se gorgeant d'eau au détriment de la couche superficielle de l'épiderme. On a même constaté que sous l'effet de la poussée hormonale, les grains de beauté se pigmentent plus fortement que la normale ou encore que certains apparaissent pendant la grossesse pour disparaître après la naissance.

Cependant, la future maman a, le plus souvent, un teint extraordinaire, grâce en partie à une alimentation équilibrée, riche en vitamines et en calcium, mais aussi grâce aux hormones, toujours elles, qui souvent donnent un parfait équilibre aux peaux grasses. En revanche, elles peuvent rendre encore plus sèche une peau qui l'était déjà. Il est alors indispensable d'apporter à la peau une large hydratation. ▪

Acné, grains de beauté et couperose

Certaines femmes sont sujettes au cours de leur grossesse à des poussées de boutons de type acnéique, l'activité de la progestérone ayant pour effet d'augmenter l'activité sébacée. Un traitement local peut aider à faire disparaître ces rougeurs disgracieuses. De même les poussées de psoriasis et d'eczéma ne peuvent être soulagées que par des traitements locaux.

Pendant cette période, les grains de beauté ont tendance à apparaître. Attention, ils ne doivent pas être grattés ; tout grain de beauté anormal doit être montré au médecin. Enfin, on peut constater aussi l'apparition de couperose ou d'angiomes en étoiles, caractérisés par un centre rouge vif d'où partent de petits vaisseaux tortueux. Ces problèmes sont dus à une plus grande fragilité des vaisseaux sanguins. ▪

Le masque de grossesse

1ER MOIS

2E MOIS

3E MOIS

4E MOIS

5E MOIS

6E MOIS

7E MOIS

8E MOIS

9E MOIS

LA NAISSANCE

LES 1RES SEMAINES DE MAMAN

LES 1RES SEMAINES DE BÉBÉ

GROSSESSES DIFFÉRENTES

ANNEXES

IL SE MANIFESTE PAR L'APPARITION DE TACHES BRUNES SUR LE VISAGE, au niveau des pommettes et au-dessus des lèvres. Cela préoccupe toujours les futures mamans. Si avant d'être enceinte, vous aviez constaté l'apparition de taches sous l'effet de certaines pilules contraceptives, attention, vous avez de fortes chances, malheureusement, d'avoir un masque de grossesse bien marqué.

Sur le visage

Le chloasma est le nom scientifique de ce phénomène. Il s'installe entre le 4e et le 6e mois de grossesse ; des taches brunes ou grisâtres irrégulières se remarquent au milieu du front, sur le menton et sur le pourtour de la bouche. Elles peuvent s'installer à la pointe du nez.

Le masque de grossesse est le signe d'une réaction de l'épiderme modifié par les hormones de la grossesse sous l'effet du soleil. Ce sont les grains de pigment dus au bronzage qui, stimulés par les hormones, remontent des couches profondes de la peau vers les couches superficielles. Les mesures de prévention consistent simplement à s'isoler le plus possible des rayons solaires. Il est donc recommandé de ne pas prendre de bains de soleil aux heures les plus chaudes de la journée et surtout, même si vous vous mettez à l'ombre, de passer sur votre peau une bonne couche de produit solaire très filtrant, voire une crème écran total. Enfin, le port d'un chapeau à large bord est obligatoire.

Depuis peu, un laboratoire propose aux futures mamans une crème préventive. Elle combat l'apparition des taches brunes et contient un filtre puissant contre les rayons solaires. La vitamine B a la réputation de limiter le masque de grossesse et certains dermatologues prescrivent une pommade « dépigmentante » à appliquer sur les taches les plus gênantes. Attention encore aux réactions de photosensibilisation de certains produits (l'essence de bergamote ou certaines eaux de Cologne) qui ont tendance à provoquer des marques brunes sur la peau. Si les taches ne touchent que l'épiderme, le masque disparaîtra assez facilement avec des crèmes. Par contre si elles affectent le derme, seul un dermatologue pourra les traiter.

Et sur le corps

Le masque de grossesse s'accompagne souvent d'une pigmentation plus marquée des aréoles des seins et de l'apparition d'une ligne foncée verticale sur le ventre, de l'ombilic au pubis. Mais tous ces petits problèmes disparaîtront après la naissance (p. 411).

Si vous voulez, malgré tout, obtenir un léger hâle, préférez les terres de soleil, poudres à appliquer au pinceau.

La crème autobronzante sur le visage peut accentuer les marques brunes. En revanche, elle peut être utilisée sur le corps pour donner une peau légèrement hâlée. Sont tout à fait à exclure les séances UV en institut. ▪

" L'expérience a montré que les peaux mates sont plus marquées que les peaux claires. "

Infusions, bouillons et jus de fruits

Vous avez soif et l'eau ne vous dit pas grand-chose. Quelles sont les boissons qui la remplacent ? Les infusions tout d'abord. Les plus courantes : menthe, verveine, tilleul, camomille, eau de fleur d'oranger. Elles sont, pour la plupart, sédatives et peuvent vous aider à lutter contre l'insomnie. Attention, la menthe est déconseillée si vous suivez un traitement homéopathique et certaines infusions à caractère médical sont à éviter. Parmi les boissons qui n'apportent pas de calories, vous pouvez encore penser au bouillon de légumes, il contient tous les sels minéraux des légumes à condition qu'ils n'aient pas cuit trop longtemps dans l'eau. D'autres boissons vont vous permettre de varier vos menus, mais la plupart apportent des calories. La moins riche, le bouillon de viande dégraissé, a l'avantage de stimuler les sécrétions de l'estomac. Les jus de fruits frais sont riches en vitamines, mais attention, en sucre aussi. Les boissons aromatisées aux fruits sont, à l'inverse, pauvres en vitamines, mais riches en sucre, tout comme les limonades et les sodas en tout genre. ▪

Les vertus du lait

Cette boisson, très recommandée aux futures mamans en raison de sa richesse en calcium et en protéines, est, en fait, un véritable aliment et doit être ajouté à la ration alimentaire journalière. Écrémé, il est peu calorique. Malgré ses qualités, il n'est pas toujours consommé avec plaisir. Sa teneur en matières grasses provoque une sécrétion salivaire épaisse et désagréable. Sa digestion n'est pas toujours facile, il peut même être à l'origine de diarrhées si vous n'aviez pas l'habitude d'en boire avant votre grossesse. Enfin, certaines personnes en détestent le goût, il sera alors avantageusement remplacé par du yaourt. ▪

Café et thé

L'absorption de café doit être très limitée. De récentes études américaines mettent en cause la caféine dans les risques de fausse couche au cours du premier trimestre : la consommation journalière d'une future maman devrait être d'une tasse et demie à trois tasses de café. De plus le thé et le café contiennent des tanins et nuisent à l'assimilation du fer par l'organisme (p. 154). ▪

Existe-t-il des aliments défendus aux femmes enceintes ?

A priori, il n'y a pas d'aliments déconseillés aux futures mamans. La seule vraie précaution est de ne pas manger de viande crue et de faire cuire correctement toutes les viandes afin d'éviter la toxoplasmose. Il est aussi conseillé de bien laver les légumes, les plantes aromatiques et les fruits. Pour se protéger de la listériose, il est préférable d'éviter les produits laitiers fermiers qui ne sont pas toujours aussi bien contrôlés que les fromages industrialisés. ▪

Avant tout, boire de l'eau

1ER MOIS

2E MOIS

3E MOIS

4E MOIS

5E MOIS

6E MOIS

7E MOIS

8E MOIS

9E MOIS

LA
NAISSANCE

LES 1RES
SEMAINES
DE MAMAN

LES 1RES
SEMAINES
DE BÉBÉ

GROSSESSES
DIFFÉRENTES

ANNEXES

RARES SONT LES FEMMES QUI BOIVENT ASSEZ. Pendant la grossesse, il est important de veiller à ne pas être déshydratée. En buvant 1,5 à 2 litres de liquide par jour, plutôt en petites quantités tout au long de la journée, vous faites fonctionner correctement vos reins et vous luttez efficacement contre la tendance à la constipation, un petit désagrément commun à toutes les futures mamans.

Son rôle

L'eau est bien sûr la meilleure boisson, surtout en cette période. Présente partout dans l'organisme humain, l'eau est à l'origine de tous les échanges vitaux de la cellule car elle est le support de toutes les réactions biologiques ; on comprendra toute son importance pour le fœtus, dont le corps est composé à 95 % d'eau.

L'organisme de la future maman a particulièrement besoin d'eau pour fournir au fœtus la quantité de liquide amniotique correspondant à son stade de développement et pour augmenter son volume sanguin (voir p. 79).

L'eau du robinet

En principe, vous pouvez boire l'eau du robinet, car elle doit répondre à certains critères de minéralisation et de pureté. Elle a un goût différent d'une ville à l'autre en raison des produits utilisés pour la désinfecter. Traitées et contrôlées pour ne contenir aucune bactérie, il leur arrive pourtant d'être polluées, provoquant notamment des épidémies de gastro-entérites dont les symptômes sont de fortes diarrhées, des vomissements et de la fièvre.

Le plus souvent, ce sont les nitrates qui sont en cause. Ceux-ci ne sont pas directement dangereux pour la santé, mais les nitrites, résultat de leur transformation par les bactéries, sont redoutables. Les nitrites agissent sur les globules rouges des organismes fragiles.

Ces intoxications demandent, bien sûr, la consultation immédiate d'un médecin, en raison des risques de déshydratation, mais aussi de contractions, facteurs de naissance prématurée. Si vous habitez un vieil immeuble dont les canalisations sont encore en plomb, évitez de consommer l'eau de votre robinet. Le taux de plomb autorisé est de 50 ng/l. En 2003, il devra être réduit à 25 ng/l, puis passer à 10 ng/l en 2023. On parle de saturnisme lorsque le taux de plomb dans le sang (plombémie) dépasse 250 microgrammes par litre. Rappelons que l'eau du robinet ne doit pas être stockée plus de 24 heures au réfrigérateur, ni rester plus de 3 ou 4 heures sur la table. Comme l'eau minérale, elle est sensible à la lumière, à la chaleur et à la stagnation.

L'eau minérale

Les eaux minérales sont constamment surveillées et de nombreuses autorisations sont absolument nécessaires à leur exploitation. L'eau minérale est toujours une eau naturelle dont la teneur en sels minéraux est constante. Certaines eaux sont à peine minéralisées, d'autres beaucoup. Elles doivent être choisies en fonction des sels minéraux qu'elles contiennent. Certaines eaux sont plus appropriées que d'autres, car elles contiennent du calcium et du magnésium, dont les besoins sont importants chez la femme enceinte. Ce sont les eaux plates qui conviennent le mieux. ◾

135

Les longues distances

Le train est idéal à condition qu'il soit confortable. Méfiez-vous de certaines lignes de campagne, elles sont encore desservies par des michelines d'un autre âge. En revanche, rien à craindre des trains internationaux et des TGV. Pour les très longues distances, mieux vaut prévoir une couchette dans un wagon-lit. Le grand avantage du train est qu'il vous emmène généralement au cœur même de votre destination. Le désavantage : il vous faudra, bien souvent, prendre en charge vos bagages. Si les chariots pour les porter sont nombreux au départ, ils sont souvent rares à l'arrivée. Ne vous chargez pas trop ou prévoyez de réserver un porteur en gare d'arrivée (il faut en faire la demande au guichet). L'avion est le moyen de transport le mieux adapté aux longues distances, la plupart des compagnies acceptent les futures mamans jusqu'au 8ᵉ mois révolu de gestation. Vous ne serez pas dispensée du port de la ceinture au décollage comme à l'atterrissage. Pour éviter tout choc brutal en cas de freinage, l'hôtesse vous demandera de glisser un coussin entre votre ventre et la sangle basse de la ceinture. Le bateau ne posera pas de problèmes pour les courts voyages en ferry ou autres. La croisière peut être très reposante. Choisissez pourtant un programme calme avec peu d'excursions loin des escales. En revanche, le cabotage sur un petit voilier ou même une excursion en hors-bord ou en Zodiac ne sont franchement pas adaptés à votre situation

Le port de la ceinture

Comme les autres conducteurs ou passagers d'une voiture, vous devez voyager attachée, c'est la moindre des protections en cas d'accident. Toutes les études montrent que la ceinture trois points évite l'éjection toujours redoutable pour la mère comme pour l'enfant. Pour mettre correctement sa ceinture et ne pas risquer de choc sur l'abdomen, il faut glisser la partie inférieure de celle-ci bien sous le ventre. Elle doit être tendue. Vous devez voyager avec la ceinture sur les petits comme sur les grands trajets et cela même dans une voiture équipée d'un airbag. Enfin, si vous ne conduisez pas, la meilleure place est à l'arrière et toujours attachée. Pour celles qui malheureusement doivent se déplacer souvent et qui veulent un peu de confort, il existe un système à adapter sur les ceintures classiques et qui évite que celles-ci ne serrent trop le bas-ventre (Enceinture de SWS).

Ceinture bien mise

Ceinture mal mise

Voyager avec modération

VOUS POUVEZ VOUS DÉPLACER TOUT À FAIT NORMALEMENT et les voyages ne vous sont pas interdits. Toutefois, certains moyens de transport semblent mieux adaptés à votre état. Selon le parcours, que choisir : l'avion, la voiture ou le train ? Chacun de ces modes de transport demande précaution et organisation.

1ER MOIS

2E MOIS

3E MOIS

4E MOIS

5E MOIS

6E MOIS

7E MOIS

8E MOIS

9E MOIS

LA NAISSANCE

LES 1RES SEMAINES DE MAMAN

LES 1RES SEMAINES DE BÉBÉ

GROSSESSES DIFFÉRENTES

ANNEXES

La voiture

En voiture, les secousses sont rarement dangereuses si l'on voyage dans de bonnes conditions et surtout si le trajet ne se transforme pas en marathon (ne pas faire d'étapes de plus de 100 km). Les secousses peuvent pourtant entraîner un relâchement des ligaments et provoquer des contractions. Elles se manifestent après un long trajet et sont un signe de fatigue qui nécessite quelques jours de vrai repos. Mais le risque le plus grave encouru sur la route est celui de l'accident, lié souvent au non-respect des limitations de vitesse.

La ceinture de sécurité

Les femmes enceintes sont-elles dispensées du port de la ceinture de sécurité ? Le sujet n'est plus controversé. La plupart considèrent qu'elle est un bon moyen de protection en cas de choc avant ou arrière. En effet, le choc subi par la mère sur l'abdomen, quelle que soit son origine, peut être la cause d'un traumatisme interne dont le fœtus subira les conséquences. Un traumatisme maternel n'est pas sans conséquence sur celui-ci. Parmi les plus fréquents : l'hémorragie fœto-maternelle, le décollement placentaire, l'accouchement prématuré, la mort in utero. Bien sûr, les traumatismes graves de la mère : fracture du bassin, lésion des viscères et hématomes rétropéritonéaux (à l'arrière du péritoine, membrane tapissant les parois de l'abdomen) mettent en danger la mère et l'enfant.

Pour être bien mises, les sangles de la ceinture doivent passer bien au-dessus et en dessous de la rondeur du ventre de la future maman.

La future maman au volant

Mettre les femmes enceintes en garde est essentiel dans la prévention de ces accidents, mais il est également indispensable d'améliorer leur protection. Un nouveau modèle de ceinture de sécurité à l'usage des femmes enceintes obligées de conduire ou d'occuper la place avant est depuis quelques temps à l'étude. Les spécialistes de la Sécurité routière et les médecins conseillent aux futures mamans non conductrices de s'attacher systématiquement à l'arrière.

Attention, une future maman au volant peut se révéler un conducteur dangereux. Elle souffre parfois de troubles neurovégétatifs qui perturbent sa conduite, comme les nausées, les courtes pertes de connaissance, les somnolences (pp. 80-83). De plus, en fin de grossesse, son ventre peut la gêner pendant certaines manœuvres. Il vaut mieux alors limiter les déplacements.

En cas d'accident, même bénin, prenez le temps de consulter votre médecin. Il mesurera l'impact du traumatisme sur le bon déroulement de votre grossesse. Selon son évolution, les difficultés sont différentes, la période la plus fragile étant après 23 semaines d'aménorrhée. Échographie, radiographie, monitorage permettent de faire un vrai bilan médical. ▪

Le généraliste, premier consulté

Le médecin généraliste, accessible et proche de tous, a un rôle important dans le suivi de la grossesse. En cas d'urgence ou de petits problèmes, il sera bien souvent le premier consulté. Il interviendra si le médecin gynécologue ou accoucheur n'est pas disponible, et sera consulté pour les maladies non directement liées à la grossesse. Si vous habitez à la campagne, il y a de fortes chances que le médecin qui vous suive soit un généraliste. Dans 40 % des cas, c'est lui qui effectue la première consultation obligatoire. En revanche, les médecins généralistes ne sont plus que 20 % à effectuer les consultations du 2e trimestre, et seulement 10 % des futures mamans font appel à un généraliste jusqu'au 8e mois. Ces chiffres se retrouvent à l'identique pour les futures mamans vivant en banlieue des grandes villes, et notamment dans les grands ensembles. ■

Les urgences médicales

Certaines interventions chirurgicales peuvent être pratiquées au cours de la grossesse. Elles sont réservées aux cas urgents. Il est, par exemple, tout à fait possible d'opérer une appendicite aiguë. Heureusement la grossesse n'est pas un facteur favorisant ; le diagnostic peut ne pas être spontanément posé, en raison de toutes les causes de douleur abdominale dont peut souffrir une femme enceinte. Cependant, jusqu'au 7e mois, on opère de l'appendicite par cœlioscopie, sans problème. Si cette crise survient pendant le dernier trimestre et s'il y a menace de péritonite, le chirurgien programme généralement une césarienne et pratique en même temps l'ablation de l'appendicite. ■

La déclaration de grossesse

À la fin de cette consultation, qui doit être faite obligatoirement par un médecin avant la 15e semaine d'aménorrhée, le praticien vous remettra un formulaire de déclaration de grossesse. Celui-ci doit être envoyé à votre centre de Sécurité sociale qui, sous une quinzaine de jours, vous enverra votre carnet de maternité, contenant tous les feuillets correspondant au remboursement de vos examens médicaux pendant et après votre grossesse et les certificats destinés à votre Caisse d'allocations familiales. Leur envoi en temps et en heure vous donne droit à l'allocation jeune enfant si vous ne dépassez pas un certain plafond de ressources. C'est également sur présentation de ce carnet de maternité que vous pourrez vous faire établir une carte de priorité qui vous permettra d'avoir une place assise dans les transports publics et de ne pas attendre dans les files d'attente. ■

Des examens biologiques complémentaires

En cas d'albumine reconnue dans les urines, le médecin vous prescrira des examens complémentaires afin de s'assurer que vous ne souffrez pas d'une affection rénale ou urinaire. On recherche aussi les sucres dans les urines ; là encore, si le taux est anormal, des examens sanguins seront faits en complément pour confirmer le diagnostic. Si cette visite est la première, votre médecin vous prescrira une analyse sanguine complète (groupe sanguin et facteur Rhésus complet et de Kell, recherche d'agglutinines irrégulières, sérologie de la syphilis, sérologie de la toxoplasmose et de la rubéole, sauf résultats écrits antérieurs positifs), Il vous proposera encore un dépistage du sida VIH1 et VIH2. ■

Votre premier
rendez-vous médical

LE SUIVI MÉDICAL D'UNE FUTURE MAMAN compte sept consultations prénatales prise en charges à 100 % par la Sécurité sociale. Elles ont un triple objectif : s'assurer qu'il s'agit d'une grossesse normale, informer la femme enceinte et le couple sur le déroulement de la grossesse, et enfin détecter la présence ou le risque d'une éventuelle difficulté qui vont permettre de proposer à la future maman une prise en charge adéquate.

La première visite

Cette première visite se fera avant la fin du 3e mois chez un médecin. Celui-ci va établir le dossier médical qui vous suivra pendant neuf mois. Si votre grossesse se déroule sans problème, vous pourrez ensuite être suivie par une sage-femme. Si cette consultation se fait à l'hôpital, prévoyez une plage assez large dans votre emploi du temps car, à la consultation, s'ajoutent des examens de sang et d'urine.

Un examen de routine

Lors de cette consultation le médecin vous posera quantité de questions afin de mieux vous connaître. Il examinera les points suivants :
• Votre histoire gynécologique : premières règles, régularité du cycle, date des dernières règles ; c'est à partir de ces indications que sera fixée la date prévisionnelle de l'accouchement, soit 41 semaines après la date des dernières règles.
• Votre histoire médicale : opérations chirurgicales, grossesses et accouchements antérieurs, allergies, infections virales, maladies, accidents et surtout problèmes de diabète (p. 491), d'hypertension (p. 493) ou difficultés cardiaques.
• Votre histoire sociale : êtes-vous une mère célibataire (p. 99) ? mariée ou vivant maritalement ?

Travaillez-vous ? Si vous pratiquez un sport, c'est le moment de demander dans quelles conditions vous pouvez le poursuivre (p. 94). De même, si vous habitez au 6e étage sans ascenseur ou si vous avez quotidiennement plusieurs heures de transport, il faut le signaler. C'est, bien sûr, le moment de poser toutes les questions qui concernent votre nouvel état et le déroulement des six prochains mois de votre grossesse. Puis suivront l'examen du poids et de la taille, l'auscultation cardiaque et pulmonaire, la prise de la tension artérielle et enfin l'examen gynécologique.

Un bilan biologique

Le médecin vous prescrira un certain nombre d'examens de laboratoire. Ainsi, tout au long de la grossesse, la présence ou non d'albumine dans les urines sera contrôlée par de simples bandelettes. Si sa présence est mise en évidence, un contrôle des urines de toute une journée est demandé car cela signifie que les reins ne jouent pas correctement leur rôle de filtre.
L'examen clinique comprend un examen gynécologique au spéculum, un toucher vaginal, un examen des seins et des jambes et une auscultation cardiaque. ▪

1ER MOIS

2E MOIS

3E MOIS

4E MOIS

5E MOIS

6E MOIS

7E MOIS

8E MOIS

9E MOIS

LA NAISSANCE

LES 1RES SEMAINES DE MAMAN

LES 1RES SEMAINES DE BÉBÉ

GROSSESSES DIFFÉRENTES

ANNEXES

Se préparer
à être parents

DEVENIR PARENTS N'EST PAS TOUJOURS AUSSI SIMPLE QUE L'ON CROIT,
c'est sur ce principe que repose la nouvelle préparation appelée « préparation
à la Naissance et à la Parentalité ». Une grossesse, surtout lorsqu'il s'agit
d'un premier enfant, est une expérience totalement nouvelle où en quelques mois,
la femme va apprendre quantité de choses sur elle-même et sur son corps.

Un accompagnement global

Il y a quelques années, les préparations à la naissance étaient essentiellement centrées sur la maîtrise de la douleur. La banalisation de la péridurale a fait passer cette préoccupation au second plan. Aujourd'hui, la PNP se veut comme un accompagnement global de la future maman et, si possible, du couple.

En compagnie d'une sage-femme, les parents sont invités à réfléchir à leur projet de naissance, il est constitué de la conjonction des aspirations des futurs parents avec l'offre de soins locale. Il inclut l'organisation des soins avec le suivi médical et la préparation à la naissance et à la parentalité, les modalités d'accouchement, le suivi post-natal et les solutions de recours en cas de difficultés.

La finalité de cette préparation est de prévenir le plus tôt possible les troubles éventuels de la relation parents-enfant et de permettre la mise en œuvre d'aide et d'accompagnement dès la période anténatale.

Les dix objectifs de la PNP ont été clairement définis par la Haute Autorité de Santé, organisme sous la dépendance du ministère de la Santé. Elle doit :
– Créer des liens sécurisants entre la future maman et tous les professionnels susceptibles d'être à ses côtés.

– Accompagner les futurs parents dans leur choix de santé notamment au cours de la grossesse, dans les modalités souhaitées pour l'accouchement et la durée du séjour à la maternité.

– Délivrer des connaissances et donner des conseils sur l'alimentation du nouveau-né, en encourageant l'allaitement maternel.

– Encourager les parents à opter pour un style de vie sain afin de préserver la santé de la future maman et de son bébé.

– S'assurer que la femme enceinte bénéficie d'un soutien affectif pendant sa grossesse, à la naissance et au retour chez elle.

– Aider à la construction de liens familiaux harmonieux notamment en préparant le couple à l'accueil de l'enfant et à son nouveau rôle de parents.

– Apprendre aux jeunes parents comment avoir un bébé en bonne santé, comment bien le nourrir et ses grandes étapes de développement psychomoteur.

– Prévenir les troubles de la relation mère-enfant et des difficultés dues à la dépression du post-partum.

– Favoriser les échanges de conseils et le partage des expériences entre parents avant et après la naissance.

Une rencontre individuelle

Comme par le passé, la «préparation à la naissance et à la parentalité» compte 8 rendez-vous avec une sage-femme ou un médecin. Le premier doit se dérouler de manière individuelle au cours du premier trimestre. Il est généralement proposé lors de la visite de confirmation de la grossesse mais peut être programmé quand la future maman le souhaite à condition de respecter si possible le délai des trois premiers mois. Le futur papa est encouragé à être présent à l'entretien. Dans les situations difficiles, les rencontres individuelles avec des professionnels de la santé peuvent se multiplier et des dispositions d'accompagnement spécifiques proposées.

C'est avec les craintes et les questions qui tracassent les mères que s'ouvre le dialogue avec la sage-femme chargée d'aider les futures mamans. Cette première rencontre est l'occasion d'aborder la grossesse dans sa globalité, du désir d'enfant au déroulement des premiers mois, à la grossesse des derniers mois, sans oublier l'accouchement, l'après-maternité, le rôle du père et surtout la découverte de l'enfant. À l'issue de cette conversation, les futurs parents doivent être capable d'exprimer leurs besoins, leurs connaissances et leurs projets. Ils doivent avoir un sentiment de confiance dans le système de santé. De son côté, la sage-femme leur indiquera le contenu des rendez-vous collectifs suivants et identifiera les besoins d'information et les compétences parentales qu'il serait bon de développer. Ainsi ils apprendront que des conseils leur seront prodigués en matière d'alimentation de l'enfant, sur la manière de le coucher en toute sécurité, sur la prévention des maladies et des accidents domestiques, sur la construction des liens d'attachement ou sur la façon de répondre aux pleurs parfois incompréhensibles d'un nourrisson. Son rôle est aussi d'identifier les vulnérabilités médicales, comme une grossesse antérieure difficile, psychiques ou sociales, notamment les addictions tant chez la mère que chez le père et de proposer une aide adaptée. Enfin, elle rassurera les parents toujours inquiets sur leurs compétences.

Des séances collectives

Cet entretien individuel sera suivi de 3 ou 4 réunions de groupe programmées un peu plus tard dans le cours de la grossesse, souvent dès le début des congés de maternité pour les futures mamans salariées. Chaque rendez-vous dure en principe 2 heures et se déroule toujours un peu de la même manière. Dans un premier temps, la sage-femme délivre un enseignement «théorique» : mieux connaître son corps pour mieux comprendre ce qui s'y passe. Schémas, dessins, diapositives illustrent les différentes phases de la grossesse et le déroulement de l'accouchement. Grâce à une poupée, les futures mamans apprennent à bien tenir un bébé ou à adopter la bonne position pour allaiter confortablement. Puis viennent des exercices physiques destinés à assouplir le bassin et à maîtriser la relaxation (p. 169). Généralement une des séances de préparation est consacrée à la visite de la salle d'accouchement pour ainsi se familiariser avec les lieux.

D'autres réunions auront lieu durant le séjour à la maternité et dans les semaines qui suivent l'accouchement. Les premières sont destinées à accompagner les liens d'attachement mère-bébé, les secondes, servent à conforter les compétences des jeunes parents et à prévenir les suites anormales d'une dépression du post-partum plus importante que prévue. Chaque fois qu'ils le peuvent, les pères sont invités à être présents. ▪

" Les pères ont un rôle à jouer, celui d'accompagner la future maman et d'accueillir le nouveau venu. „

1ᴱᴿ MOIS

2ᴱ MOIS

3ᴱ MOIS

4ᴱ MOIS

5ᴱ MOIS

6ᴱ MOIS

7ᴱ MOIS

8ᴱ MOIS

9ᴱ MOIS

LA NAISSANCE

LES 1ᴿᴱˢ SEMAINES DE MAMAN

LES 1ᴿᴱˢ SEMAINES DE BÉBÉ

GROSSESSES DIFFÉRENTES

ANNEXES

La surveillance médicale *en savoir plus*

Les allergies

Une future maman souffrant d'allergie et traitée pour cela n'a aucune raison de s'inquiéter et d'interrompre son traitement. Les désensibilisations qu'elle doit pratiquer n'entraînent aucun risque pour le futur bébé. Mais la grossesse et ses changements hormonaux ont une influence sur le comportement allergique. Sans que l'on sache vraiment pourquoi, certaines femmes enceintes verront leur allergie régresser tout au long de la grossesse, alors que d'autres, au contraire, constateront une aggravation. Les médecins conseillent aux futures mamans qui se savent porteuses d'un terrain allergique de prévenir la transmission à leur enfant en excluant de leur alimentation les arachides, les fruits secs oléagineux, la moutarde et les fruits exotiques. Un régime de précaution qu'elles doivent poursuivre si elles allaitent. ▪

Après une menace de fausse couche

Quelques saignements dans les premiers mois, quelques douleurs qui font penser à des contractions, il n'en faut pas moins pour vous sentir inquiète. Sachez que les saignements sont assez fréquents en début de grossesse, une majorité d'entre eux sont dus à la localisation basse du placenta dans l'utérus à ce stade de la grossesse. Même après une menace de fausse couche, il n'y a aucun risque de séquelle sur le développement du fœtus. Si l'œuf à partir duquel il s'est développé n'avait pas été sain, l'organisme maternel l'aurait éliminé naturellement. ▪

Le carnet de maternité

Un peu délaissé au profit d'étiquettes à code-barres, il va être remis à la mode et à jour. Il comprendra une notice préventive contre les dangers de la consommation d'alcool, de tabac et de drogue ; des conseils sur la vie quotidienne de la future maman, sur les différentes préparations à l'accouchement, ainsi que des informations sur le bon développement du fœtus. De larges pages à quatre volets permettent de garder un double des observations faites par le médecin. Les informations obstétricales qu'il contient seront ensuite intégrées au dossier médical personnalisé. ▪

Que rembourse l'assurance maternité ?

Toutes les visites médicales obligatoires et celles prévues dans le carnet de maternité sont prises en charge à 100 %, tout comme le forfait journalier hospitalier, sur la base des tarifs conventionnels, les dépassements d'honoraires restant à la charge de la future maman. Si besoin, l'assurance maternité rembourse intégralement les frais d'une césarienne, huit séances de préparation à l'accouchement sans douleur lorsqu'elles sont pratiquées par une sage-femme que ce soit en milieu hospitalier ou privé. Les dix séances de kinésithérapie après la naissance doivent faire l'objet d'une entente préalable. L'assurance maternité prend aussi en charge le versement des indemnités journalières en remplacement de la perte de salaire pendant les congés maternité. ▪

Un guide de surveillance

1ᴱᴿ MOIS

2ᴱ MOIS

3ᴱ MOIS

4ᴱ MOIS

5ᴱ MOIS

6ᴱ MOIS

7ᴱ MOIS

8ᴱ MOIS

9ᴱ MOIS

LA
NAISSANCE

LES 1ᴿᴱˢ
SEMAINES
DE MAMAN

LES 1ᴿᴱˢ
SEMAINES
DE BÉBÉ

GROSSESSES
DIFFÉRENTES

ANNEXES

DANS LES JOURS QUI ONT SUIVI VOTRE PREMIÈRE visite médicale, vous avez envoyé le formulaire « Vous attendez un enfant » qui vous a été remis. Le volet bleu est destiné à votre Caisse d'allocations familiales et vous permettra de toucher vos premières prestations. Vous enverrez le feuillet rose accompagné de vos justificatifs d'examens médicaux à votre centre de Sécurité sociale. À partir de ce moment-là, toutes vos visites, vos examens et vos frais pharmaceutiques seront pris en charge à 100 % par la Sécurité sociale.

Un document officiel

Dans les semaines qui suivent la déclaration officielle de votre grossesse, vous allez recevoir un guide de surveillance médicale mère et nourrisson, envoyé par votre centre de Sécurité sociale. Ce nouveau guide est un calendrier personnalisé, établi en fonction du début de votre grossesse et de la date prévue de votre accouchement. Il récapitule tous les soins, examens, visites et déclarations que vous devrez faire durant votre grossesse, à savoir les 7 examens prénataux obligatoires, les 3 échographies conseillées, les 8 séances de préparation à l'accouchement, le repos prénatal, le bulletin d'hospitalisation, le certificat d'accouchement, l'examen postnatal, la déclaration de naissance, les dix séances de rééducation abdominale (sur avis de votre médecin)...

Avant et après l'accouchement

Il servira également pour la surveillance médicale de votre bébé durant ses trois premiers mois, en attendant qu'il reçoive son propre guide de surveillance médicale, qui lui servira durant sa première année. Votre enfant recevra ensuite deux autres guides, à savoir un pour la période de 2 à 3 ans et un pour la période de 4 à 6 ans. Parallèlement, dans

les semaines qui suivent la naissance, vous recevrez le carnet de santé de votre bébé (p. 434). Ce guide comprend une série d'étiquettes informatisées, correspondant à chaque examen médical, à coller sur chaque feuille de soins remise au cours des différentes visites, et à envoyer à la caisse d'assurance-maladie. Votre guide maternité permet d'informer chaque professionnel de santé rencontré (médecins, sages-femmes, etc.) que vous bénéficiez de l'assurance maternité. Depuis 1992, les futures mamans françaises bénéficient de 7 visites médicales obligatoires, mais certaines maternités préconisent une visite supplémentaire au 9ᵉ mois, d'autres préfèrent demander aux futures mamans de venir tous les 15 jours les deux derniers mois.

La visite médicale du père

Elle est prévue depuis longtemps. Elle est facultative, mais un feuillet du carnet de grossesse prévoit son remboursement par la Sécurité sociale. Relativement peu de pères la font et bien des médecins le regrettent, car c'est souvent pour eux l'occasion de mieux connaître l'environnement de la future maman. En cas d'infection vaginale ou de diagnostic de maladies sexuellement transmissibles, il serait pourtant indispensable que le père consulte. ▪

Le quatrième mois

1ER MOIS

2E MOIS

3E MOIS

4E MOIS

5E MOIS

6E MOIS

7E MOIS

8E MOIS

9E MOIS

LA NAISSANCE

LES 1RES SEMAINES DE MAMAN

LES 1RES SEMAINES DE BÉBÉ

GROSSESSES DIFFÉRENTES

ANNEXES

Le quatrième mois

Vous

UN BÉBÉ DE RÊVE. Que de rêves en neuf mois ! « Il sera grand et actif... Elle sera blonde et malicieuse... » Le bébé se construit peu à peu, non seulement dans le corps, mais aussi dans la tête de la maman. Résultat d'impressions, compilation de souvenirs, tout est prétexte à créer cet imaginaire : histoire familiale, rencontre amicale et culture personnelle. Chaque jour ou presque, ce bébé évolue. Le décrire vraiment est en fait impossible car c'est un tout : un « rêve d'enfant » qui mobilise toute l'attention de la future maman.

Tous ces rêves représentent un travail psychique indispensable. Ils vous permettent de vous sentir mère un peu plus chaque jour, ils vous aident à surmonter une fatigue qui vient plus vite et vous encouragent à penser tous les jours un peu plus à vous.

Mais cette construction imaginaire a aussi un côté sombre. Aucune future maman n'échappe à la crainte que son bébé soit atteint d'une malformation. Toutes savent que c'est une peur irraisonnée souvent difficile à chasser. Presque toujours, ces angoisses cachent une question, celle, tout simplement, que vous vous posez à vous-même : « Suis-je capable de mener à bien ma grossesse ? »

C'est en vous confiant à votre médecin que vous avez le plus de chances de dominer ces peurs. Il cherchera de manière objective à apaiser vos craintes. Il dispose aujourd'hui de toute une série d'examens qui lui permettent de bien connaître votre bébé. Mais il ne les prescrira que si vous appartenez à un groupe à risque. Pour la majorité d'entre vous, un bon suivi médical, les échographies et les mouvements perceptibles de votre bébé finiront par vous rassurer.

Votre bébé

LES ORGANES DES SENS sont en plein développement conjointement à celui du cerveau. Son audition est déjà relativement performante et plus la grossesse va évoluer, plus elle se fait « fine ». Il entend les variations de bruit et son cerveau est capable de les interpréter. Si de nombreux bruits extérieurs lui parviennent à travers la paroi utérine, il vit surtout dans un environnement sonore constant fait des gargouillements des intestins de sa maman, du bruit de ses vaisseaux sanguins ou de ses pulsations cardiaques.

Au 3ᵉ mois

Au 4ᵉ mois

Au 5ᵉ mois

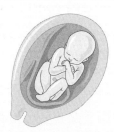

Son squelette poursuit son ossification et ses muscles s'allongent. À la fin du 4ᵉ mois, ses mouvements peuvent être perçus par sa mère.

1ᴱᴿ MOIS

2ᴱ MOIS

3ᴱ MOIS

4ᴱ MOIS

5ᴱ MOIS

6ᴱ MOIS

7ᴱ MOIS

8ᴱ MOIS

9ᴱ MOIS

LA NAISSANCE

LES 1ᴿᴱˢ SEMAINES DE MAMAN

LES 1ᴿᴱˢ SEMAINES DE BÉBÉ

GROSSESSES DIFFÉRENTES

ANNEXES

Une émotion intense

Vous commencez à sentir votre bébé bouger entre la 15e et la 22e semaine. Tous ses mouvements ne sont pas encore perceptibles, mais le premier que vous ressentirez sera toujours un moment mémorable. Les mouvements s'apparentent d'abord à des réflexes, et ce n'est qu'à partir du 5e mois que vous aurez vraiment l'impression que l'enfant donne des coups. Il est notamment sensible aux bruits forts. ◾

Les premières galipettes

Les mouvements du fœtus dans sa bulle sont possibles car sa taille, proportionnellement faible par rapport à l'espace dont il dispose, va lui permettre de faire ses premières galipettes. Il fait alors l'expérience des premiers mouvements volontaires en poussant avec ses pieds. Des performances dont il est tout à fait capable puisque son système nerveux et musculaire fonctionne. L'enfant est encore sensible aux déplacements et aux gestes de sa mère... Mais, curieusement, c'est lorsque vous bougez le plus qu'il se tient tranquille et, inversement, c'est allongée, au moment de vous endormir que vous le sentirez le plus agité. Rappelons encore qu'il est tout à fait normal que ce futur bébé ne bouge pas continuellement, car il passe la plus grande partie de son temps à dormir, soit 16 à 20 heures par jour. Dès la 8e semaine de gestation, le système vestibulaire est en place. Sa fonction est celle de l'équilibre ; c'est par exemple grâce à lui que nous savons, même les yeux fermés, si nous sommes debout ou couchés. Il joue un rôle important dans la position tête en bas que prend le bébé pour naître. Le système vestibulaire se situe au niveau de l'oreille interne et se compose de petits canaux remplis de liquide. Ceux-ci, agités au moindre mouvement, font bouger à leur tour des cils dont le mouvement stimule les cellules nerveuses.

Autre caractéristique du système vestibulaire, la présence de minuscules cristaux qui indiquent la position de la tête dans l'espace. La maturation de ce régulateur de l'équilibre se fait à partir du 5e mois. ◾

De plus en plus abouti

Son squelette n'est pas encore totalement ossifié et ses muscles se développent, lui apportant chaque jour un peu plus de force et d'énergie pour s'agiter. Ses proportions deviennent plus harmonieuses, sa tête est toujours importante mais moins disproportionnée et surtout son visage se dessine. Son front s'agrandit et ses yeux sont cachés sous des paupières.

Sur ses doigts se forme la place pour de petits ongles. Ses bras ont tellement grandi que ses mains peuvent se rejoindre.

Sa peau s'épaissit, mais reste transparente laissant apparaître toute sa circulation sanguine. Elle est couverte d'un duvet protecteur, le lanugo dont certains enfants ont encore des traces à la naissance. Ses cheveux commencent alors à pousser. ◾

▮ MON AVIS

Entendre le cœur du bébé est le signe qu'il vit. Avec les moyens d'investigation actuels, on peut le voir à l'échographie à partir de la 6e semaine d'aménorrhée. C'est un petit point qui scintille, un peu comme une étoile lointaine. Avec un stéthoscope adapté on peut l'entendre à partir de 12 semaines. Le premier étonnement est la rapidité de son rythme, cela donne une impression de locomotive. Bien des femmes aimeraient avoir un Walkman pour l'écouter en permanence. C'est le seul lien avec lui avant qu'il ne bouge et c'est sans doute pour cela que son écoute suscite tant d'émotion. ◾

Vers le début de l'autonomie

À 4 MOIS, LE FŒTUS EST TOTALEMENT FORMÉ mais tous ses organes sont encore incapables de fonctionner de manière autonome. Sa croissance va désormais tendre vers cette autonomie. Il est capable de sucer son pouce, les doigts de ses mains étant séparés.

1ER MOIS

2E MOIS

3E MOIS

4E MOIS

5E MOIS

6E MOIS

7E MOIS

8E MOIS

9E MOIS

LA NAISSANCE

LES 1RES SEMAINES DE MAMAN

LES 1RES SEMAINES DE BÉBÉ

GROSSESSES DIFFÉRENTES

ANNEXES

À l'aise dans sa bulle

Grâce aux appareils à ultrasons, on sait que le cœur de l'enfant bat beaucoup plus vite que la normale (120 à 160 pulsations par min). En effet, c'est un cœur un peu particulier : les deux oreillettes et les deux ventricules communiquent jusqu'à la naissance.

C'est souvent au cours du 4e mois que se produit, pour les parents, cette merveilleuse découverte : les battements du cœur de leur bébé. On les écoute à l'aide d'un capteur placé sur le ventre de la future maman, là où, selon la position du fœtus, on suppose qu'est le cœur. Bien sûr, c'est un moment particulièrement émouvant, que bien des pères aiment partager. Cette écoute est d'ailleurs l'un des tout premiers gestes du médecin lors de chaque consultation.

Le fœtus semble à l'aise, flottant dans une sorte de bulle remplie de liquide amniotique transparent (p. 113), relié au placenta par son cordon ombilical constitué d'une matière gélatineuse recouverte d'une gaine souple (pp. 94 et 112).

Il suce son pouce

Le liquide amniotique contient de l'eau, des sels minéraux, des sucres, des graisses et des hormones mais aussi des cellules de la peau du fœtus et des matières sébacées.

Enfin, le liquide amniotique protège le bébé contre les chocs, les compressions et les éventuelles infections (p. 91). Le fœtus mesure alors 20 cm et pèse 200 g. Son visage dirigé vers le haut, se dessine, les yeux n'ont pas encore leurs paupières, mais le nez est bien marqué. Les mains et les pieds sont reconnaissables.

Les doigts de ses mains sont séparés. On commence à voir l'ébauche des ongles.

Ses bras sont assez longs pour qu'il puisse joindre les deux mains. Le fœtus est capable de sucer son pouce. Il exerce le réflexe de succion qui sera indispensable dans quelques mois à sa survie.

L'abdomen est volumineux. L'appareil digestif est terminé par l'ouverture de l'anus. Les reins commencent à fonctionner. Ce mois est marqué par le début du fonctionnement de toutes les glandes qui gouvernent le corps humain. Leur commande est assurée par l'hypophyse, elle-même sous le contrôle de l'hypothalamus.

Le bébé se dessine

C'est au cours du 4e mois que poussent les premiers cheveux. Son corps se couvre d'un fin duvet : le lanugo. Il est plus ou moins développé suivant les enfants et peut persister quelque temps après la naissance. La structure de l'épiderme (composée de quatre couches) est terminée. Les muscles s'allongent, les cartilages épaississent et se soudent pour former le squelette. Certaines glandes, comme celles qui sont chargées de la protection de la peau (sébacées et sudoripares) sont déjà capables de fonctionner. ∎

Rêves de naissance

Il est normal au cours de la grossesse de rêver plus que d'habitude. Le bouleversement psychique de la future maman l'explique. On remarque curieusement quelques constantes. En tout premier lieu, le rêve de l'enfant donné : la jeune mère a accouché mais elle ne sait pas comment l'enfant est là, sa présence étant lointaine et confuse. D'autres femmes rêvent encore qu'elles accouchent sans douleur et sans angoisse. Et généralement, l'enfant mis au monde ressemble physiquement à un enfant de 2 ou 3 mois. D'ailleurs, les psychanalystes l'affirment, les dessins le révèlent, jamais les futures mamans ne rêvent de fœtus. Leurs songes sont peuplés de bébés nés largement à terme. Ainsi, lorsque l'on demande aux femmes de dessiner leur enfant à naître, elles tracent le portrait d'un enfant fini. Le fœtus n'existerait-il seulement que pour les médecins ? Les femmes, on le sait, ont tendance à rêver d'eau plus que les hommes. Au cours de la grossesse, ce type de rêve s'accentue. Est-ce dû à la quantité de liquide que renferme alors le corps maternel ? Est-ce le signe d'un besoin de sécurité, de quiétude ou celui du total accomplissement de la féminité ? Quant aux rêves d'abandon ou d'exclusion, ils semblent encore assez nombreux. Ils ne sont pas toujours liés à la vie du couple. En cette période d'hypersensibilité, une scène de ménage ou tout simplement une contrariété influence les rêves, mais parfois cela est plus mystérieux. Les cauchemars ayant pour support la disparition d'un être cher, d'un parent, d'un enfant aîné par exemple, sont encore fréquents. Les psychologues sont tous d'accord pour penser qu'ils correspondent au passage psychique de la femme-enfant à la femme-mère. Pour devenir mère, il faut se séparer un peu de ceux du passé pour mieux penser à celui à venir. Il ne faut jamais attribuer aux rêves une valeur prémonitoire. ▪

Petites insomnies

Certaines futures mamans ont pourtant du mal à dormir, on note à cette période de la grossesse des insomnies réelles. Elles sont interprétées comme une hypervigilance vis-à-vis de l'enfant. Car en percevant les mouvements de son bébé, elle s'aperçoit que c'est un être autonome, déjà volontaire, dont il faudra un jour se séparer, et c'est ce qui la perturbe. ▪

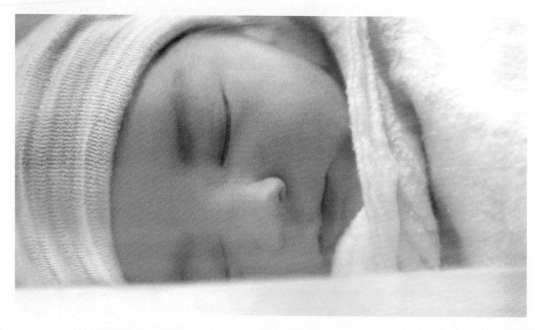

L'enfant imaginé

*AVANT QUE L'ÉCHOGRAPHIE NE RÉVÈLE LE SEXE DE L'ENFANT À NAÎTRE,
la plupart des futures mamans semblent persuadées, pour les unes d'attendre
un garçon, pour les autres, une fille. C'est une des manifestations les plus
évidentes de l'enfant imaginé.*

Le désir

Mais il ne faut pas s'y tromper, derrière ces affirmations se cachent parfois des notions plus subtiles : en déclarant que vous voulez un garçon alors que c'est une fille que vous désirez vraiment, vous vous préparez à une éventuelle déception. L'enfant imaginé se construit à partir de fantasmes (« Il aura les yeux clairs, les jambes longues, de jolies dents… »), et répare bien des blessures narcissiques. Également pourvu de toutes les qualités, toutes les capacités, l'enfant à venir ne saurait décevoir. Ce sont ces images qui entretiennent le désir d'enfant au cours de la grossesse. Elles permettent de supporter des changements physiques qui bousculent complètement l'image d'un corps que la femme a mis parfois des années à accepter, à aimer.

L'enfant imaginaire est le fruit d'une histoire personnelle plus ou moins compliquée, le résultat d'un véritable portrait-robot familial, fait d'emprunts aux êtres les plus chers qui ont marqué la vie de la future maman.

Toujours un garçon

Statistiquement, il semble que pour une première grossesse, les mères préfèrent attendre un garçon (« C'est mieux pour un aîné » ou « Cela fera tellement plaisir à son père »).

Ce garçon-là est visiblement un cadeau à l'homme qu'elles aiment, leur mari, ou parfois à leur père. Mais c'est aussi parce que le garçon perpétue le nom, facteur qui reste très important aujourd'hui.

Les filles sont beaucoup plus désirées en second enfant (surtout si l'aîné est un garçon). Pourtant, certaines mères veulent mettre au monde une fille parce qu'elles ont l'impression qu'elles seront mieux à même de s'en occuper.

Jamais seule

L'échographie du 4e mois confirme ou infirme les fantasmes de la mère. Aujourd'hui, presque 50 % des futures mamans demandent à leur conjoint d'être là le jour de cet examen. À l'heure des papas poules, cette présence semble logique. Se laissant moins aller aux fantasmes, c'est pour eux, souvent, une véritable rencontre. Ils en profitent pour poser quantité de questions sur le développement de l'enfant. Ils affirment, pour la plupart, se sentir encore plus concernés par la grossesse, plus impliqués dans son bon déroulement et encore plus responsables.

L'échographie est une bonne préparation au « paternage » et au rôle de père (pp. 61, 219 et 406). ■

> **Réfléchissez bien aux caractéristiques de l'enfant que vous imaginez, il y a de fortes chances qu'il ressemble aux personnes que vous aimez.**

1ER MOIS

2E MOIS

3E MOIS

4E MOIS

5E MOIS

6E MOIS

7E MOIS

8E MOIS

9E MOIS

LA NAISSANCE

LES 1RES SEMAINES DE MAMAN

LES 1RES SEMAINES DE BÉBÉ

GROSSESSES DIFFÉRENTES

ANNEXES

L'analyse du sang maternel

Un test vient d'être mis au point par des médecins français permettant, à partir de l'analyse du sang de la mère, de connaître le sexe du fœtus. Grâce à un matériel très sophistiqué, le test analyse les traces d'ADN fœtal circulant dans le sang maternel, et tout particulièrement le gène SRY, porteur de la masculinité. Les résultats sont connus en quelques heures. Cet examen est précieux pour toutes les femmes susceptibles de transmettre une maladie génétique liée au chromosome X telle que la myopathie de Duchenne ou l'hémophilie (p. 47) où seuls les garçons sont atteints. Le test est réalisé entre la 8e et la 12e semaine de gestation et permet d'éviter le recours à une biopsie des villosités choriales. Si le fœtus est une fille, la grossesse se poursuit normalement, par contre, si c'est un garçon, le diagnostic de la maladie devra être confirmé par la biopsie. ▪

Le mystère de la filiation

Vouloir attendre une fille, être certaine que l'on porte un garçon, sont des fantasmes fort révélateurs du psychisme de l'adulte. Bien des raisons peuvent en être à l'origine. Très fréquemment, le futur bébé est chargé de remplacer dans l'affection de la mère un être proche et cher, mais disparu. Cela n'a rien de macabre, tout bébé en s'installant dans sa famille en adopte l'histoire. Seule condition à son épanouissement, qu'il puisse développer sa propre personnalité. La grossesse fait souvent remonter en surface des désirs que l'inconscient avait profondément enfouis : la transparence psychique apparaît aux grandes étapes de la vie, et dans celle d'une femme la grossesse en est une. Le garçon ou la fille, souvent espéré avec force (parfois trop), est porteur des souvenirs de l'enfant que l'on a été et de l'adulte que l'on est devenu. Ainsi les futures mamans ayant eu des relations difficiles avec leur mère préfèrent ne pas avoir de fille. Heureusement, pratiquement toutes les mères surmontent leur déception si elles n'accouchent pas du bébé désiré. ▪

Entre le rêve et la réalité

Pour Caroline Betz, psychanalyste, la connaissance du sexe de l'enfant modifie les relations dans le couple. Elles deviennent précocement triangulaires. En effet, le bébé est presque là, on lui donne un prénom, on lui impose une identité à part entière. Les fantasmes, si importants dans cette expérience unique, s'en trouvent appauvris. Tout le travail autour du sexe mythique d'un enfant est effacé. Pour cette psychanalyste, c'est une perte importante pour la mère et pour le père qui fantasment chacun à partir de leur histoire. De plus, elle estime qu'ainsi « dévoilé », le futur bébé grandit, voire vieillit précocement ; on lui vole une partie de sa petite enfance.

Certains parents refusent catégoriquement de « savoir ». Ils veulent respecter leur bébé, ne font aucune différence entre les deux sexes. Ils attendent un bébé. Dans d'autres couples, l'un « veut savoir » et l'autre pas. Il est sans doute préférable, si vous et votre conjoint n'êtes pas d'accord, de convenir que celui qui veut savoir pose discrètement la question à l'échographiste. D'une manière générale, on ne saurait trop vous recommander de ne pas refuser l'identité sexuelle de votre futur bébé ni de trop investir sur celle-ci ; l'erreur de diagnostic échographique peut devenir alors difficile à supporter et la déception peut gâcher la joie qui accompagne toute naissance. ▪

Connaître ou non
le sexe de son bébé

SI AU COURS DE VOTRE DEUXIÈME ÉCHOGRAPHIE, vous demandez au médecin de vous révéler le sexe de votre futur bébé, vous appartenez aux 70 % des futurs parents qui souhaitent le savoir avant la naissance. Il semble d'ailleurs que ce souhait ait pour principale raison la preuve de la normalité du bébé. De plus, ils veulent pouvoir répondre aux questions que ne manquera pas de poser leur entourage. Mais, il convient tout d'abord, de se poser la question à soi-même !

Imaginaire empêché

Au début de l'utilisation de l'échographie, la plupart des médecins, fascinés par les performances de l'appareil, révélaient souvent, sans qu'on le leur demande, le sexe du bébé à venir. Devant le trouble de beaucoup de mères, les échographistes prennent aujourd'hui beaucoup plus de précautions. En effet, la connaissance du sexe de l'enfant limite bien évidemment l'imaginaire, et certains couples le vivent mal. Pour d'autres, au contraire, cette information les aide à mieux se préparer à la naissance et à l'accueil du bébé. Pour certaines familles, attendre un garçon ou une fille a son importance. Sans parler des problèmes de maladies héréditaires liées au sexe (p. 36), elles y portent un intérêt proche de la superstition. Leurs questions insistantes révèlent leur préférence pour l'un des sexes. Toute la psychologie du médecin devra alors permettre au couple d'exprimer ses motivations et ses craintes pour essayer de le libérer de tout a priori ou de la trop forte pression familiale. Dans ce cas, il est souvent préférable de laisser faire le temps et d'entretenir le suspense afin que le couple soit un peu plus préparé à accueillir l'enfant du sexe refusé. S'il le faut, il pourra avoir recours à la psychothérapie.

Information aléatoire

Mais dans la pratique, les échographistes constatent que la question est rarement posée directement. Le plus souvent, les parents demandent si le sexe de l'enfant est visible, c'est donc à eux d'interpréter la question. Quand la question n'est pas posée, certains échographistes demandent à la mère si elle désire qu'ils cherchent sur l'écran les organes génitaux du bébé.

En effet, ce n'est pas une recherche systématique puisqu'elle n'est pas utile généralement à la prise en charge médicale de la grossesse. De plus, leur visualisation sur l'écran est assez aléatoire. Elle est fonction de la position de l'enfant sur l'écran, de la manière dont il tient ses jambes et du développement des organes génitaux. Ils sont souvent un peu mieux identifiables au 5e ou au 6e mois de grossesse. Tout cela explique d'ailleurs un taux d'erreurs assez important.

D'un sexe à l'autre

Les pères, paraît-il, ont toujours un faible pour les garçons. Ils cherchent en leur fils un compagnon de jeux. En revanche, quand ils rêvent d'avoir une fille, c'est presque toujours pour les câlins et la séduction ; ils seront toujours là pour la protéger. ●

1ER MOIS

2E MOIS

3E MOIS

4E MOIS

5E MOIS

6E MOIS

7E MOIS

8E MOIS

9E MOIS

LA NAISSANCE

LES 1RES SEMAINES DE MAMAN

LES 1RES SEMAINES DE BÉBÉ

GROSSESSES DIFFÉRENTES

ANNEXES

Son métabolisme

Le corps humain contient 3 à 5 g de fer : 2,5 à 3 g sont utilisés à la synthèse de l'hème, noyau pigmentaire de l'hémoglobine (hb) ; 150 mg entrent dans la composition de la myoglobine, pigment musculaire, et une autre partie dans la composition des enzymes ; 1 g se trouve dans l'organisme sous forme de réserves : on y distingue la ferritine et l'hémosidérine. Il existe une molécule, la transferrine, qui apporte 2 à 3 mg de fer dans le plasma jusqu'à la rate, le foie ou la moelle épinière, où il est récupéré par la ferritine et l'hémosidérine. La fonction principale de l'hémoglobine des érythrocytes du sang est le transfert d'oxygène du poumon aux tissus dans lesquels l'oxygène est utilisé. Le fer est donc nécessaire à la fonction respiratoire cellulaire et sa carence va développer une anémie. ▪

Le rôle de l'acide folique

La vitamine B9 porte le nom d'acide folique (ou folates). Elle joue un rôle important dans la prévention de l'anémie et est indispensable à la synthèse des protéines et à la multiplication des cellules. Toute future maman a besoin de deux fois plus d'acide folique qu'une femme ordinaire en raison de la croissance de l'utérus, de la formation du placenta et de la croissance des tissus fœtaux. L'acide folique est rare dans notre alimentation et résiste mal à la cuisson. On le trouve pourtant dans tous les foies, dans les épinards, dans les croûtes de fromage, dans les œufs et dans les légumes, surtout s'ils ne sont pas consommés cuits. Sont donc à consommer sans modération les salades vertes, les melons, les avocats, les oranges et les bananes.

Il en faut 800 microgrammes par jour, soit 100 g de salade ou de melon, ou 200 g de fromage à pâte molle ou d'avocat, ou encore 300 g de riz ou de banane. L'acide folique fixe le fer et participe à la fabrication des globules rouges et blancs par la moelle osseuse.

On lui attribue aussi un rôle dans la prévention de certaines anomalies comme le spina-bifida ou le bec-de-lièvre. ▪

Des comprimés de fer

L'apport se fait généralement sous forme de comprimés ou d'ampoules buvables. Il faut savoir que la vitamine C active l'assimilation en fer contrairement au thé, en raison de son tanin, et au son, à cause de ses fibres qui empêchent son absorption au niveau des intestins. Les carences peuvent être à l'origine d'hémorragies en début de grossesse et de retards de croissance in utero. Les grossesses gémellaires sont plus sujettes à ces carences, tout comme les grossesses rapprochées. L'organisme assimile beaucoup mieux le fer d'origine animale que végétale. ▪

▮ MON CONSEIL

Il est indispensable de prendre un supplément de fer, car l'alimentation normale n'en apporte pas assez. Elle prévient l'anémie de la mère. Cela dit, rassurez-vous, une petite anémie maternelle n'a pas de conséquences sur l'enfant. Si cela se produit, c'est qu'elle a d'autres causes. De plus, au cours de l'accouchement, la mère va perdre un peu de sang et son organisme devra être capable de le remplacer au plus vite, il vaut donc mieux avoir quelques réserves. Il faut savoir que le fer administré colore les selles en noir et qu'il n'est pas toujours bien toléré sur le plan intestinal. ▪

Lutter contre l'anémie

ON VOUS FORÇAIT PEUT-ÊTRE À MANGER DES ÉPINARDS pour leur richesse en fer, quand vous étiez petite. Et bien, cela va recommencer. Non, vous ne mangerez pas particulièrement de ce légume, car en fait il en apporte peu à l'organisme. Mais il faut savoir que quantité d'autres aliments en contiennent. Cependant, il y a de fortes chances que l'on vous en prescrive sous forme médicamenteuse.

Un complément systématique

Du jour au lendemain, ou presque, votre grossesse fait passer vos besoins en fer de 18 à 50 mg en moyenne par jour, selon l'état de vos réserves. Ces nouveaux besoins sont dus à l'augmentation de votre volume sanguin (p. 79), à la constitution du placenta et au développement du fœtus. Environ 20 % des femmes en âge d'être mères n'ont aucune réserve en fer, et les trois quarts des autres femmes ont des réserves insuffisantes. Le fer est un élément indispensable dans le fonctionnement des globules rouges. Son rôle est d'assurer la bonne oxygénation des tissus. Il est présent encore dans le foie, la rate et la moelle épinière. La plupart des femmes en manquent car elles perdent une bonne partie de leurs réserves au moment de leurs règles. Votre besoin en fer augmente d'une façon substantielle aux abords du 2e trimestre. Il vous faut environ 20 mg par jour mais beaucoup plus si vous avez débuté votre grossesse anémiée. Dans ce cas, la ration quotidienne peut s'élever à 30 ou 50 mg par jour.

Pour la mère et pour l'enfant

L'accroissement de ces besoins est lié, toujours, à l'augmentation du volume sanguin et aux réserves que doit faire le fœtus pour préparer sa vie à l'air libre. C'est le fer donné par sa mère qui lui permet de fabriquer l'hémoglobine de son sang. Le fœtus demande à la mère une quantité constante en fer quelle que soit celle qu'elle absorbe. Il est donc certain que, faute d'apport supplémentaire, celle-ci est de plus en plus anémiée. C'est pourquoi beaucoup de médecins le prescrivent dès le 2e trimestre de la grossesse. En effet, de nombreuses enquêtes alimentaires montrent que la grande majorité des futures mamans ne consomme que 12 à 16 mg de fer par jour pour les 20 à 25 mg indispensables dès le 6e mois de grossesse. On ne sait pas encore avec certitude les effets de la carence en fer sur le fœtus : certains médecins pensent qu'elle peut être à l'origine de naissances prématurées ; il semble par contre que l'anémie du nouveau-né ne soit pas due à une carence au cours de la grossesse. Il est donc indispensable de recommander à la future maman une alimentation riche en cet oligo-élément et les aliments qui contiennent du fer sont nombreux.

La richesse des aliments

Assez mal assimilé par l'organisme lorsqu'il est d'origine végétal, il est préférable de le « consommer » sous forme de viande ou de poisson qui en contiennent environ 30 %. En moyenne, une alimentation équilibrée apporte environ 10 % des besoins de la femme enceinte. Le fer est particulièrement présent dans les haricots blancs, les lentilles, le cresson, le persil, les fruits secs, les flocons d'avoine, le chocolat, le foie, les huîtres et le jaune d'œuf. Enfin, un lait spécial future maman, enrichi en fer, est maintenant en vente. ■

1ER MOIS

2E MOIS

3E MOIS

4E MOIS

5E MOIS

6E MOIS

7E MOIS

8E MOIS

9E MOIS

LA NAISSANCE

LES 1RES SEMAINES DE MAMAN

LES 1RES SEMAINES DE BÉBÉ

GROSSESSES DIFFÉRENTES

ANNEXES

Le placenta « bas inséré »

Certaines contractions associées à des saignements sont parfois le signe d'un placenta « bas inséré ». Le placenta s'est installé dans la moitié inférieure de l'utérus et non au fond comme il l'est normalement. Des contractions légères amènent alors son décollement, provoquant des saignements. Dans ce cas, le médecin prescrit à la future maman du repos, des médicaments pour éviter les contractions de l'utérus et, si besoin, quelques hormones pour maintenir l'équilibre indispensable au bon déroulement de la grossesse.

Dans 90 % des cas, le placenta va migrer en haut de l'utérus. Dans 10 % des cas, le médecin devra prévoir à la naissance la présence d'un placenta praevia qui peut saigner au moment de la mise en route du travail. Il arrive encore que le placenta recouvre la totalité du col de l'utérus, on parle alors de placenta recouvrant.

Si celui-ci persiste après le 7e mois, la future maman devra être hospitalisée et accouchera par césarienne. Le placenta « bas inséré » est donc quasi normal à l'échographie faite entre la 22e semaine et la 24e semaine. Il faut lui laisser le temps de remonter avec l'étirement de l'utérus. Le placenta se développe en même temps que le fœtus et occupe de plus en plus de place dans l'utérus maternel. ■

L'herpès génital

Vous souffrez de démangeaisons, voire de brûlures au niveau de la vulve. Il est important d'en parler à votre médecin. Avez-vous déjà souffert d'herpès génital ? Votre conjoint est-il atteint ? Ce virus, caché dans les tissus nerveux, est encore aujourd'hui difficile à combattre. Le traitement est essentiellement local et plutôt destiné à traiter les manifestations que la cause, pour diminuer leur fréquence et leur intensité. Le danger le plus reconnu est la contamination du bébé au moment de l'accouchement (le risque étant de 50 % environ). Même si la future maman n'a plus observé depuis longtemps de manifestation de cet herpès, mieux vaut en parler au médecin. Des cultures effectuées à partir de prélèvements de cellules du col utérin et du vagin permettent de diagnostiquer cette affection. Celle-ci est trois fois plus fréquente chez la femme enceinte que dans la population féminine en général. Elle est d'autant plus grave qu'il s'agit d'une primo-infection et qu'elle survient à l'approche de l'accouchement. Une césarienne peut être alors envisagée. La recherche de vésicules caractéristiques, l'examen de la vulve et du col sont faits systématiquement par la sage-femme. En cas de doute, le nouveau-né sera protégé par un bain de bétadine, qui sera aussi largement appliqué sur la vulve et le vagin avant la naissance. ■

■ MON AVIS

Le cerclage a eu son heure de gloire. Aujourd'hui, on le pratique avec un peu plus de discernement. Il est nécessaire lorsque le médecin constate chez la future maman, une béance du col. Les causes peuvent en être différentes, soit parce qu'elle a déjà accouché prématurément ou avorté tardivement, soit parce qu'une radio a montré un problème au niveau du col, soit encore parce qu'elle a une malformation utérine. On cercle généralement à la fin du 1er trimestre ou au début du 2e, sous anesthésie générale. Certains cerclages sont faits « à chaud » pour les femmes qui ont une poche des eaux visible au 5e ou au 6e mois. On tente de la réintégrer et ainsi la grossesse peut se poursuivre quelques semaines, ce qui s'avère souvent vital pour le bébé. Il y a plusieurs techniques de cerclage qui, toutes, se pratiquent sous péridurale ou anesthésie générale. ■

Les contractions : un phénomène naturel

VOUS RESSENTEZ DES CONTRACTIONS ? Il est normal, au cours d'une grossesse, d'en ressentir quelques-unes, mais elles doivent être rares et non douloureuses. Le muscle utérin se ramasse puis se détend, le ventre se durcit dans sa totalité et la future maman éprouve une sensation de constriction.

Un entraînement à l'accouchement

Il ne faut pas confondre les contractions du travail avec celles de faible ampleur et naturelles : l'utérus durcit de 20 à 30 secondes toutes les 15 minutes environ ; leur fréquence est toujours la même, mais elles ne sont jamais constantes, ni accompagnées de douleurs. En fait, des contractions musculaires existent en permanence dans le corps et au niveau de l'utérus, même chez la femme qui n'est pas enceinte. Simplement, au 4e mois de grossesse, elles deviennent perceptibles en raison du développement de l'utérus. L'obstétricien Braxton Hicks fut le premier à les définir comme un entraînement à l'accouchement. Elles ont des fonctions bien précises : elles vident les veines utérines pour leur permettre de se remplir de sang mieux oxygéné et elles favorisent l'étirement de l'utérus vers sa partie inférieure.

Quand s'inquiéter ?

En revanche, dès que les contractions deviennent fréquentes et douloureuses, notamment si elles s'accompagnent de bouffées de chaleur et d'une accélération du pouls, il faut s'inquiéter. Elles peuvent entraîner l'ouverture du col de l'utérus et risquent de provoquer une fausse couche. On sait aujourd'hui que la plupart des fausses couches tardives, qui surviennent vers le 4e ou le 5e mois, sont dues à une béance du col de l'utérus qui, normalement, doit rester fermé et tonique jusqu'à l'accouchement. On rencontre ce type de difficultés chez des femmes nées avec un col utérin atone (c'est souvent une difficulté congénitale), et surtout chez celles qui ont eu un ou plusieurs avortements ou curetages après des fausses couches ou des interventions chirurgicales par voie naturelle (myome utérin).

Une sensation de pesanteur ou l'impression que le bébé est « bas » ou, au contraire, des contractions peu fréquentes ne sont pas des signes révélateurs. Seul un examen peut confirmer ou infirmer ces impressions.

Pourquoi s'allonger ?

Cette position permet de réduire la pression exercée sur le col de l'utérus et de limiter les efforts abdominaux qui agissent également sur celui-ci. Elle est obligatoire en cas de contractions prématurées et de modifications précoces du col. Il est préférable que la future maman s'allonge souvent du côté gauche, car cela permet une meilleure oxygénation du placenta. ■

" Toutes les contractions fréquentes et douloureuses exigent une consultation médicale. „

1ER MOIS

2E MOIS

3E MOIS

4E MOIS

5E MOIS

6E MOIS

7E MOIS

8E MOIS

9E MOIS

LA NAISSANCE

LES 1RES SEMAINES DE MAMAN

LES 1RES SEMAINES DE BÉBÉ

GROSSESSES DIFFÉRENTES

ANNEXES

L'asthme et les rhinites

Il semble que les femmes enceintes souffrant d'asthme se répartissent en trois catégories : celles qui voient s'atténuer leurs troubles ; celles pour qui la grossesse ne change rien et enfin celles pour qui les crises deviennent plus fréquentes, le pic maximal se situant entre le 3e et le 6e mois. Elles peuvent continuer leur traitement qui diminue les contractions à condition d'être bien suivies. En général, l'asthme disparaît presque totalement au 9e mois. Dans tous les cas, la future maman asthmatique doit être surveillée, les crises d'asthme risquant de modifier l'apport en oxygène du fœtus. Quant aux rhinites, 30 % des femmes enceintes ayant un terrain allergique en souffrent. Elles s'installent au 4e mois et ont tendance à s'aggraver au cours des deux derniers mois à cause des hormones favorisant l'œdème des muqueuses nasales. ■

Se préparer à l'accouchement

Le médecin vous incitera à vous engager dans une préparation à la naissance même si vous souhaitez accoucher sous péridurale. En effet, ces séances se transforment généralement en entretiens ; ce sont des points de rencontre où l'équipe médicale est disponible pour répondre à toutes les questions que peut se poser une future maman. Une manière de faire connaissance afin que s'établisse un climat de confiance mutuelle. ■

La vaccination contre la grippe

Il n'existe aucune contre-indication concernant la vaccination antigrippale des femmes enceintes. Pourtant plusieurs études épidémiologiques montrent que la grippe contractée lors des deux derniers trimestres de la grossesse augmente les risques de complications cardio-respiratoires. N'hésitez pas à demander conseil à votre médecin puisque ce vaccin n'a aucune conséquence néonatale et protège l'enfant dans les six mois qui suivent sa naissance. ■

Choisir son sel de table

Si vous ne vous êtes pas intéressée jusqu'à présent à ce qu'indique l'étiquette de votre sel de table, il est temps de le faire. En effet, il est conseillé aux futures mamans de préférer un sel iodé à tout autre. Cette simple précaution permet de compenser en partie la carence modérée en iode dont peuvent souffrir un grand nombre d'entre elles. Ce manque d'iode s'explique par une augmentation des besoins pendant la grossesse en raison d'un fonctionnement accru de la thyroïde sous l'influence de l'hormone bêta-HCG et d'un apport indispensable au fœtus par l'intermédiaire du placenta. Le sel de table iodé ne peut pourtant pas toujours apporter la quantité d'iode nécessaire, il est souvent associé à un complément nutritionnel enrichi en iode prescrit par le médecin. ■

Évaluation de la taille du bébé

La mesure de la hauteur utérine, du pubis au fond de l'utérus permet d'estimer la taille du bébé en référence avec l'âge de la grossesse et la quantité de liquide amniotique dans lequel il baigne. À l'heure où la médecine semble se sophistiquer de plus en plus, cet examen peut apparaître totalement archaïque puisqu'il se pratique avec un simple mètre de couturière. Il n'en est rien, car ce geste simple permet au médecin, visite après visite, de vérifier la bonne croissance de votre enfant. La mesure de la circonférence abdominale évalue la quantité de liquide amniotique dans lequel il baigne. ■

Le deuxième rendez-vous médical

C'EST AU COURS DU 4ᵉ MOIS QUE DOIT SE DÉROULER la deuxième visite inscrite au calendrier du suivi médical d'une grossesse normale. Cette visite comporte un examen purement médical complété par un entretien permettant à la future maman d'exprimer ses difficultés psychiques et sociales.

Questionnaire plus intime

Les questions que vous posera alors le médecin sont destinées à rechercher des signes anormaux tels que douleurs, leucorrhées, brûlures lors des mictions.

L'examen se complète par la prise du poids, la tension artérielle, la mesure de la hauteur utérine et un toucher vaginal pour vérifier que le col de l'utérus est bien fermé. Il écoutera les bruits du cœur du bébé pour s'assurer de son bon développement. Il prescrira des examens sérologiques, glycosurie (recherche du sucre), albuminurie (recherche d'albumine), sérologie de la rubéole et de la toxoplasmose si les examens biologiques précédents étaient négatifs.

Cette visite comporte la possibilité de s'entretenir avec une sage-femme ou un professionnel de la périnatalité sur d'éventuelles difficultés psychologiques ou sociales.

Cette consultation complémentaire s'adresse à la future maman mais aussi au futur père. Elle complète les informations recueillies lors des premiers examens prénataux. Les questions abordées sont diverses : comment vivent-elles les modifications de leur corps ? Sont-elles soutenues affectivement ? Sont-elles inquiètes de l'accueil du nouveau-né par ses frères et sœurs ?

Au cours de cette rencontre, les futures mamans peuvent exprimer leur souhait en matière de techniques d'accouchement.

Un bon dépistage des situations délicates ?

Le premier bilan de cette nouvelle consultation montre que l'entretien dure en moyenne une heure, que 8 % des futures mamans vivant en situation d'insécurité psychologique se sont vues proposer une consultation spécialisée et que 78 % ont pu faire part de leurs inquiétudes.

Par contre, un certain nombre de professionnels pensent que cette visite ne résoudra pas le problème délicat des futures mamans qui, en raison de leur jeune âge, de leur isolement ou de leur situation sociale de grande précarité ne viennent à aucune consultation, échappant ainsi à tout suivi et à toute prévention.

Certaines de ces femmes peuvent avoir des problèmes médicaux graves mettant leur vie et celle de leur enfant en danger, mais elles ont presque toutes des difficultés psychiques qui vont influencer leur manière d'être parent. Certaines recherches, notamment celle du médecin psychanalyste et psychothérapeute allemand Ludwig Janus, montrent l'importance de la psychologie prénatale et de la psychohistoire dans le devenir des enfants. Il développe l'idée que les émotions de la mère sont transmises au futur bébé qui s'en sert pour construire des schémas de comportement physiologiques et émotionnels. Il milite pour une prise en charge globale de la grossesse. ▪

1ᵉʳ MOIS

2ᵉ MOIS

3ᵉ MOIS

4ᵉ MOIS

5ᵉ MOIS

6ᵉ MOIS

7ᵉ MOIS

8ᵉ MOIS

9ᵉ MOIS

LA NAISSANCE

LES 1ᵉʳᵉˢ SEMAINES DE MAMAN

LES 1ᵉʳˢ SEMAINES DE BÉBÉ

GROSSESSES DIFFÉRENTES

ANNEXES

Émotions et craintes

Dans le panel d'émotions que ressentent les femmes devant la deuxième échographie, certaines disent éprouver une sensation particulière lorsqu'elles voient les mains, le cœur ou le visage de leur enfant, parties du corps éminemment symboliques chez l'être humain. D'autres encore, qui ont mal vécu la première échographie parce qu'elles n'étaient pas prêtes alors à voir leur enfant, ne seront pas plus satisfaites par cette deuxième visualisation.

Elles pensaient regarder leur bébé vivre en elles et on ne leur montre qu'un enfant tronqué qu'elles ont le plus grand mal à visualiser. La plupart des parents au sortir d'une échographie se demandent toujours si le médecin leur cache quelque chose. Il semble que ce sentiment soit nettement atténué lorsque les parents repartent avec un compte rendu dûment rédigé, et quelques clichés. Enfin, certains parents s'étaient réjouis de cette rencontre avec leur bébé. Aussi, devant le peu d'enthousiasme de l'échographiste qui pratique cet examen à longueur de journée, ils sont déçus qu'il n'ait rien d'étonnant à leur raconter. ◾

Le bébé pas à pas

Pourquoi l'examen morphologique du futur bébé semble aussi décousu aux parents ? En effet, il n'est pas rare que l'échographiste passe de l'examen du cœur au pied droit et du cerveau au pied gauche. Tout cela est « de la faute » du bébé. Au cours de l'examen il bouge et, en changeant de position, masque ou découvre une partie de son anatomie. Le rôle de l'échographiste est alors de réagir au plus vite pour saisir au bon moment l'organe le mieux placé pour être échographié. Mais rassurez-vous, il a une liste de points à observer, établie à l'avance et de manière impérative. Il « observera » la tête et notamment le cerveau et la face, le thorax avec le cœur, les poumons, l'aorte et l'artère pulmonaire, l'abdomen avec l'appareil digestif et l'appareil urinaire. Mais aussi les membres, la peau, la colonne vertébrale, l'appareil génital. Il étudiera encore les mouvements du fœtus, le placenta, le liquide amniotique, les membranes et le cordon ombilical. ◾

▮ MON AVIS

La miniaturisation des fibres optiques permet aujourd'hui d'introduire une fibre de 1 mm de diamètre dans le canal de l'aiguille d'amniocentèse et ainsi, sans geste supplémentaire, de visualiser parfaitement le fœtus. La fœtoscopie permet donc de guider certaines interventions telles qu'un prélèvement de peau ou d'intervenir quand, en cas de grossesse gémellaire compliquée, une coagulation de certaines veines du placenta est nécessaire.

C'est encore une technique d'exception. La fœtoscopie permet une certaine chirurgie in utero. Mais ce geste médical ne peut être réalisé que dans un centre ultra spécialisé et il n'est pas sans risque. ◾

La deuxième échographie

1ER MOIS

2E MOIS

3E MOIS

4E MOIS

5E MOIS

6E MOIS

7E MOIS

8E MOIS

9E MOIS

LA
NAISSANCE

LES 1RES
SEMAINES
DE MAMAN

LES 1RES
SEMAINES
DE BÉBÉ

GROSSESSES
DIFFÉRENTES

ANNEXES

CETTE ÉCHOGRAPHIE DU DEUXIÈME TRIMESTRE EST DITE DE MORPHOLOGIE.
Elle a pour but de localiser le placenta, de contrôler la croissance du bébé et de dépister d'éventuelles malformations ; c'est pourquoi l'échographie va visualiser au maximum les contours des organes et des membres. Elle dure 30 min environ, le temps de bien examiner toute l'anatomie de votre bébé.
Cette échographie installe l'enfant dans un rôle de personne, un patient même, sur lequel le médecin peut déjà pratiquer des prélèvements, voire même des soins si cela était nécessaire.

Tout dépend de la position

C'est au cours de cette échographie que l'on peut ainsi généralement déterminer le sexe de votre enfant, à condition qu'il soit dans une position favorable. Malgré tout, les erreurs d'interprétation restent nombreuses. Il est, certes, plus facile de reconnaître un garçon qu'une fille, cependant, la fente vulvaire est aussi visible que le pénis et les testicules du petit garçon.

Cette échographie est perçue de manière très différente selon les mamans. Bien sûr, elle leur permet de se représenter un peu mieux l'enfant. Alors que pour certaines, cette image est source de joie, l'occasion de retrouvailles, pour d'autres, au contraire, son intérêt est considérablement estompé par les émotions éprouvées lorsque l'enfant bouge en elles.

Il est vrai que l'image perçue peut apparaître comme décevante. Tout d'abord, elle n'est pas toujours de la qualité que l'on attendait. En effet, il existe une certaine inégalité de perméabilité des tissus d'une femme à l'autre et certaines futures mamans ne parviendront jamais à voir nettement leur bébé. De plus, la position de l'enfant au moment de l'examen ne permet pas toujours de visualiser ce que l'on avait rêvé de voir.

Enfin, la qualité et la pratique de l'échographiste jouent aussi un rôle. Il ne faut jamais confondre image échographique et image télévisée.

Une image morcelée

L'enfant peut ne pas être entièrement visible en raison de sa taille. Le médecin ne peut le cadrer que par petits morceaux. Cette approche parcellaire est même souvent cause d'inquiétude. Est-il bien fait ? Ne lui manque-t-il rien ? Pourquoi l'échographie ne peut-elle représenter telle ou telle partie de son corps ? Certaines futures mamans se posent donc quantité de questions sur ce qu'elles n'ont pas vu, tandis que, pour d'autres, cet enfant morcelé est bien loin de celui imaginé (p. 151), celui qui bouge en elles, qu'elles caressent et avec lequel elles aiment jouer.

L'échographiste, un spécialiste

Il doit avoir une connaissance parfaite de l'anatomie du corps humain et du développement du fœtus, mais aussi une bonne expérience des images ultrasoniques. C'est, en général, un médecin spécialiste. Certaines sages-femmes ont aussi cette spécialité. ■

La santé de votre bébé

IL EST POSSIBLE AUJOURD'HUI DE FAIRE TRÈS TÔT UN BILAN DE LA SANTÉ DE VOTRE FUTUR BÉBÉ : c'est ce que l'on appelle « la médecine fœtale ». En cas de nécessité, vous pouvez avoir recours au centre de médecine prénatale de votre région pour un avis. Les différents examens ont pour but la recherche des risques génétiques et les malformations qui s'ensuivent.

Pourquoi de tels examens ?

Plusieurs raisons motivent ces investigations : vos antécédents médicaux ou familiaux, mais essentiellement l'existence de signes révélateurs d'un mauvais développement du fœtus mis en évidence par la mesure de la hauteur utérine et surtout par des anomalies décelées au cours de l'échographie (p. 161). Le doute qu'il existe une anomalie peut naître de manière inopinée, par exemple à la suite d'une deuxième échographie (p. 75) ou à partir d'une simple analyse du sang de la mère (p. 33).

Le dépistage hormonal

Le prélèvement d'un peu de sang maternel va donner de précieuses indications. Il permet plusieurs dosages dont le croisement donnera une information plus précise sur le développement du fœtus. Les biologistes dosent une hormone, la bêta HCG. Ce dosage est effectué entre la 14e et la 17e semaine d'aménorrhée, si le triple test n'a pas été pratiqué à 12 semaines (p. 114), et permet d'informer les parents d'un risque de trisomie.

Message fœtal

Un autre dosage donne un complément d'informations, celui de l'alpha-fœtoprotéine. Les biologistes recherchent alors une substance protéidique produite par le fœtus et que l'on peut retrouver dans le sang maternel grâce aux échanges placentaires. Le taux de cette protéine évolue tout au long de la grossesse. S'il augmente de manière importante, cela indique vraisemblablement une malformation digestive, rénale ou, plus fréquemment, du système nerveux central. Il convient de recourir à l'amniocentèse pour en savoir un peu plus (p. 115). Il existe d'autres « marqueurs » et on peut penser que, dans l'avenir, ils se multiplieront.

Si les « doutes » sur le bon développement du futur bébé donnent des inquiétudes de manière plus tardive, vers la 22e ou la 24e semaine, les médecins peuvent souhaiter faire une analyse du sang du fœtus.

Le prélèvement du sang fœtal dans le cordon

Cet examen, pratiqué par des équipes médicales spécialisées, consiste à prélever in utero un peu de sang de la veine du cordon ombilical. Il peut se pratiquer dès 18 semaines de grossesse et jusqu'à la veille de l'accouchement. Pour réaliser ce prélèvement, le médecin introduit par voie transabdominale un appareil optique, un endoscope. Il va servir à guider une très fine aiguille vers le cordon ombilical. Cet examen n'est pas sans risques, notamment de fausse couche. On l'estime à 1 ou 2 % lorsqu'il est fait dans des conditions optimales. Aujourd'hui, la fœtoscopie tend à disparaître ; en effet, l'échographie étant de plus en plus fiable, les médecins pratiquent les prélèvements ou les soins sur le fœtus en observant son image, celle-ci servant à guider l'aiguille.

Le prélèvement de sang fœtal permet le diagnostic des principales maladies hématologiques, des anomalies héréditaires telles que l'hémophilie A et B, et des anomalies chromosomiques. Il permet également de détecter toute maladie infectieuse telle que la toxoplasmose et la rubéole (pp. 33 et 91). De plus, l'analyse du sang autorise des résultats beaucoup plus rapides que celle du liquide amniotique (amniocentèse, voir photo ci-contre). Il faut seulement 48 heures de délai pour confirmer ou infirmer un soupçon. C'est d'autant plus intéressant dans les cas d'anomalies découvertes tardivement.

Cet examen n'est pas douloureux pour la future maman et ne demande pas d'hospitalisation. Néanmoins, il est pratiqué avec beaucoup de discernement ; en effet, il n'est pas sans danger pour la poursuite de la grossesse. On lui préfère, sauf urgence de diagnostic, l'amniocentèse. Il s'impose pour un diagnostic de maladies génétiques au cours du deuxième ou du troisième trimestre de grossesse ou en cas d'urgence face à une attaque infectieuse, par exemple si la future maman a contracté la toxoplasmose ou la varicelle (pp. 33 et 91) et que les médecins veulent savoir si le fœtus a été atteint par le virus pour mettre rapidement en place un traitement. ▪

1ᴱᴿ MOIS

2ᴱ MOIS

3ᴱ MOIS

4ᴱ MOIS

5ᴱ MOIS

6ᴱ MOIS

7ᴱ MOIS

8ᴱ MOIS

9ᴱ MOIS

LA NAISSANCE

LES 1ᴿᴱˢ SEMAINES DE MAMAN

LES 1ᴿᴱˢ SEMAINES DE BÉBÉ

GROSSESSES DIFFÉRENTES

ANNEXES

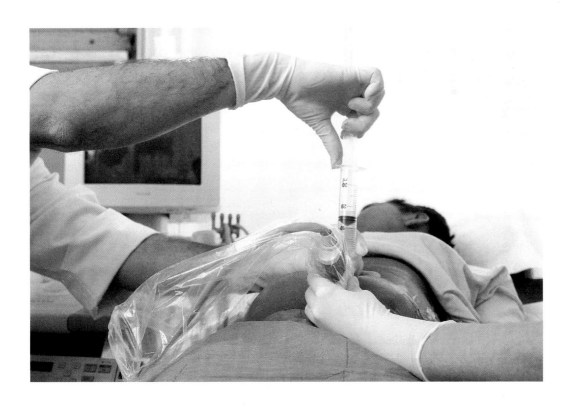

Comment se forment-elles ?

La peau est formée de trois couches successives, l'épiderme que nous voyons, le derme et l'hypoderme. L'épiderme est constitué de la couche cornée en perpétuel renouvellement ; le derme est fait de tissus conjonctifs, formés de fibres d'élastine et de collagène. C'est lui qui est le soutien de la peau. En profondeur, l'hypoderme est constitué de tissus graisseux.

On a longtemps cru que les vergetures étaient dues à une modification de la nature des fibres élastiques et du collagène du derme qui, sous l'effet d'une tension inhabituelle, se distendaient et se cassaient. On estime aujourd'hui qu'il s'agit plutôt de l'effet des hormones. En effet, certaines adolescentes sous l'effet des changements hormonaux de la puberté voient leur peau se marquer de vergetures, alors qu'elles ne sont ni enceintes, ni sujettes à une augmentation de poids. Tout comme elles, les futures mamans sont sous l'emprise de grands changements hormonaux, œstrogènes, progestérone et cortisone en fin de grossesse. De plus, des analyses de peau montrent que l'atteinte est plus profonde et que l'hypoderme est aussi atteint. Ce qui explique qu'il est plus efficace de les prévenir que de les guérir et cette prévention passe par la recherche d'une peau souple et bien hydratée ainsi que par une prise de poids raisonnable. ▪

Des micro-cristaux

Un appareil vient d'être mis au point par des dermatologues : le Skin Renewing. Il projette au niveau du derme des microcristaux pour stimuler le renouvellement cellulaire. Ainsi, le derme et l'épiderme se reconstituent et atténuent les vergetures. Pour être efficace, le traitement doit se faire en plusieurs séances et dans les trois mois qui suivent l'accouchement. Il est indolore et peut, dans les cas les plus spectaculaires, être pris en charge par la Sécurité sociale. Le nombre et la durée des séances sont variables en fonction de l'état de la peau. Mais si après l'accouchement les marques restent trop importantes, il est toujours possible d'avoir recours à la chirurgie esthétique. Mais sachez que cette réparation ne passe pas totalement inaperçue. ▪

Crèmes et massages

La cosmétique offre différents produits destinés à prévenir l'apparition des vergetures. Plus tôt la prévention est entreprise, meilleurs sont les résultats. Elle ralentit notamment leur apparition. Vous trouverez des crèmes, des gels et des solutés. Ces derniers sont plus concentrés en principes actifs, les gels ont toujours un effet agréablement rafraîchissant et les crèmes sont parfaites pour les massages qui activent la microcirculation et favorisent les échanges cellulaires. Pour être efficace, une crème doit être correctement appliquée. Qu'elle le soit à la main ou à l'aide d'appareils spécifiques (généralement vendus avec les crèmes amincissantes), prenez votre temps, c'est aussi un moment de détente.

– Le massage du ventre : à partir du nombril en tournant de plus en plus largement vers les hanches.

– Les fesses : toujours par un massage circulaire du bord de la fesse vers la hanche.

– Les jambes : de la cheville à la cuisse en remontant le long des muscles comme on le fait pour enfiler des bas.

– Les cuisses : en massant de l'intérieur vers l'extérieur, de bas en haut avec de larges mouvements circulaires. ▪

Opération antivergetures

1ER MOIS

2E MOIS

3E MOIS

4E MOIS

5E MOIS

6E MOIS

7E MOIS

8E MOIS

9E MOIS

LA NAISSANCE

LES 1RES SEMAINES DE MAMAN

LES 1RES SEMAINES DE BÉBÉ

GROSSESSES DIFFÉRENTES

ANNEXES

BEAUCOUP DE JEUNES MAMANS craignent de voir leur peau se marquer de vergetures. Cette préoccupation est justifiée puisque huit femmes sur dix constatent leur apparition au moment de la grossesse et ont bien des difficultés à les atténuer.

Leurs manifestations

Elles se manifestent par des petites traces blanches, semblables à des petites cicatrices qui peuvent survenir en 24 heures et sont malheureusement indélébiles. Leur taille est variable d'une grossesse à l'autre. Elles sont dues à une rupture des fibres élastiques du derme et laissent sur la peau une cicatrice plus ou moins large, de 0,2 à 1 cm sur une longueur de 5 à 15 cm. Elles apparaissent en deux temps. Vous observerez d'abord sur votre peau des petites lignes violacées et marquées. Vous pouvez même sentir quelques démangeaisons. C'est la phase inflammatoire.

Une marque blanche nacrée

Quelques mois plus tard, votre peau va redevenir progressivement blanche et se creuser légèrement : la vergeture s'est installée sous l'aspect d'une cicatrice blanchâtre. L'épiderme, aminci à cet endroit, devient lisse et brillant, marqué de tout petits plis. C'est la cortisone sécrétée par les glandes surrénales qui les provoque. Elles se localisent bien souvent sur le ventre, les hanches, le haut des cuisses et même sur les seins. Elles ont tendance à apparaître un peu plus fréquemment après les 6e et 7e mois mais peuvent, dans certains cas, être présentes bien avant. Ainsi, les peaux jeunes semblent y être plus sensibles, ainsi que les peaux blanches et fines. Vous limiterez leur nombre en ne prenant pas trop de poids et en traitant préventivement votre peau avec des crèmes spécifiques. La plupart d'entre elles contiennent des extraits tissulaires tels que collagène et élastine, des vitamines A, E et F, des huiles végétales et des plantes comme le lierre et la prêle. Leurs différents composants sont destinés à agir sur la peau pour en améliorer la résistance et l'élasticité.

Des soins réguliers

Pour être parfaitement efficaces, ces crèmes doivent être appliquées tous les jours, sous la douche en massage ferme, la peau peut même légèrement rougir. Le massage fait partie intégrante du soin, il stimule la circulation en surface et contribue à restaurer l'élasticité de la peau. Un léger gommage pour le corps, une fois par semaine, assure une parfaite pénétration du produit. Ajoutez aux soins locaux une hydratation de tout votre corps, seule solution pour entretenir son collagène. Vous avez à votre disposition des huiles à base d'amande douce, d'avocat ou de germe de blé et des laits hydratants pour le corps. Enfin, ne soyez pas étonnée de constater, après votre accouchement, lors de vos premiers bains de soleil, que les vergetures ne bronzent pas. Il faudra attendre un peu pour que la peau reprenne toute sa capacité à dorer au soleil mais il restera toujours quelques marques plus ou moins visibles selon les natures de peau. ■

Les problèmes circulatoires

C'EST SURTOUT PENDANT LA GROSSESSE QU'ILS SE MANIFESTENT POUR LA PREMIÈRE FOIS. Le plus classique est la sensation de jambes lourdes. Le meilleur traitement, simple mais efficace, consiste à vivre le plus souvent possible les jambes surélevées et tout particulièrement pendant le sommeil.

Les traitements

En plus de surélever vos jambes régulièrement, vous pouvez utiliser des crèmes ou des gels contre les jambes lourdes qui, appliqués après une douche légèrement froide sur les jambes, décongestionnent et stimulent le tonus veineux. Certains de ces soins contiennent des extraits de plantes bien connues pour leurs vertus rafraîchissantes (menthol ou camphre). Au besoin, le port de bas défatigants pourra vous aider. Quant à celles qui souffrent d'œdème des chevilles ou des jambes, l'application d'huiles antieau, le soir après une douche pas trop chaude, permet d'y remédier avec une certaine efficacité.

Les crampes : sans gravité

La chaleur du lit, le ralentissement de la circulation au cours du sommeil, l'immobilité prolongée les expliquent. Un bon moyen d'éviter ces crampes, parfois très douloureuses, est de prendre de la vitamine B et de dormir les pieds surélevés. La bonne hauteur : 20 à 25 cm (ni plus, ni moins). Il faut surélever entièrement les pieds du lit (et pas seulement un côté), de manière à ce que jambes et pieds soient en parfaite extension. Glisser simplement un oreiller sous ses pieds ne sert à rien. Lorsque vous souffrez d'une crampe au mollet, massez-le de bas en haut ; si elle s'est installée dans le pied, redressez-le à la perpendiculaire vers votre jambe. Mieux vaut, dans les deux cas, vous lever et poser votre pied sur une surface plane et froide ; en appuyant dessus, vous détendez le muscle du mollet.

Les varices : souvent temporaires

D'autres problèmes circulatoires peuvent être plus ennuyeux. L'apparition de varices au moment de la grossesse est normale. Bien qu'elles soient temporaires, on craint toujours de les voir s'installer définitivement. Elles apparaissent de manière très variable suivant les femmes, souvent au cours du premier trimestre et généralement en quelques jours, presque brutalement. Elles s'installent un peu n'importe où sur la jambe, aux endroits où habituellement on ne les trouve pas : face latérale de la jambe ou de la cuisse, bord du pied, bord inférieur de la fesse.

L'importance de leur apparition au cours de la première grossesse est le plus souvent liée à un terrain favorable hérité de l'un des parents, voire des deux. Les hormones de la maternité, œstrogènes et progestérone, semblent en être la cause, surtout les premiers mois. Généralement, 70 % des varices apparaissent avant le 6e mois. Après, elles sont dues à la prise de poids. L'augmentation du volume de l'utérus et le développement du bébé gênent la circulation du sang dans les vaisseaux sanguins profonds du ventre et dans la zone vulvaire. Elles sont disgracieuses et peuvent provoquer une gêne qui n'est pourtant pas dangereuse.

1ᴱᴿ MOIS

2ᴱ MOIS

3ᴱ MOIS

4ᴱ MOIS

5ᴱ MOIS

6ᴱ MOIS

7ᴱ MOIS

8ᴱ MOIS

9ᴱ MOIS

LA NAISSANCE

LES 1ᴿᴱˢ SEMAINES DE MAMAN

LES 1ᴿᴱˢ SEMAINES DE BÉBÉ

GROSSESSES DIFFÉRENTES

ANNEXES

Quand faut-il traiter ?

Ces varices ne sont ni moins ni plus douloureuses que les varices normales. Les sensations qu'elles procurent vont de la lourdeur des jambes aux brûlures, crampes, démangeaisons, fourmillements, voire aux douleurs réelles. Les phlébologues s'accordent à penser qu'il ne faut traiter ces varices que si elles sont douloureuses. Un traitement tout à fait particulier de toniques veineux ou de phlébotoniques à base essentiellement de plantes et de vitamines est alors prescrit. Dans les cas extrêmes, le médecin aura recours à une injection de produit sclérosant. Il n'y a aucun risque pour le fœtus, le produit utilisé n'ayant qu'un effet local. Une première grossesse sans varices ne signifie en rien que les autres maternités n'en provoqueront pas. Bien des phénomènes peuvent intervenir : l'âge, le changement de style de vie, le nouvel équilibre hormonal. Il est pourtant une certitude : les grossesses multiples sont toujours un phénomène aggravant dans leur apparition. Dans ce cas, les varices sont dues à la répétition de la pression importante des vaisseaux sanguins au niveau du ventre.

À cela s'ajoute le ralentissement de l'exercice physique qu'entraîne toujours la grossesse. Enfin, la chaleur, notamment les bains chauds, les bains de soleil ou l'épilation à la cire ainsi qu'une prise de poids de 15 à 20 kg favorisent leur venue. Les toniques veineux peuvent vous soulager, sans inconvénient pour le futur bébé, ils doivent être prescrits par le médecin. Enfin, renoncez à l'épilation à la cire chaude, elle est fortement déconseillée, préférez-lui les crèmes, les appareils électriques. Il existe de très nombreuses solutions. ■

Comme un poisson dans l'eau

Fatiguée, stressée, lourde, autant de raisons d'essayer la relaxation en piscine. Dans le cadre d'une préparation à l'accouchement ou pratiquée de manière individuelle, cette méthode fait merveille. Elle ne nécessite aucun exercice compliqué : il suffit tout simplement de se laisser flotter, soutenue ou non par un matelas de mousse.

Le poids du corps disparaît, l'effet kinesthésique de l'eau le long du corps, le balancement des petites vagues suffisent pour retrouver son calme. Bien-être et détente sont toujours constatés ; bien des futures mamans disent que c'est aussi un merveilleux moyen de lutter contre les insomnies. De plus ; la relaxation en piscine est très appréciée en fin de grossesse lorsque le corps se fait particulièrement encombrant.

Une bonne position pour vous sentir totalement relaxée est de vous laisser porter par l'eau tout en respirant doucement : faites la planche, genoux légèrement fléchis et tournés vers l'extérieur (en semi-grenouille) talon contre talon, une main sur le haut du ventre, l'autre à la hauteur du pubis, la nuque souple et relâchée, les yeux fermés. ∎

Se relaxer par autosuggestion

La méthode de Johannes Schultz repose sur la relaxation par autosuggestion. Son principe : donner à son corps une série d'ordres, notamment autosuggérer des sensations de pesanteur et de chaleur. Cette concentration entraîne une distanciation vis-à-vis des sensations extérieures et apporte une bonne détente.

Chaque partie du corps est passée mentalement en revue. À chaque fois, la future maman s'y attarde et imagine ressentir une sensation de « lourdeur » puis de « chaleur ». Il a été prouvé scientifiquement que cette sensation de pesanteur devient effective parce que le muscle se détend et que la sensation de chaleur vient de la dilatation des vaisseaux sanguins. La température de la peau augmente alors de deux degrés.

En quatre mois, l'apprentissage de ces six cycles est normalement acquis et la future maman peut parvenir seule à la détente totale. Mais l'apprentissage ne peut pas se faire sans l'assistance d'un praticien. ∎

Vivre cool

Adoptez dès maintenant un autre rythme de vie. Si vous travaillez, reposez-vous le week-end. Si vous avez d'autres enfants, confiez-les pour un après-midi de détente. Si vous n'avez pas d'aide à domicile, sachez que vous pourrez faire appel à une entreprise spécialisée dans certains gros travaux domestiques. Repérez les commerces livrant à domicile et faites vos courses sur Internet. Pensez encore à interroger votre mairie, peut-être pourrez-vous bénéficier d'une aide familiale.

Il est préférable de vivre une grossesse sans stress. Rassurez-vous, cela n'a pas de conséquences sur le développement du fœtus, mais réfléchissez dès maintenant au pourquoi de votre anxiété. Mieux vaudrait qu'elle ait disparu à la naissance pour ne pas perturber le développement de votre bébé. ∎

La relaxation

1ER MOIS

2E MOIS

3E MOIS

4E MOIS

5E MOIS

6E MOIS

7E MOIS

8E MOIS

9E MOIS

LA NAISSANCE

LES 1RES SEMAINES DE MAMAN

LES 1RES SEMAINES DE BÉBÉ

GROSSESSES DIFFÉRENTES

ANNEXES

SI VOUS NE CONNAISSIEZ PAS LES BIENFAITS DE LA RELAXATION avant votre grossesse, c'est vraiment le moment approprié pour en découvrir tous les avantages. La relaxation est idéale pour retrouver son calme et sa forme. D'ailleurs, elle fait partie de pratiquement toutes les préparations à l'accouchement, car c'est une aide précieuse le moment venu.

Décontraction musculaire

À la base de la relaxation : la connaissance de son corps et de son interaction avec l'esprit. Une bonne pratique s'obtient de préférence dans le calme et la pénombre. La relaxation profonde est bien différente des moments de détente et de farniente. En effet, même au repos et malgré les apparences, les muscles et le système nerveux restent sous tension ; la relaxation doit permettre une détente maximale. Elle s'obtient par une baisse des stimuli, grâce à l'immobilité, à la concentration sur soi et au silence. Bien maîtrisée, on constate une décontraction de tous les muscles du corps, ceux qui animent notre squelette et ceux qui régissent nos organes. La respiration joue aussi un rôle important, une bonne ventilation pulmonaire apporte une parfaite oxygénation de notre sang et entraîne une grande sensation de bien-être.

La relaxation progressive

Il existe de nombreuses méthodes de relaxation. Bien qu'elles aient des pratiques différentes, elles tendent toutes au même résultat. Parmi les plus connues, il faut citer la relaxation progressive d'Edmund Jacobson. Elle s'appuie sur les phénomènes électriques qui tendent plus ou moins les fibres de nos muscles ; ils se modifient en intensité au gré de notre état mental.
Sa méthode tend donc à supprimer les tensions musculaires. La première étape consiste à percevoir mentalement les différents états physiologiques qui nous gouvernent. Pour y parvenir, il faut vous exercer à contracter et décontracter vos muscles afin que vous soyez consciente de leur état d'effort et de leur état de détente. À chaque séance de relaxation, vous vous concentrez successivement sur différents groupes musculaires de votre corps. Au bout de quelques semaines, vous pouvez même agir sur la musculature de vos organes internes. ∎

Exercices pratiques

VOICI QUELQUES POSTURES « SPÉCIALES FUTURES MAMANS » QUI PEUVENT VOUS AIDER À TROUVER UN PEU DE DÉTENTE.

Voici la position la plus classique pour la femme enceinte : couchée sur le côté, un coussin sous la tête, une jambe repliée (droite ou gauche selon le confort de chacune), un ou deux coussins sous cette jambe à la hauteur du genou. Dans cette position, décontractez tous les muscles du corps.

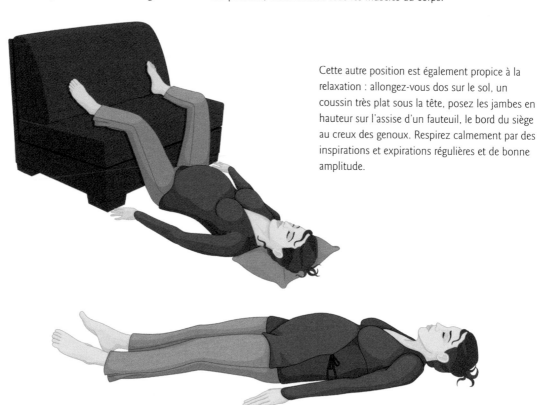

Cette autre position est également propice à la relaxation : allongez-vous dos sur le sol, un coussin très plat sous la tête, posez les jambes en hauteur sur l'assise d'un fauteuil, le bord du siège au creux des genoux. Respirez calmement par des inspirations et expirations régulières et de bonne amplitude.

Une autre méthode consiste à s'allonger bien à plat sur le sol, la tête non surélevée, dans le prolongement de la colonne vertébrale. Le dos doit être plaqué contre le sol, les jambes à peine écartées, les chevilles et les pieds souples, les bras légèrement écartés du tronc, la paume des mains vers le sol, les yeux fermés. Faites-vous la plus lourde possible comme pour entrer dans le sol, puis prenez conscience mentalement des différentes parties de votre corps.

Dos et tête soutenus, bras et jambes légèrement écartés, un coussin sous les genoux, cherchez la sensation de lourdeur dans votre corps.

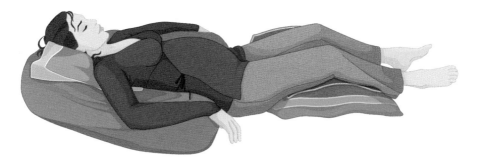

Vous pouvez aussi demander à votre conjoint de vous aider à pratiquer correctement ces deux exercices respiratoires en maintenant votre cage thoracique ou vos omoplates. Les deux exercices qui suivent vous seront utiles au moment de l'accouchement.

Assise en tailleur, pratiquez une respiration profonde, ample et régulière ; elle vous aidera lors de l'accouchement, au début et à la fin des contractions.

Assise en tailleur, essayez la respiration artificielle bouche ouverte, de façon légère et rapide, avec un temps d'inspiration égal au temps d'expiration. Elle vous aidera pendant les contractions.

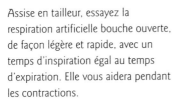

1ᴱᴿ MOIS

2ᴱ MOIS

3ᴱ MOIS

4ᴱ MOIS

5ᴱ MOIS

6ᴱ MOIS

7ᴱ MOIS

8ᴱ MOIS

9ᴱ MOIS

LA NAISSANCE

LES 1ᴿᴱˢ SEMAINES DE MAMAN

LES 1ᴿᴱˢ SEMAINES DE BÉBÉ

GROSSESSES DIFFÉRENTES

ANNEXES

Une préparation en douceur

LA MATERNITÉ PROVOQUE EN VOUS DE PROFONDS CHANGEMENTS. Psychiquement, vous vous sentez différente, vous avez sans doute le sentiment que votre vie change, qu'elle prend une autre dimension. C'est sans doute un des moments où vous serez le plus disponible pour découvrir les bienfaits et l'intérêt du yoga.

Les bienfaits du yoga

Il va vous permettre de développer votre sensibilité et de mieux préparer la naissance de votre futur bébé. Il faut savoir qu'une bonne préparation à la naissance par le yoga se fait en douceur et sur plusieurs mois. L'idéal étant d'en pratiquer un peu chaque jour. Ainsi vous obtiendrez la détente, le contrôle de la respiration, la connaissance des mécanismes physiques et psychiques qu'il vous promet. Si vous êtes débutante, ne vous imposez aucun temps précis d'exécution des postures et cherchez toujours la position de départ la plus confortable.

Respirez puis bougez

Tout exercice commence par une prise de conscience de votre respiration. Assise en tailleur, un pied près du pubis, l'autre pied s'emboîtant dans la cheville du premier, étirez la colonne vertébrale, ouvrez bien votre poitrine vers l'avant, vos bras et vos mains sont détendus, le visage aussi. Posez d'abord vos mains sur vos genoux, paumes vers le ciel. Respirez par le nez et observez les mouvements de votre corps sous l'effet de la respiration : le buste s'ouvre à l'inspiration, se détend à l'expiration. Concentrez-vous et visualisez votre diaphragme, puis estimez son périmètre. Respirez ainsi plusieurs minutes calmement et régulièrement.

Pensez à votre bébé. Puis entraînez-vous à l'expiration la plus ample possible en prolongeant l'expulsion de l'air au maximum. Vous devez sentir votre diaphragme se relâcher vers le haut. ▪

Allongée sur le dos, repliez les genoux sous la poitrine. Prenez vos orteils et essayez de tendre vos jambes. Maintenez bien la colonne vertébrale plaquée au sol. En tenant cette posture quelques instants, vous sentirez le périnée se relâcher.

Asseyez-vous en pliant la jambe gauche devant vous et la jambe droite pliée derrière. Joignez les mains devant la poitrine et redressez le dos. Levez les bras en gardant les mains jointes. Inspirez. Soulevez le bassin pour vous mettre en position à genoux. Puis redescendez en expirant profondément. Répétez l'exercice en inversant les jambes.

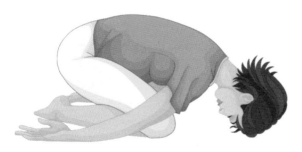

Agenouillez-vous et asseyez-vous sur les talons. Écartez les genoux, placez les bras le long du corps vers l'arrière, paumes vers le plafond, posez le front sur le sol. Conservez la posture quelques minutes pour étirer le dos.

Adoptez la même posture avec les mains placées à plat sur les reins et le menton posé au sol. Maintenez la posture pour étirer le dos et tonifier les muscles dorsaux.

Assise en tailleur, mains jointes devant la poitrine, étirez bien le dos en montant les bras vers le haut. Inspirez. Puis relâchez les bras en expirant profondément. Cette posture permet de travailler le dos et de se relaxer mentalement.

Peau plus sèche

Votre peau devient sèche ? Son film hydrolipidique ne produit ni assez de sébum en surface ni assez d'eau dans l'épiderme. La cause en serait une certaine rétention d'eau sous la peau, phénomène qui créerait alors un déficit en surface.

L'utilisation de produits particulièrement hydratants est indispensable pour ces peaux très sèches. Préférez les laits démaquillants et les toniques aux textures riches et onctueuses, ainsi que les crèmes à base d'huile de coprah ou de maïs. Les huiles, elles, ont été spécialement étudiées pour ne pas être désagréablement grasses. Elles sont également à base de plantes (santal, carotte, avocat...). Il existe même en pharmacie une crème spécifique peau sèche, spéciale future maman. Enfin, l'application, 2 à 3 fois par semaine, d'un masque de beauté complète efficacement ces soins. ■

Cheveux de nature changeante

Beaucoup de femmes constatent que leur grossesse améliore la nature de leurs cheveux : ils sont moins secs, moins fourchus grâce à l'apport d'œstrogènes ; la chute normale de remplacement est également ralentie, leur donnant un plus joli volume. Mais certaines, qui avaient déjà une nature de cheveux gras, voient, au contraire, leur problème s'accentuer. Le traitement est simple : des lavages fréquents avec un shampooing doux, non ionique. Dans la mesure du possible, évitez la chaleur du sèche-cheveux qui renforce le phénomène des cheveux gras. Mais quel que soit l'aspect de vos cheveux, et contrairement à ce que l'on raconte, teinture, décoloration ou permanente ne sont en rien déconseillées pendant la grossesse. ■

Soignez votre look

SI LA SILHOUETTE S'ALOURDIT, S'IL DEVIENT PARFOIS DIFFICILE DE SE SENTIR SÉDUISANTE, il reste cependant un atout non négligeable pour l'affirmation de sa féminité : le visage et le jeu du maquillage. Le teint d'une future maman est souvent resplendissant, pourquoi ne pas en profiter ?

Avoir bonne mine

Il est préférable que vous abandonniez les fonds de teint, qui ont toujours tendance à accentuer les cernes et les marques de fatigue, au profit de crèmes hydratantes teintées, beaucoup plus faciles à appliquer. Leur utilisation ne vous dispense toutefois pas d'utiliser comme base une crème hydratante ou antirides que vous laisserez bien absorber par la peau avant d'appliquer la crème teintée.

Si vous avez eu la main un peu lourde et que votre visage brille, attendez 2 à 3 min que la crème ait bien pénétré, puis éliminez le surplus à l'aide d'un papier absorbant en appuyant légèrement sur les ailes du nez, le front et le menton. Si votre peau a tendance à être brillante, choisissez une formule « allégée ».

Certains fonds de teint ont été formulés pour ne pas obstruer les pores de la peau et pour combattre les brillances. Avant leur application, posez sur votre peau une crème pour peau grasse et à tendance acnéique. Elle limitera la production de sébum et de bactéries.

N'hésitez pas à accentuer votre bonne mine par un peu de blush en crème, il est plus discret qu'en poudre. Choisissez-le un peu doré, un ton au-dessus de la carnation naturelle de votre peau. Pour les yeux, la simplicité : poudre à paupière beige ou légèrement rosée, mascara foncé (noir, vert, gris ou marron). Pour les agrandir, un trait d'eye-liner, du milieu de la paupière au bord extérieur. Pour les lèvres, utilisez votre couleur habituelle en choisissant peut-être un ton un peu plus doux.

Des senteurs fraîches et légères

Côté parfum, préférez à cet instant de la vie les senteurs fraîches, fleuries ou citronnées. Attention, les futures mamans transpirant beaucoup, certains parfums peuvent virer.

Vous pouvez encore avoir l'impression que votre parfum « ne tient pas ». N'en croyez rien, c'est en fait votre odorat qui, sous l'effet des hormones, diminue ou se transforme. C'est pourquoi certaines odeurs semblent inexistantes alors que d'autres deviennent dérangeantes (p. 57). Tout rentrera dans l'ordre après votre accouchement. N'hésitez pas à glisser dans votre sac un déodorant ou un brumisateur d'eau minérale, c'est idéal pour vous rafraîchir dans la journée.

Ongles fragiles

Il n'est pas rare que les ongles deviennent également fragiles et cassants. Taillés courts, bien limés, protégés par un vernis durcisseur, ils seront déjà plus résistants. Si vraiment leur état s'aggrave, la prise de gélules de gélatine (vendues en pharmacie) améliorera nettement leur état et il n'y a aucun risque pour votre bébé. ∎

1ER MOIS

2E MOIS

3E MOIS

4E MOIS

5E MOIS

6E MOIS

7E MOIS

8E MOIS

9E MOIS

LA NAISSANCE

LES 1RES SEMAINES DE MAMAN

LES 1RES SEMAINES DE BÉBÉ

GROSSESSES DIFFÉRENTES

ANNEXES

La sexualité *en savoir plus*

Sexualité : calme et volupté

C'est sans doute entre le 3e mois et le début du 3e trimestre que la sexualité de votre couple pourra le mieux s'exprimer ; les craintes quant au déroulement de la grossesse s'estompent, et vous n'êtes pas encore trop gênée par votre corps ni par la fatigue.

Au début du 4e mois, les tissus du vagin et tous ceux de l'appareil génital ont une configuration qui sera la même tout au long de la grossesse. Ils se sont épaissis, sont congestionnés, leur état est très proche de celui induit par l'excitation sexuelle. À cela s'ajoute une plus grande humidification de la région vaginale.

Ces bouleversements organiques s'assortissent de changements psychiques : vous êtes bien dans votre peau, épanouie, sereine. Aussi, dans les deux mois qui vont suivre, la pression de l'utérus sur les organes génitaux va très souvent augmenter votre libido. ▪

Quelques inquiétudes

La modification de l'organisme féminin au cours des mois va entraîner une adaptation des rapports sexuels. Elle sera peut-être nécessaire à partir du 6e mois. Mais quelle que soit la façon de faire l'amour, l'enfant ne peut être comprimé dans le ventre maternel car il est parfaitement protégé par le liquide amniotique.

Bien sûr, le regard que porte l'homme sur le corps transformé de sa femme entraîne des modifications dans le comportement sexuel du couple. Pour les uns, rien n'est plus beau que le corps féminin magnifié par la maternité. Pour d'autres, c'est le contraire. Ils ne supportent pas de voir le corps de leur épouse s'arrondir, se déformer... leur désir peut en souffrir. ▪

Quelques précautions

En cas de grossesse difficile, notamment si les rapports sexuels entraînent de fortes contractions, les relations peuvent être déconseillées ou tout au moins ralenties.

C'est le médecin qui, à la suite de l'examen de la future maman, pourra donner quelques conseils. Même le cerclage du col n'interdit pas les relations conjugales ; seules quelques précautions sont à respecter.

Avoir des relations sexuelles satisfaisantes pendant le déroulement de la grossesse permettra d'éviter les troubles de la sexualité de l'après-maternité. ▪

Les couples dans le monde

Sexualité et maternité sont vécues différemment à travers le monde. Suivant les latitudes, la sexualité est taboue et entrave le bon développement de l'enfant alors que pour d'autres le bébé, pour bien pousser, doit être souvent arrosé du sperme paternel. Dans les régions du globe ayant perdu leurs traditions ancestrales, les sexologues nous révèlent que seulement 10 % des couples conservent alors une sexualité normale. 50 % des couples cessent progressivement leurs relations et 40 % ont des rapports beaucoup plus épisodiques. Ces modifications dans le comportement sexuel du couple annoncent souvent des bouleversements dans leurs relations après la naissance de l'enfant. ▪

Un sentiment de plénitude

À PARTIR DU 4ᵉ OU DU 5ᵉ MOIS, VOUS VOUS SENTEZ MIEUX. Vous ne ressentez plus l'inquiétude d'une fausse couche précoce et vous n'êtes pas encore trop angoissée par la crainte d'un accouchement prématuré. Vous sentez l'énergie vous revenir et vous poursuivez naturellement vos activités.

Un retour sur soi

Cette impression se confirme sur le plan physiologique, votre corps ne fournit plus les hormones indispensables au maintien de la grossesse, le placenta a pris le relais de l'ovaire, et cette « machine » extraordinaire travaille sans fatigue. Votre corps change, votre ventre s'arrondit, à vous de choisir de le montrer ou d'essayer encore de préserver le plus longtemps possible votre silhouette.

Les premiers mois, vos traits étaient tirés. Désormais votre visage s'éclaire, la prise de poids vous donne bonne mine, vraiment la grossesse vous réussit. De plus, les mouvements du bébé vous rassurent ; pour la première fois, vous sentez réellement cet enfant, vous savez qu'il vit en vous. Ses mouvements provoquent toujours votre émotion et votre joie. Ils sont la preuve tangible, vécue au plus profond de vous, qu'un petit être se développe bien dans votre chair. Ils ne suscitent pratiquement jamais d'inquiétude ; au contraire, ils tissent des liens puissants, le début du dialogue.

Ainsi, cette époque est marquée par un profond retour sur soi : la future maman s'observe, elle écoute son enfant, elle pense à lui. Des souvenirs d'enfance resurgissent ; l'amour qui, enfant, la liait à sa mère va profondément influencer ses sentiments pour le fœtus. Si elle était l'aînée d'une famille et qu'elle attend son premier enfant, elle revivra la façon dont elle a vécu ce rôle et l'attribue, sans doute, à son enfant.

Un désir de protection

Beaucoup de jeunes femmes éprouvent alors le besoin de resserrer les liens affectifs avec leur mère, à laquelle elles s'identifient (p. 28). On pense que l'amour maternel jaillit de cette gestation psychologique.

La future maman éprouve aussi un grand désir de protection. Elle a besoin des conseils de son mari et de son médecin. C'est également le moment où elle rêve de son enfant, lui donne un sexe, une couleur d'yeux et même lui prête des sentiments et des actions : « Il n'est pas content, il joue… » Au fil des jours un lien se tisse, de plus en plus fort. Elle ne dit plus « Je suis enceinte », mais « Je vais avoir un enfant » : véritable projection dans l'avenir, dans une autre vie.

Cependant, l'amour se nourrit d'échanges et, pour l'instant, ils n'existent pas. En fait, l'amour que la mère croit ressentir pour son enfant, c'est à elle-même qu'elle le porte. Ce qui explique un état de béatitude dont le père est souvent exclu. Il peut temporairement se sentir rejeté de ce couple mère- enfant, qui semble si bien vivre sans son aide. ■

« Efforcez-vous de partager vos sensations et vos émotions avec votre conjoint. Attendre à deux renforce le sentiment de fonder une famille. »

1ᴱᴿ MOIS

2ᴱ MOIS

3ᴱ MOIS

4ᴱ MOIS

5ᴱ MOIS

6ᴱ MOIS

7ᴱ MOIS

8ᴱ MOIS

9ᴱ MOIS

LA NAISSANCE

LES 1ᴿᴱˢ SEMAINES DE MAMAN

LES 1ᴿᴱˢ SEMAINES DE BÉBÉ

GROSSESSES DIFFÉRENTES

ANNEXES

La fratrie *en savoir plus*

Expliquer par l'image

De nombreux livres pour enfants sur l'arrivée d'un bébé à la maison sont édités. Rien de tel qu'un livre comme support pour expliquer aux aînés cette future naissance.

« Petit ours brun et le bébé » (à partir de 2 ans), éd. Bayard. C'est beaucoup de travail un nouveau bébé à la maison et quelques soucis.

«La petite reine» (à partir de 3 ans), éd. L'École des Loisirs Lutin poche. Que peut-on faire d'un petit prince quand on est une grande reine ? Après bien des essais, la petite reine lui trouvera une véritable occupation. Un livre plein de fantaisies et de couleurs.

«Un bébé, quelle aventure !» (à partir de 4 ans), éd. Bayard. Les sentiments d'un aîné mis à nu avant et après la naissance d'un autre enfant. Une analyse fine et drôle de la situation.

«Le Bébé» (à partir de 4 ans), éd. Gallimard Jeunesse 1re découverte. Les meilleurs moments de la vie avec un bébé : le biberon, le bain, la promenade et le doudou. Un livre informatif.

«Quand le nouveau bébé arrive, moi je m'en vais» (de 5 à 8 ans), éd. Duculot. Textes et images percutants, une approche non conformiste. Avec une suite : «On ne m'a pas demandé si je voulais une petite sœur». Il s'agit d'aider les aînés à vivre l'attente puis l'arrivée d'un bébé.

«Petit-Bleu et Petit-Jaune», éd. L'École des Loisirs. Un best-seller et un livre de base pour les tout-petits. Dès 2 ou 3 ans. Superbe histoire de deux taches de couleur qui, à force de s'aimer très fort, créeront un très joli «Petit-Vert».

«Beurk, un bébé» (dès 2 ans), éd. Milan. Tout le monde veut voir le bébé et s'attendrit à le regarder mais Marcelin trouve cet intrus bien ennuyeux car personne n'a plus le temps de jouer avec lui.

« Le petit frère de Zoé», éd. Albin Michel. Chez les zèbres de Lucy Cousin devenir l'aîné est un peu compliqué mais avec un peu de bonne volonté...

« Attendre un petit frère ou une petite sœur », éd. Gallimard collection Giboulée.
Bientôt un bébé s'installera à la maison, est-ce un garçon ou une fille ? Tout va changer dans la famille. Mais en attendant que fait le bébé dans le ventre de maman ?
Pour donner encore plus de vérité aux explications, le DVD *« l'Odyssée de la vie »* de Nils Tavernier aide les enfants à mieux comprendre les mystères de la vie et à répondre à bon nombre de leurs questions. ■

« Dis maman, comment on fait les bébés ? »

À cette question, mieux vaut répondre simplement et clairement. Employez les termes anatomiques exacts ; parlez de pénis et de vagin, nommez les spermatozoïdes et l'ovule en expliquant que ce sont deux graines qui donnent naissance à un fruit : le bébé. Cette question sera suivie, à plus ou moins de distance, d'autres sur la naissance et sur l'amour. Là aussi, des réponses claires et relativement succinctes doivent lui suffire. Les Hollandais, eux, ont trouvé une solution pour aider les parents à expliquer la venue d'un autre bébé dans la famille. Les futurs aînés sont les bienvenus dans les centres de consultations prénatales. Ils y viennent avec leur mère. La sage-femme présente leur explique alors, à l'aide de dessins et d'une poupée, l'anatomie du futur bébé et comment il va naître. ■

Que va dire l'aîné ?

1ᴱᴿ MOIS

2ᴱ MOIS

3ᴱ MOIS

4ᴱ MOIS

5ᴱ MOIS

6ᴱ MOIS

7ᴱ MOIS

8ᴱ MOIS

9ᴱ MOIS

LA
NAISSANCE

LES 1ᴿᴱˢ
SEMAINES
DE MAMAN

LES 1ᴿᴱˢ
SEMAINES
DE BÉBÉ

GROSSESSES
DIFFÉRENTES

ANNEXES

AVOIR UN PETIT FRÈRE OU UNE PETITE SŒUR, c'est dur, très dur.
Votre enfant a déjà dû se douter qu'il y avait quelque chose en préparation.
Sa participation à la fête est indispensable. Même petit, vous pouvez
lui expliquer l'arrivée d'un nouveau bébé, ce qui va changer pour lui
et surtout ce qui ne changera pas.

Rassurez-le

Précisez-lui tout de suite qu'il ne sera pas exclu de la maison mais qu'il devra partager cet espace ; votre aîné aimera savoir ce qu'il gardera bien à lui et ce qu'il devra partager. N'hésitez pas à entrer dans le détail. Il gardera ses jouets, sa chambre si possible, et bien sûr toute votre affection. Précisez aussi ce qu'il faudra partager et comment, concrètement, se passeront les journées.

Le faire participer

Dès lors, son rôle d'aîné sera valorisé : les bébés, tout à coup, deviennent des personnes bourrées de défauts. Il en sera ravi. Vous pouvez lui montrer encore les bébés dans la rue, dans les magazines, l'encourager à toucher votre ventre, pour qu'il sente bouger son petit frère ou sa petite sœur. Pourquoi ne pas lui demander également son avis sur le choix du prénom ou la couleur de la layette ? Plus il sera impliqué dans cet événement familial, mieux il aimera son cadet. Attention, il y aura tôt ou tard des crises de jalousie parfois violentes (pp. 422 et 427). Mais sachez que cette violence est quasiment toujours verbale ; tous les aînés rêvent un jour de se débarrasser de leur petit frère ou de leur petite sœur. Ne vous inquiétez pas, c'est une attitude tout à fait normale et sans danger si l'aîné ne se sent jamais exclu.

Le bon écart

Deux ans semblent le bon écart entre deux naissances. Ce temps est nécessaire pour que vous retrouviez toute votre féminité et pour profiter pleinement de votre premier-né. Mais il n'y a pas de règle, c'est l'affaire de chaque couple.

Statistiquement, l'écart entre les deux premiers enfants, aujourd'hui, est de 2 ans et demi. Mais c'est sans doute lorsque l'aîné est un peu plus âgé, vers 3 ou 4 ans, que l'acceptation du petit frère ou de la petite sœur est plus facile. Bien sûr, tout est question de « maturité » et de caractère. L'enfant qui a pris conscience de son indépendance vis-à-vis de sa mère avec notamment l'affirmation de son identité sexuelle est plus disposé à avoir un cadet que celui pour qui sa mère est encore ce qu'il possède d'unique au monde. La jalousie « d'un petit » s'exprime souvent d'abord vis-à-vis de sa mère. Elle l'a trahi et il peut le lui reprocher ouvertement. Puis ses sentiments se tourneront vers l'intrus. Parallèlement, il fera tout pour se faire remarquer. Régression, bêtises, caprices, tristesse ou agressivité, il choisira son mode d'expression en fonction de son caractère et des situations. ▪

" Deux ans semblent être le bon écart entre deux naissances. "

179

Le cinquième mois

1ER MOIS

2E MOIS

3E MOIS

4E MOIS

5E MOIS

6E MOIS

7E MOIS

8E MOIS

9E MOIS

LA NAISSANCE

LES 1RES SEMAINES DE MAMAN

LES 1RES SEMAINES DE BÉBÉ

GROSSESSES DIFFÉRENTES

ANNEXES

Le cinquième mois

Vous

VOTRE MATERNITÉ COMMENCE À SE VOIR, votre ventre s'arrondit. On devine un petit quelque chose dans la démarche qui devient un peu plus lourde, qui prend une autre grâce.

Au statut de femme se substitue celui de mère, unique et irremplaçable, regardée, observée, quotidiennement interrogée : « C'est pour quand ? C'est un garçon ou une fille ? Qui le gardera ? Quel sera son prénom ? » Ces questions reflètent de la part de votre entourage le besoin de partager cette maternité, même dans l'imagination.

Généralement, vous répondez avec complaisance, preuve de l'importance de ce moment dans votre vie, témoignage quotidien que la séduction du corps a fait place à une autre forme de féminité. En tant que future mère, vous n'êtes plus tout à fait la même femme, vous êtes porteuse de promesses dont chacun souhaite avoir une part.

Très tôt, le fœtus peut communiquer avec sa mère. Il est capable de recevoir et d'émettre des signaux de façon de plus en plus élaborée. Par la voix, par le toucher, grâce à l'haptonomie, vous entrez en contact en établissant l'ébauche d'un véritable dialogue. Les sentiments n'ayant pas de support biologique, vous lui transmettez votre amour d'une autre façon. Une mère, qui se donne le temps de vivre avec son bébé, de dialoguer avec lui, de penser à l'évolution de l'enfant qu'elle porte, se prépare à son accueil. Elle le considère déjà comme un être digne de respect et elle lui donne une place dans son cœur, dans la famille et dans la société. Ces préliminaires garantissent qu'au jour de la naissance tous deux seront prêts à un échange profond de sentiments.

Votre bébé

1ER MOIS

2E MOIS

3E MOIS

4E MOIS

5E MOIS

6E MOIS

7E MOIS

8E MOIS

9E MOIS

LA NAISSANCE

LES 1RES SEMAINES DE MAMAN

LES 1RES SEMAINES DE BÉBÉ

GROSSESSES DIFFÉRENTES

ANNEXES

SON SENS DU TOUCHER EST DÉJÀ ASSEZ ÉLABORÉ pour qu'il perçoive les mouvements du liquide amniotique, un entraînement au plaisir des caresses. Ses yeux ont la capacité physiologique et neurologique de voir mais ses paupières sont provisoirement fermées et les tissus rétiniens ne seront sensibles à la lumière que dans deux mois. On peut écouter parfaitement les battements de son cœur et constater qu'il bat vite. C'est un cœur un peu particulier puisque les deux oreillettes et les deux ventricules communiquent par le trou de «Botal» qui se refermera automatiquement à la naissance dès la première inspiration d'air.

Au 4e mois   Au 5e mois   Au 6e mois

Bien qu'à l'abri dans le liquide amniotique,
le fœtus n'est pas isolé de son environnement.
Il commence à percevoir des vibrations et
des bruits, d'ailleurs sa mère s'aperçoit bien
qu'il réagit à ce qui se passe autour de lui.

L'odorat : prêt à fonctionner

Qui pourrait imaginer que le fœtus, immergé dans sa bulle, est capable de percevoir des odeurs ? Et pourtant, le nerf olfactif se constitue à 9 semaines de gestation et les bulbes olfactifs qui vont servir à transmettre l'information au cerveau peuvent déjà être identifiés vers 8 à 9 semaines. Le fœtus est équipé pour sentir, mais ne vivant pas dans une ambiance gazeuse, il ne peut que goûter. Goût et odorat sont pour lui deux sens très liés que le liquide amniotique permet d'exercer. ■

Le goût : il aime déjà le sucre

Il apparaît dès que se forment les papilles gustatives, les toutes premières s'installant dans les tissus qui deviendront ceux de la langue (quelques mois plus tard), vers le 3e mois de la grossesse ; puis elles vont se développer, au point de tapisser pratiquement toute la cavité buccale et d'être deux à trois fois plus nombreuses que chez un adulte. Les papilles gustatives les plus précoces se trouvent à la pointe de la langue, puis naissent sur les bords latéraux et enfin sur toute la langue. Dès le 4e mois de la vie fœtale, les papilles gustatives sont capables d'appréciation. Le fœtus peut identifier les quatre saveurs de base que sont l'amer, le sucré, le salé et l'acide.

Des expériences faites à partir d'injections de glucose dans le liquide amniotique, dans lequel le bébé baigne et qui lui sert en partie de nourriture, montrent qu'il le tète avec beaucoup plus d'énergie ; il aimerait donc déjà le goût sucré.

Il semble aussi qu'au cours de la gestation, l'enfant soit initié aux saveurs de la cuisine « locale » qui, avant sa naissance, est celle de sa mère.

En effet, des chercheurs ont constaté que certains nouveau-nés indiens appréciaient déjà la saveur du curry, alors qu'ils ont préalablement « goûté » cette épice in utero. ■

La vue : sensible à la lumière

Ce sens est celui que le bébé a le moins l'occasion de pouvoir « entraîner ». Le système visuel est le dernier à se mettre en place dans le déroulement du développement. À 7 mois de la vie fœtale, les paupières s'ouvrent ; elles étaient jusqu'alors collées. Malheureusement, l'œil n'a pas tellement la possibilité d'être stimulé, ce qui, pourtant, ne l'empêchera pas d'être parfaitement prêt à fonctionner à la naissance. D'ailleurs, dès maintenant, les globes oculaires bougent lentement. On pense que le fœtus perçoit la lumière venue de l'extérieur comme une lueur rougeâtre. Il semble encore qu'il soit sensible à l'ombre et à la clarté. De récentes expériences mettent en évidence cette perception. Le docteur Brazelton, du Children Hospital de Boston, a découvert qu'en éclairant le ventre maternel d'une lumière faible et ponctuelle, il attirait l'attention du fœtus, celui-ci se tournant vers la lumière.

Mais curieusement, il s'est aperçu encore que les bébés n'aimaient pas être en pleine lumière.

Ainsi, si l'on éclaire fortement le ventre de la mère, en direction du visage du fœtus, le bébé est agité de mouvements et peut même placer ses mains devant ses yeux et sa bouche. Par contre, si l'expérience est renouvelée, le futur bébé ne daigne plus se déranger. ■

Des sensations tout de suite utiles

Si toute expérience a besoin d'une certaine compétence cérébrale, tout acquis se traduit sur le plan neurologique par une modification structurelle qui, une fois acquise, permet une expérience suivante différente et souvent plus performante.

C'est sans doute à partir de ce mécanisme que le fœtus « apprend » in utero, grâce à ses premières sensations, tout ce qui lui sera indispensable pour vivre après sa naissance. ■

La naissance des sens

1ER MOIS

2E MOIS

3E MOIS

4E MOIS

5E MOIS

6E MOIS

7E MOIS

8E MOIS

9E MOIS

LA NAISSANCE

LES 1RES SEMAINES DE MAMAN

LES 1RES SEMAINES DE BÉBÉ

GROSSESSES DIFFÉRENTES

ANNEXES

LE DÉVELOPPEMENT D'UN BÉBÉ IN UTERO N'EST PAS UNIQUEMENT MARQUÉ par celui de son corps ; il acquiert aussi ses sens. Bien avant de naître, et tout au long de la grossesse, il développe ceux qui lui seront indispensables pour vivre normalement parmi nous.

D'abord autour de la bouche

La formation des sens suit une chronologie bien précise. C'est tout d'abord le toucher qui se développe, ce qui permettra l'ébauche d'une première relation affective entre l'enfant et ses parents avant la naissance, puis apparaissent l'odorat, le goût, l'ouïe et enfin la vue.

Pour le fœtus, les sensations tactiles proviennent des changements de pression du liquide amniotique. En appuyant sur votre ventre, même légèrement, vous stimulerez le toucher de votre futur bébé. La sensibilité tactile est le résultat d'une excitation des « mécano-récepteurs » qui transmettent le message reçu aux cellules nerveuses les plus proches : chez le fœtus, comme plus tard après la naissance, les corpuscules de Pacini et les corpuscules de Meissner sont spécialisés dans la réception des vibrations. Les premières sensations tactiles apparaissent dès 7 semaines et demie de vie fœtale, notamment autour de la bouche. Pour le vérifier, des chercheurs ont montré qu'en stimulant cet endroit à l'aide d'une sonde pas plus grosse qu'un cheveu, le fœtus réagissait... À 11 semaines, on trouve des récepteurs tactiles sur tout le visage, mais aussi sur la paume des mains et la plante des pieds. Ainsi, dès 10 semaines et demie, c'est la paume de la main que l'on peut ainsi faire bouger et à 14 semaines, c'est tout son corps qui vibre sous ces chatouilles d'un genre particulier.

À 20 semaines de gestation, tout le corps et même les muqueuses sont capables de réagir au toucher.

Favoriser le développement nerveux

Tous ces récepteurs cutanés ne peuvent fonctionner sans des cellules nerveuses capables de transmettre le message. Il faudra environ 30 semaines de gestation pour que les connexions soient parfaites entre l'émetteur et le récepteur : le cerveau. Les chercheurs pensent que les premières sensations sont d'abord fortuites et se confirment ensuite. Elles se précisent au fur et à mesure des expériences. Elles entraînent les circuits nerveux à se développer, voire à se modifier pour être de plus en plus performants.

Aujourd'hui, tout le monde s'accorde pour affirmer que le brassage du liquide amniotique procure au bébé de multiples sensations d'effleurement, qui sont sans doute agréables.

L'haptonomie utilise ce phénomène comme moyen d'entrer en communication avec l'enfant par de simples pressions sur l'abdomen. ■

" Ses sens permettent au bébé d'apprendre in utero ce qu'il devra savoir pour réussir son entrée dans la vie. „

185

Préapprentissage

Un précurseur, référence mondiale de l'audition, le professeur espagnol Feijoo travaillait déjà sur les capacités auditives du fœtus.

C'est à lui que nous devons la belle expérience faite avec un extrait de *Pierre et le loup* de Prokofiev. Il diffusa ce morceau régulièrement contre la paroi abdominale de plusieurs futures mamans. Parallèlement, celles-ci écoutaient une autre musique à l'aide d'écouteurs. Après la naissance des enfants, Feijoo mit en évidence l'effet apaisant – sur les bébés – de cette phrase musicale, jouée au basson.

Il poursuivit ses expériences avec la voix des pères ; il leur demanda d'enregistrer sur un magnétophone une liste de mots et de la faire écouter aux futurs bébés. Une fois nés, ces derniers (oh, merveille !) s'arrêtaient de pleurer dès que leur père récitait cette liste. Malheureusement, ces expériences ont été réalisées en trop petit nombre pour être scientifiquement reconnues.

Quant aux Japonais, chantres de l'éducation précoce, ils ont imaginé de commencer certains apprentissages in utero.

Ils placent sur le ventre des futures mamans des écouteurs et font entendre de la musique aux bébés ; il paraît que Mozart est un merveilleux formateur.

L'alphabet, dit par la mère ou par le père, leur est enseigné de la même manière. D'après ces chercheurs, les fœtus ayant subi cet entraînement seraient capables de parler dès 6 mois ! Mais n'y a-t-il pas un temps pour chaque chose ?

Les Pygmées, quant à eux, s'intéressent à l'audition pendant la gestation. Ainsi, pendant toute la grossesse, aucun parent ne doit prononcer de mots vulgaires près de la future maman car ils entreraient par le vagin et donneraient de mauvaises pensées à l'enfant. ▪

Accoutumance ou mémoire ?

Marie-Claude Busnel, chargée de recherche au CNRS, s'est intéressée à la perception des fœtus âgés de 36 à 40 semaines. En leur faisant écouter différents sons, elle a tout d'abord observé que le fœtus réagit par des mouvements de tout son corps, et que son rythme cardiaque s'accélère dès 90-100 décibels, que le son soit simple ou complexe.

Elle a également remarqué qu'il est capable de différencier une syllabe d'une autre et une voix grave d'une voix aiguë. Plus extraordinaire encore, elle s'est aperçue que le fœtus s'habitue à ces agressions et réagit par conséquent de moins en moins. Est-ce dû à un phénomène d'accoutumance ou seraient-ce les prémices de la mémorisation ? ▪

Écoute sélective

Les bébés préfèrent les comptines et les berceuses qu'ils ont entendues in utero à toutes les autres.

On a remarqué aussi qu'un bébé de 2 heures n'ayant eu aucune stimulation auditive depuis sa naissance reconnaît la voix de sa mère parmi cinq voix féminines. Cette voix a même sur lui un effet stimulant : en l'écoutant, il tète avec plus d'entrain et d'énergie.

Il réagit encore plus vivement si sa mère l'appelle par son prénom avec une forte intonation.

De même, le bébé de quelques heures a déjà une bonne mémoire auditive. On sait que l'audition d'un bruit évoquant l'ambiance sonore de l'utérus, et tout particulièrement ceux reconstituant les battements du cœur de sa mère, a des vertus calmantes pouvant même l'amener jusqu'au sommeil. ▪

Il entend et, même, il écoute

C'EST INCONTESTABLEMENT DANS LE DOMAINE DE L'AUDITION que le fœtus est le plus performant. Le système auditif est prêt à fonctionner, le fœtus réagit aux stimulations auditives dès la 22e semaine et l'audition est normale dès la 35e semaine, bien que gênée par les bruits de fond comme les battements du cœur et les bruits de digestion de la mère.

1ER MOIS

2E MOIS

3E MOIS

4E MOIS

5E MOIS

6E MOIS

7E MOIS

8E MOIS

9E MOIS

LA NAISSANCE

LES 1RES SEMAINES DE MAMAN

LES 1RES SEMAINES DE BÉBÉ

GROSSESSES DIFFÉRENTES

ANNEXES

Il réagit aux sons...

L'oreille moyenne est formée et permet au fœtus de percevoir d'abord les sons aigus pour ensuite entendre les sons graves. Le fœtus met environ 3 secondes à réagir à des stimuli, et dans 90 % des cas cette réaction se concrétise par une accélération des battements du cœur. Ce sont en effet des réactions motrices, et tout particulièrement cardiaques, qui permettent d'être certain que le fœtus entend.

Les réponses les plus probantes sont données en fin de grossesse et tous ces mouvements sont atténués lorsqu'il y a souffrance fœtale. La plupart des sons d'une intensité moyenne ou forte passent in utero. Des écoutes faites à l'aide de petits micros placés dans le vagin d'une future maman permettent d'affirmer qu'ils sont parfaitement audibles. Par contre, plus les sons sont aigus, plus ils sont atténués par les tissus.

...et surtout à la voix de sa mère

La voix de la mère, notamment, est bien perçue par le bébé, par l'extérieur et par l'intérieur, conduite par les tissus et les os. Ainsi, les sons de votre voix à 60 décibels sont reçus par le bébé avec une intensité de 24 décibels alors que les voix extérieures ne lui parviennent qu'à une puissance de 8 à 12 décibels ; le liquide amniotique conduit les sons tout en les déformant et il semble que le fœtus perçoive sans doute davantage le rythme et les intonations que les sons réels. Des bruits particuliers, comme une sonnerie ou de la musique forte, le font réagir. On pense même que cela le dérange, car il se met à bouger (parfois en rythme) ; dans certains cas, les bruits violents provoquent une accélération de son rythme cardiaque.

De plus, les docteurs Casper et Fifer ont constaté que des bébés de quelques jours, ayant vécu tout au plus 12 heures avec leur mère après la naissance, préfèrent la voix de celle-ci à toute autre voix de femme, et les voix féminines à celles des hommes, même si c'est celle du père et qu'il a été très présent depuis la naissance de l'enfant. Des études récentes ont même établi qu'à la naissance, et jusqu'à 1 ou 2 mois, le bébé a une capacité de discrimination « universelle » des sons étonnante, notamment ceux émis par la parole : il peut ainsi détecter des différences phonétiques minimales.

De l'aigu au grave

À la naissance, le bébé distingue parfaitement la langue que parle sa mère.

Des études plus fines ont montré qu'en fait ce sont les syllabes de la langue maternelle qu'il reconnaît. On peut se demander si cette capacité est le résultat d'un apprentissage in utero. Bien que d'autres prétendent qu'à la naissance les bébés sont capables de comprendre toutes les langues, le débat est loin d'être clos ! ■

Voir dans le noir

On a longtemps cru que les yeux étaient particulièrement fragiles chez le nouveau-né et qu'il devait passer en douceur de l'ombre utérine à la lumière de la vie.

Les ethnologues racontent que dans certaines civilisations, comme par exemple sur l'île de Pâques, le bébé devait rester dans le noir de deux à trois semaines, ce qui devait le doter, à l'âge adulte, d'une acuité visuelle exceptionnelle dans la pénombre. ▪

Déjà un caractère ?

Bien des médecins se posent cette question tant certains bébés aiment à se « montrer » au cours de l'échographie alors que d'autres, au contraire, semblent se cacher.

Existe-t-il des fœtus extravertis et des fœtus introvertis ? Tous, pourtant, aiment les caresses et sont même capables de venir volontairement les chercher sous la main de leurs parents qui pratiquent l'haptonomie. Toutes les recherches montrent que ce sont les stimulations sensorielles qui permettent au cerveau du fœtus de se développer normalement. « L'héritage génétique, selon le docteur Relier, est comme une pâte à modeler qui se transforme en ce que l'on attend uniquement si les stimulations reçues sont adéquates et surviennent au bon moment. » L'absence de stimulation ou la surstimulation peut gêner le développement cérébral du fœtus, particulièrement à certains moments sensibles. ▪

Première expérience de la douleur

Différentes études américaines montrent que le fœtus est capable d'éprouver une sensation de douleur dès la fin du deuxième trimestre de la grossesse, mais le signal douloureux ne serait transmis au cerveau au plus tôt qu'à partir de sept mois et demi de gestation.

Deux pédiatres américains, les docteurs Arand et Hickley, affirment que le fœtus répond au stimulus douloureux par des modifications hormonales et par des réactions cardio-pulmonaires. À la suite de leurs travaux, ils ont publié une véritable charte demandant que l'on observe systématiquement des précautions dans les soins douloureux ou stressants apportés aux bébés n'ayant pas encore acquis la parole. ▪

Son poids et sa taille

Au cours du 5ᵉ mois, le fœtus connaît une véritable poussée de croissance. Il grandit de 11 cm. Sa taille est alors de 25 cm et son poids de 500 g. Sa main est déjà bien formée avec les phalanges, les ongles et il peut même sucer son pouce. En quatre mois, il va devoir multiplier son poids par 6 et sa taille par 2 ! Sa cage thoracique est déjà bien développée. Elle peut même bouger sous l'effet des premiers mouvements (sans absorber d'air, bien sûr, puisqu'il flotte dans le liquide amniotique). Sa peau est fripée et son aspect général est un peu moins rouge qu'auparavant en raison de l'épaississement du derme. Il a des cheveux et sa propre identité grâce à des empreintes digitales toutes neuves. ▪

La naissance du cerveau

C'EST À LA FIN DU 5ᴱ MOIS QUE LE CERVEAU ET LA MOELLE ÉPINIÈRE du futur bébé sont achevés et l'on sait que de sa naissance à la fin de sa vie, l'enfant, puis l'homme, ne développera plus aucun neurone (cellule nerveuse). C'est grâce aux études du professeur Philippe Évrard que l'on connaît mieux la genèse et la mise en place de notre système nerveux.

À chaque cellule, son rôle

Tout commence par la multiplication cellulaire de l'œuf fécondé (pp. 53 et 55). À partir d'une seule cellule se développe une plaque cellulaire dans la couche supérieure de l'embryon. Ces cellules deviennent, de façon irréversible, différentes des autres cellules de l'embryon vers la 3ᵉ semaine de gestation. Elles ont ainsi déjà reçu par petits groupes des affectations différentes. Le cerveau embryonnaire s'organise en tube creux. En quelques jours, les cellules se multiplient, certaines deviennent des neurones, d'autres des fibres gliales, cellules de support qui se tendent entre le tube neural et le cortex. À partir du « tronc » cérébral se développent des axones qui se dirigent vers les muscles du tronc, des membres et des viscères. Des cellules dites motrices innervent les muscles des yeux, du visage et de la bouche. Puis les cellules sensorielles croissent.

C'est à partir de ce tube neural que se forment les hémisphères cérébraux et le canal central de la moelle épinière. Les cellules du tube neural vont ensuite se multiplier au point d'atteindre les 30 milliards de neurones que comptent le cerveau et la moelle épinière de l'homme. Cette formidable explosion de mille neurones à la seconde se fait au cours des premiers mois de la grossesse. À partir de maintenant, les neurones peuvent se détruire sans être remplacés.

Une évolution programmée

Ensuite se produira ce que les spécialistes appellent la migration neuronale. Les neurones tout juste formés vont se déplacer à la périphérie de la matière cérébrale pour former le cortex, partie phériphérique du cerveau.

Au cours des mois suivants et jusqu'à la naissance, les cellules nerveuses vont croître et se diversifier. Les neurones développent leurs axones (partie centrale de la cellule nerveuse) et leurs dendrites (prolongement en forme d'arbre de cette cellule), les synapses (partie de la cellule qui assure le contact entre deux neurones) s'installent, formant un réseau inextricable.

Enfin, avant la naissance, commence la myélinisation (substance qui gaine les fibres nerveuses) de certaines cellules, notamment de celles qui régissent l'équilibre et les fonctions motrices. Tout sera bientôt en place pour permettre au fœtus de développer « une certaine intelligence ». Ses capacités sensorielles vont lui donner la possibilité de les expérimenter. ▪

> " Le cerveau est l'organe qui se développe le plus vite à raison de 1 000 neurones à la seconde. "

1ᴱᴿ MOIS

2ᴱ MOIS

3ᴱ MOIS

4ᴱ MOIS

5ᴱ MOIS

6ᴱ MOIS

7ᴱ MOIS

8ᴱ MOIS

9ᴱ MOIS

LA NAISSANCE

LES 1ᴿᴱˢ SEMAINES DE MAMAN

LES 1ᴿᴱˢ SEMAINES DE BÉBÉ

GROSSESSES DIFFÉRENTES

ANNEXES

La préparation en piscine

VOUS AIMIEZ DÉJÀ L'EAU AVANT VOTRE GROSSESSE et aller couler quelques brasses en piscine était déjà pour vous une manière simple et agréable de faire du sport. Alors, n'hésitez pas, préparez votre accouchement de manière aquatique. Ces séances en piscine sont complémentaires à la préparation traditionnelle.

En quoi consiste-t-elle ?

Cette préparation ne veut pas dire que vous accoucherez dans l'eau (p.194). Non, vous préparerez votre esprit et votre corps à la naissance de votre bébé de manière beaucoup plus détendue et, peut-être, efficace, qu'allongée sur un tapis de sol. Vous apprécierez de vous mouvoir facilement, l'effet porteur de l'eau vous donnera une agréable sensation de légèreté. Elle peut commencer dès le 4e mois et se poursuivre jusqu'aux premières contractions, à raison d'1 heure par semaine. Cela consiste, après contrôle médical, à un entraînement physique par quelques mouvements de gymnastique et à un entraînement respiratoire, sous la responsabilité effective d'une sage-femme spécialement formée et d'un maître nageur.

Généralement chaque séance se déroule de la même façon. Elle commence dans le grand bassin avec des exercices musculaires et se poursuit dans le petit bassin pour travailler l'assouplissement du périnée, la respiration et faire un peu de relaxation. La «troisième mi-temps» se déroule dans les vestiaires par des échanges d'expériences et de conseils entre futures mamans.

Un travail musculaire

Les exercices physiques sont destinés à faire travailler les muscles qui seront sollicités au cours de l'accouchement. Ainsi, vous entraînerez ceux de vos bras et de vos pectoraux, ceux de votre dos (avec, notamment, des exercices pour corriger les hyperlordoses), ceux des jambes (avec, en particulier, l'acquisition de la position gynécologique), mais aussi votre périnée, vos abdominaux et vos pectoraux qui soutiennent votre poitrine. L'eau va vous aider à prendre conscience de vos muscles et de leur travail en fonction de la qualité de vos mouvements. Vous chercherez des synergies dans le fonctionnement de certains et, au contraire, vous «sentirez» l'indépendance d'autres. Pour votre confort, l'eau est entre 28 et 30 °C.

Vous serez étonnée comme les mouvements et les efforts sont faciles dans le milieu aquatique et comme vous serez détendue après votre séance. Vous travaillerez aussi votre respiration en soufflant au ras de l'eau et en vous exerçant à l'apnée, pas celle des plongeurs des grands fonds, mais celle utilisée au moment de l'expulsion lorsqu'il vous faudra pousser votre bébé vers la vie aérienne. Bien sûr, jamais on ne recherche la performance. Enfin, le milieu est idéal pour se relaxer.

En maillot de bain, en compagnie d'autres futures mamans, l'ambiance est toujours gaie autour du bassin. C'est l'occasion pour toutes de se rencontrer, de discuter, de partager angoisses et expériences. Toutes les futures mamans ayant ainsi «nagé» ensemble ne se sentent plus isolées, seules face à leurs petits ennuis. L'atmosphère démédicalisée incite à questionner librement la sage-femme présente. La préparation en piscine offre un vrai moment de détente. C'est encore un excellent moyen de s'occuper de soi et de mieux accepter sa nouvelle image corporelle. Dans l'eau, le poids de la grossesse s'oublie très facilement. Beaucoup de futures mamans ayant goûté aux joies de l'eau, choisissent une remise en forme en piscine.

Un bien-être psychique et physique

Sur le plan psychique, les vertus de l'eau sont bien connues. Les psychanalystes y voient pour la femme enceinte un retour vers le bien-être utérin et une identification avec le bébé qui flotte dans son ventre. Grâce à l'eau, la femme se réconcilie avec son corps. Elle peut ainsi superposer son image de femme à celle de mère. Sur le plan physiologique, on constate une nette amélioration des problèmes de transit intestinal, des douleurs du dos et du ventre. De même, les sensations désagréables de jambes lourdes sont atténuées par l'effet de massage de l'eau. L'exercice en piscine a tendance à diminuer la fréquence cardiaque, entraînant une légère baisse de tension artérielle sans conséquence pour le bébé.

Quelques conseils pratiques

Avant de vous inscrire aux cours de préparation en piscine, vous devez présenter à la sage-femme un certificat médical attestant que vous pouvez les suivre sans problèmes. Si vous souffrez d'hypertension, d'hypotension, de certaines maladies cutanées, si vous avez un grand nombre de contractions utérines et des accès de fièvre, ces séances sont contre-indiquées. Il n'est pas rare que la sage-femme responsable des cours prenne la tension de chaque participante avant et après la séance.

Pour l'instant, ce type de préparation n'est pas remboursé par la Sécurité sociale. Certaines mutuelles prennent tout ou partie en charge. Il n'est pas nécessaire que vous sachiez nager pour pratiquer cette préparation. Mais il est quand même préférable d'aimer l'eau.

Les exercices se font dans le petit bassin, soit dans une hauteur d'eau de 1 m à 1,20 m. Vous avez donc toujours pied.

Une autre préparation aquatique : le watsu

C'est une technique qui mêle le shiatsu et la relaxation. Elle consiste à se laisser porter par l'eau pour un retour vers un état primaire bienfaisant. Le thérapeute aux côtés de la femme enceinte l'accompagne dans des mouvements de bercements, d'étirements et de rotation. L'apesanteur soulage les pressions du bas du dos et l'eau fait disparaître la sensation de jambes lourdes. Les mouvements sont destinés à amplifier la mobilité du bassin. La relaxation prépare aux moments de récupération indispensables lors de l'accouchement.

La future maman ressent des sensations similaires à celles de son bébé qui baigne dans le liquide amniotique. Cette similitude renforce leur proximité et leur communication (voir adresse p. 557). ▪

1ER MOIS

2E MOIS

3E MOIS

4E MOIS

5E MOIS

6E MOIS

7E MOIS

8E MOIS

9E MOIS

LA NAISSANCE

LES 1RES SEMAINES DE MAMAN

LES 1RES SEMAINES DE BÉBÉ

GROSSESSES DIFFÉRENTES

ANNEXES

Accoucher sous péridurale

L'ANESTHÉSIE PÉRIDURALE EST SANS DOUTE L'UN DES ACQUIS LES PLUS IMPORTANTS dans l'art d'accoucher aujourd'hui. Depuis 25 ans, cette technique s'est considérablement développée. Actuellement, les deux tiers des accouchements se déroulent avec son aide et, dans certaines maternités 80 à 90 % des futures mamans la demandent.

Le principe

Accoucher sous péridurale n'est pourtant pas une obligation, prenez le temps de la réflexion en sachant que vous pourrez la demander lorsque vous arriverez à la maternité pour accoucher. Par prudence, et pour respecter les consignes de sécurité, inscrivez sur votre agenda, au 7e mois de grossesse, une visite avec un anesthésiste même si votre décision n'est pas encore prise.

Le médecin anesthésiste introduit à la partie basse de la colonne vertébrale, après anesthésie locale, un cathéter (tige creuse). Il doit le placer juste au-dessous du sac dural (enveloppes qui entourent la moelle épinière), car c'est là que prennent naissance les nerfs qui commandent toute la partie inférieure du corps, notamment l'utérus et le vagin. Un liquide anesthésiant est diffusé dans cette région. Très rapidement, tout le bas du corps est insensibilisé. La future maman ne perçoit qu'une impression de chaleur entre les jambes. Il arrive qu'en raison d'une légère déformation de la colonne vertébrale, l'anesthésie ne se fasse que d'un côté. Il suffit alors de pratiquer une autre injection pour que l'anesthésie soit totale.

Simple, rapide, efficace

Les avantages de cette anesthésie tiennent en son installation simple, rapide et à son efficacité au regard de l'anesthésie générale, lourde et jamais totalement dénuée de risques. La péridurale s'impose, bien sûr, en cas d'accouchement prévu comme difficile ou long. Elle peut être pratiquée en cours de dilatation, à la demande de la future maman, même si elle n'a pas été prévue au préalable. Toutes les anesthésies péridurales ne sont pas les mêmes et l'intensité de l'anesthésie peut varier. Tout dépend d'abord de la nature et de la quantité de liquide injecté, de l'endroit où il est injecté, de la durée de l'accouchement, de la « réceptivité » de la future maman qui peut d'ailleurs varier, chez une même femme, d'un accouchement à un autre.

Accoucher ou non sous péridurale ?

Pour beaucoup de femmes, le déroulement de l'accouchement et les circonstances de la naissance sont déterminants dans leur manière de devenir mères. Souvent leurs opinions sont très diverses et leurs points de vue tranchés, chaque femme estimant que ce qu'elle a vécu peut être généralisé. C'est ce qui explique que, pour certaines, il n'y a aucun doute dans leur choix, tandis que pour d'autres, c'est le contraire. Il est prudent de ne pas vous dispenser de la préparation classique à l'accouchement (p. 240). En effet, il arrive qu'au dernier moment la péridurale soit déprogrammée pour une raison médicale aussi simple qu'une fièvre ou une infection cutanée au bas du dos (p. 347).

Un choix philosophique

Mais beaucoup hésitent. La douleur n'est pas forcément, dans l'accouchement, leur principal souci. Elles souhaitent « vivre pleinement leur accouchement » et veulent dominer les sensations douloureuses de celui-ci. Parfois encore, elles veulent, telle leur mère, montrer qu'elles sont capables elles aussi de mettre leur enfant au monde sans avoir recours à une aide artificielle. La difficulté de choisir est d'ailleurs telle qu'une décision qui semblait sans appel peut changer au moment de l'accouchement. En réalité, avec ou sans péridurale, l'essentiel est que la mère n'éprouve pas le sentiment d'être dépossédée de son acte, qu'elle n'ait pas l'impression qu'elle n'a pas vraiment réussi à mettre son enfant au monde.

L'accouchement sous péridurale n'exclut pas la préparation à la naissance. Elle permet souvent à cet accouchement d'être encore mieux vécu. De plus, ces cours permettent une initiation aux premiers gestes pour s'occuper d'un bébé.

Les inconvénients

Mis à part les problèmes psychologiques et le fait que cette anesthésie médicalise l'accouchement, la péridurale peut entraîner chez certaines jeunes mamans des maux de tête et des douleurs lombaires. Les céphalées sont parfois provoquées par la perforation de la dure-mère par l'aiguille de ponction. Ce petit incident est assez courant en raison de l'étroitesse de l'espace péridural. Le liquide céphalo-rachidien (liquide clair contenu entre les méninges) dans lequel baigne la moelle épinière s'écoule par cette perforation, entraînant des maux de tête qui durent parfois plusieurs jours. On les traite facilement par les analgésiques courants ; la jeune mère doit rester couchée bien à plat. Les douleurs lombaires se rencontrent lorsque l'analgésie péridurale a été longue et que l'accouchée est restée un certain temps en position gynécologique. Elles peuvent se compliquer de douleurs sciatiques. ▪

▌ MON AVIS

L'énorme avantage de la péridurale est bien sûr la suppression de la douleur. Les inconvénients de cette anesthésie consistent dans le fait qu'elle n'est pas toujours efficace à 100 % et qu'elle immobilise la femme pour parfois plusieurs heures. Aujourd'hui, grâce à la combinaison de nouveaux analgésiques, on peut privilégier la lutte contre la douleur sans les effets sur les muscles moteurs. La future accouchée garde sa motricité. Elle peut bouger, marcher et se promener dans la maternité avec sa péridurale. Un système d'enregistrement à distance des battements du cœur du bébé permet à l'équipe médicale une surveillance parfaite. Cette solution est beaucoup plus confortable pour la femme qui n'est plus confinée dans sa chambre, elle trouve le temps moins long en compagnie de sa famille. De plus, la position verticale et le mouvement de la marche aident le travail de l'accouchement. Cette péridurale ambulatoire demande simplement des moniteurs sans fil et une équipe médicale motivée. ▪

1ER MOIS

2E MOIS

3E MOIS

4E MOIS

5E MOIS

6E MOIS

7E MOIS

8E MOIS

9E MOIS

LA NAISSANCE

LES 1RES SEMAINES DE MAMAN

LES 1RES SEMAINES DE BÉBÉ

GROSSESSES DIFFÉRENTES

ANNEXES

Accoucher dans l'eau

Le bain en salle de travail et les bienfaits de l'eau tiède pour aider à la dilatation nous viennent du Dr Odent. D'abord expérimentée à Pithiviers, cette technique s'est timidement développée en France, où elle reste encore relativement rare, alors qu'elle est répandue dans certains pays anglo-saxons (Canada). Mais cette méthode ne doit pas être confondue avec celle de l'accouchement dans l'eau du Soviétique Igor Tcharkovski. Pour la plupart des médecins, il n'est pas question que l'enfant naisse dans l'eau. L'expulsion doit se faire sous contrôle médical pour pouvoir intervenir si nécessaire. Par contre, l'installation de baignoires, de Jacuzzi ou de petites piscines dans les maternités témoigne de l'importance de l'eau comme facteur relaxant. ▪

Une relation de confiance

Chaque future maman a sa psychologie, son histoire, ses propres besoins. Sa préparation doit être non seulement l'apprentissage des comportements et des respirations mais aussi une véritable mise en confiance qui dépend beaucoup de ses échanges avec le personnel soignant. Elle apprendra ainsi à connaître son corps, ce qu'est l'accouchement, dans quelle position est l'enfant et ce qu'il ressent. ▪

Calme et pénombre

Dans un certain nombre de maternités publiques, on prend soin d'accueillir les bébés en douceur : les lumières sont réduites au strict nécessaire imposé par la sécurité, les voix sont douces, la technique se fait discrète. C'est la mère qui conduit son accouchement, l'équipe médicale se tenant prête à intervenir à la moindre complication. Si besoin est, l'enfant est guidé, mais en douceur. Après sa naissance, le nouveau-né est posé sur le ventre de sa mère (s'il n'a besoin d'aucune assistance), le temps pour eux de faire connaissance. Puis viendra l'heure du bain et de la première tétée.

Une place est toujours faite au père. Ce type d'accouchement destiné à dédramatiser la naissance, n'est pas réellement une « méthode » pour lutter contre la douleur.

Comme pour tout accouchement, il est souhaitable d'envisager une préparation, la connaissance de son corps et l'acquisition d'une certaine maîtrise. Aussi, l'initiation à une respiration rythmée sur les contractions est-elle nécessaire. ▪

▌ MON AVIS

C'est une bonne chose que de permettre aux futures mamans de se détendre dans l'eau tiède d'une baignoire au moment du travail. La chaleur de l'eau, l'apesanteur, les vertus kinesthésiques aident à la relaxation. Il existe même des moniteurs de surveillance des rythmes cardiaques fœtaux spécialement conçus pour fonctionner dans l'eau ; on peut aussi installer une péridurale. Mais pour l'accouchement, il faut sortir de la baignoire. Accoucher dans l'eau n'a aucune vertu médicale, le médecin ou la sage-femme n'est pas à l'aise pour faire les gestes qui s'imposent parfois. Les femmes qui le pratiquent pensent vivre cet instant dans un climat serein et l'eau leur donne cette illusion. Le rêve est toujours beau mais les accidents ramènent à la réalité. ▪

Naître sans violence

L'ACCOUCHEMENT DIT « SANS VIOLENCE » A RÉVOLUTIONNÉ L'OBSTÉTRIQUE : les thèses du docteur Frédéric Leboyer ont amené tous les médecins accoucheurs à se poser la question de la qualité de l'accueil qu'ils faisaient au nouveau-né. Sans en adopter la théorie, ils ont modifié leur comportement afin d'apporter plus d'humanité à l'accouchement sans en réduire la sécurité.

1ᴱᴿ MOIS

2ᴱ MOIS

3ᴱ MOIS

4ᴱ MOIS

5ᴱ MOIS

6ᴱ MOIS

7ᴱ MOIS

8ᴱ MOIS

9ᴱ MOIS

LA NAISSANCE

LES 1ᴿᴱˢ SEMAINES DE MAMAN

LES 1ᴿᴱˢ SEMAINES DE BÉBÉ

GROSSESSES DIFFÉRENTES

ANNEXES

Éviter tout traumatisme

Ce type d'accouchement est né en réaction à une tendance, dans les années 1970, à une forte médicalisation de la grossesse et de l'accouchement. Après analyse du climat qui, à l'époque, entourait la grossesse et la naissance (il faut dire que la médecine obstétricale s'était attachée, avant tout, à lutter contre les naissances prématurées), le docteur Frédéric Leboyer jugea les pratiques de l'époque brutales et traumatisantes pour la mère et l'enfant. Il préconisa d'autres gestes et un autre environnement : une lumière douce, l'utilisation d'un miroir qui permet à la mère de mieux contrôler ses poussées, le cordon ombilical coupé tardivement, le contact privilégié, dès les premiers instants, de la mère et de son bébé peau à peau, suivi d'une tétée précoce et d'un bain. La future maman choisit la position dans laquelle elle veut accoucher, ce qui a parfois entraîné l'abandon de la table d'accouchement et des étriers.

Un père actif

Les salles d'accouchement se veulent techniquement efficaces en cas de besoin avec notamment tout ce qu'il faut pour une anesthésie et une réanimation mais le souci est aussi de créer un environnement convivial. La présence du père est plus que souhaitée. S'il le veut, il joue un rôle important. La sage-femme, ou le médecin, lui laisse l'initiative de couper le cordon. C'est lui encore qui baigne l'enfant, la baignoire étant placée à côté de la mère pour qu'elle puisse profiter de ces instants. Tous les membres de la famille peuvent être présents, notamment les autres enfants.

La naissance sans violence a déclenché bien des passions, aujourd'hui pratiquement éteintes. On n'a d'ailleurs jamais réellement attribué d'accidents à cette pratique. Les obstétriciens qui en sont adeptes ont évolué, faisant quelques concessions pour maintenir une bonne sécurité.

Parallèlement, les maternités classiques ont cherché à donner à l'accouchement un caractère plus chaleureux et moins instrumentalisé. Certaines d'entre elles ont même créé des espaces originaux pour accoucher. Ce sont souvent des coussins posés sur un tapis de sol épais dans une ambiance colorée et musicale.

Comme dans leur pays

Certaines maternités, notamment à Paris, proposent aux futures mamans d'ethnies africaines des salles d'accouchement aménagées avec tabouret ou chaise d'accouchement. Elles peuvent ainsi accoucher accroupies comme le veut leur tradition ou en famille, au milieu des leurs. Pour ces femmes, retrouver les rites ancestraux de l'accouchement leur apporte beaucoup de sérénité. ▪

Une médecine douce, avant et après bébé

L'acupuncture peut être aussi efficace pour lutter contre les nausées, les brûlures d'estomac, la constipation chronique, les troubles nerveux tels que les maux de tête, les vertiges ou les insomnies. Elle peut encore soulager les douleurs lombaires et celles dues au nerf sciatique, des vertus reconnues dans un grand nombre de pays asiatiques.

Après l'accouchement, l'acupuncture peut soulager des troubles aussi divers que la dépression « postpartum » (appelée communément « baby blues »), les hémorroïdes ou les difficultés dans l'allaitement. L'acupuncture ne peut en aucun cas transmettre le virus du sida, celui-ci se détruisant à l'air.

De plus, pour des questions d'hygiène, tous les acupuncteurs, s'ils n'utilisent pas des aiguilles individuelles jetables, stérilisent leurs aiguilles soit en les passant dans un stérilisateur, soit en les baignant dans de l'alcool à 90 °. ■

L'auriculothérapie

Voisine de l'acupuncture, l'auriculothérapie considère le pavillon de l'oreille humaine comme la zone privilégiée de la réflexothérapie (une technique de l'acupuncture). De nombreux travaux de neurophysiologie attestent que le pavillon de l'oreille est une zone à innervation exceptionnelle. La conformation de l'oreille s'identifiant au fœtus en position intra-utérine, l'auriculothérapeute codifie, à travers une cartographie, des points qui sont tous parfaitement répertoriés.

En 1981, le docteur Quinchon, à l'hôpital Bon-Secours de Besançon, eut l'idée d'appliquer ces recherches à l'obstétrique. En collaboration avec le docteur Henry, biologiste, chef de travaux à l'Institut de Besançon, et spécialiste en auriculothérapie, il détermina trois points principaux dans l'oreille, correspondant au travail de l'accouchement.

Le premier augmente l'intensité et le nombre de contractions, le deuxième diminue les douleurs lombaires, très fréquentes, tandis que le troisième assouplit les tissus.

Ce traitement ne nécessite la présence d'aucun personnel spécialisé.

La sage-femme, après un court stage, peut très bien pratiquer cette méthode, aidée par un appareil très simple qui stimule les aiguilles au moyen d'un léger courant électrique. Le docteur Quinchon aurait également découvert un point supprimant les vomissements, et un autre facilitant la délivrance. ■

Se faire aider par l'acupuncture

1ER MOIS

2E MOIS

3E MOIS

4E MOIS

5E MOIS

6E MOIS

7E MOIS

8E MOIS

9E MOIS

LA NAISSANCE

LES 1RES SEMAINES DE MAMAN

LES 1RES SEMAINES DE BÉBÉ

GROSSESSES DIFFÉRENTES

ANNEXES

L'ACUPUNCTURE, QUI RESTE ASSEZ MARGINALE DANS NOTRE PAYS pour la préparation de l'accouchement, est en fait utilisée depuis fort longtemps en Chine. Son mode d'action n'est pas encore bien élucidé. La théorie repose sur l'idée que notre corps, comme d'ailleurs tout dans l'univers, est sous l'emprise d'énergies. Celles-ci se décomposent en deux forces opposées et complémentaires, le yin et le yang. C'est le déséquilibre de ces deux forces qui est la cause de tous nos troubles.

Les énergies du corps dominées

Selon des découvertes relativement récentes, l'acupuncture stimulerait la production d'endorphines, substances qui interviennent dans la transmission de la douleur par les cellules nerveuses du cerveau. Le praticien utilise, suivant son diagnostic, des aiguilles pleines en or, en argent ou en acier, leur taille et leur forme étant variables. Il va les placer sur les trajets des énergies yin et yang qui parcourent notre corps. En piquant des points particuliers, il va agir sur ces énergies en les accélérant, les ralentissant, les tonifiant ou les dispersant. Les points de « puncture » sont choisis précisément en fonction de chaque patiente, de son état de santé physique et psychique.

Les aiguilles placées à des endroits précis – le ventre, les pieds et les mains – et pour un temps déterminé, soulagent la douleur, favorisent la relaxation et préparent à l'accouchement. Au total, une dizaine d'emplacements sont déterminés comme points de relaxation, points de régulation de l'énergie et points actifs sur le col de l'utérus.

Les acupuncteurs spécialisés dans la préparation à la naissance affirment qu'ils obtiennent 95 % de réussite. Cependant, il est important de bien choisir son acupuncteur. Si cette médecine n'a aucun effet sur le fœtus, elle peut avoir des conséquences néfastes pour la future maman : certains points « activés » peuvent ainsi déclencher des contractions et provoquer une fausse couche ou un accouchement prématuré.

Réduire le temps de l'accouchement

Si vous choisissez de préparer votre accouchement avec l'acupuncture (p. 353), vos rendez-vous avec le spécialiste commenceront vers le 7e mois. Cette spécialité est pratiquée par des médecins ou des sages-femmes ayant acquis une formation particulière. Les séances, pour être efficaces, doivent avoir lieu toutes les semaines et chaque rendez-vous dure environ 20 min.

Deux semaines avant la date prévue pour l'accouchement, l'acupuncteur ajoutera aux points habituellement stimulés ceux qui contrôlent la « maturation » du col de l'utérus. Par l'action des aiguilles, le muscle est ramolli pour aider à sa dilatation et au passage du bébé.

D'après les médecins acupuncteurs, cette préparation réduit considérablement le temps de travail de la femme pendant l'accouchement. En effet, celui-ci passe, des 8 heures « normales », à 4 ou 5 heures. ∎

Choisir la sophrologie

INFORMER, EXPLIQUER, APPRENDRE AUX FUTURES MAMANS à soulager par elles-mêmes leurs petits maux, à se relaxer et à visualiser de manière positive ce qu'elles vivent et ce qui les attend, voici le but de la sophrologie. Pour parvenir à cela, la sophrologie associe de manière alternative relaxation et mouvement : la relaxation ayant pour fonction de diminuer le seuil de vigilance, le mouvement ayant, lui, pour but de le limiter.

Maîtriser sa vigilance

Dans cette pratique, les phénomènes respiratoires sont importants ; une expiration lente et profonde, qui dure donc un certain temps, abaisse le seuil de vigilance, et un mouvement qui l'accompagne en permanence jusqu'au moment de l'inspiration, le limite. La future maman peut, avec un minimum d'entraînement, abaisser ainsi volontairement son niveau de vigilance et y demeurer un certain temps.

Le mouvement apporte sur la partie du corps activée des effets physiologiques qui, grâce à l'état particulier de relaxation dans lequel elle se trouve, deviennent perceptibles sous forme de sensations. C'est ainsi qu'elle est préparée par le sophrologue à être plus attentive, plus présente à telle ou telle partie de son corps. La détente volontaire se fait par différents moyens : la voix calme et monocorde du sophrologue ou encore l'écoute de bandes magnétiques.

Le pouvoir des sons

La future maman a d'abord un entretien particulier avec le sophrologue, médecin ou sage-femme, qui permet de définir ce qu'elle attend de cette méthode et ce qu'elle va y apprendre. Ensuite, plusieurs séances d'initiation sont indispensables, le reste de la préparation se faisant seule, chez soi, chaque jour. La première séance dure 45 min et se déroule dans une pièce insonorisée. Assise dans un fauteuil relax, la jeune femme écoute une bande stéréo.

Deux semaines plus tard, au cours de la deuxième séance, elle écoute une autre bande. À la fin de cette audition, elle doit être autonome, c'est-à-dire qu'elle peut entrer et sortir de la relaxation sans l'aide des sons.

La troisième séance se situe tout près du terme de la grossesse. La femme travaille sur son corps. Dans un état parfait de relaxation, toujours avec l'aide de sons, elle accomplit un certain nombre d'exercices, au rythme qu'elle désire : entraînement respiratoire, représentation de son vagin, de son utérus. Le jour de l'accouchement, si elle le désire, elle pourra écouter une bande spéciale de 30 min, mais accouchera sans écouteurs, parfaitement consciente. Les différents sons entendus pendant les cours donnent l'impression de tourner autour de la tête. En s'accélérant, cette rotation entraîne la perte de toute notion de temps et d'espace, facilitant ainsi le relâchement physique et mental. Ainsi par un bon entraînement, la future maman est capable de substituer une sensation agréable à une sensation désagréable par l'utilisation d'images. Par exemple, la chaleur, par représentation d'eau glacée ou de neige, devient fraîcheur. À ces séances de 2 heures, s'ajoutent des cours de psychoprophylaxie classique (p. 240).

La magie de la voix

D'autres médecins proposent un entraînement différent : il commence au 6e mois et se découpe en six leçons. Chacune aborde un sujet théorique (physiologie de la femme, déroulement de l'accouchement, etc.) et le complète par des exercices physiques et sophroniques. Première étape : apprendre à se mettre dans un état entre sommeil et veille, et ressentir des sensations simples. Deuxième étape : s'imaginer après l'accouchement, parfaitement bien, chez soi, et à côté de son bébé.

À partir de là, chaque séance ramènera mentalement la jeune maman vers l'accouchement. Grâce à cette technique, toute crainte s'efface et elle peut, avec moins d'angoisse, se préparer à être une maman heureuse. Tout comme l'accouchement psychoprophylactique, l'accouchement sophrologique ne supprime pas la douleur, il permet de mieux la supporter. ▪

1ᴱᴿˢ MOIS

2ᴱ MOIS

3ᴱ MOIS

4ᴱ MOIS

5ᴱ MOIS

6ᴱ MOIS

7ᴱ MOIS

8ᴱ MOIS

9ᴱ MOIS

LA NAISSANCE

LES 1ᴿᴱˢ SEMAINES DE MAMAN

LES 1ᴿᴱˢ SEMAINES DE BÉBÉ

GROSSESSES DIFFÉRENTES

ANNEXES

Fatigue et prématurité

Une enquête de l'Inserm, menée par Nicole Mamelle, a cherché à déterminer les facteurs de risque liés à l'activité professionnelle au cours de la grossesse. Cette enquête rétrospective sur l'ensemble des facteurs de fatigue, professionnels et familiaux, a été menée auprès de femmes venant d'accoucher dans la maternité Claude-Bernard de Lyon et dans celle de l'hôpital de Haguenau (en Alsace). La moitié de ces jeunes mères ont exercé une activité professionnelle durant la grossesse. De plus, plusieurs études ont confirmé la relation entre naissances prématurées et fatigue. Cette étude de l'Inserm a démontré la relation existant entre la prématurité et le cumul de fatigue : les conditions de travail pénibles se rencontrent surtout chez les ouvrières, les personnels de service et les employées de commerce.

À ces sources de fatigue, s'ajoute celle relative aux transports. Parmi les facteurs de risque, il faut encore prendre en compte le travail sur certaines machines, sources de vibrations ou de trépidations, et les tâches trop répétitives. Une autre enquête montre que 15 % des femmes enceintes effectuaient un trajet simple de plus de 30 min tous les jours, 81 % d'entre elles en utilisant les transports en commun. Indépendamment de cette étude, 15 % des femmes estiment leur travail professionnel très fatigant en fin de grossesse : 7 % accouchent prématurément, contre 4 % parmi les femmes ne travaillant pas. ■

Deux exemples à suivre

Certaines entreprises ont fait le pari d'aider les femmes à concilier vie de famille et vie professionnelle. Ainsi cette entreprise lyonnaise, où 80 % des 1 800 salariés sont des femmes d'environ 30 ans, 20 % des employées ont délibérément choisi le travail à temps partiel avec la possibilité de passer à temps plein dès qu'elles le souhaiteront. Ni lésées ni démotivées, ces femmes sont parmi celles qui sont le moins souvent absentes. Autre exemple d'une entreprise installée en banlieue parisienne qui a institué la semaine de 32 h pour les futures mamans et les mères qui le souhaitent. Ainsi, celles qui veulent un peu plus de liberté pour des raisons familiales peuvent en disposer. De plus, une fois par mois, l'usine est ouverte le samedi durant 5 heures. Cela permet aux volontaires de se constituer un capital d'heures dont elles peuvent disposer quand elles le désirent. Toutes ces dispositions ne sont pas exclusivement réservées aux femmes enceintes, mais représentent pour elles un confort qu'elles apprécient. ■

Penser à l'avenir

C'est dès maintenant qu'il faut penser à votre retour dans l'entreprise. Il se passera d'autant mieux que vous aurez annoncé tôt votre grossesse, laissant à l'entreprise tout le temps d'organiser votre remplacement. Autre conseil, ne laissez pas votre employeur ou même vos collègues de travail sans nouvelles, manifestez-vous tout au long de votre grossesse. Ainsi vous ferez savoir que vous avez bien l'intention de reprendre votre place dans quelques mois.

Et si, pour une raison médicale, vous devez prolonger votre congé ou si vous souhaitez aménager différemment votre temps de travail, prévenez votre employeur d'abord par téléphone avant de lui envoyer le courrier réglementaire, une lettre recommandée avec AR. ■

Pénibilité accrue

D'une manière générale, il faut éviter le surmenage. De façon subjective, 70 % des femmes estiment leurs conditions de travail et leur environnement agréables en temps normal, mais 35 % les trouvent pénibles, voire très pénibles pendant la grossesse, et pour 15 % ils deviennent insupportables. ■

Annoncer la nouvelle
à votre employeur

VOUS APPARTENEZ À LA CATÉGORIE DES FUTURES MAMANS QUI TRAVAILLENT, comme la grande majorité des femmes qui sont enceintes pour la première fois. Votre ventre s'arrondit, vous avez beau vous vêtir de manière à ce qu'il ne se voie pas trop, il va falloir pourtant annoncer à votre patron ou au directeur du personnel la bonne nouvelle.

Préserver les relations futures

En effet, il est important pour vos relations futures qu'il ne soit pas le dernier averti ; bien que sur le plan du droit du travail vous ne soyez seulement tenue de lui indiquer vos dates de départ et de retour de congé de maternité. Averti à temps, le responsable de l'entreprise où vous travaillez va pouvoir s'organiser durant votre absence. Un conseil : profitez d'un moment où il semble ne pas avoir trop de soucis et demandez-lui un rendez-vous. Cette annonce ne peut se faire au détour d'un couloir.

Si vous avez un poste à responsabilités, réfléchissez à l'organisation possible de votre service en votre absence. Les futures mamans sont généralement angoissées à l'idée de cette annonce, mais rassurez-vous, même si sur le moment votre patron prend la chose de manière assez froide, voire désagréable, quelques jours plus tard il se sera rendu à la raison.

L'annonce aux collègues de bureau est souvent plus simple. Vous constaterez que certains se révèlent sous des jours nouveaux, les plus distants pouvant se montrer sympathiques et prêts à vous aider. Mais ne comptez quand même pas trop sur leur solidarité, surtout si votre grossesse entraîne de nombreuses absences de votre part.

Pensez que pour quelques jours vous ne serez pas remplacée et qu'il leur faudra faire votre travail, en plus du leur.

La législation en vigueur

Le Droit du travail vous accorde quelques prérogatives. Ainsi, vous pouvez vous absenter pour vous rendre aux visites médicales obligatoires, soit une fois par mois à partir du 4e mois de grossesse.

Pratiquement toutes les conventions collectives prévoient la possibilité d'aménagement de poste et d'allègement d'horaires de 5, 15 ou 30 min, en fonction de votre temps de transport. Et si votre emploi est trop fatigant ou votre état de santé incompatible avec votre métier, sachez que vous pouvez changer provisoirement d'emploi, tout en gardant le même salaire ; 40 % des femmes demandent à leur employeur des modifications dans leurs conditions de travail : réduction des horaires ou aménagement de leur poste de manière à ce que leur travail soit moins fatigant. Mais tout n'est pas rose en la matière. Dans notre société, le respect des règles de protection de la maternité, pourtant légales, n'a pas encore parfaitement droit de cité. C'est encore trop souvent un combat. ■

1ER MOIS

2E MOIS

3E MOIS

4E MOIS

5E MOIS

6E MOIS

7E MOIS

8E MOIS

9E MOIS

LA NAISSANCE

LES 1RES SEMAINES DE MAMAN

LES 1RES SEMAINES DE BÉBÉ

GROSSESSES DIFFÉRENTES

ANNEXES

Petite garde-robe de base

Dans votre armoire :

- 3 tee-shirts ;
- 2 grandes chemises (1 sport, 1 plus habillée, blanche)
- 1 petit gilet fantaisie ;
- 1 chemise de nuit (au rayon « mamie » ou à la fripe) ;
- 2 vestes, type veste d'homme ;
- 3 pantalons et 1 caleçon ;
- 1 jupe droite ;
- 1 robe un peu plus féminine ;
- 1 tailleur ou 1 ensemble veste/jupe en harmonie ;
- 2 soutiens-gorge ;
- 4 petites culottes grande taille ;
- 2 paires de collants future maman.

À la ville et à la plage

Sachez que la silhouette s'épaissit avec les robes à gros plis et à fronces, surtout dans les tissus épais, mais qu'elle s'allonge avec des vêtements droits, près du corps sans pour cela le mouler. Les épaules étroites ont aussi tendance à alléger la silhouette. Le choix d'un maillot de bain est souvent compliqué. Il existe bien sûr des maillots future maman ; s'ils sont confortables, notamment au niveau de la poitrine, ils sont, on ne sait pas trop pourquoi, rarement beaux. Mieux vaut sans doute se choisir un maillot une pièce, type nageur avec ou sans soutien-gorge. Il est encore préférable de l'acheter uni et de couleur foncée, afin d'affiner au maximum la silhouette. Certaines femmes préfèrent faire leur choix parmi les justaucorps de danseuse. On les trouve généralement dans une multitude de couleurs et ils peuvent être portés, pour celles qui ont une poitrine lourde, avec un soutien-gorge dessous. Vous pouvez aussi faire vos achats par correspondance aussi bien pour une robe de fête que pour de la lingerie.

Un choix vestimentaire raisonnable

L'investissement dans des vêtements de grossesse (350 euros en moyenne) doit rester raisonnable. Si vous avez quelques notions de couture, essayez vos talents. Il existe des patrons future maman. Au total, ces vêtements ne serviront que quelques mois et il est faux de penser que vous pourrez les remettre après, même portés différemment. De plus, comme leur nombre est limité, vous les utiliserez souvent et il y a fort à parier que vous en serez lassée après l'accouchement. D'ailleurs, il est évident que sur le plan psychologique, la femme a besoin de se retrouver comme avant. Toutes les futures mamans rêvent de remettre les vêtements qu'elles ont dû laisser dormir neuf mois dans leur placard. Dans ce cas-là, pourquoi ne pas voler à votre conjoint ses chemises, ses pulls, son blouson de cuir ou de lainage et, s'il en porte, les gilets de ses costumes.

Côté mode : confort et séduction

SI AU DÉBUT DE VOTRE GROSSESSE VOUS AVEZ PU VOUS DÉBROUILLER en puisant dans votre garde-robe des vêtements un peu larges, en adaptant des bretelles aux pantalons dont vous laissez la taille ouverte, au 5ᵉ mois, tout cela n'est plus possible et certains bricolages deviennent inconfortables.

Féminine jusqu'au bout

En fait, les vêtements pour future maman se classent en deux tendances radicalement opposées : ceux qui cachent et ceux qui montrent. Bien sûr, on peut se choisir une garde-robe dans ces deux catégories. De même, il n'est pas obligatoire de s'habiller dans les magasins spécialisés. Vous pouvez trouver dans des collections de prêt-à-porter des modèles amples qui habillent sans difficulté une femme enceinte, l'idéal étant de ne pas changer son style mais de l'adapter à vos nouvelles formes. Vous pouvez, bien sûr, porter les accessoires que vous aimez, et qui personnalisent la tenue. N'hésitez pas à mettre en valeur ce qui fait votre féminité. Vous avez de jolies jambes ? Montrez-les. Il existe des tailleurs avec jupe droite possédant une bande élastique sur le devant pour caser les ventres les plus arrondis. Vous avez de jolis bras ? Portez des chemisiers à manches montées et courtes ; soulignez vos poignets en mettant quelques bracelets. Vos épaules sont superbes et votre cou bien proportionné ? Optez pour les décolletés, votre poitrine généreuse le permet.

Acheter malin

Pour ne pas trop grever votre budget, mêlez vêtements spécialisés (chers) et vêtements bon marché. Un principe : le bas sera souvent choisi dans un modèle « spécial future maman », le haut dans votre garde-robe d'avant, ou acheté plus pour son style que pour sa qualité. Au rayon homme, chemises, tee-shirts en L ou XL vous habilleront parfaitement. Choisissez encore des matières qui se lavent facilement et qui ne se froissent pas, ainsi votre « tenue » pourra être disponible plus souvent. Aujourd'hui, la tendance est aux chemises, aux pulls, aux tee-shirts, aux robes droites se portant ceinturées sous le ventre.

Attention, en fin de grossesse ce n'est pas toujours confortable. La classique superposition pantalon, chemise, gilet (style gilet d'homme) est alors plus heureuse. Dans tous les cas, il ne faut pas que les vêtements serrent le ventre ; cela peut provoquer des troubles et des douleurs digestives, voire des contractions utérines.

Hissez les couleurs

Les futures mamans d'aujourd'hui aiment les vêtements de couleur. Un peu d'excentricité et d'exotisme iront parfaitement tant que vous pourrez encore porter des vêtements non spécialisés. Vivez la maternité conquérante et drôle. Vous pouvez utiliser les pantalons de votre garde-robe en les portant ouverts, simplement tenus par des bretelles que vous mettrez devant-derrière pour ne pas gêner votre poitrine. Si besoin, investissez dans une jupe et un pantalon à taille élastique d'une ou deux tailles plus grandes que votre taille habituelle. En les prenant d'une couleur unie, vous pourrez les mettre plusieurs mois. ▪

1ᵉʳ MOIS

2ᵉ MOIS

3ᵉ MOIS

4ᵉ MOIS

5ᵉ MOIS

6ᵉ MOIS

7ᵉ MOIS

8ᵉ MOIS

9ᵉ MOIS

LA NAISSANCE

LES 1ᵉʳᵉˢ SEMAINES DE MAMAN

LES 1ᵉʳᵉˢ SEMAINES DE BÉBÉ

GROSSESSES DIFFÉRENTES

ANNEXES

Oui aux produits laitiers !

Le yaourt est un des aliments privilégiés de la future maman. Sur le plan nutritionnel, il a sensiblement la même valeur qu'un verre de lait. Il apporte des protéines, du calcium, des vitamines et des sels minéraux. Autre aliment lacté, aujourd'hui très courant, le yaourt au bifidus, dont les bactéries existent à l'état naturel dans le tube digestif. Toutes les expériences menées sur ces produits dénotent une efficacité remarquable sur la régulation intestinale. Ils sont à la fois efficaces contre la diarrhée et contre la constipation.

- *Les bifidus* : BA, Activia, Ofilus, Zen. Le lait est fermenté avec des bifido-bactérium, un groupe de bactéries qui abrite à lui seul 25 espèces, d'origine humaine et animale.
- *Le yaourt nature et entier* : les ferments utilisés sont le *Lactobacillusbulgaricus* et le *Streptococcus thermophilius*. Sa valeur nutritionnelle est équivalente à celle du lait demi-écrémé. Il comporte au moins 3 % de matières grasses.
- *Le yaourt brassé* : comme son nom l'indique, après coagulation, il est brassé, ce qui le rend beaucoup plus onctueux.
- *Le yaourt aromatisé* : on y ajoute des extraits d'arômes naturels ou des fruits, avec miel ou confiture dans la limite de 30 % du poids de produit fini. Quant aux laits « future maman », ils sont élaborés à partir de lait partiellement écrémé. Ils sont enrichis en fer, en magnésium, en zinc, en acides linoléique et alphalinoléique, en acide folique et en vitamine D. Ils couvrent en moyenne 16 à 45 % des besoins minéraux spécifiques à cette période. ■

Les vertus de la prêle

La prêle, *Esquisetum arvense*, est une plante très riche en vitamines, minéraux et oligo-éléments, en particulier en silicium et en potassium. Elle est utilisée pour son pouvoir reminéralisant. Chez la femme enceinte, elle lui permet de conserver le bon équilibre minéral indispensable. Dès le 3e mois de grossesse, on conseille 2 gélules de poudre totale par jour. Cela assurerait l'assimilation du fer grâce à la présence de zinc et serait donc particulièrement conseillé en fin de grossesse et après la délivrance, pour prévenir les chutes de fer et d'hémoglobine. La prêle contenant une faible quantité de calcium favorise aussi la fixation de celui apporté par l'alimentation.

Enfin, sa richesse en silicium va permettre de maintenir les phanères (organes de protection caractérisés par une kératinisation intense : ongles, cheveux, etc.) en bon état ainsi que la peau (prévention des vergetures). ■

Bon poids, bonnes mesures

À la fin du 2e trimestre, votre prise moyenne de poids est d'environ 6 kg, si vous avez été raisonnable, dont 2 kg sont pour le fœtus et ses « annexes » : placenta et liquide amniotique, 4 kg sont « à vous » sous forme de réserves.

Elles seront utilisées au cours du 3e trimestre, au moment de l'accouchement et en période d'allaitement. Bien sûr, la prise de poids est aussi fonction de votre taille. Plus vous êtes grande, plus il est normal que vous preniez du poids. De même, si vous continuez à avoir une activité physique importante, si vous attendez plusieurs enfants ou si vous en avez déjà eu plusieurs, votre ration alimentaire sera un peu plus élevée, notamment sur le plan protidique. Il est rare que des futures mamans aient besoin des conseils d'un nutritionniste : celles qui les consultent souffrent d'obésité, sont trop maigres ou ont des risques de diabète.

Le contrôle de votre poids est celui de toute femme soucieuse de sa ligne : soit une fois par semaine, le matin à jeun, nue ou en sous-vêtements et surtout toujours sur la même balance. ■

Des calories pour votre bébé

1ER MOIS

2E MOIS

3E MOIS

4E MOIS

5E MOIS

6E MOIS

7E MOIS

8E MOIS

9E MOIS

LA
NAISSANCE

LES 1RES
SEMAINES
DE MAMAN

LES 1RES
SEMAINES
DE BÉBÉ

GROSSESSES
DIFFÉRENTES

ANNEXES

ATTENDRE UN BÉBÉ REND RAISONNABLES LA GRANDE MAJORITÉ DES FUTURES MAMANS. Tout naturellement, elles établissent leur alimentation à 2 500 calories par jour, normes recommandées par l'Organisation mondiale de la santé pour les femmes enceintes.

Quand la raison gouverne

Le comportement alimentaire de la future maman oscille souvent entre la crainte de ne pas se nourrir assez et celle de prendre trop de poids. Différentes enquêtes montrent que ce sont celles qui sont un peu rondes qui font le plus attention, et elles ont raison. En revanche, les femmes minces mangent plus et il est donc logique qu'en fin de grossesse elles aient pris plus de poids. La composition de l'alimentation ne varie pas beaucoup dans cette période ; on note cependant une plus grande consommation d'eau, de calcium, et de vitamine C, B9 et carotène, sous forme de crudités et de laitages. En revanche, l'absorption de glucides (tous les féculents : pâtes, pain, riz, etc.) diminue, ainsi que celle des lipides (graisses). En ce qui concerne les sels minéraux, leur apport est également faible et peut s'avérer insuffisant (fer, magnésium) ; l'apport protidique (viande, poisson, œufs), quant à lui, n'est pas modifié et semble suffisant. Votre alimentation au cours de la grossesse ne doit pas vraiment changer.

Dans l'idéal, les 2 500 calories journalières, dont vous avez besoin, correspondent à : 500 ml de lait ; 2 yaourts ; 50 g de fromage à pâte molle, 200 g de viande ; 250 g de pain ; 200 g de pommes de terre ; 200 g de légumes verts ; 300 g de fruits ; 20 g de beurre ; 15 g d'huile et 35 g de sucre. Aucun aliment n'est défendu pendant la grossesse, mais quelques précautions doivent être respectées : ne pas manger des viandes crues ou trop saignantes, éviter les fromages fermiers et laver abondamment les fruits et les légumes. N'hésitez pas à utiliser les épices pour parfumer vos plats, votre bébé fera ainsi ses premières découvertes gustatives.

Le poids de naissance

Même s'il n'existe pratiquement pas de corrélation entre les kilos pris au cours de la maternité et le poids du bébé à la naissance, on note un rapport certain entre le poids de naissance de l'enfant et l'âge de la future maman. Ainsi, plus la mère est âgée, plus son bébé sera gros. Il semble encore qu'il y ait une certaine influence du poids de la future maman avant la maternité. La prise de poids moyen au cours de la grossesse devrait être de 11 à 13 kg. Sur ce poids, 6 kg environ sont attribués au poids de l'enfant, au placenta, à l'utérus et au liquide amniotique ; 5 à 7 kg seulement s'ajoutent au poids initial de la future maman. On estime que jusqu'à la 20e semaine de gestation, la prise de poids peut être attribuée à la mère ; son corps fait des réserves, c'est ce que l'on appelle la phase d'anabolisme. Ensuite la grossesse entre dans une phase dite de catabolisme. On constate alors les augmentations du flux sanguin utérin, du poids du placenta et du fœtus. C'est au cours de cette phase que l'organisme de la mère libère les protéines qu'elle a jusqu'alors engrangées pour les donner au fœtus en pleine croissance. ∎

Le sixième mois

1ᴱᴿ MOIS

2ᴱ MOIS

3ᴱ MOIS

4ᴱ MOIS

5ᴱ MOIS

6ᴱ MOIS

7ᴱ MOIS

8ᴱ MOIS

9ᴱ MOIS

LA NAISSANCE

LES 1ᴿᴱˢ SEMAINES DE MAMAN

LES 1ᴿᴱˢ SEMAINES DE BÉBÉ

GROSSESSES DIFFÉRENTES

ANNEXES

Le sixième mois

Vous

SE PRÉPARER À L'ACCOUCHEMENT, QUELLE QUE SOIT LA MÉTHODE CHOISIE, est avant tout se donner du temps à soi. Toutes permettent de prendre conscience que ce moment de la maternité est exceptionnel. Toutes aident à comprendre le déroulement physiologique de l'accouchement et calment ainsi l'anxiété qui est source de douleur. C'est encore, tout à la fois, un moment d'introspection et un instant intime volé à la vie trépidante.

La maternité transforme les cœurs et les couples. Elle implique la construction d'une autre relation où jamais plus le tête à tête ne sera le même.

« Il bouge ! Regarde, touche, voici sa tête, là, un de ses pieds. » La plupart des couples observent avec émotion les premiers mouvements de leur bébé. La future maman est alors heureuse de montrer à son compagnon que tout se passe bien. Elle tient à lui faire partager le trouble que suscitent en elle ces « galipettes », sensations difficiles à décrire avec des mots alors elle guide doucement la main du futur père sur l'arrondi de son ventre. Elle l'entraîne ainsi à faire connaissance avec son enfant, cherche à lui faire exprimer ses sentiments, le trouvant parfois si « extérieur » à cette aventure.

Elle leur est pourtant si commune ! Elle aimerait, comme cela lui arrive souvent à elle, qu'il parle à ce bébé, qu'il le touche, qu'il le caresse. Bref qu'il devienne père aussi intensément qu'elle s'est sentie mère.

Faire participer le père à l'expérience de la grossesse n'est pas chose facile. C'est pour lui un monde totalement inconnu où il ne peut pénétrer que si sa compagne le guide.

Votre bébé

1ER MOIS

2^E MOIS

3^E MOIS

4^E MOIS

5^E MOIS

6^E MOIS

7^E MOIS

8^E MOIS

9^E MOIS

LA NAISSANCE

LES 1RES SEMAINES DE MAMAN

LES 1RES SEMAINES DE BÉBÉ

GROSSESSES DIFFÉRENTES

ANNEXES

LE CERVEAU SE CONSTRUIT À UNE VITESSE VERTIGINEUSE à raison de 100 000 cellules à la minute. Il est achevé ainsi que la moelle épinière au début du 6e mois et à la fin, les sillons cérébraux sont dessinés et les neurones sont en place. Le système neurologique du fœtus est suffisamment fonctionnel pour lui permettre « une forme d'intelligence », notamment celle qui consiste à expérimenter ses capacités sensorielles. La respiration automatique fonctionne grâce à son système nerveux. L'arbre bronchique croît et se prépare aux échanges gazeux.

Au 5e mois

Au 6e mois

Au 7e mois

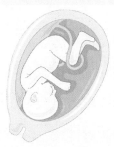

Le fœtus pèse 1 kg et mesure 30 cm. S'il venait à naître maintenant, il pourrait vivre mais il a besoin d'encore un peu de temps pour parfaire ses organes.

Son système nerveux s'organise

Dès le 4e mois de gestation et jusqu'à la naissance, les cellules nerveuses se multiplient à un rythme effréné : 250 000 divisions à la minute ! Elles se déplacent vers la périphérie de la masse cérébrale et établissent entre elles des connexions. La migration des cellules se fait de manière prodigieusement astucieuse par le biais de cellules guides qui amènent la nouvelle cellule exactement à la place qui lui est attribuée. Ainsi se forment les six couches du cortex. Puis, ces cellules tissent entre elles des connexions horizontales donnant à la région du cortex tout son pouvoir.

Un seul neurone en établit ainsi plusieurs milliers avec ses semblables. À la fin du 6e mois, les sillons cérébraux sont dessinés et les neurones sont en place. La respiration automatique est commandée par le système nerveux. L'arbre bronchique se développe, avec notamment l'apparition des alvéoles des poumons (sacs terminaux) qui sont déjà bien cernées par les capillaires chargés des échanges gazeux. Les traits du visage sont de plus en plus fins. Votre bébé a des sourcils, de jolies narines et des lèvres bien ourlées ; l'œil a la capacité de voir et les éléments constituant la rétine finissent de se mettre en place.

Dans peu de temps, l'œil sera capable de voir, les paupières qui étaient jusqu'alors soudées vont se soulever. Il entend. Tout le système nerveux capable de perceptions sensitives est à sa place définitive. Le fœtus adopte une attitude caractéristique, bras repliés sur la poitrine, genoux ramenés sur le ventre : la position fœtale. Il pèse alors 1 kg et mesure 30 cm. S'il venait à naître maintenant, il pourrait vivre.

Mais il a encore besoin de repos pour parfaire tous les organes et les sens dont il s'est doté depuis quelques mois. ▪

Grandir, tout un programme

La taille de l'enfant est en partie déterminée génétiquement mais le mode de vie et l'alimentation des premières années va être déterminant. Les générations d'aujourd'hui sont généralement plus grandes. Le bon développement du fœtus se mesure soit en prenant la hauteur de l'utérus lors de l'examen clinique mensuel, soit au cours d'une échographie. Cet examen permet notamment une évaluation du poids de l'enfant. Il est calculé à partir d'une combinaison de trois mesures, celle de la tête (diamètre bipariétal), du fémur (longueur fémorale) et de l'abdomen (diamètre abdominal). Dans la majorité des cas, une mauvaise croissance est à mettre au compte d'échanges insuffisants entre la mère et son enfant ; leur évaluation se fait par un examen au Doppler. Ainsi, les bébés des fumeuses ou des mamans hypertendues sont plus petits parce qu'ils ne reçoivent pas assez d'éléments nutritifs de la part de leur mère. En effet, chez ces femmes, les vaisseaux sanguins sont de diamètre plus petit que la normale et limitent donc le débit de sang maternel nécessaire au développement naturel du fœtus. Mais d'autres raisons peuvent être la cause d'un retard de croissance, ainsi les recherches, de plus en plus affinées, tendent à démontrer qu'il est probable que ces mauvais échanges proviennent de la qualité du placenta et des vaisseaux du cordon ombilical. ▪

Poids et génétique

Il semble que le poids de naissance de l'enfant soit programmé génétiquement : une maman « ronde » mettra au monde un bébé de bon poids et, inversement, une femme mince un bébé de petit poids. La taille et le poids moyens de naissance se situent autour de 50 cm pour 3,250 kg. Les bébés « non conformes » peuvent rattraper leur retard au cours de la première année. ▪

Quand un bébé dort, il grandit

1ER MOIS

2E MOIS

3E MOIS

4E MOIS

5E MOIS

6E MOIS

7E MOIS

8E MOIS

9E MOIS

LA NAISSANCE

LES 1RES SEMAINES DE MAMAN

ANNEXES

MAIS QUE FAIT LE BÉBÉ DANS LE VENTRE DE SA MÈRE ? Dort-il ou veille-t-il ? Le fœtus partage son temps entre activité motrice et sommeil. Sur 24 heures, il reste éveillé 4 heures. Jusqu'à la fin du 7e mois, les tracés encéphalographiques révèlent que le fœtus passe une bonne partie de son temps dans un état de sommeil paradoxal (phase de sommeil où s'installent les rêves), qui augmentera jusqu'à la naissance pour régresser très vite dans les quelques mois suivants.

Important pour le cerveau

On sait aujourd'hui que c'est très précisément durant cette période de gestation que se produit l'essentiel de la maturation des cellules nerveuses. Des observations faites sur les animaux montrent d'ailleurs que ceux qui naissent très immatures cérébralement ont un taux de sommeil paradoxal important, alors qu'à l'inverse les animaux au système nerveux presque achevé à la naissance ont des taux de sommeil paradoxal bas et peu variables au cours de leur vie. Ainsi, le sommeil paradoxal, en activant bon nombre de cellules essentielles au fonctionnement vital, aiderait à leur développement.

Qualité et quantité

Les moments de veille et de sommeil ne se différencient que vers 8 mois de gestation.
À 8 mois et demi environ, et pour la première fois, les tracés indiquent que le futur bébé vit des nuits rythmées en cycles de sommeil lent et de sommeil paradoxal.
Rêve-t-il ? Peut-être, mais on ne peut pas encore le dire clairement. Les études, par échographie notamment, montrent que le fœtus s'entraîne à respirer pendant les moments de sommeil agité. Un peu comme s'il s'essayait à gonfler sa cage thoracique avant de naître. On peut alors penser qu'il a déjà une activité neuronale, et qu'il s'invente des images. Mais lesquelles ?

L'analyse du sommeil du fœtus permet même de déterminer la proximité de l'accouchement : on constate alors une parfaite égalité entre les deux types de sommeil, tant en qualité qu'en quantité. Et l'on sait encore que dans les 24 heures qui précèdent la naissance, le sommeil de la mère et du bébé sont en harmonie.
Étonnant ! À la naissance, les deux sommeils sont bien différenciés. Ils se succèdent au rythme de cinq à six cycles de 30 à 50 min (les rythmes sont de 90 à 100 min chez l'adulte). Mais l'enfant n'a pas encore acquis les notions de veille et de sommeil, de jour et de nuit.
Il lui faudra entre deux et trois mois pour les développer. Après la naissance, le processus de structuration neuronale se poursuit de manière autonome et toujours au cours du sommeil paradoxal. ■

❝ Les insomnies de la mèᵣ ❞
rent en rien de la ᵣ
enfant nerveux ᵣᵣ
Rassurez-vᵣ

211

Travaillez votre périnée

LE PÉRINÉE (OU PLANCHER PELVIEN) EST COMPOSÉ DE COUCHES MUSCULAIRES qui ferment le bassin. Elles y sont accrochées par deux ligaments qui ressemblent à deux cercles entrecroisés. Le plus grand de ces ligaments contrôle les sphincters de l'urètre et du vagin ; le plus petit, le sphincter anal.

Mieux vaut prévenir que guérir

Le muscle périnéal supporte beaucoup de tensions au cours de la grossesse. On estime qu'il se relâche environ de moitié, provoquant très souvent un problème d'incontinence après l'accouchement (p. 377). Aussi, pour ne pas avoir à en souffrir, il est conseillé de faire travailler ce fameux muscle par des exercices appropriés. L'exercice le plus simple consiste à arrêter le jet urinaire deux fois en cours de miction. Il suffit pour cela de contracter le périnée pendant 2 secondes environ sans resserrer ni les abdominaux ni les fessiers. Ou encore, toujours au moment d'uriner, dès le début de la miction, serrer le sphincter, tousser 4 à 6 fois puis recommencer à uriner.

Un autre exercice consiste à serrer à fond les sphincters : le sphincter anal, puis celui de la vessie. Bloquer ainsi 5 secondes. Pour être efficace, ce mouvement doit être fait une dizaine de fois par jour. Lorsque l'on a pris l'habitude de maîtriser la contraction périnéale, on peut s'exercer à tout moment. Mais, pour être efficace, les médecins estiment qu'il faut la pratiquer entre 100 et 200 fois par jour !

Des exercices simples et efficaces

À ces gestes simples, vous pouvez ajouter quelques mouvements de gymnastique douce. Par exemple, en travaillant votre respiration (p. 242), vous pouvez prendre conscience des mouvements du bassin, du ventre, du dos et du périnée. L'éducation du périnée se fait également en travaillant la posture du dos.

Sous l'effet du poids du bébé, qui sera de plus en plus lourd au cours des mois, et du fait de l'inclinaison vers l'avant de l'utérus, vous avez tendance à vous cambrer : les ligaments qui maintiennent l'utérus et la vessie se détendent alors. Des exercices simples vont vous aider à compenser cette poussée (p. 250). Mais il est préférable, au début, de s'entraîner sous la conduite d'une sage-femme ou d'un kinésithérapeute. ■

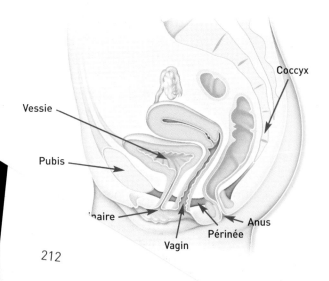

Coccyx

Vessie

Pubis

...inaire

Anus

Périnée

Vagin

212

Assise, genoux légèrement écartés, pieds joints. Posez vos mains sur la face interne de chacun de vos genoux. Contractez le périnée et, en même temps, essayez de joindre vos genoux alors que vos mains les écartent. Pratiquez cet exercice en expirant. Relâchez. Dans la même position, mais les mains placées à l'extérieur des genoux, essayez d'écarter vos genoux alors que vos mains les retiennent.

Debout, vos deux mains enlacent le bas-ventre ; le corps est souple et bien droit. Contractez et décontractez le périnée et les muscles fessiers.

Mettez-vous à quatre pattes, la tête appuyée sur les avant-bras, les genoux et les pieds rapprochés. Détendez complètement le périnée.

Couchée sur le dos, les jambes relevées sur une chaise. Relâchez les jambes l'une après l'autre, en faisant tourner le genou vers l'extérieur, le pied doit rester fixe. Pratiquez cet exercice complètement décontractée et en expirant. Puis redressez la jambe en contractant le périnée.

1ER MOIS

2E MOIS

3E MOIS

4E MOIS

5E MOIS

6E MOIS

7E MOIS

8E MOIS

9E MOIS

LA NAISSANCE

LES 1RES SEMAINES DE MAMAN

LES 1RES SEMAINES DE BÉBÉ

GROSSESSES DIFFÉRENTES

ANNEXES

Jambes au soleil : prudence

Si vous souffrez de problèmes veineux, mieux vaut ne pas exposer vos jambes au soleil : les rayons UV et la chaleur ne feront qu'accentuer les marques sur vos jambes. En vacances au bord de la mer, n'hésitez pas à marcher dans l'eau, à hauteur de chevilles, c'est comme un massage, ou alors, douchez doucement et régulièrement vos jambes à l'eau fraîche. ▪

Les hémorroïdes

Généralement, les futures mamans qui en souffrent connaissaient déjà ce désagrément avant leur grossesse. Les hémorroïdes sont dues à des problèmes circulatoires : une veine du rectum ou de l'anus se dilate et peut même saigner. Souvent douloureuses, elles doivent être signalées au médecin qui prescrira des traitements locaux ou généraux, certains ayant été spécialement mis au point pour les futures mamans. Les hémorroïdes sont souvent cause de constipation. Seule solution alors : s'astreindre à rétablir le transit intestinal en buvant quotidiennement beaucoup d'eau et en mangeant suffisamment de légumes verts. ▪

Les crampes

La future maman peut se plaindre de petits malaises circulatoires sans gravité et de crampes en particulier. Elles se produisent surtout la nuit et contractent la jambe, le pied ou la cuisse. Pour les faire passer, levez-vous et massez votre jambe. Vous pouvez aussi demander à votre compagnon de maintenir celle-ci quelques instants en élévation, le pied tendu dans son prolongement, puis de forcer en sens inverse pour amener le pied perpendiculairement à la jambe. Si elles sont très fréquentes, demandez à votre médecin de vous prescrire un médicament. Elles peuvent être le symptôme d'un manque de vitamines B1 et B6, de calcium ou de magnésium. ▪

Les varices vulvaires

Les jambes ne sont pas la seule partie du corps qui peut souffrir de varices. Certaines futures mamans ont des varices vulvaires (p. 238). Elles se manifestent par un gonflement d'une des grandes lèvres du sexe, parfois les deux. Cette tuméfaction n'est pas toujours identifiable à des varices mais elles en sont l'une des causes principales. ▪

Comment se soulager ?

La marche régulière est l'un des moyens les plus simples de lutter contre l'apparition des varices. Les bas ou les collants de contention sont aussi très efficaces. Sur le plan esthétique rassurez-vous, ils passent aujourd'hui inaperçus. L'emploi de veinotoniques sous contrôle médical peut être utile. Les massages sont aussi recommandés. Vous pouvez choisir une préparation toute faite en pharmacie ou préférer une huile essentielle. Les vertus des plantes pour soulager la sensation de jambes lourdes font généralement merveille. Voici une recette qui a fait ses preuves, vous en trouverez les composants chez un herboriste ou un pharmacien « traditionnel ». Il vous faut : 100 g de varech et 100 g de feuilles de vigne rouge. Mettez à bouillir dans 3 litres d'eau froide 3 grosses poignées de ce mélange pendant 10 min. Laissez infuser 30 min. Filtrez et versez dans un bain pas trop chaud (37 °C). Détendez-vous 10 min environ dans l'eau, puis allongez-vous, jambes légèrement surélevées, pendant 30 min. ▪

Prévenir les varices

1ER MOIS

2E MOIS

3E MOIS

4E MOIS

5E MOIS

6E MOIS

7E MOIS

8E MOIS

9E MOIS

LA NAISSANCE

LES 1RES SEMAINES DE MAMAN

LES 1RES SEMAINES DE BÉBÉ

GROSSESSES DIFFÉRENTES

ANNEXES

À PARTIR DU 6e MOIS, LE FŒTUS GROSSIT ET PÈSE DONC DE PLUS EN PLUS LOURD. L'apparition de varices peut en être une fâcheuse conséquence. Ces petites taches bleues qui se localisent sous la peau sont dues à une dilatation importante des veines des jambes. Les femmes souffrant d'une surcharge pondérale ont des prédispositions.

Un effet de compression

Les varices peuvent apparaître au niveau des jambes, des cuisses et de la vulve. Elles ont souvent des causes héréditaires qui peuvent être accentuées par des conditions de travail pénibles, notamment par la station debout.

Pourquoi la femme enceinte est-elle plus menacée? En raison, surtout, de la grosseur de l'utérus qui comprime les veines à l'intérieur du ventre, particulièrement lorsque la future maman est allongée car le retour veineux est plus difficile. Cette compression entraîne une accumulation de la quantité de sang dans les jambes. Ce phénomène est encore accentué par la diminution de l'élasticité des tissus, due à une réaction hormonale. À cette première difficulté s'ajoute celle due à l'importance accrue du volume sanguin (p. 79) indispensable pour alimenter le fœtus et le placenta. Le débit cardiaque de la future maman augmente et les veines sont davantage sollicitées. Enfin, certaines hormones comme la progestérone, dont la fonction est d'assouplir les tissus, sont produites en quantité. Elles provoquent la dilation des veines et rendent leur paroi un peu moins tonique.

Ces différents phénomènes physiologiques expliquent l'apparition des varices mais aussi les sensations de jambes lourdes et les crampes. Pour lutter contre l'apparition des varices, il faut faire quotidiennement un peu de gymnastique (battements des jambes, marche) et dormir les jambes surélevées. Il n'est pas recommandé d'opérer ou de scléroser des varices pendant la grossesse. En revanche, quelques mois après l'accouchement, un phlébologue peut retirer les varicosités par des miniscléroses, technique qui a l'avantage d'être efficace tout en étant peu douloureuse.

Il existe de nombreuses médications pour tonifier les veines sans danger, d'efficacité variable.

Les vertus du massage

Il existe un moyen simple pour soulager les douleurs variqueuses des jambes ou même simplement la sensation désagréable de lourdeur : le massage. Celui-ci se pratique couchée, jambes à la verticale, fesses appuyées contre la plinthe d'un mur. Commencez par un massage de la plante du pied, tout simplement avec l'autre pied, puis toujours avec ce pied descendez à l'intérieur de l'autre jambe, sur toute sa longueur. Ensuite, massez vigoureusement la cuisse avec les mains. Recommencez avec l'autre jambe.

Ce massage se fait des chevilles aux cuisses ; on chasse ainsi le sang de la plante des pieds à l'aine. Pour être efficaces, il faut pratiquer ces soins pendant 10 minutes au moins, particulièrement le soir après une journée fatigante. Mettre les jambes dans de l'eau froide, laquelle entraîne une vasoconstriction, a un effet bénéfique. ▪

Envisager un autre enfant

Deux enfants dans une famille restent l'image idéale du bonheur, correspondant aussi à un modèle social. Souvent encore, les parents programment le deuxième enfant avec l'espoir qu'il ne sera pas du même sexe que le premier.

Le célèbre pédiatre américain T. Berry Brazelton a remarqué tout au long de sa pratique que les parents commencent à réfléchir à la conception d'un autre enfant lorsqu'ils ont le sentiment que le premier, vers 5-6 mois, devient plus autonome. Sans doute parce qu'ils craignent à ce moment-là de devoir renoncer aux échanges que procure un nouveau-né, qui attend tout de l'affection et des sollicitations de ses parents. Tous les spécialistes s'accordent pour conseiller aux parents d'attendre au minimum la fin des « turbulences » qui marquent la seconde année du premier enfant pour programmer le deuxième. Vers 2 ans et demi-3 ans, tous les conflits se sont envolés, il est donc possible d'envisager la naissance d'un autre enfant. En revanche, il est déconseillé de la faire coïncider avec l'entrée à l'école du premier. Celui-ci peut vivre alors sa scolarisation comme un rejet affectif de ses parents. ∎

Se retrouver pour parler

Permettre aux futures mamans de se rencontrer et de connaître aussi de toutes jeunes mères, tel est le but de lieux créés au sein de quelques maternités, où elles peuvent exprimer leurs craintes, poser toutes les questions sans l'appréhension du jugement médical. Pour écouter, pour soutenir les plus fragiles, une équipe de spécialistes est là, composée de sages-femmes et de pédiatres. À la base de tout, le dialogue et l'écoute pour une meilleure approche psychologique de la naissance. ∎

L'expérience rassure

Le vécu d'une seconde grossesse est souvent fort différent de celui d'une première. Sur le plan physique, elle est parfois plus fatigante mais sans doute vécue plus sereinement. D'ailleurs, on s'aperçoit que ces futures mamans sont moins présentes aux cours d'accouchement, moins intéressées par l'haptonomie ou le yoga.

La douleur de l'accouchement leur est connue, tout comme son mécanisme et sa technique ; elles savent que, normalement, cette naissance sera plus rapide que la première. ∎

La vérité sur les envies

Les fameuses envies de la future maman sont célèbres : des fraises au beau milieu de l'hiver, du camembert en pleine nuit, à moins que ce ne soient des escargots ou de l'andouillette... Ces envies n'ont pas vraiment de fondement physiologique. Elles sont plutôt psychologiques. La future maman, à l'écoute d'elle-même, traduit ainsi son besoin d'attention et d'affection. Elles signifient : « Je veux qu'on m'aime », « J'ai besoin d'attention, j'aime qu'on s'occupe de moi. » À bon entendeur. Un récent sondage montre que 75 % des futures mamans semblent éprouver ces fameuses envies et qu'elles surviennent, dans près de 40 % des cas, à n'importe quel moment de la journée. Elles disent encore manger de plus en plus et de plus en plus souvent, avec une forte attirance pour les aliments acides.

Il est curieux de constater que ces envies ne sont pas les mêmes sous toutes les latitudes : les futures mamans américaines ont « envie » de glaces et de produits laitiers, donc de sucre, alors que les futures mamans japonaises réclament des mets salés... ∎

Vous avez besoin de protection

ENTRE VOTRE BÉBÉ ET VOUS S'ÉTABLIT UNE RELATION CHARNELLE
qui se prolongera plusieurs années après la naissance. Vous vous savez,
vous vous sentez en train de le nourrir. Pour lui, vous vous êtes déjà imposé
des contraintes en vivant tout à fait autrement : plus calmement, plus lentement,
en contrôlant votre alimentation et en arrêtant, pour certaines, de fumer.

Retour sur soi

Des sentiments complexes vous font percevoir votre bébé non seulement comme une partie de vous-même, mais aussi comme une personne à part entière, capable d'autonomie. Il a le hoquet, il fait des cabrioles... Vous vous apercevez que c'est déjà un être volontaire. En fait, vous préparez dès maintenant vos relations de demain. Le secret du bon couple mère-enfant réside dans l'équilibre du don et de l'éloignement (p. 400). C'est toute cette diversité d'émotions qui permet à la femme de se supporter, voire même de s'aimer, déformée, encombrée par son ventre (p. 286). Elle a le sentiment que tout cela n'a pas vraiment d'importance en comparaison de ce qui se passe en elle, de la responsabilité qui tout à coup l'investit. À six mois de grossesse, elle n'est pas encore gênée par son état. Dans un mois à un mois et demi, le temps lui semblera déjà plus long. Elle aura hâte de découvrir cette petite personne à laquelle elle se dévoue entièrement. Il lui arrivera même, à certains moments, de la trouver encombrante.

Apprendre à être mère

Il est faux de croire que tout est idéal dans la maternité. On ne devient pas mère d'un coup de baguette magique, c'est un long apprentissage. Une maturation qui a besoin de neuf mois et dont l'interruption précoce en raison d'une naissance prématurée peut être cause de perturbation dans la relation mère-enfant (p. 474).

Il est normal encore qu'une future maman, même si elle désire profondément son enfant, même si elle se réjouit de sa naissance, ait des moments de légère dépression. Cette naissance va bouleverser sa vie ; il est logique qu'elle s'en inquiète, qu'elle se pose quantité de questions : Sera-t-elle à la hauteur de la tâche ? Sera-t-elle la femme qu'elle était avant ? Saura-t-elle être mère et épouse ? Il arrive aussi que, par moments, la future maman regrette de s'être engagée dans cette aventure.

Un peu de fatigue, une déception familiale peuvent en être la cause. Ces neuf mois d'attente constituent une période de fragilité psychique, surtout lors d'une première grossesse. C'est sans doute ce qui explique que plus de 13 % des femmes enceintes sont dépressives. Certains spécialistes estiment que ces troubles sont peut-être plus répandus que ceux du post-partum. La période la plus critique se situerait au niveau de la 32e semaine. ■

> " Devenir parent est un travail psychique avec des moments lumineux et des périodes d'ombre. "

1ER MOIS

2E MOIS

3E MOIS

4E MOIS

5E MOIS

6E MOIS

7E MOIS

8E MOIS

9E MOIS

LA NAISSANCE

LES 1RES SEMAINES DE MAMAN

LES 1RES SEMAINES DE BÉBÉ

GROSSESSES DIFFÉRENTES

ANNEXES

Drôles de papas poules !

La meilleure préparation à ce nouveau statut paternel consiste à être très proche de la mère, à entrer en contact avec le futur bébé en écoutant battre son cœur, en le caressant lorsqu'il roule dans la poche utérine, en lui parlant. Mais certains pères tout à coup en font trop, refusant à leur épouse le droit de vivre normalement pendant neuf mois, sous prétexte qu'elle va se fatiguer, que leur bébé a besoin d'une maman reposée.

Ils peuvent même en arriver à accuser leur femme de négligence vis-à-vis de cet enfant à naître. De cette manière, et d'après les psychologues, les pères s'identifient au bébé et en profitent pour exprimer les sentiments agressifs archaïques qu'ils entretenaient alors vis-à-vis de leur propre mère. Cette attitude, par ailleurs, ne prédit en rien un père particulièrement attentif après la naissance. ∎

Des manifestations somatiques

1,6 kg : c'est le poids moyen que prennent les pères entre le 6e mois de grossesse de leur compagne et le premier anniversaire de leur bébé. Certains « futurs papas » somatisent beaucoup. Ils sont irritables pour un rien, se transforment en businessmen surchargés de travail, fuient le plus possible leur foyer ; d'autres se sentent en permanence fatigués ou deviennent plus « fragiles » : ils dorment mal, ils manquent d'appétit, ils souffrent de maux de ventre ou de dents, ont des problèmes dermatologiques, développent orgelet sur orgelet ou des angines à répétition, notamment au début de la grossesse. En effet, il est curieux de constater une multiplication étonnante de cette affection chez les futurs jeunes pères. Ces manifestations montrent sans doute la part d'angoisse qu'ils ressentent.

Les nuits des futurs papas sont peuplées de rêves. Le rêve le plus fréquent est celui de « l'enfant donné », le bébé qui a déjà 2 ou 3 ans s'installe soudainement dans la vie du couple. D'autres rêves sont encore des grands classiques, l'eau y joue un rôle important. Ils signifient un besoin de quiétude ou de sécurité. Enfin les rêves d'abandon ou d'exclusion se multiplient qu'il faut souvent relier à des difficultés d'adaptation du couple à la nouvelle situation. Les cauchemars qui évoquent la disparition d'un être cher témoignent pour la plupart du passage de statut d'enfant à celui de père de son enfant. Toutes ces manifestations montrent que l'homme est profondément bouleversé psychiquement par la paternité. ∎

À la recherche d'une nouvelle identité

Devenir père est peut-être plus difficile que devenir mère. Aujourd'hui, l'image que représente le père a été complètement bouleversée. Le père autoritaire, d'après les historiens, est « mort » en Mai 68 et celui absent de la vie quotidienne et de l'éducation des enfants est en voie de disparition. De nos jours, le père est à la recherche d'un nouveau statut. Son identité est en pleine mutation.

Une première paternité est toujours vécue avec une émotion très forte, d'autant plus que le monde de la maternité est, dans la majorité des cas, étranger à l'homme. Jamais il ne s'est vraiment posé la question de savoir comment l'enfant se développe ou ce qui se passe réellement au moment de l'accouchement. Le futur père, par la force des choses, « investit », comme peut-être jamais auparavant, dans son épouse ou dans sa compagne. Il vivra neuf mois à son écoute, inquiet quand elle est fatiguée, heureux de savoir après une visite médicale que tout va bien et que « son bébé grandit ». Devenir père, se sentir réellement investi de cette tâche, est une prise de conscience qui se produit à des moments différents, selon les sensibilités. Il y a ceux qui le sont dès la réponse positive du test de grossesse, ceux qui pleurent à la première échographie, ceux qui n'y croient qu'à l'accouchement et ceux qui le deviennent en jouant avec leur bébé.

Que les pères n'hésitent pas à demander de passer en famille les deux premières nuits après l'accouchement. Même installés inconfortablement, cette expérience est délicieuse. ∎

Le futur papa

1ER MOIS

2E MOIS

3E MOIS

4E MOIS

5E MOIS

6E MOIS

7E MOIS

8E MOIS

9E MOIS

LA NAISSANCE

LES 1RES SEMAINES DE MAMAN

LES 1RES SEMAINES DE BÉBÉ

GROSSESSES DIFFÉRENTES

ANNEXES

LA PATERNITÉ EST UN PHÉNOMÈNE INTELLECTUEL ; la mère peut appuyer son imaginaire sur des changements physiologiques, sur la sensation du bébé qui bouge en elle. Le père, lui, doit se débrouiller avec ce qu'il sait du bébé, ce qu'il apprend, ce que la mère veut bien lui confier.

Première rencontre

Heureusement, l'échographie lui donne un support d'imagination qu'il n'avait pas autrefois. En fait, jamais peut-être n'aura-t-il vécu des moments aussi solitaires.

Sa compagne, tout à elle-même, tout à son bébé est moins disponible pour lui. Amis, famille n'ont plus d'yeux que pour elle. De plus, il se sent souvent exagérément responsable : si elle est enceinte c'est grâce à lui ou à cause de lui. Il peut se sentir inconsciemment coupable de tous les désagréments dont souffre sa femme. Cela peut le rendre insupportablement protecteur. Le statut de la paternité évolue et fait l'objet de profondes interrogations. Le souci de partager « à part égale » les joies et les difficultés de la grossesse avec sa compagne le conduit à calquer son comportement sur celui de la future maman. Les consultations échographiques ont fait évoluer cette situation ; à la profonde émotion dont témoignent la plupart des hommes à la vue de « leur » bébé s'ajoute le fait de partager cette émotion avec leur compagne, et ce bien avant l'accouchement.

De nouveaux liens s'établissent entre les conjoints grâce à cette expérience, qui est souvent pour le couple une occasion de rapprochement.

C'est aussi la possibilité pour l'homme de découvrir un nouvel intérêt chez sa femme et de ne pas manquer le moment de la grossesse.

Retour vers le passé

Il sait aussi qu'il devra assumer d'autres responsabilités. Il faudra des moyens financiers supplémentaires pour cet enfant, il devra lui donner du temps, etc.

Sa femme, sa compagne, sera-t-elle à la hauteur de sa nouvelle vie ? Mènera-t-elle à bien cette grossesse ? Sera-t-elle une bonne mère ?

Bref, sa vie a la forme d'un point d'interrogation. Il ne se sent pas compétent tant qu'il n'a pas endossé son nouveau rôle. Pour trouver des réponses, il cherche dans son passé.

L'image de son propre père lui sert de référence, il étudie son comportement vis-à-vis de sa mère. Il se sent peut-être pour la première fois son égal ; pourquoi ne pourrait-il pas faire mieux ? Pourquoi ne deviendrait-il pas le père idéal ? Il s'imagine à la fois protecteur, jaloux, nourricier, participant ; il a un peu de mal à s'y retrouver, surtout qu'en face de lui il a une femme « changeante ».

C'est pourquoi nous avons pensé aux futurs pères. Un livre s'adresse à eux pour leur donner une information scientifique sur le déroulement de la grossesse, pour les aider dans l'aventure psychique de la paternité et pour leur permettre de partager pleinement ce moment de bonheur avec leur compagne (*Devenir père*, aux éditions Hachette Pratique). ■

Les états d'âme du père

Se faire une place en marge du couple mère-enfant relève parfois de l'exploit, car c'est en fait la mère, et elle seule, qui décide de l'espace qu'elle laissera au père. La tâche est complexe ; il doit tout à la fois apprendre à connaître son bébé, rester un mari affectueux, endosser de nouvelles responsabilités, et tout cela pratiquement en quelques heures (après l'accouchement). La seule solution pour lui est alors de montrer son désir d'assumer son rôle de père, en ne se laissant pas décourager, entre autres, par les : « Tu ne sauras pas faire. » Après tout, une femme n'a pas forcément fait de baby-sitting lorsqu'elle était jeune fille, ou aidé à élever une famille nombreuse.

Elle aussi est totalement inexpérimentée la toute première fois qu'elle tient son bébé dans les bras. Aussi, se poser d'emblée comme un futur père maternant est le plus sûr moyen de conforter son futur statut. ▪

Un papa présent

La présence du père auprès de l'enfant est à définir, à organiser au cours de la grossesse. Sa place se fera d'abord par la répartition des soins quotidiens que réclame le bébé. C'est en changeant son bébé, en le faisant manger, en étant présent, que se construiront les relations, que se partageront les premières découvertes, les premiers jeux et les premiers câlins. Ce sera l'occasion pour l'enfant de bâtir une relation différente d'avec sa mère. Celle-ci est indispensable à son futur équilibre. ▪

Une sexualité différente

La plupart des couples vont devoir changer leurs habitudes amoureuses. Le ventre proéminent de la femme, les seins parfois douloureusement sensibles rendent la position dite du « missionnaire » peu confortable, sauf si l'homme porte le poids de son corps sur ses avant-bras. Beaucoup de couples adoptent alors la position allongée sur le côté, la femme appuyant son dos sur l'homme. Certaines femmes préfèrent les positions à genoux. La plus grande difficulté que rencontre la future maman dès maintenant, et encore plus dans les mois qui vont suivre, est celle de son image corporelle.

Elle se sent laide, se voit beaucoup plus grosse qu'elle ne l'est en réalité. Elle imagine alors que son partenaire ne lui trouve plus aucune séduction. Elle ne se sent plus capable d'éprouver du plaisir et d'en donner. ▪

Le partage des tâches

Les papas « poules » sont loin d'être majoritaires dans la population des pères. Une étude réalisée par le CNRS auprès de 1 000 personnes montre que les mères consacrent deux fois plus de temps à leurs enfants que les pères. Elles assument aussi 80 % des tâches domestiques. En un peu plus de 10 ans, les hommes consacrent 10 minutes de plus par jour aux tâches familiales. L'arrivée d'un bébé dans un couple est sans doute le bon moment pour répartir les tâches qui seront dévolues à l'un ou à l'autre. ▪

Bâtir une autre relation dans le couple

MÊME SI VOUS ET VOTRE CONJOINT VOUS ATTENDEZ INTENSÉMENT LA VENUE DE VOTRE BÉBÉ, il va rompre, surtout si c'est le premier, l'équilibre que vous aviez établi tous deux. Les psychologues et les sociologues se sont aperçus que ce sont les jeunes couples qui ont le plus de mal à trouver un autre équilibre. La période de la grossesse est le temps idéal pour y réfléchir. Vous, vous allez vous investir entièrement dans votre rôle de mère. Dans votre « folie maternelle », comme l'appelle le célèbre pédopsychiatre, Winnicott, vous risquez de tout négliger, vous-même, comme votre conjoint.

Vers la vie de famille

Le père, de son côté, va vivre pendant neuf mois des moments difficiles qui vont se prolonger jusqu'à la naissance. Même s'il est très proche de vous, il se sent en marge du nouveau couple mère-enfant qui est en train de se former. À cette situation s'ajoute de part et d'autre un certain stress ; pour la femme il est indispensable (car elle en porte l'entière responsabilité) de mener à bien sa grossesse et de donner à son conjoint un bébé « parfait ».

Quant à l'homme, bien que l'attitude par rapport à l'argent ait beaucoup évolué dans les couples, il s'investit dans la responsabilité de faire vivre cette nouvelle famille. L'enfant à venir devient aussi pour lui source d'une quantité de projets.

Préserver sa vie de couple

Les relations sexuelles entre époux sont alors souvent différentes (pp. 130 et 177), les rencontres moins fréquentes, voire même parfois totalement absentes. Ces perturbations peuvent créer bien des tensions, des frustrations dont il vaut mieux parler plutôt que de les garder secrètes. L'arrivée d'un enfant dans un couple ne doit pas perturber l'équilibre qui en fait sa force. Il est important que les futurs parents aient aussi des projets autres que parentaux. C'est maintenant qu'ils peuvent réfléchir aux espaces qu'ils consacreront à leur couple. Sorties, week-ends en amoureux ne sont pas à mettre au compte d'une mauvaise relation parents-enfants. Bien au contraire. Ils sont nécessaires pour entretenir une relation affective profonde et durable. Tout ne doit pas être sacrifié à la fonction parentale.

Pour la femme comme pour l'homme, les neuf mois de grossesse sont fréquemment l'occasion de plonger, consciemment ou non, dans le passé (p. 39). Pour se construire un rôle de père ou de mère, il faut des modèles. Ceux de ses propres parents sont bien sûr les tout premiers. C'est alors parfois l'occasion de raviver de vieilles rancunes, de vieilles jalousies. On constate souvent que les frustrations ou les carences affectives ressenties dans l'enfance choisissent ce moment pour resurgir. ◾

1ER MOIS

2E MOIS

3E MOIS

4E MOIS

5E MOIS

6E MOIS

7E MOIS

8E MOIS

9E MOIS

LA NAISSANCE

LES 1RES SEMAINES DE MAMAN

LES 1RES SEMAINES DE BÉBÉ

GROSSESSES DIFFÉRENTES

ANNEXES

Les congés de maternité en Europe

– 13 semaines au Portugal ;
– 14 semaines en Allemagne, Irlande et Grande-Bretagne ;
– 15 semaines en Suède, Finlande et Belgique ;
– 16 semaines en Grèce, Espagne, France, Pays-Bas et Luxembourg ;
– 20 semaines en Italie ;
– 28 semaines au Danemark ;
Une directive européenne fixe à 14 semaines minimales le congé de maternité dans tous les pays de l'Union, mais laisse chaque État libre de déterminer une durée de congé plus longue. ▪

Du côté des bébés

Pour le professeur Cramer, pédopsychiatre, ce sont les projections des désirs de la mère sur son bébé qui le rendent si familier et qui lui permettent de s'attacher à un enfant qu'elle ne connaît pas et qui est parfois cause de beaucoup d'inconfort. Son attachement est donc fondé sur le plaisir et non sur la frustration, l'amour ne naît jamais de la frustration, le bébé doit être porteur de gratification. Une mère qui décide de reprendre son travail après la maternité le fait aujourd'hui le plus souvent pour sa satisfaction personnelle. Elle en sera donc heureuse, même si elle éprouve toujours une certaine culpabilité, et son bébé à son tour en bénéficiera. De son côté, Daniel Stern, autre pédo-psychiatre, est persuadé que le travail de la mère influence la vie des bébés, notamment sur le plan de l'éveil.

La mère moins disponible se comporte différemment, elle intensifie ses interactions et agit souvent en « dents de scie ». Face à ce comportement, l'enfant « s'autorégule », il apprend à négocier avec sa mère qui manque souvent de temps et parfois de patience. Cette connaissance de l'acquiescement et du refus marquera ses relations avec autrui et ce, pour toute la vie. Autre acquisition précoce, celle du partage des émotions. L'enfant confié à d'autres bras mène sa propre vie affective, il éprouve des joies et des peines. Il apprendra que ces émotions peuvent être partagées, peuvent être racontées si, de son côté, sa mère lui fait savoir qu'elle aussi éprouve des émotions en dehors de leur vie commune. ▪

Vous et les autres

Selon les derniers chiffres communiqués par le Centre d'étude de l'emploi, les femmes sont de plus en plus nombreuses à travailler, conséquence : le taux de travail des mères est essentiellement lié au nombre des enfants de la famille. En effet, 75 % des mamans françaises travaillent si elles ont un enfant, 65 % lorsqu'elles ont deux enfants, et 38 % quand la famille compte trois enfants et plus. Aussi, de plus en plus de femmes choisissent de travailler à temps partiel. ▪

Avant la naissance, pensez à la première séparation

La psychologue clinicienne Nathalie Loutre-Du-Pasquier a exercé longtemps en crèche et s'est interrogée sur la difficulté de concilier activité professionnelle et maternité. Quand une femme salariée attend un enfant, la priorité est de trouver un mode de garde. Or, elle n'y est pas préparée psychologiquement : elle doit imaginer la séparation avant que son enfant soit né ! De ce fait, beaucoup de femmes reculent cet instant le plus longtemps possible. Cette professionnelle propose d'assurer un minimum de garanties aux mères engagées professionnellement, notamment celle de disposer d'une période suffisamment longue après la naissance de l'enfant pour prendre le temps de décider la reprise de leur travail. ▪

Le choix d'être
une maman qui travaille

QUELLE QUE SOIT LA SOLUTION CHOISIE, c'est uniquement au couple d'entreprendre ce choix et, bien sûr, surtout à la mère. Dans tous les cas, on ne saurait trop recommander aux mamans de faire le point sur elles-mêmes avant de prendre toute décision, de ne se laisser influencer ni par la famille, ni par des contraintes sociales, ni par la mode.

Redéfinir votre façon de travailler

Décider de travailler, c'est toujours s'imposer un rythme de vie soutenu. Faire le choix de rester au foyer, c'est un peu se retrancher du monde et se recentrer sur les siens. Aucune des situations n'est, évidemment, idéale. Aussi, il est temps d'étudier toutes les possibilités d'aménagement des horaires de travail : mi-temps, travail à la carte, travail à domicile, sans oublier la possibilité d'opter pour le congé parental d'éducation (p. 519). Quelle que soit votre option, il est préférable, sans pour l'instant changer de statut, d'en avertir votre employeur. Pour celles qui décident de continuer une activité professionnelle, l'heure est venue pour elles de s'interroger sur le mode de garde qui sera préférable pour bébé.

Ne pas vous culpabiliser

L'essentiel est d'être disponible pour les relations affectives et les jeux. Décider de travailler ne doit, d'autre part, en rien culpabiliser la mère. Aujourd'hui, on sait que les enfants dont les mères travaillent, et qui sont gardés à domicile ou à l'extérieur, ne souffrent pas de l'absence maternelle si, au moment des retrouvailles, leur mère est disponible. Quelques moments quotidiens de profonde communication et d'échanges riches sont bien plus profitables pour le développement affectif de l'enfant qu'une présence constante et relativement indifférente. Le bébé, qui vit en symbiose avec sa mère, sera sensible à sa tension si elle reste au foyer alors qu'elle s'y ennuie ou si, inversement, elle travaille alors qu'elle ne le désire pas.

Mais il faut savoir qu'avoir un enfant limite bien souvent les ambitions professionnelles des mères. Mis à part le fait que certains employeurs ne favorisent pas leur avancement, estimant bien souvent qu'un enfant en bas âge est cause de beaucoup d'absentéisme, sur le plan psychologique, les jeunes mamans, tout au moins pendant un an ou deux, se désinvestissent toujours un peu professionnellement. Réussir leur rôle de mère semble souvent plus important que faire carrière. En voici la preuve : 200 000 femmes ont quitté leur emploi, incitées par l'allocation parentale d'éducation. ▪

« Ce qui est important dans le développement du bébé, ce n'est pas une présence quantitative des parents mais une attention qualitative. »

1ER MOIS

2E MOIS

3E MOIS

4E MOIS

5E MOIS

6E MOIS

7E MOIS

8E MOIS

9E MOIS

LA NAISSANCE

LES 1RES SEMAINES DE MAMAN

LES 1RES SEMAINES DE BÉBÉ

GROSSESSES DIFFÉRENTES

ANNEXES

223

Le menu quotidien

Le Centre de Recherche et d'Information nutritionnelles propose ce programme :
• Au petit déjeuner : lait aromatisé ou yaourt ou
fromage ; pain ou équivalent (biscottes, céréales)
+ beurre (fruit si absent à l'un des deux repas principaux).
• Aux déjeuner et dîner : légumes (crudités,
légumes cuits ou potage) ; viande, poisson ou œufs
(portion moins importante à l'un des deux repas) ;
légumes verts cuits (à l'un des deux repas), féculents (pommes de terre ou céréales ou légumes
secs), à l'autre repas ; fromage ou équivalent ;
fruits ; pain ; matières grasses de cuisson (huile,
margarine) et d'assaisonnement (beurre, huile) ;
eau.
• Collation : produits laitiers (lait ou yaourt ou fromage) ; pain ou céréales.
Quelles quantités ?
Lait (ou équivalents) : 1/2 litre ou 250 ml + 2
yaourts. Fromage : 30 à 50 g. Viande, poisson ou
œufs : 175 g (1 part : 100 à 125 g + 1 complément :
50 à 75 g). Pain (ou équivalents) : 200 g (soit 4/5e de
baguette). 100 g de pain = 75 g de biscottes (7 à 8)
ou 75 g de céréales. Pommes de terre (ou équivalents) : 250 g (2 pommes de terre moyennes).
100 g de pomme de terre = 25 g de céréales (pâtes,
riz...) ou 30 à 35 g de légumes secs (poids cru).
Légumes : 350 g (au moins une crudité et un plat
de légumes cuits). Fruits : 300 g soit 2 fruits, dont
au moins un cru. Beurre : 25 g soit 2 noix + 1 noi-
sette. Huile : 25 g soit 2 cuillerées à soupe + 1
cuillerée à café. Sucre : 30 g (équivalent de 6 morceaux de sucre ou 2 cuillerées à soupe). Toutes ces
quantités sont moyennes, et pour une future
maman à problèmes, le médecin peut les modifier
pour raison de santé ou de poids.
Si vous n'aimez pas trop le fromage, vous pouvez
compenser par quantité de laitages comme les
yaourts et les crèmes desserts à base de lait. Le
matin, vous pouvez prendre des céréales dans un
grand bol de lait. Mais peut-être n'avez-vous une
aversion que pour les fromages fermentés. Dans
ce cas, il existe des fromages à pâte cuite très
légers en goût. Ils ont l'avantage d'avoir un très bon
rapport calcium/poids. Pensez aussi à certains fromages de chèvre frais, particulièrement doux. ▪

▌ MON AVIS

Il est vrai que la prise de poids est un des soucis constants de la femme enceinte. Il est
évident que l'apport en graisses et en sucres rapides est à surveiller. Cependant, une
erreur à proscrire concerne ce qu'on appelle le « régime sans sel ». Il a été pourtant
largement prescrit à des générations de femmes enceintes pour un résultat quasi nul.
C'est une méthode qui s'est, par ailleurs, avérée dangereuse. Soyons clair ! Vous pouvez
en fin de grossesse réduire l'apport en sel dans votre alimentation, mais en aucun cas
le supprimer totalement. En effet, le sel, et particulièrement le sel marin non raffiné,
contient des sels minéraux indispensables à l'organisme. Et si, pour diverses raisons,
votre médecin vous demande d'en réduire l'apport, pensez que certaines eaux gazeuses
en contiennent beaucoup. ▪

Le bon dosage
des matières grasses

LE CHOLESTÉROL ET LES TRIGLYCÉRIDES AUGMENTENT PROGRESSIVEMENT CHEZ TOUTES LES FEMMES ENCEINTES pour atteindre des taux aux environ de 3 grammes par litre. L'alimentation et les graisses n'y sont pour rien, c'est un processus physiologique normal, un métabolisme lipidique différent qui ne demande aucun régime spécifique. D'autre part, les graisses sont source d'énergie, d'apport vitaminique et d'acides gras essentiels à la construction des structures cérébrales du fœtus.

Variez les apports

Les diététiciens recommandent donc éventuellement de varier la consommation de corps gras, notamment d'utiliser plusieurs huiles, chacune ayant des acides gras essentiels différents. Il est bon encore d'alterner les graisses d'origines animale et végétale. En fait, elles sont « cachées » dans les charcuteries, les viandes grasses, les fritures et les pâtisseries. Il faut savoir que c'est souvent en grignotant que vous consommez le plus de graisses. Évitez cacahuètes, chips et biscuits à apéritif. À titre d'exemple, 50 g de chips équivalent à 2 cuillerées à soupe d'huile. Il n'y a aucune raison de privilégier le beurre à la margarine et inversement, ils contiennent la même quantité de graisses, 82 g pour 100 g ; l'huile est nettement plus grasse avec 100 g pour 100 g. Par contre, la crème est moins riche en graisses, 30 g pour 100 g et de 12 à 29 g pour les crèmes dites légères.

Équilibrez vos menus

Mais attention, comme lorsque vous n'étiez pas enceinte, trop de matières grasses, surtout si elles sont cuites, sont difficiles à digérer. La moitié des matières grasses de notre alimentation sont contenues dans ce que nous employons pour cuisiner, assaisonner ou accompagner nos aliments. Rien n'est plus facile que de limiter les corps gras, il suffit de réduire les matières grasses ajoutées, d'éviter les pâtisseries et les charcuteries, les aliments frits. C'est une solution si vous avez pris trop de poids au cours des mois précédents ou si vous aviez déjà, avant votre grossesse, beaucoup de surpoids. Mais attention, en aucun cas vous ne pourrez suivre un régime basses calories. Les services spécialisés en diététique vous établiront un régime à 1 600 calories par jour. Il est alors conseillé de vérifier régulièrement par l'échographie que l'évolution staturo-pondérale du bébé est normale. Si vous appartenez aux « maigres constitutionnelles », c'est en mangeant plus que vous grossirez un peu. Les aliments à privilégier, dans votre cas, sont les céréales, le riz, la semoule, les crèmes, le lait entier, les pâtisseries et les sucreries. Ne craignez pas d'en faire trop. Après la naissance de votre bébé, peut-être aurez-vous 1 ou 2 kg de plus, mais pas davantage. ∎

1ER MOIS

2E MOIS

3E MOIS

4E MOIS

5E MOIS

6E MOIS

7E MOIS

8E MOIS

9E MOIS

LA NAISSANCE

LES 1RES SEMAINES DE MAMAN

LES 1RES SEMAINES DE BÉBÉ

GROSSESSES DIFFÉRENTES

ANNEXES

Les liens du... concubinage

LE MARIAGE SÉDUIT DE MOINS EN MOINS DE COUPLES ET LA VIE EN CONCUBINAGE tant à devenir le nouveau modèle de la famille. Aujourd'hui, presque un enfant sur deux naît hors mariage. La grossesse, qui est toutefois un moment de réflexion sur soi et sur l'avenir du bébé, est sans doute aussi celui où le couple peut prévoir et organiser son statut. Voici ce qu'il faut savoir sur cette situation un peu particulière.

Enfant légitime, enfant naturel

L'enfant légitime est celui qui naît d'un couple marié. L'enfant naturel simple est né dans une famille où les deux parents sont célibataires. L'enfant naturel adultérin a un de ses deux parents marié avec une autre personne que celle qui est son père ou sa mère. Sont nés de parents inconnus, de père ou de mère, les enfants dont le nom d'un ou des deux parents ne figure pas sur le registre d'état civil. Ils ont été déclarés à l'état civil par un seul des parents ou même, en cas d'abandon, par une personne ayant assisté à l'accouchement. Pour légitimer un enfant, il suffit d'aller le reconnaître devant un officier d'état civil à la mairie du lieu où il a été déclaré. Cette reconnaissance peut se faire aussi devant un juge ou un notaire. C'est le seul acte officiel qui établit sans conteste une filiation vis-à-vis de la mère ou du père. Cette démarche est spécifique aux enfants naturels et peut se faire avant la naissance sur présentation d'un certificat de grossesse ; elle devra être confirmée après la naissance. Père et mère peuvent faire cette reconnaissance anticipée séparément ou conjointement. Aucun parent ne peut empêcher l'autre de la faire. Mais la mère a toujours la possibilité d'accoucher en secret et donc de cacher au père le lieu de son accouchement et ainsi l'empêcher de reconnaître officiellement l'enfant. Si celui-ci n'est pas reconnu par sa mère et déclaré « de mère inconnue », la reconnaissance du père s'annule automatiquement. Il est préférable d'entamer ces démarches au cours de la grossesse ; en effet, si malheureusement un accident privait cet enfant de mère avant qu'elle ait eu le temps de le reconnaître, il serait « sans famille » et aucune filiation ne le lierait à ses grands-parents.

Le livret de famille

Toute mère célibataire peut demander un livret de famille à la mairie du lieu de naissance de son enfant (il est habituellement donné au moment du mariage). La date et le lieu de naissance de l'enfant seront inscrits dessus avec la mention « reconnu par », puis suivront l'extrait de naissance de la mère et du père. Si les concubins se marient, un nouveau livret leur sera remis et les enfants nés de leur couple seront automatiquement légitimés. Si l'enfant n'a pas été reconnu par le père avant le mariage, celui-ci devra le faire séparément devant un officier d'état civil.

Quel est son nom ?

L'enfant naturel porte le nom de celui qui l'a reconnu en premier. Si les parents le font ensemble, il porte soit le nom de son père, soit les noms de ses deux parents dans l'ordre souhaité par ceux-ci. Si c'est la mère qui fait d'abord cette démarche, il faudra faire appel au juge des tutelles pour qu'il puisse porter le nom de son père. Une demande qui peut s'effectuer tant que l'enfant n'est pas majeur. Par diverses procédures, l'enfant naturel a la possibilité plus tard de changer de nom, c'est « la substitution de nom ».

Qui exerce l'autorité parentale ?

L'autorité parentale est exercée par le parent qui a reconnu l'enfant ; s'il l'a été par les deux, elle est conjointe à condition que cette reconnaissance ait été faite avant son premier anniversaire et si les parents vivaient ensemble. Aujourd'hui, il n'est plus nécessaire de fournir un acte de communauté de vie.

En cas de séparation du couple, l'autorité parentale reste partagée. En cas de conflit, le juge des tutelles tranchera après avoir tenté une conciliation. Comme dans le cas d'un divorce dans un couple marié, un droit de garde conjointe ou de garde totale peut être accordé au père. Si le parent qui détient l'autorité parentale est « défaillant », l'autre pourra demander d'exercer cette responsabilité.

Le certificat de concubinage

Il est utile pour obtenir des droits qui sont donnés automatiquement aux couples mariés. Il permet, par exemple, d'obtenir le statut d'ayant droit à l'égard de la Sécurité sociale et des Caisses d'allocations familiales. Une déclaration sur l'honneur de « vie maritale à charge » suffit parfois. Le certificat de concubinage n'a qu'une valeur administrative et peu de valeur juridique.

Il s'obtient à la mairie ou au commissariat de police du lieu de résidence des conjoints. Généralement on leur demandera deux témoins majeurs, français, n'ayant aucun lien de parenté entre eux ni avec eux. Il est prudent, pour l'un comme pour l'autre, de faire établir le bail locatif du lieu de résidence aux deux noms. En cas de séparation, le concubin restant est assuré de garder son toit. Chacun prend à sa charge pour moitié le loyer ainsi que sa part d'impôts et de charges locatives.

Le congé de l'appartement doit être donné par les deux concubins ; par contre, le propriétaire doit avertir les deux locataires séparément en cas de rupture du bail. Un bail aux deux noms est un atout supplémentaire pour obtenir un crédit d'équipement. Si les concubins veulent devenir propriétaires, ils peuvent avoir droit à des aides de la part des organismes sociaux à l'exclusion du « prêt jeune ménage ». Il est prudent de consulter un notaire pour s'assurer d'une situation la plus claire possible en cas de séparation ou du décès de l'un des acquéreurs. ■

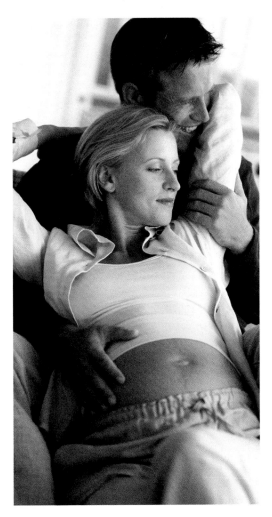

1ER MOIS

2E MOIS

3E MOIS

4E MOIS

5E MOIS

6E MOIS

7E MOIS

8E MOIS

9E MOIS

LA NAISSANCE

LES 1RES SEMAINES DE MAMAN

LES 1RES SEMAINES DE BÉBÉ

GROSSESSES DIFFÉRENTES

ANNEXES

N'oubliez pas votre santé

Tout d'abord, les consultations prénatales ne doivent pas s'interrompre pendant les vacances. Avant de partir, demandez conseil à votre médecin : il vous recommandera, s'il le peut, un de ses confrères. N'oubliez pas d'emporter votre carnet de maternité pour y faire inscrire le résultat de la consultation. Renseignez-vous, avant le départ, sur l'infrastructure médicale sur place : médecin, sage-femme, infirmière, centre hospitalier, laboratoire d'analyses médicales, pharmacie, etc.

Si vous êtes sous traitement médical, demandez à votre médecin une lettre le détaillant, ainsi qu'une ordonnance, et achetez vos médicaments à l'avance de façon à ne pas risquer d'en manquer.

Toutes ces précautions ne dispensent pas de vous inscrire dans un organisme assurant le rapatriement d'urgence en cas d'incident. ■

Voyagez confortablement

Le second trimestre de la grossesse est le moment idéal pour programmer des vacances. En effet, à ce stade vous ne risquez plus les fausses couches et la naissance est encore loin.

• Vous partez en voiture : la position assise prolongée est fatigante pour les reins et peut entraîner un léger œdème des chevilles ; aussi faut-il voyager bien calée dans un siège au dossier légèrement incliné. Arrêtez-vous toutes les 2 heures et choisissez les moments frais de la journée pour voyager. Les grandes voies de circulation telles les autoroutes sont plus confortables que les petites routes, souvent mal entretenues.

• Vous voyagez en train : idéal pour les longues distances, plutôt de nuit et en couchette, mais surtout avec un minimum de bagages. Il existe des formules de bagages accompagnés et des porteurs dans les gares. Il faut les réserver au moment du départ pour qu'ils vous attendent sur le quai au pied de votre wagon.

• Vous vous déplacez en avion : c'est un moyen de transport sûr sans secousses ni fatigue à condition de ne pas faire le tour de la terre. Les voyages long-courriers sont éprouvants et vous obligent à rester longtemps assise, ce qui n'est pas toujours confortable et peut provoquer des troubles circulatoires, il est donc conseillé de porter des bas de contention « spécial maternité ». On conseille aux futures mamans de ne pas « dépasser » quatre fuseaux horaires. Pensez en avion à vous hydrater, la bonne moyenne : 1 litre d'eau pour 5 heures de vol.

Les futures mamans peuvent « voler » jusqu'au huitième mois et ont des privilèges dont elles doivent profiter, à l'embarquement comme à l'atterrissage. ■

La chaleur

La plupart des futures mamans constatent qu'elles souffrent davantage de la chaleur. Un phénomène dû à la modification de leur circulation sanguine. Pour combattre ce désagrément, habillez-vous de matières naturelles et superposez plusieurs vêtements souples. Ainsi, vous pourrez jouer sur les épaisseurs en fonction des conditions climatiques et de la température ambiante. ■

Le soleil, la chaleur et la mer

1ᵉ MOIS

2ᵉ MOIS

3ᵉ MOIS

4ᵉ MOIS

5ᵉ MOIS

6ᵉ MOIS

7ᵉ MOIS

8ᵉ MOIS

9ᵉ MOIS

LA NAISSANCE

LES 1ᵉˢ SEMAINES DE MAMAN

LES 1ᵉˢ SEMAINES DE BÉBÉ

GROSSESSES DIFFÉRENTES

ANNEXES

VOS VACANCES SERONT UN PEU DIFFÉRENTES DE CELLES QUE VOUS CONNAISSIEZ JUSQU'ALORS. Aux conseils habituels concernant les effets du soleil, s'ajoutent les précautions indispensables spécifiques à la grossesse. Sachez, par exemple, que le soleil a tendance à accentuer les marques brunes du masque de grossesse : les taches brunes se foncent un peu plus, les pigments décolorés peuvent s'étendre. Mieux vaut vous protéger avec une crème écran total et vous coiffer d'un chapeau de paille à large bord.

Le soleil avec modération

Vous constaterez peut-être encore que vous supportez moins bien la chaleur. Elle accentue le phénomène de transpiration, important chez la femme enceinte, et favorise la dilatation des vaisseaux sanguins déjà mis à rude épreuve, notamment au niveau des jambes (p. 166). Il semble encore que la chaleur et le soleil favorisent l'apparition des vergetures (p. 165). Là aussi, on ne peut que recommander une bonne protection de la peau, des temps d'exposition raisonnables et, bien sûr, une bonne hydratation.

La mer sans retenue

Les bains de mer sont tout à fait conseillés, dans une eau assez chaude (au moins 20 °C) et, bien sûr, propre. Ayez encore le sens de la mesure : les eaux froides de la mer du Nord et les fortes vagues de la Côte basque vous sont déconseillées ; l'eau froide peut être cause de contractions et la « claque » violente d'une vague sur votre ventre peut, elle, provoquer un décollement placentaire. Si vous souhaitez soulager quelques douleurs dorsales, préférez la nage sur le dos, la brasse étant la nage la plus traumatisante pour les cervicales. Les médecins conseillent beaucoup de natation mais pas de plongeons, le choc violent d'un « plat » sur l'utérus pouvant entraîner aussi un décollement du placenta ; il est prudent de ne pas trop vous éloigner du bord, la fatigue arrive vite et le retour peut s'avérer difficile.
De même, les médecins déconseillent la plongée sous-marine, toujours pour des raisons de sécurité, ainsi que les promenades en hors-bord en raison des violentes vibrations qu'ils transmettent à tout le corps. Bien sûr, le ski nautique est également à proscrire.

Partir loin

Vous pouvez aussi prévoir des vacances un peu lointaines après avis de votre médecin. Efforcez-vous de connaître qui pourra, sur place, vous aider si vous avez quelques problèmes de santé. Pensez à emporter votre carnet de maternité (p. 142). Tous les moyens de transport vous sont autorisés, à condition d'avoir toujours la possibilité de vous installer confortablement et de ne pas trop y passer de temps. En revanche, les vacances avec circuits et visites touristiques à toutes les étapes sont à envisager plus tard, après la naissance de votre bébé. Évitez les destinations qui exigent les vaccinations contre la variole et la fièvre jaune ainsi que celles où sévit le paludisme.

S'alarmer si...

• Vous constatez un écoulement anormal qui ne ressemble en rien à des problèmes d'incontinence ou à des pertes vaginales. Il peut être dû à une légère fissure de la poche des eaux. Hospitalisation et repos complet en position allongée sont alors indispensables.

Si l'écoulement n'est pas très important, le bébé pourra continuer à se développer puisque le liquide amniotique est en perpétuel renouvellement. La complication la plus redoutable de cette fissure prématurée de la poche des eaux est l'infection et le début des contractions. En cas de rupture franche, l'hospitalisation rapide est indispensable en raison d'un risque important de procidence du cordon ombilical qui s'échappe par la brèche.

• Vous ressentez des contractions régulières et fortes. Là encore, une surveillance médicale s'impose ainsi qu'un repos complet. La prescription de médicaments qui agissent en bloquant les contractions lui est souvent associée.

Au début, ils pourront être administrés par perfusions pour en accélérer l'efficacité. Dans ce cas, l'hospitalisation est nécessaire. Mais le traitement peut être oral et le médecin peut vous demander d'arrêter tout effort, de rester allongée avec, au besoin, une surveillance régulière à domicile.

• Votre bébé bougeait beaucoup et, depuis 24 heures, aucun signe de mouvements, même après vos sollicitations. Allez consulter rapidement votre médecin.

• Vous constatez des saignements. S'ils sont associés à des contractions, il peut s'agir d'un petit décollement du placenta.

Après échographie, pour établir le diagnostic, le médecin vous demandera de vous reposer en vous allongeant. ■

Le contrôle de l'albumine

Si vous savez que vous avez des problèmes de reins, vous n'êtes pas obligée d'avoir recours à des examens de laboratoire, le contrôle de l'albumine peut se faire régulièrement à la maison en achetant en pharmacie des tests d'auto-contrôle.

Ces tests, très commodes, ne permettent toutefois pas de dosage. La présence d'albumine dans les urines doit, bien sûr, être signalée au médecin qui, dans ce cas, demandera un dosage qui sera fait en laboratoire. ■

▌ MON AVIS

La fièvre est une manifestation qu'il est difficile de diagnostiquer sans autres signes cliniques. Chez une femme enceinte, lorsqu'il n'y a pas de causes évidentes d'infection, et parce que l'on sait que beaucoup de maladies peuvent ressembler à une grippe, il est prudent de faire une prise de sang pour pratiquer une hémoculture et savoir quel germe est à l'origine de cette fièvre. Ensuite, on met en place un traitement. C'est par exemple ainsi que l'on diagnostique une listériose. Traitée à temps, elle est inoffensive pour le futur bébé. S'il s'agit d'une simple grippe, la future maman est soignée par un traitement à base d'antibiotiques. Il faut, bien sûr, éviter l'aspirine à forte dose et la remplacer par du paracétamol. Enfin, avant l'hiver, une future maman peut se faire vacciner contre la grippe. Tous les vaccins que l'on trouve aujourd'hui sont faits à partir de virus tués et sont donc sans risque pour la mère comme pour l'enfant. La fièvre est dangereuse parce que, si c'est une infection, elle est de nature à contaminer le bébé. Une fièvre élevée peut provoquer des contractions entraînant un accouchement prématuré. ■

La visite du sixième mois

1ER MOIS

2E MOIS

3E MOIS

4E MOIS

5E MOIS

6E MOIS

7E MOIS

8E MOIS

9E MOIS

LA NAISSANCE

LES 1RES SEMAINES DE MAMAN

LES 1RES SEMAINES DE BÉBÉ

GROSSESSES DIFFÉRENTES

ANNEXES

LE MÉDECIN VÉRIFIERA QUE LA GROSSESSE se déroule normalement et que les éléments médicaux réunis au cours des visites précédentes ne se sont pas modifiés. Ils seront complétés au besoin. Le médecin vous interrogera sur l'évolution des petits troubles qui avaient pu perturber votre premier trimestre.

Le bilan de santé

L'interrogatoire de votre médecin portera donc sur votre santé, votre vie quotidienne, vos petits malaises et troubles. Il s'intéressera plus particulièrement à la date d'apparition des premiers mouvements du bébé et à leur intensité. Suivront un examen général avec pesée, prise de tension, mesure de la hauteur utérine et un examen gynécologique : le toucher vaginal le renseignera sur la longueur du col utérin et sa fermeture. L'examen obstétrical, par le palper abdominal, lui donnera des indications sur la quantité de liquide amniotique qui entoure le bébé et sur sa position (tête en bas ou en haut). Le médecin reconnaît généralement une masse dure et ronde, la tête, et une autre masse molle, les fesses. Il peut même, en appuyant sur celles-ci, obtenir du bébé qu'il fasse le dos rond. C'est au cours du 2e trimestre que le médecin s'inquiète de savoir si votre bassin est suffisamment large pour laisser passer le bébé. Dans 95 % des cas, la nature fait bien les choses. S'il doit y avoir des difficultés, ce n'est qu'au cours de la visite du 8e ou du 9e mois que le médecin examinera votre bassin, s'assurant ainsi qu'un accouchement par les voies naturelles est possible (p. 273).

Un examen biologique

Cette visite sera suivie d'examens en laboratoire. Ils consistent à chercher dans les urines la présence de sucre et d'albumine.

Le sucre peut faire craindre un début de diabète, l'albumine, elle, est révélatrice d'une infection urinaire assez fréquente au cours de la grossesse. C'est une inflammation tantôt localisée sur les voies urinaires excrétrices : bassinet, uretère, vessie (pyélo-uretéro-cystite) ou sur le tissu rénal (pyélo-néphrite). Un traitement approprié vient à bout de ce type d'infection sans trop de difficultés. Traitées, elles ne sont pas dangereuses pour le bébé ; négligées, elles peuvent être à l'origine de naissances prématurées.

Lors de cette visite, le médecin ou la sage-femme prescrit une analyse de sang complémentaire. Elle consiste en une numération de la formule sanguine pour vérifier le nombre de globules blancs, de globules rouges et de plaquettes. Cette analyse permet de faire le point et de dépister par exemple une infection passée inaperçue ou une anémie qui nécessitera une supplémentation en fer.

Dans certains cas, la prescription porte aussi sur un dépistage de l'hépatite B. Si elle est présente, ce contrôle permet de protéger l'enfant de la contamination dès sa naissance.

Enfin, si vous êtes de Rhésus négatif, le médecin prescrira systématiquement une injection d'immunoglobine anti-D. De même, si vous n'étiez pas immunisée contre la toxoplasmose lors de la première visite médicale, on vérifiera régulièrement que vous n'avez pas été contaminée depuis votre dernier examen (p. 33). ▪

Le septième mois

1ER MOIS

2E MOIS

3E MOIS

4E MOIS

5E MOIS

6E MOIS

7E MOIS

8E MOIS

9E MOIS

LA NAISSANCE

LES 1RES SEMAINES DE MAMAN

LES 1RES SEMAINES DE BÉBÉ

GROSSESSES DIFFÉRENTES

ANNEXES

Le septième mois

Vous

LE DÉSIR D'ENFANT EST AUSSI UNE RÉALITÉ pour les pères qui participent de plus en plus à l'aventure de la grossesse. Beaucoup de consultations médicales sont faites à deux. Ceux qui viennent assister aux échographies sont émus à l'écoute des bruits du cœur du bébé. Pour eux, qui ne ressentent rien dans leur corps, c'est un pas vers le réel.

Pour un certain nombre de futures mamans, la préparation à la naissance est maintenant leur préoccupation. Quelle que soit celle que vous avez choisie, toutes poursuivent le même but : préparer le corps pour qu'il réagisse au mieux à l'épreuve de la naissance. Même si vous avez prévu d'accoucher sous péridurale, ces préparations ne sont pas inutiles puisqu'elles permettent de comprendre ce qui se passe dans le corps dans ce moment inoubliable qu'est la naissance. À l'occasion de ces rendez-vous, vous pourrez aussi visiter la salle de naissance et faire connaissance avec les divers matériels de surveillance médicale et ceux qui vous aideront à mettre votre bébé au monde.

Vous serez enfin disponible pour vous occuper de vous : contrôler votre régime pour ne pas prendre trop de poids, soigner votre corps, soulager par quelques mouvements simples les petits désagréments, tels que jambes lourdes et lombalgie. Quitter les collègues, vous laissera un sentiment de solitude... même si vous n'êtes pas pressée de les retrouver. Peut-être que l'arrivée d'un bébé changera votre façon d'envisager l'avenir et que vous déciderez de lui consacrer tout votre temps. Si ce n'est pas le cas, il ne vous reste plus qu'à partir à la recherche de la crèche accueillante ou de la nounou dévouée.

Votre bébé

VOTRE ENFANT VA PRENDRE ENVIRON 500 g au cours de ce mois puis, les deux derniers mois, près de 2 kg. Les apports nutritifs indispensables à sa croissance lui sont fournis par sa mère grâce au placenta. C'est un organe fort ingénieux qui gouverne les échanges mère-enfant sans que les sangs de l'un et de l'autre ne se mêlent. Oxygène, sels minéraux et nutriments transitent au niveau moléculaire. Le placenta a un fonctionnement paradoxal. C'est, à la fois, un filtre et une barrière protectrice. Il a la capacité d'arrêter un grand nombre de microbes et apporte au fœtus des anticorps « fabriqués » par l'organisme maternel.

1ᴱᴿ MOIS

2ᴱ MOIS

3ᴱ MOIS

4ᴱ MOIS

5ᴱ MOIS

6ᴱ MOIS

7ᴱ MOIS

8ᴱ MOIS

9ᴱ MOIS

LA NAISSANCE

LES 1ᴱᴿˢ SEMAINES DE MAMAN

LES 1ᴱᴿˢ SEMAINES DE BÉBÉ

GROSSESSES DIFFÉRENTES

ANNEXES

Au 6ᵉ mois

Au 7ᵉ mois

Au 8ᵉ mois

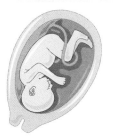
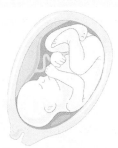

Jusqu'au 7ᵉ mois, le fœtus a suffisamment d'espace pour se mouvoir et même pour se retourner. Mais il va rapidement se retrouver à l'étroit, presque tout l'espace disponible étant habité.

La perception du langage chez les nouveau-nés

Des expériences menées par le professeur Jacques Mehler et Josiane Bertoucini nous en disent un peu plus sur ce que le bébé perçoit. Ils ont étudié les réactions d'une centaine d'enfants dans les trois jours qui ont suivi leur naissance. Leurs recherches ont d'abord porté sur la langue française et le rôle de la syllabe, particulièrement importante dans notre langue pour la reconnaissance des mots. La perception de la syllabe semble tout à fait précoce. L'enfant de quelques jours est capable de différencier l'ordre des voyelles et des consonnes qui la constituent. Il semble encore beaucoup mieux différencier les syllabes ayant au moins une voyelle que celles faites uniquement de consonnes. L'expérience montre encore que le nourrisson fait aussi une différence entre des « pseudo-mots » de deux syllabes et de trois syllabes, et cela quelle que soit la durée de prononciation de celui-ci.

En conclusion, l'enfant base sa perception « élémentaire » sur le nombre de syllabes, et perçoit donc l'organisation syllabique des sons de la parole dès les premiers jours de sa vie. L'équipe médicale a, ensuite, cherché à savoir si la syllabe était une unité de base de perception, quelle que soit la langue entendue. L'expérience a été poursuivie en donnant à entendre aux enfants du japonais. Là encore, la syllabe simple et le mot fait de plusieurs syllabes sont les seuls à pouvoir éveiller sa curiosité. Dès sa naissance, l'enfant est donc capable d'extraire une certaine organisation des sons émis par la voix ; le rythme et l'intonation de ce qui est prononcé pouvant encourager cette capacité. Au bout de 3 ou 4 jours, il sait faire la différence entre sa langue maternelle, qu'il préfère, et une autre langue. Mais il est, par contre, incapable de distinguer deux langues étrangères l'une de l'autre. ▪

Éducation précoce

Aux États-Unis, en Californie, le docteur René Van de Carr a créé une « université prénatale ». À Hayward, à raison d'une séance par jour, les futures mamans peuvent « éveiller » leur futur bébé, dès le 5e mois. Ainsi elles cherchent à développer l'attention du fœtus : à l'aide d'un appareil acoustique, elles lui font entendre des mots, associés à des gestes. À 28 semaines, elles lui répètent des mots mono-syllabiques pour lui apprendre son premier vocabulaire. À la 32e semaine, musique et mots sont associés afin de développer la mémoire et le sens du rythme. Il paraîtrait que cette méthode favorise l'éveil des bébés tant sur le plan de la communication que sur celui de l'apprentissage du langage. En France, il existe aussi une « école des fœtus ». On tente de leur apprendre l'anglais en leur faisant écouter, par l'intermédiaire de la voix de la mère, un petit vocabulaire de base dans la langue de Shakespeare. Bien sûr, toutes ces expériences sont à prendre avec beaucoup de précautions. ▪

De plus en plus mature

Au cours du 7e mois, le système nerveux se sophistique : le cortex se creuse de multiples sillons, les neurones se développent. Les nerfs s'enrobent de myéline, substance graisseuse constituant la gaine des fibres nerveuses. Le cordon ombilical a changé. Il est beaucoup plus large pour permettre aux vaisseaux sanguins qui le parcourent de remplir leur fonction sans être gênés par les mouvements du fœtus. Il s'est également capitonné d'une masse blanchâtre qui ressemble à de la gélatine. Enfin, c'est souvent au cours de ce mois que le futur bébé se place verticalement tête en bas. Mais certains bébés peuvent attendre encore quelques semaines pour le faire. Le bébé pèse en moyenne 1,7 kg et mesure 44 cm. ▪

Il réagit aux bruits

1ᴱᴿ MOIS

2ᴱ MOIS

3ᴱ MOIS

4ᴱ MOIS

5ᴱ MOIS

6ᴱ MOIS

7ᴱ MOIS

8ᴱ MOIS

9ᴱ MOIS

LA
NAISSANCE

LES 1ᴿᴱˢ
SEMAINES
DE MAMAN

LES 1ᴿᴱˢ
SEMAINES
DE BÉBÉ

GROSSESSES
DIFFÉRENTES

ANNEXES

VOTRE BÉBÉ AVANT DE NAÎTRE CONNAÎT BIEN VOTRE VOIX. Des études faites sur des enfants quelques heures après leur naissance prouvent qu'ils sont capables de reconnaître la voix de leur mère parmi des voix étrangères. L'ensemble du système auditif du fœtus fonctionne à 20 semaines, mais sa maturation ne sera achevée qu'au 7ᵉ mois.

Un environnement très sonore

C'est la présence de liquide amniotique dans l'oreille moyenne et dans la caisse du tympan qui permet aux sons de se transmettre. Ce liquide est expulsé à la naissance au moment du premier cri et donne ainsi à l'oreille ses pleines capacités. Le fœtus entend les bruits émis par sa mère, battements du cœur, circulation sanguine et borborygmes. On évalue la puissance sonore de ces « bruits de fond » entre 70 et 95 décibels. Il entend également les siens, ceux qu'il fait en bougeant et ceux du placenta et, bien sûr, il entend la voix humaine. Celle de sa mère est déformée, celles des autres personnes qui parlent autour de lui sont moins fortes mais plus distinctes. De toutes récentes découvertes confirment que le fœtus entend dès la 22ᵉ semaine de vie in utero. Tous les bébés réagissent de la même manière : l'augmentation de la puissance du son provoque en eux une accélération cardiaque. Il semble même que le fœtus manifeste une certaine désapprobation en clignant des yeux.

Mémoire in utero

On sait aussi qu'il s'habitue aux bruits et il est même possible de le conditionner. Une expérience a démontré que dans les familles russes parlant français, le nouveau-né préfère la langue que sa mère a parlée pendant la grossesse à la langue maternelle (russe). Et les réactions du bébé sont beaucoup plus intenses, si, pendant les derniers mois de la grossesse, la mère a lu ou chanté le même texte.

En fait, il semble que le bébé in utero ne comprend pas les mots, bien sûr, mais perçoit l'intonation, donc la charge affective qu'ils portent. Observez-vous lorsque vous parlez à votre bébé, votre voix est différente de celle que vous adoptez pour parler à un adulte et même à votre aîné si vous attendez un deuxième enfant.

Des sons apaisants

Toutes ces recherches ont permis aux services de médecine néonatale de développer des soins aux nouveau-nés, notamment pour calmer les bébés qui pleurent ou qui semblent stressés, en leur faisant écouter les battements d'un cœur humain. Cette écoute est généralement « magique » et les apaise presque aussitôt pour la plupart.

L'observation des enfants nés avant terme montre que le prématuré sait très tôt qu'on lui parle. Il distingue déjà les changements de tonalité et de fréquence de la voix qui s'adresse à lui. ▪

" Attention à la surstimulation précoce qui se ferait au détriment d'un développement harmonieux. **,,**

237

Les varices vulvaires

Elles se forment entre le 7e et le 8e mois. Elles apparaissent en général un peu plus tôt chez les femmes qui attendent un bébé pour la deuxième ou troisième fois.

En sont particulièrement atteintes celles qui présentent d'autres troubles veineux. Les varices sont généralement bien supportées, tout au plus se manifestent-elles par une certaine lourdeur ou des démangeaisons. Mais elles sont parfois douloureuses, notamment lors des rapports sexuels. Pourtant, dans la plupart des cas, elles ne nécessitent aucune intervention et des soins locaux suffisent à en calmer les inconvénients.

Supprimez de votre régime les produits épicés même légèrement, évitez les bains trop chauds. Des bains de siège frais peuvent vous soulager. Elles disparaissent d'ailleurs de manière spectaculaire dès les premières heures qui suivent l'accouchement. Si elles subsistent, ce qui est rare, il est tout à fait possible de les scléroser. ■

Du bon dosage des radios

En principe, les rayons X sont proscrits au cours de la grossesse, notamment pour examiner les régions proches de l'abdomen. Mais il existe un seuil au-dessous duquel il n'y a aucun danger pour le bébé. Les appareils de radiographie utilisés aujourd'hui permettent de déterminer précisément la quantité de rayons X souhaitée et la durée de l'exposition.

Les radios sont possibles sur toutes les autres parties du corps, elles se pratiquent alors avec le port d'un tablier de plomb sur le ventre. Les radios dentaires ne posent aucun problème. Les radios pulmonaires ne sont plus obligatoires et votre méde-

cin en décidera de l'opportunité. L'examen radiographique du bassin pratiqué au 9e mois, et destiné à connaître ses mensurations exactes, est totalement inoffensif car il est réalisé avec une dose de rayons X tout à fait supportable par le bébé. Cette radiopelvimétrie est indispensable pour les présentations par le siège et pour les naissances gémellaires. ■

Rétention d'eau et œdèmes

Vos chevilles, vos jambes, vos mains, voire même votre visage sont gonflés. La cause en est principalement une rétention anormale d'eau tout à fait explicable pendant la grossesse. En effet, le corps de la femme enceinte contient alors 4 litres d'eau de plus que la normale. Ils sont répartis dans le sang et dans les cellules.

La seule façon naturelle de lutter contre ce trouble est de boire beaucoup, de manière à améliorer le drainage des tissus (la bonne moyenne : 1,5 litre par jour). Les vêtements trop serrés, notamment aux chevilles et aux poignets, peuvent aussi être cause d'œdèmes.

Seuls ceux qui apparaissent brutalement sont inquiétants. Il est alors urgent de consulter votre médecin car ils peuvent provenir d'un mauvais fonctionnement rénal. Les œdèmes peuvent aussi s'accompagner d'une sensation de fourmillement due à la compression de certains nerfs par le gonflement des tissus.

Pour celles qui vivent au bord de la mer ou qui ont l'occasion de s'y rendre au cours de leur grossesse, marcher dans l'eau, fraîche de préférence, à hauteur de chevilles est un moyen simple de prévention, qui favorise aussi l'élimination des œdèmes des jambes et des chevilles. Cet exercice, à faire régulièrement (pendant une demi-heure environ) active la circulation et draine les tissus. ■

Médicaments : suivre l'avis du médecin

L'AUTOMÉDICATION, PAS PLUS RECOMMANDÉE QU'EN DÉBUT DE GROSSESSE, est pourtant tentante pour résoudre des petits problèmes : insomnies, maux de tête, douleurs lombaires. Vous devez cependant savoir qu'en prenant un médicament, vous le donnez aussi à votre bébé.

Les médicaments à éviter

• L'aspirine et tous ses dérivés : on les soupçonne d'entraîner une toxicité cardio-pulmonaire et rénale car ces médicaments traversent le placenta. Ils peuvent être remplacés par tous ceux à base de paracétamol.

• Les sirops et les produits antitussifs, notamment les sirops expectorants contenant de l'iodure de potassium qui peut être la cause d'hypothyroïdie chez le nouveau-né.

• Les gouttes nasales de type vasoconstricteur : elles provoquent dans quelques cas des problèmes d'hypertension artérielle, un risque inutile pour une future maman.

• Les laxatifs chimiques et l'huile de paraffine. Les premiers provoquent une irritation des muqueuses intestinales, la seconde peut modifier l'assimilation de certaines vitamines.

• Certains somnifères. Ils peuvent provoquer chez le nouveau-né des états de somnolence avec diminution de l'activité de succion. Demandez toujours l'avis de votre médecin avant de prendre ce genre de médicaments.

• Certains antibiotiques, notamment ceux à base de Cycline : ils ont le désagrément de jaunir l'émail des dents du futur bébé.

Sachez que bien que l'élimination de la substance médicamenteuse soit assurée par vos reins, la prise de médicaments fréquente et prolongée empêche votre organisme de faire ce travail.

Aussi, lorsque le bébé naît, il risque d'être encore « sous médicaments » et ce seront ses propres organes hépatiques et rénaux, encore immatures, qui devront se charger de cette élimination.

Le problème des vaccinations

Certains vaccins sont déconseillés, soit tous ceux contenant un virus vivant, même atténué, tels que les vaccins contre la rubéole, la rougeole, la varicelle, les oreillons et la poliomyélite par voie buccale.

Par contre, la vaccination contre le tétanos, à condition que ce vaccin soit fait de virus inactivés, est parfaitement autorisée. Il en va de même pour le vaccin contre la grippe qui est même recommandé aux femmes enceintes dans certains pays.

Pour lutter contre les épidémies de rougeole, de varicelle ou d'oreillons, le médecin pourra vous prescrire des gammaglobulines spécifiques qui renforceront vos défenses immunitaires.

Voyages et vaccinations

Si vous souhaitez voyager dans certains pays, vous devrez vous soumettre à certaines vaccinations. La vaccination anti-cholérique est sans danger, mais les vaccinations contre la variole et la fièvre jaune ne sont pas conseillées. De même, il est fortement recommandé de vous protéger du paludisme par la prise de médicaments antipaludéens de synthèse. ▪

1ER MOIS

2E MOIS

3E MOIS

4E MOIS

5E MOIS

6E MOIS

7E MOIS

8E MOIS

9E MOIS

LA NAISSANCE

LES 1RES SEMAINES DE MAMAN

LES 1RES SEMAINES DE BÉBÉ

GROSSESSES DIFFÉRENTES

ANNEXES

Dominer sa douleur

BIEN QUE LES SÉANCES DE PRÉPARATION À LA NAISSANCE ET À LA PARENTALITÉ n'aient pas comme objectif premier d'aider les futures mamans à maîtriser la douleur de l'accouchement, ils y concourent puisque mieux elles sont informées, moins elles se laisseront déborder par la douleur et l'émotion.

Se préparer dans sa tête

Généralement, c'est au 7e mois que la future maman est disponible pour reprendre les cours de préparation qu'elle a commencés au premier trimestre. Ils sont organisés soit au sein même de la maternité, soit à l'extérieur, animés par des sages-femmes libérales mais dans le cadre d'un réseau périnatal. Ce sont normalement des cours collectifs, mais ils peuvent aussi être dispensés par des sages-femmes en cours particuliers ou suivis parfois à votre domicile.

Cette préparation porte maintenant le nom de « préparation à la naissance et à la parentalité », PNP. Elle a pour vocation de donner aux futures mamans des informations sur leur grossesse et de leur permettre un entraînement physique à l'accouchement.

Aujourd'hui, la première préoccupation de cette préparation est de nature psychique. Elle doit donner à la future maman des armes psychiques qui peuvent l'aider à dominer sa douleur.

Chaque rendez-vous se découpe en une partie consacrée à la discussion et une autre, dédiée à des exercices physiques. C'est souvent avec les craintes et les questions qui tracassent les mères que s'ouvrent les échanges avec la sage-femme. Elle explique les différentes phases de l'accouchement Il est important que la future maman sache pourquoi il est douloureux et qu'elle prenne conscience de ce que représente l'ouverture du col, l'écartement des os du bassin, le glissement de l'enfant hors de son corps. Pour un certain nombre de femmes, ces cours sont encore l'occasion de découvrir ce qu'est le périnée, pourquoi il est indispensable de le préparer à l'accouchement et bien sûr de le rééduquer après. La sage-femme enseigne aussi quelques trucs à la future maman afin de lui permettre de gérer sa douleur comme les bonnes positions pour mieux supporter les contractions. Bien assimilés, ces gestes deviendront de véritables réflexes. Ils doivent permettre d'agir sans réfléchir et ne peuvent être oubliés quelle que soit l'intensité de la contraction.

Exercer son corps

Aux entretiens avec la sage-femme ou le médecin s'ajoute un entraînement physique. Un peu à la manière d'un échauffement sportif pour savoir adapter l'effort au résultat escompté, vous entraînerez certains muscles de votre corps, vous apprendrez à vous relaxer au bon moment et à respirer correctement pour apporter un maximum d'oxygène à vos muscles et aussi favoriser l'élimination des toxines, notamment de l'adrénaline, qui est responsable en partie de l'exacerbation de la douleur. La douleur s'explique par la transformation brutale du corps et l'étirement des muscles. Un bon accompagnement l'atténue, le stress et la panique la multiplient. Préparez votre corps et votre esprit à cet effort qui est normalement très bref. Commencer très tôt cet entraînement et le poursuivre quelques semaines après l'accouchement sont des gages de réussite.

La préparation physique repose encore sur l'apprentissage de la relaxation, et il faut plusieurs séances pour y parvenir. En effet, savoir bien se relaxer est indispensable pour garder le maximum d'énergie pour les instants primordiaux de l'accouchement. Un test : on est parvenu à une bonne relaxation quand on sent son corps devenir très lourd au point d'avoir la sensation qu'il pourrait s'enfoncer tout doucement dans le sol. La future maman est aussi entraînée à bien maîtriser la respiration thoracique : gonflement de la poitrine, arrêt au sommet de l'inspiration, expiration lente bouche ouverte C'est elle qui permet de reprendre des forces au début et à la fin des contractions.

L'entraînement se poursuit par la respiration bloquée : à la suite d'une profonde inspiration, il faut retenir son souffle au minimum 30 secondes. La durée du temps d'apnée se travaille progressivement. Cette respiration sert à pousser doucement l'enfant hors du corps de sa mère. L'efficacité d'une bonne respiration sur la douleur est aujourd'hui mieux comprise. En effet, la sensation de douleur est transmise au cerveau, à un endroit bien précis. Celui-ci est chargé de produire des endorphines, substance calmante analogue à la morphine. Leur fabrication peut être provoquée et accentuée par la respiration et surtout par la concentration mentale sur une activité respiratoire.

L'accouchement demande aussi une préparation musculaire qui porte sur les muscles du ventre et sur les muscles vertébraux. Elle permet aussi l'assouplissement des os du bassin.

Quelques mouvements indispensables de jambes facilitent encore la circulation. Les exercices physiques ont aussi pour but d'aider les futures mamans à prendre conscience des différentes parties de leur corps qui participent à l'accouchement, et permettent un certain entraînement musculaire.

Les cours sont souvent l'occasion d'une conversation libre qui permet à la future maman de poser des questions et d'exprimer ses craintes. Une atmosphère de compréhension et de détente doit naître entre elle et la sage-femme.

La présence du père à quelques séances est souhaitable afin qu'il puisse assister sa femme aux moments les plus durs et participer pleinement à la naissance de son enfant.

Pour le père aussi

Aujourd'hui, ces cours, qui sont pratiquement proposés dans toutes les maternités, s'étalent sur 6 à 8 semaines et sont remboursés à 100 % par la Sécurité sociale.

Il est également sage, si le père a l'intention d'assister à l'accouchement, de lui demander de venir à quelques-unes de ces séances, cela lui évitera toute mauvaise surprise le moment venu. Certaines maternités organisent même une séance de préparation où les pères sont accueillis. ■

1ᴱᴿ MOIS

2ᴱ MOIS

3ᴱ MOIS

4ᴱ MOIS

5ᴱ MOIS

6ᴱ MOIS

7ᴱ MOIS

8ᴱ MOIS

9ᴱ MOIS

LA NAISSANCE

LES 1ᴿᴱˢ SEMAINES DE MAMAN

LES 1ᴿᴱˢ SEMAINES DE BÉBÉ

GROSSESSES DIFFÉRENTES

ANNEXES

Respirez et bougez

LES EXERCICES QUE L'ON VA VOUS CONSEILLER SONT DE DEUX NATURES, les uns sont respiratoires, les autres sont musculaires. L'idéal est de les pratiquer quotidiennement sans forcer, à votre rythme. Et, si possible, un peu plus assidûment dans les semaines qui précèdent votre accouchement. En général, votre séance de préparation personnelle dure un petit quart d'heure. Ces exercices peuvent se faire à tout moment de la journée, évitez simplement le temps qui suit les repas, la digestion peut en rendre certains plus pénibles.

Exercices respiratoires

- **La respiration profonde ou thoracique**
– Inspirez à fond, gonflez votre poitrine, expirez en soufflant lentement.
- **La respiration bloquée**
– Inspirez en remplissant votre ventre et soufflez lentement.

Exercices musculaires

– Inspirez à fond et bloquez. Tenez le plus longtemps possible. L'idéal étant de parvenir par paliers à bloquer sa respiration pendant 30 secondes. Vous pouvez pratiquer la respiration bloquée en position d'accouchement : dos relevé, appuyée sur des coussins, jambes repliées, cuisses écartées. Mais surtout, évitez de pousser réellement.

Sur le dos, jambes fléchies,
mains sur les genoux…

… inspirez lentement et profondément en
tirant les genoux vers l'extérieur.

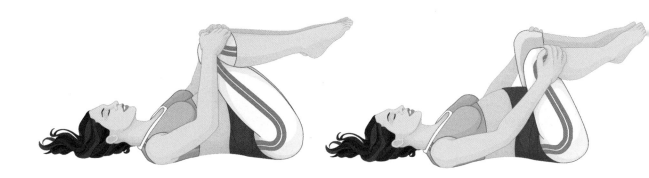

Allongée sur le dos, jambes écartées et fesses collées au mur, respirez profondément, puis expirez en contractant les abdominaux.

À quatre pattes, jambes légèrement écartées, mains à plat, inspirez en gardant le dos bien droit, surtout pas cambré...

... contractez le ventre et les fesses, basculez le bassin en avant pour « faire le dos rond », expirez. Recommencez plusieurs fois.

Sur le dos, jambes repliées, mains tenant les chevilles. Inspirez en tirant sur les bras, puis expirez en relâchant la traction sur les bras.

L'haptonomie *en savoir plus*

Une mise en condition plus qu'une préparation

L'haptonomie n'est pas une réelle préparation à l'accouchement, et son fondateur, Frans Veldman, considère que sa pratique est incompatible avec une méthode de préparation quelle qu'elle soit. Par contre, il recommande d'y associer des activités telles que le chant et la danse ou des exercices physiques comme la natation.

Cette méthode a pour but de créer les meilleures conditions physiologiques et psychologiques à l'attachement enfant-parents au cours de la grossesse et au-delà, l'attention accordée ayant toutes les chances de perdurer. Aussi, F. Veldman pense que les enfants qui ont été bercés in utero par les caresses de leurs parents s'épanouissent bien, sont vigilants, plus vifs et ont une bonne coordination motrice. Pour F. Veldman, si la mère a noué des relations depuis longtemps avec son bébé, elle pourra lui montrer le chemin de la naissance et le guider dans le passage qui le mène à la vie.

En revanche, l'haptonomie n'a pas de réelle efficacité sur la douleur. Elle peut cependant se pratiquer même si vous envisagez une péridurale. Au moment de l'accouchement, dans ce cas aussi, vous pourrez aider votre bébé à naître. Les jeunes mamans l'ayant pratiquée une bonne partie de leur grossesse ont une grande envie de faire enfin connaissance avec l'enfant avec qui elles communiquent depuis si longtemps. ∎

Jeux de mains

Pendant les cours d'haptonomie ou seuls chez eux, les futurs parents ont appris à communiquer avec leur enfant. La mère sait qu'en posant sa main au niveau du fond de son utérus, celui-ci se contracte et le bébé remonte nettement ; si elle met sa main sur le bas-ventre, le bébé descend. Au moment de la naissance, elle va donc pouvoir le guider vers l'extérieur.

Généralement, on demande une grande participation du père. Ainsi, lors de l'accouchement, il se place derrière sa femme et pose ses mains sur son ventre. À chaque contraction, il guide l'enfant dans le bon axe pour naître.

La présence du père et sa collaboration active à la naissance sécurisent totalement la mère et donnent au couple une force étonnante. La souffrance en est réduite ; elle ne disparaît pas, mais l'accouchement est dédramatisé, les tensions musculaires sont modifiées, élevant ainsi le seuil de tolérance à la douleur. La peur s'estompe au profit de la plénitude affective. ∎

Le chant prénatal

Musicothérapie et chant prénatal ont un but essentiel : communiquer précocement avec le bébé. La musicothérapie consiste à faire écouter la même musique à la mère et au fœtus – au moyen d'un casque pour elle et d'un haut-parleur posé sur son ventre pour lui. Cette concordance aurait pour l'un et l'autre un effet relaxant. Le chant prénatal permettrait d'apprendre au fœtus certains comportements en fonction de vibrations ou de fréquences données.

Mais le chant prénatal semble avoir surtout des vertus sur le plan de la respiration, notamment les vocalises – la position du corps indispensable pour bien chanter sollicite les abdominaux et fait travailler le bassin. Au moment de l'accouchement, la mère exprime des sons graves qui stimuleraient les contractions et aideraient à l'expulsion. Enfin, il est sans doute utile, à ce moment douloureux, de permettre à la mère de se concentrer sur sa respiration et de se sentir active. ∎

L'haptonomie

1ᴱᴿ MOIS

2ᴱ MOIS

3ᴱ MOIS

4ᴱ MOIS

5ᴱ MOIS

6ᴱ MOIS

7ᴱ MOIS

8ᴱ MOIS

9ᴱ MOIS

LA
NAISSANCE

LES 1ᴿᴱˢ
SEMAINES
DE MAMAN

LES 1ᴿᴱˢ
SEMAINES
DE BÉBÉ

GROSSESSES
DIFFÉRENTES

ANNEXES

DERRIÈRE CE MOT UN PEU BARBARE, HAPTONOMIE, se cache un merveilleux mode de communication parents-enfant. Nous le devons à un médecin néerlandais, Frans Veldman. C'est toujours avec étonnement que les parents s'aperçoivent que le futur bébé répond déjà à leurs sollicitations.

Le principe

Cette technique a pour fondement le sens du toucher et se pratique généralement dès que le bébé bouge. Rien n'est plus simple alors que d'entrer en contact avec lui. Il suffit d'exercer sur le ventre de la mère de petites pressions pour sentir, pour voir le bébé bouger.

D'après le docteur Veldman, le fœtus perçoit très tôt des échanges, en ressent plaisir ou désagrément. Plus ces échanges sont chargés d'affectivité, mieux le fœtus enrichit sa personnalité et s'épanouit. Il est essentiel de donner à l'enfant, bien avant la naissance, une sécurité affective. Cette confiance lui permettra d'acquérir plus vite et mieux l'autonomie que l'on souhaite pour tout être humain : un bon attachement permet un meilleur détachement.

Des « contacts » à partager en famille

Les gestes essentiels pour communiquer sont enseignés aux parents en 5 ou 6 séances par des médecins ou des sages-femmes formés à cette technique. Ces premiers contacts donnent à la grossesse tout son sens. Les parents disent alors jouer avec leur bébé, lui parler, l'appeler. On sait que son sens du toucher est un des tout premiers à se développer et à être particulièrement performant (p. 110). Ainsi, après quelques rendez-vous à heures fixes, il n'est pas rare que le bébé vienne lui-même à la rencontre de ses parents.

C'est encore pour le père et les autres enfants de la famille une expérience extraordinaire. Chacun d'entre eux entre en « contact » avec ce petit être à venir, les parents apprennent à connaître déjà les réactions de leur bébé. Ils éprouvent toujours émotion et émerveillement.

Des bienfaits physiques aussi

En pratiquant l'haptonomie, la future maman relâche ses muscles, la tonicité de sa paroi abdominale et de son périnée se modifie ; son ventre semble se détendre pour laisser plus de place à l'enfant. L'haptonomie peut être aussi un moyen pour la future maman d'obtenir un peu plus de confort. Par exemple, lorsque le bébé comprime le diaphragme et gêne la respiration, elle peut l'encourager à descendre un peu. Cette même technique pourra être utilisée au cours de l'accouchement pour décontracter les muscles de la mère et guider en douceur et avec tendresse le bébé vers l'extérieur. Le rôle du père peut alors être important ; s'il a assisté aux cours d'haptonomie, il dirigera lui-même l'enfant, son épouse luttant ainsi plus efficacement. ■

" Pour les pères, cette pratique est une véritable préparation à la rencontre et au dialogue avec leur enfant. Que ceux qui le souhaitent n'hésitent pas. **"**

Le yoga *en savoir plus*

Les applications au quotidien

Sans avoir une pratique appronfondie du yoga, vous pouvez observer cinq règles dans votre vie quotidienne :
– étirez la colonne vertébrale vers le haut « en poussant le ciel » de la tête ;
– basculez le bassin pour réduire la courbure de votre dos ;
– contractez le périnée pour avoir l'impression de remonter l'enfant ;
– sentez le diaphragme se relever à l'expiration ;
– resserrez l'abdomen de l'avant vers l'arrière pour bien caler l'utérus dans le bassin. ■

Ne penser qu'à son bébé

Vers 6-7 mois de grossesse, dans l'Inde traditionnelle, se situait la cérémonie de Simantonayana. La future maman était parée avec grand soin, le père plaçait devant elle une coupe remplie de beurre clarifié et lui demandait ce qu'elle voyait dans la coupe. Traditionnellement, elle devait répondre l'enfant, signifiant ainsi que toutes ses pensées étaient concentrées sur l'être à venir. À cette préparation divinatoire, les femmes indiennes associent une préparation par le yoga, pratique très liée à leur philosophie. ■

Gym douce et danse

Voici deux autres façons de faire travailler ses muscles et de prendre conscience de son « nouveau » corps :
– la gymnastique douce permet aux futures mamans de bouger en douceur, de se relaxer, d'apprendre à respirer et à gérer leurs efforts ;
– la danse, elle, fait travailler l'équilibre et les muscles, notamment ceux du bassin. Il existe même une méthode de danse rythmique prénatale, qui a été mise au point par Béatrice Muller-Dugas, sage-femme et danseuse. ■

L'harmonie par le yoga

1ᴱᴿ MOIS

2ᴱ MOIS

3ᴱ MOIS

4ᴱ MOIS

5ᴱ MOIS

6ᴱ MOIS

7ᴱ MOIS

8ᴱ MOIS

9ᴱ MOIS

LA NAISSANCE

LES 1ᴿᴱˢ SEMAINES DE MAMAN

LES 1ᴿᴱˢ SEMAINES DE BÉBÉ

GROSSESSES DIFFÉRENTES

ANNEXES

LE TERME « YOGA » DÉFINIT À LA FOIS UN ART DE VIE, une culture, une philosophie et une technique. Il allie dans l'harmonie le corps et l'esprit. Dans le domaine de la préparation à la naissance, il s'apparente surtout à un entraînement psychologique et respiratoire, accompagné d'un apprentissage du schéma corporel de la femme enceinte.

S'entraîner en douceur

Cette préparation en douceur aide à la décontraction physique et à la concentration psychique. Selon le contrôle de ces deux « pôles », la future maman en tirera plus ou moins de bénéfices. Sur le plan physique, le yoga est un entraînement musculaire important, mais fait en douceur, ce qui est idéal pour une femme enceinte. Il fait travailler le corps en contraction, en décontraction et apprend à respirer ; il aide donc à une parfaite relaxation. Pour les yogi, la future maman doit être empreinte de calme et de bonheur, cet état facilitant la circulation des hormones naturelles dont la quantité varie avec les émotions. De plus, toute pensée positive et constructive est directement transmise au fœtus qui, nourri de bien-être, aura toutes les chances de poursuivre un développement harmonieux et d'avoir plus tard une personnalité heureuse.

Des exercices réguliers

Les exercices qui sont enseignés appartiennent au hatha yoga, mélange de postures et de pratiques respiratoires. Ce sont les exercices les plus simples qui sont utilisés, pour que toutes les femmes puissent les suivre.

Les positions également proposées, les asanas, font participer tout le corps en étirant les muscles en douceur : ligaments, articulations, vertèbres travaillent en souplesse. Jamais acrobatiques, elles sont exécutées avec lenteur et grande concentration ; leur action est si profonde qu'elles agissent sur les organes internes et les glandes endocrines. Les séances de yoga peuvent se faire au rythme de 1 ou 2 par semaine pendant 1 heure, ou bien 4 ou 5 de 15 à 20 min chacune. Une séance type fait travailler l'étirement du dos, et comprend des exercices de stimulation du périnée et de la circulation des jambes, des postures assises avec rotation de la tête, un entraînement respiratoire et enfin quelques minutes de relaxation.

Mais attention, toutes les postures du yoga ne sont pas recommandées aux futures mamans en raison du travail de certains muscles qu'elles impliquent. Elles doivent être adaptées à leur nouvelle morphologie. Il est donc indispensable de pratiquer cette préparation en compagnie d'un professeur de yoga qui s'est spécialisé dans la grossesse et qui est assisté par une sage-femme. ▪

" Par ses principes, un travail doux de tous les muscles, une concentration sur le souffle, une relaxation profonde et un assouplissement du corps, le yoga semble être une pratique idéale pendant la grossesse. "

L'ostéopathie

Vous pouvez encore avoir recours à l'ostéopathie. C'est une médecine alternative qui cherche les causes des pathologies dans le mauvais fonctionnement de notre structure osseuse, musculaire et organique. Elle fait appel à des manipulations douces pour agir sur les vertèbres, le bassin, le crâne, les articulations et différents organes. C'est une médecine qui traite les causes et non les symptômes.

Elle agit à différents niveaux, tout d'abord sur les articulations et sur les muscles avec, notamment, comme le disent les ostéopathes, une « réharmonisation du nid ».

Ainsi le praticien traite certaines douleurs par un « travail » en douceur sur les différentes parties du bassin : iliaque, sacrum et sacro-iliaque. Il s'occupe aussi des membres inférieurs, déséquilibrés parfois sous l'effet de la relaxine, hormone destinée à assouplir tous les ligaments en préparation de la naissance. L'ostéopathie soulage donc les douleurs du dos, telles que les sciatiques et les lombalgies. L'ostéopathe s'intéresse aussi à la chaîne dorso-lombaire, aux côtes et à l'axe crâne-sacrum. Ces parties de votre corps sont en effet mises à rude épreuve au fur et à mesure que l'enfant grossit. Il est important d'avoir un bon praticien. ■

Mesures préventives

• Dormir : ayez un lit ferme avec éventuellement une planche sous le matelas. Placez sous votre nuque un oreiller mince et ne dormez jamais à plat ventre, ce qui accentue considérablement la courbure des reins. Préférez la position sur le dos, un coussin sous les genoux, ou sur le côté en « chien de fusil ».
• S'asseoir : choisissez un siège qui soutient le bas du dos et non un siège bas, profond à l'assise et au dossier mou, très mauvais pour votre colonne vertébrale. Asseyez-vous toujours bien au fond de la chaise.
• S'habiller : asseyez-vous pour enfiler chaussettes ou collants, slips, pantalons.
• Se chausser : amenez le pied vers le haut, sur un point d'appui, et n'inclinez pas le buste en avant.
• Faire le marché : prenez un panier dans chaque main, ou un caddie, poussé le dos bien droit ; un panier seul se porte le plus près possible de la cuisse. ■

■ MON AVIS

Les femmes qui ont déjà une certaine fragilité du dos risquent de souffrir au moment de leur grossesse ; elles doivent très tôt se préoccuper de ce problème. La grossesse accentue encore plus une lordose déjà existante du fait de la bascule du ventre en avant. Ces futures mamans sont donc susceptibles, plus que les autres, de souffrir de pincements des nerfs au niveau des vertèbres, ce qui se traduit en général par des lumbagos et des débuts de sciatique. Ces difficultés peuvent se corriger par des mouvements de gymnastique spécifiques qui musclent le dos, font travailler la bascule du bassin et corrigent la cambrure des reins. Au moment de l'accouchement, certaines mamans se plaignent de douleurs dans les reins. C'est souvent lorsque le bébé se présente en postérieur, sa tête appuie alors plus sur le bassin et l'écarte en touchant un nerf. Dans ce cas, une péridurale est ce qui soulage le mieux. ■

Avoir bon dos

1ᴱᴿ MOIS

2ᴱ MOIS

3ᴱ MOIS

4ᴱ MOIS

5ᴱ MOIS

6ᴱ MOIS

7ᴱ MOIS

8ᴱ MOIS

9ᴱ MOIS

LA NAISSANCE

LES 1ᴿᴱˢ SEMAINES DE MAMAN

LES 1ᴿᴱˢ SEMAINES DE BÉBÉ

GROSSESSES DIFFÉRENTES

ANNEXES

LE MAL DE DOS ÉTANT « LE MAL DU SIÈCLE », il n'y a rien d'étonnant à ce que vous en souffriez aussi. Les douleurs débutent vers la 12ᵉ semaine, culminent vers la 22ᵉ semaine et durant les derniers mois de la grossesse. L'origine mécanique de ces douleurs est tout à fait logique.

La colonne vertébrale à rude épreuve

En effet, le poids du bébé modifie la morphologie de la colonne vertébrale. Cette charge augmente la courbure lombaire et entraîne une cambrure anormale appelée lordose.

De plus, toujours en raison du poids de votre bébé, votre centre de gravité change : il se déplace alors vers l'avant.

Pour pallier ce changement, vous avez tendance à courber encore plus en arrière votre colonne vertébrale et à contracter au maximum vos muscles dorsaux, alors que vos abdominaux, relâchés par la grossesse, sont beaucoup moins efficaces pour compenser cette courbure.

Près de la moitié des futures mamans se plaignent de mal de dos. Les douleurs, discrètes au premier trimestre, deviennent de plus en plus présentes au fil des mois. Elles sont plus intenses en fin de journée, accentuées par la fatigue et la station debout.

Quand la douleur s'installe

On constate deux types de douleurs. Les premières, très voisines de celles que l'on ressent quand on a une sciatique, montent le long de la jambe jusqu'en haut de la cuisse. Il est malheureusement très difficile de les soulager. Les secondes, comparables à un « mal de reins », s'expliquent parfaitement puisque votre colonne vertébrale est mise à rude épreuve. Cette souffrance est d'autant plus

vive que vous êtes fatiguée ou que vous avez été dans l'obligation de rester longtemps debout. De plus, en fin de grossesse, l'hormone qui aidera à l'élargissement du bassin au moment de l'accouchement provoque un relâchement général des ligaments articulaires, et notamment de ceux qui maintiennent les vertèbres.

Ne négligez pas ces douleurs qui peuvent entraîner des lombalgies susceptibles de durer après la grossesse (dans 67 % des cas, elles se prolongent une année après l'accouchement). Parlez-en à votre médecin. Quelques bonnes positions et la pratique de certains exercices d'étirement de la colonne vertébrale vous soulageront aussi. Assise dans un fauteuil, calez bien votre dos au dossier, le dos le plus droit possible. Si vous vous asseyez par terre, la position du lotus est idéale, un coussin placé entre votre dos et le mur d'appui.

Des gestes quotidiens

Tous les gestes de la vie courante peuvent être mis en cause dans les douleurs lombaires : se lever, porter une charge lourde ou se pencher.

Pour faire le ménage (balayer, passer l'aspirateur, etc.) ou mettre un bébé au lit, pliez toujours les genoux en gardant la colonne vertébrale droite. Évitez les rotations du buste. Changez de main avant de ressentir la fatigue de l'épaule. Ne faites pas de mouvements brusques et fléchissez au niveau des hanches, colonne « verrouillée », pour les travaux à faire penchée. ■

Quelques exercices simples

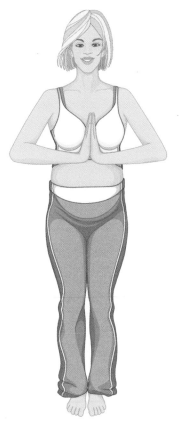

Debout, les pieds stables, la tête droite, joignez les mains à hauteur de la poitrine, inspirez puis levez les bras au-dessus de la tête.

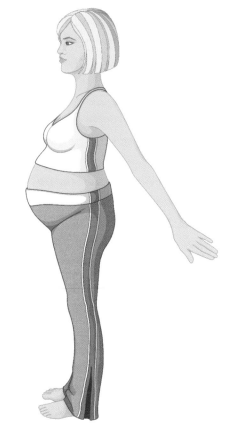

Expirez en ouvrant largement les bras.

Allongée, les jambes appuyées sur le mur, respirez profondément.

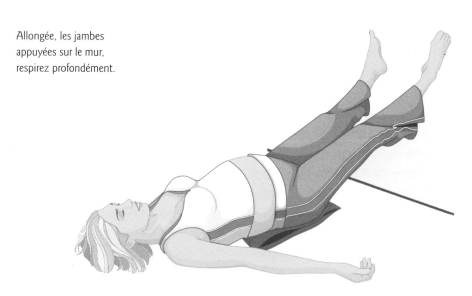

Jambes repliées, les pieds le long du mur, basculez le bassin en contractant fesses et abdomen. Recommencez plusieurs fois.

Jambes tendues, poussez avec les hanches. Le corps reste droit, des épaules à la plante des pieds. Puis revenez à la position de départ en basculant le bassin.

Dos bien droit collé au mur, levez les bras et respirez doucement. Veillez à ne pas cambrer et à garder le dos bien plaqué contre le mur.

Si cette position vous semble difficile à tenir, placez un oreiller sous chacune des cuisses.

1ᴱᴿ MOIS

2ᴱ MOIS

3ᴱ MOIS

4ᴱ MOIS

5ᴱ MOIS

6ᴱ MOIS

7ᴱ MOIS

8ᴱ MOIS

9ᴱ MOIS

LA NAISSANCE

LES 1ᴿᴱˢ SEMAINES DE MAMAN

LES 1ᴿᴱˢ SEMAINES DE BÉBÉ

GROSSESSES DIFFÉRENTES

ANNEXES

S'allonger : choisir le bon côté

Certaines d'entre vous ne supportent pas d'être allongées sur le dos à cause des nausées, des vertiges, voire même d'une oppression proche de la tachycardie, que vous ressentez dans cette position. Ces malaises s'expliquent par la compression de la veine cave inférieure par l'utérus, entraînant un phénomène d'hypotension. Dans ce cas, vous devez vous coucher sur le côté gauche, en allongeant la jambe qui est sous le poids de votre corps et en repliant l'autre au-dessus. Vous pouvez aussi glisser un petit coussin sous le genou plié, ainsi votre ventre ne sera plus comprimé. La position classique de relaxation peut encore vous aider à bien entrer dans le sommeil ■

Homéopathie et sommeil

En homéopathie, la prescription est différente selon le type de troubles du sommeil. Le réveil trop matinal, vers 5 heures du matin, suivi d'une impossibilité à se rendormir se traite avec Nux Vomica. Le réveil en pleine nuit, lui, impose la prise de granules de Thuya. En ce qui concerne la phytothérapie, quelques tisanes, à condition d'être prises au cours de l'après-midi, peuvent être efficaces. Ainsi les phytothérapeutes recommandent un cocktail à base de passiflore, fleur d'oranger, mélisse et tilleul ou encore aubépine, rose pâle, fleur de bleuet et cônes de houblon. ■

Les médecines douces

Si vraiment les insomnies deviennent trop fréquentes et de plus en plus difficiles à supporter, il est recommandé d'en parler à votre médecin, lui seul pourra prescrire un somnifère approprié à votre état. Une petite cure d'une semaine peut vous permettre de retrouver des nuits plus calmes. Un principe à ne pas transgresser : ne prenez jamais celui que vous preniez avant la grossesse. Si vous êtes adepte des médecines dites douces, l'homéopathie, la phytothérapie ou l'acupuncture peuvent se révéler efficaces. Bien sûr, vous devez tenir compte de l'avis d'un spécialiste. Ces médecines ont la réputation d'être bénéfiques et sans danger ■

Nuits blanches à répétition

LES INSOMNIES EN FIN DE GROSSESSE SONT SOUVENT FRÉQUENTES. Elles ont plusieurs origines. Tout d'abord votre corps se fait lourd et la position allongée devient inconfortable ; ensuite, sa régulation thermique étant modifiée, vous vous sentez parfois mal à l'aise dans un lit qui, avant, vous convenait parfaitement.

Sommeil et psychologie

Comme pour beaucoup d'insomnies, des facteurs psychologiques entrent en ligne de compte : la date de l'accouchement approche, vous y pensez beaucoup, peut-être même un peu trop. Ce phénomène est accentué parfois par l'entourage dont les commentaires peuvent provoquer des craintes et faire naître des angoisses responsables des nuits agitées.

Les petits trucs pour bien dormir

Les conseils classiques en cas de réveil nocturne s'appliquent aussi aux futures mamans : manger léger le soir et dormir dans une pièce aérée et fraîche. Ne pas hésiter à changer de lit ; bien des futures mamans disent se rendormir facilement sur le canapé du salon simplement enveloppées dans une couverture légère. Si vous dormez habituellement sur le ventre, vous aurez sans doute quelques difficultés à trouver le sommeil. Il vous faudra vous installer sur le côté, en position de « chien de fusil ». Certains aliments ont des vertus sédatives : la laitue, le lait, la pomme et l'ail. Les tisanes sont également efficaces, mais attention, la quantité de liquide ingéré oblige bien souvent à se relever la nuit. Sauf anxiété particulière, vos insomnies n'empêcheront pas votre futur bébé de dormir ou d'en profiter pour faire des cabrioles. Votre rythme et le sien sont différents (p. 211). De même, quelle que soit votre position, vous ne pouvez le gêner, le liquide amniotique est là pour le protéger, de plus il « saura », lui aussi, changer de position pour être plus confortablement installé. En cas de persistance des insomnies, votre médecin vous prescrira une médication adaptée.

Les vertus de la sieste

Si vos nuits sont très courtes, programmez-vous des temps de repos dans la journée : un le matin et un à l'heure de la sieste. Ce n'est pas parce que vous dormez un peu le jour que vous ne dormirez pas bien la nuit, tout au contraire. Enfin, pensez à la relaxation (pp.169 et 171), elle peut considérablement vous aider, tout comme un peu d'exercice physique, tel que la marche ou la natation, dont les vertus sont particulièrement relaxantes. Évitez les bains trop chauds, ils aident à se relaxer, mais ne sont pas recommandés pour votre circulation sanguine. Vous pouvez, par contre, vous baigner à température normale et ajouter à l'eau de votre bain une huile relaxante.

Enfin, des somnolences dans la journée peuvent perturber le bon équilibre de vos nuits. Cette baisse d'attention passagère peut être cause d'une certaine lenteur des réponses-réflexes demandées au volant d'une automobile, par exemple. Vous vous apercevrez qu'il vous faut parfois penser à des actes que vous faisiez automatiquement auparavant. ▪

" Pour bien dormir, 18 °C est la température idéale. "

1ᴱᴿ MOIS

2ᴱ MOIS

3ᴱ MOIS

4ᴱ MOIS

5ᴱ MOIS

6ᴱ MOIS

7ᴱ MOIS

8ᴱ MOIS

9ᴱ MOIS

LA NAISSANCE

LES 1ᴿᴱˢ SEMAINES DE MAMAN

LES 1ᴿᴱˢ SEMAINES DE BÉBÉ

GROSSESSES DIFFÉRENTES

ANNEXES

Alimentation :
chasser les idées fausses

Pas plus d'un kilo par mois

Non. Il n'y a pas de règle, la prise de poids est variable d'une femme à l'autre. De plus, c'est en fin de grossesse que se situe la prise de poids la plus importante. Ainsi, jusqu'au 3e mois, il n'y a aucune différence dans la quantité d'aliments absorbés, soit 2 000 calories par jour. À partir du 2e trimestre, la future maman peut manger un peu plus, en forçant sur les protéines, les laitages et les fruits, soit 2 400 calories par jour. Au 3e trimestre, l'apport quotidien peut être porté à 2 800 calories par jour.

Une matière grasse en vaut une autre

Non. Beurre et margarine, à poids égal, contiennent la même quantité de lipides, soit environ 82 g pour 100 g. Les huiles, quelle que soit leur origine, contiennent 100 g de lipides. En revanche, la crème est moins riche en lipides soit 30 g pour 100 g et les crèmes allégées en contiennent bien sûr encore moins, de 12 à 29 g selon le produit pour 100 g. Mais c'est l'assimilation qui est différente entre les graisses d'origine animale et les graisses d'origine végétale. Attention, toutes les margarines ne sont pas d'origine végétale.

Le lait est lourd

Non. Les futures mamans qui avant d'être enceintes avaient du mal à digérer le lait ne le supporteront toujours pas. Mais 90 % de la population le tolère parfaitement bien, surtout s'il est demi-écrémé. Il peut toujours être remplacé par un yaourt.

Rien ne vaut les légumes et les fruits frais

Non. Tout dépend de l'état de leur maturité à la cueillette et du temps de transport entre celle-ci et l'arrivée du produit sur l'étalage du commerçant. Il est parfois beaucoup plus intéressant sur le plan des vitamines de choisir conserves ou surgelés. Les usines qui transforment les fruits et les légumes sont généralement situées au cœur même des régions productrices. Ils sont alors cueillis mûrs à souhait et cuisinés ou surgelés sans attendre. Mieux vaut pourtant éviter les produits faisant appel à des conservateurs chimiques ou même à certains colorants. On ne leur attribue rien de grave mais puisqu'on demande à la future maman de limiter les produits chimiques que sont les médicaments (pp. 31 et 239), pourquoi ne pas vous en passer complètement ? Cela n'est pas trop compliqué.

Le yaourt est décalcifiant

Non. C'est l'aliment idéal pour l'apport de calcium. En consommant 100 g de yaourt, vous apportez à votre organisme 140 à 175 mg de calcium. Ce serait dommage de vous en priver. Les apports journaliers recommandés sont de 1,5 mg de calcium. Pour cela, consommez un produit laitier à chaque repas et au moins 1 litre de lait ou son équivalent ; 1/4 de litre de lait = 2 yaourts = 300 g de fromage blanc.

Il faut éliminer le persil et le safran

Non. Si ces deux plantes ont des pouvoirs abortifs, ce n'est certainement pas dans les quantités utilisées habituellement en cuisine. On accuse aussi ces plantes de provoquer des troubles urinaires ou cardiaques : quelques feuilles de persil sur une salade ou le pistil d'une fleur de safran dans un court-bouillon n'ont jamais provoqué de tels troubles. De plus, le persil abortif est une variété bien particulière que l'on ne vend pas sur les marchés.

En fin de grossesse il faut éviter le sel

Non. Il est vrai que la suppression du sel dans l'alimentation de la future maman a été longtemps à la mode, notamment pour réduire le phénomène classique des œdèmes en fin de gestation (p. 238). Aujourd'hui, on ne prescrit plus de tels régimes, sinon dans des cas bien précis. En effet, on s'est aperçu que le sel contenait des oligo-éléments importants. De plus, c'est lui qui régule l'équilibre en eau de la mère et de l'enfant. En fait, il n'a jamais été la cause directe de rétention d'eau, bien au contraire. Dans la plupart des cas, il est d'ailleurs éliminé très rapidement dans les urines. Une future maman peut donc manger salé raisonnablement (p. 224).

Seuls les laitages apportent du calcium

Non. Vous consommez aussi du calcium en mangeant des oranges et du chou. Bien sûr, il s'y trouve en plus faible quantité : 300 mg de calcium sont contenus dans un kilo d'oranges ou dans 850 g de chou vert. Les légumes riches en calcium sont le cresson, les haricots blancs, les épinards et les endives. À cela il faut ajouter certaines eaux minérales telles que Vittel et Contrexéville.

Rien ne vaut la viande rouge

Non. Les viandes blanche et rouge ont des valeurs protidiques identiques. De même, la richesse en fer (p. 155) est équivalente quels que soient l'animal et les morceaux, seuls les abats sont plus riches en fer. Dans les deux cas, la viande doit être bien cuite tout au long de la grossesse. Sur le plan du goût, c'est affaire personnelle. ∎

1ᴱᴿ MOIS

2ᴱ MOIS

3ᴱ MOIS

4ᴱ MOIS

5ᴱ MOIS

6ᴱ MOIS

7ᴱ MOIS

8ᴱ MOIS

9ᴱ MOIS

LA NAISSANCE

LES 1ᴿᴱˢ SEMAINES DE MAMAN

LES 1ᴿᴱˢ SEMAINES DE BÉBÉ

GROSSESSES DIFFÉRENTES

ANNEXES

Votre alimentation *en savoir plus*

Des problèmes intestinaux

Pendant la grossesse, l'action de certaines hormones sur les muscles de la paroi intestinale perturbe souvent le transit intestinal. Une alimentation riche en fibres et en légumes verts suffit souvent à pallier ce petit trouble. S'il persiste, rien n'empêche la future maman de manger quelques pruneaux ou du pain au son.

En revanche, tout laxatif ne peut être pris sans avis médical. De plus, les laxatifs ont l'inconvénient d'accentuer la paresse intestinale, d'être irritants pour les intestins et de drainer excessivement les vitamines et les sels minéraux.

Les ballonnements sont assez fréquents. À ce stade de la grossesse, l'utérus appuie sur les anses intestinales provoquant des gonflements. Il est alors recommandé de manger souvent, en petite quantité, et d'éviter tous les aliments réputés pour provoquer des flatulences : haricots blancs, choux-fleurs, oignons. ∎

Le sucre indispensable

Les glucides jouent un rôle important au cours de la gestation. Les meilleurs, sur le plan de l'apport énergétique pour la mère et pour la construction du bébé, sont les sucres lents que l'on trouve particulièrement dans les céréales et les féculents. Les sucres rapides sont fournis par le sucre raffiné, les bonbons mais aussi les fruits ou le lait. Ces glucides-là n'apportent que des calories. Mieux vaut les consommer modérément ou leur préférer le miel qui ne contient que 70 à 72 % de glucides et garder l'usage du sucre, le vrai, pour le café et le thé (un pour une tasse, deux pour un bol au maximum).

Bien sûr, toutes les sucreries type bonbons sont à éliminer, ainsi que les boissons sucrées. Ne pas sucrer ses yaourts et réduire systématiquement la quantité de sucre dans les pâtisseries maison sont de bonnes habitudes à prendre et à conserver. ∎

Des habitudes nouvelles

Une étude suédoise a porté sur les habitudes des futures mamans en surpoids ; elle a mis en évidence une tendance nette au grignotage et à la multiplication des collations. Il semble donc que les « kilos grossesse » qui s'incrustent sont plus le résultat des changements d'habitudes alimentaires que de la maternité.

Notez le plus objectivement possible dans un petit carnet tout ce que vous mangez en une semaine lors de repas et en dehors. C'est souvent le seul moyen de faire un vrai bilan sur votre alimentation. ∎

Le complément en fer

La grossesse augmente très nettement les besoins en acides foliques, et généralement la future maman ne trouve pas dans son alimentation l'apport indispensable en fer et en acide folique (ou vitamine B9), ce qui est cause de fréquentes anémies. Le médecin fait une évaluation des besoins de la future maman en fonction de ses antécédents médicaux, complétée si besoin par des analyses de sang. Aujourd'hui, les obstétriciens prescrivent de plus en plus volontiers une supplémentation en fer et acide folique, sous forme de comprimés, à compter du 6e mois de grossesse, ou avant si nécessaire. Lorsqu'il existe des d'antécédents familiaux de spina-bifida, on recommande une prévention systématique par l'acide folique avant le début de la grossesse. ∎

Régime douceur

VOUS AVEZ PRIS TROP DE POIDS ? En moyenne, vous auriez dû grossir de 11 à 15 kg maximum. Du 5ᵉ au 7ᵉ mois, votre rythme de prise de poids devrait se situer entre 350 à 400 g par semaine ; les derniers mois, il va passer de 450 à 500 g. Il est bien sûr hors de question d'entreprendre un régime amaigrissant. Vous devez simplement limiter votre ration alimentaire à 1 800 Kcal.

Surveillez-vous

Avant tout, commencez bien par vous observer. Considérez que votre prise de poids est due à une trop grande consommation d'aliments « caloriques ». Avez-vous, sous prétexte que vous avez un bébé à nourrir, mangé pour deux ? Grignotez-vous entre les repas ? Chocolat, bonbons, fruits sont-ils pour vous un moyen de compenser vos angoisses ? Une diététicienne saura rectifier vos erreurs, faites souvent en toute bonne foi.

Les bons glucides

Pour limiter votre « assiette » à 1 800 Kcal, vous pouvez faire appel à un nutritionniste. Pratiquement tous les services d'obstétrique hospitaliers ont ce spécialiste dans leur équipe. Mais vous pouvez aussi très bien vous contrôler vous-même en éliminant tout ce qui est trop gras et trop sucré.
• Remplacez les laits entiers, les laits concentrés, les yaourts entiers, les fromages frais sucrés ou aromatisés aux fruits, les petits-suisses et tous les fromages à plus de 50 % de matières grasses par des produits écrémés, allégés, les fromages blancs à 0 % de matières grasses.
Ne dépassez pas les 20 % de matières grasses si vous désirez un peu plus de « moelleux ».
• Éliminez les fruits secs, les fruits oléagineux, les fruits confits, les fruits au sirop et aussi le chocolat, la confiture, toutes les confiseries et les viennoiseries. Méfiez-vous aussi des boissons sucrées – même des jus de fruits – et limitez-vous à un verre par jour.
• Évitez tous les apéritifs, les boissons alcoolisées et les petits gâteaux salés ou cacahuètes qui les accompagnent.
• Évitez les plats cuisinés, en conserve ou surgelés, ils sont pour la plupart très riches en graisse.
• Préférez les cuissons sans matière grasse, à la vapeur, au gril, à l'étouffée ou dans une gaine de cuisson, puis ajoutez une noix de beurre ou une cuillerée d'huile.

Quatre repas par jour

Enfin, répartissez ces 1 800 Kcal sur quatre repas. Le petit déjeuner est particulièrement important, vous ne devez pas rester à jeun trop longtemps pour vous et votre bébé. Une collation l'après-midi permet d'éviter le grignotage qui déséquilibre votre ration quotidienne et permet de couvrir vos besoins en calcium.
Pour bien contrôler votre prise de poids, n'hésitez pas à peser vos aliments. Très vite, vous saurez à l'œil évaluer la bonne quantité d'aliments et vous pourrez alors vous passer de ce geste fastidieux. ▪

" Il faut être vigilante sur votre prise de poids au cours des derniers mois. „

1ᴱᴿ MOIS

2ᴱ MOIS

3ᴱ MOIS

4ᴱ MOIS

5ᴱ MOIS

6ᴱ MOIS

7ᴱ MOIS

8ᴱ MOIS

9ᴱ MOIS

LA NAISSANCE

LES 1ᴿᴱˢ SEMAINES DE MAMAN

LES 1ᴿᴱˢ SEMAINES DE BÉBÉ

GROSSESSES DIFFÉRENTES

ANNEXES

Votre congé de maternité *en savoir plus*

La loi et vos aménagements

Malgré la législation concernant les congés de maternité, certaines femmes ne prennent aucun congé. Une enquête, faite par le ministère du Travail, révèle que 34 % des ouvrières, 60 % des cadres supérieurs et 90 % des femmes non salariées n'ont pas pris ces congés en théorie « obligatoires ».
Une autre enquête, cette fois menée par l'INSERM (Institut national de la Santé), nous en dit plus sur les us et coutumes dans le monde du travail :
– 6 % des femmes ont un arrêt maladie précoce les conduisant à interrompre leur travail avant la fin du 3e mois de grossesse ;
– 67 % des femmes salariées ont eu, au moins, un arrêt maladie au-delà du 3e mois, et la durée moyenne de ces arrêts maladie est de 5,2 semaines ;
– 73 % des femmes non salariées (professions libérales, commerçantes, agricultrices), contre 6 % des salariées, ont débuté leur congé prénatal moins de 6 semaines avant la date présumée de l'accouchement et 23 % l'ont même débuté dans la semaine précédant l'accouchement ;
– 41 % des femmes salariées ont bénéficié d'une réduction quotidienne du temps de travail ;
– 8 % seulement des futures mamans ont eu la possibilité (comme la loi l'autorise) de changer de poste.
Et malgré la loi protégeant les femmes enceintes, l'enquête révèle que :
– 2 % d'entre elles sont licenciées pendant leur grossesse (sont touchées en priorité les ouvrières et les employées de commerce) ;
– 5 % des femmes engagées avec un contrat à durée déterminée ont vu, en raison de leur grossesse, leur contrat de travail non renouvelé ;
– 38 % des femmes considèrent que leur état de grossesse a nui à leur vie professionnelle. ▪

Dans l'administration

La convention collective des 160 000 femmes titularisées qui travaillent à la Poste prévoit qu'à partir du 3e mois de grossesse la future maman bénéficie de 1 heure de travail en moins par jour et de 1 heure et demie à partir du 6e mois.
Dans la région parisienne, les femmes enceintes peuvent se faire nommer sur des postes moins fatigants ou dans un service plus proche de leur domicile et revenir ensuite à leur ancienne affectation. Celles qui allaitent ont droit à 1 heure et demie de travail en moins par jour jusqu'au 12e mois qui suit l'accouchement. Généralement, les fonctionnaires ont droit à une réduction de 1 heure de travail par jour à partir du 3e mois de grossesse, mais cette règle est soumise à l'approbation du chef de service qui décide en fonction de l'organisation du travail.
Il y a donc une grande disparité selon les administrations ; 9 % des enseignantes ont réussi à prendre ce temps de repos pour 64 % dans les autres secteurs de la fonction publique. Souvent, les services administratifs demandent aux femmes fonctionnaires de cumuler leurs congés de maternité et leurs congés annuels, à l'exception des enseignantes qui ne peuvent prendre leurs congés que durant la période des vacances scolaires. ▪

L'ordinateur accusé à tort

Le fait de travailler toute la journée devant l'écran d'un ordinateur est-il un danger pour votre grossesse ? On accuse les faibles doses de radiations qu'émet cet appareil d'être à l'origine de fausses couches et de malformations. Pourtant, toutes les études scientifiques réalisées aujourd'hui aboutissent à la même conclusion : il ne semble pas que les radiations émises soient la cause de ces difficultés. Seuls les problèmes de vision, tels que fatigabilité, rougeurs, larmoiement sont à mettre sur le compte de l'ordinateur. ▪

Un repos bien mérité

1ᴱᴿ MOIS

2ᴱ MOIS

3ᴱ MOIS

4ᴱ MOIS

5ᴱ MOIS

6ᴱ MOIS

7ᴱ MOIS

8ᴱ MOIS

9ᴱ MOIS

LA
NAISSANCE

LES 1ᴿᴱˢ
SEMAINES
DE MAMAN

LES 1ᴿᴱˢ
SEMAINES
DE BÉBÉ

GROSSESSES
DIFFÉRENTES

ANNEXES

SI VOUS ÊTES SALARIÉE, VOICI VENU LE TEMPS DU CONGÉ DE MATERNITÉ.
Il est obligatoire et fixé, quel que soit l'emploi, à 6 semaines avant la date
prévue pour l'accouchement et à 10 semaines après celui-ci.
Pour une troisième grossesse, l'arrêt de travail débute 8 semaines
avant la date présumée de l'accouchement et se poursuit 18 semaines après.

Gérer vos congés

Vous pouvez anticiper votre départ du travail de 2 semaines, mais votre congé parental est alors réduit d'autant. Si vous prenez votre congé de maternité plus tard, vous n'aurez pas la possibilité de le rattraper après la naissance.

En cas de grossesse dite pathologique, le médecin peut juger que, dans l'intérêt de la santé de la future maman et du bébé, le congé prénatal doit être avancé de 2 semaines.

S'il y a naissance de jumeaux, le congé prénatal est de 12 semaines et le congé postnatal de 22 semaines.

Si votre accouchement a eu lieu plus tôt que prévu, votre période de repos est prolongée d'autant. Si votre accouchement a eu lieu plus tard que prévu, la durée de votre congé postnatal sera maintenue. Les indemnités au cours de l'arrêt de travail représentent généralement 84 % du salaire. Mais certaines conventions collectives ont négocié une indemnisation totale, soit 100 % du salaire.

Sous la protection de la loi

La future maman qui travaille est protégée par la loi. Elle ne peut être licenciée de la conception de l'enfant à sa naissance soit, pour la loi, 16 semaines après l'accouchement d'un premier ou d'un second enfant ; au troisième, le délai est porté à 26 semaines. Cette règle a cependant quelques exceptions :

• Si la future maman est à la recherche d'un emploi, il est interdit à l'employeur de prendre en considération sa maternité pour refuser l'embauche. Elle n'est d'ailleurs pas tenue de l'avertir de sa grossesse au moment de son entretien d'embauche.

• Aucune mutation d'emploi ne peut être faite sans raison médicale, elle pourra de toute manière n'être que temporaire et sans diminution de salaire.

Certaines conventions collectives, notamment dans la fonction publique et les hôpitaux publics, prévoient la diminution du temps de travail de toute future maman à partir du 3ᵉ mois, et ce sans modification de salaire.

En revanche, les « non-salariées », artisanes, commerçantes, membres d'une profession libérale, conjointes collaboratrices de commerçants, d'artisans ou de professionnels libéraux n'ont droit à aucune des indemnités de maternité que perçoivent les salariées (p. 517).

Dernier point important : même en congé de maternité, vous bénéficiez des augmentations qui sont accordées à vos collègues, les augmentations légales comme la moyenne des augmentations au mérite attribuées aux salariés de la même catégorie professionnelle. Si vous êtes seule dans cette catégorie vous avez droit à une augmentation équivalente à la moyenne de celle accordée à titre individuel dans l'entreprise. ▪

Ne pas être débordée après !

Pensez à organiser vos placards. Un bébé prend beaucoup de place... dans les armoires !
C'est le moment des bricolages indispensables, une étagère par-ci, une planche pour dédoubler un placard par-là. Prévoyez aussi une place pour tous les produits de toilette courants.
Suivant la taille de votre appartement, vous préférerez peut-être tout installer dans la chambre de bébé ou prévoir un petit coin pour sa toilette dans la salle de bains.

Pensez encore à votre organisation future, quand votre bébé sera là, vous risquez d'être prise au dépourvu. Alors que maintenant vous avez le temps de rechercher les commerçants qui livrent à domicile, de trouver une femme de ménage ou une personne qui se charge du repassage, de changer de lave-linge s'il est trop petit, d'acheter un sèche-linge car, avec l'arrivée de bébé, les lessives seront quasi-quotidiennes, etc. ∎

Dans votre carnet de maternité

Votre carnet de maternité comporte une fiche travail-grossesse avec, notamment, une grille qui vous permet de mesurer la pénibilité de votre travail. À chaque question est attribué un score qui évalue la fatigue. Au-dessus de trois points, votre métier est considéré comme pénible. Vous pouvez alors demander un changement de poste ou un arrêt de travail anticipé.

Ce questionnaire vous permet de faire le point sur :
– les heures de travail et votre posture ;
– le travail sur machine et le bruit ;
– la répétitivité des tâches et les charges soulevées. ∎

Un temps pour préparer la naissance

GÉNÉRALEMENT, VOUS TROUVEZ QUE LE CONGÉ DE MATERNITÉ TOMBE BIEN : vous êtes fatiguée, vous vous sentez de plus en plus lourde et les transports quotidiens vous deviennent pénibles. Vous arrêter est un véritable soulagement. Enfin, vous allez pouvoir penser à vous et à lui, votre futur bébé.

Un repos mérité

Plus les conditions de travail sont pénibles, plus les futures mamans apprécient ce temps de repos. Mais pour certaines d'entre elles, ce n'est pas si simple. Elles se sentent tout à coup seules, leur conjoint travaille et les journées semblent longues à la maison. Certaines disent même être envahies d'idées noires, et vont, parfois, jusqu'à déprimer. Quant à celles qui sont cadres, s'arrêter est souvent un handicap professionnel, tout comme pour celles qui exercent une profession libérale. Pourtant ce congé est indispensable pour la santé de la mère et de l'enfant. Il est d'abord un facteur important dans la lutte contre la prématurité et aide aussi au bon développement du bébé au cours des dernières semaines de gestation. Bruit, agitation, fatigue entraînent parfois une perturbation des échanges placentaires, cause de retard de croissance intra-utérine. Enfin, ce repos prépare le corps à l'épreuve de l'accouchement, et c'est une maman en pleine forme qui accueille son bébé. Les quelques semaines avant la naissance laissent tout le temps à la future maman de penser à elle, à son nouveau statut, de réfléchir au nouvel équilibre de son couple et, bien sûr, de s'organiser pour le moment où elle devra reprendre son travail. Le congé postnatal aura aussi cette fonction, mais il prendra toute sa valeur sur le plan des relations mère-enfant. Il permettra à la mère et au bébé de faire connaissance afin d'établir entre eux des liens affectifs forts qui aideront, quelques semaines plus tard, à leur séparation. On constate souvent, chez certaines futures mamans, le besoin de faire quelque chose de leurs mains pour leur bébé. Elles se lancent pour la première fois dans le tricot ou choisissent les travaux d'aiguilles. La réussite n'est pas toujours au rendez-vous mais aucune importance car ces travaux manuels cachent un travail psychique bien plus important, celui de se préoccuper et de se mobilier pour donner au bébé à venir des conditions idéales de développement.

Les congés supplémentaires

Généralement, les jeunes mamans ne voient pas le temps passer et aimeraient faire durer ces instants. D'ailleurs, plus de la moitié d'entre elles prolongent leur congé de 2 à 4 semaines, en utilisant ce que la loi a appelé « les congés supplémentaires pour suites de couches pathologiques », et elles l'allongent même parfois encore de quelques semaines en puisant dans leur réserve de congés payés. Pourtant, certaines d'entre vous vont vivre ce congé postnatal difficilement après les premières semaines. Les plus actives sont celles qui, généralement, sont aussi les plus pressées de reprendre une activité. Ce sont elles aussi qui souvent culpabilisent, tiraillées entre l'image de la « bonne mère » et celle de la femme responsable et autonome. ∎

1ER MOIS

2E MOIS

3E MOIS

4E MOIS

5E MOIS

6E MOIS

7E MOIS

8E MOIS

9E MOIS

LA NAISSANCE

LES 1RES SEMAINES DE MAMAN

LES 1RES SEMAINES DE BÉBÉ

GROSSESSES DIFFÉRENTES

ANNEXES

Les modes de garde en savoir plus

Comment choisir ?

De nombreuses études l'attestent, tous les modes de garde sont bons. Les conditions pour que tout aille bien : que le mode de garde soit accepté par la mère et qu'elle s'efforce de ne pas en changer au cours de la petite enfance. L'équilibre du bébé demande une certaine stabilité.

Un bon mode de garde se choisit en fonction : de la situation de famille ; des horaires professionnels ; des revenus familiaux ; du lieu d'habitation ; des options éducatives choisies ; de l'état de santé de l'enfant ; des possibilités locales. En province, une maman dépense 300 euros par mois pour faire garder son enfant ; à Paris, c'est le double. ■

La (le) baby-sitter

C'est généralement un(e) étudiant(e). Pour remplir ce rôle, elle (il) doit avoir au minimum 16 ans. Mais pour des questions de maturité et de sécurité, il est préférable de choisir une personne au-delà de 18 ans. De plus, pour des questions pratiques, mieux vaut qu'elle (il) soit couvert(e) par la Sécurité sociale étudiant. Son rôle ? vous dépanner pour quelques heures, épisodiquement ou régulièrement. Elle (il) peut se charger du bain et des repas de l'enfant, de la surveillance des leçons pour les plus grands. Vos obligations : prévoir un dîner pour elle (lui) si elle (il) vient aux heures de repas ; lui laisser libre accès à la télévision ; laisser des coordonnées téléphoniques ou celles du médecin des enfants ; la (le) raccompagner ou lui offrir un taxi après 23 heures. ■

La garde à domicile

C'est le mode de garde le plus confortable, facilité par les mesures fiscales. Mais il reste le plus onéreux et n'est pas forcément idéal sur le plan de l'épanouissement de l'enfant, qui reste dans le milieu familial et ne connaît alors que peu de petits de son âge. En revanche, il est positif pour son bon développement. Ayez à l'esprit que bien s'occuper d'un bébé prend du temps et que vous ne devrez pas être trop exigeante sur le plan du ménage. Les jeunes filles au pair viennent en France pour une durée limitée à celle de leurs études. Elles doivent être logées, nourries, blanchies et toucher une légère rémunération pour leur temps de travail (5 heures par jour pendant 6 jours et 2 soirées de baby-sitting par semaine). Elles ont à leur charge tout ce qui touche aux enfants, de leur linge à la surveillance de leurs devoirs. Il est prudent de recruter une personne au pair par l'intermédiaire d'une association spécialisée. Toutes les démarches administratives sont ainsi simplifiées. L'adaptation à la vie dans une famille et à une culture différente n'est pas toujours facile pour ces jeunes filles qui quittent souvent les leurs pour la première fois. ■

Une année sabbatique ?

Certains parents font le choix d'un congé parental d'éducation, souvent pour une période de plusieurs années. Dans 83 % des cas, cette décision est celle du couple ; pour 69 % des mères, l'argument avancé est d'être plus proches de leur bébé ; 20 % font le choix d'un congé à temps partiel. Parfois, ce sont les pères qui arrêtent de travailler. Les trois quarts le font pour des raisons financières, le salaire de leur épouse étant supérieur au leur. Parmi eux, 80 % sont ouvriers ou employés, et occupent pour la plupart des emplois dits « féminins » dans le commerce, l'éducation, la santé ou l'action sociale. ■

Choisir de le faire garder

1ᵉ MOIS

2ᵉ MOIS

3ᵉ MOIS

4ᵉ MOIS

5ᵉ MOIS

6ᵉ MOIS

7ᵉ MOIS

8ᵉ MOIS

9ᵉ MOIS

LA NAISSANCE

LES 1ᴿᴱˢ SEMAINES DE MAMAN

LES 1ᴿᴱˢ SEMAINES DE BÉBÉ

GROSSESSES DIFFÉRENTES

ANNEXES

VOTRE CHOIX PEUT SE PORTER SUR DIFFÉRENTS MODES DE GARDE. Selon les communes ce choix est plus ou moins diversifié. Les grandes villes sont sans doute celles où il est le plus difficile de faire garder son bébé.

La crèche familiale

Ce type de crèche a été inventé pour pallier le manque de crèches collectives. C'est, en fait, le regroupement d'un certain nombre d'assistantes maternelles sous la responsabilité d'une directrice-puéricultrice. Celle-ci visite, généralement une fois par semaine, les assistantes maternelles à leur domicile et les réunit, de temps en temps, avec « leurs enfants » pour aider à la socialisation des petits, en leur permettant de rencontrer d'autres bébés de leur âge. La directrice doit surveiller les conditions de vie et l'hygiène des bébés, leur alimentation et leur développement psychoaffectif. Une directrice « contrôle » quarante assistantes maternelles. Ces dernières doivent avoir une certaine formation, assurée par la municipalité qui fait appel à des organismes spécialisés. Elles conviennent avec les parents des horaires de garde. Le paiement s'effectue à la crèche familiale qui rémunère l'assistante maternelle. Le tarif, établi selon les revenus de la famille, est identique à celui de la crèche collective. Les parents sont déchargés de tout problème d'ordre administratif.

La crèche parentale

Devant la pénurie des garderies, certains parents se sont organisés entre eux. La crèche parentale regroupe un certain nombre de parents en association de loi 1901. La crèche ne peut fonctionner sans l'accord de la DDASS qui assure le contrôle sanitaire des lieux, et sa direction doit être assurée à plein-temps par une personne diplômée (puéricultrice ou éducatrice de jeunes enfants).

La crèche parentale assure la garde des enfants durant toute la journée, mais les parents doivent, à tour de rôle, participer à la surveillance des enfants, à la gestion et à l'aménagement des locaux. Généralement, ces crèches regroupent une vingtaine d'enfants qui y vivent dans des conditions très familiales. Les expériences d'éveil sont nombreuses et de nature originale.

Ces crèches présentent toutefois quelques défauts : elles demandent aux parents une certaine disponibilité dans leur emploi du temps, elles résistent mal au temps, la grande difficulté étant le renouvellement des parents lorsque les enfants sont en âge d'entrer à l'école maternelle. Pour connaître les adresses des crèches parentales proches de chez vous, contactez l'association des crèches parentales (p. 557).

La halte-garderie

C'est un établissement municipal ou privé, placé sous la responsabilité d'une puéricultrice, d'une infirmière ou d'une sage-femme. Elle offre une garde temporaire pour les enfants âgés de 2 mois à 6 ans et dont les mères sont au foyer. Il existe certaines possibilités d'accords spécifiques pour les mères qui travaillent, à l'heure ou pour une demi-journée. Les repas doivent être fournis. Les avantages : possibilité de quelques heures de liberté pour la mère au foyer, contacts avec d'autres enfants pour l'enfant unique, personnel qualifié dans les soins des tout-petits. Mais attention, il faut réserver sa place au moins 48 heures à l'avance. ▪

La crèche collective

ELLE RESTE LE MODE DE GARDE LE PLUS DEMANDÉ PAR LES FUTURES MAMANS, mais malheureusement celui qui se développe le plus lentement en raison de son coût de fonctionnement et d'organisation.

La situation en France

Les différents modes de garde sont incapables de prendre en charge les 770 000 enfants de moins de 3 ans vivant en France et dont les parents travaillent. Les modes de garde organisés par la collectivité ne peuvent couvrir que 44 % des besoins. Bien que les places en crèche collective, en halte-garderie, au jardin d'enfants et en crèche familiale soient en hausse de 2 % en un an, il manquerait toujours environ 500 000 places de crèches. Et s'il fallait une preuve de la disparité entre le souhait des parents et la réalité, le Crédoc (Centre de recherche pour l'étude et l'observation des conditions de vie) a étudié le comportement des parents : 18 % d'entre eux estiment que les crèches collectives sont le mode de garde le plus satisfaisant, mais 30 % sont obligés de faire appel à une assistante maternelle, agréée ou non ; 41 % des mères qui souhaiteraient voir leur enfant inscrit à la crèche ne réussissent pas à en franchir la porte.

Des normes strictes à respecter

La crèche collective est sous la responsabilité d'une puéricultrice diplômée d'État ; c'est une professionnelle qui doit avoir cinq ans d'expérience en milieu hospitalier pédiatrique ou en tant que directrice adjointe d'une crèche. Elle est secondée par des auxiliaires de puériculture titulaires d'un BEP. C'est un établissement réglementé, sous le contrôle de la Direction départementale des affaires sanitaires et sociales de la préfecture où il est établi.

La crèche collective doit se soumettre à des normes : l'encadrement est constitué d'une auxiliaire de puériculture pour cinq enfants, d'une jardinière d'enfants pour huit enfants qui marchent, d'une diététicienne, d'une cuisinière, des employées de ménage.

Et, suivant la taille de la crèche, d'un médecin et d'un psychologue vacataires. Les locaux doivent avoir été conçus pour accueillir de jeunes enfants et, notamment, permettre une surveillance parfaite. La crèche collective offre une garde permanente des enfants âgés de 2 mois à 3 ans, du lundi au vendredi, de 7 heures à 19 heures, mais ces horaires peuvent être modifiés par la directrice. Les enfants malades sont de plus en plus souvent acceptés, sous condition de non-contagion.

Avant d'être inscrit à la crèche, votre bébé devra passer une visite médicale effectuée par le médecin de l'établissement en présence d'un des parents. Il aura été préalablement vacciné par le BCG et doit être bien suivi médicalement. De plus en plus souvent, les crèches ouvrent leurs portes aux enfants handicapés. L'enfant, une fois intégré, est nourri, parfois habillé et blanchi. Son linge de toilette lui est toujours personnel.

Le bon âge

Les recommandations de la DDASS donnent comme âge idéal pour entrer à la crèche la fin des congés de maternité. Le plus mauvais moment pour mettre un enfant en crèche étant entre 6 et 18 mois, l'enfant ayant alors besoin, sur le plan psychologique et affectif, d'une grande stabilité. L'enfant qui entre en crèche à 2 mois et demi a de fortes chances d'y rester jusqu'à l'âge de l'entrée à l'école maternelle, sauf déménagement ou changement de situation des parents. Suivant les établissements, les enfants sont répartis en sections par âge : les nourrissons, les enfants qui ne marchent pas et les grands qui marchent, ou regroupés en « familles » où tous les âges sont mélangés. Les crèches collectives sont en principe réservées aux enfants dont les deux parents travaillent. Un parent au chômage est considéré comme « travaillant ». Sont prioritaires les mères célibataires (pp. 99 et 403). Généralement, les frais de garde sont payés mensuellement et calculés en fonction des revenus du foyer. Mais il existe une grande disparité d'une ville à une autre.

Des lieux d'éveil et de socialisation... difficiles à obtenir

Depuis quelques années, les parents sont un peu plus intégrés aux activités de la crèche. Ils peuvent, notamment, prendre le temps le matin de quitter leurs bébés calmement, et de les retrouver doucement le soir. Certaines crèches ont même institué des carnets de correspondance parents-personnel de crèche, chacun indiquant par quelques mots les événements marquant de la journée ou de la soirée. Aujourd'hui, les crèches sont considérées comme des lieux d'éveil et de socialisation importants pour le petit enfant. On peut même affirmer, études à l'appui, que les enfants ayant fréquenté la crèche se scolarisent plus facilement que les autres.

Mais leur inconvénient reconnu est la multiplication des petites infections telles que les rhinopharyngites et les maladies infantiles contagieuses. Généralement, ces soucis se situent la première année, touchent en majorité toujours les mêmes enfants et semblent être en relation avec des problèmes psychosomatiques, la mère éprouvant une vraie difficulté à confier son bébé à un établissement collectif. Dans ce cas, un changement de mode de garde est souvent le traitement radical.

Trouver une place

Un conseil pour avoir une place en crèche : il ne faut pas hésiter à renouveler votre demande et à multiplier vos visites tout au long de vos congés de maternité. Attention, « inscription » ne signifie pas « admission ». L'admission étant décidée par une commission municipale, n'hésitez pas à vous faire connaître des élus. Pour votre premier rendez-vous avec la directrice de la crèche, munissez-vous de votre carnet de maternité, de vos fiches de salaire et de celles de votre mari, et d'un justificatif de domicile. Dans les grandes villes, les crèches étant plus nombreuses, inscrivez-vous dans plusieurs à la fois. ■

1ᴱᴿ MOIS

2ᴱ MOIS

3ᴱ MOIS

4ᴱ MOIS

5ᴱ MOIS

6ᴱ MOIS

7ᴱ MOIS

8ᴱ MOIS

9ᴱ MOIS

LA NAISSANCE

LES 1ᴿᴱˢ SEMAINES DE MAMAN

LES 1ᴿᴱˢ SEMAINES DE BÉBÉ

GROSSESSES DIFFÉRENTES

ANNEXES

Les assistantes maternelles

VOUS AVEZ CHOISI CE MODE DE GARDE comme le plus grand nombre de parents d'enfants de moins de 3 ans. Aujourd'hui, ce sont 500 000 enfants qui sont accueillis par environ 300 000 assistantes maternelles. Ce n'est pas un hasard puisque ce mode de garde apporte beaucoup de souplesse et une relation plus proche avec la personne qui garde leur enfant.

Qui est l'assistante maternelle ?

Celle-ci est une personne qualifiée, qui reçoit une formation avant d'accueillir tout enfant et bénéficie d'une formation continue tout au long de sa carrière. Elle est âgée de 18 ans minimum et a été agréée pour cinq ans par le Conseil général. Pour obtenir cet agrément, elle doit présenter les garanties nécessaires pour accueillir des nourrissons dans des conditions propres à assurer leur développement physique, intellectuel et affectif. Elle doit aussi passer un examen médical, et disposer d'un logement dont l'état, les dimensions et l'environnement sont propices à l'accueil d'un jeune enfant. Pour confirmer ces impératifs, une enquête est menée chez la candidate et dans son environnement immédiat par divers travailleurs sociaux. L'agrément est accordé pour un nombre d'enfants défini, jamais plus de trois enfants de moins de 3 ans. L'assistante maternelle est aidée et conseillée par les services de la PMI (Protection maternelle et infantile).

Des horaires plus souples

Son activité est soumise au droit du travail : les parents doivent lui signer un contrat de travail précisant ses horaires, son salaire mensuel et ses jours de repos. Elle dispose quotidiennement de 11 heures consécutives de repos et de 2,5 jours de congés par mois, qu'elle pourra prendre quand elle le désire. Elle ne pourra pas être employée plus de 48 heures par semaine, sauf avec son accord. Elle doit être assurée, et les parents doivent la déclarer à l'Urssaf, lui faire des fiches de salaire et lui donner des indemnités de licenciement en cas de rupture du contrat. Enfin, les absences imprévues de l'enfant sont rémunérées. Son salaire est au minimum de 2,25 fois le SMIC horaire pour une journée de 8 heures, plus une indemnité forfaitaire pour les repas.

Elle doit être assurée pour les dommages que pourrait provoquer l'enfant lorsqu'il est sous sa responsabilité, et pour ceux dont il pourrait être victime. Son recrutement peut se faire soit par l'intermédiaire des services sociaux communaux qui vous donneront la liste des assistantes maternelles libres, soit par petites annonces.

Un choix mutuel

Bien choisir cette personne est essentiel pour vous permettre de réussir à conjuguer vie familiale et vie professionnelle. Après avoir déterminé les horaires et les conditions qui vous conviennent, proposez-lui une entrevue à son domicile pour une véritable interview. Demandez-lui combien d'enfants elle a déjà gardés, combien sont actuellement sous sa responsabilité, si vous devez fournir tous les repas, où compte-t-elle installer votre bébé, s'il y a un square pas très loin pour le sortir, si elle-même a des enfants et de quel âge, la profession de son mari. Demandez-lui de vous montrer l'endroit où votre enfant dormira. A-t-elle déjà du matériel de puériculture et de quelle nature ? Regardez autour de vous : son appartement est-il lumineux, chaleureux, ni trop en désordre, ni trop bien rangé ? La télévision marche-t-elle en permanence ? Ses enfants ont-ils l'air épanouis et heureux ? Faites-lui préciser dès maintenant le tarif qu'elle applique et ce que vous devez lui fournir : généralement, les changes et le lait en poudre.

Fixez aussi les horaires que vous souhaitez, précisez également dès maintenant si vous risquez de reprendre votre bébé tard. Vous pouvez encore prétexter un renseignement supplémentaire pour lui faire une visite à l'improviste dans les semaines qui suivent votre première rencontre, de manière à voir comment elle vit habituellement.

Si ce premier contact est bon, avant de prendre votre décision, vous devez revenir avec votre bébé. Là, vous verrez si l'enfant se plaît dans ses bras, si elle lui parle, bref si elle semble affectueuse. C'est au cours de cette visite que vous et elle échangerez vos principes éducatifs : repas à la demande, sommeil dans le noir ou non, bain chez elle ou chez vous, etc. Normalement c'est elle qui doit poser plus de questions que vous.

Une rémunération déductible de vos impôts

Tout comme l'adaptation à la crèche (pp. 263-265), l'installation dans une autre maison, dans le creux d'autres bras que ceux des parents, se fait en douceur, 1 ou 2 heures le premier jour, un peu plus le deuxième, etc.

Dans tous les cas, le soir en reprenant l'enfant, interrogez l'assistante maternelle sur le programme de la journée, posez beaucoup de questions... quitte à passer pour une bavarde. La santé et l'éveil de votre bébé sont les garanties d'une bonne adaptation à sa nouvelle vie.

En moyenne, le salaire d'une assistante maternelle se situe entre 420 et 510 euros par mois. Vous établirez ensemble un contrat de travail et vous devrez lui faire des fiches de salaire. Sachez encore que l'assistante sociale de votre quartier peut vous aider dans ces démarches qu'une partie du salaire de l'assistante maternelle est déductible de vos impôts et que vous pouvez aussi utiliser des chèques « emploi-service » pour rémunérer ces charges.

Obligatoirement déclarée

Attention aux assistantes maternelles « au noir ». Elles ne présentent aucune des garanties exigées par les services sociaux sur les soins et le développement de votre enfant. De plus, c'est un travail « illégal » dont vous seriez complice, et donc passible d'amende, vous comme elle. Tout cela peut être aussi lourd de conséquences en cas d'accident.

Elle peut encore, à tout moment, augmenter ses tarifs ou refuser du jour au lendemain d'accueillir votre bébé. Sachez qu'une tante ou une grand-mère peut faire la demande d'agrément et ainsi garder en toute légalité ses petits-enfants ou ses neveux contre une rémunération.

Les assistantes maternelles employées par des particuliers disposent d'une formation de 120 heures dans les six mois qui suivent leur agrément. Au programme on trouve notamment la sécurité domestique, l'alimentation équilibrée dès le plus jeune âge et l'éveil du tout-petit. ▪

« C'est le mode de garde qui offre aux parents le plus de souplesse dans les horaires et une relation de proximité avec la personne qui garde leur enfant. »

1ER MOIS

2E MOIS

3E MOIS

4E MOIS

5E MOIS

6E MOIS

7E MOIS

8E MOIS

9E MOIS

LA NAISSANCE

LES 1RES SEMAINES DE MAMAN

LES 1RES SEMAINES DE BÉBÉ

GROSSESSES DIFFÉRENTES

ANNEXES

Le huitième mois

1ᴱᴿ MOIS

2ᴱ MOIS

3ᴱ MOIS

4ᴱ MOIS

5ᴱ MOIS

6ᴱ MOIS

7ᴱ MOIS

8ᴱ MOIS

9ᴱ MOIS

LA NAISSANCE

LES 1ᴿᴱˢ SEMAINES DE MAMAN

LES 1ᴿᴱˢ SEMAINES DE BÉBÉ

GROSSESSES DIFFÉRENTES

ANNEXES

Le huitième mois

Vous

LE RYTHME DE LA VIE CHANGE, les préoccupations d'ordre profession-
nel s'éloignent ; l'activité quotidienne est centrée sur le bébé à venir. La fu-
ture maman se pelotonne, s'observe, s'installe douillettement dans son nou-
veau rôle. Mais ce n'est pas une raison pour vivre « entre parenthèses ».
D'ailleurs la plupart des grossesses se passent bien à condition de respec-
ter certaines règles, si vous ne voulez pas que votre bébé naisse trop tôt.
La prématurité reste un des grands risques de la maternité même si parfois
les médecins décident de faire naître un bébé avant terme. Quand cette dé-
cision est prise, c'est toujours pour un moindre mal. On pense que le bébé
aura de meilleures chances de se développer à l'extérieur, hors de l'utérus
maternel. Ce sont des décisions exceptionnelles et quoi que l'on fasse, quoi
que l'on pense, il faut neuf mois à un bébé pour atteindre sa maturité.

Parmi les décisions qui vont engager l'avenir de l'enfant, une des toutes
premières porte sur le choix du prénom. Il est temps de choisir même si
certains parents, après avoir échangé des listes, consulter des ouvrages
et demander conseils, ne réussissent à prendre leur décision que quelques
heures après la naissance.

L'approche du terme se reconnaît parfois au comportement curieux de
beaucoup de futures mamans. Les plus maladroites, les plus allergiques
aux travaux d'aiguilles se lancent... Il faut, c'est viscéral, qu'elles trico-
tent, qu'elles brodent, qu'elles bricolent. Confectionner quelque chose pour
l'enfant qu'elles « couvent » devient essentiel. Chacune, avec plus ou moins
de bonheur, confectionne son nid.

Votre bébé

LE BÉBÉ NE CONTRÔLE PAS SON ÉQUILIBRE IN UTERO bien que son système vestibulaire existe et fonctionne depuis le 6ᵉ mois. Quand sa mère bouge, il n'essaie pas de rétablir son équilibre bouleversé ni de retrouver la position confortable qu'elle a pu déranger. Par contre, dès qu'elle est au repos, notamment lorsqu'elle est allongée, il décide de s'agiter. En fait le bébé expérimente son système vestibulaire lorsqu'il adopte la position de plongeur tête en bas, comme 95 % d'entre eux. Et les autres, auraient-ils perdu leur sens de l'équilibre ?

1ᵉᴿ MOIS

2ᴱ MOIS

3ᴱ MOIS

4ᴱ MOIS

5ᴱ MOIS

6ᴱ MOIS

7ᴱ MOIS

8ᴱ MOIS

9ᴱ MOIS

LA NAISSANCE

LES 1ᴿᴱˢ SEMAINES DE MAMAN

LES 1ᴿᴱˢ SEMAINES DE BÉBÉ

GROSSESSES DIFFÉRENTES

ANNEXES

Au 7ᵉ mois   Au 8ᵉ mois   Au 9ᵉ mois

La dernière échographie révèle souvent que le bébé, comme impatient de rencontrer ses parents, est déjà souvent en position de plongeur, tête en bas.

La dernière échographie : tête en haut, tête en bas

VOICI VOTRE TROISIÈME RENDEZ-VOUS AVEC L'ÉCHOGRAPHISTE.
Cette dernière échographie, qui se fait après la 32ᵉ semaine d'aménorrhée,
permet notamment de contrôler la position du fœtus, mais aussi la quantité
de liquide amniotique et la position et l'épaisseur du placenta.

Ultime contrôle

Souvent, le bébé est déjà en présentation céphalique (tête en bas) mais bien d'autres positions sont possibles. L'emplacement des cuisses, des jambes et des pieds repéré, l'échographiste pourra déterminer avec précision la présentation du bébé et choisir la technique d'accouchement la plus appropriée.

Tout comme celles des premier et deuxième trimestres, l'échographie du 8ᵉ mois permet aussi de contrôler la croissance de l'enfant en fonction de l'âge de la gestation (retard ou excès), d'apprécier la structure et la maturité du placenta, et de dépister d'éventuelles malformations qui peuvent être traitées ou opérées avant la naissance ou tout de suite après (p. 277). Plus l'enfant grandit, plus l'échographiste est capable d'une véritable revue de détail. Ainsi, peut-il s'assurer du bon fonctionnement, par exemple, du cœur et des reins, ou contrôler les mouvements de son corps et de son appareil respiratoire.

Transformation psychologique du couple

Pour vous, la future maman, cette échographie est vécue comme une préparation à l'accouchement. C'est le dernier rendez-vous avec l'enfant imaginaire (p. 73). La première est la découverte de la vie qui habite la future maman. La seconde aide aux fantasmes et la dernière prépare à la première séparation mère-enfant. C'est un véritable accompagnement médical et psychologique. L'échographie a transformé, dans bien des couples, les relations autour du futur bébé. En participant à ces examens, le père se rapproche de cet être qu'il ne peut connaître qu'au travers de son épouse. La grossesse devient un moment de vie partagée.

La vue du bébé sur l'écran resserre aussi souvent les liens dans le couple ; la femme craignant de se voir délaissée par manque momentané de féminité s'aperçoit que son conjoint s'intéresse tout particulièrement au stupéfiant phénomène de la naissance de la vie. Toutes les enquêtes montrent que les pères ne vivent jamais l'échographie comme un moment angoissant. Tout au contraire, ils se disent rassurés et valorisés dans leur comportement de père. L'échographie, enfin, aide à rêver à deux... Ce n'est plus le bébé de la mère mais le bébé du couple. C'est ainsi que l'on voit des pères devenir plus disponibles ou même s'arrêter de fumer. Leur présence à l'accouchement (p. 285) sera alors la suite logique de cette belle histoire.

Des remboursements... à la pratique

Sont remboursées par la Sécurité sociale les trois échographies des premier, deuxième et troisième trimestres. Au-delà de ces examens, une entente préalable avec la Caisse d'assurance maladie est nécessaire. La demande doit être faite par le médecin qui suit la grossesse. D'une manière générale, une bonne échographie coûte cher et elle ne sera jamais remboursée en totalité. Cependant, les gynécologues-accoucheurs ne sont pas tous d'accord sur le nombre indispensable d'échographies pour un bon suivi de la grossesse. L'échographie du premier trimestre est la plus contestée. Destinée à dater la grossesse, elle pourrait n'être pratiquée que si l'interrogatoire de la future maman s'avère imprécis ou si, bien sûr, l'examen clinique révèle quelque difficulté. L'échographie du deuxième trimestre est en revanche reconnue comme étant fondamentale. Le bon moment pour la pratiquer se situe entre la 20e et la 22e semaine d'aménorrhée. Celle du troisième trimestre est aussi importante et se situe entre la 30e et la 32e semaine. Ces trois rendez-vous ont d'ailleurs été déclarés indispensables par la conférence du Collège national des gynécologues et obstétriciens. ▪

Son prénom raconte
une histoire

IL EST TEMPS POUR vous et votre mari de décider du prénom que vous allez donner à votre bébé. L'un et l'autre avez dû, sans doute, y avoir réfléchi ; peut-être même ce prénom a-t-il déjà suscité bien des débats.

Un engagement délicat

Si l'échographie a révélé son sexe, la moitié des difficultés sont aplanies. Le prénom est porteur de quantité de significations. En l'attribuant, on transmet une partie des projets faits autour de l'enfant imaginé (p. 73) mais aussi parfois un peu de son histoire ou de celle de sa famille. Mises à part les familles dans lesquelles on se transmet les mêmes prénoms de génération en génération (comme aux États-Unis), la recherche est, dans pratiquement tous les couples, l'occasion de larges débats. Dans quelle direction partir ? Que faut-il privilégier ? La mode, la sonorité, la signification complètement subjective ? Chacun d'entre vous va devoir choisir.

Effet de mode

D'une génération à l'autre, les prénoms ont été transmis, ont été exportés avec les familles, les cultures et les modes de vie. Certains ont disparu, tels Placide et Marguerite, d'autres renaissent, tels Paul, Marie et Charles. Pour les sociologues, la vogue de certains prénoms repose sur leur sonorité ; aujourd'hui, les sonorités anglo-saxonnes l'emportent, les feuilletons et les films américains apportant jusque-là aussi leur influence. Mais les psychanalystes pensent différemment. Pour eux, le prénom à la mode est un moyen de banaliser, de se défendre d'un désir parental. Le prénom est, en réalité, un indice sur l'histoire d'une famille. Parfois il cache le nom

d'un ancêtre valeureux, d'un héros admiré, du premier amour du père ou de la mère.

Une décision importante...

À consulter les registres de l'état civil et les documents du tribunal, force est de constater que l'imagination est sans bornes. Quel qu'il soit, le prénom est un lien symbolique, c'est pratiquement le seul et le premier acte volontaire et obligatoire que l'on a envers son enfant : son prénom le suivra toute sa vie. Il le caractérisera comme un être unique et irremplaçable.

Les choix sont innombrables et aujourd'hui l'officier d'état civil doit faire de telles démarches pour s'opposer à un prénom qu'il n'exerce plus aucune censure. Ce qui ne vous empêche pas de prendre quelques précautions : pensez à votre bébé, obligé de porter ce prénom toute sa vie. Les consonances trop extravagantes ou comiques sont à éviter ; elles ne le seront qu'un temps et porter un prénom humoristique n'est pas agréable en toutes circonstances, ni permis à tout le monde. Bien sûr, la musique du prénom accolé au nom ainsi que la signification de l'association des initiales sont à prendre en compte.

... et pour toute la vie

Évitez en particulier les prénoms dont la syllabe ou la consonance finale est identique à la syllabe ou à la consonance initiale du patronyme. D'une façon générale, sont à proscrire tout à la fois le prénom à la mode et la singularité à tout prix. N'oubliez pas que les modes passent très vite alors que les prénoms sont attribués pour la vie entière. Méfiez-vous des idées saugrenues. Certes, l'originalité est une excellente chose, encore faut-il ne pas en abuser. De même n'inventez pas d'orthographe fantaisiste.

Sont à éviter encore les prénoms pour lesquels il existe un grand nombre de variantes orthographiques, ainsi que les prénoms trop exotiques que personne ne sait ni transcrire ni prononcer. Faute de quoi, l'enfant passera sa vie à épeler son nom ou à rectifier des erreurs de transcription.

En règle générale, pensez à l'harmonie visuelle et verbale du nom et du prénom. Un prénom court convient à un nom de famille long et inversement. Et si vraiment les parents sont trop indécis, il existe quantité de livres donnant une multitude d'indications historiques, symboliques et sociologiques.

Un choix à deux

Cependant, lorsqu'il y a conflit entre les deux parents, le système des listes peut les départager. Chacun établit une liste de six à huit prénoms. Chaque conjoint barre ceux qu'il n'aime vraiment pas. Il doit en laisser au moins deux. Puis, il ne reste plus qu'à en débattre et à se décider avant le jour inéluctable de la déclaration à l'état civil.

Faire accepter un prénom « différent » par l'officier d'état civil n'est plus une difficulté ; il doit d'abord l'enregistrer et ensuite faire un recours au tribunal si ce prénom lui semble importable. Vous avez de toute façon la possibilité d'associer ce prénom original à un prénom classique et ainsi éviter les foudres du fonctionnaire. Deux exemples : Marie-Clafoutis ou Marie-Neige. Voici les prénoms les plus attribués sur les trois dernières années : côté fille, Léa, Manon, Chloé, Jade, Emma, Camille, Sarah, Marie, Laura et Mathilde. Coté garçon, Lucas, Thomas, Théo, Hugo, Maxime, Quentin, Enzo, Antoine, Nicolas,

Alexandre et Alexis. Mais les prénoms classiques comme Jean, Louis et Marie restent toujours très prisés. À vous de choisir si vous souhaitez vous conformer à la mode ou si au contraire vous voulez marquer l'identité de votre bébé du sceau de l'originalité. Avant de faire votre choix, sachez que des études scientifiques indiquent que les prénoms courants sont les plus appréciés, notamment à l'école. L'enfant qui le porte a plus d'amis et est mieux noté que celui qui a un prénom rare.

Coup de pouce

Et puis si vraiment vous manquez d'idées sur le prénom du futur bébé, les sources d'inspiration sont nombreuses. Les saints tout d'abord. Il en existe de fort rares. Sont encore possibles tous les prénoms du calendrier révolutionnaire ou de la mythologie (revoir ses classiques pour être bien certain que le héros ou l'héroïne choisie n'est pas un être abominable ou n'a pas eu un destin difficile à porter). À explorer également les prénoms bibliques de l'Ancien ou du Nouveau Testament. Vous pouvez tout aussi bien vous inspirer de noms de lieux, de héros de la littérature ou du cinéma. La télévision fait aussi parfois des ravages, surtout les feuilletons à succès, de même certaines célébrités de la vie politique qui marquent leur époque.

Enfin, les prénoms puisés dans les constellations et les astres sont souvent plus poétiques et se démodent moins vite. ■

" Les parents qui sont venus me consulter m'envoient très gentiment les faire-part de naissance des bébés que j'ai aidés à venir au monde. Ainsi, je suis en mesure d'élaborer une véritable « bourse » des prénoms. "

Diagnostic anténatal

Heureusement, parmi les malformations, ce sont les anomalies mineures ou modérées qui sont les plus fréquentes. Elles touchent plus particulièrement l'appareil urinaire. Dans l'immense majorité des cas, grâce au diagnostic échographique anténatal de plus en plus performant, elles sont prises en charge immédiatement à la naissance par un traitement médical ou chirurgical qui, autrefois, n'aurait été fait qu'après leur découverte, à la faveur d'une complication.

Certaines anomalies, réputées graves hier du fait de leur risque immédiat dans les premières heures ou les premiers jours de la vie, ont aujourd'hui grandement bénéficié de cette technique.

La naissance programmée dans des maternités spécialisées à proximité d'un centre de chirurgie néonatale a modifié le pronostic de ces anomalies. Ce sont par exemple les malformations du tube digestif ou de la paroi abdominale.

Les grossesses à risque sont celles de femmes qui ont déjà attendu ou mis au monde un enfant avec une malformation cardiaque. Il y a là trois fois plus de risques et leur grossesse demande un suivi régulier avec, notamment, un contrôle échographique du développement du cœur de leur bébé par une échographie spécialisée. ▪

Greffe in utero

Voici l'histoire de David. Grâce à un diagnostic prénatal, on s'est aperçu qu'il souffrait d'une grave maladie immunologique : le syndrome des lymphocytes dénudés. Le professeur Touraine proposa à ses parents de le traiter par greffe in utero. La technique consiste, après repérage du cordon ombilical par échographie, à transfuser dans la veine ombilicale du fœtus des cellules prélevées au niveau du foie et du thymus d'un fœtus décédé. Parvenues dans la circulation fœtale, ces cellules migrent au niveau des organes où se développent les cellules du système immunitaire. Une fois greffées, elles se développent, permettant ainsi la reconstitution progressive d'un capital immunologique inexistant. David, à sa naissance, a dû séjourner pendant un an et demi dans une bulle stérile et a dû encore, pendant quelque temps, subir des perfusions pour parfaire son immunité. ▪

Une histoire à vivre en couple

L'annonce d'un enfant malade ou handicapé est toujours vécue avec beaucoup d'angoisse et de tristesse par la future maman. Elle a besoin du soutien de son compagnon. Son alliance et la mobilisation de l'équipe soignante lui donne la forcent d'imaginer un avenir certes peut-être compliqué mais heureux avec cet enfant. L'attitude du futur papa a aussi une grande importance pour l'avenir du couple. Il doit veiller à ne pas isoler sa compagne dans la souffrance et parfois dans la culpabilité. Malgré sa déception, il faut qu'il se montre responsable, affrontant les événements avec réalisme et compétence. ▪

▍ MON AVIS

Une recherche a été faite pour savoir s'il était possible d'intervenir in utero sur des enfants ayant des malformations. La technique consiste à ouvrir le ventre de la mère, à sortir juste la partie du fœtus sur laquelle on doit intervenir de manière à le laisser dans son milieu. Puis on referme pour attendre l'âge normal de la naissance qui se fera par césarienne. L'idée peut sembler belle sauf que ces interventions entraînent deux opérations pour la mère et que les résultats ne sont pas satisfaisants. Je crois beaucoup plus intéressant de développer les techniques d'intervention sous endoscopie, donc sans ouvrir l'utérus. Elles sont loin d'être sans risque, mais les résultats sont beaucoup plus probants qu'avec la solution « à utérus ouvert ». Ces interventions sont exceptionnelles. ▪

Le soigner avant sa naissance

1ER MOIS

2E MOIS

3E MOIS

4E MOIS

5E MOIS

6E MOIS

7E MOIS

8E MOIS

9E MOIS

LA NAISSANCE

LES 1RES SEMAINES DE MAMAN

LES 1RES SEMAINES DE BÉBÉ

GROSSESSES DIFFÉRENTES

ANNEXES

DANS LE VENTRE DE SA MÈRE, le fœtus est de moins en moins un inconnu. Aujourd'hui, avant même qu'il soit né, on tente de le soigner ou de le préparer à une intervention dans les heures qui suivent l'accouchement.

Prescriptions in utero

Un bébé, dont le médecin a diagnostiqué des battements de cœur anormaux, peut être traité in utero. C'est essentiel pour lui permettre de poursuivre son développement jusqu'au jour de la naissance. On donne alors à la mère un médicament qui franchit la barrière placentaire et qui va réguler les battements du cœur du fœtus. Sont ainsi traités des déficits enzymatiques ou des anémies que l'on soigne par transfusions au niveau du cordon ombilical.

Des interventions toujours délicates

Mais la médecine fœtale est encore capable d'interventions encore plus spectaculaires, telles que les opérations chirurgicales à « utérus ouvert ». Bien sûr, aujourd'hui, de telles opérations ont des limites. On ne les tente que dans le cas où l'on sait qu'une malformation va entraver le développement in utero de l'enfant, allant souvent jusqu'à mettre sa vie en danger. Ainsi est opérée la hernie diaphragmatique. L'intervention se pratique « utérus ouvert » mais le fœtus opéré n'est qu'en partie extrait, car les contractions de l'utérus ne permettraient pas de le remettre ensuite en place. C'est en fait une réparation provisoire par une prothèse plastique. Cette intervention devra être complétée par une intervention dès la naissance. Cependant, leur succès est restreint. L'avenir est aux interventions à « ventre fermé » par cœlioscopie. Ainsi, il est possible, aujourd'hui, de différencier la circulation sanguine de jumeaux dans les cas de communication placentaire (syndrome transfuseur-transfusé).

Les thérapies génétiques

Une autre opération, palliative mais essentielle pour un organe, est pratiquée dans certains cas de malformation urinaire avec obstruction complète des voies urinaires entraînant une dilatation importante du rein et sa destruction imminente. Une ponction à travers le ventre de la mère et l'utérus est alors réalisée pour dériver les urines du fœtus.

Parallèlement, la médecine développe d'autres traitements in utero. Et le professeur Touraine à Lyon a même réussi à greffer des cellules fœtales à un fœtus de 28 semaines atteint d'une grave maladie immunologique à caractère génétique. Dans les années à venir, on devrait voir se développer la thérapie génétique permettant de soigner in utero des enfants atteints de maladies génétiques, leur donnant l'espoir de naître presque normaux.

Opérations précoces

Certaines anomalies sont opérées dans les heures qui suivent la naissance. D'autres malformations, comme celles d'ordre cardiaque, sont opérées dans les trois jours qui suivent la naissance, après une réanimation. Grâce au diagnostic anténatal, ces enfants peuvent être sauvés. Prévenues à temps, les équipes médicales sont prêtes à agir dès la naissance et les interventions se font dans des conditions idéales. ■

Le choix définitif du mode d'accouchement

Psychologiquement, on note chez un certain nombre de femmes un état de lassitude : la future maman a hâte d'être mère ; souvent, elle éprouve des angoisses, angoisse classique de la séparation et angoisse de l'avenir de cet être qu'elle porte depuis plusieurs mois. C'est donc le moment où se fait définitivement le choix du mode d'accouchement et notamment le recours ou non à l'accouchement sous anesthésie locorégionale. Un certain nombre de femmes n'envisagent à aucun moment de prendre un médicament pour calmer les douleurs. Elles veulent vivre cet instant pleinement, considérant qu'il est lié à leur désir d'enfant. C'est pour elles une expérience physique et émotionnelle qu'elles désirent connaître. Ce besoin peut être si vif qu'il est indispensable au passage psychologique à l'état de mère. Pour d'autres, mettre un enfant au monde est un véritable défi qu'elles veulent relever. Choisir ou non une anesthésie péridurale ou locale est affaire de chacune. Certaines femmes se sentent physiquement incapables d'assumer la douleur de l'accouchement, d'autres estiment qu'il est ridicule aujourd'hui de souffrir inutilement puisqu'il existe des analgésiques. Enfin, quelques femmes font le choix de supporter sans aide les premières douleurs, ayant recours à la péridurale en cours de dilatation au moment où les contractions deviennent, à leur avis, insupportables. ▪

Un rendez-vous mal défini

Même si vous connaissez très précisément la date de la conception, il est impossible de prévoir exactement le jour de votre accouchement. La grossesse a une durée uniquement statistique de 280 à 287 jours. Cependant, bien des éléments peuvent modifier la date du rendez-vous avec votre bébé : votre morphologie, votre fatigue, votre état de santé, un événement à caractère émotionnel... et la volonté de votre bébé. 50 à 60 % des futures mamans accouchent à la date prévue, à 3 ou 4 jours près ; 20 à 25 % accouchent 10 à 15 jours avant et les 20 à 25 % restantes 4 à 8 jours après. Sur le plan légal, la grossesse est fixée à 300 jours, une disposition qui n'est utile qu'en cas de divorce. ▪

Chercher son souffle

Vous vous essoufflez facilement. Votre respiration plus rapide, indispensable à l'élimination du gaz carbonique et à l'apport supplémentaire d'oxygène, s'explique par les changements physiologiques que votre corps supporte et par les échanges mère-enfant : la consommation d'oxygène augmente de 10 à 15 % par rapport à avant la grossesse. De plus, l'utérus en augmentant de volume compresse le diaphragme et réduit le volume de la cage thoracique. Pour prévenir ces désagréments, limitez vos efforts. Et si les essoufflements persistent, notamment la nuit, parlez-en à votre médecin. ▪

Douleurs et insomnies

Les douleurs lombaires peuvent être à l'origine d'insomnies. Mais elles sont rarement l'unique raison de ces troubles du sommeil. Si, pendant les premiers mois, la future maman a besoin de beaucoup de sommeil et dort très facilement, au cours des deuxième et troisième trimestres, elle peut souffrir de troubles du sommeil ; une literie un peu ferme, un petit oreiller (il existe des oreillers spécifiques pour ceux qui souffrent du dos) pallient ces désagréments. Mais les insomnies sont aussi dues souvent aux mouvements du bébé et à d'autres douleurs telles que la lourdeur des jambes. Pour mieux dormir, il est indispensable d'éviter thé ou café et de les remplacer par une tisane (tilleul ou eau de fleur d'oranger). ▪

Le terme approche

L'IMAGE DE LA FEMME ENCEINTE AU 8ᵉ MOIS EST CARICATURALE. Votre ventre et votre poitrine ont pris des proportions importantes. Physiquement, vous vous fatiguez beaucoup plus vite, vous avez tendance encore à perdre facilement l'équilibre : le poids du bébé déplace votre centre de gravité.

Votre bébé au 8ᵉ mois

L'enfant, bien sûr, continue à grandir et à grossir. Quand il bouge, vous pouvez facilement reconnaître à travers le ventre un pied, un bras ou encore la tête.

C'est aussi au cours de ce mois, s'il ne l'a pas fait avant, qu'il va se retourner, tête en bas (p. 303). Il se prépare à l'accouchement. Sa peau, rougeâtre jusqu'alors, devient rose, le duvet qui le protégeait tombe. Il se recouvre d'un enduit épais et gras, le vernix, qui facilitera l'accouchement. À la fin du 8ᵉ mois, il pèse 2,4 kg en moyenne et mesure 45 cm.

Les petites misères de fin de grossesse

De légères contractions peuvent se produire de temps en temps. Mais rassurez-vous, elles n'ont rien de commun avec les contractions qui amèneront la dilatation de l'utérus. Vous pouvez aussi souffrir de gêne au niveau du pubis. C'est dû à l'étirement des ligaments de la symphyse. Du repos, la prescription de vitamine B ou l'ostéopathie (p. 248) peuvent vous aider à rendre ces douleurs plus supportables. Les maux de tête sont parfois plus nombreux. La fatigue, une ambiance surchauffée, enfumée en sont souvent la cause. Un peu de calme et d'air font généralement merveille. Les points de côté sont fréquents et, malheureusement, parfaitement naturels. En effet, le bébé prend de plus en plus de place. Dans l'abdomen, il compresse les vaisseaux, les viscères, l'estomac, etc. Sous sa poussée, il est logique que les côtes et le sternum se soulèvent provoquant des douleurs, dont les fameux points de côté. L'envie d'uriner est de plus en plus astreignante. Là encore, le bébé en faisant sa place appuie sur la vessie, laquelle n'a plus l'espace indispensable pour se distendre. Quelques centimètres cubes d'urine suffisent à la remplir. ▪

1ᴱᴿ MOIS

2ᴱ MOIS

3ᴱ MOIS

4ᴱ MOIS

5ᴱ MOIS

6ᴱ MOIS

7ᴱ MOIS

8ᴱ MOIS

9ᴱ MOIS

LA NAISSANCE

LES 1ᴿᴱˢ SEMAINES DE MAMAN

LES 1ᴿᴱˢ SEMAINES DE BÉBÉ

GROSSESSES DIFFÉRENTES

ANNEXES

La menace d'accouchement prématuré imminente

La prématurité reste une des premières causes de morbidité et de mortalité périnatales. Son incidence est forte, puisqu'elle est autour de 7 %. Elle concerne des naissances ayant eu lieu avant 37 semaines d'aménorrhée. La plupart sont spontanées et souvent précédées d'une menace d'accouchement prématuré.

La prévention de la prématurité repose sur l'identification de l'existence de contractions et de raccourcissement du col, avec mise au repos, administration éventuelle de médications, et parfois hospitalisation.

En cas de menace d'accouchement prématuré imminente, il est primordial de gagner 24 à 48 heures pour pouvoir administrer une corticothérapie à la mère et la transférer dans une unité disposant d'une présence pédiatrique.

En pratique, la prise en charge de la menace d'accouchement prématuré imminente repose donc sur le transfert *in utero* dans une maternité adaptée, sur l'administration de médications bloquant les contractions utérines et d'une corticothérapie pour faire maturer les poumons du bébé et préparer un accouchement précoce. Enfin, une antibiothérapie est souvent proposée. ▪

Retards sans conséquences

Des recherches menées par le Pr Lezine tendent à démontrer l'existence d'un certain retard de développement du prématuré par rapport à l'enfant normal. Ce retard est surtout sensible les deux premières années. Il est d'autant plus visible que le poids de naissance était faible et le terme éloigné. Les principaux retards concernent le développement moteur. On note encore un retard au niveau du langage et de la propreté. Mais 75 % des prématurés nés à 7 mois de gestation ont comblé tout retard à 3 ans.

Pour ceux nés à 6 mois, il faut attendre entre 4 à 6 ans pour que soit effacée la différence avec les enfants nés à terme. Enfin, les enfants nés à 8 mois de gestation ne présentent aucun retard notoire. Toutefois, l'amélioration des techniques a fait diminuer le temps de « rattrapage », beaucoup plus rapide actuellement que lorsque le Pr Lezine a mené son étude. D'une manière générale, « l'âge de développement » devra toujours être corrigé de la date avancée de la naissance. ▪

■ MON AVIS

Les facteurs de prématurité sont nombreux : les situations fatigantes, stressantes, les travaux trop durs, les transports trop longs, un col ouvert, une grossesse gémellaire, voire triple. Dans tous ces cas, il y a risque de stimulation des contractions. La seule vraie prévention passe par une surveillance régulière. Elle a lieu tous les mois, au cours des neuf visites obligatoires. Et si nécessaire, il y en aura plus. Il est important de savoir comment la mère se sent, comment est le col, quelle est la position de l'enfant, dans quel état de tension se trouve la mère, s'il y a ou non une infection... Bref, c'est en connaissant bien son corps que la future maman peut moduler ses activités et avoir un comportement adapté à la situation. Ce n'est pas parce que tout va bien qu'il faut commettre des imprudences. Il ne faut pas croire qu'il n'y a plus de problèmes avec les bébés nés prématurément et que l'on peut accoucher plus tôt sans problème, c'est faux ! Il faut tout faire pour accoucher le plus près possible du terme ou tout au moins après 37 semaines d'aménorrhée. ▪

Naître plus tôt que prévu

LE NOMBRE DE BÉBÉS QUI NAISSENT PRÉMATURÉMENT, 7,2% des naissances, ne diminue pas malgré toutes les campagnes de prévention et le suivi médical des futures mamans de mieux en mieux organisé.

La naissance prématurée

Médicalement, un enfant prématuré est un enfant qui n'a pas terminé sa formation et dont la naissance survient entre la 28e et la 37e semaine d'aménorrhée. Un bébé sur 20 naît prématurément. Selon la date d'interruption de sa gestation et selon son poids de naissance, sa vie sera plus ou moins en danger.

Différentes raisons peuvent être la cause de cette naissance, comme : le travail debout plus de 6 heures par jour, le travail posté surtout sur machine entraînant des vibrations du corps, le port de charges lourdes, le bruit important, le climat trop froid, une famille nombreuse, un traumatisme important comme une chute ou un accident de voiture, une maladie infectieuse, une grossesse multiple et surtout deux heures de transport par jour. La dernière enquête présentée par le réseau sentinelle des maternités constate une très légère augmentation de la grande prématurité, principalement liée aux grossesses multiples.

Il y a urgence

Quelques signes réclament une hospitalisation d'urgence. Ce sont :

• Le début du travail de l'accouchement. La future maman souffre de contractions douloureuses et régulières. Le médecin constate alors le raccourcissement et la dilatation du col. Le traitement consiste en un repos absolu avec administration de médicaments destinés à arrêter les contractions.

• La rupture de la poche des eaux, souvent due à une infection bactérienne. Selon les cas, le médecin prendra la décision de prolonger la grossesse sous surveillance médicale étroite ou de provoquer l'accouchement.

• La perte importante de sang. Elle est le résultat d'un hématome rétro-placentaire. Selon l'abondance de l'hémorragie, ses causes et l'état de la mère et du bébé, la gestation sera prolongée ou l'accouchement immédiat.

• La fièvre. Elle provoque souvent des contractions importantes. Avant toute décision, les médecins en cherchent la cause qui déterminera la ligne de conduite à suivre.

Menaces à bas bruit

Mais bien souvent les menaces sont plus discrètes et plus sournoises : mal de ventre, mal de reins qui, en fait, cachent des contractions que la future maman, faute d'expérience, ne reconnaît pas. Selon l'état du col, la perte ou non des eaux et la date « normale » de l'accouchement, le médecin prescrira le repos, associé à des médicaments qui auront pour but d'arrêter le travail de l'accouchement et de maintenir la grossesse jusqu'à la 37e semaine. Si tout se passe bien, la future maman peut même rentrer chez elle, en restant, bien sûr, sous surveillance médicale. La plupart des centres hospitaliers ont organisé un service de surveillance à domicile par des sages-femmes, uniquement employées à cela et passant régulièrement examiner la future maman (p. 122). Elles contrôlent l'évolution des contractions et l'ouverture du col, les battements du cœur du bébé et la tension artérielle de la mère. ∎

1ER MOIS

2E MOIS

3E MOIS

4E MOIS

5E MOIS

6E MOIS

7E MOIS

8E MOIS

9E MOIS

LA NAISSANCE

LES 1RES SEMAINES DE MAMAN

LES 1RES SEMAINES DE BÉBÉ

GROSSESSES DIFFÉRENTES

ANNEXES

Les facteurs de prématurité

EN VINGT ANS, LE TAUX DES NAISSANCES PRÉMATURÉES A DIMINUÉ DE MOITIÉ. Mais depuis cinq ans environ, le nombre des enfants nés avant terme est en augmentation. Neuf mille enfants naissent avant 33 semaines de gestation. Le taux de prématurité est sans doute modifié par les progrès de la médecine périnatale qui sauve des enfants nés à moins de 28 semaines d'aménorrhée.

La lutte contre la prématurité

Est considéré prématuré un enfant qui naît à moins de 37 semaines. Son poids peut être très variable, tout dépend de son âge. Plus d'un tiers des accouchements prématurés ne peuvent être prévus et plus d'un tiers pourraient être évités. On sait que la lutte contre la prématurité passe par un suivi régulier de la grossesse pratiqué par des équipes médicales compétentes. Les examens multiples et les consultations régulières sont la garantie que la moindre difficulté sera diagnostiquée à temps et prise en charge rapidement.

Nous avons percé certains mystères de la reproduction, de la conception et du développement du fœtus. Cependant, nous ne savons toujours pas ce qui provoque les contractions et surtout nous sommes incapables d'arrêter par des médicaments un accouchement qui vient de commencer. De nombreux travaux restent à faire sur ce qui, pourtant, existe depuis le début de l'humanité.

Les facteurs obstétricaux

Dans un certain nombre de cas, l'accouchement prématuré peut être décidé par le médecin, notamment lorsqu'il constate une souffrance fœtale, par exemple lors d'une grossesse gémellaire ou multiple. Les enfants sont trop à l'étroit dans l'utérus maternel et l'accouchement avant terme est souvent obligatoire (pp. 472-475).

D'autres cas nécessitent un déclenchement anticipé, par exemple en cas de placenta praevia (p. 156) ou encore d'incompatibilité sanguine (p. 486).

D'autres difficultés peuvent encore venir de la morphologie de l'utérus. Certaines femmes ont des utérus très petits et donnent toujours naissance à des prématurés.

Il y a également les accidents utérins qui, reconnus à temps, peuvent être efficacement combattus. C'est le cas de la béance du col. Sont encore à redouter les accès de fièvre dans le dernier mois, car ils peuvent cacher une infection (p. 91). Non traités, ils risquent d'entraîner une naissance avant terme, notamment les infections urinaires contractées dans les derniers mois de la grossesse.

Un choc violent sur l'abdomen lors d'un accident de voiture alors que la future maman n'était pas attachée (p. 137) ou lors d'une chute peuvent aussi déclencher une naissance avant terme.

Enfin des maladies chroniques comme le diabète (p. 491) peuvent entraîner un déclenchement anticipé.

On a aussi constaté que les futures mamans sont moins attentives à la surveillance du bon déroulement de leur grossesse. À force de s'entendre dire que la maternité n'est pas une maladie, elles en viennent à négliger les consultations médicales, dont elles ne voient pas l'utilité.

Les facteurs sociaux

Un travail pénible, la charge d'une famille nombreuse, trop de voyages, notamment en voiture ou debout dans les transports en commun, sont aussi causes de naissances prématurées. D'une manière générale, le temps de la grossesse ne devrait pas se superposer avec une vie fatigante et stressante. Ainsi, on connaît aujourd'hui beaucoup mieux le profil des futures mamans concernées. Quatre professions présentent des risques accrus : ce sont les employées de commerce, le personnel médico-social, les ouvrières spécialisées et le personnel de service.

On s'aperçoit encore que les risques de prématurité sont multipliés par trois pour les femmes qui travaillent à plein temps par rapport à celles qui travaillent à mi-temps.

Une enquête du docteur Rumeau-Rouquette révèle qu'il existe, dans le domaine de la protection de la maternité, une différence entre les classes sociales et les régions. Ainsi, 83 % des femmes diplômées universitaires vont à plus de quatre consultations prénatales contre 43 % des non-diplômées. Et le taux de mortalité périnatale est plus élevé en Corse et dans le Nord qu'en Alsace. À ces considérations « professionnelles », il faut ajouter la situation des futures mamans déjà mères de famille, surtout s'il s'agit d'une famille nombreuse. La fatigue est alors à mettre au compte des travaux ménagers. Souvent, ces femmes ne connaissent pas les congés de maternité, temps légal de repos pour mener à bien la fin d'une grossesse.

Les facteurs psychologiques

Les facteurs de risque d'ordres personnel, médical, socioculturel et professionnel ne suffisent pas à expliquer les accouchements prématurés. Nicole Mamelle et son équipe se sont concentrées sur la recherche des facteurs psychologiques. L'analyse de leurs données montre que les femmes accouchant prématurément présentent, plus fréquemment que les autres, des difficultés d'adaptation à la modification de leur image corporelle, une absence de sentiment de plénitude lors de la grossesse, et qu'elles sont habitées par le besoin de tout faire vite et de tout prévoir d'avance.

De plus, elles donnent peu d'importance au père, éprouvent peu de sentiments de filiation et d'identification parentale ; elles accordent encore une importance particulière aux superstitions et aux croyances. L'accumulation de ces difficultés psychologiques conduit à une augmentation du risque de prématurité, et cela même après la prise en compte des autres facteurs. La moitié des accouchements prématurés peuvent être évités par le recours à une psychothérapie. ■

1ER MOIS

2E MOIS

3E MOIS

4E MOIS

5E MOIS

6E MOIS

7E MOIS

8E MOIS

9E MOIS

LA NAISSANCE

LES 1RES SEMAINES DE MAMAN

LES 1RES SEMAINES DE BÉBÉ

GROSSESSES DIFFÉRENTES

ANNEXES

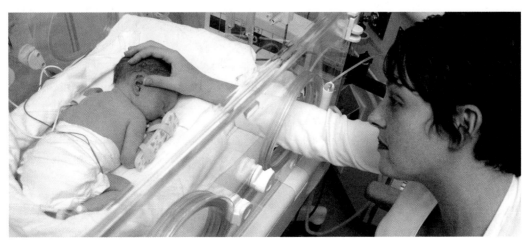

Parfois exclu

Pour certaines futures mamans, il est exclu que le père soit présent à l'accouchement. Leurs motivations ? Elles désirent profondément, et souvent sans le dire ouvertement, vivre cet instant égoïstement.

D'autres ne peuvent imaginer de donner à leur conjoint le spectacle de leur corps dans l'effort de l'enfantement. Souvent, l'homme vit cette naissance comme une « mise bas » et ce rapport au monde animal gêne beaucoup de femmes. ▪

La couvade

Dans de nombreuses peuplades, il ne saurait être question que le père assiste à l'accouchement, mais il joue un rôle important. C'est notamment ce que manifeste la couvade. L'homme est alors censé participer à la douleur : il crie, il hurle. Plusieurs explications sociologiques peuvent être données : l'homme crie pour attirer sur lui les mauvais esprits, il les trompe et, pendant ce temps-là, sa femme peut accoucher sans être tourmentée. On dit aussi qu'il prend sur lui une part de souffrance et qu'il soulage ainsi sa compagne.

Psychiquement, ces manifestations n'ont rien d'étonnant, parce que la mise au monde réveille chez lui, comme chez la femme, l'angoisse de sa propre naissance. Aujourd'hui, l'homme ne se couche plus, ne crie plus, mais on observe curieusement des douleurs d'estomac, des maux de dents, des orgelets, des cauchemars, des angoisses, une prise de poids... Bref toute une série de troubles psychosomatiques. ▪

Naissance en vidéo

On rencontre de plus en plus de pères caméramen en salle de travail. Tous les accoucheurs ne supportent pas ces chasseurs d'images.

Quant aux psychologues, ils pensent que c'est un moyen de se cacher : derrière le viseur, le père ne participe plus, il est uniquement spectateur.

D'ailleurs certains pères en ont conscience : ils commencent à filmer puis, pris par l'émotion, interrompent le reportage.

La projection se fera avec certaines précautions, notamment auprès des enfants de la famille. De plus, certaines mères ne supportent pas vraiment d'être ainsi données en spectacle. La naissance d'un enfant est sans doute un des moments les plus intimes de la vie d'une femme. ▪

Père et mère : chacun son rôle

Que les pères maternants ne craignent pas d'être perturbants pour leur enfant. Tous les spécialistes l'affirment, l'enfant, dès ses premières semaines, fait la différence entre son père et sa mère (même si c'est lui qui assume toutes les tâches de maternage). Il est capable de reconnaître les voix, l'odeur et surtout les gestes.

Hommes et femmes ne tiennent pas, ne manipulent pas un bébé de la même façon. Cependant, quoi qu'il fasse, le père ne pourra pas empêcher que le premier rôle, tout au moins dans les premières années, revient avant tout à la mère.

Par contre, il aura toute son importance dans la recherche de l'autonomie du bébé : le père est alors l'agent séparateur indispensable dans le couple mère-enfant. ▪

Le père assistera-t-il à l'accouchement ?

PRÈS DE 70 % DES PÈRES ASSISTENT À LA NAISSANCE DE LEUR ENFANT.
Mais seulement 20 % d'entre eux disent avoir réellement souhaité y assister.
Pour eux, elle est le prolongement de l'acte de procréation ou l'aboutissement
de la préparation à la naissance, surtout si celle-ci doit se faire « sans violence »
ou avec l'aide de l'haptonomie.

Une expérience différemment vécue

Il semble donc que, dans la majorité des cas, les pères acceptent d'être présents à l'accouchement pour faire plaisir à leur épouse. Certains restent du début à la fin, d'autres ne supportent pas le moment même de la naissance et suivent uniquement le temps du travail, d'autres au contraire n'arrivent qu'au moment de la naissance.

Malgré tout, lorsqu'on les écoute, on s'aperçoit qu'ils ne le regrettent pas : ils gardent de l'événement un souvenir impérissable, ils sont généralement étonnés de la puissance et de la douleur de l'enfantement, ils n'avaient jamais imaginé que l'effort physique que doit fournir la femme était aussi intense ; bref, ils sont réellement admiratifs. Par ailleurs, le bébé les surprend beaucoup : son visage bleu déformé par la poussée, la taille de sa tête et de ses épaules, la matière blanchâtre qui le recouvre, l'aspect torsadé du cordon ou encore la rapidité avec laquelle, une fois la tête passée, il se jette dehors. Des images qui ne leur étaient pas complètement étrangères, mais qu'ils cachaient soigneusement dans leur inconscient. Et puis, voir « sa femme » accoucher, voir « son bébé » naître est totalement différent du fait de regarder un reportage, même s'il est très réaliste, sur la naissance.

Plus ou moins actifs

Pratiquement plus aucune maternité ne refuse la présence du père à l'accouchement.

Il est plus ou moins le bienvenu, plus ou moins bien accueilli en salle de travail, mais accepté. Bien sûr, en cas de complication, on demande au père de sortir le temps de l'intervention. Quelques pères font le choix d'avoir un rôle actif. Ils aident alors la mère à contrôler sa respiration, surtout au moment de la poussée ; mais ils peuvent aussi être tout simplement rassurants par leur présence.

Chez les couples ayant fait le choix de l'accouchement sans violence, le rôle du père consiste à accueillir l'enfant.

Ce n'est généralement pas par indifférence qu'un père refuse d'assister à l'accouchement de sa femme. La maternité est souvent pour les hommes une affaire de femmes, de douleur et de sang. Ils ne se sentent pas alors capables de supporter tout ça, dans ce cas mieux vaut qu'ils s'abstiennent, rien n'est plus contagieux que l'angoisse.

> " Certaines maternités organisent des groupes de paroles où les pères peuvent exprimer leurs appréhensions. "

Les bons mouvements au quotidien

VOUS ÊTES FIÈRE DE VOTRE VENTRE, vous n'hésitez pas à le montrer, oui, mais voilà, parfois il vous encombre. Vous constaterez au fil des mois que vous vous tachez plus facilement. Apprenez à bouger un peu différemment.

Des gestes plus difficiles

Non, vous n'êtes pas plus maladroite qu'avant, mais votre ventre met une distance plus importante entre vous et votre assiette. Pas de solution miracle, il suffit de choisir des vêtements faciles à changer et lavables en machine.

Vous constaterez encore que certains mouvements sont moins faciles, voire plus douloureux. Ce sont notamment les gestes qui font travailler votre dos. Rien n'est plus normal, car sous l'influence des hormones qui régissent la grossesse, vos ligaments musculaires sont distendus et plus souples qu'à l'ordinaire. Cette souplesse accrue facilitera aussi l'accouchement.

De même que vous vous tordez plus facilement les chevilles, le déséquilibre est alors accentué par votre ventre, sa proéminence modifie votre centre de gravité et votre dos n'a pas encore pris l'habitude de compenser cette charge à l'avant. Chaussez-vous confortablement avec des chaussures plates tenant bien aux pieds et marchez posément.

S'asseoir deviendra encore plus délicat, vous vous sentirez mieux dans des sièges au dossier droit ; préférez-leur des fauteuils avec accoudoirs, ils vous serviront d'appui pour vous asseoir comme pour vous relever. S'il n'y a pas d'accoudoirs, posez vos mains bien à plat de part et d'autre de l'assise, ainsi votre poids ne tirera plus sur vos abdominaux mais sera réparti sur vos bras. Calez vos fesses au fond du fauteuil de manière à avoir le dos bien droit.

Prendre le temps de bien s'installer

Pour toutes les activités qui nécessitent d'être accroupie ou lorsque vous voulez vous asseoir par terre, faites-le en vous appuyant sur le côté d'une de vos cuisses ou bien installez-vous fesses sur les talons.

Évitez de soulever des charges volumineuses, elles réclament trop d'efforts des abdominaux et vous forcent à tirer sur vos bras. Ne soulevez pas d'objets lourds au-dessus de votre tête, par exemple pour les ranger en haut d'une armoire, faites-vous toujours aider.

Pour porter un objet posé au sol, installez-vous assez près et prenez l'habitude de vous accroupir en gardant le dos le plus droit possible. Il suffit ensuite de faire levier avec les jambes.

Pour faire votre marché, c'est sans doute le moment de vous acheter un caddie ; dans tous les cas, répartissez la charge dans deux sacs, un pour chaque bras. Enfin, pour vous lever après vos exercices de gymnastique, procédez progressivement : tournez-vous sur le côté, prenez appui sur vos bras, croisez votre jambe supérieure sur l'autre, mettez-vous à genoux, puis en position assise et levez-vous. ■

Pour travailler au sol, adoptez la position agenouillée. Asseyez-vous sur vos talons, mais ne laissez pas vos jambes s'engourdir.

Pour soulever un objet au sol, mettez-vous en position accroupie. Gardez le dos droit et soulevez l'objet en faisant travailler les jambes. Mais n'essayez pas de porter un objet lourd, faites-vous plutôt aider.

Pour se lever du sol ou bien du lit, il est toujours préférable de le faire progressivement. Croisez la jambe supérieure sur celle du dessous et utilisez vos mains pour vous aider à vous redresser. Puis mettez-vous à genoux et levez-vous.

1ER MOIS

2E MOIS

3E MOIS

4E MOIS

5E MOIS

6E MOIS

7E MOIS

8E MOIS

9E MOIS

LA NAISSANCE

LES 1RES SEMAINES DE MAMAN

LES 1RES SEMAINES DE BÉBÉ

GROSSESSES DIFFÉRENTES

ANNEXES

Un petit nid douillet

Choisir le berceau de son bébé est un moment important, chargé de beaucoup d'émotion. Qu'il soit acheté ou confectionné maison, ou encore imposé par la tradition familiale, il doit obéir à certaines règles : il faut qu'il soit stable, avec des piétements solides et bien écartés, et d'une profondeur suffisante pour éviter au bébé un peu agité de passer par-dessus bord. Le matelas sera plutôt dur, en crin végétal, en mousse ou à ressorts. Pour plus de commodité, vous choisirez des draps-housses pour le dessous. Il faut au moins trois changes. N'oubliez pas une alèse. Inutile d'acheter un oreiller, les bébés, aujourd'hui, se couchent bien à plat sur le dos (p. 461). Côté couvertures, préférez plutôt celles de laine légère (pas d'édredon ni de couette).

Les bébés turbulents, ceux qui sont constamment découverts, dormiront dans des sacs de couchage ou des pyjamas-couvertures. ◼

Le lit-parc

On peut décider d'installer bébé dès sa naissance dans un lit-parc. Il existe pour ce type de lit des normes de sécurité : prendre un modèle étiqueté NF. Mais pour que l'enfant s'y sente bien, il est indispensable d'en réduire l'espace par un boudin faisant le tour des barreaux. Les nourrissons ont l'habitude, pour limiter leur espace et satisfaire ainsi leur besoin de sécurité, de s'installer dans un coin de leur lit pour dormir. Ne soyez pas étonnée de retrouver votre bébé tassé dans un coin, la tête contre les barreaux. ◼

La sécurité

Tous les lits vendus en France sont soumis à la norme EN 716-1/2. Elle réglemente l'écartement des barreaux pour éviter que l'enfant n'y coince sa tête, ainsi que la hauteur des pans latéraux pour une bonne stabilité et pour prévenir les chutes. Si vous pouvez acheter ou vous faire prêter un lit d'occasion, vérifiez qu'il respecte cette norme. De plus, vous devez l'équiper d'un matelas neuf. Ceux en mousse sont pour la plupart tassés et déformés, les autres sont bien souvent des nids à microbes et à acariens allergènes. Même recouverts d'une alèse ils ne correspondent pas aux normes minimales d'hygiène. Un matelas neuf s'impose dont la taille sera parfaitement adaptée à celle du lit. ◼

Bébé dans ses meubles

VOTRE BÉBÉ SERA LÀ DANS QUELQUES SEMAINES, il est temps de penser à sa chambre. Même si vous souhaitez le garder auprès de vous, sachez que la plupart des pédiatres et des psychologues pensent qu'un bébé, même tout petit, doit avoir sa chambre.

Un espace sobre et sécurisant

Les meubles de la chambre seront limités : un lit, bien sûr, ou un couffin, une commode pour ranger la layette et sur laquelle on peut disposer un matelas à langer pour le change rapide, un fauteuil où vous pourrez vous installer pour nourrir votre bébé, un simple panier pour les premiers jouets et un petit transat pour les moments d'éveil. Il est préférable d'installer la table à langer dans la salle de bains pour une toilette parfaite si l'on choisit un modèle qui fait baignoire. Dans tous les cas, les objets choisis doivent répondre aux critères d'hygiène et de sécurité indispensables. Préférez du matériel lavable, solide et parfaitement rationnel. Ne prenez pas de meubles aux angles trop vifs et pensez qu'un revêtement de peinture lavable est plus pratique qu'un meuble ciré. Les revêtements des murs et du sol de la chambre de bébé seront lavables. En ce qui concerne la table à langer, sachez que c'est un meuble relativement dangereux, il est cause de nombreuses chutes. Apprenez dès maintenant que même un bébé de quelques jours est capable de reptations étonnantes et que vous ne devez à aucun moment et sous aucun prétexte le lâcher quand il est couché sur sa table. Choisissez-la large et stable. Elle doit être aussi estampillée NF ou son étiquette doit mentionner obligatoirement « Conforme aux exigences de sécurité » (p. 464). Ces normes devraient estampiller tous les meubles et les objets de puériculture qui composent l'environnement de l'enfant.

La bonne température de la chambre

Côté chauffage, pensez qu'il doit être suffisant, uniforme et régulier pour maintenir une température constante de 18 °C à 20 °C pendant le sommeil, de 21 °C au moment où le bébé est hors du lit. Il ne faut pas oublier d'humidifier l'air ambiant ; il respirera bien mieux. Posez simplement un bol d'eau sur le radiateur ou installez un humidificateur. Changez l'eau pour des raisons d'hygiène ; il peut s'y développer des moisissures et des champignons à l'origine de troubles allergiques. Chaque fois que vous en avez l'occasion, renouvelez l'air par une bonne aération fenêtre ouverte. Un air ambiant trop sec est souvent la cause de troubles rhinopharyngés. Il existe aussi des appareils électriques chargés d'entretenir le degré d'humidité voulue.

L'orientation de la pièce est aussi à considérer, car il est beaucoup plus facile de chauffer une pièce que de la rafraîchir. L'exposition sud-est est la meilleure. La position du lit dans la pièce a aussi son importance : on constate qu'un enfant dort mieux la tête tournée vers le nord (sans doute pour des raisons magnétiques). De même, on observe qu'il s'endort plus facilement s'il fixe quelque chose, et à plus forte raison si son regard est dirigé vers le haut : d'où l'intérêt et le succès des mobiles. La porte de la chambre simplement entrouverte peut aussi susciter son attention. ∎

1ER MOIS

2E MOIS

3E MOIS

4E MOIS

5E MOIS

6E MOIS

7E MOIS

8E MOIS

9E MOIS

LA NAISSANCE

LES 1RES SEMAINES DE MAMAN

LES 1RES SEMAINES DE BÉBÉ

GROSSESSES DIFFÉRENTES

ANNEXES

Pas vraiment
de contre-indications

Même si vous devez accoucher par césarienne et qu'on vous administre un peu de morphine après l'intervention, vous pourrez allaiter votre bébé. C'est même un moyen de compenser la déception d'un accouchement auquel vous n'avez pas vraiment participé. Si la césarienne est pratiquée sous péridurale, votre bébé pourra être mis au sein immédiatement après sa naissance si sa santé le lui permet. Si vous êtes sous anesthésie générale, la première tétée aura lieu à votre réveil. Il arrive parfois que le bébé, légèrement endormi, ne prenne pas bien le sein, mais ne vous inquiétez pas, dès qu'il retrouvera toute sa conscience il réclamera à boire. Vous demanderez un peu d'aide au personnel soignant afin qu'il vous aide à trouver la position la plus confortable, celle qui ne tirera pas sur votre cicatrice.

De même avoir des jumeaux n'est pas un handicap pour l'allaitement, bien au contraire lorsqu'on imagine le nombre de biberons par jour à nettoyer et la quantité de lait en poudre qu'il va falloir acheter. Le lait maternel est toujours à disposition et en abondance pour nourrir deux petites bouches affamées. Vous devrez simplement vous organiser. À vous de choisir si vous voulez les nourrir ensemble ou séparément tout le temps ou en alternance. Vous pouvez même de temps en temps remplacer une tétée par un biberon par exemple pour permettre la participation du père. Dans tous les cas, il est souhaitable de commencer la mise au sein par le bébé qui tête le mieux afin qu'il déclenche une bonne éjection de lait dans le second sein. On recommande aussi de laisser toute la journée le même sein au même jumeau et d'inverser le lendemain, c'est le meilleur moyen d'éviter l'engorgement mammaire. L'entretien de la lactation se fait comme toujours en buvant beaucoup d'eau et en se reposant régulièrement. ■

Préparer sa poitrine

Si vous avez décidé d'allaiter, vous pouvez déjà préparer votre poitrine par des massages à l'aide d'une crème nourrissante et par un véritable « tannage » de l'aréole. Pour cela, elle est nettoyée à l'eau bouillie et à l'alcool glycériné, pour être ensuite nourrie par de l'huile d'amande douce ou de la lanoline. Il est alors conseillé de porter des coussinets d'allaitement pour protéger votre soutien-gorge. Pour parfaire cette préparation, n'hésitez pas à terminer votre douche par un petit jet d'eau fraîche sur la poitrine. Les bouts de seins ombiliqués (dont le téton est rentré) ne sont pas un frein à l'allaitement. Il suffit souvent de les stimuler pour les faire sortir. Il existe aujourd'hui un petit appareil qui permet de traiter les mamelons ombiliqués. La Niplette utilise le principe de l'étirement des tissus. On place une petite coupe en forme de dé au bout du sein et à l'aide d'une seringue on aspire. Ainsi « aspiré », le bout du sein remonte.

Un essai clinique effectué sur dix-neuf femmes a montré que les résultats définitifs demandaient entre six semaines et trois mois si la Niplette était portée jour et nuit, et qu'elle pouvait être utilisée par les femmes enceintes jusqu'à 7 mois de grossesse. ■

Allaiter son deuxième enfant

Enfin, ce n'est pas parce que, lors d'une première naissance, l'allaitement n'a pas été possible qu'il ne le sera pas pour le deuxième enfant. De toute façon, vous pouvez toujours essayer d'allaiter quitte à arrêter ensuite, puisque la montée de lait peut être stoppée au septième ou quinzième jour après la naissance. ■

Sein ou biberon

VOUS ALLEZ DÉCIDER MAINTENANT DU MODE D'ALLAITEMENT DE VOTRE BÉBÉ. Aujourd'hui, plus de la moitié des mères décident de nourrir leur bébé au sein, et ce pour des raisons médicales ; rien n'est meilleur pour lui que le lait maternel. Il lui apporte tout ce dont il a besoin, il est facile à digérer et ne nécessite aucune préparation. Il est toujours disponible, à la bonne température ; c'est aussi le mode d'allaitement le plus économique.

Privilégier la relation affective

Des raisons affectives peuvent encore conduire à ce choix : vous avez envie, vous avez besoin de sentir votre bébé contre vous, là, peau à peau ; vous souhaitez faire toujours corps avec lui. Mais l'allaitement au sein est loin d'être une obligation, il n'est pas la preuve irréfutable que l'on est une bonne mère. De plus, s'y forcer est le meilleur moyen de ne jamais y prendre plaisir. On peut très bien établir une solide relation affective avec son bébé en le nourrissant au biberon. Des raisons pratiques peuvent conduire à une alimentation au biberon (elle laisse à la mère toute liberté dans ses allées et venues). Mais des motivations médicales peuvent aussi l'exiger : par exemple une grande fatigue ou encore un besoin de contraception rapide après l'accouchement. Il faut reconnaître aussi que nourrir son bébé au sein n'est pas toujours évident.

Un choix personnel

Vous êtes, tout d'abord, la seule à pouvoir faire ce choix et, vous ne pouvez dans ce domaine ni compter sur l'aide du père ni sur celle d'une femme qui le garde. Une lactation suffisante ne se fait pas si facilement que l'on pourrait le croire (pp. 379 et 383). De plus, les seins sont souvent sensibles, voire douloureux (p. 380). Enfin, nombre de femmes investissent beaucoup de leur féminité dans leur corps et elles ont du mal à imaginer leur poitrine comme pourvoyeuse d'alimentation. De plus, elles ont peur que les tétées successives ne l'abîment. L'essentiel est de décider du mode d'allaitement librement, et c'est un choix qui revient à la mère uniquement. Donner le sein n'est pas la seule façon d'établir une bonne relation affective mère-enfant : un biberon peut être également donné avec amour, seule compte la disponibilité de la mère pour son bébé. Enfin, une décision prise maintenant ne vous empêche pas de changer d'avis après la naissance. Mais attention, autant vous pouvez à tout moment arrêter l'allaitement au sein, autant une fois le lait « coupé » il est très difficile de revenir en arrière. ▪

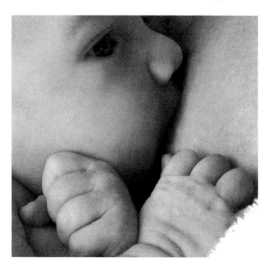

1ER MOIS

2E MOIS

3E MOIS

4E MOIS

5E MOIS

6E MOIS

7E MOIS

8E MOIS

9E MOIS

LA NAISSANCE

LES 1RES SEMAINES DE MAMAN

LES 1RES SEMAINES DE BÉBÉ

GROSSESSES DIFFÉRENTES

ANNEXES

Pour ou contre la stérilisation des biberons

Faut-il ou non stériliser les biberons d'un bébé ? C'est un vrai débat depuis que le Pr. Dominique Turck, pédiatre et enseignant au CHU Jeanne de Flandre à Lille a déclarer que l'on n'avait jamais démontré que cela servait à quelque chose lors de la commission d'hygiène et de conservation des biberons pour l'Agence française de sécurité sanitaire des aliments (Afsa). Mais attention, si la stérilisation, qui est d'ailleurs une pasteurisation, n'est pas indispensable, une hygiène rigoureuse s'impose, en voici les consignes. Après chaque tétée, vider et rincer immédiatement le biberon, le mettre dans le lave-vaisselle pour un nettoyage complet à 65 ° au minimum et un séchage. Il est préférable de ne pas y mettre les tétines car elles deviennent poreuses. Lavez-les à l'eau et au liquide vaisselle, rincez-les abondamment et laissez-les sécher à l'abri de la poussière. Pour celles qui n'ont pas de lave-vaisselle, lavez les biberons comme les tétines, laissez-les sécher tête en bas et n'utilisez jamais de torchon.

Mais si cela vous rassure vous pouvez continuer à pasteuriser les biberons de votre bébé. ▪

Landau ou porte-bébé

Le landau doit être à la fois confortable pour le bébé et d'un encombrement compatible avec la taille des appartements d'aujourd'hui. Les points à surveiller : la profondeur, l'enfant plus grand devant y tenir assis sans risque de chute ; la suspension, assurée soit par des lanières de cuir, soit par des ressorts qui accrochent la nacelle au châssis, ne doit être ni trop dure, ni trop souple.

Il est indispensable que le landau possède un système de freinage. Le landau monobloc, dit anglais, est le plus chic mais le plus encombrant. Les combinés le remplacent aujourd'hui avantageusement, leur nacelle est transformable et leur châssis peut se replier.

Ils s'utilisent ensuite en poussette. Normalement, le landau doit servir au bébé jusqu'à 6 ou 7 mois.

Il n'est cependant pas indispensable. Beaucoup de mères, surtout en ville, le remplacent par un porte-bébé.

Celui-ci doit garantir un bon maintien de la tête (pas forcément assuré par un appui-tête). Si l'enfant est bien tenu aux épaules, sa tête ne ballottera pas. Il est important que le nouveau-né puisse retrouver sa position fœtale.

Un bon porte-bébé respecte l'arrondi physiologique du dos du nouveau-né.

La répartition du poids, sur le dos comme sur le ventre de la mère, se fait sur la surface la plus large possible pour éviter les lombalgies. ▪

Du bon usage des biberons

Le matériel de base pour les six premiers mois d'un nourrisson se compose de 6 biberons en verre et de 6 tétines. Certaines sont anti-aérophagiques afin d'éviter à l'enfant d'avaler de l'air en buvant, d'autres sont dites " physiologiques " puisque leur forme a été étudiée pour être le mieux possible adaptée à la bouche du bébé. On trouve dans les rayons puéricultures des biberons coudés qui peuvent vous étonner. Ils ne répondent pas à un problème d'esthétisme mais à un problème pratique. Pour éviter que le bébé n'avale trop d'air en tétant, on demande aux mamans de tenir le biberon le plus droit possible afin que la tétine soit entièrement pleine de lait. Un geste qui n'est pas toujours commode notamment en fin de tétée. Ces biberons le facilitent grâce à leur forme. Certains de ces modèles sont encore équipés d'une valve anti-aérophagie. Mais attention ce type de biberons exige beaucoup de soins au moment de leur nettoyage.

Après chaque tétée, le biberon doit être parfaitement nettoyé ainsi que la tétine et la bague de maintien. Il faut d'abord tout brosser avec un goupillon réservé à cet usage et un peu de savon liquide, puis rincer abondamment à l'eau claire.

Équipez-vous si vous le souhaitez d'un chauffe-biberon, plus sûr que le micro-ondes pour réchauffer le lait. ▪

Biberons et tétines, un large choix

LES RAYONS DE PUÉRICULTURE VOIENT FLEURIR DE NOUVEAUX PRODUITS, chaque année ou presque, résultats des nouvelles techniques et d'une meilleure étude des besoins des mamans.

Des tétines de toutes les formes

Ainsi, les tétines en caoutchouc ont subi de grandes transformations : en caoutchouc fin d'une grande douceur, elles sont ventilées pour assurer au bébé une absorption régulière du lait. Mais, aujourd'hui, elles sont pratiquement toutes en élastomère silicone, transparentes et lisses, pour éviter que les particules de poussières n'adhèrent à leur surface. Supportant toutes les stérilisations, elles sont imperméables à la salive, inodores et parfaitement hygiéniques.

Ces tétines, dites physiologiques, sont destinées à dynamiser la succion de l'enfant. Leur forme et leur ouverture projetant le lait contre le palais freinent légèrement le débit du lait et rendent la tétée plus active.

De plus, cette tétine est souvent équipée d'une valve anti-retour : lorsque le bébé tète, la valve s'ouvre et le lait remplit la tétine ; lorsqu'il s'arrête, la valve se referme. La tétine restant pleine, le bébé peut recommencer à téter sans effort. Cette valve reproduit ainsi la fonction d'allaitement au sein maternel, limitant l'ingestion de l'air, source de coliques gazeuses (p. 453) ou de hoquets.

Elles sont percées de façon de plus en plus sophistiquée : au laser, de manière excentrée et à débit variable.

Sur le plan pratique, il faut savoir que le caoutchouc a tendance à ramollir et à noircir à l'usage, alors que le silicone, lui, durcit sous l'effet des stérilisations à chaud. Côté saveur, le silicone est le seul à être totalement neutre.

Des biberons de toutes les tailles

Au rayon des biberons, là aussi le choix est particulièrement étendu. En verre, en plastique, ou en polycarbonate, tous se stérilisent sans problèmes et supportent aisément le micro-ondes, qu'il vaut mieux utiliser avec certaines précautions. La contenance normale d'un biberon est de 240 à 250 ml, il en existe de plus petits, souvent réservés aux jus de fruits ou à l'eau minérale entre les repas, et de plus grands, de 300 ml, pour les « grands bébés ». Avoir un mini-biberon pour les jus de fruits peut être pratique, mais pas indispensable.

Côté décors et formes, la plus grande fantaisie est « autorisée ». Le plus grand progrès a été fait, en revanche, sur le plan de l'hygiène. Certains biberons ont été dessinés pour n'avoir aucun rétrécissement au niveau du col afin d'éviter les dépôts de lait qui favorisent les bactéries. D'autres ont été étudiés pour avoir une large ouverture afin de se remplir plus facilement. Enfin, parmi les derniers-nés, il faut mentionner le modèle qui se « charge » de sachets en plastique contenant le lait, ou celui qui est équipé d'une bague dont les cristaux liquides en changeant de couleur vous indiquent si le lait est à la bonne température. ▪

1ER MOIS

2E MOIS

3E MOIS

4E MOIS

5E MOIS

6E MOIS

7E MOIS

8E MOIS

9E MOIS

LA NAISSANCE

LES 1RES SEMAINES DE MAMAN

LES 1RES SEMAINES DE BÉBÉ

GROSSESSES DIFFÉRENTES

ANNEXES

Il est déjà prêt à respirer

Au 8e mois, les alvéoles des poumons sont formées et se couvrent d'une substance, le surfactant, qui empêche les petits sacs de l'arbre pulmonaire de se rétracter.

En cas de doute, l'amniocentèse permet d'apprécier la maturité pulmonaire car on trouve des composants graisseux du surfactant. Les enfants nés prématurément doivent souvent être ventilés et il leur faut parfois un an ou deux pour « récupérer » des poumons normaux, en raison de l'agression de l'oxygène sur cet organe.

Mais heureusement, les poumons perfectionnent leur fonctionnement entre la naissance et l'âge de 8 ans. ▪

Quand la césarienne est imposée

Dans un certain nombre de cas, la césarienne est décidée à la suite de la consultation médicale du 8e mois à laquelle s'ajoutent les informations apportées par l'échographie et divers examens. Les raisons de ces césariennes tiennent aux conditions physiques de la naissance : bassin trop étroit pour laisser passer normalement l'enfant, placenta situé sur le col de l'utérus et gênant la sortie du bébé ou encore présentation transversale de l'en-

fant. Enfin, selon le cas, si la future maman a déjà dû subir une césarienne pour une première grossesse et que l'on prévoit une difficulté. Le rendez-vous est pris mais pas dans l'immédiat. En effet, ces césariennes programmées ne se font jamais avant la 38e semaine et demie de grossesse. À cette date, la maturité pulmonaire du fœtus est accomplie et sa respiration aérienne sera normale. Selon le cas et la volonté de la future maman, la césarienne peut se faire sous anesthésie générale, péridurale ou rachianesthésie. ▪

À l'écoute du cœur du bébé

Il existe une technique qui permet d'ausculter le cœur du fœtus et d'amplifier suffisamment le bruit de ses battements pour que la mère elle-même puisse les entendre. L'écoute et l'enregistrement du rythme cardiaque fœtal (RCF) permettent de surveiller la vitalité de l'enfant durant les cinq derniers mois de la grossesse et, surtout, pendant l'accouchement.

Le phonocardiogramme (système d'écoute des bruits du cœur) surveille le rythme cardiaque normal (entre 120 et 160 battements à la minute) et ses variations (accélérations, ralentissements), notamment dans les grossesses difficiles. Cela permet ainsi d'intervenir à temps si un problème surgit pendant la grossesse ou au moment de l'accouchement. ▪

Homéopathie et médecine douce

L'homéopathie peut faciliter l'accouchement, notamment en réduisant considérablement sa durée. Des études faites à la maternité des Lilas (à Paris) montrent que, sous homéopathie, il peut être réduit de trois heures. Cependant, pour être efficace, le traitement doit être entrepris quelques semaines avant la date prévue pour la naissance.

Le médecin homéopathe ou la sage-femme prescrit l'association de deux médicaments : le Caulophyllum pour favoriser l'ouverture du col et l'Arnica pour éviter ou diminuer le traumatisme physique et psychique. Pour les femmes qui ont très peur de l'accouchement, on peut encore prescrire de l'Actaea racemosa. La posologie est, bien sûr, l'affaire du spécialiste. ▪

La dernière visite obligatoire

1ER MOIS

2E MOIS

3E MOIS

4E MOIS

5E MOIS

6E MOIS

7E MOIS

8E MOIS

9E MOIS

LA NAISSANCE

LES 1RES SEMAINES DE MAMAN

LES 1RES SEMAINES DE BÉBÉ

GROSSESSES DIFFÉRENTES

ANNEXES

L'EXAMEN MÉDICAL DU TROISIÈME TRIMESTRE se fait dans la première quinzaine du 8e mois. Il doit permettre de poser un pronostic sur la manière dont va se dérouler l'accouchement. L'examen est assez semblable à tous ceux que vous avez déjà subis.

Le déroulement de la visite

Le médecin examine la taille de l'utérus, écoute les battements du cœur du bébé et procède à un toucher vaginal pour examiner le col de l'utérus. Il prend aussi votre tension artérielle, demande une analyse d'urine afin de déterminer la présence ou non de sucre ou d'albumine (p. 139). Par un palper de l'abdomen, il vérifie la position du fœtus. C'est encore au cours de cette consultation qu'est abordé le choix que vous ferez pour l'allaitement (p. 291).

Prévenir la prématurité

Au cours de cet examen, et au vu du suivi de la grossesse, il peut également déterminer s'il y a risque ou non d'accouchement prématuré : la fréquence, le nombre et l'intensité des contractions ; les douleurs pelviennes ; les mouvements du fœtus ; les brûlures à la miction et les poussées de fièvre lui permettent de poser son diagnostic. Les accès de fièvre dans les deux derniers mois de la grossesse sont toujours à prendre au sérieux.

Ils sont souvent le signe d'un début d'infection (p. 91). Le placenta (p. 95) est normalement capable de faire barrière à une infection, mais pas toujours. De plus, en remplissant ce rôle, il peut s'infecter et il est alors possible que la mère accouche prématurément (p. 281). Un simple traitement à base d'antibiotiques bien choisis soigne la mère et son enfant sans risque. Il naît alors à terme et sain. Il est vrai que la plupart des mères ont peur de l'action des antibiotiques ; elles absorberont plutôt de l'aspirine, ce qui peut être dangereux (pp. 31 et 239).

Souvent quelques douleurs

Si vous ressentez des douleurs c'est, bien sûr, le moment d'en parler. Il faut savoir les différencier : celles qui sont situées au bas du ventre, les tiraillements à hauteur de l'aine ou à l'intérieur des cuisses... Pour certaines, la douleur est forte lors d'un effort ou même en s'asseyant ou en se retournant dans le lit. Certaines souffrent aussi de douleurs ligamentaires au niveau de l'utérus, pouvant s'étendre jusqu'au fond utérin ou sous les côtes. Aucun traitement, à part le repos, n'est malheureusement possible. Lors de cette dernière visite, obligatoire, votre médecin vous recommandera certainement de prendre rendez-vous pour une ultime visite avant l'accouchement. De plus, il est important de vérifier que votre carnet de maternité est bien rempli.

" Faites connaissance avec le lieu où vous allez accoucher et rencontrez l'équipe soignante. Vérifiez les conditions médicales et pratiques de votre accouchement. "

Le neuvième mois

1ER MOIS

2E MOIS

3E MOIS

4E MOIS

5E MOIS

6E MOIS

7E MOIS

8E MOIS

9E MOIS

LA NAISSANCE

LES 1RES SEMAINES DE MAMAN

LES 1RES SEMAINES DE BÉBÉ

GROSSESSES DIFFÉRENTES

ANNEXES

Le neuvième mois

Vous

DANS TOUT ACCOUCHEMENT, LA DOULEUR EST PRÉSENTE. Elle est souvent forte pour un premier enfant. C'est un phénomène curieux, dont on ne peut ni prévoir l'intensité ni savoir comment elle sera supportée. Aujourd'hui, il existe le moyen de combattre la douleur et l'angoisse avec la péridurale. Mais en aucun cas, cette analgésie ne doit être obligatoire. D'ailleurs, de plus en plus de consultations antidouleur se développent dans le cadre de la préparation à la naissance.

L'important pour une jeune maman est d'être active lors de son accouchement, c'est pourquoi une préparation est indispensable. Chaque femme devrait pouvoir vivre complètement son accouchement, un événement important qui se renouvelle peu de fois dans sa vie.

Terme de la grossesse, le neuvième mois est un moment plein d'ambiguïté. Vous êtes à la fois pressée d'en finir, inquiète de voir s'approcher le grand jour, excitée par les derniers préparatifs, lasse et alourdie par votre ventre.

Pratiquement au bout du chemin resurgissent toutes les questions qui ont ponctué ces neuf mois de grossesse. Sera-t-il le bébé que vous attendez ? Aura-t-il l'avenir que vous rêvez pour lui ? Sa naissance ne sera-t-elle pas trop compliquée ? Rassurez-vous, au moment où les contractions s'intensifieront, lorsque vous entrerez dans l'action, ces peurs disparaîtront pour laisser place à la concentration et à l'énergie, qui à leur tour s'évanouiront en quelques secondes sous l'effet de l'émotion... L'une des plus fortes de la vie d'une femme.

Votre bébé

À QUI VA-T-IL RESSEMBLER ? Le bébé ne ressemble pas uniquement à son père et à sa mère. Les transmissions héréditaires sont bien plus complexes et des antécédents familiaux peuvent ressurgir alors que l'on n'y pensait pas. Si la médecine ne peut pas dire encore si le bébé aura les yeux bleus et le menton volontaire, elle connaît pourtant déjà beaucoup de choses sur lui grâce au suivi de la maternité, aux échographies et aux examens de dépistage anténatals. Dans le ventre de sa mère, le fœtus est de moins en moins un inconnu.

Au 8ᵉ mois

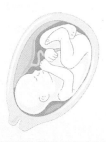

Au 9ᵉ mois

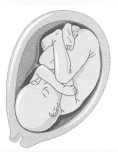

**Votre bébé est prêt à naître,
il attend presque immobile
le signal hormonal
qui le poussera hors
du confort utérin.**

1ᴱᴿ MOIS

2ᴱ MOIS

3ᴱ MOIS

4ᴱ MOIS

5ᴱ MOIS

6ᴱ MOIS

7ᴱ MOIS

8ᴱ MOIS

9ᴱ MOIS

LA NAISSANCE

LES 1ᴿᴱˢ SEMAINES DE MAMAN

LES 1ᴿᴱˢ SEMAINES DE BÉBÉ

GROSSESSES DIFFÉRENTES

ANNEXES

Prêt à naître

À NEUF MOIS, VOTRE BÉBÉ EST PRESQUE PRÊT. Certains de ses organes fonctionnent bien, d'autres sont encore au ralenti et quelques-uns ont besoin d'attendre qu'il vive indépendant, à l'air libre, pour commencer à fonctionner.

Des organes sur le point de fonctionner

Pour la plupart des organes, la naissance sera un choc, suivi d'une lente maturation au cours des premiers mois, voire des premières années de la vie du bébé.

• Le cerveau est parfaitement constitué ; il a une taille considérable par rapport au reste du corps, représentant un dixième du poids total du fœtus.

Mais le système nerveux est loin d'être entièrement achevé (p. 189). Toutes les cellules nerveuses sont là, mais elles ne possèdent pas toutes leurs fonctions et la myélinisation des fibres nerveuses n'est pas encore achevée : il leur faudra deux ans pour être prêtes !

• Les poumons contiennent leur arbre d'alvéoles ; celles-ci sont recouvertes d'une matière grasse qui empêche qu'elles ne se rétractent, le surfactant. Les poumons sont matures et l'air, en pénétrant à l'intérieur à la première inspiration, va déplisser complètement les alvéoles pulmonaires et mettre en route les muscles respiratoires.

• Le cœur bat à 120-160 pulsations/min, mais sa morphologie est bien particulière : oreillette gauche et oreillette droite communiquent par le trou de Botal. Celui-ci se refermera au moment de la naissance lorsque les poumons se rempliront d'air.

Des fonctions en place

• La circulation sanguine est aussi bien particulière. L'apport en oxygène et l'évacuation du sang ne se font que par l'intermédiaire du placenta, et la circulation est possible grâce aux vaisseaux du cordon ombilical ; le sang du fœtus ne passe ni par les poumons ni par le foie. Cette circulation sanguine s'établira normalement au moment de la naissance, par l'apport d'air et la coupure du cordon ombilical.

• L'appareil urinaire est en place. Les reins ont commencé leur rôle de filtre mais ils devront devenir matures pour remplir pleinement leur fonction, notamment en acquérant la capacité de concentrer les urines.

• L'appareil digestif est une véritable miniature. L'œsophage est très court. L'estomac a une capacité de 30 à 40 cm³. Le muscle qui ferme la communication entre l'œsophage et l'estomac est peu développé, ce qui explique la tendance facile à la régurgitation chez le nourrisson.

• Ses intestins sont remplis de méconium, qui sera expulsé lors des premières selles. Sur le plan des sens, il est parfaitement équipé pour bien entrer dans la vie.

Des sens fonctionnels

• La vision est floue dans l'ensemble, mais nette à 20 cm de distance. Il ne possède pas encore la possibilité d'accommoder.

• L'audition est tout à fait fonctionnelle. Il reconnaît la voix de ses parents et a déjà mémorisé un certain nombre d'intonations (pp. 187 et 237).

• L'équilibre existe. Il est déjà prêt pour la station debout (pp. 109 et 148).

• Son goût est encore peu développé, mais il distingue l'amer du sucré. Ses papilles gustatives n'ont plus qu'à apprendre (p. 110).

• Le toucher est aussi parfaitement fonctionnel, et il est particulièrement sensible autour de la bouche (p. 174).

• L'odorat est sensible ; le bébé aura, à la naissance, une prédilection pour l'odeur de sa mère (p. 111).

Des prémices de mémoire

Grâce à l'observation des réactions d'un groupe de fœtus soumis à des stimulations acoustiques, on sait qu'à la veille de la naissance le futur bébé possède déjà une certaine mémoire.

Sa mémoire à court terme est d'au moins 10 minutes et sa mémoire à long terme de moins de 24 heures. Cela montre que son cerveau est prêt à tout apprendre du nouveau monde qui va le voir naître.

Un physique de « bébé »

• La structure osseuse est terminée, seuls ne sont pas soudés les os du crâne pour faciliter le passage de la tête lors de l'accouchement. Il subsiste deux espaces, les fontanelles, une au-dessus du crâne, l'autre à l'arrière. Elles se fermeront dans les mois qui suivent la naissance.

• Il a une peau rosée ; le duvet, le lanugo, qui le couvrait est pratiquement tombé. Certains bébés garderont jusqu'à leur naissance quelques petits poils sur la nuque ou sur les épaules. Le vernix, cette substance grasse et blanchâtre qui le recouvre et le protège commence à se diluer dans le liquide amniotique.

Il s'est arrondi, ses fesses sont plus grosses que sa tête et il va encore grossir de 20 à 30 g par jour au cours du mois et son poids de naissance va osciller entre 2,8 kg et 4 kg. La moyenne des bébés se situe à 3,2 kg pour 48 à 52 cm.   ▪

1ER MOIS

2E MOIS

3E MOIS

4E MOIS

5E MOIS

6E MOIS

7E MOIS

8E MOIS

9E MOIS

LA NAISSANCE

LES 1RES SEMAINES DE MAMAN

LES 1RES SEMAINES DE BÉBÉ

GROSSESSES DIFFÉRENTES

ANNEXES

La radio du bassin

La présentation par le siège n'induit pas obligatoirement une naissance par césarienne, tout dépend de la largeur du bassin de la future maman.

Le médecin accoucheur s'assure, par le scanner ou la radiographie, que la tête du bébé aura largement la place de passer.

La radiopelvimétrie donne donc des indications précises, par des clichés de face et de profil, de la largeur ou plutôt de la circonférence des axes du bassin de la mère.

Le praticien contrôle aussi la position de la tête qui doit être fléchie, le menton sur la poitrine. Ces radios au dosage minimal en rayons X sont sans danger pour la mère comme pour l'enfant. Le même type d'examen est pratiqué lorsque la future maman a été victime d'un accident ayant endommagé son bassin. ■

Un bon suivi médical

L'Union Rhône-Alpes de la Mutualité a mené une enquête auprès des futures mamans et a demandé à 800 d'entre elles leur opinion sur la maternité et son suivi.

85 % des femmes interviewées considèrent comme satisfaisant le suivi médical dont elles ont fait l'objet pendant leur grossesse ; plus de 80 % d'entre elles se déclarent contentes de la qualité d'accueil ou d'écoute des équipes médicales.

En revanche, plus de la moitié des réponses font état d'un manque d'informations concernant le choix de la maternité ; le pourcentage des mécontentements grimpe à 60 % pour ce qui est de la carence en informations sur les risques d'avoir un enfant handicapé ou malade. Une autre étude réalisée par le magazine *Parents* montre, en revanche, que 80 % des femmes estiment que leur accouchement s'est bien déroulé. ■

En position de plongeur

Dans 25 % des cas, l'enfant s'est déjà placé tête en bas au cours des derniers mois de la grossesse. Mais il peut aussi choisir d'adopter cette position dans les semaines qui précèdent l'accouchement. Il naîtra tout à fait normalement, le haut du crâne sortant le premier. 4 à 5 % des bébés ne se retournent pas et naissent donc par le siège. `

On parle de siège complet lorsque le bébé arrive par les pieds, et de siège décomplété lorsque ce sont les fesses qui sortent les premières (pp. 303, 305 et 351). ■

Un petit coup de main

L'ostéopathie propose, en fin de grossesse, d'aider au retournement de l'enfant. Une bonne préparation ostéopathique se fait en quatre ou cinq rendez-vous chez le praticien.

Au moment de l'accouchement, l'ostéopathie aurait d'autres vertus. Elle agirait mécaniquement sur la symphyse pubienne et ouvrirait la voie au bébé. Après la naissance, la jeune maman peut encore souffrir de douleurs dues à une luxation du coccyx et à une modification statique du bassin, deux « défauts » que l'ostéopathie redresserait. Quant au bébé, de légères manipulations après la naissance lui permettraient de se « détendre » des contractures musculaires qu'il a dû subir au moment de l'accouchement.

D'autres manipulations au niveau du crâne et du sacrum éviteraient ensuite des problèmes aussi divers que les régurgitations, les diarrhées ou la constipation, les otites et préviendraient le strabisme.

Pour être efficace, l'action de l'ostéopathe doit se faire dans les quinze jours qui suivent la naissance. Choisissez de préférence un praticien habitué à la grossesse et au nouveau-né. Il existe une association professionnelle, « Les ostéopathes de France », capable de vous donner quelques adresses dans votre région. ■

L'aider à se retourner

1ᵉᴿ MOIS

2ᴱ MOIS

3ᴱ MOIS

4ᴱ MOIS

5ᴱ MOIS

6ᴱ MOIS

7ᴱ MOIS

8ᴱ MOIS

9ᴱ MOIS

LA NAISSANCE

LES 1ᴿᴱˢ SEMAINES DE MAMAN

LES 1ᴿᴱˢ SEMAINES DE BÉBÉ

GROSSESSES DIFFÉRENTES

ANNEXES

CET EXAMEN GYNÉCOLOGIQUE EST TRÈS IMPORTANT. Lors de cette visite médicale, le médecin va procéder aux mêmes contrôles que ceux effectués lors des visites précédentes : poids, recherche de l'albumine, tension, toucher vaginal. Il apprécie la maturation du col, constate s'il se ramollit, s'il se raccourcit, s'il commence à se placer dans l'axe du vagin. Par une palpation de l'abdomen, il contrôle la position de l'enfant. S'il ne s'était pas retourné, l'a-t-il fait (enfin) ?

Prêt à sortir

Dans 96 % des cas, l'enfant se présente tête en bas. Vers la fin du 8ᵉ mois, s'il n'a pas encore effectué son retournement, le médecin peut l'aider à le faire. Ces manœuvres obstétricales sont pratiquées depuis très longtemps et leur version moderne n'a rien changé aux gestes ancestraux. Ils sont simplement pratiqués sous échographie, avec surveillance du rythme cardiaque de l'enfant. Le risque majeur : une altération du rythme cardiaque par exemple en raison d'une traction du cordon. Mais le médecin ne forcera jamais cette tentative de version.

Le faire basculer

Le travail de l'obstétricien consiste à inciter le bébé à changer de position. Par massage et par pression des mains sur l'abdomen, il est possible de le faire basculer en douceur.

Pour aider la manœuvre, on demande souvent à la future maman une respiration ample. Une fois sur deux, on réussit à décider le petit récalcitrant. Ce retournement de dernière minute a cependant des contre-indications : utérus mal formé ou présentant des cicatrices ou encore placenta bas inséré (p. 156). Certains médecins sont réservés sur ce retournement forcé. Ils craignent toujours une malformation utérine non diagnostiquée ou un cordon ombilical un peu court.

Les partisans de l'haptonomie préfèrent inciter le bébé, par des caresses, à se mettre dans la meilleure position pour naître. C'est enfin au cours de cette visite que le médecin examinera votre bassin pour s'assurer du passage aisé du bébé. Si votre bébé se présente par le siège, il est indispensable de s'assurer que votre bassin est assez large pour lui permettre le passage.

Le médecin peut alors demander une échographie et une radiopelvimétrie ou un examen au scanner. Il peut aussi prescrire une échographie du « contenu utérin ». Les examens détermineront si vous devez accoucher par césarienne (p. 349). À cas exceptionnel, examen particulier : la pelvimétrie est réservée aux femmes ayant un bassin petit et étroit ou portant un bébé dont tout laisse à supposer qu'il se présentera par le siège. Cet examen radiographique permet d'évaluer les dimensions du bassin de la mère et de la tête du bébé afin de prévoir, si besoin est, une césarienne. Le scanner fait aussi son entrée dans le monde de l'obstétrique ; il est utilisé pour mesurer le bassin de la mère. Moins irradiant que la radiographie, il est de plus d'une précision particulièrement pointue. ▪

❝ La question reste entière sur qui et quoi décident de la position du bébé dans l'utérus. ❞

303

Comment se place-t-il ?

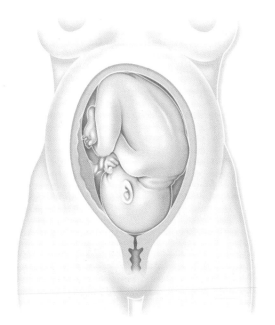

Présentation par la tête. La grande majorité des bébés se présente dans cette position.

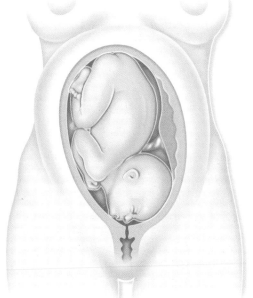

Présentation par la face. La tête est bien la première, mais l'enfant présente la partie la plus large, soit un diamètre de 13,5 cm pour un diamètre moyen de bassin de 12,5 cm. Si l'enfant tourne son menton, l'accouchement peut se faire par les voies naturelles, mais le visage de l'enfant est souvent fort tuméfié.

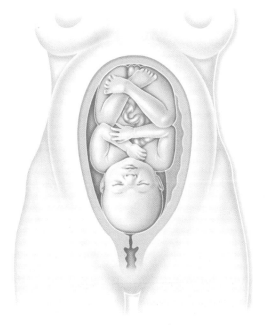

Présentation par le front. Le diamètre de la tête dit « occipito-mentonnier » est de 13 cm. La césarienne est obligatoire.

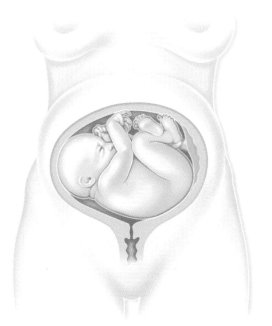

La présentation par l'épaule, l'enfant ne peut même pas s'engager dans le bassin.
La césarienne est obligatoire.

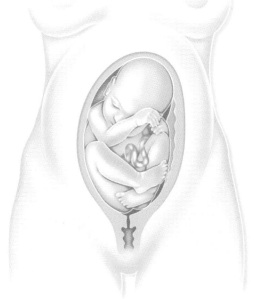

Présentation par le siège. 4 % des bébés naissent par le siège. L'accouchement est un peu plus long, mais se fait par les voies naturelles.

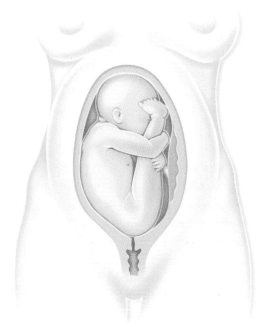

Siège décomplété. Le bébé a les jambes relevées, ses pieds sont à la hauteur du visage.

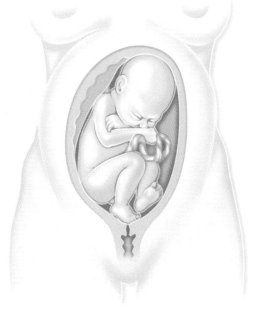

Siège décomplété avec les pieds qui se présentent en premier.

1ᴱᴿ MOIS

2ᴱ MOIS

3ᴱ MOIS

4ᴱ MOIS

5ᴱ MOIS

6ᴱ MOIS

7ᴱ MOIS

8ᴱ MOIS

9ᴱ MOIS

LA NAISSANCE

LES 1ᴿᴱˢ SEMAINES DE MAMAN

LES 1ᴿᴱˢ SEMAINES DE BÉBÉ

GROSSESSES DIFFÉRENTES

ANNEXES

Consulter avant la péridurale

L'anesthésie péridurale prévue avant l'accouchement doit être précédée d'une consultation pré-anesthésique. Au cours de celle-ci, le médecin explique les précautions à prendre et les risques encourus. Il précise aussi les modifications qu'elle entraîne dans le déroulement du travail de l'accouchement.

Il examine la future maman pour prévoir les produits anesthésiants les mieux adaptés. Il demande en outre un certain nombre d'examens tels que le contrôle du groupe sanguin, le dosage d'hémoglobine et la normalité de la coagulation. ∎

Déclenchement : dans quelles conditions ?

Il faut que la future maman donne son consentement et, éventuellement, son mari doit faire de même.

- Il faut connaître avec certitude la date du début de la grossesse pour éviter la naissance prématurée du bébé.

- Il ne doit pas y avoir de contre-indications.
- Le col de l'utérus doit être dans un état favorable, c'est-à-dire « mûr ».

Les renseignements que donne le toucher vaginal sont collectés sous forme de tableau et de score. Le plus classique est le score de Bishop. Il tient compte de la dilatation, de l'effacement, de la consistance, de la position du col, de la hauteur de la tête fœtale par rapport au bassin. Tous ces éléments sont totalisés et donnent un score qui, supérieur ou égal à 5, est idéal pour un déclenchement réussi. En dessous, il faudra attendre ou moins la 39e semaine pour déclencher l'accouchement.

Aux impératifs médicaux, s'ajoutent parfois des convenances personnelles : la mère souhaite accoucher à une date bien déterminée pour des raisons de confort à la fois familial et psychologique. Ainsi le papa peut être présent à la naissance de son enfant. Autres avantages, la future maman est à jeun, reposée ; la surveillance fœtale s'établit dès le début, le contrôle des contractions est aisé, la mobilisation de l'équipe médicale est totale et la disponibilité d'un obstétricien particulier garantie. ∎

∎ MON AVIS

Je pense que dans l'avenir, cette pratique va devenir de plus en plus courante. Aujourd'hui, tout n'est pas parfait. La programmation se fait soit en fonction d'une situation médicale lorsque la poursuite de la grossesse comporte un risque pour la mère ou pour l'enfant, soit à la convenance de la femme et de sa famille. L'accouchement programmé permet à la future accouchée d'avoir la certitude que le médecin qu'elle a choisi est disponible, qu'elle n'arrivera pas à la maternité en urgence, surtout si elle a fait le choix d'un lieu un peu éloigné. Mais un tel accouchement ne se fait pas dans n'importe quelles conditions. Sa réussite tient au fait qu'il doit être déclenché au bon moment. La sage-femme et l'accoucheur vérifient l'état du col : s'il est perméable, il (elle) peut rompre les membranes pour déclencher le travail. En un mot, il ne suffit pas de décider pour qu'il soit réalisable. Ces accouchements paraissent toujours plus longs parce qu'ils sont médicalisés dès le début. Ils se font habituellement sous péridurale et une perfusion intraveineuse est installée dès le début du travail pour moduler les contractions. C'est un choix qui vous appartient. ∎

Naître à la demande

1ER MOIS

2E MOIS

3E MOIS

4E MOIS

5E MOIS

6E MOIS

7E MOIS

8E MOIS

9E MOIS

LA
NAISSANCE

LES 1RES
SEMAINES
DE MAMAN

LES 1RES
SEMAINES
DE BÉBÉ

GROSSESSES
DIFFÉRENTES

ANNEXES

UN ACCOUCHEMENT PROGRAMMÉ SIGNIFIE CHOISIR LE JOUR DE LA NAISSANCE sans tenir compte de la volonté de naître de l'enfant. Sur le plan médical, on situe la date idéale pour accoucher entre le milieu de la 39e semaine et la fin de la 40e semaine d'aménorrhée.

Les indications médicales

Déclencher un accouchement, c'est devancer la nature. Cet acte n'est pas sans risque et il doit se pratiquer pour des motifs précis et dans des conditions médicales idéales.

Les indications médicales sont de deux ordres. Pour des raisons de santé maternelle, il est indispensable d'abréger la durée de la grossesse. C'est, par exemple, le cas d'une mère hypertendue ou présentant une affection cardiaque ou pulmonaire (p. 493). L'autre raison est l'intérêt du fœtus. L'enfant souffre dans l'utérus de la mère et mieux vaut le mettre en observation dans une couveuse, à condition que les médecins l'estiment capable de supporter la poussée des contractions et l'effort de la naissance. Si ce n'est pas le cas il faudra procéder à une césarienne.

Bien sûr, certaines conditions sont indispensables pour ces accouchements à la demande, notamment des paramètres obstétricaux idéaux et la présentation classique de l'enfant tête en bas. Tous ces éléments peuvent être évalués, ce qui permettra d'apprécier la plus ou moins grande facilité avec laquelle se fera l'accouchement. Plus le score est élevé, meilleures sont les conditions obstétricales.

Enfin, on doit être certain de la maturité du bébé. Sauf cas pathologique, on ne déclenche pas un accouchement avant 38 semaines et demie ou 39 semaines. Encore faut-il être sûr de la date du terme. On peut, lorsque le col de l'utérus est partiellement ouvert, décoller les membranes fœtales du col, une intervention manuelle qui n'est pas toujours agréable.

Mais habituellement on obtient la maturation du col en appliquant un gel à base de prostaglandine. Cette maturation se fait en quelques heures ; chez certaines femmes elle peut prendre un peu plus de temps, jusqu'à 24 heures avant de décider le déclenchement du travail.

La surveillance

Le déclenchement proprement dit se pratique par la perfusion d'une hormone, l'ocytocine, qui déclenche les contractions de l'utérus.

La femme est allongée sur la table d'accouchement, on installe autour d'elle des appareils de surveillance des contractions utérines et du rythme cardiaque fœtal (p. 328). On augmente progressivement, sous ce contrôle permanent, la dose d'ocytocine jusqu'à ce que l'on obtienne des contractions bien régulières (lorsque la dilatation du col le permet).

On envisage de rompre la poche des eaux pour stimuler la naissance. Grâce à une petite tige introduite lors d'un toucher vaginal, la sage-femme rompt les membranes. Ce geste médical est totalement indolore.

Aujourd'hui, le déclenchement est associé le plus souvent à une péridurale (pp. 345 et 347) pour permettre à la mère de mieux supporter la longueur accrue du temps de travail. ■

Une décision partagée

Qui décide du moment de l'accouchement : la mère ou le bébé ? On sait que dans les toutes dernières semaines, le taux d'œstrogènes de la mère augmente, et celui de la progestérone diminue. Au moment de l'accouchement, son système hormonal produit des prostaglandines placentaires qui stimulent les fibres musculaires de l'utérus, provoquant les contractions.

De son côté, on sait que le fœtus produit une substance stimulant les hormones maternelles. Il arrive encore que l'accouchement se déclenche après un rapport sexuel. En effet, celui-ci entraîne une production de prostaglandines qui agissent sur le muscle utérin et provoquent des contractions. Cet accouchement est joliment appelé « à l'italienne ».

C'est la perte des eaux qui marque le début de l'accouchement, en effet la tête du bébé appuie alors plus efficacement sur le col. Vous devez partir à la maternité mais vous avez le temps de prendre une douche ou un bain et ainsi de profiter des vertus relaxantes de l'eau.

Un premier accouchement dure entre 14 et 20 heures, ne vous précipitez pas immédiatement à la maternité. Sauf si vous avez perdu les eaux, vous avez un peu de temps devant vous. Il est souvent plus facile de supporter les contractions et de mettre en œuvre les bonnes positions pour les rendre plus efficaces (p. 336) chez soi qu'à la maternité. ∎

Vrai ou faux travail

Bon nombre de futures mamans se rendent trop tôt à la maternité. Selon « l'encombrement » de la maternité et le moment de la journée, on les gardera ou on leur demandera de rentrer chez elles. En effet, très souvent, il s'agit d'un « faux travail » : les contractions sont irrégulières, assez espacées, localisées tantôt d'un côté, puis d'un autre et puis elles disparaissent sous l'effet d'un antispasmodique en suppositoire, voire même, tout naturellement, seules. L'accouchement est prévu pour quelques jours plus tard, car elles n'ont aucun effet sur la modification du col de l'utérus.

Les contractions efficaces sont régulières et reviennent à un rythme précis que vous pouvez d'ailleurs mesurer :

– elles se rapprochent de plus en plus ;

– elles durent de plus en plus longtemps ;

– elles sont de plus en plus intenses et de plus en plus douloureuses, la tension dans le bas-ventre et dans les reins est de plus en plus forte, avec une sensation de crampe. L'utérus se rétrécit.

Si vous n'êtes pas sûre que la douleur que vous éprouvez est une contraction, posez votre main sur votre ventre. S'il durcit au moment de la douleur, c'est bien une contraction qui déforme votre utérus. Attention, certaines femmes ne ressentent pas vraiment de contractions, mais plutôt des envies fréquentes d'aller à la selle ou d'uriner ; d'autres ressentent des contractions en haut du ventre, sous les côtes. Mieux vaut dans ces deux cas vous rendre à la maternité pour faire un bilan médical. ∎

Un départ précipité

Deux cas particuliers demandent un départ à la maternité des plus rapides :

– Une deuxième naissance se passe en général plus vite qu'une première, le travail est beaucoup moins long et les contractions se déclenchent souvent plus franchement et plus régulièrement.

– Une naissance annoncée par le siège, un utérus cicatriciel, l'arrivée de jumeaux, la prescription d'un accouchement par césarienne demandent un départ rapide, dès le début du travail. Il est indispensable de permettre une surveillance étroite de ce type d'accouchement. ∎

Reconnaître le bon moment

1ER MOIS

2E MOIS

3E MOIS

4E MOIS

5E MOIS

6E MOIS

7E MOIS

8E MOIS

9E MOIS

LA
NAISSANCE

LES 1RES
SEMAINES
DE MAMAN

LES 1RES
SEMAINES
DE BÉBÉ

GROSSESSES
DIFFÉRENTES

ANNEXES

VOUS ÊTES INQUIÈTE DU CÔTÉ IMPRÉVISIBLE du déclenchement de l'accouchement, surtout pour un premier bébé. Rassurez-vous, malgré la publicité donnée aux naissances dans des lieux publics ou inhabituels, pratiquement toutes les futures mamans ont le temps d'arriver à la maternité. Il arrive même qu'on leur demande parfois de rentrer chez elle.

Les premiers signes

Un accouchement dure en moyenne 8 à 10 heures pour une première naissance. Bien sûr, si vous avez eu un premier accouchement rapide, si vous avez choisi de vous faire suivre par un service hospitalier, ou une maternité éloignée de votre domicile, prenez quelques précautions. Voici quelques repères qui, à coup sûr, annoncent l'imminence de l'accouchement, comme, par exemple, la perte du bouchon muqueux qui obstruait le col de l'utérus. C'est le signe que le col de l'utérus s'ouvre et que l'accouchement est proche. La perte du bouchon muqueux se produit parfois avant même la perception de contractions. Celles-ci existent pourtant mais elles sont encore indolores… L'expulsion du bouchon muqueux peut se faire quelques jours avant l'accouchement (en moyenne 3 jours) ou dans les heures qui précèdent. Certaines femmes ne s'en aperçoivent d'ailleurs même pas.

Des manifestations précises

• Vous ressentez des contractions douloureuses de manière très régulière.
Comptez, elles reviennent toutes les 5 minutes et durent 30 à 40 secondes depuis une heure : il faut partir si c'est votre deuxième enfant. Pour une première naissance, vous pouvez attendre 2 heures tranquillement chez vous. Un bain, ou une douche, peut aider à vous relaxer à condition que vous n'ayez pas encore perdu les eaux.

• Vous avez perdu les eaux.
Ces eaux sont une bonne partie du liquide amniotique dans lequel baigne le bébé. Normalement c'est un liquide clair, et moins abondant qu'il ne vous paraît. Souvent une première fuite est suivie d'une autre moins forte mais plus constante. Cette rupture, ou la simple fissure des membranes qui forment ce que l'on appelle la poche des eaux, peut se faire sans la moindre contraction. Après avoir mis une protection périodique ou un linge propre pour protéger l'enfant de l'atteinte de tout germe, vous devrez vous rendre à la maternité sans délai. Voyagez allongée ou semi-assise.

Rester à jeun

Avant de quitter votre domicile, vous pouvez boire mais il est préférable de ne rien manger, ce qui serait gênant en cas d'anesthésie. Parfois encore, les contractions en fin de dilatation ou à l'expulsion peuvent provoquer des nausées voire des vomissements. De même, il est préférable de vider vos intestins, pour ne pas être gênée au moment de l'accouchement. ■

" N'oubliez pas votre dossier médical et prenez tranquillement le chemin de la maternité. ,,

Un bébé en souffrance

C'est un enfant long, à la silhouette amaigrie, à la peau sèche et fripée ; il n'a plus de vernix protecteur sur sa peau, ses cheveux et ses ongles sont longs. Son crâne est bien ossifié. Il naît en état de souffrance, souffrance due à une détresse neurologique ainsi qu'à une détresse respiratoire grave. Sa vie est fragile. Ces troubles ont sans doute pour origine le vieillissement du placenta, incapable de poursuivre sa tâche au-delà de la date pour laquelle il a été « programmé ». Il ne peut plus nourrir, oxygéner et débarrasser le liquide amniotique des déchets rejetés par le bébé. L'enfant, très vite, souffre de déshydratation. Il arrive même qu'il soit victime de malaises en raison de carences en sucre et en calcium, mais le plus redoutable pour lui est le manque d'oxygène. Plus l'enfant est prisonnier longtemps, plus les risques s'aggravent.

Références de base

La durée de la grossesse est de 9 mois ou 275 jours à partir de la fécondation, date qu'il n'est pas toujours évident de définir très exactement. Pour la calculer, les Anglais ajoutent 40 semaines à la date de l'apparition des dernières règles. Autre pratique, approcher au mieux la date de la fécondation en déterminant celle de l'ovulation (qui concorde à 24 heures près), puis y ajouter 275 jours ou 9 mois. Mais la date de l'accouchement ne peut jamais être fixée à 1 ou 2 jours près (sauf en cas d'accouchement provoqué). Il faut tenir compte du fait que certains événements peuvent avancer la naissance : une émotion, un voyage fatigant ou même une simple grippe qui, en raison de la fièvre qu'elle occasionne, déclenche des contractions. Plusieurs

études montrent que le terme de la grossesse est plus court de quelques semaines chez les femmes de couleur d'origine africaine, antillaise ou métis. Il n'est pas rare de leur proposer un déclenchement une semaine plus tôt que les femmes blanches afin d'éviter des complications du terme dépassé. La grossesse est dite anormalement prolongée lorsqu'elle continue au-delà du 295e jour d'aménorrhée. Mais la plupart des grossesses trop longues sont en fait dues à un mauvais calcul de leur terme. Elles ne sont graves que lorsqu'il y a souffrance fœtale. Les enfants qui naissent « tard » sans avoir souffert sont généralement plus gros et plus grands que la normale.

Le Doppler en couleur

Les examens faits au Doppler peuvent élucider le pourquoi d'un retard de croissance dépisté à l'échographie. Le Doppler en couleur, tout dernier-né dans l'imagerie médicale, apporte encore plus de possibilités. Tout d'abord, il permet l'examen de certaines régions du corps et de certains organes inaccessibles jusqu'alors. Au cerveau et aux reins vont s'ajouter des régions abdominales. On contrôle le bon fonctionnement des reins et de la vessie ; le médecin peut même examiner le bon fonctionnement de la vascularisation pulmonaire et le flux du liquide amniotique dans le système respiratoire. Il peut encore vérifier la circulation cérébrale et la comparer à la circulation ombilicale. Si ces deux circulations sont différentes, il diagnostique une souffrance fœtale. Ces examens permettent donc de détecter un certain nombre d'insuffisances et de savoir s'il faut faire naître le bébé avant qu'il présente des signes de souffrance ou tout au moins de préparer des soins immédiats après la naissance.

Qui est en cause ?

Pour les psychologues, mère et enfant peuvent être à l'origine de cette naissance différée. Parfois la mère, en n'osant pas exprimer ses craintes de l'accouchement, bloque tout mécanisme physiologique. D'autres futures mamans souhaitent prolonger leur état de maternité. Elles s'y sentent bien, elles ne souhaitent pas partager tout de suite le bébé qu'elles portent, elles ne sont pas pressées de faire connaissance avec le bébé qu'elles ont tant de plaisir à imaginer.

Jouer les prolongations

1ᵉʳ MOIS

2ᵉ MOIS

3ᵉ MOIS

4ᵉ MOIS

5ᵉ MOIS

6ᵉ MOIS

7ᵉ MOIS

8ᵉ MOIS

9ᵉ MOIS

LA NAISSANCE

LES 1ᵉʳᵉˢ SEMAINES DE MAMAN

LES 1ᵉʳᵉˢ SEMAINES DE BÉBÉ

GROSSESSES DIFFÉRENTES

ANNEXES

VOUS N'AVEZ TOUJOURS PAS LA MOINDRE CONTRACTION pourtant vous deviez accoucher hier. Pour l'instant, rien ne justifie vos craintes. En effet, l'Organisation mondiale de la santé (OMS) estime que l'on peut parler de dépassement de terme pour une grossesse qui se prolonge au-delà de 294 jours, soit 42 semaines d'aménorrhée. Sur la totalité des enfants nés « en retard », 45 % ne sont en rien différents des enfants nés à terme, 45 % sont qualifiés d'hypermaturés (ils ont simplement « profité » du confort utérin). Seuls 10 % des enfants sont considérés comme nés après terme et ont réellement des problèmes.

Agir avec prudence

Le diagnostic de dépassement du terme n'est pas facile à formuler. Toutes les femmes n'accouchent pas précisément au bout de 39 semaines de gestation, chacune est réglée par son horloge interne. De plus, certains facteurs héréditaires semblent jouer.

Statistiquement, on s'aperçoit encore qu'un tiers des grossesses qui se prolongent sont primipares, c'est-à-dire que la future maman attend son premier enfant. Le retard découle souvent d'une imprécision totale du début de la grossesse. Le seul moyen de la dater, à plus ou moins 3 jours, reste l'échographie du premier trimestre (p. 75). Cette précision est essentielle lorsque ce n'est pas la même personne qui suit la future maman tout au long de sa grossesse.

Éviter la souffrance fœtale

Le médecin doit déterminer s'il y a souffrance fœtale ; si c'est le cas, après contrôle par différents examens, il provoque l'accouchement. Les trois quarts des femmes enceintes accouchent ainsi pratiquement à la date normale où s'achève leur grossesse. Toutes les autres bénéficient d'une surveillance particulière dès la fin de la 40ᵉ semaine avec surveillance du rythme cardiaque et de l'état du liquide amniotique. L'échographie permet d'en évaluer la quantité. S'il diminue trop, l'enfant est en danger. Si le col de l'utérus est assez ouvert, le médecin ou la sage-femme complète cet examen par une amnioscopie. Si le liquide est clair, aucun problème ; par contre, si le liquide est teinté, cela signifie que l'enfant a émis ses premières selles de méconium, il faut intervenir.

On demande également à la future maman de surveiller les mouvements de son bébé. Si celui-ci ne bouge pas pendant 12 heures, on peut craindre une souffrance fœtale.

D'une manière générale, on surveille attentivement le bébé, tous les deux jours, par les enregistrements de ses battements cardiaques. Si le dépassement atteint 42 semaines, l'accouchement est alors déclenché. Il peut même l'être avant si le col de l'utérus est « favorable », c'est-à-dire ouvert, souple et court. Bien sûr, tout sera préparé pour accueillir un nouveau-né « à risque ».

Si le bébé est vraiment en terme dépassé et que le col n'est pas favorable, l'accouchement par césarienne sera sans doute décidé. ■

311

Marcher, bouger

Tous les médecins semblent d'accord pour laisser les futures mamans bouger, marcher jusqu'au dernier moment. Par exemple, marcher 10 à 15 min aide l'enfant à placer sa tête dans le bon axe pour s'engager dans le bassin. Le docteur Seguy, obstétricien, conseille à ses patientes de rester debout le plus longtemps possible au moment de la dilatation, de s'accroupir pendant toute la période de descente de l'enfant et d'adopter une position semi-assise sur la table d'accouchement pour l'expulsion. ■

Maternité géante

La plus grande maternité de France a été ouverte à Lille. L'hôpital Jeanne de Flandre réunit dans un même lieu tous les services de pointe pour la mère et pour l'enfant. Là naîtront, tous les ans, 4 000 bébés, une performance qui est réalisable pour la région Nord-Pas-de-Calais, une des plus fécondes. L'originalité de l'établissement : un accueil particulier pour chaque service spécialisé, où se règlent toutes les formalités administratives, un suivi médical parfait puisque c'est le même médecin qui est responsable du dossier médical du patient tout au long de son séjour ; les barrières entre les spécialités sont abolies et les équipes sont pluridisciplinaires. Le service à la disposition des futures mamans compte trois chambres de pré-travail et neuf salles de naissance vastes et éclairées par la lumière du jour. D'autres maternités géantes ont été réalisées ou sont en projet à Lyon, Toulouse ou en région parisienne. ■

La salle de naissance

On appelle ainsi le lieu de la maternité destiné à accueillir les futurs parents. Dans les grandes maternités, le plateau médical se compose de plusieurs salles de travail et d'accouchement, d'un ou deux blocs opératoires, permettant l'intervention par césarienne, d'une salle de réveil et enfin d'une salle de réanimation néonatale. Ces aménagements dépendent du nombre de naissances pratiquées par l'établissement.

Avant le moment précis où vous serez prête à accoucher, on vous a installée dans une chambre équipée d'un lit, d'un fauteuil, parfois d'un sofa et d'une baignoire. Normalement, toutes ces pièces sont reliées par deux couloirs, l'un est réservé aux patients, l'autre au personnel soignant. Chacun de ces circuits aboutit à un sas et à un vestiaire permettant le respect des règles d'aseptie en salle de naissance. ■

■ MON AVIS

La majorité des accouchements sont faits par des sages-femmes. Au sein d'une maternité, la sage-femme fait partie du personnel médical. Elle a un pouvoir de prescription et est habilitée à faire un certain nombre de gestes comme l'épisiotomie ou la réanimation du nouveau-né, sa formation l'y a parfaitement préparée. En revanche, si, pour sortir l'enfant, il faut avoir recours à une extraction instrumentale, ventouse ou forceps, on fait appel au médecin accoucheur.

En cas de césarienne, l'accoucheur est formé pour pratiquer cet acte, l'important est une bonne complémentarité de l'équipe et des compétences bien délimitées. Autrefois, beaucoup d'accouchements étaient faits par les généralistes. Aujourd'hui, seuls ceux qui s'en sont donné les moyens les pratiquent. La médecine évolue, elle est devenue plus collégiale, plus spécialisée, et l'accouchement est affaire de spécialistes. ■

Qui va vous accoucher ?

LES SAGES-FEMMES EFFECTUENT PLUS D'UN TIERS DES ACCOUCHEMENTS EN FRANCE et, dans la plupart des maternités, c'est la première personne que vous allez rencontrer dans votre chambre. C'est elle qui vous assiste tout au long de votre accouchement.

Le rôle de la sage-femme

Elle contrôle votre état de santé ainsi que celui du bébé et le bon déroulement du travail. De plus, elle va s'assurer que tout se poursuit normalement. Elle pratique d'abord des gestes simples, tels que l'écoute des bruits cardiaques de l'enfant. Au moyen d'un cornet, elle effectue ce contrôle environ toutes les heures d'abord, puis beaucoup plus souvent au fur et à mesure que le travail avance. Elle contrôle aussi votre tension artérielle. Par des touchers vaginaux réguliers, elle surveille la dilatation du col, l'engagement de la tête (ou des fesses) de l'enfant ainsi que sa rotation. Elle installe un appareil de surveillance, le monitoring, qui lui permet de s'assurer que tout se passe bien (p. 328).

Dans bien des cas, s'il n'y a aucune complication, c'est elle qui met l'enfant au monde, puis suit la délivrance (p. 359). Elle ne demande au médecin accoucheur d'intervenir qu'en cas de nécessité. Si vous souhaitez être accouchée par votre médecin, la sage-femme prévient celui-ci au moment de l'expulsion.

C'est elle encore qui vous guide dans la respiration (p. 337), vous conseille de vous reposer, vous aide à retrouver votre calme, vous stimule pour pousser. Elle retranscrit ensuite toutes ses observations sur une feuille, le partogramme.

La sage-femme mène de bout en bout l'accouchement naturel et se fait aider par un médecin en cas de complications.

Qui vous entoure ?

À la maternité hospitalière universitaire, vous allez encore rencontrer d'autres personnes, membres du personnel médical et hospitalier. Chacun a son rôle. Le personnel hospitalier se compose, en plus des sages-femmes, des infirmières, des puéricultrices, des auxiliaires de puériculture, des aides-soignantes. Celles-ci sont assistées dans leur tâche par le personnel de service chargé du nettoyage, de la cuisine et des petits services aux patients. Le personnel hospitalier travaille en équipe avec le personnel médical et sous son contrôle. Les premiers acteurs sont les médecins accoucheurs et les pédiatres. Le professeur, chef de service, est secondé par un ou deux adjoints agrégés d'université. Les chefs de clinique, médecins spécialisés (gynécologues-accoucheurs, pédiatres, anesthésistes, etc.) ont la responsabilité d'une partie du service.

À leurs côtés travaillent les médecins attachés qui viennent une à deux fois par semaine pour dispenser certains soins particuliers, en gynécologie obstétrique ou en pédiatrie, par exemple. Enfin, les internes assurent généralement le service de garde. Vous rencontrerez aussi des externes qui sont là comme les élèves sages-femmes pour apprendre leur métier. ▪

❝ Dans la naissance, la sage-femme est la professionnelle de référence. ❞

1ER MOIS

2E MOIS

3E MOIS

4E MOIS

5E MOIS

6E MOIS

7E MOIS

8E MOIS

9E MOIS

LA NAISSANCE

LES 1RES SEMAINES DE MAMAN

LES 1RES SEMAINES DE BÉBÉ

GROSSESSES DIFFÉRENTES

ANNEXES

Un choix mûrement réfléchi

Les futures mamans qui accouchent chez elle ne sont pas forcément des babas cool. Généralement, leurs motivations sont solides. Elles veulent que leur accouchement soit un acte naturel et refusent sa médicalisation. Elles craignent être dépossédées d'un des moments les plus forts de leur vie en allant à l'hôpital. Elles souhaitent le mener comme bon leur semble en prenant notamment les positions qui leur conviennent sans contrainte médicale.

Dans la majorité des cas, il existe une vraie connivence avec la sage-femme qui les assiste, celle-ci est entièrement disponible, à leur écoute et c'est une femme qui aide une autre femme à mettre son bébé au monde. Souvent l'accouchement se déroule en famille, le père participe activement à la naissance de son enfant et s'il y a d'autres enfants, toute la famille se réunit pour accueillir le nouveau venu. Afin de permettre à ses futures mamans d'accoucher avec un maximum de sécurité, l'association des sages-femmes libérales a établi une charte de l'accouchement qui donne aussi aux professionnels un guide de bonne pratique. En voici les points essentiels : cette charte recommande une analyse des conditions physiques et psychiques de la mère et de la situation familiale. La sage-femme qui est pressentie pour faire l'accouchement doit aussi en assurer la préparation et l'accompagnement postnatal. Elle stipule que l'accouchement à domicile ne peut s'envisager que pour une grossesse normale, c'est-à-dire sans pathologie, et chez une femme en bonne santé. L'éventualité d'un transport vers une maternité doit toujours être préparée avant le moment de la naissance. ▪

À la mode du plat pays

Aux Pays-Bas, 31 % des femmes accouchent à domicile et, lors de la première visite médicale, elles sont 55 % à le souhaiter. Cette tradition est logique ; en effet, la maternité est considérée là-bas comme un événement naturel et si aucune complication n'est dépistée, les futures mamans ne subissent aucun examen sophistiqué, pas même une échographie. Le suivi de la grossesse est fait très régulièrement et, à 75 %, par une sage-femme libérale. Les rendez-vous avec elle sont nombreux, 12 à 15, et ont pour but le dépistage des grossesses à risque. S'il y a problème, la future maman accouche alors à l'hôpital. L'accouchement à domicile est encore possible en raison des particularités géographiques du pays : plat et bien quadrillé de routes. Les maternités ne sont jamais très éloignées du domicile des futures mamans. Même si elles accouchent à l'hôpital, elles y restent peu : 79 % n'y font un séjour que de quelques heures. Une sage-femme vient alors à domicile pendant 10 à 12 jours pour suivre la jeune maman et l'enfant. Les mamans néerlandaises peuvent encore se faire aider par des auxiliaires de santé, totalement prises en charge par le système de Sécurité sociale.

Un hôtel de Rotterdam a même mis quelques chambres à la disposition des futures mamans sur le point d'accoucher. Cette solution leur permet d'accoucher presque comme à la maison tout en échappant aux contraintes domestiques. C'est la sage-femme qui les a accompagnées tout au long de leur grossesse qui les assiste et une auxiliaire maternelle de santé libérale vient s'occuper du bébé. ▪

L'accouchement ambulatoire

Une formule permet des conditions de sécurité proches de celles qui se pratiquent dans les maternités : c'est l'accouchement « ambulatoire ». La future maman attend chez elle l'ultime moment pour partir à la maternité. Pendant tout le temps de la dilatation, elle est surveillée par une sage-femme. Au moment de la naissance, elles partent ensemble pour la maternité. Là, s'il le faut, un médecin interviendra. Si tout s'est passé sans problème, la jeune maman et son bébé seront de retour à leur domicile quelques heures après la naissance. ▪

L'accouchement à domicile

IL RESTE TRÈS RARE EN FRANCE, 1 % ENVIRON. Il est parfois aménagé sous surveillance médicale avec organisation de transfert à l'hôpital en cas de difficultés. Il permet à la mère, entourée par les siens, de vivre la naissance de son bébé comme une affaire de famille.

Plus aux champs qu'en ville

Généralement, c'est le manque de chaleur humaine et la dépersonnalisation de l'accouchement à l'hôpital qui conduisent la femme à choisir cette solution. Mais, avouons-le, la plupart des femmes choissent le confort d'accoucher à la maternité. L'accouchement à domicile pose encore le problème du manque de sages-femmes désirant effectuer des accouchements dans ces conditions.

Ce type d'accouchement est pratiqué par une soixantaine de praticiens parmi lesquels on compte trente-sept sages-femmes. Leur rémunération se base sur un système de forfait comprenant la surveillance de la grossesse, la conduite de l'accouchement, leur présence obligatoire durant deux heures après les couches et la surveillance des suites de couches (12 jours pour la mère et 30 jours pour l'enfant). Deux départements en France sont à la pointe de cette pratique : la Vendée et l'Aveyron.

Des femmes engagées

L'association *Naître à la maison* a dressé le portrait type des futures mères qui souhaitent rester chez elles pour accoucher. Ce sont des femmes âgées de 25 à 35 ans, dont 75 % vivent maritalement ; 50 % d'entre elles ont eu une autre expérience de couple ; 40 % font ce choix pour une première naissance, 30 % pour une seconde, 20 % à partir du 3e enfant. Mais 99 % d'entre elles restent favorables à l'accouchement à domicile après une première expérience.

Une certaine philosophie de la vie

Dans leurs couples, les relations hommes-femmes sont généralement établies sur des critères d'égalité. Ces couples recherchent toujours des médecins ou des sages-femmes qui sont favorables à leur démarche et dont la philosophie de vie est très proche de la leur. À leur réflexion sur la naissance sont souvent associés des remises en question de la médecine traditionnelle et un rejet de l'alimentation industrielle. Ce sont parfois des militants passionnés. Ils choisissent leur foyer pour vivre l'aventure d'accueillir un enfant en totalité, du désir à la naissance.

Outre les problèmes de sécurité, l'accouchement à domicile a aussi souvent l'inconvénient de ne pas permettre à la jeune maman de se reposer convenablement et suffisamment. Elle ne peut plus aujourd'hui compter sur la famille notamment sur les grands-parents pour l'aider. Ils étaient un vrai recours lorsque toutes les générations vivaient sous le même toit. ▪

" Accoucher à domicile demande une relation de totale confiance avec la sage-femme ou le médecin qui assiste la future maman. "

1ᴱᴿ MOIS

2ᴱ MOIS

3ᴱ MOIS

4ᴱ MOIS

5ᴱ MOIS

6ᴱ MOIS

7ᴱ MOIS

8ᴱ MOIS

9ᴱ MOIS

LA NAISSANCE

LES 1ᴿᴱˢ SEMAINES DE MAMAN

LES 1ᴿᴱˢ SEMAINES DE BÉBÉ

GROSSESSES DIFFÉRENTES

ANNEXES

Pense-bête

AVANT DE PARTIR POUR LA MATERNITÉ, VÉRIFIEZ QUE RIEN NE VOUS MANQUE. Bien s'organiser et préparer les affaires du futur bébé, c'est se garantir un retour plus facile, sans panique ni angoisse et s'assurer une plus grande disponibilité pour le tout nouveau bébé.

Pour le bébé

Si ce n'est pas fait, il est préférable de lui choisir dès maintenant un prénom (p. 274) et de prévenir ses parrain et marraine si vous souhaitez qu'il soit baptisé. Si vous avez décidé de retravailler après la naissance de l'enfant, il est temps de confirmer son mode de garde (pp. 262-267). Faites le point sur l'équipement à acheter ou à emprunter : un couffin ou un berceau premier âge, un fauteuil relax, un chauffe-biberons, un landau, une table à langer, une commode ou une armoire pour ranger sa garde-robe, un matelas, une couverture, 6 petits draps, 2 alèses, une baignoire spéciale bébé ou une grande cuvette, un thermomètre de bain, un pèse-bébé (à louer en pharmacie). Si vous avez décidé de changer bébé dans la salle de bains, préparez le nouvel aménagement nécessaire. Pensez au chauffage d'appoint si besoin. Si vous allaitez, réfléchissez à votre confort. Trouvez le siège ou le fauteuil que vous placerez dans sa chambre.

Côté décor

Il est temps de terminer la chambre de votre bébé. Il est de coutume d'utiliser des tons pastel pour habiller les murs et de choisir les meubles de son petit univers, mais tout est affaire de goût, les bébés grandissent aussi très bien dans des atmosphères plus toniques. Deux conseils pourtant : préservez au maximum la luminosité de la pièce et ne multipliez pas trop les motifs, tant sur les murs que sur les tissus ; trop de sollicitations visuelles peuvent fatiguer un petit être en plein développement.

Derniers achats

Finissez d'aménager sa chambre et vérifiez son trousseau ; achetez les produits de soins indispensables lors de votre retour : un lait de toilette, du sérum physiologique en dosettes, un flacon d'éosine aqueuse, un paquet de couches à jeter ou de changes complets pour nourrissons, des porte-couches en plastique si c'est nécessaire, de l'eau minérale spéciale biberon si vous ne le nourrissez pas (un pack de 6 bouteilles au moins), un appareil pour stériliser à chaud ou à froid, une boîte de compresses stériles, 6 biberons, des goupillons pour nettoyer biberons et tétines, un shampooing doux spécial bébé, une pommade pour érythème fessier, une brosse à cheveux très souple, une sortie-de-bain avec capuche, un flacon d'huile d'amande douce, une paire de ciseaux à ongles pour bébé, un thermomètre médical.

Pour vous

Prenez le temps de parfaire votre préparation à l'accouchement, notamment en travaillant les respirations (pp. 240-243). Évitez tout médicament ; obligez-vous à une promenade quotidienne ; ne portez rien de lourd ; évitez les courses dans les grands magasins et la foule en général ; pensez à profiter de vos derniers instants de liberté pour aller chez le coiffeur, au cinéma ou au théâtre ; revoyez votre garde-robe pour la maternité (p. 202) ; réfléchissez aux faire-part de naissance que vous achèterez et établissez la liste écrite de tous ceux à qui vous souhaitez annoncer la nouvelle ; recherchez le nom et l'adresse d'un pédiatre proche de chez vous et celle d'un kinésithérapeute pour la remise en forme postnatale (les pharmaciens sont souvent de bon conseil). Ayez sous la main le téléphone d'une compagnie de taxi ou d'un service d'ambulances.

Organisez votre absence

Révisez le contenu de votre valise. Si vous accouchez en été, ajoutez un petit ventilateur à piles et un brumisateur d'eau minérale. En plein travail vous apprécierez un peu de fraîcheur. Si vous avez d'autres enfants, il est temps de les prévenir que votre absence est imminente. Laissez

à votre mari (sauf si c'est une perle rare !) un pense-bête avec les téléphones indispensables pour la bonne marche de la maison.

Remplissez le réfrigérateur et le congélateur, faites-vous livrer, ainsi vous pourrez tester la qualité de ce service qui vous sera fort utile lorsque vous aurez votre bébé.

Et surtout, résistez à l'envie extraordinaire qu'ont beaucoup de futures mamans de vouloir faire le ménage de leur maison ou de leur appartement à fond ; c'est sans doute une réminiscence de notre instinct animal qui nous pousse à faire notre nid, mais c'est également une source de fatigue. Mieux vaut arriver reposée à son accouchement.

N'oubliez pas :

– le carnet de maternité avec, à l'intérieur, la carte de votre groupe sanguin ;
– tous les rapports d'examens faits au cours de la grossesse, dont les échographies ;
– le livret de famille ;
– la carte de Sécurité sociale. ∎

1ER MOIS

2E MOIS

3E MOIS

4E MOIS

5E MOIS

6E MOIS

7E MOIS

8E MOIS

9E MOIS

LA NAISSANCE

LES 1RES SEMAINES DE MAMAN

LES 1RES SEMAINES DE BÉBÉ

GROSSESSES DIFFÉRENTES

ANNEXES

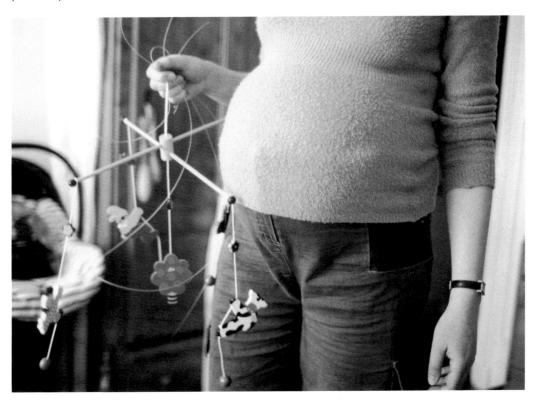

Le préparer en douceur

Il est indispensable de prévenir votre enfant de votre départ imminent pour la maternité et de lui en expliquer la raison. En revanche, s'il est petit, lui préciser la longueur de cette absence n'est pas utile, les petits enfants n'ayant pas réellement la notion du temps. Il n'est pas non plus nécessaire de le prévenir trop tôt ; 2 ou 3 jours avant la date prévue suffisent. L'enfant sera rassuré s'il sait qui s'occupera de lui et ce qu'il pourra faire en l'absence de sa mère.

On peut encore lui montrer l'endroit où l'on va « chercher » les bébés. Enfin, les petits enfants étant très attachés à leur mère par l'odorat, pourquoi ne pas lui laisser un objet ou un vêtement portant l'odeur de sa maman, qu'il va devoir momentanément quitter ?

À l'âge de l'imitation, à l'âge de l'Œdipe, il n'est pas rare de voir les enfants s'identifier à leurs parents. Les petites filles se promènent avec un coussin sur le ventre et imitent en tout point le comportement de leur mère. Elles peuvent devenir agressives, déçues de ne pouvoir faire que semblant.

Quant aux petits garçons, ils peuvent accentuer leur agressivité vis-à-vis de leur père et deviennent de farouches protecteurs de leur mère.

Certains enfants souhaitent même prendre la place du bébé dans le ventre maternel. Ils manifestent de cette façon leur angoisse à devenir grands. ∎

Qui peut vous aider ?

Les grands-parents vivent loin ou sont indisponibles. Il reste la solution des amis ; il est alors préférable qu'ils s'installent dans la maison de l'enfant sur lequel ils vont devoir veiller, ceci afin de ne pas trop le bousculer psychiquement et de ne pas l'éloigner de son père.

Si vraiment il n'y a aucune possibilité d'aide extérieure, le père peut prendre son congé parental de 15 jours et s'occuper ainsi de son ou ses « bébés ». Il vaut mieux ne pas choisir ce moment délicat pour inscrire l'enfant dans un système de garde qui lui est inconnu. Cette séparation, cet éloignement pourrait être vécu comme un abandon et provoquerait ensuite un profond ressentiment, favorable à l'installation d'une jalousie qui pourrait devenir durable et difficile à atténuer avec le temps. ∎

Qui va garder les aînés ?

1ER MOIS

2E MOIS

3E MOIS

4E MOIS

5E MOIS

6E MOIS

7E MOIS

8E MOIS

9E MOIS

LA
NAISSANCE

LES 1RES
SEMAINES
DE MAMAN

LES 1RES
SEMAINES
DE BÉBÉ

GROSSESSES
DIFFÉRENTES

ANNEXES

HEUREUSEMENT QU'IL Y A LES GRANDS-MÈRES ! En effet, dans 90 % des cas ce sont elles qui gardent les aînés, le temps nécessaire à la naissance « du petit frère ou de la petite sœur ». Sans doute votre aîné n'échappera pas à cette règle. Même si les premiers jours il est un peu dérouté, rassurez-vous, c'est pour la plupart d'entre eux une véritable découverte et le début d'une réelle complicité.

Grandir c'est difficile

Cette période va être difficile à vivre pour lui, sa mère lui a été enlevée et il sait qu'il va devoir affronter une nouvelle vie où il lui faudra partager espace et affection. La douceur, la patience, la disponibilité de ses grands-parents lui seront alors d'un grand secours. Il est aussi essentiel qu'ils soient là au moment où la structure familiale change. Le futur bébé représente l'avenir, eux le passé. Ils en sont une référence vivante. C'est en racontant leurs souvenirs à leurs petits-enfants qu'ils leur apprennent qu'eux aussi ont été des enfants tout comme leurs parents, et qu'ils comprennent parfaitement le difficile passage au statut d'aîné puisqu'ils l'ont eux-mêmes déjà vécu. Tout cela aide les aînés à comprendre le mécanisme de la filiation et leur permet d'appréhender, sans doute pour la première fois, des phénomènes tels que le vieillissement et le temps qui passe.

Mais pour que ces quelques jours soient enrichissants, il ne faut pas que l'aîné soit éloigné de son cadre familial. C'est aux grands-parents de se déplacer. Il est préférable que l'enfant garde ses habitudes, ses repères, ses camarades et surtout reste proche de son père ; il a besoin de sentir qu'il appartient toujours à la famille et que l'arrivée du bébé ne l'a pas exclu.

Se rencontrer au plus vite

Dans la plupart des maternités, on autorise aujourd'hui la visite des enfants à leur mère et à leur petit frère ou petite sœur. Si vraiment l'interdiction est impérative, il est toujours possible d'entretenir une relation quotidienne par un petit coup de téléphone ou de montrer le bébé à l'aîné dans la salle d'attente de la maternité. La maternité de l'hôpital de Bagnole-sur-Cèze a même aménagé un lieu spécial pour ces rencontres ; là, les aînés peuvent découvrir leur cadet, mais aussi exprimer toute leur exubérance à retrouver leur maman.

Enfin, s'il n'est pas trop petit, l'aîné sera flatté de participer à l'installation du nouveau bébé.

Il peut alors accompagner son père à la mairie pour déclarer le nouveau venu, faire quelques courses destinées à accueillir sa mère et le bébé de retour de la maternité, ou finir quelques aménagements dans la chambre du nouveau-né : le responsabiliser l'aidera beaucoup à franchir cette étape. ■

" En votre absence, l'idéal est que l'aîné reste dans ses meubles sous la responsabilité affective des ses grands-parents. ,,

La naissance

1ER MOIS

2E MOIS

3E MOIS

4E MOIS

5E MOIS

6E MOIS

7E MOIS

8E MOIS

9E MOIS

LA NAISSANCE

LES 1RES SEMAINES DE MAMAN

LES 1RES SEMAINES DE BÉBÉ

GROSSESSES DIFFÉRENTES

ANNEXES

La naissance

Vous

LES MATERNITÉS DOIVENT SE TRANSFORMER POUR INTÉGRER DANS LEUR CONCEPTION, dans leur décor et dans leur environnement, une petite part de chaleur humaine, et permettre à chacun d'y retrouver un peu de ses racines. On doit y trouver ce qui est indispensable médicalement, bien sûr, mais avec le souci de favoriser l'émotion.

Donner la vie, c'est se prouver toute sa féminité, c'est vivre un peu plus longtemps, c'est réaliser l'exploit que l'on prépare en coulisses depuis neuf mois. Bien des sentiments étreignent alors la future maman. Saura-t-elle maîtriser son corps et la douleur ? Sera-t-elle capable de pousser sa précieuse charge en dehors ? Ce bébé sera-t-il bien celui qu'elle attend depuis des mois ?

L'accouchement, sur le plan physiologique, est une manifestation extraordinaire dont on ne sait pas encore aujourd'hui qui le décide : l'enfant, la mère, le temps. Et pourquoi pas la lune, puisque nous sommes des acteurs de l'univers ? Mais revenons sur terre.

Si le père est présent pour soutenir la mère et partager ses sentiments, l'équipe médicale est là pour l'aider « matériellement » dans son travail. La sage-femme tient le premier rôle de la pièce. Disponible, affectueuse, compétente, on lui demande beaucoup de qualités, parfois trop.

Confort physique et moral, sécurité font de l'acte médical qu'est l'accouchement l'un des plus sûrs. Pourtant, la violence des contractions étonne toujours, les prouesses du corps féminin stupéfient, même si les progrès de la médecine permettent aux mères d'enfanter sans douleur.

Votre bébé

LE POIDS MOYEN D'UN BÉBÉ À LA NAISSANCE est de 3 kg environ. Sous l'effet du premier cri, se mettent en place les fonctions vitales de la respiration et de la circulation sanguine. Le visage du nouveau-né change de couleur : de légèrement bleu, il devient rose. Certains enfants sont couverts de petits poils sur le corps et sur le visage. Ce lanugo va très vite tomber, laissant apparaître une peau transparente et fine où se dessine un fin réseau de capillaires sanguins. Ce petit être est déjà doté de ses sens. Ils permettent à l'enfant d'entrer en communication avec ses parents dès les premières minutes de sa naissance.

Statistiquement, sauf problème particulier, la moitié des bébés naissent 280 à 287 jours après leur conception, un quart avec 10 à 15 jours d'avance et le dernier quart avec 4 à 8 jours de retard.

1ER MOIS

2E MOIS

3E MOIS

4E MOIS

5E MOIS

6E MOIS

7E MOIS

8E MOIS

9E MOIS

LA NAISSANCE

LES 1RES SEMAINES DE MAMAN

LES 1RES SEMAINES DE BÉBÉ

GROSSESSES DIFFÉRENTES

ANNEXES

Aller à la maternité

Si votre mari est disponible, vous n'avez aucun problème. Si, par contre, vous êtes seule au moment de partir, il est exclu que vous preniez le volant : une contraction un peu forte peut vous mettre dans une situation délicate. Certains taxis ne sont pas toujours très « emballés » d'avoir à conduire une future maman à la maternité. Ils craignent toujours l'accouchement inopiné – l'accouchement pendant le transport reste toutefois exceptionnel. Mieux vaut peut-être vous arranger avec une amie, un voisin, voire une ambulance. Les frais de transport en ambulance sont pris en charge à 100 %, uniquement s'il s'agit d'une prescription médicale (elle peut se faire a posteriori).

Enfin, si vraiment vous avez l'impression que vous allez accoucher dans les minutes qui suivent, téléphonez aux pompiers ou appelez le SAMU, ils vous emmèneront à la maternité la plus proche. ▪

Préparer la perfusion

Il est obligatoire, dès l'arrivée à la maternité, de mettre en place un cathéter en intraveineuse. Celui-ci va permettre, s'il le faut, le soutien médicamenteux à tout moment de l'accouchement, qu'il y ait ou non complication, et notamment si celui-ci doit se dérouler sous péridurale. Dans la majorité des cas, il sert simplement à poser une perfusion de sérum glucosé qui fournit un apport calorique en eau et sucre à la mère afin de lui permettre de soutenir un effort prolongé. Parfois il est simplement posé en prévision d'une éventuelle perfusion. Ce cathéter est posé soit sur l'avant-bras, soit sur la main pour laisser libres les mouvements des bras dont la future maman peut avoir besoin au moment de l'expulsion. ▪

Les phases de l'accouchement

• Le moment que l'on appelle la dilatation consiste en l'effacement puis l'ouverture du col de l'utérus. Pour certaines futures mamans, particulièrement si elles ont déjà mis au monde un ou plusieurs bébés, l'effacement peut ne pas être détecté, et précéder la dilatation de quelques jours.
En fait, après un premier accouchement, le col de l'utérus ne reprend pas sa taille initiale et reste toujours un peu plus court. Quelques contractions fortes et efficaces suffiront alors à l'ouvrir.
• L'expulsion, comme son nom l'indique, est la sortie de l'enfant. Celui-ci glisse de l'utérus dans le vagin en traversant les os du bassin puis la vulve.
• La délivrance est le décollement et l'expulsion du placenta et des membranes qui protégeaient le bébé. Deux heures de surveillance médicale sont obligatoires à la suite de l'accouchement. ▪

L'éventualité du rasage

Juste avant l'expulsion, il se peut que l'on vous rase une partie du périnée. Ce geste est indispensable pour surveiller correctement celui-ci. Ce rasage doit être léger pour ne pas provoquer une trop forte irritation de la peau. ▪

Les vertus de l'eau

De plus en plus de maternités proposent à leurs patientes de soulager leurs douleurs en se baignant dans une baignoire d'eau tiède. Celle-ci est parfois équipée de jets de massage relaxant. Cet hydro-massage doux détend et relaxe. Le bain aide à la dilatation, soulage la douleur et accélère le processus de l'accouchement.

Certaines maternités mettent à la disposition des futures mamans des piscines démontables. Plus simplement, pour toutes celles qui n'ont pas à leur disposition une baignoire, des douches d'eau tiède associées à de légers massages peuvent aussi bien soulager ces douleurs. ▪

L'arrivée à la maternité

1ᵉʳ MOIS

2ᵉ MOIS

3ᵉ MOIS

4ᵉ MOIS

5ᵉ MOIS

6ᵉ MOIS

7ᵉ MOIS

8ᵉ MOIS

9ᵉ MOIS

LA
NAISSANCE

LES 1ᵉˢ
SEMAINES
DE MAMAN

LES 1ᵉˢ
SEMAINES
DE BÉBÉ

GROSSESSES
DIFFÉRENTES

ANNEXES

*DANS LA MAJORITÉ DES CAS, VOUS ÊTES ATTENDUE À LA MATERNITÉ.
Dès votre arrivée, vous êtes examinée par une sage-femme ou par le médecin
de garde. Selon l'avancement du travail, vous serez installée dans votre chambre
ou en salle de naissance.*

Préparer la naissance

Après s'être assuré des battements cardiaques du futur bébé, son tout premier geste est un toucher vaginal pour contrôler l'ouverture du col, information qui lui donnera une idée de l'avancement du travail.

Puis il procédera à la prise de tension, à l'enregistrement des battements du cœur du bébé, par l'intermédiaire d'un monitoring, appareil à ultrasons qui traduit les bruits du cœur sur un graphique. Votre température et vos pulsations seront contrôlées ainsi que votre taux d'albumine dans les urines. Un palper de votre ventre permettra d'apprécier la position du bébé et l'intensité des contractions. Si vous devez accoucher sous péridurale (pp. 345 et 347), l'infirmière effectuera une prise de sang pour une analyse et prendra connaissance du bilan établi il y a quelques semaines par l'anesthésiste.

Selon l'avancement du travail, vous êtes installée dans votre chambre ou dans une salle de repos ou encore, si l'accouchement est imminent, directement en salle de naissance. Si les contractions sont bien espacées, vous pourrez vous promener, vous distraire. On sait aujourd'hui que la position verticale est particulièrement bénéfique au déroulement de l'accouchement. Un monitoring portable permet, dans certaines maternités, de surveiller le bébé à distance.

Si vous avez soif au début du travail, vous pouvez boire légèrement mais uniquement des liquides comme l'eau ou le thé. Le jus d'orange ou les liquides épais sont interdits.

En salle d'accouchement

Lorsque les contractions deviennent plus fréquentes (toutes les 3 ou 4 minutes), qu'elles durent 30 secondes à 1 minute et que la dilatation est au moins de 2 ou 3 cm, il est temps pour vous de gagner la salle d'accouchement. Par monitoring, on vérifie les battements du cœur du bébé et sa réaction aux contractions. Puis on reprend votre température ainsi que votre tension. Au besoin (et à condition que la poche des eaux ne soit pas rompue), on aura recours à une amnioscopie pour s'assurer que le bébé ne souffre pas.

À ce stade, l'accouchement est très médicalisé. Il se peut encore, si vous restez à la maternité, qu'il vous semble qu'on vous laisse de longs moments seule. Rassurez-vous, on ne vous a absolument pas oubliée.

Détendez-vous entre les contractions, écoutez de la musique, lisez, discutez avec votre mari. ■

❝ À chacune de trouver sa position : marcher, s'accroupir, se relaxer dans un bain chaud. L'important est de décider librement de son confort. ❞

Une pratique sans risque

L'utilisation des forceps ou de la ventouse intervient dans un accouchement sur dix. Il s'agit toujours de circonstances bien particulières telles que la souffrance fœtale due à une compression durable du cordon ombilical ou l'arrêt de la progression de la tête du bébé dans le bassin malgré les efforts de poussée de la mère. Enfin, on s'en sert lorsque, pour une raison médicale, la future maman ne peut fournir sans danger les efforts d'expulsion demandés.

Les forceps ne doivent pas entraîner de traumatisme chez l'enfant. Tout au plus, de petites marques apparaissent de part et d'autre de la tête du bébé, sur son crâne ou sur son visage, là où étaient posées les deux cuillères du forceps. Ces marques disparaîtront dans les jours qui suivent l'accouchement. La plupart des jeunes mamans n'ont aucun souvenir douloureux de cette pratique. Cependant, après un accouchement difficile, il arrive que la jeune maman ressente, pendant deux ou trois jours, en s'asseyant ou en marchant, des douleurs provoquées par un traumatisme des fibres musculaires. Ce désagrément se dissipe assez rapidement tout comme la bosse au sommet du crâne créée par la ventouse. ∎

L'anesthésie générale

Cette forme d'anesthésie se pratique dans quelques cas précis, lorsque l'extraction doit être réalisée rapidement aux forceps, lorsque la mère est tétanisée par la douleur et perd le contrôle d'elle-même, enfin lorsqu'il faut pratiquer une délivrance artificielle.

Le médecin injecte par intra-veineuse un produit qui fait très vite perdre conscience à la patiente. Les produits utilisés aujourd'hui sont pratiquement inoffensifs pour l'enfant. En revanche, l'anesthésie générale est toujours un acte médical réfléchi. Elle se fait en fin de travail.

La future maman ressent les premières contractions mais elles ne sont pas très douloureuses. Comme pour l'anesthésie péridurale, il faut administrer un produit qui stimule les contractions. La durée de l'accouchement en est raccourcie et l'utilisation d'instruments (les forceps ou la ventouse) est souvent nécessaire.

Il arrive parfois que l'enfant naisse endormi ; il faut alors attendre quelques secondes pour qu'il se réveille. Cette réaction est étroitement dépendante de la puissance et de la quantité d'anesthésiant utilisée. ∎

▌ MON AVIS

Avant de choisir d'accoucher dans une maternité quelle qu'elle soit, sachez que l'équipe médicale doit être prête à intervenir en toutes circonstances. Tout le monde, c'est-à-dire, en plus de la sage-femme, l'accoucheur, l'anesthésiste et le pédiatre doivent être rapidement sur place. Dans l'accouchement, il y a toujours une part d'impondérable. Notamment dans la programmation de la césarienne. Combien de fois l'équipe médicale pense que l'accouchement ne pourra pas se dérouler par la voie basse et tout se passe sans difficulté. Et à l'inverse, alors que tout aurait dû se passer normalement, il faut avoir recours à une césarienne. Le bébé ne va pas bien, il faut l'aider à naître. Et après coup, on est incapable de savoir pourquoi il n'allait pas bien. Mon conseil est de dire aux mères d'accoucher là où elles sentent une bonne relation humaine car l'organisation périnatale en France depuis le plan 2003 a donné des normes de sécurité en personnels et en locaux qui, théoriquement, sont en place partout. ∎

Aider le bébé à naître

1ER MOIS

2E MOIS

3E MOIS

4E MOIS

5E MOIS

6E MOIS

7E MOIS

8E MOIS

9E MOIS

LA NAISSANCE

LES 1RES SEMAINES DE MAMAN

LES 1RES SEMAINES DE BÉBÉ

GROSSESSES DIFFÉRENTES

ANNEXES

LES FORCEPS ET LA VENTOUSE sont des instruments dont le médecin accoucheur a parfois besoin pour aider l'enfant à venir au monde. Bien que souvent liés à toute une fantasmagorie effrayante de l'accouchement, ces instruments ne sont plus agressifs car leur indication d'utilisation a beaucoup changé.

Sous anesthésie locale

Les forceps sont utilisés lorsque l'enfant est engagé dans le bassin et qu'il souffre de manière inquiétante ou lorsque la mère, trop épuisée, ne peut plus pousser son enfant vers l'extérieur. La pose du forceps, si elle est bien réalisée, n'est pas douloureuse ; le passage de la tête de l'enfant peut l'être un peu plus.

Accoucher à l'aide de ces instruments est plus confortable sous péridurale. Dans ce cas, elle sera renforcée avant la pose des instruments. Si l'accouchement ne se déroule pas sous péridurale, le médecin pratique une anesthésie loco-régionale : il injecte un produit anesthésique au niveau des nerfs honteux qui innervent le périnée.

Un geste courant

La pose est réalisée par un médecin. Celui-ci, entre deux contractions, guide la pose de la première branche du forceps avec ses doigts. Il place les deux branches symétriquement sur les côtés de la tête de l'enfant. Il attend une contraction, demande à la future maman de pousser, et il tire sur les deux branches des cuillères qui écartent les parois du vagin et facilitent la progression de la tête. Le médecin peut aussi aider l'enfant à fléchir ou à tourner la tête pour glisser hors du corps maternel.

Une technique fort ancienne

On doit l'invention du forceps à un médecin accoucheur londonien au XVIIe siècle : le docteur Chamberlain. Forceps est un mot anglais qui signifie « pinces ». Il existe plusieurs types de forceps mais ils ont tous la forme de cuillères pour bien épouser la tête du bébé. Le forceps à branches croisées et solidaires est le plus utilisé, d'autres ont des branches parallèles et solidaires. Le troisième type s'apparente à des spatules indépendantes qui permettent au bébé de glisser sous la poussée de sa mère. Tous ces instruments servent à écarter les parois du vagin et à orienter la tête afin de permettre au bébé de passer plus facilement. Les marques laissées sur le crâne du bébé ressemblent à des petites écorchures qui disparaissent en quelques jours. La ventouse, quant à elle, se fixe sur le cuir chevelu du bébé à dilation complète. Elle permet d'orienter, si besoin, sa tête dans le bon axe et de rendre plus efficace chaque poussée. La ventouse crée une bosse passagère sur le sommet du crâne mais évite les marques de cuillères sur la peau. La ventouse est de plus en plus utilisée. Le choix entre les instruments dépend des habitudes du médecin et de chaque situation obstétricale. ■

❝ La mauvaise réputation des forceps tient au fait, qu'autrefois, ils étaient utilisés dans des situations où aujourd'hui on préfère faire une césarienne. ❞

327

Une surveillance efficace

*ON POSERA SUR VOTRE VENTRE DEUX CAPTEURS dès que le « travail »
sera un peu plus avancé. Ils sont retenus par des ceintures et reliés à un appareil
gros comme un poste de télévision qui déroule une bande graphique :
c'est un monitoring. Il contrôle les battements du cœur de l'enfant et la qualité
des contractions. Un microcapteur est chargé d'enregistrer les contractions ; un
autre, placé à la hauteur de l'épaule du bébé, capte les battements de son cœur.*

Écouter le cœur de l'enfant

Un des microcapteurs retranscrit sur papier millimétré les rythmes et les variations du cœur, le second enregistre toujours « noir sur blanc » l'intensité de la contraction du muscle utérin. Le tracé ressemble à des montagnes russes. Cet enregistrement permet notamment de contrôler l'intensité et la régularité des contractions qui ne sont pas douloureuses. Les capteurs restent en place jusqu'à la naissance.

La comparaison de la courbe des contractions et de celle du rythme cardiaque du bébé permet d'évaluer son comportement in utero. Il est normal de constater un ralentissement modéré et bref des battements du cœur au moment de la contraction. Ils peuvent passer de 160-180 à 120 par minute. Mais tous les bébés n'ont pas ce même rythme. Cependant, un ralentissement long et significatif des battements du cœur peut constituer un indice de souffrance fœtale qui exige d'autres examens et, au besoin, l'anticipation de l'accouchement par les voies naturelles ou par césarienne (p. 349).

Mais la mesure du rythme cardiaque peut aussi se faire par enregistrement direct sur l'enfant. Dans ce cas, la poche des eaux étant rompue, au cours d'un toucher vaginal, le médecin ou la sage-femme pose sur le crâne du bébé une petite électrode qui enregistre son électrocardiogramme.

En plaçant un autre capteur entre la tête du bébé et le col utérin, on peut mesurer l'intensité des contractions. Dans certaines maternités, il existe des enregistreurs sans fil, ce qui permet à la mère de bouger ou de marcher entre les contractions. L'enregistrement se fait alors automatiquement sur un appareil placé dans la salle de naissance ou dans une autre pièce, sous le regard attentif de la sage-femme.

Un contrôle continu

Cette surveillance est faite pour votre sécurité et celle de l'enfant. Elle n'est pas obligatoire et toutes les maternités ne la font pas systématiquement. L'écoute de cet appareil peut se révéler angoissante car le moindre changement acoustique inquiète la maman, ce qui peut se produire relativement souvent en raison du déplacement fréquent des capteurs externes.

Si le monitoring a détecté des modifications dans les battements cardiaques du fœtus, on peut pratiquer une analyse du sang fœtal. En prélevant une goutte de sang sur le crâne du bébé, grâce à une amnioscopie, on contrôle si l'enfant souffre ou non au cours de l'accouchement. Ainsi on peut connaître particulièrement les degrés d'oxygénation et d'acidité du sang.

Ces renseignements sont précieux, puisque l'on sait que l'un des premiers signes de souffrance fœtale est l'augmentation de l'acidité du sang. Le pH du sang révèle et quantifie la souffrance fœtale. Quand l'organisme souffre, il produit plus de gaz carbonique, que l'on retrouve dans le sang. Plus le pH est bas, plus il y a de CO_2 et donc plus le fœtus souffre. Au vu des résultats de cette analyse, le médecin décide alors de poursuivre l'accouchement ou d'intervenir.

Éviter les complications

La surveillance par monitoring évite encore les accidents dus au cordon ombilical, heureusement très rares. Les troubles surviennent lorsque le cordon est plus long qu'à l'ordinaire ou trop court ou encore lorsqu'au cours des derniers mois de gestation, l'enfant, en se retournant dans l'utérus maternel, a enroulé le cordon autour de son cou. Au moment de l'accouchement, lorsqu'il descend, il tire sur celui-ci et en diminue le flux : un geste simple de la sage-femme ou du médecin le libérera dès que la tête est sortie.

Autre complication plus grave : la procidence du cordon. Une partie de celui-ci sort en avant de la tête de l'enfant. Fortement comprimé, il n'apporte plus au bébé l'oxygène dont il a besoin. Une césarienne ou les forceps sont alors souvent indispensables. Enfin, grâce au cathéter intraveineux posé au début du travail, un certain nombre de médicaments peuvent être rapidement administrés qu'il y ait ou non des complications : antispasmodique pour supporter la douleur, ocytocine pour rendre les contractions plus efficaces et plus régulières, calcium ou magnésium pour enrayer une tétanisation.

Bien sûr, ce cathéter devient indispensable en cas de complications, notamment si la mère souffre d'une chute de tension.

Difficultés, mieux vaut prévenir que guérir

Bien que 99 % des accouchements se passent sans problèmes, dans un très petit nombre d'entre eux, des difficultés peuvent surgir. Le contrôle médical de la grossesse, les échographies, tous les examens, des plus simples aux plus sophistiqués, réalisés au cours des neuf mois ne garantissent pas contre la survenue de tout accident. Si l'on peut dépister certaines infections, il n'est pas toujours facile de les traiter ou de les prévenir en cours de grossesse et d'obtenir les résultats escomptés.

Les accidents maternels sont habituellement dus à des problèmes vasculaires et hémorragiques. Chez l'enfant, il s'agit dans la majorité des cas d'infections ou de malformations. Si l'accouchement doit se faire sous anesthésie générale, il faut aussi tenir compte des risques que celle-ci peut toujours entraîner. ∎

1ᴱᴿ MOIS

2ᴱ MOIS

3ᴱ MOIS

4ᴱ MOIS

5ᴱ MOIS

6ᴱ MOIS

7ᴱ MOIS

8ᴱ MOIS

9ᴱ MOIS

LA
NAISSANCE

LES 1ᴿᴱˢ
SEMAINES
DE MAMAN

LES 1ᴿᴱˢ
SEMAINES
DE BÉBÉ

GROSSESSES
DIFFÉRENTES

ANNEXES

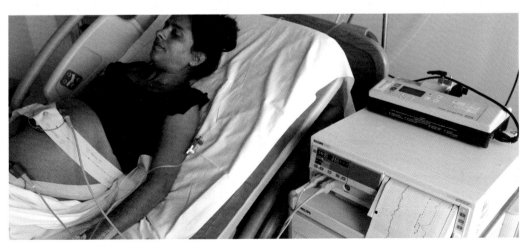

Une épreuve fatigante

On compare souvent l'accouchement à une performance sportive. Comme elle, il demande des efforts et une endurance différents d'une femme à l'autre. Il peut se comparer soit à un 100 m en athlétisme, soit à une épreuve de fond représentant plusieurs kilomètres de course. Beaucoup d'éléments entrent en ligne de compte ; si la mère est primipare, la naissance sera généralement moins rapide. Statistiquement, on a mesuré que la durée moyenne d'un premier accouchement est de 8 à 9 heures, et pour une grossesse suivante, pas plus de 5 à 6 heures en raison de la dilatation plus rapide et plus facile du col de l'utérus. Ce délai moyen est souvent raccourci par l'utilisation de médicaments en perfusion, destinés à régulariser les contractions et à assouplir le col de l'utérus.

Mais la fatigue due à un accouchement peut être aggravée par la taille de l'enfant ou sa présentation (un siège demande souvent un peu plus d'efforts de la part de la mère). La puissance des contractions, l'intensité de la douleur sont encore très variables d'une femme à l'autre. Sans compter qu'à tout cela s'ajoute la fatigue générale due à la grossesse. Chez les primipares, l'effacement du col se fait généralement au cours du prétravail de l'accouchement ; puis, dans un deuxième temps, se produit la dilatation, ce qui explique la durée. Il n'en est pas toujours de même pour les multipares ou encore pour les grossesses multiples. L'effacement du col et la dilatation peuvent se faire simultanément d'où la plus grande rapidité de naissance. ∎

La rupture de la poche des eaux

Généralement, la perte des eaux est un des tout premiers signes du début de l'accouchement, mais ce n'est pas systématique. Sous l'effet des contractions, la poche gonfle à l'avant de la tête du bébé et atténue l'effet de la poussée de la tête sur le col. La sage-femme ou le médecin peut alors décider de ne pas attendre la rupture spontanée de cette poche des eaux qui, obligatoire, survient souvent à 7 ou 8 cm de dilatation. À l'aide d'un petit instrument, il s'agit d'inciser la membrane qui contient les eaux. Cette intervention est totalement indolore, vous ressentirez simplement l'écoulement d'un liquide en haut des cuisses. La sage-femme ou le médecin s'intéresse à la couleur du liquide. S'il est transparent et clair ou légèrement jaune, tout va bien ; s'il est très jaune ou verdâtre, il peut signifier soit que l'enfant a émis une selle de méconium ou qu'il y a souffrance fœtale. L'examen des courbes données par le monitoring et l'analyse du liquide, pour déterminer s'il contient des germes, donneront une indication de diagnostic. ∎

Accoucher sur rendez-vous

La future maman a rendez-vous à la maternité. La veille, il est recommandé de faire un repas léger, de prendre un bon bain et un léger laxatif, et de bien se reposer. À son arrivée à la maternité, ses analyses de sang sont vérifiées, ainsi que la manière dont se présente l'enfant. La différence essentielle avec un accouchement « normal » tient essentiellement au geste volontaire qui consiste à rompre la poche des eaux lorsque le col de l'utérus est « mûr ». Dans certains cas, le travail se met en route spontanément, mais beaucoup plus souvent le médecin met en place une perfusion d'ocytocine pour accélérer l'apparition des contractions. Puis il installera le monitoring. C'est l'utilisation de l'ocytocine, le plus précocement possible, qui favorise la réduction du temps total de travail. Elle donne en effet aux contractions une efficacité optimale. ∎

Des étapes bien marquées

L'ACCOUCHEMENT COMMENCE SOUVENT DE LONGUES HEURES AVANT LA NAISSANCE. Il se décompose en deux phases : la première est la dilatation, qui comprend la dilatation lente jusqu'à 6 cm d'ouverture du col et la dilatation rapide jusqu'à 10 cm ; la seconde est l'expulsion qui est suivie de la délivrance.

Le travail

Au cours du travail, la future maman ressent tout d'abord des contractions (p. 335). Elles apparaissent de façon intermittente et sont plus ou moins rapprochées et douloureuses. Ensuite, elles vont être de plus en plus longues. Pour un premier accouchement, l'ouverture du col se fait, en principe, à raison d'un centimètre toutes les heures et de deux centimètres pour un second. En fin de travail, elles se renouvellent toutes les 2 ou 3 minutes. Elles favorisent l'effacement et l'ouverture du col utérin et la sortie de l'enfant. La dilatation du col doit se faire régulièrement, progressivement. La sage-femme en apprécie l'ouverture en centimètres. Pour permettre le passage de la tête de l'enfant, la dilatation doit être complète, soit une ouverture de 10 ou 11 cm.

Le processus de la « descente » du bébé

L'enfant va commencer sa descente. Il engage sa tête dans le col et descend dans le bassin. Pour passer le détroit creux et dur que constitue le bassin osseux, l'enfant doit placer sa tête de manière oblique pour passer dans l'espace le plus large du bassin. Il présente ainsi le diamètre de son crâne le plus petit. Il lui faut donc fléchir la tête et appuyer son menton contre sa poitrine.

Le diamètre le plus étroit de la tête de l'enfant est normalement de 9,5 cm et le passage du bassin est d'environ 12 cm. Les os du crâne de l'enfant n'étant pas soudés, sa tête s'adapte au passage dans le bassin maternel. C'est ce qui donne parfois à la tête des bébés qui viennent de naître une forme ovoïde caractéristique. Dans les heures qui suivent, le crâne reprend sa forme normale.

Pousser l'enfant vers l'extérieur

L'enfant va alors descendre dans le bassin osseux plus ou moins lentement. Puis il atteint la partie inférieure du bassin pour passer le « détroit inférieur ». Alors, il va devoir tourner sa tête qu'il avait passée obliquement dans le « détroit supérieur ». C'est le moment pour la mère de se mettre en position gynécologique et, souvent, celui où elle ressent l'envie de pousser. Mais elle doit attendre que la tête de l'enfant descende dans le vagin et qu'elle touche le plancher pelvien, déclenchant ainsi une envie de pousser encore plus forte. C'est lorsque la dilation est complète, soit à dix centimètres, que la sage-femme ou le médecin demande à la future maman d'agir de façon à accompagner la sortie du bébé par des efforts d'expulsion (p. 334) ; à chaque contraction, elle va pousser l'enfant vers l'extérieur.

La tête du bébé remplit la totalité du vagin ; grâce au coccyx, elle va se redresser et prendre la direction de la vulve. Le périnée distendu enserre la tête du bébé.

Le rôle du médecin ou de la sage-femme est d'aider l'enfant à naître tout en évitant aux tissus de se déchirer (p. 343). ∎

1ER MOIS

2E MOIS

3E MOIS

4E MOIS

5E MOIS

6E MOIS

7E MOIS

8E MOIS

9E MOIS

LA NAISSANCE

LES 1RES SEMAINES DE MAMAN

LES 1RES SEMAINES DE BÉBÉ

GROSSESSES DIFFÉRENTES

ANNEXES

Les étapes de l'expulsion

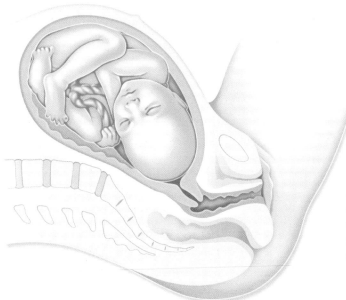

Le bébé est prêt à naître. Les contractions d'abord irrégulières deviennent de plus en plus rapprochées. Le travail commence.

Sous l'effet des contractions, le bébé est poussé en avant, effaçant peu à peu le col de l'utérus.

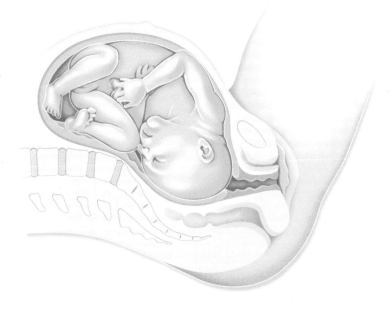

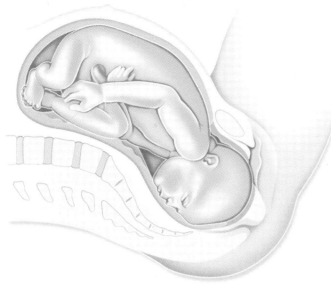

Le col est complètement dilaté.
Le haut du crâne apparaît.

1ᴱᴿ MOIS

2ᴱ MOIS

3ᴱ MOIS

4ᴱ MOIS

5ᴱ MOIS

6ᴱ MOIS

7ᴱ MOIS

8ᴱ MOIS

9ᴱ MOIS

**LA
NAISSANCE**

LES 1ᴿᴱˢ
SEMAINES
DE MAMAN

LES 1ᴿᴱˢ
SEMAINES
DE BÉBÉ

GROSSESSES
DIFFÉRENTES

ANNEXES

C'est le moment de pousser.
La tête du bébé distend la
vulve, le dégagement
commence.

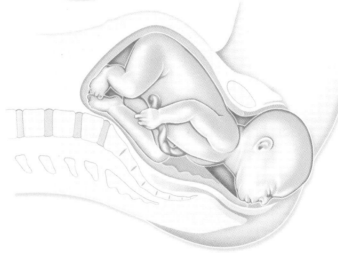

La tête est passée. Le médecin ou
la sage-femme positionne le bébé
pour aider au dégagement de
l'épaule. Le reste du corps suivra
très vite.

333

Yoga et sophrologie

On ne s'improvise pas yogi au moment de l'accouchement. C'est la pratique du yoga tout au long de la grossesse qui va vous aider à surmonter l'étape de la naissance. Cette discipline, par son pouvoir relaxant et grâce à l'assouplissement des muscles et des articulations, va vous permettre de combattre la douleur. Ainsi, par cette technique, vous avez la possibilité de faire naître en vous des sensations dérivatives : vous pouvez évoquer des images reposantes et calmes, faire intervenir votre odorat, votre ouïe ou votre goût. Vous pouvez aussi avoir recours au massage pratiqué par un tiers ou à l'auto-massage que vous associerez à certaines postures. Vous pouvez encore vous concentrer sur vos contractions pour les rendre plus efficaces ou préférer une relaxation profonde et relâcher la totalité de vos muscles. Les exercices de respiration et de relaxation vont vous permettre de vaincre votre angoisse et de calmer les douleurs de l'enfantement. La respiration ample, calme et lente agit en profondeur. Elle décrispe tout le corps. Le relâchement musculaire bien maîtrisé permet un assouplissement très net du périnée, ce qui réduit le temps de dilatation et amène l'expulsion en quelques poussées. Si vous êtes bien entraînée, il est même possible d'obtenir une véritable analgésie grâce à la technique dite de « sophro-substitution sensorielle », utilisée quand on pratique la sophrologie et qui consiste, lorsque vous êtes en état de relaxation très profonde, à prendre conscience d'une sensation spontanément ressentie (comme la chaleur), puis de la remplacer par une autre (la fraîcheur). Cette technique facilite des interventions telles que l'épisiotomie ou le recours aux forceps. ∎

La respiration lors de l'expulsion

Pour l'expulsion, vous aurez besoin d'une respiration bloquée. C'est le fameux conseil : « Inspirez, bloquez, poussez. » Au moment où vous sentez la contraction venir, vous devez prendre une grande inspiration suivie d'une profonde expiration pour bien vider les poumons et reprendre, bouche fermée, une grande inspiration et la bloquer tout en poussant.

À la fin de la contraction, expirez puis prenez une inspiration importante, suivie d'une expiration totale et reprenez une respiration normale. On conseille aux jeunes mamans de tenir leur respiration 30 secondes environ pour ne pas trop fatiguer le cœur. Là encore, il existe une autre méthode. Elle se définit par un « Inspirez, bloquez, poussez » juste au début de l'expulsion puis par un simple « Inspirez, bloquez » en soufflant lentement.

L'enfant exerce une forte pression sur le périnée, ce qui provoque le réflexe de poussée et lui permet de se propulser dehors. Cette respiration est particulièrement efficace lorsque la mère peut s'étirer en s'accrochant soit à une barre soit à des poignées latérales. La sage-femme peut aussi l'aider en la soutenant par les aisselles. ∎

L'acupuncture comme aide à l'accouchement

Au cours de la grossesse, la future maman a accumulé un maximum d'énergie dans son bassin. Celle-ci est indispensable au développement du bébé. L'accouchement est le résultat d'un déséquilibre général d'énergie. L'acupuncture peut donc intervenir sur celui-ci et prévenir les accouchements prématurés, ou déclencher une naissance dont le terme est dépassé. Cette méthode ne faisant appel à aucun médicament, elle pourra être relayée ou associée, au besoin, à la prise de médicaments ou à une anesthésie péridurale ou générale. ∎

Puissance et rythme

LES CONTRACTIONS DES MUSCLES DE L'UTÉRUS sont généralement douloureuses et vont en s'amplifiant au cours de l'accouchement. Leur intensité varie avec la progression de l'enfant, en fonction de sa position mais aussi selon votre sensibilité, votre état nerveux et votre degré de fatigue.

Physiologiquement incontrôlables

L'utérus est un muscle creux dont les fibres sont disposées en trois couches superposées dans des directions contraires. Cette anatomie est idéale pour produire le maximum de poussées au moment de l'expulsion.

Les contractions sont indépendantes de votre volonté, tant sur le plan de l'intensité que celui de la fréquence. L'utérus se contracte automatiquement comme le muscle cardiaque. L'ordre de fonctionnement est donné par un centre nerveux qui serait situé dans les couches profondes du cerveau. Mais l'écorce cérébrale de surface, siège de la conscience et de la volonté, joue un rôle sur la manière dont on supporte la douleur. D'où la nécessité de la préparation à l'accouchement (pp. 240-243).

Certaines mères ressentent les contractions comme une simple crispation, d'autres comme une brûlure ou comme une colique, d'autres encore comme une forte pression extérieure. Enfin, pour certaines femmes, la douleur se situe au niveau des reins (p. 341).

Plus ou moins douloureuses

Pour les unes, les contractions sont immédiatement douloureuses, pour les autres, elles le deviennent à mesure que le travail de l'accouchement progresse. Il n'y a pas vraiment d'égalité entre les femmes, certaines ont des con-tractions ni trop longues, ni trop douloureuses, ni trop rapprochées et pourtant efficaces. En revanche, le rythme est le même pour toutes les femmes : les contractions sont de plus en plus rapprochées, régulières, et intenses. Elles sont d'abord ressenties toutes les 20 ou 25 minutes, puis tous les quarts d'heure, puis, enfin, toutes les 5 minutes.

Au cours du travail de la dilatation, elles vont durer 40 à 60 secondes, toutes les 2 minutes. Après la naissance de l'enfant, au moment de l'expulsion du placenta, elles sont moins douloureuses et plus courtes (p. 359). Elles peuvent encore se produire au moment de la mise au sein. Elles permettent alors à l'utérus de retrouver son volume initial (p. 358).

Le plus difficile, lorsque survient la contraction et pendant, est de rester détendue. Seul le muscle utérin doit se contracter, tous les autres muscles devant être au repos. Vous ne devez pas lutter, mais au contraire la laisser vous envahir. Plus vous résistez, plus elle est douloureuse et moins elle est efficace sur la dilatation du col de l'utérus. ▪

> " Il est temps de partir pour la maternité lorsque les contractions surviennent toutes les 5 minutes et durent 1 minute. „

1ER MOIS

2E MOIS

3E MOIS

4E MOIS

5E MOIS

6E MOIS

7E MOIS

8E MOIS

9E MOIS

LA NAISSANCE

LES 1RES SEMAINES DE MAMAN

LES 1RES SEMAINES DE BÉBÉ

GROSSESSES DIFFÉRENTES

ANNEXES

Les contractions*en savoir plus*

Voici les attitudes qui peuvent vous aider ; elle peuvent se faire en partenariat avec le conjoint, une amie ou l'un des membres du personnel médical.

Lorsque les contractions commencent, prenez appui sur le futur papa ; ses bras entourant votre corps, il peut vous masser le dos.

Assise, menton dans la poitrine, mains dans la pliure des genoux ; au moment de la contraction, tirez sur les mains, après la contraction, reposez-vous sur les oreillers.

Au moment de l'expulsion, vous pouvez vous accroupir, le haut du corps soutenu par votre compagnon. Cette posture facilite la descente du bébé puisque le corps est en position verticale.

À genoux sur un oreiller, le haut du corps repose sur un plan élevé.

Pour mieux se contrôler

POURQUOI FAUT-IL APPRENDRE À RESPIRER POUR BIEN ACCOUCHER ? Parce qu'une bonne respiration favorise une bonne irrigation des tissus et notamment des tissus musculaires et leur apporte l'oxygène indispensable à un bon travail.

Respiration et contractions

Au cours de l'accouchement, l'utérus, sous l'effet des contractions, produit de l'acide lactique. Celui-ci provoque des sensations locales douloureuses. Seule une respiration régulière assure une parfaite irrigation. Contrôler sa respiration, c'est aussi contrôler mentalement son corps, donc ne pas se laisser submerger par celui-ci.

Au début du travail, lorsque les contractions sont faibles et courtes, les sages-femmes conseillent une respiration profonde et lente tout au long de la contraction. L'inspiration apporte l'oxygène, l'expiration élimine les toxines. La contraction, comme tout effort musculaire, entraîne une accélération naturelle de la respiration. Au moment de la contraction le mieux est de vous détendre et de respirer calmement. Quand les contractions deviennent plus fortes, vous modifiez légèrement votre respiration. Au moment de la montée de la contraction, prenez une grande inspiration, l'air entre sans forcer dans votre bas-ventre, puis expirez profondément et longuement sans contracter vos abdominaux. Imaginez que vous cherchez à éteindre une bougie tout doucement et que vous expirez par votre vagin. Si la contraction n'est pas passée, prenez une inspiration normale et expirez en douceur.

Entre les contractions, reprenez votre respiration habituelle. À aucun moment vous ne devez éprouver la sensation de manquer d'air. Tout au long de la contraction, concentrez-vous sur votre respiration et sur ce qui se passe dans votre corps.

L'accouchement est imminent

Après la dilatation, dans la phase de la naissance, vous devez contrôler votre respiration pour éviter de pousser. Cela se produit lorsque la tête du bébé est engagée. Vous adopterez alors une respiration lente.

Soufflez vers le bébé pour lui donner de l'énergie, celle de sortir à l'air libre. Votre corps pousse efficacement lorsque vous bombez le bas de votre ventre et votre périnée. Vous devez faire l'inverse de la respiration adoptée naturellement pour aller à la selle qui consiste à pousser le ventre vers l'intérieur en retenant sa respiration. Toute la partie de votre corps située sous la tête du bébé doit être ouverte.

Les bonnes positions

En l'absence de contre-indication médicale, il est recommandé de marcher et de bouger en gardant le plus possible une position verticale. Celle-ci accélère le travail notamment par des prises d'appui au moment des contractions et par des positions favorisant la flexion en avant du tronc. Ces positions aident à mieux supporter la douleur, le poids de l'utérus appuyant moins sur le sacrum, favorisent l'ouverture du col et rendent donc l'accouchement plus rapide. Autre solution, à quatre pattes : le ventre étant libre, le bassin a une meilleure rotation et le bébé se positionne mieux. En vous balançant d'un côté puis de l'autre, vous l'aiderez à trouver l'ouverture maximale. Il semble encore que la pesanteur due aux positions verticales contribue à la descente du bébé. ∎

1ᴱᴿ MOIS

2ᴱ MOIS

3ᴱ MOIS

4ᴱ MOIS

5ᴱ MOIS

6ᴱ MOIS

7ᴱ MOIS

8ᴱ MOIS

9ᴱ MOIS

LA NAISSANCE

LES 1ᴿᴱˢ SEMAINES DE MAMAN

LES 1ᴿᴱˢ SEMAINES DE BÉBÉ

GROSSESSES DIFFÉRENTES

ANNEXES

Le stress et l'inconscient

Comment le stress augmente-t-il la douleur ? On sait qu'il engendre la production d'adrénaline qui diminue la production d'endorphine. Elle aide à supporter la douleur, elle accélère le rythme cardiaque et le rythme respiratoire et surtout contrarie la stimulation de l'ocytocine sur le muscle utérin. La future maman panique, souffre de tremblements de tétanie, devient incapable de respirer efficacement. C'est ainsi que le stress peut interrompre complètement le travail de l'accouchement. La dilatation ne reprendra qu'une fois la future maman calmée. C'est souvent le rôle de la sage-femme de lui permettre de reprendre une respiration adaptée. Si ces gestes ne suffisent pas, la future maman pourra être calmée par l'administration de tranquillisants, ou le médecin programmera un accouchement sous analgésie. L'inconscient joue aussi un rôle non négligeable au moment de l'accouchement. Selon l'histoire de chaque femme, ce sont des souvenirs plus ou moins heureux qui peuvent remonter à la mémoire. Ils auront alors une influence sur l'instant vécu. Bien évidemment, la « qualité » des réminiscences aidera à surmonter douleur et fatigue, ou au contraire aura tendance à augmenter stress et angoisse. La préparation à l'accouchement, les rencontres avec un personnel soignant disponible devraient permettre à la future maman d'exprimer ses craintes et ses angoisses avant le jour de la naissance. ∎

Un mal positif... ou négatif

Bien des futures mamans considèrent les douleurs de l'enfantement comme normales donc supportables. Pour elles, c'est une étape à franchir pour devenir mère. C'est une douleur naturelle, « positive ». Ce qui explique encore que ces femmes n'ont pas réellement le souvenir d'avoir souffert. La joie de faire connaissance avec leur enfant, le plaisir des jours qui suivent la naissance effacent les moments difficiles. Pour d'autres, au contraire, la douleur de l'accouchement est mal surmontée et peut même laisser des traces : difficultés relationnelles mère-enfant, difficultés dans le couple, voire refus d'une autre maternité. ∎

La douleur : intense et variable

1ER MOIS

2E MOIS

3E MOIS

4E MOIS

5E MOIS

6E MOIS

7E MOIS

8E MOIS

9E MOIS

LA
NAISSANCE

LES 1RES
SEMAINES
DE MAMAN

LES 1RES
SEMAINES
DE BÉBÉ

GROSSESSES
DIFFÉRENTES

ANNEXES

ACCOUCHEMENT ET DOULEUR SONT INTIMEMENT LIÉS. Pourtant, selon les femmes, les circonstances ou la tension nerveuse, la douleur est plus ou moins forte et plus ou moins bien supportée. On estime de 5 à 10 % le nombre d'accouchements spontanés dont les mères disent ne pas avoir souffert.

Une réaction différente

Pour certaines, le travail est rapide et violent et la jeune maman n'a pas le temps de récupérer entre les contractions. Très souvent, ces femmes sont submergées par la douleur et ont le sentiment, après la naissance, de n'avoir pas vécu leur accouchement. Pour d'autres, la douleur s'éternise, le col ne se dilate plus, tout le bas de leur ventre est douloureux, ainsi que leurs jambes. Leur seul souhait est d'en finir au plus vite.

Différente selon les phases

Dans la phase de dilatation, la douleur est dépendante des contractions, elle est donc intermittente et de durée variable. Elle s'explique par la distension des muscles du col de l'utérus et par le travail de l'utérus lui-même. Ce muscle est très innervé et toutes les modifications qu'il subit au cours de l'accouchement sont douloureuses. L'utérus se comporte comme tout muscle soumis à un effort : il brûle de l'oxygène en libérant des toxines et des déchets, ce qui cause la douleur. Dans la phase de l'expulsion, la douleur est continue. Elle est provoquée par la distension des muscles du périnée et du vagin. À cela s'ajoute dans certains cas une compression des terminaisons nerveuses au niveau de la moelle épinière dans les accouchements dits « par les reins » (p. 341). C'est la tête du bébé qui appuie alors sur cette région de la colonne vertébrale.

Sous l'influence de l'anxiété

Le seul moyen pour faire disparaître complètement la douleur est l'analgésie péridurale mais cette méthode d'accouchement a des contre-indications (p. 347). On sait pourtant que différents facteurs accentuent l'intensité de la douleur et la rendent moins supportable ; ainsi, la puissance des contractions, la rigidité du col, la fatigue physique, tout comme le volume du bébé à naître ont leur importance.

À cela s'ajoutent l'anxiété, surtout lors d'un premier accouchement, mais aussi le manque de soutien affectif familial ou, plus simplement, l'impression d'une certaine indifférence de la part de l'équipe médicale.

Dans ces circonstances, la future maman est très fragile psychiquement. La moindre réflexion faite par son entourage, le moindre « reproche » de l'équipe médicale accentuent alors son stress. Tout son corps se contracte, le col de son utérus aussi et la douleur devient plus intense. ■

" Même si le suivi de la grossesse a été parfait, même si la confiance dans l'équipe médicale est solide, plus de la moitié des futures mamans redoutent de souffrir au moment de l'accouchement. ,,

Des valeurs différentes pour chacune

Tous les humains ne sont pas égaux devant la douleur : certains la ressentent plus fortement que d'autres. Cette différence provient de l'équipement nerveux de chaque individu. Les personnes particulièrement sensibles à la douleur ont, soit des terminaisons nerveuses chargées de la réception de l'information «douleur» très sensibles, soit un centre nerveux captif hyper-réceptif. La peur, l'un des facteurs de la douleur, est liée tout particulièrement à la méconnaissance du phénomène physique de l'accouchement. C'est pourquoi la première façon de lutter contre cette souffrance de l'accouchement est d'en connaître le mécanisme. Anne-Marie Bonnel, chargée de recherche au CNRS, a étudié la douleur et son expression lors du travail de l'accouchement. Après avoir observé des centaines de femmes, elle a relevé une constante dans la manière d'exprimer la douleur (mis à part celle du langage) et un ordre d'apparition de ces manifestations, identique quels que soient les origines ou l'âge de la mère. Elle a ainsi établi une échelle de valeur. Au stade I, la future maman, sous l'effet de la douleur des premières contractions, modifie sa respiration. Au stade II, les mains de la mère se referment sur elles-mêmes à chaque contraction.

Au stade III, la contraction des mains est permanente. Au stade IV, on observe une agitation, avec des mouvements brusques et incontrôlés. Toutes les accouchées ne manifestent pas les signes des deux derniers stades et la durée de chaque stade est variable d'une femme à l'autre. Cependant, lorsque l'on étudie ce que disent les mères en fonction de cette échelle d'intensité on s'aperçoit qu'elles surestiment toujours la douleur, mais que les femmes ayant suivi les cours de préparation à l'accouchement ont des appréciations plus proches de la réalité. ■

La méthode Bonapace

C'est une méthode de massage mise au pont par une Québécoise, Julie Bonapace, dont les applications scientifiques ont été largement vérifiées. Cette méthode repose sur la compréhension du rôle de la douleur dans le corps, de ses mécanismes de transmission, notamment le rôle des endorphines, ces hormones secrétées naturellement par le corps pour atténuer la douleur. Elle consiste à enseigner au conjoint de la future maman ou à toute autre personne susceptible de l'accompagner au cours de son accouchement, la stimulation douloureuse de certaines zones sensibles du corps, appelées «points gâchettes», et le massage non douloureux des zones douloureuses. Ces stimulations ont la vertu de provoquer la production d'endorphines. ■

Les vertus du massage

Au cours du travail, le massage à mains nues ou avec une huile essentielle peut aider à la décontraction et donner à la future maman une sensation de bien-être. Un massage léger des jambes et des bras décontracte les muscles « noués » du corps. Un massage des reins, du bassin et du sacrum soulage les douleurs lombaires. Selon les maternités, ces massages sont effectués par une sage-femme, souvent celle qui a suivi la future maman au cours de la préparation à la naissance, ou le père. Sa présence et le contact peau à peau sont presque toujours d'un grand réconfort.

Ces massages soulagent notamment les douleurs d'un accouchement par les reins. On masse la colonne vertébrale pendant toute la durée de la contraction en position assise, penchée en avant ou couchée sur le côté en chien de fusil. ■

Des anesthésies pour soulager les contractions

MIS À PART L'ANESTHÉSIE GÉNÉRALE ET LA PÉRIDURALE, il existe d'autres moyens de lutter contre la douleur. Certains sont connus dans toutes les maternités d'autres sont plus rares.

L'anesthésie par inhalation

On peut y avoir recours lorsque la mère a bien établi le rythme des contractions. L'équipe médicale met à sa disposition un masque relié à une bouteille de gaz. Celle-ci contient un mélange de produits analgésiques (du protoxyde d'azote mélangé à de l'oxygène). Trente secondes avant la contraction, elle applique le masque sur sa bouche et sur son nez. Les contractions deviennent ainsi moins douloureuses à condition que la future maman n'ait pas perdu le rythme des respirations. Cette méthode peut être aussi d'une grande efficacité en cas d'épisiotomie mais le masque ne peut rester en permanence sur le visage.

Par influx nerveux

L'action du *Transcutaneous Electrical Nerve* (TENS) s'appuie sur les recherches faites sur la transmission de la douleur. Elle consiste à stimuler électriquement certaines fibres nerveuses à travers la peau. Les électrodes, utilisées notamment pour combattre les douleurs lombaires, sont installées dans le dos de la patiente au niveau même où elles se manifestent.

L'appareil semble surtout efficace pour soulager les contractions du début du travail et plus fiable pour les femmes ayant déjà accouché. Les médecins affirment que l'efficacité de cette technique est bien meilleure si la patiente règle elle-même l'intensité et l'amplitude de l'impulsion électrique. S'il lui est possible de contrôler le fonctionnement de l'appareil lorsque les contractions sont encore bien supportées, mieux vaut que la sage-femme, l'anesthésiste ou l'accoucheur prenne le relais au moment des contractions les plus fortes. En effet, les futures mamans se contrôlent alors moins bien et sont incapables d'une manipulation fine de l'appareil. Cette électrostimulation peut s'interrompre à tout moment si besoin. Le TENS est très utilisé en Angleterre mais très peu en France.

La réflexothérapie lombaire

Elle est surtout efficace pour les mères accouchant « par les reins ». La méthode consiste à injecter de l'eau distillée, mélangée à un anesthésique local, à la jonction du bord inférieur de la dernière côte et de la masse musculaire lombaire. Cette injection ne perturbe pas les contractions qui, elles, restent douloureuses. Seules les douleurs lombaires disparaissent au moins pour une heure. Au besoin, l'injection peut être renouvelée.

Les douleurs lombaires lors d'un accouchement « par les reins » peuvent être telles que les contractions utérines ne sont plus senties. Cette douleur a pour origine la pression de la tête de l'enfant sur les terminaux nerveux situés au niveau du sacrum, en bas du dos de la mère, et elle est accentuée à chaque contraction de l'utérus qui comprime les nerfs rachidiens. Cette position du bébé est tout à fait normale, elle est qualifiée de droite ou gauche postérieure. Ce sont généralement des accouchements très longs et fort douloureux. ∎

1ER MOIS

2E MOIS

3E MOIS

4E MOIS

5E MOIS

6E MOIS

7E MOIS

8E MOIS

9E MOIS

LA NAISSANCE

LES 1RES SEMAINES DE MAMAN

LES 1RES SEMAINES DE BÉBÉ

GROSSESSES DIFFÉRENTES

ANNEXES

L'épisiotomie *en savoir plus*

Des suites un peu douloureuses

Pendant les 48 heures qui suivent l'intervention, cette partie du corps peut être sensible. La douleur est d'autant plus difficile à supporter que la jeune maman, fatiguée, voudrait en avoir fini avec toutes les misères de l'accouchement et n'avoir à se préoccuper que de son bébé.

Dans certains cas, à cette douleur se mêle celle du bassin et d'une poussée d'hémorroïdes. La douleur est forte pendant la marche, dans d'autres cas elle est telle qu'il faut installer sous les fesses de la maman un rond de caoutchouc ou un bloc de mousse pour éviter le frottement de la cicatrice sur le drap. Les médicaments antidouleurs doivent être prescrits systématiquement. ∎

Une utilisation modérée

Selon les médecins français, il faudrait ne pas dépasser le taux de 30 % d'épisiotomies. Or aujourd'hui, 48 % des femmes subissent cette intervention dont 71 % quand elles accouchent pour la première fois. Elle est, dit-on, faite pour éviter une déchirure, une fonction de plus en plus contestée. Elle ne doit plus être systématique. Par contre, elle est réellement indispensable dans 10 % des cas, lorsque la naissance doit être accélérée ou que le périnée risque une déchirure profonde. ∎

Il faut recoudre

Après la délivrance, sous anesthésie locale ou sous anesthésie générale péridurale si elle a été installée avant l'accouchement, le médecin recoud les différentes couches de tissus qui ont été sectionnées : le vagin et le plan musculaire avec des fils résorbables ; la peau sera recousue avec un fil résorbable parfois, plus souvent avec un fil ou des agrafes qu'il faudra enlever après cicatrisation (celle-ci se fait en 5 ou 6 jours) et avant la sortie de la maternité. Cette ablation des fils n'est pas douloureuse, tout au plus légèrement désagréable avec parfois de petits picotements, et se fait sans anesthésie. ∎

∎ MON AVIS

Pour moi, il ne doit pas y avoir d'épisiotomie systématique et, dans l'idéal, aucune déchirure du périnée d'ailleurs. Mais il vaut mieux une épisiotomie bien faite qu'une déchirure. Disons qu'a priori, l'accoucheur va essayer de ne pas la faire mais la décision se prendra au dernier moment en fonction de la tension des tissus, et cela on ne peut pas le prévoir. Une épisiotomie de 2 cm se répare en cinq jours et, dès que les fils sont enlevés, c'est terminé ! Une déchirure, c'est autre chose : certaines peuvent atteindre le sphincter anal. Incontestablement, si aujourd'hui les femmes souffrent moins de délabrement pelvien, c'est parce que les équipes obstétricales font très attention au périnée, qu'elles pratiquent les épisiotomies quand cela est nécessaire et, sans doute aussi, parce que les femmes ont moins d'enfants. Enfin, il faut savoir qu'une épisiotomie pour une première naissance n'en implique pas une autre pour un deuxième accouchement : les tissus sont légèrement distendus et gardent de manière tout à fait surprenante « la mémoire » du passage de la tête du bébé. Les sages-femmes et les médecins accoucheurs sont généralement très fiers d'avoir réussi à faire naître un bébé sans épisiotomie. ∎

Faciliter le passage

1ᴱᴿ MOIS

2ᴱ MOIS

3ᴱ MOIS

4ᴱ MOIS

5ᴱ MOIS

6ᴱ MOIS

7ᴱ MOIS

8ᴱ MOIS

9ᴱ MOIS

LA
NAISSANCE

LES 1ᴿᴱˢ
SEMAINES
DE MAMAN

LES 1ᴿᴱˢ
SEMAINES
DE BÉBÉ

GROSSESSES
DIFFÉRENTES

ANNEXES

L'ÉPISIOTOMIE EST UNE INCISION VOLONTAIRE de l'anneau vulvaire sur le périnée, dernier obstacle que doit franchir l'enfant. Elle est pratiquée au moment même de la sortie de l'enfant, lorsque l'orifice vulvaire se révèle trop étroit, afin d'éviter une déchirure des tissus, toujours plus délicate à réparer qu'une coupure nette.

Au bon moment

Les obstétriciens sont unanimes à dire qu'elle ne doit pas être systématique. Pourtant elle est courante lors d'un premier accouchement et lorsque l'accoucheur utilise les forceps mais ce n'est pas une obligation. Elle est recommandée lorsque l'enfant ne se présente pas par la tête, et parfois lorsque l'accouchement est prématuré : dans ce cas, il est essentiel de réduire le temps d'expulsion afin que le bébé, déjà fragile, ne souffre pas.

L'épisiotomie doit être pratiquée ni trop tôt ni trop tard. Trop tôt, elle est inefficace et trop importante, trop tard, elle ne prévient plus les lésions des muscles et du périnée qui peuvent être atteints.

L'incision est faite en biais aux ciseaux ou au bistouri. Le médecin ou la sage-femme sectionne franchement, latéralement, le périnée sur 2 ou 3 cm au moment d'une contraction ou d'un effort expulsif.

Différentes épisiotomies

Il existe deux types d'incision :

• L'épisiotomie médiane augmente le diamètre antéro-postérieur de la vulve. Elle est facile à réparer et peu hémorragique, mais peut entraîner des complications rectales importantes en cas de déchirure associée.

• L'épisiotomie médio-latérale libère bien le passage. Elle est la plus communément réalisée. Elle a l'avantage de pouvoir être agrandie en cas de besoin.

Certaines femmes semblent plus prédisposées que d'autres à cette intervention: les rousses, les blanches, bref les femmes à peau fragile, les sportives qui ont des muscles durs, celles qui ont pris trop de poids ou celles qui ont un périnée court. La taille et le poids du bébé ont aussi de l'importance.

Selon les praticiens, l'épisiotomie est faite sous anesthésie locale ou sans anesthésie, en profitant de l'anesthésie physiologique que produit la pression de la tête du bébé sur les tissus. De nombreuse sages-femmes souhaitent l'éviter en demandant aux futures mamans une bonne préparation périnéale au cours de la grossesse (p. 212) et en laissant l'expulsion prendre le temps qu'il faut pour que les muscles soient totalement distendus.

Il semble que le massage régulier quelques minutes plusieurs fois par semaine préparerait les tissus à la distension due au passage de la tête du bébé et réduirait d'un tiers les épisiotomies.   ●

❝30 % des femmes souffrent d'incontinence urinaire après leur accouchement et l'épisiotomie n'y change rien. ❞

343

La péridurale *en savoir plus*

Insensible à la douleur

Parfois, la durée du travail est même réduite par la péridurale. En effet, l'absence de douleur évite le spasme du col de l'utérus et la résistance du périnée, le travail alors progresse vite et de façon régulière. Tout comme pour un accouchement sans anesthésie, vous êtes installée en position gynécologique d'accouchement lorsque le col de l'utérus est à dilatation complète. Les douleurs de l'expulsion n'existent pas sous péridurale ; tout au plus, l'envie de pousser est-elle ressentie très faiblement. La péridurale permet aujourd'hui d'éprouver la sensation unique de sentir son bébé passer hors du corps. Cette possibilité est due à la nouvelle formule du cocktail anesthésiant qui supprime la douleur et garde les sensations. En effet, les doses de liquide anesthésique ont été diminuées pour être complétées par un peu de morphine. C'est pourquoi on parle pour la péridurale d'analgésie et non d'anesthésie. Le cocktail est ajusté selon les réactions de la future maman. Ainsi, certaines sont sensibles à de petites quantités de médicaments alors que d'autres ont besoin de beaucoup plus. L'anesthésie évalue donc la dose à injecter sur deux critères : la taille de la future maman et sa réaction à la toute première injection de produit, juste avant la pose du cathéter. ▪

Naissance détendue

La poussée, dans la plupart des cas, se fait sous la conduite de la sage-femme ou du médecin accoucheur. Il n'est pas inutile d'avoir suivi quelques cours de préparation à l'accouchement (p. 240) pour être préparée à l'effort que l'on va vous demander. Bien guidée, totalement insensible à la douleur, vous mettrez votre enfant au monde presque avec le sourire. L'anesthésie péridurale est maintenue jusqu'au moment de la délivrance (p. 359). Si celle-ci doit se faire avec l'intervention de la sage-femme ou de l'accoucheur, il ne sera pas nécessaire d'avoir recours à une anesthésie générale. La péridurale devrait être due à toutes les femmes qui estiment que la douleur n'est pas tolérable. ▪

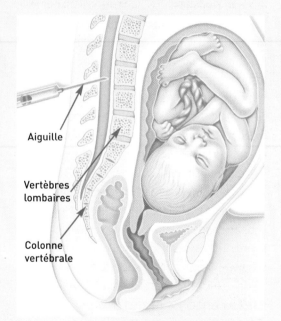

Aiguille

Vertèbres
lombaires

Colonne
vertébrale

Même au dernier moment

La péridurale peut se décider au dernier moment si la dilation avance trop lentement. Par contre il faut aussi que l'anesthésiste soit libre. Elle n'est pas utile en cas d'accouchement rapide notamment pour une seconde naissance car elle n'aurait pas le temps de faire effet. Dans cette situation, l'anesthésiste peut pratiquer une « rachianalgésie » de fin de travail. Elle offre 3 à 4 heures d'accalmie, temps largement nécessaire pour que l'enfant naisse. ▪

La péridurale

LA PÉRIDURALE RENCONTRE DE PLUS EN PLUS DE SUCCÈS. Aujourd'hui, en France, il semble que les deux tiers des accouchements se déroulent avec son aide et, dans certains centres hospitalo-universitaires, 80 à 90 % des futures mamans la demandent. Elles souhaitent ainsi ne pas souffrir au moment de l'accouchement et profiter pleinement de la naissance de leur bébé.

Un protocole précis

Cet acte médical est remboursé par la Sécurité sociale. Seul problème, le manque de médecins anesthésistes. En effet, toute péridurale doit être effectuée et contrôlée par un spécialiste.

Si vous avez choisi ce type d'anesthésie, voici comment vont se passer les choses. Généralement, l'analgésie péridurale est mise en place alors que la dilatation du col de l'utérus se situe aux environs de 3 cm mais en fait c'est l'intensité de la douleur qui décide.

Le médecin anesthésiste vous demande de vous asseoir, de faire le dos rond et de baisser les épaules ou bien de vous allonger en chien de fusil. Ces deux positions ont l'avantage d'écarter les vertèbres, donc de faciliter l'injection du produit anesthésiant. Dans tous les cas, le praticien vous demandera d'observer une immobilité totale pendant quelques minutes.

Généralement, l'intervention se fait entre deux contractions pour plus de confort. L'anesthésiste pratique d'abord une anesthésie locale. Après s'être assuré que celle-ci produit son effet, il repère l'espace péridural (p. 192), et installe un cathéter qui diffuse le produit anesthésiant tout au long de l'accouchement.

Dans certains cas, il fait directement une injection de produit anesthésique, qui limite l'anesthésie à 4 heures environ c'est ce qu'on appelle une rachianesthésie.

Sous contrôle permanent

La péridurale exige un contrôle permanent de la tension, qu'elle a tendance à faire baisser. Aussi installe-t-on un appareil de contrôle sur un bras de la future maman, alors que sur l'autre, on pose une perfusion qui permettra d'assurer la régularisation des contractions et d'intervenir rapidement en cas de chute de tension.

L'injection du liquide analgésiant suscite tout au plus une impression de distension non douloureuse, et 10 à 20 minutes après l'installation de la péridurale, vous ne souffrez plus de la douleur des contractions, et tout le bas de votre corps est insensibilisé… Vous ressentirez peut-être des fourmillements et une impression de chaleur dans les jambes. Le bon déroulement du travail et la puissance des contractions sont contrôlés par monitoring et par l'équipe médicale (p. 328). La première phase du travail peut être légèrement allongée, mais l'injection, sous perfusion, d'ocytocine va améliorer la qualité des contractions (p. 335). Le cocktail de médicaments utilisé aujourd'hui et son adaptation au seuil de douleur de chaque future maman permettent à chacune d'être active au moment de la naissance, de pousser et de préserver presque toutes les sensations au moment de l'expulsion. Dans certaines maternités, on propose aux femmes une péridurale associée à une pompe qui permet à chacune de doser seule l'analgésie en fonction de ses sensations. ▪

1ER MOIS

2E MOIS

3E MOIS

4E MOIS

5E MOIS

6E MOIS

7E MOIS

8E MOIS

9E MOIS

LA NAISSANCE

LES 1RES SEMAINES DE MAMAN

LES 1RES SEMAINES DE BÉBÉ

GROSSESSES DIFFÉRENTES

ANNEXES

Aucun risque pour le bébé

Les microdoses de produit analgésiant traversent le placenta mais ne semblent pas avoir d'effet sur le bébé et encore moins lui faire courir le moindre danger. En revanche une péridurale un peu surdo-sée peut produire une baisse de la tension arté-rielle chez la mère entraînant des répercussions sur le rythme cardiaque du bébé. C'est en grande partie la raison pour laquelle le monitoring fœtal reste en place en permanence tout au long de la péridurale. ∎

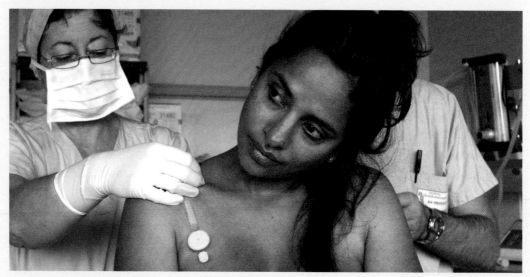

Des petits ratés sans conséquence

Il arrive qu'un seul côté du corps soit insensibilisé, en raison d'une mauvaise diffusion du produit anesthésique. Dans la plupart des cas, on peut remédier à cet inconvénient en pratiquant une seconde injection. Cette deuxième injection n'a pas plus d'inconvénient pour le bébé que la pre-mière. Certaines mamans se plaignent après l'accouchement d'avoir des maux de tête. Ils sont la conséquence d'une petite fuite de liquide céphalo-rachidien hors de l'espace péridural. Ils cèdent au repos, à l'absorption de beaucoup d'eau et à quelques médicaments. D'autres effets secon-daires peuvent être observés. Ils ne sont pas dus aux produits mais à la façon dont ils sont injectés. Atteindre la zone péridurale est un geste technique difficile et dans 0,5 % à 1 % des cas, l'anes-thésiste pique un peu trop loin, créant une brèche dans la dure-mère, l'enveloppe de la moelle épinière. Cette « blessure » provoque un écoulement de liquide céphalorachidien qui est responsable des mots de tête importants notamment en position verticale. Souvent on propose à la maman de boire du café, du thé ou une boisson à base de caféine. Si cela ne suffit pas à calmer les céphalées, le médecin réalise un « blood patch ». Cela consiste à injecter un peu de sang de la mère au niveau de la brèche dont le but est de colmater le trou accidentel. C'est un peu dou-loureux car, au moment de l'injection, il faut atteindre une sensation de pesanteur pour savoir si la quantité de sang nécessaire a bien été injectée. Cette technique est efficace à 80-90 % dès le premier essai. ∎

Pas toujours possible

1ER MOIS

2E MOIS

3E MOIS

4E MOIS

5E MOIS

6E MOIS

7E MOIS

8E MOIS

9E MOIS

LA
NAISSANCE

LES 1RES
SEMAINES
DE MAMAN

LES 1RES
SEMAINES
DE BÉBÉ

GROSSESSES
DIFFÉRENTES

ANNEXES

MALHEUREUSEMENT, TOUTES LES FUTURES MAMANS ne peuvent bénéficier de l'accouchement sous péridurale. Leur désir peut être contrarié par des raisons pratiques tout d'abord. Nombre de maternités ne la prescrivent pas car elle requiert notamment la présence indispensable d'un médecin anesthésiste.

30 % de femmes exclues

Certaines femmes sont allergiques aux produits anesthésiants. Heureusement, il est rare qu'elles le soient à tous. Le médecin anesthésiste procédera alors à un dépistage des produits allergisants. Autre contre-indication à la péridurale : certaines déformations de la colonne vertébrale telles que la scoliose ou l'hyperlordose. Elles ne permettent pas de déterminer exactement la situation des terminaisons nerveuses qui seront insensibilisées par l'injection péridurale. Les troubles de la coagulation sont aussi des contre-indications possibles. La numération sanguine, le taux de plaquettes dans le sang et les facteurs de coagulation font donc partie du bilan sanguin obligatoire pratiqué avant toute péridurale.

Certains problèmes dermatologiques sont encore à examiner particulièrement, notamment lorsqu'ils ont un caractère infectieux et sont localisés à l'endroit où doit avoir lieu l'injection. De même, toute montée de fièvre exclut une péridurale, car elle peut toujours cacher une infection qui n'a pas été encore diagnostiquée.

Lorsque l'anesthésiste n'a plus le temps de pratiquer une péridurale, il reste la rachianesthésie qui en est une variante. Son avantage : elle est rapide ; son inconvénient : elle se pratique en une seule injection non renouvelable. Elle consiste à injecter dans le canal rachidien un liquide qui provoque l'anesthésie du petit bassin par une action directe sur la moelle épinière. Son utilisation permet d'intervenir sans douleur en cas d'utilisation des forceps, de déchirure ou d'épisiotomie.

Le prix de la péridurale

Bien que, depuis peu, la situation se soit améliorée, la France manque de médecins formés à cette spécialité. On compte aujourd'hui 8 000 anesthésistes dont 5 000 sont attachés à des établissements publics et 3 000 à des établissements privés. Comme une péridurale leur demande 5 à 7 heures de présence auprès d'une patiente, ils ne peuvent pratiquement pas multiplier les actes dans une même journée. De plus, le prix du remboursement institué par la Sécurité sociale risque de décourager les vocations dans les établissements publics. Pour les futures mamans, le choix peut être aussi d'ordre économique. Ainsi, dans beaucoup d'établissements privés, une péridurale coûte cher, ce qui laissera à leur charge la différence avec le remboursement de la Sécurité sociale. Mais pour certaines femmes il existe des contre-indications médicales, généralement dépistées au cours de la consultation « pré-anesthésie ». ▪

> **" Les vraies contre-indications médicales ne concernent que 4,8 % des femmes qui accouchent. "**

La césarienne sous péridurale

La pose d'une péridurale ou d'une rachianesthésie pour un accouchement par césarienne ne diffère pas de celle que l'on pratique pour un accouchement simple. En revanche, les produits analgésiques et anesthésiques ainsi que leur concentration sont différents. Ils doivent agir vite et leur action sera constante pendant 1 heure et demie. La future maman est consciente pendant tout le déroulement de l'intervention. On installe cependant le champ opératoire de manière à lui éviter d'être spectatrice.

Avant d'opérer, le chirurgien s'assure de la totale insensibilisation de la patiente. L'enfant est extrait très rapidement et présenté à sa mère qui peut le câliner quelques instants. Ensuite, le chirurgien doit recoudre la plaie. Il est alors souvent indispensable de compléter l'analgésie : cette phase de l'opération est, dans bien des cas, la plus mal vécue physiquement mais heureusement le bonheur de découvrir son bébé l'atténue bien vite. ■

De plus en plus pratiquée

La césarienne fut longtemps pratiquée pour la sécurité de la mère. Aujourd'hui, elle l'est aussi pour celle de l'enfant. Les progrès de la médecine en font une intervention chirurgicale des plus banales. L'incision horizontale que l'on pratique aujourd'hui ne laisse plus de vilaine cicatrice. On estime que l'on peut pratiquer de deux à trois césariennes, voire quatre, sur le même utérus. Si la première incision a dû se faire verticalement, la deuxième le sera également pour des raisons esthétiques. Si la future maman, au cours d'une deuxième grossesse, veut accoucher par les voies naturelles, elle sera mise sous surveillance : une sonde peut être introduite par les voies vaginales dans l'utérus pour mesurer la pression à l'intérieur de celui-ci et permettre d'intervenir à temps si la pression est trop forte. En France, aujourd'hui, près de 1 accouchement sur 5 se déroule par césarienne.

Ce nombre, qui a considérablement augmenté depuis vingt ans, varie pour certains CHU de 17 % à 25 %. Cette augmentation est due aux progrès réalisés dans la surveillance de la grossesse et de l'accouchement. Aux indications classiques de césarienne, réservée aux accouchements « compliqués » dus à la présence d'obstacles entravant le passage ou la sortie de l'enfant, se sont ajoutés tous les cas où l'on détecte une souffrance fœtale, notamment à l'écoute du monitoring.

La césarienne ne présente pas d'inconvénients pour l'enfant qui naît la tête bien ronde et les traits reposés. Il met peut-être un peu plus de temps à s'habituer à la vie « au grand air ».

Il arrive aussi parfois qu'il naisse endormi si une anesthésie générale a été pratiquée. Mais cet inconvénient est de plus en plus rare puisque la plupart des césariennes se font aujourd'hui sous péridurale pour des raisons de sécurité. ■

Césarienne obligatoire

Certaines positions exigent une césarienne systématique, ainsi lorsque l'enfant se présente par le front ou par l'épaule (p. 304). Ces positions ne permettent pas à l'enfant de passer la filière osseuse du bassin. Dans le cas de naissance gémellaire, c'est la position du premier jumeau qui décide du mode d'accouchement. Il doit impérativement se présenter tête en bas. Une nouvelle technique simplifie l'acte chirurgical et rend l'intervention plus rapide. Les suites opératoires sont aussi moins douloureuses. Elle évite l'incision de tous les muscles grâce à leurs tractions et à leur écartement. Elle permet une reprise des mouvements plus confortable après l'accouchement. ■

La césarienne

CETTE OPÉRATION CHIRURGICALE CONSISTE À INCISER la paroi abdominale et se pratique sous anesthésie générale ou sous péridurale. L'incision, généralement, est faite horizontalement sur 8 à 9 cm au niveau du pubis. Très rarement, en cas de nécessité, le chirurgien incise verticalement. L'augmentation du nombre de césariennes pourrait faire croire qu'elles ne sont pas toujours utiles. Mais de plus en plus de médecins sont conscients qu'elles doivent être pratiquées à bon escient.

Les raisons de l'intervention

La pratique d'une telle intervention a différentes causes : la présentation du bébé par le siège complet ou par l'épaule ; si la forme et les mensurations du bassin maternel laissent présager des difficultés ; un accouchement très long, notamment pour les naissances multiples de plus de deux enfants ; un utérus fragilisé par l'ablation d'un fibrome ou par une perforation utérine au cours d'une IVG ; une toxémie gravidique accompagnée d'une tension artérielle de plus en plus élevée avec présence d'albumine dans les urines, d'élévation du taux d'acide urique dans le sang, associée à des œdèmes ; un herpès génital (p. 156) : la césarienne est alors pratiquée pour éviter la contamination du bébé au cours de l'accouchement par les voies naturelles ; lors du diabète de la mère ; en raison de la taille du nouveau-né, parfois beaucoup trop gros par rapport au bassin maternel.

À tout moment

Enfin, le médecin décide de pratiquer une césarienne chaque fois que l'enfant se développe anormalement et que son milieu lui devient hostile ou lorsqu'on a diagnostiqué à l'échographie une insertion basse ou un décollement brusque du placenta. Toutes ces complications mettent en danger la vie du bébé. Le monitoring, chargé de surveiller le rythme cardiaque du bébé, indique qu'il se fatigue au bout de plusieurs heures d'efforts pour sortir. Ainsi 8 % des césariennes sont pratiquées pendant le travail. L'opération consiste à écarter les couches musculaires de l'abdomen pour atteindre l'utérus. Le bébé est sorti par la tête et le médecin coupe le cordon. Après aspiration du liquide amniotique, le placenta se décolle naturellement le plus souvent. Sinon une injection d'ocytocines favorise son décollement. Le bébé naît alors en 10 minutes.

La césarienne peut être réalisée à tout moment au cours d'un accouchement et notamment en cas d'hémorragie, d'un arrêt de la dilatation du col de l'utérus, d'un travail anormal entraînant une souffrance du bébé ou encore s'il y a procidence du cordon (p. 329). Le médecin peut également programmer une césarienne lors d'un accouchement sous péridurale.

Les suites

La jeune maman est hospitalisée une semaine environ, les agrafes ou les fils lui seront retirés quelques jours après l'intervention. Certaines techniques de suture (surjet intradermique) évitent cette intervention. La jeune accouchée peut simplement éprouver quelques douleurs dues à la cicatrisation pendant plusieurs jours.

En général, la maman se sent fatiguée pendant un bon mois. ∎

1ER MOIS

2E MOIS

3E MOIS

4E MOIS

5E MOIS

6E MOIS

7E MOIS

8E MOIS

9E MOIS

LA NAISSANCE

LES 1RES SEMAINES DE MAMAN

LES 1RES SEMAINES DE BÉBÉ

GROSSESSES DIFFÉRENTES

ANNEXES

Des questions plus que des réponses

Au début de la grossesse le fœtus a largement la place de bouger comme il veut dans l'utérus. Vers le 8e mois, sa morphologie change, le volume de sa tête reste important mais ses fesses et ses cuisses se développent. Comme le volume du liquide amniotique reste quasiment le même et que le volume de l'utérus maternel a aussi ses limites, le futur bébé finit par se trouver à l'étroit. Il se place alors dans la position qui lui est la plus confortable. Il met son siège avec ses jambes repliées dans la partie la plus large de l'utérus, vers le haut de l'abdomen de sa mère ; sa colonne vertébrale suit la courbure du ventre et sa tête est calée en bas, dans les os du bassin.

Alors pourquoi certains bébés ne choisissent pas cette position idéale ? Bien que différentes raisons soient avancées à partir d'observations médicales, aucune n'est certaine à 100 %. On constate que les accouchements par le siège sont d'autant plus nombreux que les bébés naissent prématurément. Il semble encore qu'un certain nombre d'enfants qui naissent par le siège aient une faiblesse aux niveaux des hanches, les articulations n'étant pas dans une bonne position. Ces enfants présentent à la naissance une luxation de la hanche, qui nécessitera un bandage en attelle de leurs jambes. Cette pratique est indispensable pour éviter ensuite une boiterie uniquement réparable par une opération chirurgicale.

Mais certains ont choisi encore d'incroyables positions. Ils occupent toute la cavité utérine et toute culbute tête en bas devient impossible en raison de leur développement. C'est le cas, par exemple, de ceux qui ont les jambes tendues contre le thorax (p. 305). La forme de l'utérus peut aussi avoir une incidente sur la position du bébé, notamment lorsqu'il est un peu resserré au fond. Il n'a pas alors une forme classique « en poire », celle qui favorise la position de plongeur. ▪

▌ MON AVIS

C'est souvent à l'occasion d'une cabriole qu'il bascule, et comme le poids de sa tête est plus important que celui du reste du corps, il est dans l'incapacité de se retourner. Mais quelques bébés semblent se trouver bien tête en haut. Pour certains, cela se comprend : l'utérus maternel est mal formé et ils ne peuvent pas se placer autrement ; d'autres sont gros et sont déjà à l'étroit ; enfin, pour quelques-uns, on ne sait toujours pas pourquoi ils ne se retournent pas. L'accouchement par le siège est un accouchement comme un autre si certaines conditions sont respectées. Avant d'envisager un accouchement par « voie basse », le médecin va vérifier un certain nombre de critères par l'échographie et la radiopelvimétrie, cette dernière ayant pour but d'apprécier les diamètres du bassin. Je recommande pour ces accouchements le recours à une péridurale. Généralement, ils sont un peu plus longs que la normale. En effet, dans un accouchement normal, la tête ronde et dure du bébé vient buter sur le col de l'utérus et force le passage pour l'ouvrir. La poche des eaux peut avoir ce rôle tant qu'elle n'est pas rompue. Quant à la péridurale, elle est surtout utile en fin d'accouchement : il faut parfois faire quelques manœuvres pour dégager l'enfant et il est plus facile de les pratiquer sur une femme qui ne souffre pas. La présentation par le siège ne nécessite pas une césarienne systématique mais une évaluation au cas par cas. ▪

Naissance par le siège

SI 95 % DES BÉBÉS NAISSENT LA TÊTE EN BAS, les 5 % restants ne veulent pas se retourner au cours des deux derniers mois de la grossesse, malgré les manœuvres externes pour les encourager à le faire. On en ignore la raison, excepté pour les prématurés qui n'ont pas eu le temps de se retourner.

Une naissance plus longue

3 % des bébés vont naître avec les pieds, une épaule ou les fesses en premier. La naissance par le siège est la plus courante. Elle est toujours impressionnante et plus longue que la normale ; on conseille alors le recours à une péridurale. Par contre, une étude de l'Inserm conclut que le bébé peut naître par les voies naturelles si le poids du fœtus et la taille du bassin maternel sont normaux. Malgré cela il existe une tendance récente au recours à la césarienne.

Une situation prévue

Grâce à l'échographie, le médecin accoucheur connaît parfaitement la position du bébé le jour de la naissance. Néanmoins, toutes les présentations par le siège n'entraînent pas forcément une césarienne.

Ainsi, il est tout à fait possible d'accoucher par les voies naturelles à deux conditions : que votre bassin soit assez large pour permettre à l'enfant de sortir, et qu'il présente une position de tête bien fléchie, menton contre poitrine. Ces informations sont données par l'échographie et des radios du bassin, car il est indispensable de s'assurer que la tête de l'enfant pourra passer au travers de celui-ci. Le passage de la tête ne se fera pas sans difficultés puisqu'elle n'a subi aucune des déformations classiques « en obus ». Elle est bien ronde et son diamètre est à son maximum.

Siège complet ou décomplété

L'enfant dans l'utérus peut avoir adopté deux positions : soit il est assis sur ses talons ce qui représente un siège complet ; soit il a les jambes relevées, les pieds à la hauteur de son visage ce qui est un siège décomplété (p. 305). La poche des eaux est conservée le plus longtemps possible car elle est utile pour aider à la dilatation complète lors de la poussée des fesses ou des pieds.

Tant que les fesses du bébé ne sont pas complètement apparues, la future maman ne devra pas pousser : l'enfant doit descendre seul. Le médecin ou la sage-femme n'interviennent pas, craignant que le bébé, stimulé par le toucher, ne commence à respirer alors qu'il n'est pas à l'air libre. Lorsque les fesses apparaissent, la future maman doit pousser de toutes ses forces.

Petit à petit, le bébé apparaît ; lorsqu'il est sorti jusqu'à la taille, l'accoucheur contrôle la bonne position du dos et l'expulsion peut se poursuivre. Si le délai semble long entre la sortie des fesses et des jambes et celle des épaules, l'accoucheur peut pratiquer des manœuvres destinées à accélérer la descente de l'enfant.

Il est étonnant de savoir que, dans les minutes qui suivent l'accouchement, l'enfant né par le siège reprend la position qu'il avait in utero : il place ses jambes « en attelle », c'est-à-dire le long du corps. La tête est bien ronde, mais parfois il a un bleu sur les fesses ou sur le sexe. Les présentations par le siège sont plus fréquentes en cas de jumeaux et de placenta praevia. ▪

1ER MOIS

2E MOIS

3E MOIS

4E MOIS

5E MOIS

6E MOIS

7E MOIS

8E MOIS

9E MOIS

LA NAISSANCE

LES 1RES SEMAINES DE MAMAN

LES 1RES SEMAINES DE BÉBÉ

GROSSESSES DIFFÉRENTES

ANNEXES

La préparation

Quinze jours avant la naissance, le médecin acupuncteur aide à la descente du bébé et à la maturation du col de l'utérus. Par l'action des aiguilles, le muscle est ramolli pour aider à sa dilatation. Le moment de l'accouchement venu, il pose les aiguilles en des points variables selon la patiente. Il calme d'abord les angoisses et la douleur, puis agit sur l'efficacité des contractions au moment de la dilatation complète, les points d'analgésie aident le périnée à bien se détendre. ■

À qui s'adresse-t-elle ?

D'après un questionnaire qui leur a été soumis lors de consultations d'acupuncture à la maternité des Bluets, les femmes enceintes, a priori sceptiques ou convaincues de l'efficacité de cette technique, consultent dans leur grande majorité pour un « mal de dos », une sciatique ou un état de fatigue général. Il résulte de l'entretien avec la sage-femme acupuncteur que ces futures mamans sont surtout en mal d'écoute. Médicalement prises en charge de façon anonyme, elles extériorisent un malaise qui va nécessiter des soins. Pour celles qui choisissent l'acupuncture pour les soulager, la suite de la grossesse est vécue de façon beaucoup plus sereine.
En effet, les douleurs disparaissent après une ou deux séances et, quand elles ressurgissent, elles sont mieux tolérées, comme inhérentes à la grossesse, sans créer chez elles, à nouveau, le sentiment d'angoisse qui, autant que la douleur, les avait conduites à consulter. ■

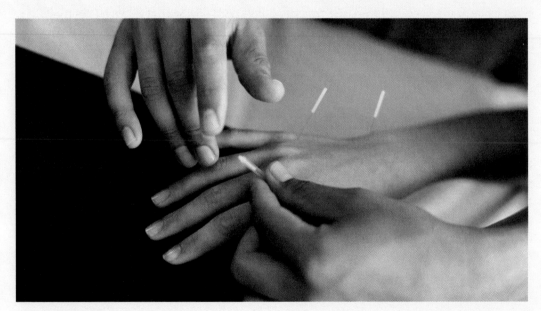

L'étiopathie

Cette méthode libère les articulations du bassin de toutes leurs tensions et développe la souplesse de l'utérus. Ainsi, la plupart des freins à la descente normale de l'enfant sont levés.
Au moment de l'accouchement, il est recommandé de marcher le plus longtemps possible et de mettre son bébé au monde accroupie, le dos penché vers l'arrière, pieds rapprochés et genoux écartés pour ouvrir très largement les articulations du bassin. ■

Accoucher sous acupuncture

1ER MOIS

2E MOIS

3E MOIS

4E MOIS

5E MOIS

6E MOIS

7E MOIS

8E MOIS

9E MOIS

LA NAISSANCE

LES 1RES SEMAINES DE MAMAN

LES 1RES SEMAINES DE BÉBÉ

GROSSESSES DIFFÉRENTES

ANNEXES

LE RECOURS À CETTE AIDE EST CONSEILLÉ À TOUTES CELLES qui redoutent la douleur, qui refusent la péridurale ou pour qui elle est contre-indiquée, et à celles qui ont eu un travail très long et douloureux lors d'une grossesse précédente. Mais attention, peu de médecins et de sages-femmes ont cette formation, vous aurez donc des difficultés à les trouver, de plus cette pratique n'est pas prise en charge par l'assurance maternité.

Une action analgésique reconnue...

Accoucher sous acupuncture est, bien sûr, la suite logique de la préparation à cette technique (p. 197). Cela demande une certaine expérience chez l'acupuncteur et une bonne préparation de la patiente. C'est en effet un art délicat qui demande un diagnostic rapide et fin des déséquilibres d'énergie.

Les acupuncteurs, qui sont spécialisés dans la préparation à la naissance, affirment qu'ils obtiennent 95 % de réussite. L'acupuncture ne faisant appel à aucun médicament, elle pourra être relayée ou associée au besoin à la prise de médicaments ou à une anesthésie péridurale ou générale.

Selon l'acupuncteur, les points retenus pour poser les aiguilles sont variables. Ils sont généralement placés aux poignets et aux pieds de manière à stimuler deux principes : le yin (domaine du repos, du silence, du froid, de l'humidité, du principe féminin), ou le yang (domaine de la fermeté énergétique, du dynamisme, du mouvement, de la chaleur, de la sécheresse, du vide, du principe masculin).

Toutes les heures, l'acupuncteur vérifie l'efficacité des aiguilles sur le travail obstétrical. On constate un effet analgésique, une accélération du travail et une réduction du temps d'expulsion.

Aux points de relaxation s'ajoutent ceux qui rendent les contractions plus régulières, plus efficaces, sans en augmenter la douleur. Au moment de la dilatation complète, les points d'analgésie vont aider le périnée à bien se détendre.

Après l'accouchement, l'acupuncteur stimule certains points pour aider au décollement du placenta (p. 359).

...mais encore mystérieuse

Le mode d'action analgésique de l'acupuncture n'est pas encore bien élucidé. On pense que les points d'acupuncture provoquent un traumatisme au niveau de la peau, qui entraîne un réflexe de l'organisme. Selon des découvertes récentes, l'acupuncture agirait notamment en stimulant la production de substances particulières du système nerveux : les endorphines. Celles-ci interviennent dans la transmission de la douleur des cellules périphériques aux cellules nerveuses du cerveau.

Pour l'auriculothérapie (p. 196), cousine de l'acupuncture, on détermine trois points principaux dans l'oreille. L'un a un effet sur l'intensité et le nombre des contractions, un autre diminue les douleurs lombaires, et le dernier commande l'assouplissement des tissus.

En fin d'accouchement, on stimule un quatrième point pour faciliter la délivrance. ■

Allongée, accroupie ou assise ?

EN RÉALITÉ, L'ART DE BIEN ACCOUCHER DEVRAIT SE FAIRE sans « pousser, bloquer » et le réflexe devrait se déclencher naturellement, lorsque le bébé est descendu dans le bassin et appuie sur le périnée. La position accroupie est de plus en plus rare dans notre vie quotidienne. Elle est pourtant physiologiquement la plus adaptée au réflexe expulsif qui se manifeste par un serrage maximal des abdominaux profonds, transverses et obliques. Au moment de l'accouchement, cette force s'ajoute à celle de la poussée de l'enfant.

Sur une table d'accouchement...

La médicalisation de l'accouchement est à l'origine de la table d'accouchement. Autrefois, en France, les femmes accouchaient assises sur une chaise qui appartenait à la famille ou à la commune. Aujourd'hui, on est à la recherche d'une position plus efficace médicalement, plus confortable pour la mère et permettant une intervention pratique des médecins.

C'est un vrai débat dans le monde médical. Il y a ceux qui restent farouchement pour la position en décubitus dorsal, c'est-à-dire allongée sur une table gynécologique, les jambes relevées et les pieds calés dans des étriers.

Cette position est la plus utilisée en France. Mais actuellement, un certain nombre de spécialistes lui reprochent d'être un obstacle à la descente du bébé et de provoquer des accouchements douloureux au niveau du dos. En effet, il n'y a aucun effet de pesanteur, le sacrum est immobilisé et les douleurs lombaires à leur maximum. De plus en plus de sages-femmes et d'obstétriciens préconisent de l'aménager en ramenant les cuisses de la femme vers le ventre, celle-ci plaçant ses cuisses dans les étriers de manière à ce que l'angle fémur-colonne vertébrale soit inférieur à 90 degrés. La table gynécologique peut aussi être relevée dans une position semi-assise afin de permettre à la future maman d'attraper les jambières et ainsi d'accompagner au mieux la poussée au moment de l'expulsion.

Cette position est également la plus commode pour une bonne surveillance médicale et donne toutes les possibilités d'intervention rapide. De plus les positions assises ou semi-assises aident le bébé à descendre, et permettent à l'enfant de se placer vers l'arrière et de s'engager plus facilement dans le bassin.

Mais la position qui semble de plus en plus recommandée est celle du «décubitus latéral». La future maman est allongée sur le côté droit, ou encore mieux gauche car la veine cave ainsi libérée permet une meilleure irrigation de l'organisme. La mère et le bébé sont mieux oxygénés. La future maman surélève sa jambe droite et la replie sur sa poitrine, un étrier ou un coussin permettant un bon appui. Elle a l'avantage de faciliter l'ouverture du bassin puisque le sacrum n'est pas comprimé. Le bébé descend encore plus facilement. La position sur le côté droit ou gauche est de plus en plus fréquente chez nous, alors que les Anglaises l'ont adoptée depuis longtemps.

Aujourd'hui, beaucoup de tables d'accouchement offrent des barres de suspension ou des systèmes de cordes qui permettent aux futures mamans de se suspendre au moment des poussées.

... sur un tabouret ou une chaise...

Pour d'autres, la position la plus naturelle est celle accroupie. Ils ont donc mis au point des tabourets d'accouchement permettant à la femme de s'installer dans cette position plus confortablement. Ils estiment que c'est ainsi que les poussées au moment de l'expulsion sont les plus efficaces, la pesanteur du corps de la mère, comme celle de l'enfant, aidant la naissance. De plus, dans cette position, le bassin s'élargit et le sacrum se libère.

Dans certaines maternités, on propose encore aux futures mamans d'accoucher assises sur des chaises d'accouchement, qui n'ont, bien sûr, plus rien à voir avec celles utilisées au cours des siècles précédents. Dans cette position, l'expulsion est facilitée : l'utérus ne comprime plus la veine cave inférieure et la poussée est plus aisée. Il semble encore que l'oxygénation de la future maman soit meilleure, le bébé n'oppressant plus le diaphragme. Toujours dans cette position, la force exprimée dans les jambes exerce une contre-pression qui renforce la poussée de l'expulsion.

... ou encore dans un fauteuil

Depuis quelques années, on a vu s'installer des matériels totalement nouveaux ; ce sont des fauteuils, munis d'accoudoirs, d'appuis pour la nuque et pour le dos, et qui s'équipent de différents accessoires selon la phase de l'accouchement et le souhait de la future maman. Dans d'autres maternités on a fait le choix de larges sofas surélevés pour permettre le travail de la sage-femme mais assez larges pour installer des coussins maintenant confortablement le dos de la future maman ou pour permettre au conjoint de s'y asseoir prenant sa femme au creux de sa poitrine et lui servant d'appui au moment de l'expulsion. Tous ces matériels ont en commun une corde de suspension afin de permettre l'étirement du rachis et d'aider le bébé à descendre par la simple loi de la pesanteur. ■

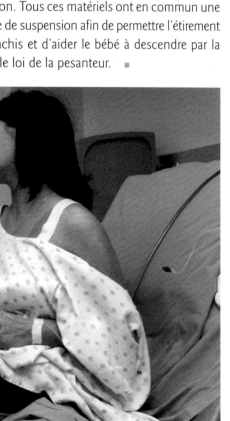

1ᴱᴿ MOIS

2ᴱ MOIS

3ᴱ MOIS

4ᴱ MOIS

5ᴱ MOIS

6ᴱ MOIS

7ᴱ MOIS

8ᴱ MOIS

9ᴱ MOIS

LA NAISSANCE

LES 1ᴿᴱˢ SEMAINES DE MAMAN

LES 1ᴿᴱˢ SEMAINES DE BÉBÉ

GROSSESSES DIFFÉRENTES

ANNEXES

Petit problème mécanique

Ne vous sentez pas gênée si au moment de l'expulsion, vous allez à la selle. C'est normal et très fréquent. En effet, la tête du bébé, lorsqu'elle est dans le vagin, fait pression sur l'ampoule rectale de l'intestin et provoque parfois l'expulsion de matière fécale. Dans certaines maternité on donne aux futures mamans un laxatif dès leur arrivée afin de vider leurs intestins avant l'accouchement
Parfois aussi on sonde la vessie avant l'expulsion afin d'éviter une trop grande pression de la tête de l'enfant sur une vessie pleine qui devient alors douloureuse. ■

Petit ou gros bébé

Les bébés dont le poids de naissance est de moins de 2,5 kg représentent 10 % des naissances. Ce sont des nourrissons plus fragiles que les autres. En revanche, sont considérés comme des bébés particulièrement gros ceux qui dépassent 3,8 kg à la naissance. Ils sont souvent très rouges et leur foie est plus développé que la normale. Leur démarrage n'est pas toujours facile et demande des traitements appropriés. ■

Derniers soins

Après la délivrance, vous ne regagnerez pas immédiatement votre chambre. Vous resterez environ 2 heures encore en salle de travail. Mais rassurez-vous, vous vous y sentirez bien, tout à la joie de découvrir votre bébé.
Vous baignez d'autant plus dans le bonheur que votre organisme sécrète alors des endorphines. Peut-être aurez-vous un peu froid, peut-être sentirez-vous quelques frissons, une couverture vous sera alors d'un bon réconfort. La sage-femme viendra vous examiner régulièrement pour vérifier que votre utérus se contracte bien, qu'il est bien dur. Elle contrôlera également votre tension et regardera vos pertes sanguines. Il se peut qu'elle presse sur votre abdomen en poussant l'utérus vers le bas pour aider à l'évacuation d'éventuels caillots de sang. Ce n'est pas très agréable, mais ce geste est indispensable pour prévenir des hémorragies qui peuvent devenir graves. ■

Couper le cordon

Au moment de la naissance, le bébé est toujours relié au placenta par le cordon ombilical. Celui-ci est coupé une fois que l'enfant est entièrement sorti. Selon les pratiques médicales, il est coupé plus ou moins rapidement après la naissance. Il cesse de fonctionner à la première inspiration d'air du bébé. Sous l'effet de l'augmentation de la pression de l'oxygène, il se ferme coupant ainsi la circulation sanguine. Il ne bat plus. Pour couper le cordon ombilical, le médecin ou la sage-femme place deux pinces sur celui-ci. Elles ont pour but d'éviter tout saignement des artères et de la veine ombilicale au moment de leur section. Le cordon sera ensuite coupé par la sage-femme au plus proche de l'abdomen et badigeonné d'un produit antiseptique. Au moment des soins après la naissance, le cordon sera recoupé à 1 cm du nombril. Puis il sera maintenu par une pince spéciale, un clamp, qui restera en place jusqu'à la cicatrisation. Son aspect étonne toujours un peu : il est incroyablement torsadé, c'est un état naturel qui est souvent accentué par les pirouettes du bébé in utero. Il est composé sur toute sa longueur d'une gelée dite de « Wharton » qui le rend souple et incompressible au point que même s'il se noue, il continue à fonctionner normalement. Mais il a des caractéristiques encore plus extraordinaires : les cellules de son sang sont les fameuses cellules souches qui ont le pouvoir de réparer n'importe quel organe lésé et sur lesquels la médecine fonde de très grands espoirs. ■

Les dernières minutes avant la naissance

LA TÊTE DE L'ENFANT EST DANS LA PARTIE BASSE DU VAGIN, l'enfant poursuit sa descente, il atteint la vulve dont la fente s'élargit, le périnée est au maximum de sa tension. La tête du bébé est enserrée dans un anneau musculaire, c'est le moment où la sage-femme, ou le médecin, va intervenir.

Les gestes de l'accoucheur

On demande à la mère de cesser ses efforts, de ne plus pousser, afin de ne pas brusquer la sortie de l'enfant, ce qui risquerait de provoquer une déchirure du périnée.

Si la future maman le demande, on place un miroir en face d'elle pour lui permettre d'assister à la naissance de son bébé. L'apparition du sommet du crâne et des cheveux est un réel instant de bonheur.

Ensuite, l'accoucheur sort l'enfant millimètre par millimètre avec une extrême douceur, tout en le maintenant. Lorsque la tête est dégagée, il aide au passage du reste du corps, notamment des épaules et des bras. Il dirige la tête du bébé vers le bas pour libérer une épaule, puis vers le haut pour dégager l'autre côté. La sage-femme ou le médecin doit parfois aider l'enfant à pivoter légèrement pour faciliter sa sortie. Le reste du corps jaillit alors littéralement en quelques secondes. C'est toujours un moment d'une très grande intensité pour la mère.

Dans certaines maternités, on propose à la maman de terminer elle-même la sortie du bébé avec l'aide de la sage-femme. Ainsi se passe la naissance d'un enfant se présentant tête en bas, en position dite céphalique, le crâne en premier. Selon que l'enfant est tourné sur la gauche ou sur la droite, que son occiput est dirigé vers l'avant ou vers l'arrière, sa position sera définie droite antérieure, droite postérieure, gauche antérieure ou gauche postérieure. La naissance d'un enfant dans une autre position demande de la part de la sage-femme ou du médecin accoucheur d'autres gestes (pp. 304 et 351).

La première rencontre

L'enfant est très souvent placé sur le ventre de sa mère et c'est l'instant délicieux de la première rencontre. La phase de l'accouchement appelée l'expulsion dure pour un premier enfant environ 30 minutes, beaucoup moins pour un second. L'effort du travail et de l'expulsion ainsi que la douleur entraînent des modifications importantes du rythme cardiaque.

Tout en restant dans des normes comparables à celles d'un effort sportif, le rythme cardiaque s'accélère au début du travail pour rester constant au cours de la dilatation et des contractions. Sa fréquence augmente encore lors de l'expulsion pour redevenir tout à fait normale 10 minutes après l'accouchement. ∎

" De manière étonnante, dès que le bébé est là, le souvenir de la douleur s'envole. **"**

1ER MOIS

2E MOIS

3E MOIS

4E MOIS

5E MOIS

6E MOIS

7E MOIS

8E MOIS

9E MOIS

LA NAISSANCE

LES 1RES SEMAINES DE MAMAN

LES 1RES SEMAINES DE BÉBÉ

GROSSESSES DIFFÉRENTES

ANNEXES

Tout un symbole !

La délivrance est la dernière étape de l'accouchement. Mais c'est également le nom que l'on donne au placenta une fois qu'il est expulsé.

Dans nos civilisations, « la délivrance » est considérée comme un déchet. Tout au plus est-elle pesée (son poids doit être d'un sixième du poids de l'enfant), examinée, pour marquer le point final de l'accouchement. Selon les maternités, elle est détruite ou congelée pour servir à l'élaboration de certains produits de beauté. Pourtant dans le passé, et dans bon nombre de cultures, la délivrance a été et est encore intimement liée au devenir de l'enfant.

Ainsi, autrefois dans le Sud-Ouest de la France, la délivrance était jetée dans un puits ou dans l'eau calme d'une rivière. Cette immersion lui donnait la vertu de favoriser la lactation. On retrouve cette croyance dans d'autres endroits du monde. Dans l'Antiquité, le placenta était réputé avoir le pouvoir de guérir les femmes stériles.

En Nouvelle-Guinée, elle est enfouie au pied d'un cocotier. On considère que l'enfant et l'arbre sont ainsi liés et qu'ils grandissent de concert.

En Anatolie, elle est enterrée et considérée comme le jumeau de l'enfant. On lui choisit pour sépulture un endroit protégé où la terre n'a pas été foulée.

Au Tibet, « la délivrance » est enterrée dans un endroit tenu secret pour ne pas être dérobée car on en connaît les vertus curatives. La mère ne doit surtout jamais savoir où elle a été enfouie.

En Mauritanie, on l'enterre dans la case familiale ou juste devant.

En Dalmatie, elle est enterrée au pied d'un rosier pour que l'enfant ait les joues roses.

Le cordon ombilical est aussi chargé de sens : il symbolise la chaîne qui relie le nouveau-né à ses ancêtres.

En Polynésie française, beaucoup de Tahitiens continuent à enterrer le placenta des nouveau-nés dans leur jardin ou dans la cour de leur maison. Ils plantent en même temps un arbre au même endroit ou à proximité. Il est destiné à symboliser la continuité des éléments de la nature qui constituent l'homme et les plantes. C'est le père, le grand-père ou un parent qui en a la charge. Seule obligation, il doit avoir déjà donné la vie. En Tahitien, placenta se dit « pu-fenua » ce qui signifie « noyau de terre » montrant que les hommes appartiennent à la terre, un principe philosophique commun à toute l'Océanie. Mais le plus extraordinaire sans doute est que la tradition survive à la médicalisation de l'accouchement puisque, aujourd'hui, la majorité des naissances se font dans les différentes maternités de l'archipel. C'est ce que révèle l'enquête menée par Bruno Saura, maître de conférence en civilisation polynésienne. Ainsi, à la maternité du Centre Hospitalier de Papeete, il est de coutume de proposer aux jeunes mamans de récupérer le placenta et le cordon de leur bébé. La moitié des jeunes mamans les ont emportés ou faits prendre par quelqu'un de leur famille. Congelée, la délivrance voyage en glacière jusqu'à l'île d'origine de la famille où elle est enterrée quelques jours ou quelques semaines après la naissance. Cette pratique est même en passe de devenir un signe d'appartenance fort à une nation autochtone. ■

Encore des contractions

Les « tranchées » provoquent des douleurs proches de celles que produisent les coliques. Elles sont fréquentes dans les deux ou trois jours après l'accouchement mais elles peuvent également survenir pendant les six ou les quinze jours qui suivent. Grâce à ces tranchées, l'utérus cicatrise les brèches vasculaires dues à l'accouchement, et les saignements prennent fin.

Si l'accouchement a été provoqué et si les contractions ont été stimulées par une injection d'hormones ocytociques, les tranchées seront parfois plus fortes que la normale. De même, lorsque la mère allaite, elle peut ressentir des contractions au moment de la mise au sein. Elles sont dues à l'ocytocine, une hormone qui est sécrétée par l'hypophyse. On constate qu'une femme qui a eu plusieurs grossesses, a souvent des contractions plus intenses. En cas de fortes douleurs, des médicaments sont prescrits. Ces ultimes contractions sont en fait la manifestation sensible que l'utérus retrouve sa position normale dans le bassin. On dit alors qu'il « involue ». ■

Dernier acte : la délivrance

1ᴱᴿ MOIS

2ᴱ MOIS

3ᴱ MOIS

4ᴱ MOIS

5ᴱ MOIS

6ᴱ MOIS

7ᴱ MOIS

8ᴱ MOIS

9ᴱ MOIS

LA NAISSANCE

LES 1ᴿᴱˢ SEMAINES DE MAMAN

LES 1ᴿᴱˢ SEMAINES DE BÉBÉ

GROSSESSES DIFFÉRENTES

ANNEXES

LE PLACENTA QUI N'A PLUS DE FONCTION se détache du fond de l'utérus où il était inséré quinze à vingt minutes après la naissance. Un filet de sang, venu de la paroi utérine, se glisse entre celle-ci et le placenta et le décolle, ainsi que les membranes qui entouraient l'enfant. Quelques contractions, beaucoup moins fortes que celles qui ont conduit à l'accouchement, accélèrent le processus.

Ultimes contractions

Pour l'expulser, la jeune maman devra encore effectuer une ou deux poussées. Souvent la personne qui aura conduit l'accouchement appuiera légèrement sur son utérus tout en tenant le cordon ombilical ; cette manœuvre ne se pratique que si c'est nécessaire. Placenta, membrane et cordon sont ensuite examinés. La sage-femme vérifie alors qu'ils sont au complet et que rien n'est resté accolé aux parois utérines. Le placenta pèse alors 500 à 700 g.

Ultime vérification

Si, à l'examen de la « délivrance », on s'aperçoit qu'elle n'est pas complète ou si l'hémorragie, normale tout d'abord, persiste plus qu'il ne faut, le médecin (ou la sage-femme) procède à une révision utérine. Il glisse sa main, protégée par un gant stérile, dans l'utérus de la mère et vérifie, tout au long de la paroi, qu'aucune membrane ni fragment de placenta n'y sont encore accrochés. Cette intervention qui dure tout au plus 5 minutes se fait sous anesthésie générale ou péridurale si l'accouchement s'est déroulé ainsi.

Délivrance artificielle

On procède de la même manière si, au bout de 30 à 45 minutes, le placenta ne semble pas devoir être expulsé naturellement. C'est ce que l'on appelle une délivrance artificielle.

Deux phénomènes peuvent l'expliquer : le placenta est incomplètement décollé, ou l'utérus a commencé à se rétracter et le retient. En effet, laisser le placenta à l'intérieur de l'utérus entraîne un risque majeur d'hémorragie ; l'utérus incapable alors de se rétracter ne pourrait pas fermer les vaisseaux qui le parcourent.

Une délivrance est complète lorsqu'il n'y a plus de saignement abondant et que s'écoule un simple filet de sang. Une injection d'ocytocine sera maintenue pendant quelques heures pour activer la délivrance et éviter l'hémorragie du post-partum, première cause de mortalité maternelle. Une fois la délivrance achevée, l'utérus se contracte pour permettre la ligature spontanée des multiples vaisseaux qui alimentaient le placenta. Il va, au fil des semaines, reprendre une taille normale. L'utérus est un organe parfaitement contractile. Il se rétracte au moment de l'accouchement, ce qui provoque des contractions. Et il se contracte ensuite, pour reprendre sa taille normale. Ces dernières contractions sont aussi appelées « tranchées ». ▪

" Dans de nombreuses régions du monde le placenta est considéré comme un double symbolique du bébé. "

Soins du cordon

Après la naissance, le cordon est recoupé à 1 m du nombril, puis le médecin (la sage-femme ou la puéricultrice) pose une pince stérile (pince de Bar) qui favorisera la cicatrisation et formera un joli nombril. Il vérifie la présence dans ce cordon de deux artères et d'une veine et entoure le tout d'une gaze stérile, sèche ou mouillée d'un peu d'alcool à 90°, maintenue par une bande. Les soins au nombril se font quotidiennement jusqu'à la cicatrisation qui se fait normalement en quelques jours. ▪

Une drôle de tête !

Pour toutes les mamans, leur bébé est le plus beau du monde et ce malgré quelques petites disgrâces esthétiques. En effet, pour naître, le bébé a dû forcer bien des passages. Sa tête porte souvent les traces de cet effort : c'est la bosse séro-sanguine. La peau de son visage est souvent bleutée au niveau des oreilles, du menton et du front. Il peut être poilu sur le dos, les cuisses et les épaules et couvert de duvet sur les joues et le front : c'est le lanugo, duvet qui couvre le fœtus. Sa peau peut être couverte de petits grains blanchâtres sur le nez, les joues, le front et le menton : ce sont les grains de milium. Ses yeux sont parfois rouges en raison d'une petite hémorragie de la conjonctive. Rassurez-vous, tous ces petits problèmes disparaîtront en quelques jours et sans soins particuliers. ▪

La température dans la salle d'accouchement

Le thorax du bébé, comprimé par le passage de la filière pelvienne, expulse le liquide pulmonaire qui remplissait jusqu'alors ses poumons. La première inspiration se produit dans les 20 secondes qui suivent la sortie de l'enfant. Il semble que la différence de température entre l'utérus maternel et l'atmosphère de la salle d'accouchement, fraîche pour ce bébé qui est complètement mouillé, ait une influence sur le réflexe du premier cri. L'évaporation du liquide amniotique, si l'enfant n'est pas essuyé et recouvert d'un drap, provoque une déperdition calorique importante. En 1/4 d'heure, la température du nouveau-né peut passer de 37 °C à 33 °C alors qu'il est né dans une pièce proche de 22 °C. Afin qu'il ne perde qu'un minimum de température, il est enveloppé dans une serviette chaude et sèche. Pendant que l'accouchement se termine – c'est la délivrance et l'expulsion du placenta et de ses annexes – l'enfant est examiné (p. 365) puis placé sur le ventre de sa mère. Ses cris s'apaisent par les caresses, les mots tendres et la mise au sein. ▪

Son bracelet d'identification

Dans les minutes qui vont suivre sa naissance, votre bébé va être identifié. On lui attache au poignet un petit bracelet où sont portés son nom, son prénom, votre numéro du dossier d'hospitalisation. Parfois on y ajoute son sexe et sa date de naissance. Vous devriez porter le même afin de faciliter toute identification et pour éviter cette crainte courante du bébé échangé par erreur. Ce bracelet est le premier signe de reconnaissance sociale du bébé. Beaucoup de parents le conservent après la sortie de la maternité.

Très récemment, un bracelet équipé d'une puce électronique a été mis au point. Certaines maternités l'ont déjà adopté. Il a pour objectif d'empêcher les rapts d'enfants en maternité, un événement heureusement très rare. ▪

Le premier cri

ENFIN, « IL » EST LÀ ! Vous avez souffert, votre bébé a fait de gros efforts.
Poussé, comprimé dans l'espace étroit qu'est l'utérus maternel, il est enfin propulsé
à l'air libre. Tout commence pour lui. En quelques minutes, le nouveau-né
va devoir s'adapter à sa nouvelle vie. Les premières fonctions indispensables
à sa survie, la respiration et la circulation sanguine, vont s'installer
dès l'expulsion. Quelques heures plus tard, ce seront celles du métabolisme,
puis les fonctions urinaire et digestive.

Crier pour respirer

Avec le premier cri apparaissent les fonctions respiratoire et cardiaque, indispensables aux bons échanges gazeux au niveau des poumons et à une irrigation de tous les organes par le sang. In utero, la trachée-artère, les bronches, les bronchioles et les alvéoles pulmonaires sont remplies de liquides sécrétés par les cellules des parois alvéolaires. En perpétuel renouvellement, ils sont rejetés par le pharynx dans le liquide amniotique – la glotte est en permanence fermée afin que ce dernier ne pénètre pas dans l'appareil respiratoire. Au moment de la naissance, sous l'effet de la compression du thorax lors du passage par les voies génitales, une grande partie de ce liquide est expulsée (le reste le sera par aspiration au cours des premiers soins). Au contact de l'air, la glotte s'entrouvre par un mouvement réflexe et les muscles inspiratoires se contractent violemment, provoquant une dépression à l'intérieur du thorax ; l'air s'engouffre alors dans l'arbre respiratoire. Sous son effet, les alvéoles des poumons se déplissent. La première expiration s'apparente à un réflexe et laisse un peu d'air dans les alvéoles. Il est indispensable pour la bonne continuité des échanges gazeux vitaux et pour permettre la réouverture des alvéoles à la deuxième inspiration.

Une autre circulation sanguine

Les premiers cris sont suivis de petits grognements. Le bébé tremble un peu. Son visage, qui était légèrement bleu, devient rose. Déposé sur votre ventre, vous pouvez alors faire tendrement connaissance. Dans la plupart des maternités, le cordon ombilical est coupé au bout de 4 à 5 minutes. La première inspiration et le clampage (fermeture par une pince) du cordon ombilical transforment profondément la circulation sanguine de l'enfant ; le trou de Botal (qui assurait la communication entre les deux oreillettes du cœur du fœtus) est obstrué par une membrane qui, tel un clapet, vient se plaquer contre l'orifice en raison d'une différence de pression sanguine ; la plus grande pression d'oxygène dans le sang provoque encore la contraction du canal artériel qui mélangeait chez le fœtus la circulation pulmonaire à la circulation générale du reste du corps. Ainsi s'établit la double circulation indispensable à la vie aérienne. ■

“ Le degré d'émotion dépend beaucoup de celle du couple, plus elle est forte, plus elle se transmet aux soignants. ”

1ER MOIS

2E MOIS

3E MOIS

4E MOIS

5E MOIS

6E MOIS

7E MOIS

8E MOIS

9E MOIS

LA NAISSANCE

LES 1RES SEMAINES DE MAMAN

LES 1RES SEMAINES DE BÉBÉ

GROSSESSES DIFFÉRENTES

ANNEXES

La douceur de l'eau

Même si le bain n'a pas tout à fait le rôle de « passage » que lui ont attribué les adeptes de la naissance sans violence, il reste pour l'enfant un moment de détente et de tendresse. Il semble que la plupart des bébés apprécient la caresse de l'eau tiède sur leur peau. Pour la première fois, ils étendent largement bras et jambes ; leur visage reflète alors un bonheur certain.

Mais le bain du nouveau-né n'est pas uniquement le rappel du confort amniotique. Pour F. Leboyer, c'est l'apprentissage du mouvement avec appui : l'enfant est maintenu par l'adulte sous la nuque et les fesses. Ce rôle est souvent attribué au père. Il peut alors tout à loisir observer son bébé se détendre, bouger, le regarder lorsqu'il lui parle, les seuls mouvements étant ceux de l'eau agitée par l'enfant. Ce bain, une fois les premiers soins pratiqués, dure 5 à 8 minutes, l'enfant trempant dans l'eau, sans le laver pour lui laisser sa protection de vernix. ■

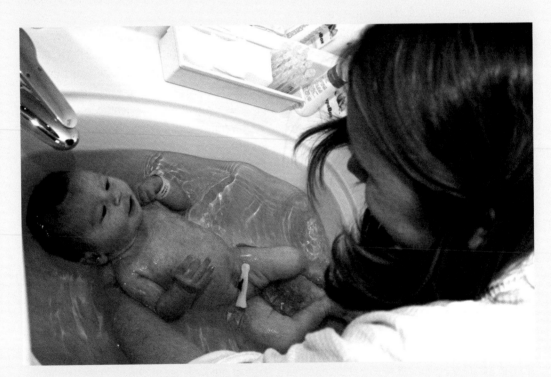

Le colostrum, le « premier lait »

Lors de la première mise au sein de votre bébé, ce n'est pas véritablement de lait que vous allez le nourrir, mais de colostrum, un liquide jaune orangé, épais et peu abondant. Il est très riche en protéines, en sels minéraux et en éléments immunitaires. On lui reconnaît une action anti-infectieuse majeure, et des vertus laxatives, car il aide le nourrisson à évacuer le méconium, matière verdâtre qui obstrue son tube digestif durant sa vie fœtale. Au troisième jour de la lactation, le colostrum est remplacé par un lait de « transition », enfin suivi du lait « nature » dont la composition se fixe au 20e jour de l'allaitement et varie au cours d'une même journée. ■

Tout contre vous

1ER MOIS

2E MOIS

3E MOIS

4E MOIS

5E MOIS

6E MOIS

7E MOIS

8E MOIS

9E MOIS

LA
NAISSANCE

LES 1RES
SEMAINES
DE MAMAN

LES 1RES
SEMAINES
DE BÉBÉ

GROSSESSES
DIFFÉRENTES

ANNEXES

VOTRE BÉBÉ EST PLACÉ CONTRE VOUS dans les secondes qui suivent l'expulsion. Peau à peau, vous faites connaissance. Vous serez étonnée de sa vivacité, de son attention. On voit même des bébés assez vigoureux pour grimper le long du corps de leur mère à la recherche du sein nourricier.

Une mutuelle découverte

Si vous lui parlez, il va tout naturellement tourner sa tête vers vous. Il est calme et tranquille dans sa première découverte du monde. Certains bébés, par contre, paraissent agités ou tendus, c'est souvent la conséquence d'un accouchement long et pénible. Dans quelques heures, votre bébé aura retrouvé son calme. Pour préserver les instants de communication intense, le personnel médical se fait discret. Vous allez le caresser, le blottir contre vous et le découvrir.

Comme tous les bébés lorsqu'ils naissent, il est couvert d'une substance grasse blanche, le vernix caseosa. On pense qu'il est là pour protéger la peau des éléments salés du liquide amniotique. Deux théories s'affrontent quant à l'importance de cette protection naturelle. Pour certains, l'enfant doit en être débarrassé au moment de sa toilette. Pour d'autres, il faut attendre un peu pour que la peau bénéficie de l'apport en vitamines de cette substance.

Sa morphologie

Généralement, le nouveau-né a la peau mate. Son corps a une morphologie particulière : l'abdomen est volumineux, le dos est droit et la colonne vertébrale bien rectiligne. Mais le thorax est étroit car l'enfant n'a pas encore fait travailler à plein ses poumons. De plus, il ne se soulève pas régulièrement parce que la respiration d'un nouveau-né est irrégulière dans sa fréquence comme dans son amplitude. Cette respiration est essentiellement abdominale et se fait uniquement par le nez.

Les jambes du bébé sont incurvées, ses pieds peuvent être étonnamment tournés vers l'intérieur ou vers l'extérieur. Cela est dû à la position peu confortable du fœtus dans les tout derniers mois de vie utérine, une position qu'il gardera encore quelques semaines.

Petit à petit, le bébé « expérimente » la respiration aérienne et gonfle progressivement ses poumons.

Entrée dans la vie

Après quelques minutes de tendresse, le médecin ou la sage-femme le libère du cordon ombilical. Cet acte a souvent une grande valeur symbolique, aussi dans certaines maternités il est accompli par la mère ou par le père.

Si la jeune maman a décidé d'allaiter, la plupart des maternités préconisent aujourd'hui la mise au sein précoce.

Cette première tétée a deux vertus : elle est souvent la garantie d'un bon démarrage de la lactation et elle provoque des contractions qui aident au décollement du placenta.

" Cette première rencontre est l'occasion de mots tendres, le début d'un très long et joyeux dialogue. **,,**

L'examen neurologique

Il est pratiqué à la maternité pour évaluer la santé neurologique de l'enfant. Le pédiatre observe le tonus musculaire du bébé et un certain nombre de réflexes liés à son hypertonie naturelle.

Parmi ceux-ci, il pratique l'épreuve du foulard : il tire la main de l'enfant vers l'épaule opposée, le coude ne doit pas dépasser le milieu du corps. Puis il essaie d'étendre la cuisse qui est normalement en flexion sur l'abdomen, elle doit résister. Autre particularité, le pied très fermé peut se poser facilement sur la face antérieure de la jambe. Enfin, le médecin essaie d'amener le pied à la hauteur de l'oreille en fléchissant le bassin et en tendant les jambes : cette « manœuvre talon-oreille » est impossible chez un enfant normal et à terme. ■

Contrôler sa vue et son ouïe

Le médecin amène d'abord l'enfant à suivre du regard un objet coloré, une balle ou un cube. Puis il vérifie la sensibilité à la lumière, le nouveau-né fixe et suit un point lumineux. Face à une lumière vive, les pupilles se rétrécissent et l'enfant ferme ses paupières. Ces deux réflexes sont respectivement le réflexe photomoteur et le réflexe d'éblouissement.

La bonne audition est contrôlée avec de petits objets qui émettent des sons différents, le médecin note les réactions du nouveau-né.

Il observe, entre autres, si le réflexe cochléo-palpébral existe : l'enfant ferme les yeux lorsqu'il entend un bruit fort.

En cas de doute, une série d'examens plus pointus peuvent être programmés pendant le séjour à la maternité. Si une surdité est diagnostiquée, elle sera rapidement traitée afin de ne pas gêner les premiers babillages. ■

Le score d'Apgar

Pour l'obtenir, le médecin étudie le rythme cardiaque, la respiration, le tonus musculaire, la coloration de la peau, les cris et la « réactivité » à l'aspiration. Chacun de ces six critères de bonne santé est noté de 0 à 2 selon l'état du bébé.

Un score entre 7 et 10 est le plus fréquent, c'est souvent une peau légèrement bleutée en raison d'un accouchement un peu long ou l'absence de cri spontané gêné par les muqueuses encombrant la gorge de l'enfant à la naissance.

Dans ce cas, on vérifie que cette bonne « note » s'améliore ou se confirme 5 minutes après la naissance, puis à 10 minutes.

Si le score obtenu est de 3 à 7, le bébé a sans doute souffert pendant l'accouchement.

On aspire à nouveau soigneusement le fond de sa gorge, on l'aide à respirer au moyen d'un masque à oxygène. Si son rythme cardiaque présente des anomalies, on effectue sur lui des gestes de réanimation simple. Au bout de quelques minutes de soins, le score redevient satisfaisant. Dans tous les autres cas, l'enfant doit être placé en réanimation. ■

Dépister les maladies héréditaires

Dans les jours qui suivent la naissance on prélèvera quelques gouttes de sang au talon de votre bébé. Ce prélèvement permet d'effectuer le test de Guthrie qui diagnostique la phénylcétonurie, déficit sévère d'une enzyme fabriquée par le foie. Un régime alimentaire entrepris précocement permet d'éviter de graves lésions cérébrales. Aujourd'hui, ce dépistage est couplé avec celui de l'hypothyroïdie, maladie due à une insuffisance de sécrétion de la glande thyroïde, cause de retard mental. Ce prélèvement sert également au dépistage de la mucoviscidose par un dosage de la trypsine, une enzyme déficiente dans cette maladie. Ce dépistage permet une prise en charge précoce et est systématique. ■

Premiers examens de santé

1ER MOIS

2E MOIS

3E MOIS

4E MOIS

5E MOIS

6E MOIS

7E MOIS

8E MOIS

9E MOIS

LA NAISSANCE

LES 1RES SEMAINES DE MAMAN

LES 1RES SEMAINES DE BÉBÉ

GROSSESSES DIFFÉRENTES

ANNEXES

SOUVENT DANS LES MINUTES QUI SUIVENT LA NAISSANCE, mais parfois quelques heures après, votre bébé subit son premier examen médical. Il est fait très souvent dans la salle d'accouchement, sur une table de réanimation surmontée de lampes chauffantes pour que votre tout-petit, qui n'a pas encore la possibilité physiologique de réguler sa température, ne prenne pas froid.

Un examen de la tête aux pieds

Selon la taille de la maternité et les circonstances de la naissance, il est pratiqué par une sage-femme, une puéricultrice ou un pédiatre. Dans la première minute qui suit la naissance, il (ou elle) procède à l'évaluation du score d'Apgar. Il a été mis au point en 1952 par une anesthésiste américaine, le docteur Virginia Apgar. Il figure sur le carnet de santé de votre enfant, remis à la mère à sa sortie de la maternité. C'est la somme d'un certain nombre de chiffres estimant la vitalité de l'enfant.

Le score idéal est de 10/10. C'est-à-dire que l'enfant a un rythme cardiaque supérieur à 100, que sa respiration est normale et efficace, qu'il a poussé un cri franc à la naissance, que sa peau est bien rosée, que ses mouvements spontanés sont actifs.

L'examen se poursuit par la désobstruction de la bouche, de la gorge et des fosses nasales à l'aide d'une sonde aspirante (matériel jetable et à usage unique). C'est alors que les bébés qui n'ont pas crié à la naissance s'expriment. Si l'enfant semble avoir quelques difficultés respiratoires, il reçoit un peu d'oxygène. Puis le praticien prend la température de l'enfant pour vérifier qu'il n'est pas en hypothermie. Il pratique le test de Guthrie. Il recoupe le cordon et pose une pince (p. 360). Dans certaines maternités, l'enfant reçoit par la bouche ou en injection de la vitamine K1 pour prévenir toute perturbation dans la coagulation du sang. On procède ensuite à l'instillation de 1 ou 2 gouttes de collyre antibiotique dans chaque œil pour prévenir tout risque d'ophtalmie purulente. Le médecin ou la sage-femme fait un examen général du corps pour dépister une malformation, il insiste notamment sur le bon positionnement des os des deux fémurs dans les cavités osseuses des hanches (p. 431). Il examine le cou pour diagnostiquer un hématome, les clavicules (en cas d'accouchement difficile, elles peuvent être fracturées) et les organes génitaux.

Vérifier les fonctions vitales

Il passe encore une sonde dans les narines pour provoquer le réflexe de toussotement, puis dans l'estomac afin de dépister une atrésie de l'œsophage (interruption de cet organe). L'anus est examiné pour s'assurer de sa perméabilité. Il contrôle l'état du palais et de la bouche, vérifiant par là-même l'existence du réflexe de succion. Puis l'enfant est pesé et mesuré : taille, périmètres crânien et thoracique.

À la naissance ou dans les jours qui suivent, un prélèvement de quelques gouttes de sang permet le dépistage de maladies qui peuvent ainsi être immédiatement traitées. Il s'agit de la drépanocytose, maladie de l'hémoglobine, l'hyperplasie congénitale des surrénales, l'hypothyroïdie congénitale et la phénylcétonurie. ▪

Les premières semaines de maman

1ER MOIS

2E MOIS

3E MOIS

4E MOIS

5E MOIS

6E MOIS

7E MOIS

8E MOIS

9E MOIS

LA NAISSANCE

LES 1RES SEMAINES DE MAMAN

LES 1RES SEMAINES DE BÉBÉ

GROSSESSES DIFFÉRENTES

ANNEXES

Les premières semaines
de maman

L'APRÈS-MATERNITÉ, C'EST LE TEMPS OÙ LA MÈRE DOIT REDEVENIR AUSSI LA FEMME. Elle souhaite retrouver sa silhouette, sortir, voir ses amis, retravailler et renouer avec la séduction.

C'est parfois difficile à réussir rapidement, d'autant que l'épreuve de l'accouchement est fatigante. Une bonne remise en forme passe par du repos. Il n'y a qu'une contrainte, travailler sans tarder les muscles périnéaux.

C'est le début d'une autre vie. Les premiers regards s'échangent, et comme par magie, naissent les mots tendres aussitôt suivis des premières caresses. Toute mère ressent, dès la naissance, le besoin de toucher ce bébé qui lui a été si familier pendant des mois, qu'elle a considéré comme un peu d'elle-même et qu'elle découvre maintenant comme un être à part entière. Dans cette histoire d'amour, le père a souvent un peu de mal à trouver sa place. Il est, en même temps, fier d'avoir cette mère pour compagne, mais il sera totalement heureux lorsqu'elle redeviendra femme. La responsabilité de la paternité va le changer. Selon les relations qu'il a entretenues avec son propre père, en fonction du rôle que la mère lui laissera, il deviendra attentif et présent ou au contraire distant et absorbé.

Un bébé dans une famille, c'est à la fois l'aboutissement et le commencement d'une histoire d'amour. Les émotions sont profondes, bouleversantes, et suscitent un retour naturel vers son passé, pour mieux s'installer dans l'avenir. Bonheur et angoisse se confondent. Devenir mère, devenir père, est aussi une évolution saisissante pour le couple.

Rien ne sera plus jamais tout à fait comme avant. C'est une nouvelle vie qui commence, intensément riche de ce qui fait l'être humain.

70 % des jeunes mamans choisissent de poursuivre au moins quelques semaines et même parfois plus le dialogue intime qu'elles ont établi avec leur bébé depuis le début de leur grossesse : elles choisissent d'allaiter. C'est une nouvelle expérience pleine de découvertes et de richesses affectives. Elles sont étonnées des performances tant physiques que psychologiques que cela représente. C'est une vraie collaboration qui s'instaure avec le nourrisson. L'organisme maternel sous le contrôle d'une hormone produite par l'hypophyse, la prolactine, apporte le lait de manière continue au bébé qui lui, sous l'effet mécanique de la succion, entretient et stimule la lactation. Peu d'êtres sont autant faits l'un pour l'autre. Mais surtout, ces mamans découvrent qu'à chaque tétée, des sentiments de fusion profonde les envahissent. Avec leur lait, elles donnent autant de nutriments que d'amour.

La maternité provoque dans l'organisme féminin de profonds bouleversements hormonaux. Il faudra 6 à 8 semaines pour que tout rentre dans l'ordre si la jeune maman n'allaite pas et c'est seulement 2 à 6 semaines après l'arrêt de la lactation que la jeune maman retrouvera un cycle ovarien normal.

1ER MOIS

2E MOIS

3E MOIS

4E MOIS

5E MOIS

6E MOIS

7E MOIS

8E MOIS

9E MOIS

LA NAISSANCE

LES 1RES SEMAINES DE MAMAN

LES 1RES SEMAINES DE BÉBÉ

GROSSESSES DIFFÉRENTES

ANNEXES

Les troubles intestinaux et urinaires

La constipation dans les jours qui suivent l'accouchement est fréquente. Deux phénomènes en sont la cause, l'action de la progestérone sur les fibres lisses des muscles intestinaux et la forte pression de la tête du bébé sur le rectum au moment de la naissance, celui-ci ayant été entièrement vidé. Mieux vaut ne pas attendre et vous contraindre à aller à la selle le jour qui suit votre accouchement. Pour vous aider, vous pouvez consommer des légumes verts ou des pruneaux, aux vertus laxatives bien connues.

Enfin, si ces conseils simples ne suffisent pas, vous pouvez toujours demander à l'équipe médicale un léger laxatif. Pour certaines jeunes mamans, ces difficultés sont accentuées par une poussée d'hémorroïdes. En effet, lors de l'accouchement, il n'est pas rare que des veines anales se dilatent provoquant de vraies douleurs accrues par la fatigue et la constipation, laquelle est due, souvent, à la peur d'aller à la selle. Ces hémorroïdes se soignent par des pommades locales et des anti-inflammatoires auxquels est associé un régime sans résidu.

Enfin, si votre accouchement a été difficile, vous pourrez constater de légers troubles urinaires, parfois même une difficulté à la miction ; plus souvent, il s'agit d'une propension à l'incontinence lorsque vous toussez ou que vous riez. Une rééducation rapide du périnée par quelques exercices simples (p. 377) évitera que ce trouble ne s'installe définitivement. ■

Un muscle élastique

L'appareil génital reprend une activité normale bien avant le retour de couches. L'allaitement aide à la remise en forme de l'organisme de la mère et les tétées font travailler les muscles de l'utérus.

Ces muscles ont une caractéristique étonnante : ils sont élastiques. La paroi utérine, qui normalement est épaisse, s'étire au cours des neuf mois de grossesse. En quelques semaines, l'utérus passe de 1 500 g au moment de l'accouchement à 50 g, son poids initial.

Sa physiologie particulière lui donne une grande élasticité ; en effet, il est constitué de deux couches de muscles longitudinaux séparés par une couche circulaire. Parallèlement, des cellules nouvelles se créent, formant des faisceaux de fibres qui, non seulement renforcent la paroi utérine, mais lui permettent aussi de s'allonger ou de se rétracter afin que le fœtus puisse grandir et grossir à l'aise dans le ventre de sa mère. C'est grâce aux contractions de ce muscle creux que l'enfant est expulsé au moment de la naissance. ■

Difficultés sexuelles

Quelques jeunes mamans se plaignent d'une certaine sensibilité deux mois après l'épisiotomie, voire même d'une réelle douleur au moment de la reprise des rapports sexuels. Il est alors recommandé d'en parler à son conjoint et d'attendre un peu pour avoir des rapports complets. Certains mauvais souvenirs de ce moment délicat qu'est le retour à une sexualité normale peuvent être cause de troubles profonds plus tard. Des massages réguliers avec une pommade spéciale pour assouplir les tissus, un bain chaud avant les rapports et l'utilisation d'une pommade lubrifiante peuvent apporter un peu plus de confort. Une gêne ou une douleur persistante doit amener à consulter. ■

Après une épisiotomie

L'ÉPISIOTOMIE EST UNE PETITE INTERVENTION CHIRURGICALE. Pour aider le passage de la tête du bébé, l'accoucheur peut être amené à inciser le bas de votre vulve. Cette incision entraîne les désagréments de tout acte chirurgical et nécessite donc les soins indispensables à une bonne cicatrisation. L'épisiotomie ne doit pas être un acte systématique, elle doit être pratiquée à bon escient même pour un premier accouchement. Le collège des gynécologues obstétriciens estime qu'elle ne devrait pas dépasser un taux de 30 %.

Une hygiène rigoureuse

Une bonne cicatrisation nécessite une hygiène rigoureuse. La cicatrice doit rester propre et sèche. À chaque fois que vous allez aux toilettes, à chaque changement de garniture, il faut nettoyer, essuyer et sécher la plaie avec de l'éosine non alcoolisée ou l'air froid d'un sèche-cheveux. Si possible laissez la cicatrice à l'air libre le plus rapidement possible et au bout de quelques jours massez-la délicatement pour assouplir les tissus. Sécher la plaie est essentiel car elle est souvent humide en raison de l'écoulement des lochies (p. 424), mais n'abusez pas trop de l'air chaud : il peut dessécher la peau et durcir les muqueuses. N'hésitez pas à contrôler l'état de la cicatrisation à l'aide d'une petite glace. Ne craignez pas, non plus, d'aller à la selle, les fils et les agrafes maintiennent parfaitement les bords de la plaie. Normalement, la cicatrisation est obtenue en 5 ou 6 jours. Les fils ou les agrafes sont enlevés, la cicatrice bien refermée ne demande pas de soins spécifiques autres qu'une hygiène courante. Seule complication possible, comme dans toute intervention chirurgicale, l'apparition de petits abcès aux points d'ancrage des fils. Bien traités, ils doivent disparaître avant le départ de la maternité. En cas de douleur, votre médecin peut vous soulager en vous prescrivant des anti-inflammatoires ou des analgésiques. S'il diagnostique une légère infection, il vous conseillera la prise d'antibiotiques. Malgré tout, il n'est pas rare de ressentir une petite gêne dans les semaines qui suivent l'intervention. Vous pouvez la calmer par de légers massages avec une pommade prescrite par votre médecin. Dans certains cas, fort rares, la cicatrice est épaisse et gênante ; il est alors possible de la reprendre chirurgicalement dans les mois qui suivent l'accouchement. L'opération se fait sous anesthésie locale et ne prend pas plus d'une demi-heure.

Un peu de confort

Dans certaines maternités on met à votre disposition une petite bouée de caoutchouc à glisser sous vos fesses de manière à surélever votre corps et à éviter ainsi tous les frottements désagréables. Dans d'autres, on utilise une serviette roulée que l'on glisse sous le haut des cuisses de la jeune maman qui est assise en tailleur. En effet, pendant les 2 ou 3 jours qui suivent l'intervention, toute la région de la vulve est enflée et vous pouvez alors ressentir de légers picotements dus aux fils de l'épisiotomie. ∎

1ᵉʳ MOIS

2ᵉ MOIS

3ᵉ MOIS

4ᵉ MOIS

5ᵉ MOIS

6ᵉ MOIS

7ᵉ MOIS

8ᵉ MOIS

9ᵉ MOIS

LA NAISSANCE

LES 1ʳᵉˢ SEMAINES DE MAMAN

LES 1ʳᵉˢ SEMAINES DE BÉBÉ

GROSSESSES DIFFÉRENTES

ANNEXES

Après une césarienne

LES PREMIERS JOURS QUI SUIVENT L'INTERVENTION SONT PARFOIS DIFFICILES. La cicatrice cutanée est sensible pendant les premières 48 heures et il faut de 3 à 5 jours pour commencer à l'oublier. La cicatrisation peut aussi provoquer quelques démangeaisons.

Surmonter la douleur

La prescription d'analgésiques permet de surmonter ces moments désagréables, et des protocoles anti-douleurs existent et sont très efficaces à la condition d'être suivis à la lettre et de prendre notamment les médicaments systématiquement avant que la douleur ne réapparaisse. La sonde urinaire, suite logique de l'opération, est retirée au bout de 12 à 24 heures. Si le chirurgien a posé un drain cutané, il sera enlevé 48 heures après l'intervention.

La jeune maman est hospitalisée une semaine environ, les agrafes ou les fils lui seront ôtés 5 à 7 jours après l'intervention, à moins que le chirurgien n'ait utilisé des fils résorbables. La technique du surjet intradermique permet d'espérer une belle cicatrice. Elle pourra prendre une douche dès le 4e ou le 5e jour. La cicatrice horizontale basse dans les poils du pubis, à la lisière ou dans un pli existant, est toujours discrète.

Les suites opératoires

Après l'opération, la position assise n'est guère agréable et les premiers pas dans la chambre sont difficiles, notamment le lendemain de l'accouchement. Le point culminant de cette gêne se situe souvent le deuxième ou le troisième jour, lorsque les intestins se remettent en place, provoquant de nombreux gaz douloureux. Un régime spécial est souvent proposé quelques jours, le temps que le transit intestinal se réta-

blisse. Alors seulement, vous pourrez reprendre une alimentation normale. Elle sera progressive et composée d'aliments favorisant le transit intestinal.

L'équipe médicale surveille votre rétablissement en contrôlant votre pouls, votre température, la quantité et la qualité des urines et des écoulements vaginaux. Par le palper régulier de votre ventre, elle s'assure de la remise en place de l'utérus. Elle renouvelle le pansement posé sur votre abdomen, mais rapidement elle laissera la cicatrice à l'air libre. Ne vous inquiétez pas si vous constatez pendant quelques semaines une insensibilité cutanée au-dessus et au-dessous de la cicatrice, c'est tout à fait normal. Vous remarquerez sans doute aussi un petit ballonnement en position debout, au-dessus de la cicatrice ; il mettra deux à trois mois à disparaître.

Des exercices pour se rétablir

Même si les premiers mouvements sont douloureux, il est recommandée de bouger un peu passé les premières 24 heures. Ces petits mouvements favorisent la circulation et évitent les problèmes circulatoires.

• Il faut commencer par des mouvements de pieds, les jambes droites ou légèrement surélevées pour prévenir d'éventuelles complications circulatoires. Très progressivement, mettez les pieds en extension. Puis faites des petits cercles concentriques avec un ou les deux pieds.

Attention, il ne s'agit pas d'une gymnastique des abdominaux ! Seulement d'une remise en forme très douce.

Les tout premiers mouvements sont exécutés dans le lit pour vous préparer à faire, sans faux pas, la première promenade traditionnelle de l'accouchée : le tour du lit.

Deux à trois semaines après l'intervention, la pratique d'exercices, sans forcer bien sûr, et en suivant attentivement les conseils des spécialistes, permet d'effacer les douleurs consécutives à l'intervention. En effet, les muscles du ventre doivent travailler très tôt pour activer la cicatrisation et pour retrouver progressivement leur force.

• Toujours allongée, jambes tendues, chevilles croisées ou non, contractez les muscles des jambes : étendez les genoux, durcissez les muscles des cuisses, serrez les fesses ; tenez quelques secondes et relâchez.

• Allongée dans votre lit, fléchissez et étendez les genoux alternativement en faisant glisser le talon sur le drap vers le pied du lit, puis en le ramenant progressivement vers la cuisse. Terminez l'exercice en pliant les deux jambes en même temps.

• Un certain soulagement est obtenu en se couchant sur le côté, genoux repliés sur la poitrine. Bougez doucement le bassin d'avant en arrière en utilisant les abdominaux et les fessiers.

• À demi-couchée, les oreillers soutenant le haut du dos : baissez le menton vers la poitrine et écrasez le bassin sur le matelas pour réduire la cambrure. Redressez-vous pour toucher les genoux avec les mains. Reposez la tête et les épaules en arrière pour vous détendre.

• Pour vous lever, il faut plier les genoux et glisser un pied vers le bord du lit. Tournez les épaules du même côté en prenant appui sur le bras replié et en posant la main sur la cicatrice. Assise au bord du lit, reprenez votre souffle en balançant les pieds de bas en haut. Redressez-vous lentement en vous servant du contrepoids des jambes.

Chirurgie esthétique

Votre cicatrice mettra presque six mois à prendre son aspect définitif, une simple ligne blanche sur la peau. Elle ne doit être ni rouge ni boursouflée ; dans le cas contraire, il faut en parler à votre médecin. Il est recommandé de ne pas exposer votre cicatrice au soleil, du moins pendant six mois. Généralement, la cicatrice dont l'incision a été pratiquée horizontalement est pratiquement invisible, elle est cachée par les poils pubiens. Mais si, malgré tout, vous trouvez cette cicatrice définitive disgracieuse, sachez que la chirurgie esthétique peut tenter de la rendre moins visible. Attention, toutes les peaux ne cicatrisent pas de la même façon et rien de vous garantit une cicatrice invisible.

Contractions et allaitement

Enfin, certaines jeunes accouchées qui allaitent se plaignent aussi des contractions que provoque la mise au sein. Elles sont dues aux tranchées, c'est-à-dire aux contractions de l'utérus qui se remet en place, et sont souvent désagréables (p. 371). Ces douleurs sont d'autant plus fortes qu'elles tiraillent un muscle en pleine cicatrisation.

Ce n'est pas parce que vous avez eu une césarienne que vous devez renoncer à l'allaitement maternel. C'est le type d'anesthésie choisie pour cette intervention qui détermine la date de la première mise au sein. Une césarienne sous péridurale permet une première tétée dès la naissance dans la salle d'accouchement. En cas d'anesthésie générale, il faudra attendre que la mère et l'enfant soient parfaitement réveillés pour la mise au sein.

La meilleure position est alors celle de l'allaitement allongé afin d'éviter quelques tiraillements sur la cicatrice. La césarienne peut parfois retarder la montée de lait en raison d'une fatigue plus importante que pour un accouchement normal. D'ailleurs, on estime qu'une césarienne peut causer de la fatigue un mois encore après la naissance. ■

1ᵉʳ MOIS

2ᵉ MOIS

3ᵉ MOIS

4ᵉ MOIS

5ᵉ MOIS

6ᵉ MOIS

7ᵉ MOIS

8ᵉ MOIS

9ᵉ MOIS

LA NAISSANCE

LES 1ʳᵉˢ SEMAINES DE MAMAN

LES 1ʳᵉˢ SEMAINES DE BÉBÉ

GROSSESSES DIFFÉRENTES

ANNEXES

Le séjour à la maternité *en savoir plus*

Un temps bien rempli

Le séjour à la maternité est de plus en plus court, en moyenne cinq jours. Ce temps est indispensable à un suivi médical normal. En effet, l'accouchement est une réelle épreuve physique et psychique pour le corps humain qui a besoin, un tant soit peu, de récupérer. L'état de santé de la jeune maman est contrôlé quotidiennement : prise de la tension, de la température et contrôle du pouls.

Le médecin vérifie également que la jeune accouchée n'a pas de problèmes circulatoires en examinant régulièrement ses jambes. Ce séjour est encore l'occasion de faire connaissance avec son bébé et d'apprendre les gestes indispensables du maternage. Les puéricultrices sont là pour guider les jeunes mamans inexpertes.

Dans la plupart des maternités, les premiers soins sont faits par des puéricultrices dans la chambre même de la maman pour lui permettre une initiation facile et de visu. Certaines maternités ont installé des petites salles de soins vitrées entre deux chambres.

D'autres, encore, ont mis en place des programmes vidéo concernant ces soins. Une maman qui éprouve des difficultés pratiques peut faire appel au personnel soignant pour quelques leçons particulières. En cas de problèmes relationnels entre elle et son bébé, elle peut avoir, sur place, la visite d'un psychothérapeute qui sera à l'écoute de ses préoccupations.

Même si à la maternité les journées paraissent longues, ne multipliez pas les visites. Profitez des instants d'intimité avec votre bébé pour faire connaissance. Le retour à la maison est toujours un moment de grande agitation, où les tâches matérielles prennent parfois le pas sur les relations mère-bébé. ∎

▌MON AVIS

Il existe aujourd'hui une tendance à diminuer le séjour au sein de la maternité. Le temps de séjour moyen est de quatre jours alors qu'avant il était de dix à douze jours. Ce qui est important, c'est de ne pas rentrer fatiguée. La jeune maman, surtout à la naissance d'un premier bébé, se sent un peu seule de retour chez elle. Je préconise, le plus possible, la présence d'un des membres de sa famille auprès d'elle. C'est important que quelqu'un soit là pour transmettre les traditions, pour prendre le relais en cas de fatigue. Objectivement, l'accouchement représente un effort physique, le corps de la femme est meurtri, elle a perdu du sang, ce qui accroît sa fatigue, et elle est dans une situation toute nouvelle. Il est donc normal qu'elle soit perturbée. Les dix premiers jours, elle vit dans une atmosphère où se mêlent de grands moments de bonheur et de vraies périodes de fatigue physique. Ce mélange crée une grande fragilité. Elle a besoin d'aide affective, celle de son mari ou de sa famille. S'ils ne peuvent pas être présents, la jeune maman peut faire appel à une sage-femme ou à une puéricultrice qui viendra à son domicile. Qu'elle n'hésite pas à demander un peu d'assistance, elle est justifiée et nécessaire pour bien commencer son rôle de maman. ∎

Sortie précoce

LE SÉJOUR À LA MATERNITÉ EST DE PLUS EN PLUS COURT pour des raisons d'économie et de mode de vie. En moyenne, il dure entre trois et cinq jours, s'il n'y a eu aucune complication pour la mère et pour l'enfant et si l'accouchement s'est fait par les voies naturelles. En réalité, il n'y a aucune norme médicale.

De plus en plus tôt

Un certain nombre de maternités proposent même aujourd'hui aux mères de rentrer chez elles deux jours après l'accouchement. La jeune maman a été informée de cette possibilité soit au cours de ses visites prénatales, soit à son arrivée pour l'accouchement. Mais ce retour précoce ne se fait pas dans n'importe quelles conditions.

Un relais à domicile

Le jour du retour à la maison de la mère et de l'enfant, il est prévu une visite d'accueil à domicile faite par une infirmière, une sage-femme ou une puéricultrice qui reviendra les jours suivants. Si cela s'avère nécessaire, elle prolongera de quelques jours ces visites à domicile. La maternité propose ce service d'hospitalisation à domicile comme alternative à l'hospitalisation. La mairie du domicile de la maman peut mettre à la disposition de la mère une aide-ménagère (à raison de 1 h 30 par jour) ou participe au financement d'une travailleuse familiale. Les trois jours de séjour à la maternité sont bien remplis : mise en route de l'allaitement, apprentissage des soins de puériculture, soins gynécologiques pour la mère et surveillance médicale pour le nourrisson.

Quels avantages ?

Il semble que ces séjours de courte durée, réservés à des mères qui le désirent et qui sont en parfaite santé, ainsi que leur bébé, aient un effet bénéfique sur l'allaitement : elles sont davantage à allaiter et n'éprouvent, pour la plupart, aucune difficulté.

De plus, on a constaté que les bébés trouvent plus facilement un rythme équilibré de veille et de sommeil. Toutes les mères ayant fait cette expérience ont particulièrement apprécié de ne pas être séparées trop longtemps de leur enfant, notamment les jeunes mamans psychologiquement fragiles.

En outre, les pères et les aînés ne se sont pas sentis exclus de l'événement et, au contraire, se sont plus investis dans les soins à donner au bébé. C'est sans doute le meilleur moment pour le père de prendre son congé de paternité. Ces deux semaines de disponibilité peuvent être l'occasion pour le couple de s'installer doucement dans sa nouvelle vie à trois ou à quatre s'il y a un autre enfant. C'est aussi l'occasion pour le père de tisser avec son bébé des liens d'attachement précoces, importants pour leur relation future. ▪

" Pour un premier enfant, il faut du temps pour que la mère se sente suffisamment sûre d'elle pour sortir. Le séjour à la maternité doit donc s'adapter à chaque cas. ,,

Des techniques douces de rééducation

– Le docteur Pierre Velay a mis au point une technique très simple. En position gynécologique (allongée sur le dos, jambes écartées) la femme contracte ses muscles. Des tubes en Pyrex stériles et de tailles variables sont introduits dans la cavité vaginale ; on leur imprime alors des mouvements de va-et-vient très doux. La rééducation du périnée doit se faire progressivement, de l'arrière vers l'avant, c'est-à-dire de la partie moyenne de la cavité vaginale (au niveau des muscles élévateurs) vers la région périnéale. Au début, les tubes ont un diamètre de 3 ou 4 cm selon l'état du périnée et du vagin. À la fin d'une bonne rééducation, leur diamètre va diminuer jusqu'à 1 cm. Lorsqu'un bon niveau de récupération est atteint, l'exercice se déroule debout.

– D'autres exercices peuvent être conseillés qui ne nécessitent pas de matériel. Par exemple, s'arrêter d'uriner en cours de miction permet de raffermir les muscles situés autour de la vessie.

– Autre technique, celle dite du casse-noisettes. Allongée sur le dos ou assise, pliez les jambes et serrez fort les genoux. Enfin, il est bon de prendre l'habitude de contracter les muscles du périnée et du sphincter anal à tout moment de la journée.

– Toute dernière technique, celle du « power-plate » : cet appareil de stimulation que l'on trouve dans les salles de gymnastique ou chez les kinésithérapeutes permet une rééducation rapide et intensive à raison de 10 à 40 séances d'un quart d'heure sous la surveillance d'un coach obligatoire. ■

Le prolapsus

Lorsqu'un des muscles du périnée « claque » ou se déchire, la vessie, le vagin et l'utérus ne sont plus retenus à leur place dans le bas-ventre, ils descendent. C'est ce que l'on nomme communément « une descente d'organes ».

Le prolapsus se manifeste des années après l'accouchement par une béance de la vulve ou par une sensation de lourdeur dans le bas du bassin.

Il semble que les peaux les moins riches en élastine soient plus sujettes à cette perturbation ; la qualité des tissus, la longueur du vagin, la morphologie du petit bassin et une trop forte prise de poids au cours de la grossesse entrent aussi en ligne de compte.

Le prolapsus se répare par une intervention chirurgicale et se prévient par une préparation à la naissance et une rééducation précoce. ■

L'incontinence urinaire

Elle peut se manifester tout de suite après l'accouchement (elle pouvait aussi être déjà présente pendant la grossesse), ce qui est banal, ou se révéler quelques semaines plus tard, au moment d'un effort, d'un éternuement ou d'un éclat de rire. On estime que 30 % des femmes en souffrent après la naissance d'un enfant et que 10 % d'entre elles vivront avec ce handicap toute leur vie si elles ne sont pas rééduquées. Un examen complet, avec en particulier un testing des muscles releveurs de l'anus, doit être pratiqué 6 semaines après l'accouchement. Dans tous les cas, vous devez surveiller particulièrement la qualité de votre périnée si le poids de votre bébé dépasse 3,7 kg à la naissance, si le périmètre de son crâne est de plus de 35 cm ou si vous avez déjà eu des fuites urinaires pendant votre grossesse. Une rééducation périnéale est indispensable. Les exercices de contractions périnéales pendant la grossesse semblent protéger de l'incontinence urinaire. La césarienne n'a pas d'effet protecteur à long terme. ■

La rééducation périnéale

C'EST DEVENU UN GRAND CLASSIQUE DE LA REMISE EN FORME après l'accouchement. Mais c'est une véritable nécessité. La mauvaise tonicité du périnée a été pendant des années cause d'incontinence, plus ou moins marquée après la naissance, mais de plus en plus fréquente au fur et à mesure que la femme vieillissait.

Les fonctions du périnée

Le périnée est un ensemble de muscles et de ligaments dont la forme ressemble à un hamac reliant l'anus au pubis, formant ainsi le plancher de la cavité abdominale qu'il ferme. Il laisse passer le vagin, l'urètre et le rectum. Le muscle principal est le muscle releveur de l'anus, c'est lui que l'on détend pour uriner ou aller à la selle. Ce muscle se contracte au moment des relations sexuelles.

Pendant la grossesse, le poids de l'enfant, du liquide amniotique et du placenta a pesé sur le périnée. En outre, la distension du vagin au moment de la naissance l'a mis à rude épreuve, et ce d'autant plus que l'accouchement a été long, que le bébé était gros ou que la mère n'est pas vraiment une sportive. Or, le bon état du périnée est important dans la qualité des relations sexuelles.

Premiers exercices

Dès les premiers jours qui suivent votre accouchement, vous pouvez pratiquer des exercices simples, comme la contraction des muscles fessiers ou l'arrêt du jet urinaire notamment au cours de la première miction de la journée en l'associant à une expiration.

Vous pouvez même, à l'aide d'un miroir, contrôler les contractions de votre périnée. Couchez-vous sur le dos, jambes fléchies, genoux écartés, placez un miroir devant votre vulve. Simulez une contraction destinée à arrêter l'urine, vous constaterez alors le travail du noyau fibreux et des muscles releveurs de l'anus. La partie inférieure de votre vulve doit d'abord s'élever, puis s'abaisser lorsque vous relâchez la contraction. Le périnée étant moins sollicité couchée ou assise que debout, n'hésitez pas, dès que vous en avez l'occasion, à vous allonger sur votre lit ou dans une chaise longue.

La véritable rééducation du périnée commence six semaines après l'accouchement. Vous pouvez participer à des cours collectifs ou préférer l'accompagnement particulier d'un kinésithérapeute ou d'une sage-femme.

Ces quelques cours sont remboursés par la Sécurité sociale après prescription du médecin et doivent être pris comme le début d'un entraînement que vous ferez régulièrement chez vous. Un conseil, associez l'expiration à tout effort, les viscères et les organes suspendus remonteront. Si les exercices musculaires sont insuffisants, vous pourrez avoir recours à l'électrostimulation musculaire (le *biofeedback*). Elle se pratique dans le cabinet d'un médecin gynécologue, d'une sage-femme ou d'un kinésithérapeute spécialisé. ▪

> **" La rééducation périnéale est capitale et se fait toujours avant la rééducation abdominale. ,,**

1ER MOIS

2E MOIS

3E MOIS

4E MOIS

5E MOIS

6E MOIS

7E MOIS

8E MOIS

9E MOIS

LA NAISSANCE

LES 1RES SEMAINES DE MAMAN

LES 1RES SEMAINES DE BÉBÉ

GROSSESSES DIFFÉRENTES

ANNEXES

Incroyable colostrum

Le colostrum, lait des premiers jours, joue dans la protection immunitaire un rôle essentiel. En effet, c'est un véritable concentré d'anticorps qui tapissent en quelques jours toutes les muqueuses de la bouche et du tube digestif. Le lait des jours suivants a tout autant d'importance ; le sucre qu'il contient, le gynolactose, est essentiel dans le développement de la flore microbienne de fermentation qui s'oppose à la prolifération de la flore putréfactive due à la digestion. On en comprend toute l'importance. ■

Choisir entre l'allaitement au sein ou au biberon

C'est à vous qu'incombe uniquement ce choix, ni à votre mari, ni à votre mère ou encore à votre belle-mère. Voici quelques informations pour vous aider à décider.
Pour l'allaitement au sein :
– Les qualités diététiques idéales de cet aliment pour votre bébé.
– Les avantages pratiques, le repas est toujours prêt et à bonne température, parfait pour les mamans «nomades».
– L'économie, il ne nécessite effectivement aucun investissement en matériel de puériculture, ni l'achat de lait bien sûr.

Contre l'allaitement au sein :
– Le bébé et sa mère sont quasiment inséparables.
Pour l'allaitement au biberon :
– Une liberté totale de la jeune maman qui peut confier très facilement son bébé.
– Un retour de couches précoce et une reprise de sa ligne rapide.
Contre l'allaitement au biberon :
– L'investissement en temps et en argent dans la préparation des repas du bébé. ■

Changer d'avis

Vous avez arrêté d'allaiter et vous souhaitez reprendre ? C'est tout à fait possible après quelques jours d'interruption voire plusieurs semaines. Mais il faut d'abord que le bébé qui s'est habitué à la succion de la tétine veuille bien reprendre le sein. N'attendez pas qu'il ait trop faim pour le nourrir, installez-vous dans le calme et la pénombre, puis aiguisez son appétit en barbouillant votre bout de sein d'un peu de votre lait.
Ensuite, vous allez devoir relancer la lactation. Le contact de votre bébé, peau à peau contre votre sein devrait déclencher une réaction hormonale propice à l'allaitement. Mettez votre bébé le plus souvent possible au sein, au moins toutes les deux heures et pour 10 à 15 minutes. S'il ne tète pas assez, tirez votre lait pour entretenir la lactation. Buvez beaucoup et tout particulièrement des tisanes à base de plantes : fenouil, cumin ou galega. ■

Ne vous laissez pas influencer

Dans certaines maternités, sous le prétexte de calmer les pleurs du nourrisson, on peut proposer aux jeunes mamans, qui ont pourtant décidé d'allaiter, de lui donner des biberons «complémentaires». Ne vous laissez pas faire. En effet, il vous faut un peu de temps pour prendre la position idéale pour allaiter et votre bébé à lui aussi besoin d'apprendre comment prendre le sein. Souvenez-vous que c'est la succion qui forme le bout de sein et qui active la montée de lait. Plus votre bébé va téter mieux il le fera et plus vous serez détendue. C'est souvent parce qu'il est débordé et qu'accompagner une maman demande un peu de disponibilité que le personnel fait cette proposition. ■

Un phénomène physiologique et... psychique

PLUS DE 60 % DES FRANÇAISES ONT CHOISI DE DONNER LE SEIN, un peu plus d'année en année. Environ 60 % d'entre elles nourrissent ainsi leur bébé pendant presque quatre mois, les autres pour une durée plus longue. La reprise de l'activité professionnelle est le plus grand frein à cette pratique, pourtant il existe des lois qui permettent d'adapter son temps de travail lorsqu'on allaite.

Une stimulation précoce

Si vous avez fait le choix d'allaiter, c'est dans les minutes qui suivent la naissance, dans la salle d'accouchement, que vous ferez votre première expérience. La mise au sein précoce favorise la montée de lait. Chaque fois que le bébé tète, votre organisme sécrète de la prolactine, une hormone du lait. Plus la stimulation est précoce, plus les quantités de lait vont être abondantes. Dès que le bébé lâche le bout du sein, une autre hormone est libérée, l'ocytocine, dont le rôle dans la lactation est de déclencher l'éjection du lait hors du mamelon.

Sans restriction ni de temps ni de fréquence

C'est entre le 3e et le 6e jour après l'accouchement que la lactation se met définitivement en place. Les seins se tendent et vous pouvez ressentir les signes d'un premier engorgement. L'efficacité de la succion de votre bébé aide à mieux supporter cette sensation. Il faut que l'enfant tète à « pleine bouche » : l'aréole du sein, la partie brune du mamelon, doit être entièrement dans sa bouche. Son visage doit être bien en face du sein. Certaines femmes craignent de ne pouvoir allaiter car elles estiment que leur poitrine est trop menue. Or la lactation n'a rien à voir avec le tour de poitrine. C'est la capacité de la glande mammaire qui importe, l'épaisseur du tissu adipeux ne jouant aucun rôle. Autre vieille croyance : penser que son lait est trop clair. Le lait maternel définitif est produit vingt jours environ après le début de la lactation. Le premier lait est clair, légèrement bleuté, et sa saveur à peine sucrée est parfaitement adaptée aux besoins de l'enfant.

Aucune obligation

Cependant, certains problèmes d'allaitement sont dus au psychisme de la mère. Ainsi, certaines refusent l'allaitement, considérant leurs seins comme un symbole de leur sexualité. Elles ont peur que les tétées successives n'abîment leur poitrine. Pour d'autres, c'est l'acceptation de l'enfant qui est difficile. Elles ont l'impression d'être dévorées. Entrent également en compte les réactions de l'entourage, et en premier lieu celles du mari. De toute façon, il n'y a aucune raison de se forcer à allaiter. ▪

" Même pour quelques semaines, le lait maternel est intéressant sur le plan immunitaire et digestif. "

1ER MOIS

2E MOIS

3E MOIS

4E MOIS

5E MOIS

6E MOIS

7E MOIS

8E MOIS

9E MOIS

LA NAISSANCE

LES 1RES SEMAINES DE MAMAN

LES 1RES SEMAINES DE BÉBÉ

GROSSESSES DIFFÉRENTES

ANNEXES

Les petits problèmes quotidiens

LA MISE AU SEIN NE NÉCESSITE AUCUN SOIN PARTICULIER autre que ceux d'une hygiène normale. Il faut surtout éviter que le mamelon ne soit trop humide et il faut le sécher au moyen d'une compresse propre. Toutefois, des petits problèmes pendant l'allaitement peuvent inquiéter.

Les crevasses

C'est l'humidité qui provoque les crevasses. Le meilleur moyen de les prévenir est de ne pas prolonger les tétées pendant les premiers jours. Il faut attendre que les mamelons se tannent. Là encore, l'enfant va aider sa mère. Quand elle lui donne toute l'aréole du sein, le bébé excite les glandes sébacées, les tubercules de Morgan, qui sécrètent un liquide lubrifiant empêchant la formation des crevasses. Si, malgré tout, elles apparaissent, il faut alors les traiter immédiatement pour éviter qu'elles ne s'ouvrent. L'application de pommades riches en vitamines A et E est recommandée : très efficaces, elles ne présentent aucun danger pour l'enfant.

L'engorgement mammaire

Le mamelon, largement innervé, est très sensible, et le bébé y exerce une forte pression qui le rendra particulièrement douloureux, surtout pendant 3 ou 4 jours. C'est seulement au bout d'une certaine période que le mamelon se fait ; les tétées deviennent alors moins désagréables. Attention, cette hypersensibilité peut être cause d'engorgement : la mise au sein étant pénible, la mère fait téter son enfant moins longtemps et moins souvent. C'est d'ailleurs souvent pour elle source d'angoisse, ce qui a pour conséquence de diminuer l'ocytocine, l'hormone responsable de l'excrétion du lait. Tout est donc en place pour favoriser un engorgement.

Il est encore recommandé, tant que la lactation n'est pas bien installée, d'allaiter avec les deux seins à chaque tétée, particulièrement les femmes qui ont beaucoup de lait, de façon à prévenir tout engorgement. La technique consiste à laisser l'enfant vider un sein avant de lui donner un peu de l'autre. À la tétée suivante, le bébé commencera par ce dernier. Souvent, bien des engorgements mammaires sont dus à une contrariété ou à une angoisse. Détendez-vous le plus possible dans la position suivante : couchée sur le côté, la tête légèrement surélevée par l'oreiller, une jambe pliée servant d'appui, l'autre étendue.

La mère qui allaite doit savoir reconnaître les premiers signes d'engorgement : les seins se tendent, durcissent et deviennent douloureux. La meilleure prévention est encore la tétée complète et fréquente durant les premiers jours. Si l'enfant ne vide pas complètement les seins à chaque tétée, il faut le faire manuellement en appuyant doucement sur le sein les deux mains bien à plat, en effectuant la pression du thorax vers le mamelon. Si ce massage ne suffit pas à extraire le lait, il faut le répéter sous une douche chaude.

L'abcès au sein

C'est l'un des rares cas où le médecin demande à la mère de ne plus allaiter : son lait contient alors des germes pathogènes dangereux pour l'enfant, tout au moins celui qui est produit par le sein malade, l'autre sein pouvant suffire à nourrir le bébé. Si la mère peut et souhaite reprendre l'allaitement après la guérison, elle doit tirer son lait chaque jour jusqu'à résorption de l'abcès, pour entretenir le mécanisme de la lactation.

Les mamelons mal formés

Ils ne signifient pas que la mère ne pourra pas allaiter. Pour bien boire, l'enfant doit avoir toute l'aréole dans sa bouche. C'est lui qui va former les mamelons en les aidant à s'épanouir par la succion. Mais ce sont les hormones qui ont le plus d'influence, puisqu'elles développent la poitrine pour favoriser l'allaitement. Cependant, des malformations existent, comme le mamelon ombiliqué : en pressant l'aréole du sein, le mamelon se creuse. Dans tous les autres cas, il faut parler de mamelons peu saillants ou rétractifs. Si la mère a du mal à allaiter, elle peut recourir à la téterelle, sorte de mamelon de verre ou de plastique.

Le bon soutien-gorge

Porter un soutien-gorge pendant toute la période d'allaitement est indispensable. Sans soutien, le poids inhabituel de la glande mammaire casserait les fibres élastiques de la peau, provoquant des vergetures et, plus tard, une ptôse de la poitrine. Des seins très lourds doivent même être soutenus jour et nuit. Les modèles de soutiens-gorge spécial allaitement les plus commodes s'ouvrent devant par une fermeture à glissière. On peut aussi choisir un soutien-gorge spécial sport que l'on peut enfiler : son dos élastique et ses bretelles permettent de le faire glisser vers le haut ou sur le côté pour l'allaitement. On en trouve encore dont les attaches sont situées entre les deux bonnets. Mieux vaut choisir des modèles en coton, faciles d'entretien.

Trop de lait

Certaines mères sont surprises de constater, au moment de la mise au sein, un écoulement important de lait par l'autre sein. Cette réaction est due à une lactation excessive. La quantité de lait produite par une jeune maman est variable d'une femme à l'autre et d'un moment à l'autre ; elle est également liée à la capacité de la glande mammaire. Il faut penser, dans ce cas, à protéger le sein qui n'allaite pas par une compresse. Ces mamans doivent veiller tout spécialement à ne pas souffrir d'engorgement. Elles peuvent exprimer leur lait sous une douche tiède ou l'offrir à un lactarium. Cet organisme leur donnera toutes les indications pour leur permettre de le recueillir facilement et dans les conditions d'hygiène idéales. En effet, le lait maternel est indispensable à la survie de certains bébés, notamment les grands prématurés.

Allaiter confortablement

Pour votre confort et celui de votre bébé, vous pouvez utiliser un coussin d'allaitement. Il met le bébé à la hauteur du sein maternel et permet à la mère de garder la position idéale tout au long de la tétée. Il a aussi l'avantage de soulager la fatigue de la jeune maman. Enfin il se transforme en un siège douillet d'enfant idéal pour une digestion confortable. Ces coussins sont réalisés dans des matières facilement lavables donc ils garantissent une parfaite hygiène.

Lorsque le bébé boit, il doit être à son aise pour pouvoir téter à la demande. Très vite, mère et enfant trouveront chacun la position idéale : le visage face au sein, le bébé a la bouche à la hauteur du mamelon ; son corps est parallèle à celui de la mère, assis si elle est assise et couché si elle est étendue. En position assise, mieux vaut s'installer dans un siège assez droit pourvu d'accoudoirs. Les pieds sont légèrement surélevés sur un petit banc ou sur de gros livres. Le bout du sein est maintenu entre l'index et le majeur de manière à bien dégager le nez du bébé pendant qu'il tète. Une légère pression peut favoriser la venue du lait. Dans tous les cas, l'idéal pour donner le sein est de trouver un endroit relativement calme dans la maison. ▪

1ER MOIS

2E MOIS

3E MOIS

4E MOIS

5E MOIS

6E MOIS

7E MOIS

8E MOIS

9E MOIS

LA NAISSANCE

LES 1RES SEMAINES DE MAMAN

LES 1RES SEMAINES DE BÉBÉ

GROSSESSES DIFFÉRENTES

ANNEXES

Où sont les nourrices d'antan ?

L'allaitement du bébé par sa mère est une pratique relativement récente. En effet, jusqu'au début du XXe siècle, un grand nombre de bébés étaient confiés aux soins d'une nourrice. Ces femmes faisaient commerce de leur lait et entretenaient leur lactation de mois en mois et même d'année en année, tout simplement en gardant en permanence un bébé au sein.

Aujourd'hui, les mamans qui allaitent sont parfois déçues de ne pas ressembler aux femmes qu'elles voient dans les publicités. Leur silhouette est encore un peu lourde, leurs seins sont volumineux, marqués de grosses veines bleues. Elles se sentent toujours un peu collantes en raison du lait qui s'échappe de leurs seins. Bref, leur moral peut en prendre un léger coup mais ce n'est pas pour cela qu'elles choisissent de renoncer. ■

Les seins, tout un symbole

Les seins ont un rôle important dans la sexualité et, pour la jeune maman qui allaite, ce n'est pas toujours simple. Ainsi une poitrine lourde et très volumineuse, la montée de lait et les seins tendus à en être douloureux peuvent perturber la relation amoureuse. Certaines femmes peuvent être étonnées lorsque, au cours de rapports sexuels, leurs seins laissent échapper du lait de manière intempestive. En revanche, pour certaines mères, l'allaitement est plutôt source de plaisir, et peut, au moment de la mise au sein du bébé, leur procurer des sensations proches de l'orgasme. ■

Arrêter d'allaiter

Sauf en cas de maladie grave de la mère, il est recommandé de passer du sein au biberon en douceur. La technique pour stopper l'allaitement est la même quel que soit le moment choisi, par exemple vers le 4e mois, qui est en principe le moment habituel du sevrage. Le passage du lait maternel au lait premier âge se fait progressivement sur 10 à 15 jours.

Pour un nourrisson qui est à 5 tétées par jour :
– les 3 premiers jours : 4 tétées et 1 biberon ;
– les 3 jours suivants : 3 tétées et 2 biberons ;
– les 3 jours suivants : 2 tétées et 3 biberons ;
– les 3 jours suivants : 1 tétée et 4 biberons ;
– les jours suivants : 5 biberons.

Le sevrage de la lactation par l'absorption de médicaments à base d'œstrogènes de synthèse n'est pas sans risque. Il faut craindre des perturbations telles que phlébites, nausées ou vertiges.

L'allaitement mixte, au sein et au biberon en alternance, est encore possible.

Les mères qui reprennent le travail après leur congé de maternité ont souvent recours à cette solution pour se garder le plaisir de donner le sein matin et soir au moins.

Mais la lactation étant stimulée par la succion, il n'est pas rare que le lait se tarisse petit à petit sans que vous ayez recours au moindre médicament. Aussi faut-il rester très vigilant pour que l'enfant ne soit pas perturbé et conserve un bon équilibre nutritionnel. ■

Empêcher la montée de lait

Le plus facile est de le faire aussitôt après l'accouchement, avant même que l'enfant ait stimulé la lactation par la tétée. Le produit le plus couramment utilisé est le Bromocriptine®. Ce médicament agit sur l'hypophyse et l'hypothalamus pour inhiber la production de prolactine. La posologie habituelle est de 2 comprimés par jour pendant 3 semaines. Si ce traitement s'avère insuffisant, il faudra le prolonger de 10 jours. Vertiges et nausées sont les seuls effets secondaires connus, ils disparaissent lorsqu'on fractionne les doses. ■

Un fragile équilibre hormonal

LA FABRICATION DU LAIT et sa montée dans les glandes mammaires furent longtemps un mystère. Au XXᵉ siècle, la découverte des hormones et de leurs propriétés a permis d'expliquer le phénomène de la lactation.

Le rôle des glandes mammaires

L'hormone est une substance sécrétée par une glande endocrine, véhiculée par le sang et qui a le devoir d'exciter le fonctionnement d'un organe. En l'occurrence, l'hormone de la lactation, la prolactine, est sécrétée par le lobe antérieur de l'hypophyse. C'est elle qui va stimuler la production de la glande mammaire qui renferme les grappes d'acini glandulaires.

L'action de la prolactine est conjuguée avec celle d'autres hormones sécrétées par le placenta, les ovaires et les glandes surrénales. C'est ce cocktail qui va produire le lait maternel.

Dans le même temps, le lobe postérieur de l'hypophyse produit l'ocytocine, l'hormone partenaire de la prolactine. Elle va déclencher les contractions des muscles et favoriser ainsi la migration du lait des acini vers les canaux galactophores. Ces derniers se multiplient jusqu'aux pores galactophores, situés au bout du sein.

On le sait, la lactation est entretenue par l'enfant qui tète. Sa succion exerce une pression sur le mamelon, vidant les alvéoles pleines de lait qui se remplissent alors à nouveau. Parallèlement, l'excitation nerveuse du mamelon est transmise au cerveau, puis à l'hypophyse, laquelle, en réponse, produit plus ou moins de prolactine et d'ocytocine.

Stimuler la lactation

Certes, ce mécanisme paraît simple. Mais les dosages hormonaux sont si complexes qu'il suffit parfois de bien peu de chose pour en perturber l'équilibre : la fatigue, l'émotion, voire le stress, font baisser la lactation. Cela se produit souvent au moment du retour à la maison. La jeune maman est parfois inquiète, voire dépressive, face aux problèmes matériels et à la nouvelle responsabilité qu'elle doit assumer (p. 399).

Un seul remède pour reprendre un rythme normal : mettre l'enfant au sein le plus souvent possible afin de stimuler la glande mammaire. Ne pas hésiter non plus à vider régulièrement ses seins manuellement en pressant sur les mamelons (voir technique p. 380) ou à l'aide d'un tire-lait. Le surplus peut être donné à un lactarium pour ne pas être perdu..

Boire beaucoup d'eau et se reposer au maximum sont les meilleurs stimulants pour la lactation. Il existe pourtant une panoplie de médicaments pour la favoriser. Le plus répandu, non toxique, est le Galactogyl®. C'est le produit de l'association de trois plantes (la galega, le cumin et le fenouil) et d'une substance chimique, le dipliosphate tricalcique.

L'homéopathie pallie également l'insuffisance de la montée de lait. La prise de granules Ricinus communis 4CH (posologie selon l'avis du spécialiste) permettra de passer ce cap. Les massages stimulent également la lactation et sont utiles en cas d'engorgement (p. 380) : la main bien à plat, effleurer le sein circulairement, puis, en épousant bien sa forme, effectuer progressivement un massage plus ferme qui redeviendra léger en fin de séance. Vos seins vont ainsi se vider progressivement et la lactation s'arrêter.

1ᴱᴿ MOIS

2ᴱ MOIS

3ᴱ MOIS

4ᴱ MOIS

5ᴱ MOIS

6ᴱ MOIS

7ᴱ MOIS

8ᴱ MOIS

9ᴱ MOIS

LA NAISSANCE

LES 1ᴿᴱˢ SEMAINES DE MAMAN

LES 1ᴿᴱˢ SEMAINES DE BÉBÉ

GROSSESSES DIFFÉRENTES

ANNEXES

Carences en fer et en vitamines

Un certain nombre d'anémies ainsi que de spasmophilies peuvent être mises au compte de la grossesse. Elles sont dues à une fatigue persistante, surtout si la jeune mère n'a pas pris assez de temps pour se reposer après l'accouchement. L'anémie en fer est la plus courante ; elle provoque une asthénie (diminution des forces physiques) et une mauvaise résistance aux infections. Des recherches médicales affirment qu'il faut plusieurs mois à une jeune mère pour récupérer toutes les pertes en fer occasionnées par la grossesse. Pour rétablir cet équilibre, on associe aux prescriptions de fer et d'acide folique (vitamine que l'on trouve dans la plupart des végétaux et dans le foie) de la vitamine C qui favorise l'assimilation du fer contenu dans l'alimentation. Environ 66 % des femmes se disent fatiguées après l'accouchement et un tiers d'entre elles le sont davantage qu'elles ne l'avaient prévu (d'après une enquête réalisée par un laboratoire pharmaceutique auprès de 200 jeunes femmes qui ont accouché dans un grand hôpital parisien). Cette fatigue qui a sans doute des raisons psychologiques (« baby blues » p. 399) a aussi des causes physiologiques. Ce déséquilibre peut être compensé par un apport de micronutriments, sous forme d'un cocktail de fer, acide folique, calcium, sélénium, magnésium, zinc, cuivre, plus vitamines B1 et B2, à prendre au cours de la grossesse et dans les 3 mois qui suivent la naissance. ■

Le stress

Certaines situations de fatigue ou de stress peuvent être à l'origine d'une baisse de la lactation. Mais, le plus souvent, c'est entre la mère et le bébé que naît la tension. La jeune maman craint de ne pas faire les gestes adéquats, elle pense qu'elle n'a pas assez de lait ou qu'il n'est pas suffisamment bon... Son bébé ressent son malaise et tète mal. Si c'est votre cas, essayez de vous relaxer avant les tétées et, si besoin, contactez une association de promotion de l'allaitement. ■

Alcool et tabac interdits

Un certain nombre de substances toxiques ou médicamenteuses passent dans le lait et peuvent constituer des contre-indications à l'allaitement maternel. Un verre de vin, de bière ou de champagne de temps en temps est toléré, mais la consommation régulière de boissons alcoolisées est interdite. En effet, l'alcool passe dans le lait et entraîne des retards de croissance, voire des traumatismes chez l'enfant. Même interdiction pour le tabac, la nicotine se retrouvant également dans le lait. Ainsi, une femme qui fume 10 à 20 cigarettes par jour produit un lait qui contient environ 0,4 mg de nicotine par litre. Demandez à votre conjoint, si nécessaire, de s'abstenir en votre présence et celle de votre bébé. Le tabagisme passif est aussi dangereux que fumer.

Enfin, pensez à laver les fruits et les légumes que vous mangez crus pour éliminer toute trace de pesticides.

Bien entendu, toutes les drogues et l'abus de médicaments sont à éviter à tout prix. ■

Régime pour allaiter

AUCUN ALIMENT N'EST DÉFENDU PENDANT L'ALLAITEMENT. Il faut simplement savoir que certains d'entre eux peuvent donner un goût au lait. Ce sont, par exemple, le poisson ou la viande faisandée, le chou, l'ail, les oignons, les asperges. Mais bébé, en principe, ne s'en formalise pas, et l'on pense même que c'est ainsi qu'il s'habitue aux goûts qui sont ceux de l'alimentation familiale.

Des protéines et des laitages

La femme qui allaite n'a donc pas à s'inquiéter sur le choix de ses menus. Son régime doit être un peu plus riche qu'à l'ordinaire. Lait, yaourts et fromages contiennent beaucoup de protéines et de calcium, indispensables à la fabrication du lait maternel.

L'idéal est de consommer 75 cl à 1 l par jour de lait écrémé. L'apport en protéines se fait grâce aux œufs, à la viande et au poisson. Les viandes maigres insaturées (qui ne sont pas riches à l'excès en matières grasses) sont indispensables. Le sont également les huiles et les margarines d'origine végétale, à base de tournesol, de maïs, de colza ou d'olive, qui ne sont pas saturées de lipides comme les huiles ou les margarines animales. Elles apportent au lait des acides gras essentiels dans la constitution du système nerveux du nouveau-né.

Pendant tout l'allaitement, on conseille à la mère de boire de 1,5 l à 2 l d'eau par 24 heures. Cette quantité prend bien sûr en compte toutes les boissons. L'eau est à préférer plate pour des raisons de digestibilité, mais aussi d'apport en sodium ; certaines eaux gazeuses sont particulièrement salées. À l'eau, vous pouvez ajouter des jus de fruits (attention, le jus d'orange peut être à l'origine de légères diarrhées chez le nourrisson), de la bière sans alcool, du lait, des infusions, des potages ou des bouillons.

Une alimentation renforcée

Une femme qui veut garder son équilibre a besoin de 2 000 calories par jour. Dans tous les cas, son régime ne doit pas lui apporter moins de 1 500 calories par jour. Au-dessous, elle risquerait d'avoir du mal à poursuivre l'allaitement. Généralement, la ration alimentaire d'une jeune maman qui allaite doit avoisiner les 2 500 calories. Voici quelles sont les rations quotidiennes et moyennes que pourront contenir ses menus, si elle n'a pas de problème de poids :

– 250 g de viande grillée ou 300 g de poisson grillé ou deux œufs ; 400 g de légumes verts frais ;
– 50 g de fromage ;
– 400 g de fruits et 1/3 de litre de lait.

Allaitement et régime

Même si vous vous trouvez un peu trop ronde, ce n'est pas encore le moment de vous mettre au régime. Essayez dans un premier temps d'éviter les excès de sucre et de graisses. Le stockage des calories est un phénomène physiologique lié à l'allaitement vous ne pouvez donc pas le contrarier. Mieux vaut attendre un peu pour perdre les 2 ou 3 kilos que vous avez en trop. ▪

" Vous aurez peu d'occasions d'allaiter dans votre vie, c'est peut-être une expérience à ne pas manquer. "

1ER MOIS

2E MOIS

3E MOIS

4E MOIS

5E MOIS

6E MOIS

7E MOIS

8E MOIS

9E MOIS

LA NAISSANCE

LES 1RES SEMAINES DE MAMAN

LES 1RES SEMAINES DE BÉBÉ

GROSSESSES DIFFÉRENTES

ANNEXES

L'allaitement mixte

L'allaitement au sein est sans doute contraignant les deux premiers mois ; ensuite l'enfant peut de temps en temps être nourri au biberon. C'est ce que l'on appelle l'allaitement mixte. Pour ne pas tarir la montée de lait, il est préférable de garder un maximum de tétées au sein dans la journée. Par exemple, sur sept repas, donnez-en deux au biberon et cinq au sein.

Sachez encore que le lait maternel se congèle parfaitement. Dans ce cas, il est indispensable de respecter les notions d'hygiène habituelles dans la confection des biberons. Ces petites astuces permettent aux jeunes mamans de se libérer un peu de temps ou même de pouvoir reprendre un travail à mi-temps. ∎

La pilule autorisée

Les contraceptifs oraux effraient beaucoup de jeunes mamans qui craignent que les hormones absorbées avec la pilule ne passent dans le lait et n'aient une influence néfaste sur le développement de l'enfant. Or, toutes les études menées à ce jour aboutissent à la même conclusion : le taux d'hormones passant dans le lait d'une mère qui allaite et qui prend la pilule n'excède jamais 1 %, soit beaucoup moins que celui que reçoit le fœtus à travers le placenta.

En revanche, ces hormones (les œstroprogestatifs) auraient une action sur la richesse du lait en protéines, en lactose, en graisses, en calcium et en phosphore.

Si l'on en croit certaines études scientifiques récentes, il est préférable de conseiller l'utilisation de micropilules, c'est-à-dire de progestatifs faiblement dosés en continu. Elles présentent toutefois un inconvénient : elles demandent une certaine discipline dans leur prise, voire même une régularité à l'heure près, chaque 24 heures. ∎

Étonnantes allergies

Certains nourrissons sont allergiques au lait de leur mère. Ce phénomène est rare, mais il mérite d'être signalé. On pense qu'il est dû à l'absorption trop forte par la mère de lait ou de ses dérivés comme : crèmes, yaourts, fromages, etc.

Les protéines du lait de vache qu'ils contiennent passent dans le lait maternel. Mais on estime aussi que, compte tenu des raisons psychiques des allergies, l'enfant peut manifester un trouble relationnel profond. ∎

L'allaitement, moyen contraceptif ?

La trêve de l'ovulation est d'environ 5 ou 6 semaines pour la femme qui allaite après l'accouchement. Aussi, l'allaitement n'est pas réellement un bon moyen contraceptif. Il est impossible de déterminer la date de la première ovulation après l'accouchement, puisqu'elle précède le retour de couches. Il faut donc attendre les premières règles pour remettre à jour le calendrier menstruel. Longtemps, les femmes ont cru que l'allaitement les protégeait d'une seconde grossesse. Il n'en est rien. Des études mettent en lumière le rôle de la fréquence des tétées ; celles-ci favorisent la sécrétion de prolactine (l'hormone de la lactation) dans le sang. C'est cette hormone qui bloque l'ovulation. Plus le nombre de tétées est important, plus le taux de prolactine est élevé. Cela explique la reprise de l'ovulation au moment où l'on commence à changer l'alimentation de l'enfant en réduisant, notamment, l'apport de lait maternel. ∎

Médicaments et pollution

LA NOCIVITÉ DES SUBSTANCES ABSORBÉES DÉPEND DE DIFFÉRENTS FACTEURS, liés au type de produit, à sa quantité et au moment où il a été ingéré : lorsqu'il y a infection, le produit passe plus vite dans le lait maternel s'il a été administré par voie buccale.

Médicaments

La prise de médicaments pendant l'allaitement doit être sévèrement contrôlée car plus la posologie est importante, plus le risque de contamination est élevé pour l'enfant. Les médicaments ou les toxiques présents dans le sang maternel sont décelables dans le lait à des concentrations plus ou moins variables.

Certains médicaments sont formellement interdits pendant l'allaitement : beaucoup d'antibiotiques, les sulfamides, les laxatifs chimiques et tous les produits contenant de l'iode.

D'autres, pris en continu, peuvent se révéler dangereux à la longue. Certains traitements ou même des doses massives de vitamines (B6 notamment) diminuent la lactation. Dans tous les cas mieux vaut demander conseil à son médecin ou à son pharmacien.

Insecticides et pesticides

Le lait maternel n'est pas à l'abri des polluants qui vont être transmis à l'enfant. Il faut se méfier particulièrement des insecticides et des pesticides ; le DDT et l'hexachlorophène peuvent se révéler très dangereux.

Des études ont montré que les résidus des pesticides étaient au moins cinq fois plus élevés dans le lait de la femme que dans le lait de vache.

Le lait du premier mois de lactation est plus sensible encore aux polluants que dans les mois suivants, comme si une sorte de résistance s'organisait ensuite contre les agressions extérieures. L'organisme humain stocke ces produits puis les concentre dans les graisses et les tissus avant de les rejeter dans le lait. Ainsi, on peut retrouver des traces d'insecticides provenant tout simplement des aérosols et plaquettes utilisés dans la maison.

Pollution et alimentation

Mais on sait maintenant que le lait des mères les plus jeunes est moins pollué que celui des multipares plus âgées. Alors l'immunité est-elle une affaire de jeunesse ? Oui pour la résistance aux polluants ; cependant, toutes les femmes y sont spécialement vulnérables au cours des premiers mois de lactation.

On a découvert en outre qu'une certaine relation peut exister entre le degré de pollution et le type d'alimentation de la mère. Ainsi, le lait des mères Inuits qui vivent au nord du Canada est un des plus pollués du monde en raison de leur régime à base de viande de phoque et de narval. Il contient cinq fois plus de biphényle polychloré, résidu de l'industrie se concentrant dans la chair des poissons, que celui des autres mères québécoises.

Le même phénomène se produit avec les poissons exposés au mercure. Ainsi, l'Afsa (Agence française de sécurité sanitaire des aliments) recommande de ne pas consommer plus d'une fois par semaine du gros poisson sauvage (thon, bar, etc.). ∎

1ER MOIS

2E MOIS

3E MOIS

4E MOIS

5E MOIS

6E MOIS

7E MOIS

8E MOIS

9E MOIS

LA NAISSANCE

LES 1RES SEMAINES DE MAMAN

LES 1RES SEMAINES DE BÉBÉ

GROSSESSES DIFFÉRENTES

ANNEXES

Le retour de couches

L'appareil génital reprend une activité normale bien avant le retour de couches. L'allaitement aide à la remise en forme de l'organisme de la mère : lors des tétées, les muscles de l'utérus travaillent. Cette période de l'involution utérine est marquée par un écoulement vaginal, qui est fait de lochies, sang non coagulé. Vers le 12e jour, cet écoulement peut être un peu plus important. C'est le petit retour de couches qui n'a rien à voir avec le retour des règles. En cas d'allaitement, la date du retour de couches est difficile à déterminer, on sait qu'il le retarde mais pas indéfiniment. En moyenne, une mère qui allaite retrouve un cycle régulier quatre mois après l'accouchement. À cette date, la sécrétion de pro-lactine diminue de moitié, ce qui la ramène à des proportions comparables à celles d'une femme qui n'allaite pas, mais qui suffit à entretenir la lacta-tion. Il est faux de croire que le lait maternel est alors moins bon ou de penser qu'il y a obligatoire-ment reprise de l'ovulation. L'apparition des règles ne la signifie pas toujours. ▪

Pour eux aussi

La pilule pour hommes est théoriquement au point. La pilule au masculin est administrée pour l'instant par injection et bientôt par voie orale. Son principe : l'administration d'hormones qui entraî-nent une diminution de la spermatogenèse et donc du nombre de spermatozoïdes dans le sperme. Son inconvénient : un délai assez long avant d'être efficace – 2 à 4 mois de traitement. Le même délai est nécessaire, après arrêt de la contraception, pour que l'homme retrouve toute sa fertilité. Pour l'instant cette pilule n'étant pas encore totalement commercialisée, le préservatif reste le contracep-tif au masculin. C'est une méthode très sûre si le préservatif est mis en place au bon moment, c'est-à-dire lors de l'érection et non juste avant le rap-port et s'il est utilisé chaque fois. Attention, le pré-servatif peut parfois craquer. Reste alors la seule solution si le rapport à lieu à un moment proche de l'ovulation : la pilule du lendemain. Elle est vendue sans ordonnance en pharmacie. ▪

Reprendre une contraception

1ER MOIS

2E MOIS

3E MOIS

4E MOIS

5E MOIS

6E MOIS

7E MOIS

8E MOIS

9E MOIS

LA NAISSANCE

LES 1RES SEMAINES DE MAMAN

LES 1RES SEMAINES DE BÉBÉ

GROSSESSES DIFFÉRENTES

ANNEXES

CERTAINS CONTRACEPTIFS SONT À ÉVITER DANS LA PÉRIODE DU POST-PARTUM, avant le retour de couches. La majorité des médecins déconseillent l'utilisation immédiate du stérilet. Mieux vaut attendre environ un mois que l'utérus ait repris sa taille normale, afin d'éviter qu'il tombe ou qu'il se déplace, provoquant le risque d'une perforation utérine. Enfin, le contact entre le vagin et la cavité utérine, par l'intermédiaire du fil du stérilet, peut provoquer l'inflammation de l'endomètre (muqueuse utérine).

Méthodes orales

La pilule classique est parfois prescrite 21 jours après l'accouchement. Dans ce cas, c'est une pilule œstroprogestative minidosée (p. 29). Sa prescription nécessitera un bilan biologique afin d'éviter toute complication. La pilule déclenche les saignements dès qu'on arrête sa prise. Elle peut augmenter les risques de phlébite. Par contre, les pilules microdosées (en progestérone seulement) sont sans conséquence sur la qualité et la quantité de lait maternel. Leur prescription est préférée à ce moment-là, d'autant plus qu'on peut les utiliser très tôt, à savoir seulement 10 jours après l'accouchement.

Méthodes locales

Avant le retour de couches, le médecin conseille généralement une contraception locale. La jeune mère n'a à sa disposition que des ovules, des crèmes, des gels ou des éponges spermicides. À moins qu'elle ne demande à son partenaire d'utiliser des préservatifs.

Quel contraceptif choisir ?

Dès le retour de couches, tous les modes de contraception sont possibles sauf le diaphragme.
• Les pilules : il n'existe pas de pilule parfaite, mais différentes pilules plus ou moins dosées selon les cas. Leur fonctionnement est toujours le même et leur taux de réussite contraceptive est de 100 %. La pilule œstroprogestative modifie le fonctionnement de l'hypophyse, la glande régulatrice du système hormonal. Les spermatozoïdes sont neutralisés au niveau du col et le tissu utérin devient impropre à l'implantation de l'œuf fécondé.
• Les stérilets classiques ou à la progestérone : ils empêchent la nidation et, pour ceux à la progestérone, agissent sur la glaire cervicale. Ces derniers diminuent, voir suspendent, les règles. Leur durée d'utilisation varie de 2 à 4 ans. Il est préférable d'attendre 6 semaines après l'accouchement pour le mettre en place.
• L'implant contraceptif : récent, ce contraceptif se glisse, pour une durée de trois ans, sous la peau du bras, libérant un progestatif, l'étonorgestrel. Il est efficace le lendemain de sa pose. Il est déconseillé aux femmes ne supportant pas bien les contraceptifs à la progestérone.
• Le patch contraceptif : il se colle sur l'épaule et diffuse le contraceptif sur une durée de 7 jours.
• L'anneau contraceptif : il se place dans le vagin et doit être changé toutes les semaines.
Aujourd'hui, la palette de plus en plus diversifiée des moyens contraceptifs permet à chaque femme un choix selon ses besoins. ■

Des problèmes psychologiques

Pour certains couples, les difficultés sont d'ordre psychologique. Il existe des maris qui ont du mal à accepter le nouveau statut de leur épouse : de séductrice, elle est devenue mère. De leur côté, certaines femmes sont perturbées par cette transformation. Elles ne savent plus vraiment qui elles désirent être et manifestent souvent leur malaise par une attitude agressive. Pour les célèbres sexologues Master et Johnson, qui font toujours référence, 47 % des femmes connaîtraient une période de frigidité après l'accouchement. Bien des femmes, en réalité, éprouvent une certaine crainte au moment de la reprise d'une activité sexuelle, elles se sentent endolories, fatiguées, mal dans leur peau, des sentiments qui ne sont pas favorables à un réel épanouissement.

Il faut savoir que plus vous retardez la reprise de ces relations, plus vous aurez des difficultés par la suite. Par contre, l'absence de désir n'a rien d'exceptionnel et ne doit pas vous culpabiliser. Retrouver une relation amoureuse à cette période de la vie passe sans aucun doute par un dialogue avec votre conjoint. Vous échangerez vos craintes, vous confierez votre inconfort, voire les douleurs que vous ressentez au moment des rapports. C'est ensemble que vous trouverez des solutions et que vous résoudrez le mieux ces petites difficultés. ■

Un bonheur stimulant

Pour certaines femmes, la naissance d'un enfant leur apporte un si parfait bonheur qu'il stimule leur désir. Très vite, elles se sentent à nouveau femme et se disent sexuellement plus épanouies qu'avant. Ce sont généralement des femmes qui ont vécu une grossesse idéale, qui ont eu un accouchement facile et des suites de couches sans difficulté. Elles ont d'ailleurs souvent poursuivi leur vie de femme tout au long de leur grossesse et jusqu'à son terme. La naissance est souvent ressentie comme une liberté et une nouvelle légèreté. Bien évidemment, l'attitude de leur compagnon est importante, plus il met la jeune maman en confiance, plus il la rassure mieux le couple se retrouve. ■

Vous et votre partenaire

Si votre sexualité traverse quelques passages difficiles, sachez que votre conjoint peut aussi éprouver quelques difficultés et sa libido peut être mise à rude épreuve. Pour lui aussi, tout change : il endosse la responsabilité de père, il doit partager son épouse avec une autre personne, il ne reconnaît pas tout à fait le corps de celle qui lui a donné un bébé. Si sa femme ou sa compagne repousse trop souvent ses avances, il peut se sentir exclu de cette nouvelle famille et remis en cause dans le couple. Ce malaise le conduit parfois à s'éloigner. L'important, là encore, est de parler pour éviter qu'un malentendu ne s'installe. Le couple doit prendre le temps d'analyser les changements de vie et d'affectivité, de trouver au besoin un nouvel équilibre. Pour certains, cette recherche passe par une relation à deux, loin du bébé. Il n'y a rien d'anormal à confier l'enfant nouveau-né quelques jours à l'une de ses grands-mères ou à une amie pour retrouver un peu de l'insouciance d'avant. D'autres couples, au contraire, voient leur affectivité et leurs relations sexuelles renforcées par l'arrivée d'un bébé. Au sentiment d'accomplissement de leur couple, s'ajoute parfois un plus grand plaisir dû aux exercices de musculation périnéale que suit la jeune maman. ■

Sexualité après bébé

LE DÉSIR SEXUEL APRÈS UNE MATERNITÉ EST VARIABLE D'UN COUPLE À L'AUTRE. Généralement, les couples qui n'ont rien changé à leurs relations au cours de la grossesse n'éprouvent aucune difficulté après l'accouchement. La question se pose seulement chez ceux pour qui la grossesse a signifié des changements de comportement. En fait, tout dépend des couples et des maternités.

Presque comme avant

Sur le plan strictement médical, il est tout à fait possible de reprendre une activité sexuelle dans les jours qui suivent votre accouchement. Mais la plupart des médecins conseillent d'attendre au moins deux à trois semaines pour une reprise normale et régulière des rapports.

S'il y a eu intervention chirurgicale - épisiotomie ou césarienne (pp. 343 et 349) –, ce délai peut être allongé de huit à quinze jours. Dans tous les cas, il faut attendre qu'il n'y ait plus de saignements, que la sensibilité utérine s'atténue et que le muscle périnéal ait repris un peu de son tonus : il ne le récupérera complètement qu'après quelques semaines. Alors seulement, vous retrouverez, vous et votre conjoint, un plaisir proche de celui que vous connaissiez avant la maternité. Mais attention, une ovulation peut se produire trois semaines après l'accouchement. Il est donc important de penser aussi à la contraception (p. 389).

Un problème fonctionnel

Nombre de femmes souffrent de dyspareunie (douleur éprouvée lors des rapports) dans les semaines qui suivent leur accouchement. L'utilisation d'un produit lubrifiant, sous forme de gel ou de gélules, peut atténuer ce problème. De plus, la tonicité du vagin a changé ; il peut rester entrouvert, ses parois sont élargies et la vulve, surtout après plusieurs grossesses, peut être molle.

Suites d'intervention

L'épisiotomie est également souvent mise en cause dans l'origine des douleurs. Elle laisse parfois une cicatrice qui se rétracte et forme un tissu fibreux.

Quant aux épisiotomies mal recousues, elles peuvent faire souffrir plusieurs semaines après l'accouchement. Aussi toute épisiotomie sensible doit être traitée, voire reprise chirurgicalement. ■

1ER MOIS

2E MOIS

3E MOIS

4E MOIS

5E MOIS

6E MOIS

7E MOIS

8E MOIS

9E MOIS

LA NAISSANCE

LES 1RES SEMAINES DE MAMAN

LES 1RES SEMAINES DE BÉBÉ

GROSSESSES DIFFÉRENTES

ANNEXES

Se tonifier en douceur

VOUS POURREZ REPRENDRE QUELQUES MOUVEMENTS DE GYMNASTIQUE dans les semaines qui suivent l'accouchement, à condition qu'ils soient doux. Vous ne devez néanmoins jamais oublier que le meilleur moyen de retrouver votre forme est d'abord de vous reposer le plus possible.

Des mouvements simples

Cette gymnastique douce peut même se faire allongée sur votre lit.

• Mouvements de mains : joignez les deux mains à la hauteur du menton. Faites claquer les paumes sans disjoindre le bout des doigts. Répétez l'exercice 10 à 15 fois de suite.

• Mouvements de bras : croisez les avant-bras sur le ventre, de manière à ce que l'intérieur des deux poignets soit en contact ; montez les bras ainsi réunis le plus loin possible derrière la tête, le poignet du dessous poussant celui du dessus qui résiste. Inversez les poignets tous les dix mouvements.

Les abdominaux

Il peut être difficile de faire des abdominaux dans les premiers jours après l'accouchement, surtout s'il y a eu une intervention chirurgicale, même aussi bénigne que l'épisiotomie (p. 343). Dans ce cas, le ventre peut toujours être remis en forme par des massages : effleurez très légèrement l'abdomen du bout des doigts en partant du pubis et en remontant jusqu'aux seins, puis continuez progressivement du milieu du ventre vers les hanches.

Ces massages sont encore plus efficaces lorsqu'ils sont effectués avec une crème ou une huile pour le corps. Si l'accouchement s'est déroulé sans incident, vous pouvez très vite travailler vos abdominaux en douceur.

Ce premier exercice est facile et vous pouvez le pratiquer allongée :

• Fléchissez les jambes en les remontant sur le corps, serrez les talons et les genoux puis contractez les muscles fessiers ; relâchez et recommencez une quinzaine de fois en alternant contraction des muscles fessiers et des muscles du périnée tout en rentrant le ventre.

L'exercice suivant est un peu plus violent, aussi est-il préférable de le programmer cinq ou six jours après l'accouchement :

• Allongée sur le dos, les mains croisées derrière la nuque, soulevez légèrement le buste ; faites des mouvements amples de pédalage, la cuisse décollant bien du sol. Pour varier cet exercice, par un mouvement de torsion du buste, amenez le coude droit et touchez le genou gauche, et inversement. Recommencez une trentaine de fois. Attention, les exercices classiques de musculation du ventre ne sont pas adaptés à une future maman, ils risquent notamment de contrarier les exercices indispensables à la remise en forme du périnée qui doit précéder la remise en forme des abdominaux.

Les fesses et les cuisses

De retour à la maison, voici un truc de kinésithérapeute pour faire travailler les fesses et les cuisses sans s'en apercevoir : mettez à vos chevilles des petits bracelets-haltères de 500 g et vaquez à vos occupations, ainsi lestée, 1 heure ou 2 par jour. Marchez le plus souvent possible sur la pointe des pieds.

Les jambes

Il est essentiel pour une jeune accouchée d'activer la circulation de ses jambes. Le massage reste sans doute l'exercice le plus simple et le moins fatigant. Encore une fois, il est plus efficace accompagné d'une crème ou d'une huile dite délassante.

• Remontez simultanément de chaque côté de la jambe les deux mains en effleurant la peau. Ce geste ressemble à celui que l'on fait en enfilant des bas.

• De même, il est utile de masser ses pieds : massez doucement la voûte plantaire et effleurez les chevilles à l'aide des orteils. Le travail de la voûte plantaire se réalise aussi en faisant rouler sous les pieds une bouteille ou une barre ronde.

• Enfin, prenez l'habitude de faire travailler vos chevilles en leur donnant un mouvement ample de rotation et en changeant de sens toutes les cinq rotations. Cet exercice se réalise jambes tendues, légèrement soulevées du sol, la pointe du pied tendue.

Attention, tous ces exercices se font les jambes écartées et sont à proscrire dans les quinze premiers jours après l'accouchement, surtout si vous avez eu une épisiotomie.

La respiration

Dernier point pour compléter cette gymnastique douce : travaillez la respiration. Reprenez les exercices de respiration abdominale appris au cours de la grossesse (pp. 242 et 337). Gonflez d'air votre ventre, chassez cet air vers la poitrine et expirez en creusant le ventre. Veillez à ce qu'expiration et inspiration soient d'amplitude égale et si possible augmentez-la au fur et à mesure.

Juste un peu de temps

Tous les exercices qui ne demandent pas à ce que vous soyez allongée, et qui ne mettent pas en action de manière trop voyante les bras et les jambes, peuvent être faits tout au long de la journée.

C'est une habitude de mise en forme que vous pouvez appliquer dans votre vie quotidienne bien des mois après votre accouchement.

Il vous faudra attendre encore un peu pour reprendre un sport, à l'exclusion de la marche et de la natation qui, si elles sont pratiquées tranquillement, sont recommandées après comme avant la naissance de votre bébé (p. 103). ▪

1ᴱᴿ MOIS

2ᴱ MOIS

3ᴱ MOIS

4ᴱ MOIS

5ᴱ MOIS

6ᴱ MOIS

7ᴱ MOIS

8ᴱ MOIS

9ᴱ MOIS

LA NAISSANCE

LES 1ʳᵉˢ SEMAINES DE MAMAN

LES 1ʳᵉˢ SEMAINES DE BÉBÉ

GROSSESSES DIFFÉRENTES

ANNEXES

Gym douce

Pour renforcer les muscles du ventre

Exercice simple à faire le plus souvent possible dans la journée. Il faut pratiquer 50 mouvements de ce type par jour pour que vous soyez sûre du résultat : inspirez profondément, puis soufflez en rentrant le ventre le plus possible, bloquez 5 à 10 secondes et recommencez.

Allongée sur le dos, jambes pliées, bras croisés autour de la taille, inspirez en serrant la taille, tout en redressant la tête et les épaules.

Assise, jambes pliées et écartées, croisez les bras, inspirez...

... puis descendez le dos en basculant le bassin vers l'avant. Les muscles du ventre se contractent tandis que vous expirez.

394

Pour tonifier la poitrine

Jambes écartées, bras repliés, pressez une petite balle en caoutchouc dans chaque main.

Debout, épaules baissées, dos droit, fesses rentrées, tirez les bras en arrière.

Assise, dos droit, épaules baissées, attrapez les rebords du siège et tirez sur vos bras pour contracter les pectoraux.

1ᴱᴿ MOIS

2ᴱ MOIS

3ᴱ MOIS

4ᴱ MOIS

5ᴱ MOIS

6ᴱ MOIS

7ᴱ MOIS

8ᴱ MOIS

9ᴱ MOIS

LA NAISSANCE

LES 1ᴿᴱˢ SEMAINES DE MAMAN

LES 1ᴿᴱˢ SEMAINES DE BÉBÉ

GROSSESSES DIFFÉRENTES

ANNEXES

Travaillez vos muscles

LA GROSSESSE A MIS PRINCIPALEMENT VOTRE COLONNE VERTÉBRALE et toute votre région lombaire à rude épreuve. Le poids du bébé a déséquilibré tout votre corps. Pendant neuf mois, votre centre de gravité s'est déplacé.

Douleurs lombaires

Pour garder votre équilibre, vous avez raidi vos vertèbres et vos muscles dorsaux, ce qui a pu entraîner des irritations au niveau des racines des nerfs qui émergent des vertèbres.

De ce fait, certaines d'entre vous souffrent de points dans le dos, plus ou moins douloureux, ainsi que de sciatiques, parfois lancinantes et annonciatrices de problèmes dorsaux.

Mais généralement, ces problèmes disparaissent après l'accouchement. Pour avoir un bon dos, il convient tout d'abord d'observer quelques principes simples : éviter les mouvements brusques et la rotation du buste, garder le dos droit, faire porter les efforts sur ses hanches et sur ses cuisses.

Voici un exercice simple pour faire travailler votre dos : allongée sur le sol, un coussin sous la tête, les jambes à demi-repliées, inspirez et grandissez-vous. Baissez le menton et reculez la tête des épaules, faites basculer votre bassin de manière à coller votre dos au sol. Maintenez cette position en respirant profondément quelques minutes. Ainsi vous réalisez un auto-étirement de la colonne vertébrale.

Deux groupes de muscles agissent encore sur la colonne vertébrale : ce sont les abdominaux et les paravertébraux qui ont toute leur efficacité s'ils sont suffisamment puissants.

Aussi, pourquoi ne pas faire quelques mouvements de gymnastique pour renforcer ces muscles ? Pour cela, certains sports sont recommandés tels que la natation, en particulier la nage sur le dos.

Quand recommencer à pratiquer un sport ?

Le plus vite possible, dès que votre médecin le permettra et que votre entourage pourra vous seconder pendant votre évasion sportive. La seule contre-indication est la fatigue. Les meilleurs sports, car ils font travailler tout le corps et plus spécialement les abdominaux, sont la natation, bien sûr, mais aussi le patinage.

Grâce à la natation, tous les muscles travaillent ; aussi est-elle particulièrement recommandée aux femmes qui souffrent du dos ou qui ont des problèmes circulatoires. Le patinage, sur glace ou à roulettes, renforcera surtout les muscles du ventre, ceux des fesses et des jambes.

Il ne faut pas oublier le vélo non plus, qui développe toute la musculature, ni surtout la marche, sport complet que l'on peut doser en fonction de sa fatigue, de sa disponibilité et de son humeur.

Si vous êtes une sportive avérée, attendez environ un mois après votre accouchement avant de reprendre une activité sportive intensive. La grossesse est une épreuve sportive, prenez le temps de récupérer. Vous pouvez simplement faire un peu de gymnastique pour réhabituer vos muscles.

Tant que vous n'avez pas fait le bilan de santé postnatal, évitez les sports violents pouvant entraîner des chocs abdominaux.

Ainsi sont déconseillés les plongeons à la piscine, le ski nautique, le ski alpin, le parapente, le judo et tous les sports de combat. ▪

Remuscler le ventre

Rien de tel pour les fameux abdominaux que les petits battements de jambes quotidiens, en appui sur les coudes, le buste relevé.

Autre proposition : allongée sur le dos, un coussin sous votre tête, tendez vos jambes et appuyez-les contre un mur. Inspirez, étirez votre dos et écartez les pieds en les faisant glisser sur le mur. Soufflez et ramenez vos pieds en position initiale.

Travaillez aussi votre taille. Elle s'est un peu élargie, parfois empâtée. Allongée, les bras en croix, ramenez les jambes pliées sur la poitrine. Tournez la tête vers l'épaule droite et baissez lentement les jambes vers le côté gauche en inspirant et en expirant à fond. Répétez l'exercice en changeant de côté. Tournez la tête vers l'épaule gauche et baissez les jambes vers la droite.

Quelques exercices vous permettront de retrouver plus rapidement vos mensurations habituelles : à genoux, descendez les fesses une fois sur le côté droit, une fois sur le côté gauche, en essayant le plus souvent possible de ne pas (ou très peu) décoller les genoux du sol.

1ER MOIS

2E MOIS

3E MOIS

4E MOIS

5E MOIS

6E MOIS

7E MOIS

8E MOIS

9E MOIS

LA NAISSANCE

LES 1RES SEMAINES DE MAMAN

LES 1RES SEMAINES DE BÉBÉ

GROSSESSES DIFFÉRENTES

ANNEXES

Le baby blues *en savoir plus*

Les signes avant-coureurs

Le docteur M. Sokolowski a étudié tout particulièrement la dépression du post-partum. Elle touche une mère sur dix, et une fois sur trois elle est grave. Elle atteint des femmes ayant déjà un terrain dépressif, des mères très jeunes ou celles ayant des difficultés relationnelles avec leur famille ou leur conjoint.

Les symptômes apparaissent une dizaine de jours après l'accouchement. Ils se caractérisent par une fatigue matinale, des insomnies, des crises d'angoisse, un sentiment de dévalorisation, des douleurs lombaires et une anorexie. Une indifférence ou une inquiétude démesurée de la mère pour son enfant peuvent être des signes avant-coureurs, qui vont permettre à l'équipe médicale d'établir un traitement préventif.

Cette dépression a bien sûr des conséquences sur l'enfant. Comme sa mère se réfugie dans des gestes machinaux, dépourvus de tendresse, voire agressifs, le bébé se détourne d'elle. Il y a difficulté d'attachement entre eux. Les manifestations les plus courantes de ce mal-être sont chez le nourrisson des troubles du sommeil et de l'alimentation qui peuvent conduire, si l'état dépressif de la mère ne s'améliore pas, à une véritable dépression chez l'enfant. Beaucoup d'hôpitaux comptent parmi leur équipe soignante un psychologue spécifiquement chargé des mamans fragiles.

Si les choses sont prises à temps, il suffit souvent de deux ou trois entretiens avec un spécialiste pour que tout rentre dans l'ordre. ■

Des causes physiologiques

Il peut cependant arriver que cette dépression excède quelques jours, voire quelques semaines dans le pire des cas. Aussi faut-il en rechercher les causes profondes. Elles peuvent être d'ordre physique (manque d'oligo-éléments, calcium et magnésium, ce qui provoque une certaine fatigue) ou physiologique, comme un mauvais équilibre hormonal de l'après-maternité. Dans tous les cas, il vaut mieux vous confier à votre médecin traitant et consulter s'il y a lieu un psychothérapeute. ■

Le baby blues

1ᵉʳ MOIS

2ᴱ MOIS

3ᴱ MOIS

4ᴱ MOIS

5ᴱ MOIS

6ᴱ MOIS

7ᴱ MOIS

8ᴱ MOIS

9ᴱ MOIS

LA
NAISSANCE

**LES 1ᴿᴱˢ
SEMAINES
DE MAMAN**

LES 1ᴿᴱˢ
SEMAINES
DE BÉBÉ

GROSSESSES
DIFFÉRENTES

ANNEXES

PRATIQUEMENT TOUTES LES MÈRES ÉPROUVENT UN CERTAIN VAGUE À L'ÂME après l'accouchement. C'est un phénomène aujourd'hui largement reconnu et qui retient l'attention des médecins. Ne cachez pas cette difficulté, vous en paieriez peut-être le prix plus tard. Laissez-vous aller, le personnel en a une grande habitude.

Ses manifestations

Vous ne comprenez pas ce qui vous arrive, vos premières expériences d'allaitement sont difficiles, vous êtes inquiète pour un rien, au bord des larmes pour pas grand-chose. La dépression du post-partum, comme on la nomme en terme médical, peut se manifester dans les tout premiers jours qui suivent l'accouchement ou quelquefois une à deux semaines après le retour à la maison. Généralement, elle n'est pas grave et ne nécessite aucun soin particulier, juste un peu d'attention de la part de votre entourage.

Quelles en sont les raisons ?

Le baby blues est sans doute dû à la conjonction de plusieurs phénomènes. L'accouchement est une épreuve physique qui nécessite un repos réparateur et indispensable. Mais il n'est pas toujours possible de prendre le temps de « souffler », de penser un peu à soi alors que le bébé retient toute votre attention. La fatigue est donc naturelle. Elle s'ajoute à la chute des progestatifs, hormones de la grossesse. Il faut encore compter avec les bouleversements, dans la vie quotidienne, sur le plan affectif et pratique. L'arrivée d'un nouveau-né entraîne bien des changements.

Sur le plan psychologique, la jeune femme perd à jamais son statut d'enfant en devenant mère. Inconsciemment ou non, cela provoque chez elle une période, plus ou moins agréable, d'introspection : elle se souvient de son enfance. Une cer-

taine nostalgie peut alors l'envahir, teintée parfois d'anxiété ou même d'angoisse face à sa nouvelle responsabilité parentale. Elle éprouve aussi une certaine inquiétude sur le nouvel équilibre qu'elle va devoir trouver dans sa vie conjugale et familiale.

Faire face aux petits soucis

À tous ces problèmes psychologiques s'ajoutent souvent des difficultés matérielles. Si la maman travaille, elle doit rechercher un mode de garde, ce qui n'est pas toujours évident. De plus, elle se sent tiraillée entre sa volonté de conserver une activité professionnelle et l'obligation de penser maintenant à se séparer d'un enfant qu'elle a longtemps attendu et dont elle a fait la connaissance depuis bien peu de temps.

Quelques larmes soulagent souvent et tout rentre dans l'ordre, deux ou trois jours plus tard, avec la joie d'être mère.

Rassurez-vous, la dépression du post-partum n'a aucune raison de durer. Certains médecins prescrivent le port d'un Patch qui distille des œstrogènes. ▪

❝ Bien que très courante, cette légère dépression doit être prise au sérieux. Il suffit souvent d'une conversation ou deux avec le psychothérapeute de la maternité. ❞

L'amour maternel

PENDANT DES SIÈCLES, ON A PARLÉ D'INSTINCT MATERNEL ; il semble aujourd'hui que plus personne n'y croit vraiment. En fait, l'amour qui naît entre la mère et l'enfant a des racines complexes. La naissance est une étape importante certes, mais elle n'est pas totalement fondamentale.

La magie de la rencontre

Au moment de la rencontre, le lien mère-enfant est déjà une vieille histoire. Entre son désir d'enfant et l'amour du bébé qu'elle a porté neuf mois durant, la mère a cristallisé, dans la plupart des cas, des sentiments qui sont déjà puissants. Le travail psychique qui prépare à l'amour maternel se ferait en majorité dans les derniers mois de la grossesse, notamment lorsque les premiers mouvements sont perceptibles.

Le déroulement de l'accouchement est, bien sûr, une étape primordiale, mais la rencontre du bébé imaginé et du bébé réel l'est davantage encore. Plus leurs deux images se superposent et mieux s'installe la relation affective (pp. 73 et 151). La naissance doit être vécue comme la continuité de la grossesse. Le geste, de plus en plus répandu, de placer l'enfant sur le ventre de sa mère après l'expulsion est un moment important dans la naissance du lien mère-enfant.

La jeune femme peut alors examiner son bébé tout à loisir et prendre ainsi conscience de sa réalité. Spontanément, elle lui parle doucement ; affectueusement, elle le caresse du bout des doigts, puis de la main. La magie de la rencontre opère. Et le plus étonnant s'accomplit : à la séduction de la mère répond celle du bébé.

Un petit séducteur

Ce bien-être qui lui est donné le pousse à manifester à son tour son contentement : il vagit, il sourit, il regarde sa mère droit dans les yeux, et celle-ci fond, étreignant toujours mieux son enfant.

Pour les psychiatres étudiant cette première rencontre, cet amour est établi sur un malentendu. Le bébé a des gestes plus ou moins instinctifs que la mère interprète comme affectifs. L'enfant a un besoin d'attachement inné.

Le choix de l'objet d'attachement, la mère dans 70 % des cas, est le fruit d'un apprentissage plus ou moins long. L'enfant ne crée pas seul cet objet d'attachement : il ne cristallisera cet amour particulier qu'après de longs échanges avec elle, mais aussi avec ceux qui les entourent.

Il est étonnant encore de constater avec quelle rapidité les parents cherchent à intégrer l'enfant dans le groupe familial. Le jeu des ressemblances y participe activement, chacun cherche sur l'enfant l'empreinte du conjoint : le nouveau venu a les yeux de sa mère, la bouche de son père, et il aura sûrement le nez de sa grand-mère ! Ils définissent ainsi l'image de l'enfant réel, effaçant peu à peu celle de l'enfant imaginé. Tous les essais pour caractériser le bébé aident les parents à mieux connaître ce petit étranger aux réactions déjà si personnelles.

Des difficultés relationnelles

Pour certaines mères, tout n'est pas aussi simple. Elles ressentent l'accouchement comme une rupture, ce qui entraîne des troubles relationnels avec leur enfant. Bien sûr, la façon dont s'est déroulé l'accouchement n'est pas sans importance, certaines femmes pardonnant difficilement à leur bébé de les avoir fait souffrir. D'autres acceptent mal la différence entre l'enfant rêvé et l'enfant réel, surtout s'il naît avant terme (p. 474) ou avec un handicap (p. 480). La relation est aussi parfois difficile à établir entre une mère qui accouche par césarienne ou sous anesthésie générale et son enfant qu'elle ne voit ni ne sent naître. La rencontre est souvent tardive et l'attachement est moins spontané. L'allaitement, s'il est facile, peut aider à mieux entrer en contact.

Sachez encore que l'amour maternel peut mettre un peu de temps à s'installer sans que vous soyez pour cela une « mauvaise mère » ; c'est au contact quotidien, au cours des soins, que vous apprécierez la douceur de ce bébé qui fait tout pour être aimé.

Partager son amour entre deux enfants

Aimer deux enfants à la fois est parfois source d'inquiétude lors de la naissance d'un deuxième enfant. Pourtant, même si le souvenir de la première grossesse reste à jamais gravé dans la mémoire, l'arrivée d'un autre bébé est aussi émouvante. L'histoire d'amour qui a lié la mère à son premier enfant se renouvelle à chaque naissance. L'amour d'une mère est presque inépuisable et son cœur est assez grand pour être partagé et tous les bébés sont des séducteurs. Sans doute le deuxième enfant n'aura pas tout à fait le même caractère que le premier mais très vite sa mère saura en reconnaître les atouts et s'amusera à chercher les différences. Souvenez-vous que les aînés ont toujours toutes les qualités tant qu'ils ne sont pas mis en concurrence avec un ou plusieurs cadets. ∎

1ER MOIS

2E MOIS

3E MOIS

4E MOIS

5E MOIS

6E MOIS

7E MOIS

8E MOIS

9E MOIS

LA NAISSANCE

LES 1RES SEMAINES DE MAMAN

LES 1RES SEMAINES DE BÉBÉ

GROSSESSES DIFFÉRENTES

ANNEXES

Rendez-vous chez le pédiatre

Il semble que les mères célibataires fréquentent un peu plus que les autres femmes le cabinet du pédiatre. N'ayant pas de compagnon pour les rassurer ou répondre à leurs interrogations, elles sont seules à affronter une situation qui les inquiète. Personne n'est là pour les rassurer. Le pédiatre ajoute donc souvent à son rôle de soignant celui de confident. Ses conseils d'ordre psychologique peuvent aider à rendre la symbiose mère-enfant moins oppressante pour les deux partenaires. D'autre part, le pédiatre « autorisera » la mère à laisser sans remords son nourrisson manifester ses besoins d'indépendance, qui sont indispensables à son développement. ■

Mère célibataire et adolescente

Parmi les mères célibataires, certaines sont encore des adolescentes. Leur maternité est parfois le résultat d'une contraception mal comprise, l'oubli d'une pilule minidosée par exemple ; mais elle peut aussi être un moyen d'émancipation : en devenant adultes, elles confirment leur statut de femme. Il y a alors confusion entre féminité et maternité. Plus que pour toute autre mère célibataire, l'enfant marque un processus de réparation qui vient d'un manque d'affectivité. Cette maternité est bien souvent menée en opposition avec le milieu familial de l'adolescente. ■

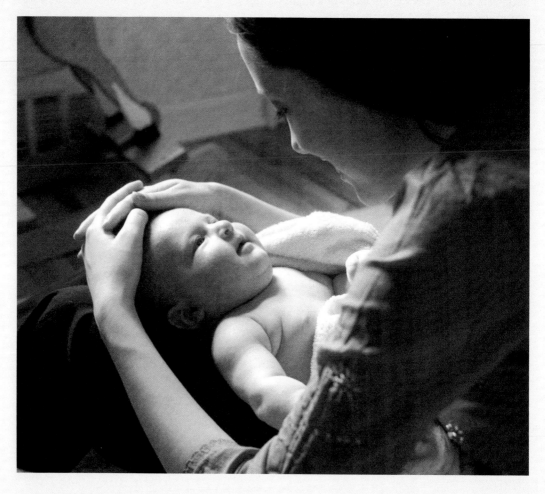

Seule avec son bébé

SI LA MATERNITÉ DES MÈRES CÉLIBATAIRES NE POSE PAS DE PROBLÈMES PARTICULIERS, l'après-maternité est sans doute un moment plus délicat. Il semble que la dépression que toute femme éprouve après son accouchement soit plus longue et plus difficile à surmonter.

Un moment difficile

Le désir de maternité a souvent été vécu de manière impulsive, très charnelle. L'instinct maternel est d'une autre nature, c'est un mélange de tendresse et de sens des responsabilités. Les mères célibataires semblent avoir besoin d'une période d'adaptation un peu plus longue. Plus que les autres, elles peuvent se sentir submergées par les soins qu'impose un bébé ; elles vont devoir seules bâtir une famille, assumer seules la lourde tâche de s'occuper d'un enfant.

Dans le couple, l'enfant est un aboutissement ; là, malgré la volonté de la mère, cet enfant rappelle souvent l'échec d'une relation ou tout au moins le souvenir d'une relation forte mais qui n'a pas duré.

Trouver un mode de garde

Puis viennent les problèmes pratiques, parfois accentués par des difficultés financières. Bien que prioritaires dans les modes de garde institutionnalisés (pp. 264 et 537), ces mères ne sont pas à l'abri du manque de places en crèches. Situation d'autant plus angoissante qu'elles doivent impérativement reprendre leur emploi car elles sont seules à supporter les charges familiales.

Pour certaines, dont les horaires d'activité professionnelle ne sont pas compatibles avec ceux de la crèche, il leur faudra organiser un mode de garde complémentaire et souvent onéreux (p. 266). Ce qui explique que l'on trouve le plus de situations précaires parmi les mères célibataires. Certaines sont contraintes de confier l'enfant à leur famille, bien souvent à leur mère, ce qui n'est pas sans poser quelques problèmes de rivalité affective et éducative.

Garder ses amis

La vie sociale, tout au moins dans les premières années de l'enfant, est aussi limitée. Pour être libre, il faut avoir la possibilité financière de confier son enfant à une personne rémunérée, ou trouver quelqu'un qui le garderait. Heureusement, parents et amis sont souvent présents. Enfin, sur le plan éducatif, elles doivent assurer les deux rôles, celui du père et celui de la mère. Curieusement, les psychologues constatent qu'elles ont tendance à mieux jouer celui du père, sans doute par crainte que celui-ci ne manque trop à leur enfant.

De plus, au fil des mois, la jeune maman va constater qu'elle devra attendre encore longtemps avant que cet enfant devienne une compagnie capable de la sortir de sa solitude. Elle a d'ailleurs confondu la compagnie d'un enfant et celle d'un adulte autonome et responsable. Même lorsqu'il va grandir, leur relation sera toujours celle de mère à enfant. Pourtant, toutes ces difficultés ne leur font généralement pas regretter leur décision ; les chiffres montrent qu'elles sont de plus en plus nombreuses à décider, malgré tout, d'avoir un deuxième enfant. ▪

1ER MOIS

2E MOIS

3E MOIS

4E MOIS

5E MOIS

6E MOIS

7E MOIS

8E MOIS

9E MOIS

LA NAISSANCE

LES 1RES SEMAINES DE MAMAN

LES 1RES SEMAINES DE BÉBÉ

GROSSESSES DIFFÉRENTES

ANNEXES

Horaires souples... mais chargés

Vous pouvez choisir de travailler à temps partiel mais, dans ce cas, vous devrez vous conformer à un certain nombre de formalités (p. 200). Votre employeur peut pour une raison objective refuser cet aménagement du temps de travail. S'il n'y voit pas d'inconvénient, il devra vous établir un nouveau contrat de travail. Un Français sur six travaille à temps partiel, 80 % sont des femmes dont presque une sur deux fait ce choix pour s'occuper de ses enfants.

Selon une étude de l'Insee, les mères qui ont de jeunes enfants et qui exercent une profession (à plein-temps ou à temps partiel) passent en moyenne par jour : 10 h 45 à dormir, prendre leurs repas et faire leur toilette, 4 h 50 à exercer leur profession, y compris les activités qui y sont liées comme les trajets (samedi et dimanche inclus, soit 34 h par semaine). Elles consacrent 6 h à l'organisation de leur foyer et 2 h 20 à leurs loisirs.

Si l'on fait le total du temps imparti au travail, qu'il soit professionnel ou domestique, on constate que les jeunes mères travaillent près de 77 h par semaine. Les nouveaux pères et les papas poules semblent, au regard de ces chiffres, être des perles rares. L'emploi du temps des hommes reste dominé par leurs activités professionnelles et l'arrivée d'un enfant n'a que peu d'influence sur leur vie quotidienne. ■

Inégalité

L'engagement professionnel des mères n'est pas comparable à celui des pères. La naissance d'un premier enfant ne change pratiquement rien à la vie professionnelle de ces derniers.

Le père de deux enfants consacre 71 % de son temps à son travail contre 29 % à sa famille, alors que la mère active, qu'elle ait un ou deux enfants, se partage quotidiennement entre ses deux vies, ne voulant sacrifier ni son travail ni ses enfants.

Les femmes sont 75 % à conserver une activité professionnelle lorsqu'elles ont un enfant, 65 % avec deux enfants et 35 % seulement avec trois.

Mais la parité n'existe pas non plus à la maison. Si les jeunes papas collaborent aux soins du bébé au cours des 11 jours de leur congé de paternité, ils s'essoufflent assez vite.

La dernière enquête du ministère de l'Emploi et de la Solidarité assure que quatre à six mois après la naissance, ils ne sont plus que 6 % à prendre en charge seuls un soin, 18 % confirment qu'ils ne s'occupent ni des changes ni des biberons ni de toute autre activité de « maternage ». Quant aux tâches domestiques, elles ne les passionnent pas non plus, ils disent y consacrer une heure par jour alors que les mères y passent deux heures et demie. On est loin de la parité, à la maison comme au bureau. ■

Le dur métier de mère

Depuis peu, les femmes inquiètes au sujet de leur futur métier de mère peuvent faire appel à des puéricultrices dites de secteur. Rattachées à un centre de protection maternelle et infantile (PMI), elles se déplacent pour aider les femmes à se préparer sur le plan matériel (choix entre le sein ou le biberon, apprentissage du change, installation du coin du bébé). Mais elles peuvent aussi intervenir sur le plan psychologique, notamment si la jeune mère a besoin de conseils et d'écoute. Généralement, la puéricultrice continuera, le temps de quelques visites, cette initiation au « dur » métier de maman. ■

Première séparation
en douceur

TOUS LES BONS MOMENTS ONT UNE FIN, et c'est dès maintenant que vous allez devoir penser à la fin de vos congés de maternité. Si votre grossesse et votre accouchement se sont déroulés sans problèmes et, bien sûr, si vous avez une activité professionnelle, vos congés de maternité se terminent 10 semaines après l'accouchement. Si vous allaitez, ces congés peuvent être prolongés de 15 jours.

Vous préparer

Vous avez dû prévoir depuis quelques mois un mode de garde (pp. 262 à 267). Il est indispensable de confirmer très vite votre inscription à la crèche ou de prendre contact avec l'assistante maternelle qui va s'occuper de votre bébé. La séparation est un moment délicat, la mère et l'enfant se connaissent bien et ont tissé des liens affectifs profonds. Elle doit se faire en douceur. Avant de laisser votre bébé une journée entière chez sa nourrice ou à la crèche, faites-lui faire quelques visites de prise de contact.

L'idéal est que ces premières rencontres se déroulent en votre compagnie, puis seul, le temps d'une demi-journée d'abord, et enfin pour une journée complète. Pratiquement toutes les crèches collectives sont organisées de cette manière. Cette méthode peut tout à fait s'adapter aux crèches parentales ou aux nourrices à domicile.

Des relations confiantes

La mère, le bébé et la personne qui va le garder vont faire connaissance. Pour vous, c'est le moment de parler de votre enfant et de vos principes éducatifs à la professionnelle qui va s'en occuper. Ne manquez pas de poser toutes les questions et de confier toutes vos craintes. Votre interlocutrice vous expliquera l'organisation de sa journée, ses gestes de maternage, qui sont rarement les mêmes d'une femme à l'autre et, bien sûr, les contraintes à respecter pour que chacun se sente au mieux dans son rôle.

De son côté, votre bébé découvrira un environnement différent, de nouveaux adultes, et surtout, s'il va à la crèche, le monde des enfants de son âge. Tout cela va l'enrichir et ne doit pas le perturber. Bien au contraire, très vite il va nouer des amitiés et apprendre à communiquer. Cette première séparation, en fait, est surtout difficile pour la mère. Ce sont les changements de mode de garde au cours de la première année qui sont préjudiciables.

D'une manière générale, il est rare qu'un enfant ne s'adapte pas au mode de garde choisi par sa mère. C'est le plus souvent elle qui ne supporte pas la séparation, transmettant ainsi sa tension au bébé. Elle éprouvera même peut-être une certaine jalousie envers cette femme qui va partager les mêmes émotions qu'elle, et à laquelle son enfant va s'attacher. De longs câlins le soir, de retour à la maison, effaceront ce dépit amoureux. De plus, même si elle est passionnée par son métier, il y a fort à parier qu'elle envisagera sa carrière d'une manière différente et prendra, tout au moins la première année, un certain recul par rapport à sa profession. ■

1ᴱᴿ MOIS

2ᴱ MOIS

3ᴱ MOIS

4ᴱ MOIS

5ᴱ MOIS

6ᴱ MOIS

7ᴱ MOIS

8ᴱ MOIS

9ᴱ MOIS

LA NAISSANCE

LES 1ᴿᴱˢ SEMAINES DE MAMAN

LES 1ᴿᴱˢ SEMAINES DE BÉBÉ

GROSSESSES DIFFÉRENTES

ANNEXES

Le rôle du père

BIEN QU'AUJOURD'HUI BEAUCOUP DE PÈRES ASSISTENT AUX ÉCHOGRAPHIES et quelques-uns aux cours d'accouchement sans douleur, la rencontre avec leur bébé a surtout lieu dans la salle d'accouchement.

Un soutien moral

Depuis un peu plus de trente ans, les pères sont admis au chevet de leur épouse. En fonction de leur caractère et de l'équipe médicale, leur rôle est actif ou passif. Le père découvre souvent avec admiration l'effort fourni par sa femme pour mettre un bébé au monde, et il se trouve confronté à des images qui le bouleversent, faisant naître en lui des sensations fortes et complexes.

Une gestuelle personnelle

Père et mère ont à jouer des rôles différents auprès de l'enfant. Dès sa naissance, le bébé sait qui est l'un et qui est l'autre. Il les reconnaît par l'odeur, par le physique, par le son de la voix. Des observations faites aux États-Unis ont montré qu'il réagissait différemment à l'approche de l'un ou de l'autre de ses parents.

À l'écoute de la voix paternelle, l'enfant voûte ses épaules, hausse ses sourcils, entrouvre sa bouche et ses yeux s'illuminent : il est prêt à jouer. Ces observations ont également montré que le père n'a pas le même comportement avec un petit garçon ou une petite fille. Dans le premier cas, la façon d'être du père est plutôt physique, et dans le second, sa relation est plutôt de nature protectrice.

Parfois en rivalité

Les relations père-enfant dépendent de l'espace que leur laissera la mère, le rôle du père étant d'atténuer l'intensité de la relation mère-enfant afin de permettre à ce dernier d'acquérir son indépen-dance. Le bon équilibre passe sans doute par un partage de toutes les tâches, des plus gratifiantes aux plus matérielles. Il semble inévitable qu'il y ait une certaine rivalité père-mère et que la mère doive laisser un peu de ses prérogatives. Certains hommes se sentent malhabiles dans ce nouveau rôle. Qu'ils sachent que le métier de père, comme celui de mère, s'apprend par l'expérience, le tâtonnement, et au prix de nombreuses erreurs. Le plus difficile pour eux est sans doute de faire la part entre leurs occupations professionnelles et leurs nouvelles obligations de père.

On voit aujourd'hui apparaître des pères très maternants, qui font des câlins et qui, dans le quotidien, semblent plus proches de l'enfant que la mère. L'essentiel, dans ce cas, est que les rôles respectifs de chacun des parents, dans les soins apportés à l'enfant, soient bien différenciés dans les gestes. L'enfant doit faire naturellement la différenciation sexuelle. Mais bien sûr, la tendresse ne fait jamais de mal.

Évolution des sentiments

Durant la première enfance, le sentiment paternel se traduit par une sorte de neutralité bienveillante, sous-tendue d'un intérêt positif pour les différents besoins de l'enfant. Le sentiment paternel se détache progressivement de son caractère narcissique initial pour devenir plus altruiste ; le père se sent prêt à satisfaire les besoins de son enfant au détriment des siens propres. Lorsque le nourrisson grandit, chaque progrès psychomoteur constitue un fil supplémentaire dans cette trame de communication qui se tisse jour après jour entre eux deux.

Acteur du développement

Un chercheur français a étudié l'influence du paternage sur le développement de l'enfant. Il a constaté que les bébés dont les pères étaient très présents au quotidien avaient un meilleur quotient de coordination vision-préhension, utilisaient mieux leurs jambes et leurs bras pour résoudre des problèmes concrets, et semblaient avoir une meilleure capacité à imiter les actes simples.

Autre constatation : au niveau du développement social, l'enfant paterné pourra nouer avec autrui des relations équilibrées, donc présenter des conduites d'attachement plus élaborées.

Enfin, il semble qu'il ait une maturation sociale précoce, remarquable, notamment lors de l'intégration à la crèche ou à l'école.

Un congé apprécié

Ce nouveau congé va les aider à établir la relation père-enfant. Aujourd'hui près des deux tiers des pères prennent leur congé de paternité pour, disent-il, passer du temps avec leur nouveau-né et leur conjointe, pour organiser ensemble leur nouvelle vie. Ce sont les papas âgés de 30 à 34 ans qui sont les plus nombreux. ▪

1ᴱᴿ MOIS

2ᴱ MOIS

3ᴱ MOIS

4ᴱ MOIS

5ᴱ MOIS

6ᴱ MOIS

7ᴱ MOIS

8ᴱ MOIS

9ᴱ MOIS

LA NAISSANCE

LES 1ᴿᴱˢ SEMAINES DE MAMAN

LES 1ᴿᴱˢ SEMAINES DE BÉBÉ

GROSSESSES DIFFÉRENTES

ANNEXES

Les relations avec votre propre mère

LA DEUXIÈME PERSONNE À ÊTRE INFORMÉE DE L'ARRIVÉE FUTURE d'un bébé dans la famille est le plus souvent la mère de la future maman. Elle endosse le statut de grand-mère avec plus ou moins de plaisir et sans qu'elle n'ait eu son mot à dire. Cette naissance bouleverse les rapports « mère-fille » et réveille de bons ou de mauvais souvenirs. Pourtant, la jeune maman sait qu'elle peut compter sur les conseils et l'assistance de sa mère.

La suite d'une première histoire d'amour

Si les liens qui unissent la fille à sa mère ont une grande importance dans la maternité, c'est parce qu'ils cachent le pouvoir de transmettre la vie. Il semble donc normal qu'avant de donner la vie et ensuite au moment où l'événement se concrétise, la future maman, puis la jeune mère, se tourne vers celle qui la lui a donnée. Il naît souvent alors une nouvelle complicité entre ces deux mères. Elle s'installe dès l'annonce de la grossesse si la future grand-mère est prête psychiquement à changer de statut : elle n'est plus celle qui transmet la vie. Sa réaction est extrêmement révélatrice de la qualité de la relation mère-fille qui s'est construite depuis la petite enfance. Dans certains cas, cette nouvelle peut aussi cristalliser les difficultés non dites ou faire resurgir d'anciens conflits. Quoi qu'il en soit, l'annonce de cette vie à venir pose l'hypothèse de la mort pour les plus âgés de la famille.

La future maman cherche à partager ses sensations, ses inquiétudes mais aussi ses plaisirs avec sa mère, cela lui semble naturel puisque c'est elle qui lui a donné la vie. La jeune femme est toujours demandeuse même si l'entente avec sa mère n'a pas été parfaite par le passé. C'est la qualité de la réponse de celle-ci qui crée une vraie proximité ou qui avive les tensions. Une future grand-mère trop intrusive ou à l'inverse trop indifférente peut tout gâcher.

À la recherche d'un modèle

Dans ce moment de passage et de bouleversements, la jeune femme cherche un modèle d'identification. Sa propre mère va l'aider à trouver celle qu'elle veut devenir. Il semble que l'on est d'autant plus apte à donner de l'amour maternel que soi-même on en a fait l'expérience et que la grossesse a été affectivement très entourée. Attendre et prendre soin d'un enfant renvoie à celui que l'on a été (voir p. 39). C'est d'ailleurs ce qui explique ce besoin commun à presque toutes les jeunes mamans de se faire raconter leur enfance et de ressortir des tiroirs les photos de famille du temps où elles étaient petites.

Devenir mère, c'est grandir en quelques mois comme jamais auparavant, « de fille de... » on devient « maman de... » tout en gardant vivace ses sentiments de filiation.

Autrefois les mères étaient souvent présentes à l'accouchement de leur fille, elles ont été remplacées par les pères, mais restent les premières à se pencher sur le berceau du nouveau-né. Leurs premières réflexions et attitudes sont attendues mais parfois redoutées par la jeune maman alors particulièrement sensible. Selon la relation qui s'est établie au cours de la grossesse, les mots et les gestes sont interprétés comme tendres, drôles ou violents. La jeune maman peut modérer ses sentiments en prenant conscience que ce n'est jamais facile de devenir grand-mère même si ce statut a été désiré ou accepté. Être grand-mère est relativement compliqué. Il s'agit de remonter dans le temps pour revivre à travers sa fille les relations vécues avec sa propre mère, de se transformer en mère d'une mère qui reste cependant une fille plus ou moins encore sous son autorité et de s'attacher à un enfant à la fois proche et lointain puisqu'il n'est pas directement le sien.

Des conseils sûrs

Les tout premiers pas d'une maman sont toujours hésitants et bien des questions se posent sur le bon geste, le bon comportement et sur ce qui est normal ou ne l'est pas. Qui mieux que celle qui vous a élevée est plus à même d'apporter les réponses ? Elle a l'expérience, elle connaît tout de la jeune maman, ses qualités comme ses faiblesses. La confiance est totale. L'arrivée d'un bébé fait donc évoluer la relation mère-fille vers un lien plus égalitaire, la plus âgée épaulant la plus jeune et l'autorisant à prendre sa place.

La jeune maman attend de sa mère la transmission d'un certain nombre de savoir-faire surtout s'il s'agit d'un premier enfant. Ce passage de relais demande diplomatie et compréhension de part et d'autre. En effet, la jeune maman, bien qu'inexpérimentée, n'est pas toujours prête à accepter les leçons de sa mère sans les discuter. Elle peut même souhaiter s'en démarquer. Dans ce cas, elle devra justifier cette rupture tout en préservant la continuité des usages familiaux. De son côté, la grand-mère doit conseiller sans empié-

ter sur le territoire de sa fille et accepter de transmettre malgré les critiques.

Une mère de substitution

Si dans la majorité des cas, la naissance d'un enfant rapproche les mères et les filles et favorise même les réconciliations, parfois cet événement n'est pas suffisant. C'est souvent l'attitude des grands-mères qui est alors en cause : trop protectrices, elles ont tendance à vouloir remplacer leur fille ; trop autoritaires, elles ont un avis tranché qui ne permet aucune liberté ; trop occupées à leur propre narcissisme, ce sont des grands-mères de façade sur lesquelles on ne peut compter. La jeune maman souffre alors d'un manque de modèle et se tourne alors vers une autre femme d'expérience, parfois sa grand-mère si elle est encore vive d'esprit, une grande sœur qui a déjà eu des enfants ou une amie un peu plus âgée qu'elle. Une image maternelle positive est indispensable pour construire son identité de mère, car l'instinct maternel n'existe pas, l'amour maternel est une construction, un apprentissage. ■

1ᴱᴿ MOIS

2ᴱ MOIS

3ᴱ MOIS

4ᴱ MOIS

5ᴱ MOIS

6ᴱ MOIS

7ᴱ MOIS

8ᴱ MOIS

9ᴱ MOIS

LA NAISSANCE

LES 1ᴿᴱˢ SEMAINES DE MAMAN

LES 1ᴿᴱˢ SEMAINES DE BÉBÉ

GROSSESSES DIFFÉRENTES

ANNEXES

Retrouver votre ligne*en savoir plus*

Combattre la cellulite

– La mésothérapie est un traitement qui semble donner de bons résultats. Cette technique consiste à pratiquer des micro-injections, faites simultanément grâce à un instrument appelé multi-injecteur. On utilise des aiguilles tantôt courtes (4 mm), tantôt longues (6 mm), de façon à modifier le type de stimulation pour éviter toute accoutumance, facteur traditionnel d'inefficacité thérapeutique. Ce traitement est localisé aux cuisses, au ventre et aux faces internes des genoux et des chevilles. Le médecin utilise plusieurs mélanges de produits selon le type de cellulite.

– L'électrothérapie : les ionisations peuvent être efficaces aussi. Elles connaissent un certain renouveau avec l'application sur les électrodes de l'hormone qui dévore la cellulite, appelée TA3. Cela consiste à poser deux électrodes aux pieds, aux chevilles, aux mollets, aux genoux, aux cuisses et en haut des cuisses pour effectuer un drainage électrique souvent associé à des séances de mésothérapie.

– La liposuccion : après plusieurs séances de mésothérapie, elle consiste à aspirer les graisses qui sont dissoutes grâce à une solution isotonique destinée à faire éclater les adipocytes (cellules graisseuses). L'intervention permet d'aspirer environ 1 litre de liquide au moyen d'une sonde glissée dans une incision d'environ 2 cm, réalisée au niveau du pli sous-fessier.

– Enfin, l'électrolipophorèse traite les amas de cellulite localisés à certains endroits du corps : haut des cuisses, ventre, chevilles... Le traitement consiste à introduire, à 1 ou 2 cm sous la peau, deux aiguilles très fines et très longues ; dans chacune d'elles on fait passer un courant électrique de nature différente, ce qui provoque un drainage des cellules qui se vident de leur trop-plein d'eau et de sel. ▪

Les vergetures

Il ne faut pas croire au miracle : les vergetures ne disparaissent jamais complètement. Elles laissent des traces indélébiles de quelques millimètres à un centimètre, allant d'une couleur violacée au rose perle et au blanc nacré. Très visibles dans les quelques semaines qui suivent l'accouchement, elles vont naturellement s'atténuer. Le retour au poids normal, la musculation des régions atteintes favorisent leur atténuation.

Les soins locaux sont particulièrement conseillés : gommage de la peau avec un produit exfoliant pour le corps, exposition au soleil, entretien de l'épiderme avec une huile pour le corps et une crème à base d'extraits de lierre et de prêle qui stimulent les fibres collagènes de la peau. Leur efficacité est liée à la régularité des soins. Enfin, il faut savoir que les vergetures d'au moins 1/2 cm peuvent être opérées. ▪

Retrouver un ventre plat

La dernière marque de votre grossesse est souvent une petite ligne brune qui traverse verticalement votre ventre. C'est en quelque sorte le prolongement du masque de grossesse. Comme lui, elle est sans doute due aux modifications hormonales, et elle disparaîtra avec le retour de couches et la reprise du cycle ovarien. Elle s'atténuera grâce à de simples exercices de musculation abdominale : la peau retrouvera son élasticité et se retendra, faisant ainsi rétrécir cette ligne. Pour une femme ayant toujours entretenu ses abdominaux, ces exercices lui permettront de retrouver plus rapidement un ventre plat. Dans les semaines qui suivent l'accouchement, il est normal que le ventre ne soit pas parfaitement plat. L'utérus a besoin de temps pour reprendre son volume antérieur. Avant la grossesse, ce muscle creux n'est pas plus gros qu'une poire et pèse entre 50 et 100 g. Au cours de la grossesse, il est capable de se distendre au point d'abriter un enfant de 3 kg ou plus. Il pèse alors 1 kg, ses parois s'étant considérablement épaissies. ▪

Rondeurs inutiles

1ᵉʳ MOIS

2ᵉ MOIS

3ᵉ MOIS

4ᵉ MOIS

5ᵉ MOIS

6ᵉ MOIS

7ᵉ MOIS

8ᵉ MOIS

9ᵉ MOIS

LA NAISSANCE

LES 1ʳᵉˢ SEMAINES DE MAMAN

LES 1ʳᵉˢ SEMAINES DE BÉBÉ

GROSSESSES DIFFÉRENTES

ANNEXES

PLUS LA MAMAN A PRIS DU POIDS PENDANT LA GROSSESSE, plus la cellulite est à craindre. Elle n'est pas forcément liée à l'obésité, mais l'excès de poids favorise son apparition. Aussi, une prise de poids de 13 kg au cours des 9 mois de grossesse semble être un maximum. Ces kilos sont apportés par le bébé mais aussi par le développement des graisses corporelles dû aux changements hormonaux. En moyenne, le poids du bébé, du placenta et du liquide amniotique représente la moitié de la prise de poids.

Un corps différent

Selon les cas, la quantité de tissu adipeux peut diminuer ou doubler par rapport à ce qu'elle était avant la grossesse. Une femme maigre ou de poids normal a peu de risques d'obésité après son accouchement. Mais il n'en est pas de même pour toutes celles qui avaient des problèmes de poids avant d'être enceintes. Celles qui étaient déjà fortes prennent en moyenne 3 ou 4 kg de plus par grossesse, si ce n'est davantage.

La grossesse provoque toujours des modifications physiologiques importantes. La femme enceinte constate souvent l'apparition ou l'aggravation de plaques de cellulite, souvent liées à des troubles circulatoires qui peuvent s'amplifier quand la cellulite s'installe.

Plusieurs facteurs favorisants

L'origine de la cellulite a donné lieu à différentes théories médicales :
– la cellulite serait un phénomène allergique survenant en cascade ;
– elle proviendrait d'un trouble de la nutrition ;
– la théorie floculante l'explique comme la traduction d'une maladie générale ;
– la théorie vasculaire la présente comme le résultat d'une influence veineuse.

On sait pourtant que la grossesse, la prise de la pilule, l'abus de sucreries, les troubles circulatoires, le manque d'exercice ou l'anxiété sont des facteurs extrêmement favorisants. On distingue actuellement deux formes de cellulite (qui peuvent atteindre aussi les hommes) : une forme généralisée, diffuse, qui provoque une obésité cellulitique prédominant à la racine des membres, au dos et à la face interne des genoux.

Les signes annonciateurs sont un aspect de peau d'orange, des douleurs spontanées ou au palper, une certaine fatigabilité, une hypotonie musculaire et des symptômes de capillarité comme des ecchymoses.

Une forme localisée, qui apparaît le plus souvent à la nuque, aux courbes et aux racines des membres. Elle a l'aspect d'une plaque de consistance pâteuse, recouverte de peau d'orange. La cellulite est-elle difficile à traiter ? Oui par le passé, mais son traitement a fait des progrès considérables ; il passe cependant presque toujours par un régime alimentaire. ▪

“ En moyenne le poids d'une grossesse varie entre 6 et 7 kilos. ,,

411

Chute de cheveux

La chute des cheveux est un phénomène normal après une grossesse. Elle est due aux modifications hormonales. Tout doit normalement rentrer dans l'ordre dès le retour de couches, mais on peut cependant aider la chevelure à retrouver son éclat. Les lavages fréquents, avec un shampooing doux, sont conseillés. Demandez à votre pharmacien des produits simples, non ioniques et sans détergent, et lavez-vous la tête autant que vous le voulez. Évitez les décolorations et les teintures. Choisissez une coupe décontractée qui permet des soins plus faciles et un séchage naturel. Jamais de brushing à haute température ; la chaleur du sèche-cheveux a tendance à provoquer la séborrhée, cause de beaucoup d'alopécie (chute de cheveux). Si, après plusieurs mois, les cheveux continuent à tomber, il est préférable de consulter un institut ou un dermatologue. ∎

Jambes légères

Les varices sont surtout localisées dans les membres inférieurs. Souvent, après une grossesse, seules les varices sous-cutanées sont dilatées, ce qui entraîne un œdème des jambes et une sensation de lourdeur.

Tout cela ne demande généralement pas de traitement médical : l'habitude de surélever ses jambes en position assise ou couchée, un peu de marche ou de natation, au besoin des bains d'eau salée et des massages des jambes doivent en venir à bout. Pourtant, les kilos en trop, les prédispositions héréditaires ou une mauvaise hygiène de vie (talons trop hauts, abus d'excitants, chaussettes serrées, chauffage par le sol) peuvent donner à ces varices, provoquées par la grossesse, un caractère définitif. Tel est le cas de celles qui ne se sont pas résorbées dans les deux mois qui suivent l'accouchement. Suivant leur importance et leur localisation, elles pourront être traitées par des soins médicamenteux ou nécessiteront une intervention chirurgicale. ∎

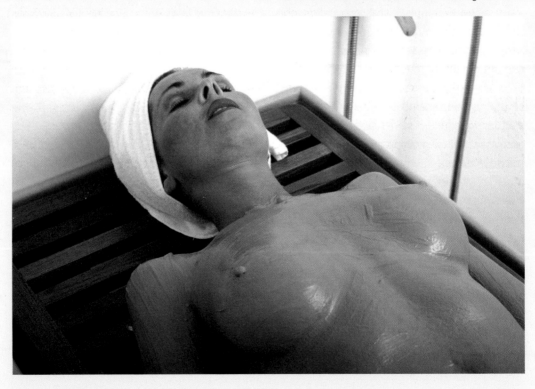

Retrouver une belle poitrine

1ER MOIS

2E MOIS

3E MOIS

4E MOIS

5E MOIS

6E MOIS

7E MOIS

8E MOIS

9E MOIS

LA NAISSANCE

LES 1RES SEMAINES DE MAMAN

LES 1RES SEMAINES DE BÉBÉ

GROSSESSES DIFFÉRENTES

ANNEXES

LA PLUPART DES JEUNES MAMANS SONT INQUIÈTES de savoir si elles retrouveront une belle poitrine après leur grossesse. Curieusement certaines conserveront un peu de l'ampleur que leur avait donnée la grossesse alors que d'autres verront leur poitrine diminuer. Quelques soins spécifiques et un peu d'exercice peuvent les aider à retrouver une jolie poitrine.

Une peau très fragile

Les seins ne sont constitués d'aucun muscle, ce sont des glandes, les glandes mammaires, qui sont suspendues au thorax par une enveloppe de peau. On ne peut agir que sur la qualité de cette peau et sur le muscle qui les supporte, le grand peaucier du cou qui s'étend de la base des épaules aux mamelons. Les soins de la peau sont classiques : gommage, hydratation et produit raffermissant. Il existe un grand choix de produits « spécial buste » dont l'application se fait toujours du cou aux seins qu'il faut masser par des mouvements circulaires. Les crèmes, les huiles et les sérums s'utilisent quotidiennement, le gommage se pratique une à deux fois par semaine. Évitez les bains chauds et préférez les douches fraîches voire froides sur les seins. Vous pouvez aussi faire l'essai des appareils à jet rotatif qui masse le mamelon. Ne mettez pas votre poitrine au soleil, sa peau particulièrement fragile vieillit très facilement et se relâche. Portez un bon soutien-gorge, il ne doit marquer ni vos épaules, ni votre dos ni le dessous des seins. Si votre poitrine est lourde mettez aussi un soutien-gorge pour dormir. Si vous faites du sport, notamment du jogging, choisissez un soutien-gorge adapté.

Retrouver leur galbe

Quelques exercices simples vont vous permettre de faire travailler le grand peaucier du cou et ainsi de redonner du galbe à votre poitrine. Ils ne sont pas compliqués et ne demandent aucun effort particulier mais pour qu'ils soient efficaces, il faut un peu de persévérance.

– crispez un sourire, de manière à faire remonter tous les muscles du cou. Pour être utile, il doit être répété une vingtaine de fois ;

– les bras pliés à hauteur de la poitrine, serrez très fort les paumes l'une contre l'autre (à répéter 10 fois) ;

– debout devant un mur, bras pliés, mains à plat sur le mur à hauteur de la poitrine, poussez aussi vigoureusement que possible (à répéter 10 fois) ;

– levez les bras à hauteur de la poitrine, joignez les mains en mêlant les doigts et appuyez fortement les paumes l'une contre l'autre (à répéter 10 à 15 fois) ;

– mettez les bras à l'horizontale. Repliez les avant-bras sur la poitrine puis ouvrez sur les côtés paumes en haut (à répéter 10 à 15 fois également) ;

– allongée sur le dos, les genoux repliés sur le ventre, un poids dans chaque main (vous pouvez par exemple utiliser des bouteilles d'eau plus ou moins pleines), tendez les bras au-dessus de votre tête, puis fléchissez jusqu'à poser les coudes sur le sol. Faites 1 série de 20 mouvements, 2 à 3 fois par jour. Il est bon d'ajouter à ces mouvements spécifiques un peu de sport, tels que le tennis et la natation, notamment le dos crawlé. Là aussi c'est la régularité qui est payante. ■

Cures thermales postnatales

PEUT-ÊTRE EN RÊVEZ-VOUS ? Vous avez fait quelques économies pour vous l'offrir ou vos parents ou beaux-parents vous font ce cadeau. Mais deux points vous préoccupent : est-ce vraiment efficace et comment choisir la meilleure ?

Entreprendre une cure

Ces cures postnatales constituent sans doute la plus complète des remises en forme après une naissance. Leurs objectifs consistent à remodeler la silhouette, à traiter les problèmes de dos, à poursuivre d'une manière plus agréable une rééducation périnéale, à apprendre à équilibrer son alimentation ou encore à en finir avec la dépression de l'après-maternité. Si vous avez subi une épisiotomie ou une césarienne, leur cicatrisation doit être parfaite, de même il est préférable de ne plus allaiter. Le moment idéal pour programmer ce séjour se situe après le retour de couches, si possible quand vous n'êtes pas trop fatiguée et que votre bébé a pris un bon rythme de vie. Pour être efficace, la cure doit durer au minimum six jours. Il faut savoir qu'elle demande une certaine énergie et ses effets sont plus bénéfiques après que pendant.

Pour la mère et le bébé

Les centres de cure thermale proposent des soins spécifiques de remise en forme adaptés aux jeunes mamans. La thalassothérapie utilise les bienfaits de l'eau de mer enrichie en iode. Massages par douche sous-marine, bains bouillonnants, douche au jet, gymnastique aquatique, bains de boue et bains d'algues aident à éliminer les toxines et favorisent le bon fonctionnement de tout l'organisme. La plupart de ces cures comprennent des soins « à sec » : massages, séances de relaxation, de gymnastique douce ou encore de rééducation périnéale. Un programme diététique est établi pour perdre les quelques kilos superflus inévitables après une grossesse. Certains centres proposent aux mamans de participer avec leur bébé à cette remise en forme. Ils organisent des activités d'éveil avec notamment une initiation aux plaisirs de l'eau et, souvent, des massages. D'autres établissements préfèrent se concentrer sur les soins maternels, le bébé étant alors confié à la halte-garderie de l'établissement.

Ces cures postmaternité, qui durent de 8 à 10 jours, peuvent être prises en charge sous certaines conditions, mais jamais l'hôtellerie.

Eau douce ou eau salée

Votre choix se portera sur une cure en eau de mer, la thalassothérapie, ou une cure thermale en eau douce, toutes deux toujours réalisées à 37 °C. La première vous offre les bienfaits de l'iode marin, de la plage et du climat tonique du bord de mer, la seconde vous apporte les vertus des eaux minérales riches en oligo-éléments et en sels minéraux. Généralement, à votre arrivée, vous devrez prendre rendez-vous avec le médecin et la diététicienne du centre pour un petit bilan de santé. Puis vos journées seront rythmées par quatre soins d'une durée moyenne de 30 minutes, le matin ou l'après-midi, et par des moments indispensables de repos, de relaxation et de marche au grand air. Quels effets ont les différents soins qui vous sont proposés ?

• Les bains d'algues et de boue reminéralisent votre organisme et adoucissent votre peau.

• Les différents massages sous l'eau ou avec l'eau sous forme de jets stimulent la circulation sanguine, tonifient la peau et diminuent les tensions musculaires.

• La gymnastique aquatique vous permet des mouvements plus « durs » et plus compliqués qu'au sol en vous faisant oublier votre poids. En outre, le mouvement de l'eau sur votre peau a un effet de massage. Selon vos besoins, vous choisirez de participer à des cours collectifs de gymnastique spécialisée pour soulager votre dos, pour travailler vos abdominaux ou remuscler votre périnée. Vous pourrez aussi vous inscrire à des soins spécifiques « jambes lourdes ».

Remise en forme postnatale

La Sécurité sociale rembourse certains soins de remise en forme après la naissance (différente de la rééducation périnéale et à programmer après). Dans la plupart des cas, ce traitement postnatal consiste en 10 séances chez un kinésithérapeute qui aide la jeune mère à remuscler son ventre par des exercices de gymnastique. Il associe à ces soins deux types de massages, les uns pour soulager les muscles du dos mis à rude épreuve pendant la grossesse, les autres pour améliorer la circulation dans les membres inférieurs. Certains médecins proposent même aujourd'hui des minicures de balnéothérapie, avec bains bouillonnants, douches au jet et massages.

Du côté de la Sécurité sociale

Seuls sont remboursés par la Sécurité sociale les soins de kinésithérapie. Pour espérer un remboursement à 30 % environ de vos soins, vous devez demander à votre médecin une prescription précisant les régions à traiter et le nombre de séances de rééducation. Cette ordonnance doit être envoyée au centre médical de l'établissement que vous avez choisi.

Il vous la retournera avec une demande d'entente préalable qu'il faut envoyer à votre caisse de Sécurité sociale. Sous une quinzaine de jours, vous devriez recevoir une prise en charge. ■

1ER MOIS

2E MOIS

3E MOIS

4E MOIS

5E MOIS

6E MOIS

7E MOIS

8E MOIS

9E MOIS

LA NAISSANCE

LES 1RES SEMAINES DE MAMAN

LES 1RES SEMAINES DE BÉBÉ

GROSSESSES DIFFÉRENTES

ANNEXES

Les seins : des interventions classiques

Le sein est constitué d'une glande et de graisse uniquement soutenues par une enveloppe de peau. Plus la glande est volumineuse, plus il aura tendance à prendre du volume au cours de la grossesse, la peau étant alors mise à rude épreuve. Après la grossesse, celle-ci sera plus ou moins capable de se rétracter autour d'une glande mammaire qui va diminuer de volume. Cependant, pour 10 à 15 % des femmes, la peau ne se rétracte pas, ou insuffisamment, et les seins seront « ptosés ». Dans certains autres cas, les seins resteront lourds et volumineux en raison d'un excès de graisse. Les techniques de réparation sont nombreuses et classiques en chirurgie esthétique. Elles consistent soit à réduire le volume glandulaire, soit à remettre la glande mammaire en place et, bien sûr, à remodeler l'enveloppe cutanée avec une remise en place de l'aréole. La qualité de la glande mammaire et de la peau joue un rôle non négligeable sur le résultat de l'intervention. Cette dernière a notamment de l'importance sur l'esthétisme des cicatrices. Certaines peaux étant plus marquées que d'autres, les résultats opératoires ne peuvent s'envisager que six mois après l'intervention. Avant de vous décider, sachez que certaines cicatrices ne peuvent être évitées même si le chirurgien cherche à les rendre les plus discrètes possible. Il faut savoir également que le sein ne garde pas forcément la forme que lui a donnée le chirurgien.

Il arrive aussi que la grossesse fasse fondre la poitrine, dans ce cas, le chirurgien posera une prothèse. Généralement, on conseille ces types d'opération au minimun dans un délai d'un an après l'accouchement.

Une nouvelle grossesse n'est pas contre-indiquée, mais elle risque de produire une seconde fois les effets que la chirurgie avait effacés. De plus, il est souvent recommandé aux mères de ne pas allaiter si elles ont eu recours à la chirurgie esthétique pour refaire entièrement leur poitrine.

En revanche, l'allaitement n'est pas déconseillé systématiquement après une opération qui a été effectuée pour réparer des bouts de seins ombiliqués. ■

Varices disgracieuses

C'est souvent à la suite de plusieurs grossesses que vous constatez que certaines varices n'ont pas disparu ou même qu'elles se sont accentuées sur vos jambes. Deux interventions sont envisageables : la sclérose et la chirurgie. La sclérose permet de traiter les petites veines superficielles. La technique consiste à injecter dans la veine un produit chimique qui « brûle » la paroi interne.

Le calibre de la veine se réduit alors au bout de quelques semaines, puis se ferme. Pour les veines plus importantes, il faut opérer. Cela consiste à extirper la veine en cause par un stripper. Cette opération est aujourd'hui extrêmement courante, elle demande une hospitalisation brève, variable selon les cas, et une à deux semaines de repos ensuite. ■

Après une césarienne

La plupart des femmes qui ont accouché par césarienne pensent qu'elles ne pourront plus accoucher dorénavant par les voies naturelles. Il faut bien préciser que si la césarienne a été réalisée en raison d'un incident au cours de la grossesse, l'accouchement suivant peut très bien se dérouler normalement. En effet, la cicatrisation des tissus est suffisamment solide pour supporter une nouvelle grossesse et un autre accouchement. En revanche, si la césarienne a été motivée par une particularité anatomique de la mère, tous les accouchements qui suivront se dérouleront de cette manière. Le nombre de césariennes que peut subir une femme dépend surtout de la qualité de ses tissus. Cependant, la plupart des médecins conseillent de ne pas en avoir plus de trois ou quatre. ■

Le recours à la chirurgie esthétique

CERTAINES FEMMES, MALGRÉ TOUS LES SOINS ET EXERCICES PHYSIQUES ENTREPRIS POUR RETROUVER LEUR SILHOUETTE, ne réussissent pas à accepter leur corps de mère. Pour des raisons physiques ou psychiques, elles souhaitent avoir recours à la chirurgie esthétique. Un choix qu'il faut bien peser car les résultats ne sont pas toujours à la hauteur de leurs espoirs car cette chirurgie laisse bien sûr des cicatrices.

Où intervenir ?

Différentes parties du corps peuvent être ainsi remodelées comme le ventre et le haut des cuisses. L'intervention consiste à pratiquer une petite incision, faite dans un endroit où la cicatrice ne se verra pas, et à aspirer la graisse grâce à une microcanule. L'hospitalisation est généralement de quelques heures, tout au plus 24 heures. La perte de poids, de 1,5 kg environ, est immédiate et se poursuit dans les semaines qui suivent l'opération.

Ventre plat

Au cours de la grossesse, le ventre subit une distension cutanée considérable pouvant provoquer parfois un relâchement des muscles abdominaux. Apparaissent également des vergetures, dont l'origine est à la fois mécanique et hormonale (p. 165). Aussi, après l'accouchement, il peut rester un bourrelet cutané plus ou moins important ; le ventre est mou, surtout si la prise de poids a été importante et si le muscle reste faible. Dans le cas d'une grossesse gémellaire, la distension se situe différemment selon les femmes : soit dans la région de l'ombilic, soit un peu au-dessous, soit franchement dans la région pubienne. L'excès de graisse peut être éliminé par lipo-aspiration tant sur le ventre et les fesses que sur les cuisses.

Pas plus d'une semaine d'hospitalisation

L'intervention chirurgicale consiste à enlever les graisses inutiles et à retendre la peau. L'incision principale s'effectue le plus bas possible, au ras des poils du pubis ; elle est plus ou moins longue selon l'état du ventre. On décolle la peau et les tissus graisseux jusqu'aux dernières côtes et à l'appendice xiphoïde ; la peau et la graisse en excès sont enlevées. On découpe une boutonnière à la place de l'ombilic, la fente naturelle étant recousue. L'intervention se déroule sous anesthésie générale et l'hospitalisation dure de quatre jours à une semaine. La cicatrice, qui se situe généralement très bas, forme une très fine ligne blanche lorsque l'intervention est parfaitement réussie. Les suites opératoires sont légères : le ventre est normalement un peu gonflé juste après l'opération. Les fils sont retirés au bout de quinze jours. Cette opération peut être également envisagée après une césarienne. Elle en fait disparaître la cicatrice précédente pour en créer une autre, mais n'est possible que si les tissus sont de bonne qualité et si la cicatrice post-césarienne a été bien traitée. Après ce genre d'intervention, les nouvelles grossesses sont à éviter pendant deux ans au moins, l'idéal étant de ne plus en envisager. ■

1ER MOIS

2E MOIS

3E MOIS

4E MOIS

5E MOIS

6E MOIS

7E MOIS

8E MOIS

9E MOIS

LA NAISSANCE

LES 1RES SEMAINES DE MAMAN

LES 1RES SEMAINES DE BÉBÉ

GROSSESSES DIFFÉRENTES

ANNEXES

Faire un régime *en savoir plus*

Quels aliments manger et éviter pour maigrir ?

Aliments conseillés :

– Viandes : bœuf maigre, veau, poulet (sans la peau), lapin, dinde, cheval, mouton, agneau et tous les abats.

– Poissons : tous, à l'exception du thon, du maquereau, des sardines.

– Œufs : non frits.

– Tous les légumes verts.

– Laitages : à volonté à 0 % de matières grasses, un minimum à partir de 20 % de matières grasses.

– Fruits : pas plus de 300 g par jour.

– Boissons : eau ; thé et café (sans sucre ou avec édulcorant), à petites doses car ces deux boissons contiennent de la caféine et de la théine ; tisanes ; bouillon de légumes ; jus de tomate, de citron ou de pamplemousse.

Aliments à proscrire :

- Charcuterie : toutes sauf le jambon dégraissé.

- Légumes secs : lentilles, haricots, pois cassés.

- Féculents : pommes de terre, riz, pâtes, pain, ainsi que biscottes.

– Matières grasses : beurre, huiles, saindoux et margarines.

– Sucres : sucre, confitures, miel, chocolat et pâtisseries de toutes sortes.

– Laitages : yaourts aux fruits (même à 0 % de matières grasses), fromage blanc à 40 %, tous les fromages à plus de 45 %.

– Boissons : alcools, sodas, sirops, et tous les jus de fruits en conserve. ▪

Quelques conseils pratiques

Attendez votre retour de couches et le moment où vous êtes bien habituée à votre nouvelle vie avec votre bébé.

• Ne cherchez pas à perdre trop vite les quelques kilos qui vous embarrassent, vous risqueriez de les reprendre très vite. La plupart des médecins considèrent que 2 kg par mois, c'est largement suffisant.

• Pour lutter contre la fringale de 11 h, buvez un verre d'eau, faites un peu de relaxation et si vous n'y tenez plus, mangez un yaourt maigre sans sucre.

• Faites une liste pour vos courses, mettez aussi votre réfrigérateur au régime et éliminez de vos placards bonbons et gâteaux secs.

• Faites bouger votre corps : sachez qu'une activité physique est efficace sur le poids à condition qu'elle soit régulière, au moins trois fois par semaine pendant une demi-heure. Votre gym remise en forme entre dans votre programme minceur.

• Soyez très attentive aux repas du week-end, ils font souvent reprendre tout ce qui a été perdu avec beaucoup d'efforts le reste de la semaine.

• Notez quotidiennement ce que vous mangez aux repas et en dehors. Ainsi, vous visualiserez d'abord la réalité et les circonstances qui vous font craquer. Vous pourrez alors mieux les éviter.

• Évitez de grignoter dans la journée surtout des aliments sucrés. Si vous vous sentez nerveuse et que manger vous apaise, rien ne vous empêche de multiplier les petits repas mais en y privilégiant les protéines maigres, les légumes verts et les sucres lents. ▪

Mettez-vous à table

Beaucoup de jeunes mamans se retrouvent seules pour le déjeuner. Il est alors indispensable de faire un vrai repas. Attention aux collations sur le pouce ou prises sur un coin de table, qui généralement conduisent au grignotage le reste de la journée. Essayez de prendre vos repas à heures régulières car, quand on a faim, on est capable de manger n'importe quoi. Privilégiez le petit déjeuner, c'est en réalité le seul repas où l'on peut dévorer sans prendre de poids. Il ne semble pas raisonnable d'entamer un régime draconien. S'occuper d'un enfant petit, au quotidien, est fatigant. De plus, le régime n'est à commencer que six semaines après l'accouchement. Là, seulement, vous pouvez faire véritablement le bilan du surpoids dû à votre grossesse. ▪

Combattre les kilos superflus

1ᴱᴿ MOIS

2ᴱ MOIS

3ᴱ MOIS

4ᴱ MOIS

5ᴱ MOIS

6ᴱ MOIS

7ᴱ MOIS

8ᴱ MOIS

9ᴱ MOIS

LA
NAISSANCE

**LES 1ᴿᴱˢ
SEMAINES
DE MAMAN**

LES 1ᴿᴱˢ
SEMAINES
DE BÉBÉ

GROSSESSES
DIFFÉRENTES

ANNEXES

LE TEMPS NÉCESSAIRE POUR RETROUVER UN POIDS NORMAL dépend essentiellement du nombre de kilos pris pendant la grossesse et de la volonté de chaque femme. Le surpoids habituel après l'accouchement est d'environ 2 ou 3 kg, qu'il vous faut perdre dans les quelques mois qui suivent.

Tout d'abord, nourrissez-vous d'aliments qui rassasient sans faire prendre de poids. Lesquels ? Tous ceux qui sont pauvres en matières grasses et dont la teneur en calories est faible. L'essentiel est de faire fonctionner le système gastrique avec des aliments sains, faciles à digérer et riches en vitamines et en sels minéraux.

Cuisine légère

Dans un régime, le mode de cuisson est aussi important que ce que l'on mange. La poêle à revêtement antiadhésif permet de cuire viandes, œufs et poissons, pratiquement sans matières grasses. Un truc : pour éviter que certains aliments n'attachent, ajoutez une cuillerée à café d'eau. La cocotte-minute et le couscoussier cuisent tout. La première fait gagner du temps, le second garde aux aliments un goût naturel incomparable. Récemment, sont arrivés sur les rayons d'électroménager des cuiseurs-vapeur électriques. Ils permettent de cuisiner rapidement et sans matières grasses tous les aliments. Certains de ces appareils sont à deux étages et chauffent donc plusieurs aliments à la fois, sans qu'ils soient en contact. De plus, ils vous seront utiles aussi au moment du sevrage de votre bébé lorsque vous devrez le nourrir de façon plus consistante.

Pour assaisonner, utilisez des herbes, des oignons, de l'ail. Il vaut mieux limiter le sel qui stimule l'appétit. Les sauces des salades peuvent être préparées à l'huile de paraffine, au yaourt ou à la sauce tomate. Celles qui n'aiment que la vinaigrette doivent prendre l'habitude de l'allonger largement d'eau, ou se contenter de citron.

Boire beaucoup

Tout régime nécessite l'absorption de beaucoup de liquide : eau, thé chaud ou froid, bouillon de légumes (sans les légumes), tisanes. La variété des boissons permet d'absorber plus facilement les 2 litres quotidiens indispensables au retour du poids normal. Si vous faites partie de celles qui n'ont jamais soif, buvez par petites quantités mais souvent. Préparez-vous systématiquement tous les soirs un grand bol de tisane. Et dès que vous avez un petit creux, buvez un grand verre d'eau.

Enfin, ce n'est pas parce que vous ne rentrez pas encore dans vos vêtements « d'avant » que vous devez vous négliger. Surtout abandonnez tous les vêtements amples de votre grossesse. Vous devez vous aimer dans votre nouvelle peau même si votre silhouette ne vous semble pas idéale ; pour le moment, ce n'est que passager. ▪

"**N'essayez pas de maigrir trop vite car s'occuper d'un bébé est fatigant. Souvenez-vous aussi que les kilos perdus rapidement se reprennent plus facilement. ,,**

Sachez vous reposer

Dans la journée, pendant que votre bébé dort, installez-vous pour une petite sieste bien méritée. Vous récupérerez d'autant mieux, et surtout vous serez plus en forme pour affronter ses réveils de nuit. Essayez d'organiser vos journées pour ne pas accumuler de la fatigue inutile : faites-vous aider au maximum, surtout dans les travaux ménagers et les corvées difficiles ; enfin, évitez de faire coïncider les repas de famille avec ceux du bébé, cela créerait des tensions inutiles. Dans la journée, isolez-le suffisamment pour qu'il puisse dormir et ne pas vous déranger plus que nécessaire. Tant que votre bébé réclame à boire la nuit, il vous semblera judicieux de le garder dans votre chambre.

Vous vous apercevrez peut-être qu'il n'est pas toujours facile de dormir avec un nouveau-né qui s'agite et qui respire fort.

Si vous décidez de le mettre dans une chambre isolée, installez une écoute sur votre table de chevet, vous serez alors plus rassurée.

Ne brûlez pas les étapes, adaptez-vous à son rythme, il est, a priori, plein de bonne volonté. Adressez-vous à un médecin avec qui vous vous sentez en confiance. Il vous soutiendra au moindre problème.

Mais si vous avez à vous plaindre de ce bébé, c'est peut-être lui qui, à travers ses petits malaises, essaie de vous dire que quelque chose ne va pas ! Un bébé sait par de multiples façons que sa maman n'est pas au mieux de sa forme. ∎

S'organiser à la maison

À LA MAISON, VOUS ALLEZ RETROUVER LES TÂCHES MÉNAGÈRES auxquelles vont s'ajouter les soins au bébé. La plupart des jeunes mamans sont partagées entre la joie de quitter la maternité pour être enfin en famille et l'angoisse des premières expériences solitaires de maternage. En général, très vite, elles se sentent heureuses et débordées. Le plus délicat est de se caler sur le rythme du bébé.

La fatigue

Les pleurs et le biberon de nuit raccourcissent considérablement le repos. Le jour, votre bébé dort beaucoup mais demande pourtant une vraie disponibilité. Tétées, changes, petits câlins, la journée passe vite et la fatigue s'installe avec, à la clé, sautes d'humeur et mal de dos.

Petits conseils d'intendance

• Tout d'abord, pour récupérer de la fatigue, faites comme votre bébé, couchez-vous de bonne heure et faites la sieste.

• Au sein ou au biberon, nourrissez votre enfant à la demande. Il se régulera sans problème et vous, vous échapperez aux longs moments épuisants à attendre qu'il tète.

• Si vous nourrissez votre bébé au biberon, stérilisez ou nettoyez flacons et tétines en une seule fois et gardez-les au réfrigérateur.

• Vous pouvez faire quantité de choses, votre bébé contre vous dans un porte-bébé ventral. Tout contre vous, l'enfant éprouve un parfait sentiment de sécurité, il sent votre odeur, votre chaleur, il est bien et vous, vous avez les mains libres.

• Simplifiez les tâches ménagères au maximum ; plus tard, il sera toujours temps de programmer une journée de ménage à fond.

• Faites des listes, c'est le plus sûr moyen de ne rien oublier et de se libérer l'esprit de bien des soucis qui, en réalité, sont sans grande importance.

Laissez-vous aider

N'hésitez pas à partager les tâches, il suffit souvent de demander au papa un peu d'aide pour qu'il y pense. C'est le début des « bonnes habitudes » et l'occasion pour lui de s'occuper de son bébé. Pendant ce temps, occupez-vous de vous : faites de la gym, de la remise en forme, prenez un petit bol d'air dans le quartier, rendez visite à une amie, les idées ne manquent pas. Laissez votre conjoint et votre bébé seul à seul, c'est beaucoup mieux. Et si vous êtes fatiguée, débordée, déprimée, faites appel au service social de votre mairie ou à votre Caisse d'allocations familiales. L'un comme l'autre peuvent mettre à votre disposition une aide ménagère dont le travail est rémunéré en fonction de vos revenus.

La vie à trois

Votre enfant ne doit pas accaparer tous vos instants. Essayez de garder des moments rien que pour vous et votre conjoint.

Par exemple, faites du sport ensemble ou programmez-vous une fois par semaine une sortie en tête-à-tête. Votre bébé, pendant ce temps-là, dormira paisiblement dans son berceau sous la responsabilité d'une ou d'un baby-sitter. Si vous allaitez votre bébé, avant de partir, tirez un peu de votre lait et conservez-le au réfrigérateur. Si votre bébé se réveille et qu'il a faim, la ou le baby-sitter pourra lui donner un biberon de votre lait. ∎

1ER MOIS

2E MOIS

3E MOIS

4E MOIS

5E MOIS

6E MOIS

7E MOIS

8E MOIS

9E MOIS

LA NAISSANCE

LES 1RES SEMAINES DE MAMAN

LES 1RES SEMAINES DE BÉBÉ

GROSSESSES DIFFÉRENTES

ANNEXES

Sachez préparer votre aîné

VOTRE BÉBÉ VA NAÎTRE DANS QUELQUES MOIS. Comment l'annoncer à votre aîné et comment le préparer au mieux à accepter ce petit intrus qui va lui imposer définitivement le statut de grand ? Une approche tout en délicatesse saura préparer ce changement de situation.

L'écart entre les naissances

Existe-il un écart idéal pour limiter au maximum les conflits ? Bien sûr, il n'y a pas de réponse standard. L'expérience montre qu'avoir des enfants rapprochés a souvent des avantages – mêmes rythmes, mêmes contraintes matérielles (change, biberon), relation de jeux complice – alors que des naissances espacées, moins contraignantes, donnent à résoudre des problèmes totalement différents. Si l'écart d'âge entre les enfants est faible, la jalousie, bien qu'elle existe, risque de ne pas s'exprimer par des conflits ouverts. De même, si les enfants ont une grande différence d'âge, l'aîné se coule plus facilement dans le rôle du grand frère ou de la grande sœur et s'occupe volontiers du bébé. Les situations intermédiaires sont moins roses. En effet, lorsque les écarts sont moyens (3-4 ans), les tensions sont alors les plus vives. L'aîné a profité pendant quelques années d'une vie où il était seul avec ses parents et il voit d'un mauvais œil l'intrus lui voler ce privilège. Le sentiment de jalousie va s'exprimer plus fortement, avec des hauts et des bas... mais sans jamais s'éteindre.

Réussir la cohabitation

Il est indispensable d'associer votre aîné à la naissance. Si le règlement de la maternité le permet, il peut venir voir le bébé et vous voir par la même occasion. Il a besoin de savoir où vous vous trouvez et de se rassurer en voyant que tout va pour le mieux. Présentez-lui son petit frère ou sa petite sœur simplement, sans excès, et intéressez-vous à ce qu'il a fait pendant votre absence. Si les visites sont interdites, faites un polaroïd et envoyez-le lui. Il pourra au moins vous voir dans votre chambre avec votre bébé. De visu ou au téléphone, dites-lui qu'il vous manque beaucoup et que vous allez rentrer dès que possible. Le retour à la maison est un moment souvent difficile pour lui. Il vous voit soudain accaparée par ce nourrisson et réalise très vite qu'il n'est plus le centre d'intérêt de la famille.

Il peut – momentanément – avoir envie de redevenir un bébé, puisque justement on ne s'occupe que de celui-là. Ce sont les fameuses régressions que l'on observe chez l'aîné à l'arrivée du cadet : pipi au lit (alors qu'il était déjà propre), difficulté d'endormissement, problèmes alimentaires (il voudra qu'on le fasse manger et exigera de reprendre son biberon). Tous ces conflits n'ont rien d'alarmant et ne signifient qu'une seule chose : il a envie que l'on s'occupe de lui.

L'inévitable jalousie

Soit avant le retour à la maison, soit après, rassurez-le. Un tout-petit ne sait pas dire qu'il est jaloux. Tout au plus sent-il confusément que quelque chose a changé. Ne le laissez pas se culpabiliser d'avoir des « mauvais » sentiments : dites-lui que c'est normal qu'il soit jaloux, multipliez les attentions, ménagez du temps pour lui et surtout ne le privez pas aujourd'hui de ce que vous lui accordiez hier faute de temps. Il a toujours droit à son câlin du soir, à sa petite histoire ou à son tour de manège ! Patience, il va reprendre confiance en lui. Quand il comprendra qu'il n'est pas oublié, que vous tenez toujours à lui, il cessera de jouer au bébé pour devenir votre grand, quitte à régresser seulement de temps en temps... juste pour se faire dorloter ! Souvenez-vous que les jalousies et les rivalités entre frères et sœurs sont entretenues par l'éducation des parents.

Mais ce nouveau bébé dans la famille va aussi être source de découvertes. Ainsi, s'il n'est pas du même sexe que votre aîné, c'est avec étonnement qu'il constatera la différence de leur anatomie. Sur le plan psychologique, on considère que pour un enfant entre 2 ans et demi et 3 ans, découvrir que tout le monde n'est pas identique au sein d'une même famille est un acquis important dans le développement de sa sexualité. Cette différence va lui permettre de poser très naturellement toutes les questions qui le tracassent.

Des erreurs à ne pas commettre

• Envoyer l'aîné chez ses grands-parents au moment de la naissance du bébé et sans explication. Imaginez sa réaction quand il reviendra. Il va simplement penser que le bébé a pris sa place.

• Donner sa chambre au bébé et l'installer dans une nouvelle, aussi jolie soit-elle. Ce n'est sûrement pas le bon moment.

• Rentrer de la maternité chargée de cadeaux pour le bébé et ne rien prévoir pour lui.

• Le mettre à l'école le même mois que la naissance. Il peut y voir une façon de se débarrasser de lui, tandis que bébé, lui, reste tranquillement à la maison.

• Plus tard, surprotéger et donner toujours raison au petit au détriment du plus grand. Les enfants détestent l'injustice !

• S'agacer de sa jalousie. C'est le jaloux qui souffre, qui est malheureux. C'est lui qui a besoin de votre tendresse. ■

1ER MOIS

2E MOIS

3E MOIS

4E MOIS

5E MOIS

6E MOIS

7E MOIS

8E MOIS

9E MOIS

LA NAISSANCE

LES 1RES SEMAINES DE MAMAN

LES 1RES SEMAINES DE BÉBÉ

GROSSESSES DIFFÉRENTES

ANNEXES

Les dernières manifestations

Après la grossesse et l'accouchement, c'est tout l'organisme de la femme qui doit retrouver progressivement équilibre et tonus. Les muscles du ventre ont fondu sous l'effet de la progestérone et des œstrogènes. Les articulations du bassin sont légèrement distendues par le passage du bébé. Bref, la remise en forme est nécessaire et les exercices de gymnastique sont particulièrement recommandés. Mais ce sont surtout vos organes génitaux qui reprennent leur place et leur fonctionnement antérieur. Votre utérus reprend sa taille initiale et c'est pourquoi vous ressentez encore des contractions après votre accouchement. Ces tranchées utérines peuvent être très douloureuses, surtout lors d'une seconde voire d'une troisième grossesse. Dans ce cas, vos muscles utérins, déjà mis à l'épreuve par une grossesse, ont un peu plus de difficulté à aider l'utérus à reprendre sa taille. Ces douleurs durent généralement 3 ou 4 jours. Aux tranchées utérines sont associées des pertes vaginales, les lochies. Elles s'écoulent sur 21 jours en moyenne, mais ce temps varie beaucoup d'une femme à une autre. C'est la manifestation de la cicatrisation de l'implantation du placenta dans la cavité utérine. Leur aspect change au fil des jours. D'abord rouge vif et abondantes, elles deviennent plus foncées et plus rares. Enfin, elles se terminent par un écoulement jaune clair ou incolore. Elles ont, quelle que soit la période, une odeur de sang frais ; toute mauvaise odeur ou toute reprise d'un saignement qui avait eu tendance à se calmer doivent être signalées au médecin. Cela peut être le signe d'une infection ou d'une complication de cicatrisation. De même, pour éviter tout risque d'infection, on recommande aux jeunes mamans d'utiliser uniquement des serviettes hygiéniques et non des tampons. Votre col de l'utérus, qui s'est considérablement étiré au moment de l'accouchement, reprend sa forme et sa tonicité en une semaine environ. Votre vagin, mou et lâche, va aussi se remettre en place. Vous pouvez l'aider en pratiquant des contractions du plancher pelvien. ■

Les perturbations du cycle

Un accouchement accompagné d'une hémorragie importante peut perturber le système hormonal et troubler le cycle ovarien. Les règles peuvent même disparaître momentanément. Ces absences, dites aménorrhées, sont également parfois constatées à la suite d'une césarienne. Mais le cycle menstruel peut être également dérangé par l'absorption de tranquillisants ou d'antidépresseurs prescrits pendant le post-partum et le retour de couches. Quant aux aménorrhées secondaires, elles sont généralement d'ordre psychique et traduisent souvent des difficultés d'ordre relationnel. ■

▌ MON AVIS

Le rendez-vous postnatal vient conclure toute la série d'examens qui a eu lieu au cours de la grossesse. Il sert à vérifier que l'utérus a bien repris sa taille et sa place. Le médecin contrôle l'état du périnée et prescrit au besoin une rééducation. Celle-ci doit toujours précéder les séances de rééducation de la paroi abdominale. C'est souvent lors de cette visite que sont abordés les problèmes de contraception et de reprise d'une sexualité normale. Le bon moment pour programmer cette visite est 6 à 8 semaines après l'accouchement. ■

Faites le bilan

1ᴱᴿ MOIS

2ᴱ MOIS

3ᴱ MOIS

4ᴱ MOIS

5ᴱ MOIS

6ᴱ MOIS

7ᴱ MOIS

8ᴱ MOIS

9ᴱ MOIS

LA NAISSANCE

LES 1ᴿᴱˢ SEMAINES DE MAMAN

LES 1ᴿᴱˢ SEMAINES DE BÉBÉ

GROSSESSES DIFFÉRENTES

ANNEXES

LES CONTRÔLES MÉDICAUX SONT FORTEMENT RECOMMANDÉS APRÈS UNE MATERNITÉ, notamment si vous vous sentez fatiguée ou fiévreuse. Six à huit semaines après la naissance, il faut consulter un gynécologue qui constatera l'involution de l'utérus, l'état du vagin, etc.

Le retour de couches

Cela signifie le retour des règles. Il se produit généralement 6 à 8 semaines après l'accouchement si la jeune maman n'allaite pas ou, dans le cas contraire, 2 à 6 semaines après l'arrêt de l'allaitement. L'utérus diminue de volume. Il se place dans le petit bassin et retrouve sa taille normale au bout de 2 ou 3 mois. Les tissus, devenus mous pour aider le passage de l'enfant, récupèrent leur tonus, notamment ceux du vagin et de la vulve, au bout de quelques jours. En revanche, l'endomètre, la muqueuse qui tapisse l'intérieur de la cavité utérine, ne se régénère qu'au bout de 20 à 45 jours.

Bilan gynécologique

L'examen gynécologique se fait au spéculum afin d'observer l'intérieur du vagin et le col de l'utérus. Le praticien appréciera ainsi la qualité des muqueuses et leur coloration.
Il est également indispensable qu'il procède à un toucher vaginal associé à un palper du ventre. Il contrôle ainsi l'antéversion de l'utérus, sa forme, sa sensibilité et l'état général des autres organes génitaux (les ovaires). Il examine, s'il y a lieu, la cicatrice de l'épisiotomie ou de la césarienne. Il effectuera peut-être un frottis vaginal en prélevant des cellules desquamées au niveau du col de l'utérus ou du vagin.
Il effectuera également un examen de la poitrine. C'est le moment de lui confier vos difficultés, celles par exemple liées à votre sexualité (p. 391) ou à l'allaitement (pp. 380 et 447).

Examens complémentaires

Une panoplie d'examens permettant d'autres investigations, telles que l'échographie, pour examiner les ovaires et l'utérus et, notamment, rechercher s'il n'existe pas de rétention placentaire. Le médecin fera sans doute avec vous aussi le point sur votre tonicité périnéale, et prescrira au besoin une rééducation appropriée (p. 377). Si vous avez besoin d'une remise en forme musculaire, notamment au niveau de l'abdomen ou du dos, il vous prescrira quelques séances avec un kinésithérapeute. La Sécurité sociale en rembourse 10 en postmaternité. Elles ne seront à programmer qu'après la rééducation du périnée.

Un autre bébé ?

Si vous souhaitez avoir rapidement un autre enfant, c'est le moment d'en parler avec votre médecin. Il vous conseillera en fonction de votre état général et du déroulement de votre accouchement. Si vous avez eu quelques difficultés, il vous prescrira des examens médicaux complémentaires, comme des radiographies qui n'avaient pas pu être faites au cours de la grossesse ou certaines vaccinations. Dans tous les cas, pour des raisons de fatigue et d'anémie, il est souhaitable d'attendre un an avant de se lancer dans une nouvelle grossesse. ∎

Les premières semaines de bébé

1ER MOIS

2E MOIS

3E MOIS

4E MOIS

5E MOIS

6E MOIS

7E MOIS

8E MOIS

9E MOIS

LA NAISSANCE

LES 1RES SEMAINES DE MAMAN

LES 1RES SEMAINES DE BÉBÉ

GROSSESSES DIFFÉRENTES

ANNEXES

Les premières semaines de bébé
Vous et lui

UN DES PREMIERS SENTIMENTS QUI JAILLIT AU MOMENT de l'accouchement est un incroyable et intense émerveillement. Les parents ont imaginé un enfant dont l'échographie a donné les contours, or il apparaît toujours avec un visage qui les surprend et qui révèle déjà une personnalité. Immédiatement, des ressemblances s'imposent : c'est un des grands-pères, c'est une cousine, une tante... Ce bébé appartient tout de suite à un clan. Autour de lui, la famille et les amis se pressent. Chacun lui trouve une ressemblance, lui attribue un trait de caractère, lui souhaite un avenir joyeux. Le grand livre des souvenirs ouvre un nouveau chapitre.

C'est déjà un tendre séducteur. Il est là, attendu, imaginé pendant neuf mois. Sa vitalité est extraordinaire et donne déjà des signes de son caractère. Il a soif de rencontrer ses parents du regard et du toucher. Il va tout faire pour les séduire et saura répondre favorablement à toutes leurs avances, les sollicitant au rythme de son plaisir. Regardez ses mimiques tantôt drôles, tantôt émouvantes, il sait déjà jouer avec les sentiments de ses parents. Ceux-ci lui sourient, il répond, provoquant à son tour d'autres sourires et ainsi commence une histoire d'échanges et d'amour qui ne finira jamais. Ces premières semaines du nouveau-né seront celles des grands « apprentissages ».

Il découvre le goût du lait, l'odeur de sa mère, la voix de son père, les chatouilles des autres enfants de la famille. Plaisirs et déplaisirs rythment ses jours. Tour à tour béat, affamé, repu, il dicte à tous une douce loi et, satisfait, gratifie les siens de ses tout premiers sourires.

Votre bébé

AVANT DE QUITTER LA MATERNITÉ, votre bébé doit subir son premier examen médical. Il consiste à analyser quelques gouttes de son sang et à vérifier qu'il possède bien un certain nombre de réflexes dits « archaïques » qui prouvent que ses fonctions neurologiques sont intactes. Un examen clinique complet montre qu'il ne souffre d'aucun problème organique. Enfin, dans certaines maternités, on pratique une série de 28 tests pour évaluer ses compétences précoces à partir de son tonus musculaire et de ses réponses aux stimulations physiques. Les résultats permettent un diagnostic d'évaluation de ses aptitudes à entrer en relation avec les autres.

Les bébés sont génétiquement programmés pour entrer en communication avec leurs parents, c'est sans doute une spécificité typiquement humaine.

1ER MOIS

2E MOIS

3E MOIS

4E MOIS

5E MOIS

6E MOIS

7E MOIS

8E MOIS

9E MOIS

LA NAISSANCE

LES 1RES SEMAINES DE MAMAN

LES 1RES SEMAINES DE BÉBÉ

GROSSESSES DIFFÉRENTES

ANNEXES

Un examen clinique complet

Aux observations neurologiques sont associées d'autres « mesures » permettant de confirmer la bonne santé de votre bébé. Le médecin examine :

• Le cœur et les artères : le cœur doit, au repos, battre régulièrement de 120 à 170 pulsations par minute, alors que, chez l'adulte, il ne bat que de 60 à 80 pulsations par minute. D'autres battements peuvent être perçus sous les aisselles et dans le dos. Le pédiatre palpe également les grosses artères.

• Le souffle : l'examen au stéthoscope permet de déceler ainsi une façon anormale que le bébé pourrait avoir de respirer « par le ventre » ou encore l'absence de pauses respiratoires. C'est la régularité de la respiration qui est importante et il est normal que votre bébé ne respire que par le nez. Il faudra attendre quelques semaines pour qu'il acquière la respiration par la bouche.

• Le crâne : le périmètre du crâne est mesuré. La palpation des fontanelles antérieure et postérieure permet la recherche d'une éventuelle tension, ou d'une bosse dure, calcifiée (céphalhématome)

• Les yeux : le médecin regarde l'iris et vérifie que le reflet de lumière est symétrique sur les deux pupilles.

• Les organes génitaux : pour les garçons, le médecin observe la taille du pénis et du scrotum et vérifie la présence des deux testicules. Pour les filles, il regarde la taille de la vulve, du clitoris et des petites lèvres.

• L'abdomen : le foie, la rate et les reins sont également palpés pour déceler une hernie possible : hernie ombilicale, sans gravité, ou inguinale (au niveau de l'aine), très ennuyeuse chez les petites filles car elle peut menacer un des ovaires.

• Le nombril : la cicatrisation doit être parfaite.

• Les mains et pieds : au niveau des mains, le pédiatre recherche un pli palmaire médian (il pourrait évoquer une trisomie 21). Toutes les anomalies éventuelles des pieds sont notées : soudure anormale de deux ou plusieurs doigts, anomalies de posture (tournés vers l'intérieur, vers l'extérieur ou encore se faisant face).

• Les hanches : le pédiatre fait tourner les jambes du bébé autour de l'articulation pour vérifier qu'aucun craquement suspect ni déboîtement ne survient. En cas de doute, le médecin prescrira une échographie des hanches qui peut être réalisée à la fin du premier mois.

• Les clavicules : le pédiatre s'assure que les clavicules n'ont pas souffert lors de l'accouchement. Si le bras pend le long du corps ou s'il n'est pas dans une position normale de flexion, cela traduit un étirement important lors de la naissance.

• La peau : elle doit être bien rose. Certaines anomalies bénignes peuvent être décelées, comme le milium (petits grains blancs sur le nez), l'érythème toxique (taches rouges encerclant un point blanc) ou les angiomes. ■

Sa vue et son ouïe

Il est important pour le développement futur de votre bébé de savoir s'il a une vue et une audition parfaitement intègres. L'examen de la vision se pratique avec un disque en carton où sont dessinés des cercles alternativement blancs et noirs. L'examinateur cherche à capter le regard de l'enfant et à lui faire poursuivre le déplacement du disque. Il étudie encore le test du réflexe de menace : le bébé ferme les yeux lorsqu'il est exposé brutalement à une lumière forte.

La déficience auditive est le trouble le plus fréquent : 1 enfant sur 1 000 présente une surdité sévère et 1 sur 500 un simple déficit. Le test le plus classique consiste à observer les réactions de l'enfant à un bruit. Pour cet examen, le médecin utilise des jouets sonores calibrés en fréquence et en intensité. Dans certains cas, le pédiatre choisit un dépistage par oto-émissions acoustiques. Ce sont les sons émis par la cochlée que l'on enregistre à l'aide d'une sonde. Leur présence est corrélée au seuil auditif.

Audition et vision seront régulièrement examinées lors des bilans de santé qui vont ponctuer la première année de l'enfant. ■

Pour une sortie réussie

1ER MOIS

2E MOIS

3E MOIS

4E MOIS

5E MOIS

6E MOIS

7E MOIS

8E MOIS

9E MOIS

LA NAISSANCE

LES 1RES SEMAINES DE MAMAN

LES 1RES SEMAINES DE BÉBÉ

GROSSESSES DIFFÉRENTES

ANNEXES

LE BÉBÉ EST SOUMIS À UN EXAMEN MÉDICAL COMPLET avant de quitter la maternité. L'examen porte sur ses capacités neurologiques, la présence des réflexes archaïques et les sens indispensables à la communication. Il comporte aussi un bilan de santé générale.

Réflexes archaïques

• Le réflexe de succion : le pédiatre approche son doigt de la bouche du bébé, celui-ci se met à téter vigoureusement.

• Le réflexe d'agrippement ou *grasping* permet l'attachement physique à la mère. Le médecin touche de sa main la plante des pieds du bébé pour vérifier que les orteils se replient. Il fait de même avec les mains. Le nouveau-né referme automatiquement les mains sur le doigt et l'agrippe avec tant de force que l'on peut le soulever avec deux doigts.

• La marche automatique pronostique de la future station debout. Le pédiatre tient le nourrisson sous les bras. Il le penche en avant comme pour l'obliger à marcher. Dès que les pieds de l'enfant prennent contact avec la table, il fait un pas ou deux et lorsque l'on place un objet dur contre sa jambe, il soulève son pied comme pour enjamber l'obstacle.

• Le réflexe de Moro (dit réflexe du parachutiste) est une attitude primaire de défense. C'est une réaction démesurée de l'enfant à une stimulation auditive (bruit) ou à un changement brusque de position. Le bébé est couché, on soulève son buste en le tenant par les mains, puis on le laisse retomber brusquement. L'enfant retombe en levant et écartant aussitôt bras et jambes. Il ouvre les mains comme pour se cramponner, puis ramène ses bras contre sa poitrine dans un geste d'autoprotection et se met à pleurer.

Examen neurologique

Le médecin contrôle certaines capacités comme la reptation ou le réflexe des quatre points cardinaux : le pédiatre effleure le visage du nouveau-né autour des lèvres, il tourne sa tête et place sa bouche de manière à atteindre la stimulation. Il contrôle le maintien de la tête : on assoit l'enfant légèrement incliné vers l'arrière, celui-ci réussit à maintenir sa tête.

D'autres réactions témoignent de la bonne mise en place des connexions nerveuses :

• Le réflexe tonique du cou : l'enfant est couché sur le dos, la tête tournée sur un côté. Son bras est tendu de ce même côté, l'autre est fléchi. Si l'on inverse sa tête de côté, le bébé modifie aussi la position de ses bras.

• Le réflexe d'allongement croisé : le pédiatre chatouille la plante d'un des pieds du bébé sur un côté en tenant la jambe tendue. L'autre jambe se plie pour amener le pied au contact du pied stimulé.

• Le passage du bras : le nouveau-né est à plat ventre, le visage contre la table et les bras le long du corps. Il tourne la tête de côté pour dégager son nez et ainsi mieux respirer, puis il fléchit son bras placé du même côté que son visage et porte sa main à sa bouche.

L'examen médical est réalisé par le pédiatre de la maternité en présence des parents. Les conclusions sont portées sur le carnet de santé de l'enfant. C'est l'examen des réflexes archaïques qui étonne toujours le plus les parents. ◾

431

Tous les sens en éveil

LES SENS DU NOUVEAU-NÉ NE SONT PAS ENCORE AUSSI PERFORMANTS que ceux de l'adulte, mais ils le deviendront sans peine. Ce n'est qu'une affaire de temps. Certains sens sont même présents bien avant la naissance.

Le toucher en premier

On sait que bien avant de naître, l'enfant est sensible aux caresses. L'expérience de la stimulation tactile commence dans le liquide amniotique, dont la température est constante (pp. 113 et 149). Tous les déplacements procurent au bébé des sensations d'effleurement. C'est pourquoi, pendant longtemps, le contact avec des surfaces souples, chaudes, les caresses et les bercements auront sur lui un effet apaisant. Il réagit également aux stimulations tactiles au travers de la paroi abdominale de la mère (p. 245).

Le bébé, lorsqu'il naît, est parfaitement équipé sur le plan du toucher. Sa peau est capable de percevoir diverses sensations. Tous ces signaux sont transmis au cerveau par des terminaisons nerveuses dont certaines indiquent le contact, d'autres mesurent la pression, d'autres encore évaluent le chaud et le froid ou la douleur.

Douceur et chaleur, associées à l'odeur, sont, sans aucun doute, les sensations préférées des bébés. Attraction que l'on constate dès la naissance quand l'enfant s'enfouit dans le sein de sa mère pour la première tétée. Besoin que l'on retrouve encore quand il se blottit au creux de son épaule.

La vue : du plan fixe à la découverte

L'enfant, dès qu'il vit dans la lumière, oriente les yeux par rapport à l'espace et maintient son regard à l'horizontale quand sa tête bouge. Cependant, malgré le déplacement conjugué de ses yeux, il est encore incapable d'une bonne convergence oculaire. De plus, l'accommodation est très mauvaise : le bébé a donc d'abord une vision trouble de tout ce qui demande un changement de courbure du cristallin, c'est-à-dire de tout ce qui se trouve à plus de 40 cm de ses yeux. Le bébé voit la lumière et parvient à distinguer des intensités très fines. Il est encore capable, dès sa naissance, de diriger son regard vers un point précis. Il est d'ailleurs curieux de constater son besoin inné d'exploration.

Dès sa 2e semaine, l'enfant réagit à l'approche d'un objet. Il a donc une première conscience de la profondeur du champ qui l'entoure. Vers la 4e semaine en moyenne, il devient capable de fixer un objet, qu'il soit proche ou lointain, mais il ne peut guère y arrêter longtemps son regard. Ce n'est vraiment qu'à l'âge de 2 mois que l'enfant poursuit réellement un objet en déplaçant son regard, avec anticipation sur son trajet.

Un odorat subtil

Il est impossible de savoir si l'expérience de l'odorat existe avant la naissance. Ce que l'on sait, c'est que dès les premières minutes de la vie, le nourrisson réagit à la présentation d'une grande variété d'odeurs. Il sait distinguer aussi bien celles qui sont désagréables ou agréables pour l'adulte que différencier des qualités odorantes disctinctes.

Ce sens est important, notamment dans la recherche du sein au moment de l'allaitement. Un chercheur danois a fait l'expérience suivante avec des nouveau-nés : il place de part et d'autre du nez du bébé deux morceaux de coton, l'un imprégné de l'odeur du sein maternel, le second du sein d'une autre mère.

L'étude statistique des préférences des enfants montre qu'à partir du 6ᵉ jour les bébés se tournent plus facilement vers le coton dont l'odeur leur est familière. Le nourrisson possède donc un odorat assez fin pour reconnaître sa mère.

Une audition déjà fine

L'enfant à la naissance entend fort bien (pp.187 et 237). Toutes les mères ont observé qu'un bruit fort le réveille. À l'inverse, d'autres sons le calment, mais leur rythme doit être régulier pour mettre fin aux pleurs. La voix humaine, en particulier celle de ses parents, le fait réagir de manière étonnante : elle est, en effet, capable de déclencher son sourire. Des recherches ont pu montrer que le nouveau-né préfère entendre la voix de sa mère plutôt que celle d'une femme inconnue, toutes deux lisant pourtant le même texte. En revanche, il ne fait pas de différence entre la voix de son père et celle d'un autre homme. Il préfère, en outre, entendre parler la langue maternelle plutôt qu'une langue inconnue. L'examen classique de la bonne audition d'un bébé se fait à l'aide d'une clochette. Très nettement, les yeux ou la tête se tournent dans la direction de la source sonore.

Le goût : à la base, le sucré

Selon les travaux du professeur Matty Chiva, l'enfant est capable, dès la naissance, de reconnaître les quatre sensations gustatives élémentaires : le salé, le sucré, l'acide, l'amer. Les expériences montrent même qu'il sait nettement signifier son goût pour les saveurs sucrées et son aversion pour tout ce qui est amer. La saveur sucrée du liquide amniotique expliquerait la prédilection du nouveau-né pour ce goût.

Cette préférence envers le sucré est observable dès qu'il respire, et avant même que le nouveau-né ait été alimenté. Elle déclenche chez lui des mimiques de plaisir et de détente. Ainsi l'administration d'une solution sucrée est conseillée pour atténuer le stress du bébé dans certains cas.

Le nourrisson, programmé pour accepter le lait, est particulièrement sensible au galactose pour le lait maternel, et au lactose pour le lait de vache. Il goûte ces substances comme des substances sucrées. Mais, là encore, les bébés ne sont pas tous identiques. Certains bébés perçoivent plus vite, plus fort et plus finement certains goûts que d'autres. ■

1ᴱᴿ MOIS

2ᴱ MOIS

3ᴱ MOIS

4ᴱ MOIS

5ᴱ MOIS

6ᴱ MOIS

7ᴱ MOIS

8ᴱ MOIS

9ᴱ MOIS

LA NAISSANCE

LES 1ᴿᴱˢ SEMAINES DE MAMAN

LES 1ᴿᴱˢ SEMAINES DE BÉBÉ

GROSSESSES DIFFÉRENTES

ANNEXES

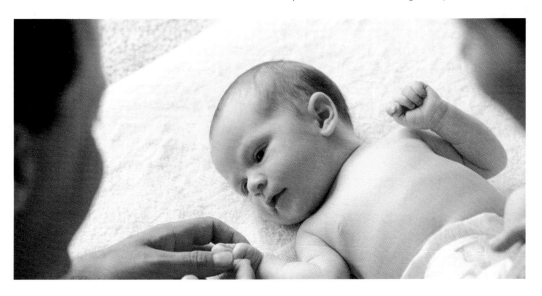

La santé de votre bébé *en savoir plus*

Le carnet de santé, son passeport pour la vie

Le carnet de santé est un simple instrument de contrôle pour surveiller la santé du bébé. Il est remis aux parents dès la naissance et peut être très précieux si l'enfant est régulièrement suivi par les médecins. Les parents peuvent y porter des indications plus ponctuelles (traitement en cas de rhino-pharyngites, dates des maladies infantiles...). Ce carnet est un document confidentiel qui ne doit pas circuler entre toutes les mains. Cependant, il est indispensable qu'il suive l'enfant lorsque celui-ci est confié chez une nourrice ou même lorsqu'il part en vacances chez ses grands-parents. En cas d'urgence, le praticien consulté aura ainsi un bon résumé de son état de santé général. De plus, il est impératif de l'apporter à chaque consultation. Depuis peu, le carnet de santé s'est enrichi de quantités d'informations à destination des parents. Neuf thèmes ont été retenus : le dépistage des troubles visuels (on rappelle que les troubles doi-

vent être traités le plus tôt possible) ; le dépistage des troubles auditifs ; les troubles neurologiques et psychologiques ; les troubles de la croissance (il est indiqué que la courbe de croissance est essentielle à l'évaluation du bon développement de l'enfant) ; les vaccinations (où l'on insiste sur leur bien-fondé, recommandant celles qui ne sont pas encore obligatoires – ROR, hépatite) et enfin un chapitre sur la sécurité dont il faut entourer le bébé, tant dans la maison que dans les transports et des pages consacrées à la prévention de l'obésité. ■

La couleur de ses yeux

Non, tous les bébés ne naissent pas avec les yeux bleus. Certains ont des yeux d'un noir profond ou marron, d'autres gris-bleu ou bleu ardoise. La couleur des yeux est déterminée génétiquement mais leur nuance évolue avec la pigmentation de l'iris qui est progressive. La couleur des yeux varie tout au long de l'enfance pour devenir définitive à l'adolescence. ■

Ce qui peut vous étonner

1ER MOIS

2E MOIS

3E MOIS

4E MOIS

5E MOIS

6E MOIS

7E MOIS

8E MOIS

9E MOIS

LA NAISSANCE

LES 1RES SEMAINES DE MAMAN

LES 1RES SEMAINES DE BÉBÉ

GROSSESSES DIFFÉRENTES

ANNEXES

SANS ÊTRE EXHAUSTIVE, VOICI UNE LISTE DES PETITS SOUCIS, qui ne manqueront pas de vous inquiéter. Premiers soucis de la jeune maman...

• Les éternuements : les bébés éternuent beaucoup mais ils ne sont pas enrhumés. C'est pour eux le moyen d'expulser les croûtes de mucus qui obstruent leurs narines.

• Les pleurs sans larmes : rien n'est plus normal puisque, les premiers jours de la vie, les canaux lacrymaux ne sont pas encore ouverts. Si l'absence de larmes se poursuit au-delà d'une semaine ou deux, et si l'œil de l'enfant est larmoyant, parlez-en à votre médecin, ses canaux lacrymaux peuvent être bouchés. Une petite intervention est alors indispensable.

• La langue toujours blanche : la production de salive est encore limitée, ce qui ne permet pas un nettoyage normal de la cavité buccale. Les glandes salivaires ne fonctionnent vraiment qu'à partir de 3 mois.

• Les lèvres cloquées : certains nourrissons ont des ampoules sur les lèvres inférieure et supérieure. Ce sont des cloques de succion qui ne doivent pas être percées.

• La poitrine gonflée : la glande mammaire est légèrement gonflée et peut même produire du lait. Ce phénomène s'explique par la transmission des hormones maternelles au bébé.

Il est recommandé de ne pas presser les seins pour en extraire le lait. Cette manifestation étonnante doit disparaître au bout de 10 à 15 jours. Mais toute inflammation doit être signalée au médecin. Chez les petites filles, on constate parfois des sécrétions vaginales blanchâtres dues à ces hormones maternelles.

• Le crâne déformé : à la suite de l'accouchement, la tête du bébé peut présenter une déformation du crâne (en pain de sucre) ou même parfois une bosse (dite sérosanguine) surtout si, pour l'aider à naître, on a utilisé la ventouse. Tout doit rentrer dans l'ordre au bout de quelques jours.

• Une tache au bas du dos : les enfants de couleur ou d'origine méditerranéenne présentent souvent une tache de naissance bien particulière, la tache mongoloïde. Elle est gris bleuté, installée en bas du dos ou sur la fesse. Elle s'atténuera au cours des années.

• Une transpiration excessive : à la fin d'une tétée ou d'un biberon, votre bébé a le visage mouillé de transpiration. Rien n'est plus normal, la succion représentant un réel effort physique et musculaire. De plus, l'absorption d'un liquide chaud provoque une montée momentanée de la température interne. La transpiration est alors un moyen normal de lutter contre la chaleur. Par ailleurs, la tétée, le bain, le change provoquent parfois chez le bébé de légers tremblements du menton ou des membres. Ce sont simplement des manifestations liées à l'immaturité du système nerveux.

• Une respiration bruyante : lavez plusieurs fois par jour les narines avec du sérum physiologique, mettez votre bébé dans une position demi-assise et tout rentrera dans l'ordre. Pensez également à humidifier suffisamment l'atmosphère de sa chambre. ▪

" Toutes vos inquiétudes cachent le souci d'être une bonne mère. "

435

Une histoire d'amour

L'AMOUR MÈRE-ENFANT EST UNE LONGUE HISTOIRE. Il est souvent facile de prendre son bébé dans ses bras, de l'allaiter, le baigner, le langer et jouer avec lui. Bien des mères éprouvent ainsi les premières bouffées d'amour maternel.

Un lien ancien

Mais cet amour doit plonger ses racines très profondément pour parvenir à un véritable épanouissement.

Ce lien est déjà une vieille histoire pour la femme. Dès qu'elle souhaite être mère, elle va désirer l'enfant. Enceinte, elle commence à édifier son amour avec lui.

Elle retrouve en elle les conditions de son propre accueil, et les relations d'amour qu'elle a entretenues autrefois avec sa mère prennent une grande importance.

Même si l'on pense aujourd'hui que des prémices de liens s'installent in utero grâce à une communication précoce, c'est à la naissance que tout se joue.

Dès la naissance

L'amour de l'enfant pour sa mère n'a pas les mêmes fondements. Il attend, lui, que sa mère lui enseigne l'amour et il va tout lui donner pour y parvenir.

Des relations privilégiées vont s'établir entre eux dès la naissance (pp. 73, 96 et 151).

La réussite de l'accouchement est une étape primordiale, mais la rencontre du bébé imaginé et du bébé réel l'est plus encore.

Plus l'image du premier se superpose à la seconde, mieux s'établit la relation affective. Et le plus étonnant s'accomplit ; le bébé va séduire sa mère.

Il vagit, il sourit, il fixe son regard et la mère fond de tendresse. Elle l'examine à loisir et prend conscience de toute la réalité de son enfant.

La magie du regard

Il semble que la capacité d'attachement du nourrisson soit liée à son intérêt inné pour le regard de celui ou celle qui se penche sur son berceau. De nombreuses études montrent qu'à 5 jours il fixe avec intensité le regard de l'adulte à condition que celui-ci le regarde droit dans les yeux. Le petit homme arriverait donc au monde prêt à détecter des informations socialement utiles.

Un sourire communicatif

Ce n'est que le début de l'idylle. Le bébé va aussi commencer à gazouiller et tenter de sourire. Les moyens de communication d'un nourrisson avec le monde sont limités. L'un des plus précoces est le sourire, qui ressemble plus souvent à un rictus qu'à un sourire.

Aussi, pense-t-on que beaucoup de réflexes archaïques sont peut-être des manifestations de l'attachement primordial du nourrisson pour sa mère. Pour en être persuadé, il suffit de voir le bébé sur le ventre de celle-ci quelques secondes après la naissance : il va ramper jusqu'à elle pour enfouir son nez dans son sein ou grimper jusqu'à son visage.

Le langage des gestes

L'enfant, dès le début de sa vie, répond à sa manière. Il sait, par ses cris et par ses mouvements, manifester son plaisir, son approbation, tout comme son déplaisir ou son opposition. Il agite frénétiquement les bras ou les jambes comme pour dire « prends-moi », il glousse pour attirer le regard de l'adulte.

À l'inverse, il est capable, très jeune, de se détourner, de fuir un regard, s'il se sent mal compris.

La relation mère-enfant, père-enfant, est essentiellement entretenue par le langage. Le langage des mots, mais aussi celui des gestes, du corps, de la musique. « Tout est langage », a écrit Françoise Dolto.

Si le besoin d'attachement est inné, le choix de l'objet d'attachement, la mère dans 70 % des cas, est le fruit d'un apprentissage plus ou moins long. L'enfant ne crée pas seul cet « objet d'attachement » : il ne cristallisera cet amour particulier qu'après de longs échanges avec elle, mais aussi avec ceux qui l'entourent.

Quand un bébé regarde sa mère, il la regarde en train de le regarder. Il se produit alors un jeu de miroir infini.

Pour René Zazzo, psychologue français, toute relation d'amour est construite sur l'échange. Le bien-être obtenu par les soins de la mère et par le contact peau à peau avec elle, pousse le nouveau-né à s'attacher plus étroitement au corps maternel.

La mère, en réponse, l'étreint toujours un peu plus, l'aime davantage, lui témoigne en permanence de l'intérêt et flatte son narcissisme, il est beau, il est gentil. Il manifeste alors à son tour son affection, il sourit, il recherche le contact.

Au fil des jours, de satisfactions en petits bonheurs quotidiens, les liens vont se tisser, de plus en plus forts.

Mais l'attachement, comme tout amour, traverse des hauts et des bas. Certains jours, le bébé est indifférent, d'autres jours, sa mère ne se sent pas disponible. ▪

1ER MOIS

2E MOIS

3E MOIS

4E MOIS

5E MOIS

6E MOIS

7E MOIS

8E MOIS

9E MOIS

LA NAISSANCE

LES 1RES SEMAINES DE MAMAN

LES 1RES SEMAINES DE BÉBÉ

GROSSESSES DIFFÉRENTES

ANNEXES

Le lien mère-enfant *en savoir plus*

Premier plaisir : le stade oral

Jusqu'à 1 an, l'enfant est dit au stade oral de son développement. Cette théorie a été avancée par Sigmund Freud. Pour lui, ce stade représente la première phase du développement de la sexualité. Tous les plaisirs sont apportés essentiellement par la bouche et la succion. À ces plaisirs s'ajoutent, petit à petit, d'autres satisfactions sensorielles (toucher, vue, audition) tournées vers la mère. La bouche, et notamment les lèvres, sont alors de fantastiques zones érogènes, la succion et la satisfaction de la faim lui apportant le maximum de plaisir. John Bowlby, éminent pédiatre et psychanalyse anglais, émet une autre hypothèse : le bébé, quand il suce son pouce, une tétine, ou simplement sa langue, donc en absence de tout besoin alimentaire, montre par ce comportement son besoin inné d'attachement. C'est d'ailleurs cette succion non nutritive qui est utilisée pour mettre en évidence le plaisir du nourrisson dans un grand nombre de recherches. Un autre psychanalyste, Karl Abraham, a distingué dans le stade oral deux périodes : le stade oral précoce, de la naissance à 6 mois, où tout plaisir est succion ; puis le stade sadique oral qui apparaît avec la poussée dentaire et l'envie de mordre. Nous savons aussi que, dès les premiers mois de sa vie (au cours de cette phase orale), le bébé a découvert le plaisir que peut lui procurer son sexe, le pénis pour le petit garçon ou le clitoris pour la petite fille. En effet, déjà très petits, les nourrissons en explorant leur corps s'amusent avec leur sexe et en éprouvent un grand plaisir. ▪

Une période fondamentale

Pour le Pr. Philippe Jeammet, pédopsychiatre, la confiance que le bébé porte à ses parents pour répondre de manière parfaitement adéquate à ses besoins fonde des assises narcissiques solides et apporte un profond sentiment de sécurité intérieure. Ces acquis de la petite enfance perdurent toute la vie et permettent un parfait équilibre psychique. ▪

Profonde complicité

Pour le professeur Hubert Montagner, c'est à travers sa mère que l'enfant perçoit le monde extérieur. Leur complicité est si profonde que leur relation est également biologique. Analyse à la clé, H. Montagner montre que les taux hormonaux de l'un et de l'autre sont semblables lorsqu'ils sont ensemble ! Et cet accord fonde le bon développement psychique et physique de l'enfant. Pour Françoise Dolto, l'attachement mère-bébé est presque, à la naissance, une vieille histoire.
Dans le ventre de sa mère, il est déjà en parfaite communication avec elle par les échanges au travers du cordon ombilical et du liquide amniotique, mais aussi par ce qu'il entend et sent du monde extérieur au travers de la paroi utérine.
Parallèlement, les psychothérapies mère-bébé montrent une transmission de l'inconscient maternel au nourrisson. Ainsi, bien des troubles psychologiques et psychosomatiques peuvent être dus à une défaillance dans le système d'attachement. ▪

Premiers contacts

Même quand vous prenez votre bébé dans son berceau, entrez en contact avec lui par la voix et par le toucher. Quelques mots tendres, quelques petites caresses sur ses mains et sur sa joue vont lui permettre de ne pas être surpris. Enfin, soulevez-le doucement en plaçant une main sous sa tête et l'autre sous ses fesses. ▪

Les fondements
de l'attachement

DE CE LIEN UNIQUE QUE VOUS ALLEZ CRÉER AVEC VOTRE BÉBÉ vont dépendre les relations à venir et la qualité de son développement affectif. La relation mère-enfant est unique et privilégiée. Amour total ou contrat pour un développement parfait ? Les réponses des spécialistes – psychologues, psychiatres ou ethnologues – divergent selon leur discipline. Mais ils sont tous d'accord pour reconnaître la puissance du lien mère-enfant, indispensable pour le développement du bébé et l'épanouissement de la mère.

L'attachement réciproque

La clé du mythe de l'attachement réciproque est définie par Sigmund Freud, le père de la psychanalyse, comme une force intérieure qui pousse l'enfant à satisfaire d'abord sa libido en tétant le sein de sa mère. En quelque sorte, « Je t'aime parce que tu me nourris ». Pour le psychologue Bolby, au contraire, cet attachement n'est pas soumis aux exigences d'une situation. C'est un lien d'affection spécifique qui relie un individu à un autre. Bien entendu, les psychologues comparent toujours le petit de l'homme aux descendants des autres espèces animales. Recherches très intéressantes pour la race dominante, qui est très handicapée à sa naissance comparée au petit de l'oie qui nage derrière sa mère ou au poulain qui tète debout. Le nouveau-né *homo sapiens* est incapable de se déplacer. Ses gestes sont incontrôlés. Il ne peut communiquer que par les cris, le regard et le sourire.

Perfection des échanges

Pour René Zazzo, psychologue français, c'est l'harmonie des échanges mère-enfant qui permet un bon ajustement de leurs relations. La relation d'amour est construite sur l'échange, donc sur le bien-être. C'est lui qui pousse le nouveau-né à s'attacher au corps maternel. La mère répond par l'étreinte qu'elle perfectionne de jour en jour. Le bébé, à son tour, influence le comportement de sa mère et leurs réactions-échanges sont de plus en plus fréquentes et profondes.

Une convergence de forces

Pour le professeur Bertrand Cramer, le lien se tisse progressivement : c'est un processus qui prend du temps, s'étalant depuis l'avènement du désir d'enfant jusque tard dans l'enfance. Il n'est pas constant, passe par des hauts (souvent au moment de la naissance), par des bas, voire quelquefois un rejet. L'attachement entre parents et enfant n'est donc pas instantané, ni acquis d'emblée. Il est le résultat d'une convergence de forces où se rencontrent les désirs des parents, leurs capacités relationnelles, leur histoire ainsi que l'inné du bébé et le développement de ses propres capacités relationnelles. ■

" C'est grâce à ses sens que le bébé s'intègre dans sa famille. „

1ER MOIS

2E MOIS

3E MOIS

4E MOIS

5E MOIS

6E MOIS

7E MOIS

8E MOIS

9E MOIS

LA NAISSANCE

LES 1RES SEMAINES DE MAMAN

LES 1RES SEMAINES DE BÉBÉ

GROSSESSES DIFFÉRENTES

ANNEXES

L'inné et l'acquis

Génétique et environnement, un débat dans lequel des chercheurs du CNRS ont apporté un début de clarification. Leur sujet d'étude : les enfants adoptés et la comparaison de leur QI avec celui de leurs parents biologiques et celui de leurs parents adoptifs.

Le QI des enfants adoptés par des parents d'un milieu socio-économique élevé est, en moyenne, supérieur de 12 points à celui des enfants adoptés dans un milieu socio-économique bas, indépendamment du niveau socio-économique de leurs parents biologiques.

Le QI des enfants nés de parents biologiques de niveau socio-économique élevé est, en moyenne, supérieur de 15 points à celui des enfants issus de parents biologiques de niveau socio-économique bas, et cela indépendamment du niveau socio-économique des parents adoptifs. Ces chercheurs ont donc mis en évidence l'effet de l'environnement postnatal, celui-ci pouvant faire augmenter ou diminuer le QI.

De même, l'influence du niveau socio-économique des parents biologiques est démontrée mais l'interprétation de cette influence est loin d'être simple. En effet, est-ce un problème génétique ? Est-ce l'importance (aujourd'hui reconnue) des conditions de la grossesse ? Ou est-ce les deux ensemble ? ■

Restez avec lui

Les premiers jours, il est souhaitable d'éviter les séparations qui ne sont pas vraiment indispensables. Restez avec votre enfant pour tous les soins sauf si certains examens vous paraissent insupportables. Votre inquiétude risquerait de se transmettre à votre tout-petit et le perturberait d'autant plus. Demandez au personnel soignant — comme vous le ferez vous-même — de prévenir le bébé avant chaque soin, et ce d'autant plus si ce soin est agressif (une piqûre par exemple). Une fois l'examen terminé, prenez-le contre vous afin qu'il retrouve son calme. Dans la mesure du possible, évitez de le confier la nuit, sauf si vous vous sentez particulièrement épuisée. Près de vous, il se sentira toujours plus rassuré. ■

Un environnement familial capital

LE NOUVEAU-NÉ EST DOTÉ D'UNE IMMENSE SENSIBILITÉ. Il peut apprendre et s'adapter beaucoup plus rapidement qu'on a pu l'imaginer. Il est non seulement compétent, mais il est aussi un séducteur-né. C'est pourquoi l'environnement néonatal a une grande importance sur le devenir de l'enfant.

Le visage de la mère

Lorsqu'il naît, le petit de l'homme dépend entièrement de son entourage pour survivre, et tout particulièrement de sa mère. Or, on constate qu'il va tout faire pour s'installer dans une vie de famille confortable. On sait aujourd'hui, par exemple, qu'il est passionné par le visage humain. Il le recherche dès les premières heures de vie, rivant son regard au regard de l'adulte, s'y accrochant pour provoquer l'échange.

Des recherches ont montré que, sollicité par deux dessins, l'un géométrique, l'autre évoquant le visage humain, c'est le second qui l'intéresse. Et si on met celui-ci en concurrence avec le visage de sa mère, c'est alors vers ce dernier qu'il se tourne. Mais il y a encore plus étonnant, si on lui présente deux visages stylisés, l'un joyeux et l'autre triste, le bébé sourit au visage gai et pleure face à l'image triste.

Le bébé sent le souffle de sa mère. Il est même capable de reconnaître certaines voix et différencie sans difficulté celle de sa mère et celle d'une autre femme. On sait aussi que, dès les premiers jours, il reconnaît qui le tient dans ses bras. Son père et sa mère n'ont pas le même tonus musculaire, ni la même manière de poser leurs mains sur lui. Très vite, il fait la différence et répond aux sollicitations de façon originale. De plus, si sa mère le regarde de façon inexpressive, l'œil vague, le visage froid, le bébé se tortille, se met à pleurer et cherche à attirer son attention. Il sait donc très vite qui est sa mère, et il cherche à l'aimer et à se faire aimer d'elle. Ce bébé de quelques jours n'en finit pas d'émerveiller les pédiatres qui font chaque jour des découvertes à son sujet.

Premier langage

Ainsi, dès le début de la vie, bébé réagit aux bruits qui l'entourent et pleure lorsqu'il a faim ou qu'il est mouillé. Cris et pleurs deviennent son premier mode de communication, son premier langage. À partir de 2 mois, on a constaté que le nourrisson produisait davantage de sons et de bruits en présence de l'adulte qui s'occupe de lui qu'en son absence.

Ce qui signifie qu'il a appris à reconnaître son interlocuteur. Vers 3 ou 4 mois, le bébé tourne les yeux et la tête vers une source sonore. C'est à cette époque qu'il commence à babiller.

Le plus fantastique est que la mère réagit physiquement au comportement de son nouveau-né. Son influence est même certaine. Lorsque le bébé crie, les seins de sa mère se gonflent, augmentent de température et, chez certaines femmes, le lait se met à couler avant même qu'elles aient pris leur bébé.

Entre mère et bébé se tissent ainsi des liens physiologiques qui ouvrent la voie aux liens psychologiques. Après tout, cette complicité a commencé neuf mois avant la naissance... ∎

1ER MOIS

2E MOIS

3E MOIS

4E MOIS

5E MOIS

6E MOIS

7E MOIS

8E MOIS

9E MOIS

LA NAISSANCE

LES 1RES SEMAINES DE MAMAN

LES 1RES SEMAINES DE BÉBÉ

GROSSESSES DIFFÉRENTES

ANNEXES

Une personnalité bien à lui

DE NOMBREUX TESTS SERVENT À ÉVALUER L'ÉTAT NEUROLOGIQUE DU BÉBÉ qui vient de naître. L'objectif essentiel a été d'aider les parents à s'adapter à leur nouveau-né et à leur fournir très vite des indications sur la meilleure façon de le soigner en fonction de sa personnalité déjà perceptible.

Le test du docteur Brazelton

Parmi les nombreux tests effectués à la naissance, il en existe un particulièrement complet, mis au point par le célèbre pédiatre, le docteur Brazelton, longtemps responsable du service de pédiatrie de l'hôpital pour enfants de Boston. Son test se pratique à tout moment, dès la naissance et jusqu'à la fin du premier mois. Il utilise tout particulièrement les compétences précoces du nouveau-né. Il a mis au point une échelle de développement, utilisée partout dans le monde… sauf en France.

S'adapter au monde

Ce test répond en effet aux questions suivantes : quel est le mode d'interaction du bébé au monde environnant ? Comment s'adapte-t-il ? Cherche-t-il naturellement à se protéger face à un excès de stimulations visuelles ou auditives ? Trouve-t-il spontanément la paix en cherchant son pouce ou en tournant sa tête en direction de la voix apaisante de sa mère ? Se montre-t-il volontiers coopératif lors des diverses manipulations pratiquées au cours de ce test (on tire sur ses bras pour l'amener en position assise, on le prend dans les bras, on le maintient verticalement en position de marche) ? Sait-il se faire comprendre de ses parents quand ils le tiennent dans une position confortable ou non ? Quels moyens utilise-t-il pour montrer qu'il voit et qu'il entend, et que les stimulations visuelles et auditives qu'il enre-

gistre lui plaisent ou lui déplaisent ? Bref, ce nouveau-né est-il apte à participer pleinement aux activités que l'adulte attentif lui propose et à en tirer des enseignements ?

Comment réagit-il ?

Après avoir vérifié que le nouveau-né voit et entend bien, on contrôle sa capacité à se protéger des perturbations de son environnement au cours de son sommeil. L'examen est pratiqué avec une petite lampe que l'on braque sur ses paupières closes. Le premier mouvement du bébé est de sursauter. Puis, devant la répétition de ce geste, l'enfant sursautera de moins en moins, s'habituera, et enfin ne bougera plus. Cette réaction d'accoutumance prouve la bonne santé du bébé et un système nerveux parfait. Le même test sera pratiqué sur le plan auditif à l'aide d'un hochet puis d'une petite clochette, afin de vérifier sa capacité auditive. De même, le médecin répétera une dizaine de fois son geste pour contrôler la capacité du nouveau-né à s'abstraire du dérangement sonore.

Autre phénomène fréquemment examiné, les pleurs et la capacité à les calmer. Quand un nouveau-né pleure, il essaie de se tourner sur le côté, d'étendre un bras, puis de le replier pour le ramener vers sa bouche. Généralement, le bébé réussit seul à prendre cette position calmante, mais certains enfants ont besoin d'assistance. Il existe des gestes très simples qui vont l'aider à retrouver son calme.

On commencera par murmurer avec insistance des paroles apaisantes à son oreille. À leur écoute, l'enfant portera sa main à sa bouche. Si la voix n'est pas suffisante, le médecin saisira les bras du bébé qu'il maintiendra croisés sur sa poitrine pour briser le cycle pleurs-soupirs ; la pression physique accompagnée de l'exhortation vocale aura souvent raison de l'accès de larmes. Le médecin a aussi à sa disposition une troisième manœuvre : il prend l'enfant dans ses bras et le cajole doucement pour guider sa main vers sa bouche. La manière dont l'enfant réagit à ces tests permet d'établir une échelle de degrés d'assistance dont il aura besoin pour sortir de ses crises de pleurs. Ainsi, même si le médecin conclut que le bébé qu'il est en train de tester n'est pas du genre « facile », il pourra rassurer les parents en leur montrant les gestes qui viennent à bout de son inquiétude.

Répondre à ses besoins

Le test de Brazelton comporte aussi 28 points pour évaluer le tonus musculaire et la qualité des réponses du bébé aux stimulations physiques. Ce sont des réflexes de marche automatique, la stimulation de la voûte plantaire ainsi que l'accompagnement de la tête dans le mouvement couché-assis.

On observe si l'enfant participe vigoureusement, s'il passe facilement du sommeil à l'éveil et inversement. Enfin, son rythme de fatigue est également noté.

Toutes ces données, rassemblées et cotées, fournissent des indications précises et fiables quant au type de bébé que le nourrisson promet de devenir au cours des premiers mois de sa vie. Ainsi renseignés, les parents sauront mieux comment répondre à ses besoins sur les plans physique et affectif. ■

1ER MOIS

2E MOIS

3E MOIS

4E MOIS

5E MOIS

6E MOIS

7E MOIS

8E MOIS

9E MOIS

LA NAISSANCE

LES 1RES SEMAINES DE MAMAN

LES 1RES SEMAINES DE BÉBÉ

GROSSESSES DIFFÉRENTES

ANNEXES

Formidables anticorps

Le lait maternel possède surtout une qualité d'ordre immunitaire qu'aucun autre lait ne pourra jamais avoir. Un véritable bouclier contre les microbes. En effet, ce système de protection s'appuie sur des cellules spécifiques qui fonctionnent avec certaines protéines. Leur coordination est si bien faite qu'elle peut augmenter le taux des anticorps (les soldats de l'organisme) pour lutter contre l'apparition des maladies contagieuses.

Certains chercheurs affirment même que ce taux est prémonitoire et qu'il augmente avant le déclenchement de la maladie. Ce système de protection est donc dû aux éléments que le lait maternel contient. D'abord des protéines : l'une d'entre elles, la lactotransferrine, fixe le fer sur des sites spécifiques. Or, la croissance des bactéries nécessite la présence du fer, mais à l'état libre. La fixation du fer par la lactotransferrine empêche donc la croissance et la multiplication des bactéries.

Puis le lait maternel contient des composants cellulaires : les macrophages et les lymphocytes, également doués de propriétés anti-infectieuses ; des immunoglobulines (ou anticorps) enfin : leur concentration atteint le premier jour des chiffres élevés (50 mg/ml) puis diminue rapidement les jours suivants pour se stabiliser à environ 0,3 mg/ml après deux ou trois semaines. L'augmentation de la sécrétion lactée compense en partie cette diminution, si bien que la quantité d'anticorps reste élevée et constante tout au long de l'allaitement.

Le professeur écossais Peter Howie a particulièrement étudié le rôle de l'allaitement maternel dans la prévention des infections. Ses conclusions sont claires : le lait de la mère est un excellent protecteur contre les infections gastro-intestinales au cours de la première année si les bébés sont nourris au sein au moins 13 semaines. S'ils ne bénéficient pas de cette durée, ils ne sont protégés qu'au cours de la période d'allaitement.

En revanche, le lait maternel semble beaucoup moins efficace sur les infections respiratoires qui ne seraient qu'en légère diminution chez les enfants nourris au sein. ■

Comment savoir si votre bébé tète assez ?

Le bébé nourri au sein est libre de prendre la quantité de lait qu'il souhaite ce qui inquiète parfois sa mère. En effet, comment savoir s'il s'alimente suffisamment ? Autrefois, on demandait aux mamans de peser leur bébé avant et après la mise au sein. On s'est aperçu que cette mesure n'avait aucune signification puisque d'une tétée à une autre, le bébé boit selon son appétit. Elle avait encore la fâcheuse conséquence d'angoisser les mères. Aujourd'hui, on estime qu'un bébé tète correctement si ses selles sont nombreuses les premières semaines, une a chaque tétée puis une par jour, s'il mouille souvent ses couches, 5 à 6 fois par jour, et si sa courbe de croissance est régulière. Il est possible encore d'avoir une bonne idée de ce qu'il absorbe en le regardant téter, si sa succion fait bouger ses joues, ses tempes et même ses oreilles, s'il déglutit régulièrement. Au début de la tétée son rythme de succion est rapide puis devient plus lent et plus régulier. Après la mise au sein, s'il s'endort calmement, c'est qu'il est repu. ■

Lait maternel, lait idéal

IRREMPLAÇABLE POUR LE TOUT-PETIT, il le protège contre la plupart des infections intestinales, le prévient de certaines allergies... et s'assimile complètement. La composition du lait maternel est non seulement idéale mais elle peut aussi s'adapter aux besoins essentiels du nouveau-né.

Une composition variable

Dans les trois premiers jours qui suivent la naissance, les glandes mammaires produisent du colostrum (voir pp. 362, 378) dont la composition évolue avec le temps ainsi que la quantité. Il sera remplacé par un lait de transition dit lait primitif qui se transforme en trois semaines en lait mature. Sa composition est variable. Elle peut changer au gré des jours, d'heure en heure, voire au cours d'une même tétée. Ainsi le taux de lipides (graisses) peut être multiplié de un à quatre pendant un seul repas. Le lait est alors plus gras, plus riche.

Sachez également que le lait en fin de tétée n'a pas toujours la même composition, de plus, il s'appauvrit la nuit. C'est le matin, entre 6 heures et 10 heures, que la concentration en graisses est maximale. Au cours des premiers jours s'installe le lait primitif, pauvre en graisses et en lactose malgré son épaisseur apparente. Mais il contient d'autres sucs essentiels plus facilement assimilables, beaucoup de protéines et les fameuses immunoglobulines qui assurent une protection contre les agents infectieux.

Ce n'est qu'à partir de deux semaines que le lait maternel trouve sa maturité et sa composition définitive. Si vous avez la curiosité de le goûter, vous constaterez qu'au début votre lait ressemble au lait de vache : même couleur, même fluidité. Cela est dû aux traces de colostrum (pp. 362, 378) qui subsistent pendant la première semaine d'allaitement.

D'ici un mois ou deux, votre lait, bien que plus riche, sera pâle, opalescent, avec parfois des reflets bleutés.

Un mélange influençable

Complice de l'organisme du nouveau-né, cette composition est constituée de 85 % d'eau, d'acides gras très solubles, parfaitement assimilables par les sucs de l'enfant, de protéines et de sels minéraux en quantités nécessaires pour être traités par le foie et les reins immatures du nouveau-né, enfin d'un sucre, le galactose, qui favorise la constitution du tissu cérébral.

S'y ajoutent des vitamines A, B, C, D, E en quantités variables selon l'alimentation de la maman, mais au moins deux fois plus importantes que dans le lait de vache. Enfin, le lait maternel contiendrait des tranquillisants naturels. Cela justifierait l'endormissement béat des bébés après une bonne tétée.

Bref, un mélange nutritionnel idéal pour la croissance. Certains acides aminés auraient une importance sur le développement. La taurine, abondante dans le lait humain, serait essentielle. ▪

« Tous les bébés n'ont pas une perception identique, chacun possède déjà sa propre personnalité gustative. »

1ER MOIS

2E MOIS

3E MOIS

4E MOIS

5E MOIS

6E MOIS

7E MOIS

8E MOIS

9E MOIS

LA NAISSANCE

LES 1RES SEMAINES DE MAMAN

LES 1RES SEMAINES DE BÉBÉ

GROSSESSES DIFFÉRENTES

ANNEXES

Le hoquet

Il est provoqué par l'air que le bébé avale au cours de la tétée. Pour le faire passer s'il se prolonge, couchez votre bébé bien à plat sur le ventre. Même s'il persiste, vous pouvez sans problème recoucher votre bébé. Un proverbe dit que le bébé qui a le hoquet profite. C'est loin d'être faux. En effet, ce hoquet ne fait que traduire l'excitation transitoire du nerf phrénique par un estomac bien rempli. ▪

Rot et régurgitation

Roter après le biberon n'a rien d'obligatoire. N'en faites pas une obsession. Certains bébés rotent, d'autres pas. Mais prenez la précaution de ne pas coucher le bébé aussitôt après son repas. La régurgitation est plus fréquente chez l'enfant nourri au biberon. C'est souvent dû au fait que le bébé boit trop vite parce que la tétine est trop largement percée. Certains bébés sont plus sensibles que d'autres, leur estomac régurgite alors le trop-plein. Le renvoi se produit généralement au moment du rot, il peut être assez abondant et a toujours une désagréable odeur de lait caillé. Rien n'est plus normal, car la digestion commence dès que le lait est dans l'estomac. La régurgitation est parfois le signe d'une immaturité œsophagienne tout à fait normale les trois premiers mois. Les régurgitations pathologiques sont acides et douloureuses souvent accompagnées de toux. Elles s'accentuent avec l'âge et ont des répercutions sur la croissance du bébé. ▪

Le réflexe de succion

Lorsqu'il vient au monde le bébé possède les réflexes de succion et de déglutition. Les premiers mouvements de succion se voient vers la 10e semaine grâce à l'échographie. Dès le premier mois, le futur bébé commence à relever sa tête et au cours du deuxième mois, sa langue glisse de la fosse nasale dans la cavité buccale, la conjonction de ces deux événements va permettre la fermeture postérieure du palais. Vers 13 semaines, la langue se dirige vers l'ouverture de la bouche. Les premiers mouvements de déglutition peuvent être identifiés vers 15 semaines et il en profite pour avaler un peu de liquide amniotique. On constate à la fin du premier trimestre de gestation qu'il tète sa main, ses pieds voire son cordon ombilical. À la naissance, le futur bébé est neurologiquement prêt à boire et il ingurgite un volume de liquide amniotique un peu plus important que la quantité de lait qu'il tétera dans ses premiers jours de vie aérienne. C'est d'ailleurs elle qui donnera au bébé toute la capacité à se nourrir grâce à un dernier réflexe qui lui assure une bonne coordination entre succion, déglutition et respiration. ▪

Une hygiène parfaite

Avant tout, il faut nettoyer le biberon. Il sera d'abord rincé, puis lavé au liquide vaisselle et frotté à l'aide d'un goupillon utilisé uniquement pour cet usage. La tétine et la bague de maintien seront soigneusement lavées et brossées.

Il est important de s'assurer qu'il ne reste pas de traces de lait, notamment dans la bague maintenant la tétine, ainsi que dans la tétine elle-même. Ces quelques résidus peuvent fermenter et développer une prolifération microbienne plus ou moins importante, cause de gastro-entérites. Ensuite, séchez-les convenablement. Il est à noter que pour toutes ces manipulations, le lave-vaisselle est particulièrement utile car il lave à eau très chaude et sèche très bien.

Une fois stérilisé, le biberon se range tête en bas, à l'abri de la poussière ou soigneusement fermé au réfrigérateur. Avant chaque usage, n'oubliez pas de le rincer à l'eau courante. ▪

À la demande

1ER MOIS

2E MOIS

3E MOIS

4E MOIS

5E MOIS

6E MOIS

7E MOIS

8E MOIS

9E MOIS

LA NAISSANCE

LES 1RES SEMAINES DE MAMAN

LES 1RES SEMAINES DE BÉBÉ

GROSSESSES DIFFÉRENTES

ANNEXES

AU SEIN, C'EST VOTRE BÉBÉ QUI VOUS INDIQUE QU'IL A FAIM, n'en déplaise à tous ceux qui voudraient le voir déjà manger à heures fixes. Seules règles à observer : un minimum de 2 heures entre les tétées et qu'il prenne son repas en un quart d'heure, tout au plus ! Aujourd'hui, la plupart des pédiatres conseillent un allaitement à la demande.

Une souplesse contrôlée

On s'aperçoit d'ailleurs que ces demandes, après quelques jours de fantaisie, s'installent à intervalles relativement réguliers, car le lait n'a pas la même composition tout au long de la journée. Il est plus riche en milieu de matinée (donc le bébé sera plus satisfait) qu'en fin d'après-midi (il risque de réclamer et de pleurer) (p. 445). Le bébé au sein ne risque jamais d'être suralimenté, son organisme régule parfaitement ses besoins et il ne boit que selon son appétit. Soyez donc patiente, il va trouver son rythme. Généralement, au bout de quelques semaines, le bébé adopte tout seul un rythme de cinq à sept tétées par vingt-quatre heures.

Lorsqu'un bébé a des problèmes de santé ou s'il est né prématurément, il est préférable de l'alimenter à heure fixe car il peut avoir des difficultés à se réguler et la tétée peut beaucoup le fatiguer. Le rythme de toutes les deux heures est le plus souvent conseillé.

Sachez que l'allaitement à la demande a l'avantage de prévenir les risques d'engorgement et de crevasses (p. 380). La quantité joue bien sûr avec l'âge de l'enfant. Attention : un bébé dont le poids de naissance est de 2,5 kg n'a pas les mêmes besoins qu'un bébé de 3,5 kg. On a pu constater d'autre part que des enfants de même âge et de même poids ont des apports énergétiques, donc des besoins, qui varient du simple au double.

Repas nocturne

Faut-il de la même façon accéder aux demandes du bébé pendant la nuit ? Aujourd'hui, donner un biberon de nuit n'est plus considéré, jusqu'à l'âge de 3 mois, comme un signe de faiblesse face à un bébé capricieux. C'est nécessaire au développement de l'enfant, qui adapte ses demandes aux besoins de son organisme.

Les psychologues pensent qu'il est dommageable pour l'enfant, et en conséquence pour ses parents, de le laisser pleurer la nuit sans le réconfort d'un adulte. Un bébé de quelques mois ne s'arrête jamais de crier, même s'il a compris qu'il n'aura pas satisfaction. Quand il se rendort, c'est après une colère telle qu'elle le met au bord de l'épuisement. Si l'on n'y prend pas garde, l'angoisse liée à la non-satisfaction de sa faim risque alors d'être associée, peu à peu, à l'obscurité qui l'entoure, promettant, ainsi, de bien mauvaises nuits aux parents dans les mois à venir. Malheureusement, il faut l'avouer, toutes les manœuvres destinées à éviter le biberon (ou la tétée) de nuit sont peu efficaces. Il est toujours plus simple de lui offrir une ration supplémentaire que de l'entendre pleurer ! Attendez toutefois qu'il se réveille pour lui donner à boire.

Si vous allaitez, c'est bien sûr plus facile sur le plan de l'organisation. Si votre bébé est au biberon, gardez près de vous le chauffe-biberon, afin que le petit « en-cas » soit vite prêt. ▪

D'autres laits

Depuis quelques années, les industriels ont mis au point une grande variété de laits pour répondre aux particularités de certains bébés.

• Le lait maternisé a voulu se rapprocher le plus possible du lait maternel, avec un taux de protéines faible, adapté au travail des reins et du foie. Les sels minéraux sont également présents en petite quantité. Le seul sucre est le lactose, les graisses étant composées pour 40 % de graisses lactiques et pour le reste de graisses végétales. La teneur en acide linoléique est en revanche très augmentée. Certains de ces laits sont enrichis en taurine, qui aide à l'absorption des graisses.

• Pour les enfants allergiques aux protéines du lait de vache, les chercheurs ont imaginé un lait premier âge hypoallergénique. Il s'agit d'un aliment lacté dont la phase protidique est exclusivement constituée de protéines solubles hydrolysées et dont l'hypoallergénicité est soigneusement contrôlée. Cet aliment lacté assure au nourrisson un juste équilibre nutritionnel avec, en particulier, un sucrage mixte (lactose/dextrine-maltose) et un enrichissement en acide linoléique, en fer et en vitamines conformes à la réglementation.

• Les laits maternisés sont accusés, par certains pédiatres, d'être à l'origine d'intolérances digestives, de ballonnements et de coliques. Pour remédier à ces inconvénients, les industriels ont mis au point les laits modifiés ou adaptés. Leur teneur en protides est légèrement augmentée et la composition en sucre est différente. Il y a aussi les laits acidifiés, fermentés par des bactéries lactiques, capables de dégrader le lactose au niveau intestinal.

• Les laits de soja concernent tous les bébés qui présentent une intolérance vraie au lait de vache. Ils sont à base de protéines végétales, de lactose en faible quantité et de graisses modifiées.

• Les laits sans lactose sont destinés aux nourrissons qui souffrent d'une intolérance au lactose ou d'une diarrhée aiguë. Dans ce cas, on les donne pendant quinze jours, voire trois semaines jusqu'à la disparition des symptômes. ■

L'eau du biberon

Pour reconstituer le lait, il est préférable d'utiliser de l'eau minérale. Celle-ci doit être pure, faiblement minéralisée et de pH neutre. Les bouteilles doivent être conservées au frais et dans un endroit sec, dans le noir. Elles seront refermées après usage et utilisées sous 48 heures.

En dépannage, on peut utiliser l'eau du robinet (sauf eau de source non contrôlée) à condition de la faire bouillir 25 minutes et de l'aérer en la battant avec une fourchette. Vous pouvez aussi choisir chez votre commerçant une bouteille portant la mention « coupage biberon » sur l'étiquette. ■

Les intolérances au lait

Certains bébés sont allergiques à la protéine du lait de vache. Les troubles les plus courants sont digestifs avec vomissements et diarrhées, accompagnés parfois de saignements. D'autres enfants ont des réactions plus importantes : urticaire, troubles respiratoires, œdème pouvant exiger une hospitalisation en urgence. Il existe depuis peu un test de tolérance aux protéines du lait de vache à faire soi-même à la maison. Il est constitué de deux patchs à placer dans le dos du bébé. L'un contient de la poudre de lait, l'autre aucune substance. Après 48 heures de pose et 72 heures d'attente, le médecin peut faire le diagnostic et la prescription qui s'impose. D'autres bébés ne supportent pas la saccharose ajoutée aux laits en poudre. Il suffit de donner à l'enfant un lait sucré au lactose ou à base de dextrine pour que tout rentre dans l'ordre. ■

Biberon et lait premier âge

LORSQUE L'ALLAITEMENT EST IMPOSSIBLE OU NON DÉSIRÉ, vous pouvez heureusement faire boire votre bébé au biberon. L'important est la façon de donner, qui compte autant que ce qui est donné. Le bébé qui vient de naître est alimenté au lait premier âge. Ce lait apporte au nourrisson de moins de 5 mois tout ce dont il a besoin pour sa croissance et sa maturation. Protides, glucides et lipides ont été particulièrement étudiés pour lui assurer un apport énergétique complet tout en respectant ses capacités digestives.

Le respect des doses et des quantités

C'est le pédiatre qui prescrit ce lait et la quantité à donner. Celle-ci n'est pas liée à l'âge de l'enfant, mais à son poids. Généralement, le nombre de biberons est de six par 24 heures. Mais il est des jours où l'enfant a très faim et boit tout ce qu'on lui donne, d'autres où il laisse systématiquement du lait au fond de ses biberons. Seule une réelle perte de poids sur plusieurs jours justifie une inquiétude.

La reconstitution du lait se fait dans la proportion d'une mesurette rase de lait en poudre pour 30 ml d'eau. Pour obtenir 120 ml de lait, il faut donc 4 mesurettes de lait et 120 ml d'eau. Versez chaque mesurette l'une après l'autre et secouez toujours bien le biberon pour éviter les grumeaux. Le respect des doses doit être rigoureux. Le désir de stimuler la prise de poids peut conduire certaines mères à des erreurs de surdosage qui entraînent diarrhées, vomissements et perte d'appétit.

Si la quantité de lait prescrite par le pédiatre n'est pas un multiple exact de 30 (par exemple : 75 ml), il est préférable de préparer une quantité supérieure de lait (90 ml d'eau et 3 mesurettes exactes de poudre), plutôt que d'utiliser des demi-mesurettes. Votre bébé boira ce qu'il désire. Voici, à titre d'exemple, le rythme de l'alimentation au biberon :

• six biberons par jour, toutes les trois heures, avec une heure de plus ou de moins selon la demande de l'enfant : 6h30 - 7h ; 10h - 10h30 ; 13h - 13h30 ;16h - 16h30 ; 19h - 19h30 ; 22h - 22h30.

Tout prêt

Pour ceux et celles qui refusent de jongler avec les mesurettes, il existe un lait diététique liquide prêt à l'emploi et qui convient aux enfants, de la naissance à 1 an (p. 446).

En outre, les fabricants de lait infantile proposent des biberons prêts à l'emploi, déjà utilisés dans de nombreuses maternités, et progressivement commercialisés.

Tous les laits premier âge, bien que se rapprochant du lait de la mère, lui restent toutefois inférieurs en raison de leurs propriétés allergisantes dues aux protéines du lait de vache, et à l'absence de propriétés anti-infectieuses (p. 445).

Le lait hypoallergénique est de plus en plus recommandé en suite d'allaitement. Aujourd'hui, la Sécurité sociale rembourse dans certains cas les laits de substitution. ■

1ER MOIS

2E MOIS

3E MOIS

4E MOIS

5E MOIS

6E MOIS

7E MOIS

8E MOIS

9E MOIS

LA NAISSANCE

LES 1RES SEMAINES DE MAMAN

LES 1RES SEMAINES DE BÉBÉ

GROSSESSES DIFFÉRENTES

ANNEXES

Les pleurs de votre bébé *en savoir plus*

Prise de contacts

Dès sa naissance, l'enfant a besoin de contacts corps à corps. La naissance l'a séparé de celui de sa mère, mais il n'en a pas encore conscience. Petit à petit, il s'en apercevra et retrouvera, avec d'autant plus de plaisir, la chaleur et l'odeur de l'adulte. Le pédiatre Nathalie Charpack, qui a particulièrement étudié les effets bénéfiques du portage peau à peau sur les enfants prématurés de Colombie, préconise cette technique pour les nourrissons de moins de 15 jours. L'enfant est placé contre la poitrine de sa mère ou de son père, enveloppé dans un tissu, en position bien droite et sans entraver sa respiration. Il participe ainsi à la vie de ses parents 4 à 5 heures quotidiennement. Ce portage apaise les pleurs, le stress, la douleur et facilite l'allaitement. ■

Pourquoi pleure-t-il ?

Il a toujours une bonne raison de pleurer. Aussi faut-il rapidement en trouver la cause qui est la plupart du temps banale.

• Il est mouillé : certains bébés détestent rester dans des couches sales. Seule solution, le changer. S'il se remet à pleurer quelques minutes après avoir été changé puis couché, peut-être a-t-il besoin de faire un petit rot supplémentaire.

• Il a trop chaud : une mauvaise appréciation de la température de sa chambre peut troubler son sommeil : 18 à 20 °C suffisent largement. Surtout, ne le couvrez pas trop, car il transpire beaucoup pendant les premières heures de son sommeil.

• Il est 5 ou 6 h du soir : la tombée de la nuit rend certains bébés mélancoliques. Un jour, sans doute, les médecins découvriront que ce sont des raisons biologiques qui peuvent en être à l'origine.

• Il a faim, c'est sûr : pendant les trois premiers mois de la vie, si votre bébé pleure et se réveille en pleine nuit, c'est certainement parce qu'il est affamé. Ce besoin est physiologique et naturel. Ne pensez surtout pas qu'il va se calmer tout seul. Tant qu'il n'aura pas été rassasié, il pleurera.

• Il a soif : s'il crie, s'il pleure sans raison entre deux repas, un peu d'eau minérale plate le calmera sans doute. Il est inutile d'y ajouter du sucre.

• Ses repères sont bousculés : n'écoutez pas trop ceux qui prétendent qu'un bébé est adaptable et que, par voie de conséquence, il peut manger ou dormir à heures irrégulières. Votre bébé a son mot à dire et le manifestera par des pleurs de colère.

• Lorsqu'on le met dans l'eau, bébé crie : soyez rassurante, parlez-lui, mouillez-le de la main sans le brusquer. Si rien ne le calme, remettez le bain au lendemain. ■

Les meilleures solutions pour le calmer

Lorsqu'un bébé pleure, mieux vaut ne pas le laisser seul avec sa douleur ou son angoisse. Voici les premiers gestes d'apaisement. Essayez tout d'abord la technique du massage. Tout en lui parlant, caressez-lui les mains, les pieds, le visage, posez-lui la main sur le ventre, en le massant légèrement. Si rien n'y fait, prenez-le dans vos bras. Le docteur Brazelton a une technique bien à lui : l'enfant étant couché, croisez ses bras sur sa poitrine. Cette légère compression, accompagnée de paroles douces, se révèle souvent efficace. Vous pouvez aussi le coucher sur votre épaule, le ventre appuyé sur l'arrondi, le bas du dos bien maintenu ; ou l'installer à cheval sur votre avant-bras, sa tête appuyée au creux de votre coude, votre main entre ses jambes. Dans cette position, balancez-le légèrement et promenez-le dans la maison.

Vous pouvez enfin l'asseoir sur vos genoux, face au monde ; tout en maintenant son dos d'une main, glissez l'autre sous ses avant-bras.

Mais, surtout, parlez-lui doucement, racontez-lui que vous l'aimez, qu'il va bientôt retrouver son calme et que sa douleur va disparaître. Un bain peut aussi être efficace. ■

Les cris : pour tout dire

VOTRE BÉBÉ EST SECOUÉ PAR LES PLEURS ET VOUS VOUS SENTEZ IMPUISSANTE. À bien l'écouter, vous vous apercevrez que chaque vocalise a son propre sens. Un bébé pleure beaucoup, pour lui c'est un premier langage. Apprendre la signification de ces pleurs, c'est mieux supporter les cris et communiquer avec lui.

Le bon décryptage

Le docteur Alain Lazartigues (pédopsychiatre au CHU de Brest) a mis en évidence cinq types de cris : celui de la faim, celui de la colère, celui de la douleur, celui de la frustration et enfin celui du plaisir. À ces cris s'ajoutent, vers l'âge de trois semaines, des sons destinés à attirer l'attention. Le cri de la faim se caractérise par un son strident suivi d'une inspiration ; il est accompagné d'un court sifflet, puis d'une période de silence. Dans leurs cris de colère, certains bébés ont plusieurs timbres. Tout dépend de la force avec laquelle l'air passe entre les cordes vocales. On les reconnaît toujours : très aigus, ils sont difficiles à supporter sur le plan acoustique.
Le cri de douleur est souvent distingué immédiatement par la mère. Il se compose d'un premier cri suivi d'un silence puis d'une inspiration inaugurant une série de cris expiratoires. Le cri de frustration est une variante de celui de la douleur. Il se manifeste par un cri suivi d'un long sifflement inspiratoire. Il est provoqué, par exemple, par le retrait du biberon et se répète. S'ajoute enfin le cri de plaisir, assez fort, sorte de cri de joie que le bébé va utiliser de manière volontaire, à chaque fois qu'il aura envie que l'on s'occupe de lui.

Une réponse adaptée

Il existe également un spleen du bébé : la tombée du soir rend certains nourrissons mélancoliques. Peut-être ont-ils peur de ce voile noir qui les enveloppe peu à peu ? Pour certains, les cris ressemblent à une mélopée douce et proche de la musique. Ces bébés n'ont pas besoin d'être pris et câlinés ; la simple présence de leur maman les rassure. D'autres connaissent de véritables crises de larmes qui les laissent inconsolables. Cependant, rassurez-vous, vers trois ou quatre mois, votre bébé perdra cette habitude. Répondez toujours aux cris de votre bébé, c'est indispensable, faute de quoi, il risque fort de croire que ses plaintes sont vaines et qu'il ne peut rien attendre de vous. Malgré leur côté agressif, les pleurs jouent un rôle fondamental dans les échanges entre le bébé et son environnement familial. Mieux vous saurez répondre à son désir, mieux vous pourrez supporter ses cris.
N'hésitez pas à lui parler, caressez-le, tenez ses mains ou posez fermement une main sur son ventre. Si cela ne suffit pas, prenez-le dans vos bras et bercez-le en le tenant contre votre épaule, sa tête nichée dans votre cou. Tout naturellement, il reprendra son calme. Au fil des mois, vous apprendrez à faire la différence entre tous ces cris... et ceux qui relèvent plus d'un caprice passager. ■

" Tous les cris demandent une réponse. „

1ER MOIS

2E MOIS

3E MOIS

4E MOIS

5E MOIS

6E MOIS

7E MOIS

8E MOIS

9E MOIS

LA NAISSANCE

LES 1RES SEMAINES DE MAMAN

LES 1RES SEMAINES DE BÉBÉ

GROSSESSES DIFFÉRENTES

ANNEXES

Les petites misères

• Les premiers boutons

Une éruption de petits boutons rouges peut se produire sur le buste et le dos de bébé, donnant un aspect granité à la peau. Ces sudaminas sont dus à la transpiration et révèlent que l'enfant est trop couvert. Ils disparaîtront spontanément dès qu'il aura moins chaud.

• Les croûtes de lait

Situées sur le crâne du nourrisson, elles sont le résultat d'une sécrétion graisseuse qui s'élimine en appliquant, le soir, de la vaseline ou de l'huile d'amande douce sur tout le cuir chevelu. Le lendemain, enlevez les squames en frottant légèrement la tête à l'aide d'un tampon de coton et d'un savon neutre.

• L'érythème fessier

Il est provoqué par la présence de certaines enzymes, combinées à l'acidité des urines du nouveau-né. Ce mélange déclenche une véritable agression, semblable à celle d'un produit chimique. À cela s'ajoute l'apparition de levures appelées Candida. L'érythème peut avoir de multiples causes, mais il est favorisé lorsque les changes ne sont pas assez fréquents et que les couches ne laissent pas circuler l'air. Pour le traiter, lavez l'enfant à l'eau et au savon de Marseille. Ensuite séchez bien la peau avant de passer le siège à l'éosine. S'il fait chaud, laissez votre bébé les fesses à l'air ou bien mettez-lui une couche tissu, mais très lâche afin que l'air puisse véritablement sécher l'érythème. Sur les conseils du pédiatre, on peut utiliser des crèmes, type Cétavlon ou Mytosyl.

• Le muguet

Il se caractérise par une infection de la bouche. Une langue blanche, des taches à l'intérieur des joues, ou des petits troubles digestifs en sont les signes distinctifs. Sans gravité, il cède devant des traitements locaux, voire des traitements antifongiques (contre les champignons). ∎

Pédiatre ou généraliste

Généralement, peu de mères font directement appel au pédiatre, le généraliste reste encore et toujours le consultant de base. Même si le pédiatre bénéficie d'une grande confiance conférée par sa compétence, son expérience et son niveau scientifique, on lui oppose sa non-disponibilité et le fait qu'il ne soit pas le médecin de famille à qui l'on peut facilement se confier. Le pédiatre trouve essentiellement ses défenseurs en milieu urbain. Cela ne correspond pas forcément à un problème de démographie médicale mais plus à un niveau socio-économique et culturel. Durant les premiers mois qui suivent la naissance, il est toutefois préférable de consulter un spécialiste. Le pédiatre saura répondre à toutes les questions que vous vous posez : les problèmes particuliers comme l'allaitement, les changements de régime alimentaire, la fréquence et le contenu des biberons, les allergies diverses ou encore les problèmes d'endormissement, etc.

Il saura surtout contrôler régulièrement la santé de votre enfant et vérifier sa bonne croissance. Lui reviennent également les examens de contrôle obligatoires ainsi que les vaccinations. Cependant, pour les petits ennuis quotidiens (comme les multiples et inévitables rhino-pharyngites, otites, etc.), un généraliste consulté régulièrement et faisant office de médecin de famille pourra prendre le relais et alerter le pédiatre si une difficulté se présente. Il est aussi possible de faire suivre le bébé dans un centre de protection maternelle et infantile (PMI), mais ce dernier ne prend en charge que la surveillance des enfants en bonne santé. Sachez également que certains pédiatres donnent volontiers des mini-consultations par téléphone, parfois sur rendez-vous, ce qui permet de traiter rapidement des petits problèmes sans gravité. ∎

Les coliques des premiers mois

1ᴱᴿ MOIS

2ᴱ MOIS

3ᴱ MOIS

4ᴱ MOIS

5ᴱ MOIS

6ᴱ MOIS

7ᴱ MOIS

8ᴱ MOIS

9ᴱ MOIS

LA NAISSANCE

LES 1ᴿᴱˢ SEMAINES DE MAMAN

LES 1ᴿᴱˢ SEMAINES DE BÉBÉ

GROSSESSES DIFFÉRENTES

ANNEXES

AUSSI IMPRESSIONNANTES SOIENT-ELLES, ces crises douloureuses ne doivent pas vous alarmer. Armez-vous de patience, elles disparaissent toujours. C'est un grand classique des troubles de l'enfant de moins de 3 mois.

Les manifestations

En fin de journée, le plus souvent, l'enfant se met à pleurer de façon stridente, son visage devenant très rouge et grimaçant. Son ventre est parfois ballonné et il émet des gaz. Le bébé se tortille, ramenant ses jambes contre son ventre : incontestablement, il souffre. Il peut ainsi pleurer plusieurs heures, les parents se sentant impuissants.

Ne confondez pas colique et diarrhée : la première provoque une violente douleur abdominale et n'a rien à voir avec une mauvaise consistance des selles. D'ailleurs, le bébé qui souffre de coliques peut présenter des selles tout à fait normales. Si vous avez besoin d'être rassurée, demandez à votre médecin un examen médical. Dans la plupart des cas, il éliminera les causes organiques et confirmera qu'il s'agit d'une manifestation psychosomatique. On considère que le bébé souffre d'une vraie colique lorsqu'il pleure plus de trois heures et plus de trois jours par semaine.

Maux du corps, maux du cœur

L'interprétation de ces coliques a donné lieu à des discussions entre pédiatres. On a d'abord pensé à des problèmes intestinaux, les laits maternisés étant accusés d'être à l'origine d'intolérances digestives et d'être responsables de ballonnements et de coliques. Pour remédier à ces inconvénients, les industriels ont notamment mis au point les laits « modifiés » ou « adaptés » (p. 448).

Aujourd'hui, la thèse à la mode est celle d'un trouble psychologique. Là aussi, les théories s'affrontent. Pour les uns, le bébé exprimerait une difficulté relationnelle avec son entourage telle que maladresse de maternage, manque de câlins, vie trop agitée.

Pour les autres, les coliques seraient la manifestation différée d'une souffrance maternelle vécue au cours de la grossesse ; l'enfant exprimerait de cette manière le trouble psychique de sa mère.

Pour d'autres enfin, il apparaîtrait que ce sont les bébés nourris au sein qui en souffriraient le plus et, par conséquent, que ce serait le lait maternel, riche en lactose, qui favoriserait ces coliques, surtout au début de chaque tétée car il n'est pas toujours intégralement absorbé par l'intestin, provoquant ainsi des fermentations.

Comment l'apaiser ?

Vous n'avez que l'embarras du choix : la bouillotte sur le ventre, une tisane calmante, un remède homéopathique, un massage doux, et surtout beaucoup de tendresse et de disponibilité. Vous constaterez que certaines positions, certains gestes de votre part ont pour effet de calmer votre bébé. À vous de trouver ce qui lui convient le mieux, le confort de vos bras étant le plus souvent le meilleur remède à ses pleurs intempestifs (p. 451). Essayez de garder votre calme car plus vous serez tendue et nerveuse, plus votre bébé risque de pleurer.

❝ Les coliques font partie des désordres psychosomatiques du nourrisson. ❞

Deux bébés à la fois

DEUX BÉBÉS À LA FOIS, C'EST SOUVENT UN RÊVE DE PETITE FILLE QUI SE CONCRÉTISE. Les contingences pratiques vont vite se charger de vous faire prendre conscience de la réalité. Deux ravissants bébés roses viennent de faire irruption dans votre vie. Passé le vent de panique à l'annonce de cette naissance, vous vous sentez à présent totalement privilégiée et fière d'avoir accompli une telle œuvre.

Problèmes d'intendance

Assurément, le papa à vos côtés réalise beaucoup plus vite les difficultés pratiques que cela engendre. S'occuper de deux bébés à la fois n'a rien d'évident. Il faut gérer 14 tétées par jour et autant de couches à changer, les vêtements à laver en double, sans compter les nuits entrecoupées par des concerts à deux voix.

Reste à souhaiter que vos jumeaux aient les mêmes horaires de sommeil et de tétées, sinon votre charge de travail risque de s'alourdir d'autant. Vous avez peut-être fait le choix d'allaiter. C'est particulièrement bénéfique aux jumeaux, qui sont souvent des prématurés (pp. 281, 282 et 474). Le lait maternel a beaucoup de vertus... et surtout celle de se digérer rapidement. Ne vous étonnez donc pas si vos deux bébés demandent des tétées à répétition. Vous n'en ferez jamais le compte, mais sachez que vous allez consacrer 12 heures et demie par jour environ à leur toilette, à leurs changes et à l'entretien de leur linge !

Des câlins à partager

Paradoxalement, alors que vous avez maintenant deux bébés dans les bras, vous pouvez vous sentir frustrée dans votre désir de pouponner. Vous aimeriez en garder un contre votre cœur, mais l'autre jumeau vous réclame à grands cris. Il vous faut constamment passer de l'un à l'autre, avec le sentiment de ne pas en avoir fait assez. Les pauses câlins vont fatalement être écourtées par la présence du second, qui se trouve en reste et vous le fait savoir. Vous pouvez même vous sentir coupable de ne pas être complètement disponible pour chaque enfant. N'hésitez pas à vous faire aider le plus tôt possible, dès votre retour de la maternité. Mettez à contribution votre famille, vos amis ou les services sociaux si votre situation le permet. Ainsi épaulée, vous ne serez plus constamment sur la brèche, en situation d'urgence et vous pourrez plus facilement vous occuper d'un des jumeaux tandis que vous confierez l'autre, et réciproquement. Ménagez des moments avec chacun d'eux, et ce dès les premières semaines, pour qu'ils aient un contact privilégié avec vous. Ne tombez pas dans le piège qui consiste à donner toujours le même jumeau au papa, par exemple, tandis que vous, vous vous occupez de l'autre. Comme n'importe quel bébé, ils ont eux aussi besoin de leurs deux parents !

Une vie à deux

Très tôt, la vie de couple s'installe. Vous l'observerez très vite, les jumeaux se suffisent à eux-mêmes. L'un comme l'autre a un compagnon de jeux omniprésent avec qui converser et ils se comprennent. Le bonheur ! Le jumeau est donc peu sociable : si l'on n'y prend pas garde, il se met volontiers en retrait de la famille, pour ne rester qu'avec son double. Dans la vie de tous les jours, ce duo sait parfaitement s'organiser. L'un mène la danse, l'autre suit. Ils se répartissent les tâches, chacun selon ses propres compétences : l'un est plus costaud, l'autre plus habile, l'un organise les jeux, l'autre est le porte-parole. Dans le cas de jumeaux de sexe différent, c'est souvent la fille qui domine. On pourrait penser que ce duo est un stimulant pour les acquisitions. Erreur, cette situation a bien souvent comme conséquence de retarder les premiers apprentissages : celui de la parole (ils se comprennent parfaitement entre eux) et celui de la marche (il suffit que l'un fasse ses premiers pas pour que l'autre soit satisfait). Aussi vaut-il mieux les surveiller de près !

« Les jumeaux, cela n'existe pas. »

Par cette phrase, René Zazzo, grand spécialiste des jumeaux, a voulu montrer que chaque individu est singulier, unique et qu'on ne devient jumeau que par le regard d'autrui. C'est dire l'importance de l'entourage qui va favoriser (ou non) l'individualité de ces deux enfants. Pour vous accompagner dans cette tâche, voici quelques conseils qui peuvent vous aider. Évitez de leur choisir des prénoms aux sonorités trop proches (Coline et Carine, Julien et Damien, etc.) et prenez soin de les appeler chacun par son prénom et non par un collectif « les jumeaux », même si c'est, de toute façon, employé par votre famille ; mais vous, au moins, ne l'utilisez pas ! Ne les habillez pas de la même façon, choisissez deux couleurs de layette, ce sera plus simple pour vous au cas où vous auriez une petite hésitation et pour votre entourage qui ne sait pas encore très bien les reconnaître. Dans la mesure du possible, organisez pour vos bébés des coins séparés. À chacun son lit, ses affaires, ses jouets !

Vrais ou faux jumeaux

Les premiers proviennent du même œuf. Ils possèdent un patrimoine génétique identique et se ressemblent beaucoup physiquement et moralement. Mais leur comportement va dépendre, outre l'hérédité, de la façon dont vous allez les élever. Les expériences ont montré que de vrais jumeaux, séparés par des circonstances fortuites, vont être aussi différents l'un de l'autre qu'un frère et une sœur. Les seconds sont issus de deux œufs différents. Ils sont de même sexe ou de sexe différent et n'ont aucune raison de se ressembler davantage que deux enfants d'une même famille. ▪

1ER MOIS

2E MOIS

3E MOIS

4E MOIS

5E MOIS

6E MOIS

7E MOIS

8E MOIS

9E MOIS

LA NAISSANCE

LES 1RES SEMAINES DE MAMAN

LES 1RES SEMAINES DE BÉBÉ

GROSSESSES DIFFÉRENTES

ANNEXES

Naissance d'un enfant handicapé

CERTAINS ENFANTS, À LA NAISSANCE, SONT PORTEURS D'ANOMALIES.
Il existe un pourcentage, faible mais constant, de l'ordre de 1 %, d'enfants nés avec
une malformation. Ce chiffre inclut des malformations graves, comme le spina-
bifida (malformation congénitale de la colonne vertébrale), et des malformations
banales, comme un mamelon ou un doigt de main ou de pied supplémentaire.

Anomalies morphologiques

Elles peuvent être légères ou importantes. Certaines sont invisibles à l'œil nu mais imposent un geste chirurgical d'urgence ; d'autres sont plus évidentes mais ne nécessitent pas d'intervention immédiate. Elles seront opérables au cours de la première année de la vie. Malheureusement, tout n'est pas réparable. Aujourd'hui, la prévention et le dépistage des anomalies sont de plus en plus précoces. Parfois, on prépare les parents à accueillir cet enfant différent.

C'est le cas dans les malformations de la face, comme la fente labiale, appelée aussi « bec-de-lièvre », et détectée au cours d'une échographie. On leur propose de rencontrer le chirurgien qui prendra l'enfant en charge et d'autres familles dont l'enfant a les mêmes problèmes ou dont le bébé a subi une intervention chirurgicale. C'est donc en toute lucidité que le bébé peut être accueilli à la naissance. Selon les cas, ces anomalies font l'objet d'une réparation dans les premières semaines de la vie ou plus tard.

Malformations des voies urinaires

Elles concernent plus de 10 % des nouveau-nés et sont dues à des anomalies des conduits qui transportent l'urine depuis le rein jusqu'à l'ori-fice d'évacuation. Après un bilan radiologique précis qui permet de situer l'obstacle, l'intervention est réalisée par voie endoscopique : on introduit par l'urètre un appareil miniaturisé qui permet de voir et de réparer le conduit.

Malformations génitales

Malformations de la verge, de la vulve, voire du vagin, toutes les situations peuvent se présenter et donner l'impression aux parents que leur bébé n'est ni fille ni garçon. La confirmation du sexe de l'enfant doit être obtenue avant la déclaration à l'état civil. Il est urgent d'en faire le diagnostic et de restaurer l'intégrité de l'appareil génital au plus tôt.

Fente labiale

C'est la malformation la plus fréquente. Un enfant sur 500 naît avec ce handicap, dû à un défaut de collage des bourgeons de la face au début du 2e mois de grossesse. Cette fente de la lèvre supérieure (car c'est toujours d'elle dont il s'agit) peut siéger d'un seul ou des deux côtés, elle peut être isolée ou en continuité avec une fente du palais. La chirurgie réparatrice se fait en deux temps : à la naissance, opération de la lèvre pour éviter tout problème psychologique au sein de la famille (seule subsistera une cicatrice), puis à la fin de la première année, opération de l'arcade dentaire, suivie de l'opération du voile du palais.

Anomalies du cœur

Six mille bébés environ naissent chaque année avec des malformations cardiaques, dont la moitié, seulement, sont graves. Citons les cardiopathies liées à des anomalies faisant communiquer les deux circulations, aortique et pulmonaire, qui normalement sont en série. Un débit sanguin exagéré passe alors dans les poumons. L'opération est réalisée dans les premières semaines de la vie. Il existe aussi des cardiopathies avec cyanose : l'inversion des artères qui sortent du cœur en est un exemple. L'opération est faite à « cœur ouvert » dans les premiers jours de la vie et consiste à remettre correctement en place les gros vaisseaux.

Pied-bot

Le pied d'un nouveau-né est généralement tourné un peu en dedans ou en flexion dorsale. Ces attitudes cèdent généralement d'elles-mêmes en quelques jours ou en quelques semaines. En revanche, le pied-bot est plus problématique : la plante du pied est en dedans et la pointe du pied vers l'intérieur. Le traitement passe par la kinésithérapie (attelles, manipulations) et doit être commencé dès les premiers jours. Il peut, sinon éviter, du moins retarder l'opération.

L'intervention chirurgicale

Elle nécessite technicité, personnel (pas moins de six personnes) et précautions. Le matériel utilisé est à la taille de l'enfant : table chirurgicale adaptée, matériel miniaturisé, jusqu'au fil chirurgical. Dans la majorité des cas, le bébé est anesthésié localement. Pour cela, des substances moins fortement dosées et surtout différentes de celles pour les adultes sont utilisées, en raison de l'immaturité du foie incapable, à cet âge, d'éliminer ce type de médicaments. Avant l'intervention proprement dite, si le bébé a moins de six mois, il recevra de la vitamine K et du fer afin d'éviter toute transfusion. La découverte de la malformation est toujours vécue comme une injustice par les parents, même si celle-ci est réparée dans les mois qui suivent la naissance. Son acceptation est toujours longue et demande souvent des explications claires de la part de l'équipe médicale sur les soins et les conséquences que cela implique au niveau de la vie quotidienne. ∎

1ER MOIS

2E MOIS

3E MOIS

4E MOIS

5E MOIS

6E MOIS

7E MOIS

8E MOIS

9E MOIS

LA NAISSANCE

LES 1RES SEMAINES DE MAMAN

LES 1RES SEMAINES DE BÉBÉ

GROSSESSES DIFFÉRENTES

ANNEXES

Ses nuits sont plus longues que ses jours

OBSERVEZ VOTRE BÉBÉ JUSTE APRÈS LA TÉTÉE. Lui qui était si énervé, voire bruyant, semble maintenant mou, comme ivre : ses yeux se ferment, ses lèvres s'ouvrent béatement. Il se sent bien, satisfait. Rassasié physiquement, il savoure encore mieux sa plénitude affective. Il est là, blotti au creux d'un bras chaud, environné d'une odeur familière et rassurante. Tous les plaisirs s'accumulent.

Respecter son rythme

La succion, qui demande un effort certain, provoque de la fatigue, il est donc normal que votre bébé se laisse aller et s'endorme après avoir tété.

Le nouveau-né dort en moyenne 19 heures par jour les premières semaines. Il passe presque sans s'en apercevoir de l'état de veille à celui de sommeil. Il est indispensable de laisser un nouveau-né trouver son propre rythme et ajuster à sa manière les moments où il a faim et ceux où il préfère dormir. Ce qui signifie qu'on ne réveille pas un nourrisson qui dort, ni pour le changer, ni pour voir si tout va bien, ni pour lui donner son biberon. Sachez également que pendant ces premières semaines de vie, le tout-petit passe par des phases de sommeil agité, tout à fait normales. Vous pouvez penser qu'il est éveillé, qu'il souffre d'un petit malaise, vous vous précipitez pour le prendre dans vos bras... Surtout pas, vous allez interrompre son rêve.

Et si vous cassez son rythme de sommeil, votre bébé risque de vous gratifier de nuits entrecoupées. Il va se réveiller toutes les deux heures, toutes les nuits ou presque, tout simplement parce que son cerveau aura enregistré qu'une période de rêve se finit toujours par un réveil. Alors, laissez-le dormir !

Sommeils léger et profond

À la fin du premier mois, il dort encore 70 % de son temps. Il ne dort pas constamment de la même façon : ses jours et ses nuits se décomposent en sommeil profond et sommeil léger. Dans le premier, ses yeux sont bien fermés, il respire très régulièrement, seuls ses doigts et ses lèvres peuvent bouger de manière perceptible. Le second se caractérise par de nombreux mouvements oculaires sous les paupières, des grimaces, des mouvements des membres, voire même du corps.

Enfin, il existe un état intermédiaire entre veille et sommeil : l'enfant somnole, il peut même avoir les yeux largement ouverts.

Mais pourquoi ce bébé dort-il autant ? Tout simplement pour parfaire sa maturation cérébrale. On s'est aperçu que c'est au cours du sommeil que l'organisme produit en quantité maximale la fameuse hormone de croissance indispensable à son bon développement.

Si un bébé dort tout le temps, c'est aussi qu'il ignore encore la différence entre le jour et la nuit. Il ne commencera à faire cette différence qu'au bout de quelques semaines. En attendant, ses temps de sommeil diurne et nocturne sont aussi nombreux et ses réveils sont essentiellement dus au hasard.

C'est vers trois ou quatre semaines qu'il se règle sur le rythme circadien de 24 heures. Ce petit dormeur déteste, en général, être dérangé. Un réveil intempestif déclenche ses pleurs.

Pourtant, dès les premiers jours, on peut nettement distinguer les gros des petits dormeurs : très rapidement, chaque enfant acquiert sa personnalité de dormeur.

En réalité, à cet âge, la plupart des troubles du sommeil sont à mettre sur le compte d'une mauvaise interprétation du comportement du nourrisson. Il est tout à fait courant pour un tout-petit de se réveiller et de pleurer en pleine nuit ; il n'y a là rien d'anormal, ni de grave, il a tout simplement faim.

Une tétée ou un biberon supplémentaire suffira à lui redonner un sommeil paisible... ainsi qu'à ses parents. Les nuits agitées ne vont heureusement pas durer.

Enfin des nuits calmes

Généralement, le biberon de la nuit n'est plus systématique au cours de la quatrième semaine et disparaît tout naturellement vers deux mois. Voici deux signes qui doivent vous faire entrevoir ce changement : votre bébé va espacer lentement ses repas de nuit et va réclamer un peu moins souvent, là où auparavant il réclamait encore toutes les trois heures. Le deuxième signe est plus difficile à supporter : il s'agit des pleurs du soir que l'on met à tort sur le compte de la faim ou de désordres digestifs.

De l'avis des spécialistes, le bébé a littéralement « emballé » son système d'éveil et ne sait plus l'arrêter ; une seule solution : ne pas chercher à le consoler à tout prix, ne pas lui proposer à manger, mais l'endormir au plus vite. Le seul moyen efficace serait de le laisser s'apaiser seul, encore faut-il pouvoir supporter ses pleurs... ∎

1ᴱᴿ MOIS

2ᴱ MOIS

3ᴱ MOIS

4ᴱ MOIS

5ᴱ MOIS

6ᴱ MOIS

7ᴱ MOIS

8ᴱ MOIS

9ᴱ MOIS

LA NAISSANCE

LES 1ᴿᴱˢ SEMAINES DE MAMAN

LES 1ᴿᴱˢ SEMAINES DE BÉBÉ

GROSSESSES DIFFÉRENTES

ANNEXES

Dominez votre angoisse

Un bébé qui pleure beaucoup provoque souvent chez les parents une montée d'angoisse et de colère. Attention dominez-vous, il ne faut jamais secouer un nourrisson. Ces gestes brusques peuvent être à l'origine de graves dommages cérébraux. C'est ce que médicalement on appelle le syndrome du bébé secoué (SBS). Cette maltraitance, le plus souvent par ignorance, a des conséquences neurologiques extrêmement graves en raison des particularités anatomiques du bébé. En effet, cet enfant a une tête très lourde pour des muscles du cou trop faibles pour bien la maintenir. Ainsi lorsque le bébé est secoué, c'est essentiellement sa tête qui ballotte, le cerveau venant s'écraser contre les parois de la boîte crânienne. Les vaisseaux sanguins éclatent, provoquant des hémorragies, les tissus souffrent de lésions importantes et la masse cérébrale gonfle. La gravité du syndrome est accrue par le fait que chez l'enfant de moins d'un an, plus chez les garçons que chez les filles, l'espace situé entre le cerveau et les méninges est élargi et que les veines cérébrales sont donc plus exposées aux cisaillements. Plus l'enfant est petit, plus les secousses sont appuyées, plus les lésions peuvent être graves : à des degrés variables, hémiplégies, retards mentaux, cécités et épilepsies. On estime que dans 10 % des cas, la vie du bébé est en danger. Attention, sont toutes aussi dangereuses les secousses occasionnées par des jeux comme les lancés en l'air, les tournoiements ou la course avec un enfant sur les épaules. ∎

Le berceau

Qu'il soit acheté ou confectionné maison, il doit obéir à certaines règles : stabilité avec des piètements solides et bien écartés, et profondeur suffisante pour éviter au bébé un peu agité de passer par-dessus bord. Pensez aussi aux problèmes d'entretien : pour la garniture, il est préférable de choisir des tissus lavables.

Le matelas sera plutôt dur, en crin végétal, en mousse ou à ressorts. Il doit être parfaitement adapté à la taille du sommier, et l'enfant ne doit pas s'y enfoncer. Pour plus de commodité, vous choisirez des draps-housses pour le dessous ; réservez toutes les fantaisies pour celui de dessus, en optant cependant pour un tissu qui peut bouillir. On peut aujourd'hui confectionner sans difficulté des draps-housses grâce à des systèmes « automatiques » vendus en mercerie. Ainsi, quel que soit le matelas, ce confort est à votre portée. Inutile d'acheter un oreiller, les bébés, aujourd'hui, se couchent bien à plat pour ne pas déformer leur colonne vertébrale.

Côté couverture, bannissez les édredons et les couettes, l'enfant peut les tirer sur son visage et se trouver ainsi en très mauvaise position. De plus, garnis de plumes, ils sont souvent à l'origine de troubles allergiques. Les couvertures seront choisies en laine extrêmement légère, plutôt courtepointe, et tricotées main. Évitez l'angora et le mohair, deux matières qui peuvent entraîner des troubles respiratoires. ∎

Le co-sleeping

Comme l'a été la bonne position pour dormir le co-sleeping, c'est-à-dire le choix de dormir avec son bébé, est un débat qui oppose les spécialistes. Les « pour » disent que cette pratique favorise l'attachement mère-bébé et qu'elle est même un facteur de sécurité. Les « contre » rappellent que de nombreuses études mettent en garde les parents contre le risque accru de mort subite du nourrisson et les troubles du sommeil du bébé qui dort de manière morcelée. Sur le plan psychologique, les avis divergeant aussi entre ceux qui pensent que parents et enfants doivent avoir chacun leur territoire et ceux qui estiment que la proximité, voire la peau à peau règle bien des troubles de l'anxiété chez l'enfant. ∎

La bonne position pour dormir

1ᴱᴿ MOIS

2ᴱ MOIS

3ᴱ MOIS

4ᴱ MOIS

5ᴱ MOIS

6ᴱ MOIS

7ᴱ MOIS

8ᴱ MOIS

9ᴱ MOIS

LA NAISSANCE

LES 1ᴿᴱˢ SEMAINES DE MAMAN

LES 1ᴿᴱˢ SEMAINES DE BÉBÉ

GROSSESSES DIFFÉRENTES

ANNEXES

AUJOURD'HUI TOUS LES MÉDECINS RECOMMANDENT DE COUCHER LES BÉBÉS SUR LE DOS. Cette position a prouvé son efficacité dans la lutte contre la mort subite du nourrisson. Longtemps cet accident, pratiquement irréversible, fut à l'origine de plus de la moitié des décès dans la première année de l'enfance.

Obligatoirement sur le dos

Sur le ventre, sur le côté, sur le dos, les positions pour coucher un bébé ont été une affaire de mode et d'époque. Mais aujourd'hui c'est un problème de santé publique. Bien que de multiples facteurs semblent mis en cause, de nombreuses études françaises et étrangères montrent que le couchage ventral multiplie les risques de 5 à 9, selon les cas. Il semble que coucher un enfant de moins de 5 mois sur le dos, alors qu'il n'est pas toujours capable de se retourner, est un des premiers gestes de sécurité à adopter. Les médecins sont formels, il ne faut pas craindre le moindre risque d'étouffement par régurgitation.

La dernière étude faite par la recherche médicale confirme le bien-fondé de ce nouveau mode de couchage. Grâce à lui, on a vu chuter le taux de morts subites du nourrisson de plus de 60 % en quelques mois.

Certains pays qui ont adopté le couchage sur le dos avant nous affichent des résultats de plus de 70 %. Des campagnes régulières devraient inviter les parents à ne pas oublier ces règles élémentaires.

Les précautions à prendre

Ainsi, aujourd'hui, il est recommandé de faire dormir les nourrissons sur un matelas dur, sans oreiller ni couette. La bonne température de la chambre est de 19 °C. Au-delà, il est indispensable d'humidifier l'air de la pièce. Il est encore conseillé de ne pas installer le lit d'un bébé près d'une source de chaleur, radiateur ou fenêtre exposée au sud. Pour dormir, la tenue idéale d'un nourrisson est le surpyjama, le pyjama couverture ou la turbulette. On peut, en cas de grand froid, ajouter éventuellement une couverture légère que l'enfant aura tout loisir de repousser s'il a trop chaud. Vous pouvez encore vous équiper de matériel haute sécurité. Par exemple, un matelas avec une têtière aérée qui assure au bébé une parfaite respiration, quelle que soit sa position pour dormir, ou encore, un système de petits coussins de forme triangulaire pour caler bébé dans la bonne position. Il existe aussi une version « cale-bébé » en forme d'ours. Par contre il est préférable de ne pas envahir le lit de votre enfant de peluches ; une suffit, elle deviendra la compagne de ses rêves.

De nombreuses informations sur le couchage sur le dos sont largement diffusées dans les maternités. Rarement une campagne de prévention a été aussi rapidement efficace, par de simples consignes de couchage.

" Le nombre de bébés victimes de la mort subite du nourrisson a baissé de 75 % en dix ans. Il faut pourtant rester vigilants, cette complication n'a pas tout à fait disparu. "

Premier bain

Le bain du nouveau-né se pratiquait bien avant la méthode Leboyer puisqu'on le retrouve dans les textes de Montaigne et de Cervantès. Ce serait une coutume tzigane.

Deux écoles s'affrontent pour savoir quand doit avoir lieu le premier bain. Selon certains médecins, on peut le donner dès les premiers jours. Pour d'autres, mieux vaut attendre la cicatrisation complète de l'ombilic. En revanche, aucune consigne médicale ne recommande plus le bain du matin ou celui du soir. Tout est question de convenance personnelle, le bain du soir ayant toutefois des vertus calmantes. Seule précaution : il faut baigner un bébé avant les repas. Après, cela peut gêner sa digestion.

Pour un bébé, l'hygiène du bain est indispensable. La couche sous-cutanée de la peau est mince, son pouvoir absorbant important et sa circulation sanguine très superficielle. De plus, la peau d'un bébé respire deux fois plus que celle d'un adulte. Il est donc essentiel de nettoyer régulièrement les pores de cette peau fragile. L'eau est à 37 °C, la salle de bain à 22 °C minimum. Préparez tout ce dont vous aurez besoin : linge du change, serviette, savon. Lavez-vous les mains minutieusement. Déshabillez l'enfant et nettoyez-lui soigneusement le siège. Puis savonnez-le tout doucement, avec un gant ou avec vos mains, sur tout le corps ; commencez par le cou, sans oublier les replis, puis frottez les bras, le thorax, le ventre, les fesses et les jambes. Une main sous la nuque, l'autre sous les cuisses, glissez-le dans l'eau.

Si vous êtes décontractée, il le sera aussi. Jusqu'à 3 ou 4 mois, profitez-en pour lui savonner la tête. Un bébé transpire beaucoup et son cuir chevelu a tendance à être gras. Le bain d'un nourrisson n'excède pas 5 minutes.

Les laits peuvent être utilisés sur tout le corps à l'exclusion des fesses où ils peuvent laisser un film gras souvent responsable de l'érythème. Il est recommandé de toute façon de bien lire les indications portées sur l'emballage. Attention, certains laits de toilette doivent être rincés après leur application. Mieux vaut enfin les choisir bien fluides.

Le savon reste le produit de base. Il doit être choisi avec un pH neutre. Afin d'éviter le développement des bactéries qui aiment l'humidité, il est préférable d'utiliser un gant propre pour chaque change.

Aujourd'hui, un grand nombre de mamans utilisent des lingettes. Imprégnées de lait de toilette, elles ont révolutionné la vie des mamans. Elles permettent une toilette rapide sans eau. Parfaites pour les déplacements, mieux vaut en faire usage avec modération car elles ne sont ni économiques ni écologiques. Elles servent à tout : laver le visage, les mains, le siège. Elles sont sans danger ; seule précaution : si votre bébé a tendance à être allergique, demandez conseil à votre médecin. Pour avoir un bébé qui sent bon, choisissez une eau de toilette sans alcool respectant le pH de sa peau. ■

Le choix des changes

Achetez des couches parfaitement adaptées au poids de votre enfant, ni trop petites ni trop grandes. Pour éviter les fuites, rentrez la ceinture du change à l'intérieur et veillez à ce que la brassière ou la chemise de votre bébé passe bien au-dessus. Différentes marques proposent des modèles filles et des modèles garçons. La différence tient au positionnement du coussinet de ouate renfermant le produit absorbant : il est situé plus haut que le milieu de la couche pour le garçon, et au centre pour la petite fille. À la moindre rougeur, outre les soins locaux qu'il convient de faire, préférez pour un temps les couches en coton aux changes en cellulose. Ils seront plus doux pour les petites fesses de votre bébé. ■

Tout propre !

DÈS QUE VOUS VOUS SENTIREZ À L'AISE, utilisez la toilette comme un temps riche d'échanges, de plaisir et de tendresse partagés.

• *Le nez* : tant que l'enfant ne sait pas se moucher (c'est-à-dire jusqu'à 2 ans ou 2 ans et demi), il faut vérifier la propreté de ses narines. Introduisez doucement dans la narine un petit coton roulé et humidifié de sérum physiologique (pas de coton-tige). En éternuant, l'enfant se mouche.

• *Les oreilles* : procédez toujours avec un petit coton roulé à sec, sans l'enfoncer trop loin dans le conduit auditif, une à deux fois par semaine. N'oubliez pas l'arrière du pavillon. N'utilisez jamais de bâtonnets, vous risqueriez de favoriser la formation d'un bouchon ou de blesser le fond de son oreille.

• *Les yeux* : pour chaque œil, utilisez un coton hydrophile légèrement mouillé de sérum physiologique, que vous passez du coin interne de l'œil vers l'extérieur.

• *Les ongles* : mieux vaut ne pas trop y toucher le premier mois car vous risquez de traumatiser la matrice de l'ongle. Pour arrondir les ongles pointus qui peuvent blesser votre bébé lorsqu'il touche son visage, coupez-les délicatement et pas trop courts avec des ciseaux spéciaux pour bébé et en tenant fermement sa main dans la vôtre.

• *La peau* : elle est bien différente de celle d'un adulte car elle ne fonctionne pas encore parfaitement. Elle ne peut pas encore éliminer tous les déchets et les toxines. Elle souffre d'un déficit naturel de sueur ce qui lui donne une tendance à se dessécher. En réalité, la meilleure façon de laver, en douceur, la peau d'un bébé est d'utiliser un savon naturel, type savon de Marseille, qui se rince à l'eau. L'usage répété des laits de toilette nuit, à la longue, à l'équilibre de la peau.

• *Les organes génitaux* : ils se nettoient avec une compresse simplement mouillée d'eau. Pour les petites filles, écartez les petites lèvres et lavez dans le sens du méat vers l'anus. Pour les petits garçons, ne décalottez pas le prépuce. Une bonne hygiène suffit à éviter toute infection. Un décalottage précoce est douloureux et inutile. Il est préférable d'attendre que cela se fasse naturellement. Les médecins pensent que la couverture du gland par le prépuce protégerait des infections dues à l'urine pendant la période où l'enfant n'est pas propre. Ils conseillent d'enlever le smego, sécrétion séborrhéique qui pourrait être un foyer d'infection, mais pas avant six mois.

• *Les soins du cordon* : en général, la chute du cordon ombilical survient entre le huitième et le dixième jour. S'il n'est pas tombé à votre sortie de maternité ou si la cicatrisation n'est pas terminée, il faut le nettoyer avec une compresse imbibée d'alcool à 60°, puis faire un petit pansement avec une compresse stérile maintenue par un filet ombilical ou, plus simplement, par un sparadrap hypoallergénique. Après la chute du cordon, vérifiez l'état de la plaie et nettoyez-la. Appliquez ensuite de l'éosine avec un coton-tige. Laissez un pansement tant que la plaie n'est pas cicatrisée. ▪

1ER MOIS

2E MOIS

3E MOIS

4E MOIS

5E MOIS

6E MOIS

7E MOIS

8E MOIS

9E MOIS

LA NAISSANCE

LES 1RES SEMAINES DE MAMAN

LES 1RES SEMAINES DE BÉBÉ

GROSSESSES DIFFÉRENTES

ANNEXES

La toilette du bébé

RIEN N'EST PLUS NATUREL QUE DE FAIRE LA TOILETTE D'UN NOUVEAU-NÉ. Pourtant, les premières expériences sont quelquefois pleines d'appréhension et de surprise. Ayez confiance en vous et surtout redoublez d'attention !

Le bon moment

Il se situe avant ou après le repas du bébé. L'idéal est de le faire avant pour ne pas trop perturber un enfant qui vient de boire. Mais s'il est affamé, ce n'est pas commode. De plus, chez le nourrisson, il existe un réflexe dit gastro-colique qui provoque une défécation juste au moment du repas. C'est particulièrement vrai pour l'enfant nourri au sein. Dans ce cas, il est conseillé de le changer après, afin de lui assurer un bon sommeil au cours de sa digestion. Lavez votre bébé. Séchez bien sa peau que vous pouvez protéger avec une pâte à eau vendue en pharmacie. Ces précautions préviennent l'érythème fessier dû à la fragilité de la peau de l'enfant. Il est essentiel de changer un bébé six à sept fois par jour environ.

Les tables à langer

Elles ont mauvaise réputation. Elles sont, en effet, cause de nombreuses chutes. À un mois, un bébé est déjà très mobile et, en quelques secondes, il peut se retourner, ramper et glisser. Bien que certaines tables soient équipées d'un système dit de sécurité, un nourrisson doit être en permanence tenu au moment du change et de la toilette.

Un projet est en cours de réalisation pour imposer quelques normes à ce matériel. Les ceintures de maintien qui équipent certains modèles devront être réglables et, en particulier, avoir une largeur égale ou supérieure à 25 mm. L'ensemble du dispositif de pliage des tables sera testé mille fois avant d'être mis en vente. Les baignoires adaptables sur les tables à langer seront à même de résister aux cycles eau chaude, eau froide et aux chocs. Une mise en garde attirant l'attention sur le danger de laisser un enfant sans surveillance sur une table à langer devra être apposée de façon visible.

En attendant, choisissez une table à langer dont les rebords ont au moins une quinzaine de centimètres de hauteur et un matelas à langer équipé d'une ceinture qui permet de maintenir le bébé en place si vous devez le lâcher. La ceinture est elle-même fixée au matelas par une planchette intérieure. La surface antidérapante est placée sur l'envers, afin que le matelas ne bouge ni ne glisse quand le bébé donne des coups de reins. Le support de sécurité pour matelas à langer empêche l'enfant de rouler grâce à ses deux côtés rigides. Il est équipé d'un matelas en mousse et peut se fixer sur un meuble à langer ou sur une table, le polystyrène dont il est constitué se collant et se perçant sans difficulté (Mobita). Citons encore le matelas à langer gonflable en PVC double épaisseur, avec rebords surélevés. Testé dans les hôpitaux, son matériau est lisse pour faciliter le nettoyage et il est muni d'une valve de sécurité pour retenir l'air au cas où le bouchon serait ouvert accidentellement (Tubby de WS-sécurité).

Toujours sous surveillance

Pour la sécurité de votre enfant, ne le laissez jamais seul sur la table à langer, même quelques secondes, le temps de prendre une couche ou un vêtement propre. Un moment d'inattention et il peut rouler, tomber et se faire très mal. Prévoyez donc tout ce qu'il vous faut à portée de main. Si, d'aventure, le téléphone sonne, prenez votre bébé dans les bras ou posez-le à même le sol, c'est plus prudent. Pour ne pas être dérangée, vous avez toujours la possibilité de brancher votre répondeur.

Les accessoires de sécurité

• *Pour le bain.* Un petit matériel simple assurera son confort et sa sécurité. Au choix : la baignoire de sécurité gonflable pour bébé jusqu'à 6 mois, qui se fixe par un système de ventouses au fond de la baignoire des parents. Ou encore le siège en tissu-éponge qui soutient la tête, les épaules et le dos de bébé. De double épaisseur, facile à

nettoyer, il est utilisable dès le premier jour et jusqu'à 6 mois, aussi bien dans une baignoire d'enfant que dans celle des adultes. Il existe des sièges de bain en plastique moulé et antidérapant qui assurent un bon maintien de votre tout-petit. Ils sont équipés de ventouses antiglisse. Certains modèles sont munis de jouets pour amuser votre bébé dans le bain. Ces sièges ne dispensent absolument pas de la surveillance du bain par un adulte.

• *La température de l'eau.* Elle doit être tiède. Ne rajoutez pas d'eau chaude alors que votre nouveau-né est dans le bain, vous risqueriez de le brûler. Testez systématiquement la température de l'eau à l'aide d'un thermomètre, ou en y trempant votre coude. ■

1ᵉʳ MOIS

2ᵉ MOIS

3ᵉ MOIS

4ᵉ MOIS

5ᵉ MOIS

6ᵉ MOIS

7ᵉ MOIS

8ᵉ MOIS

9ᵉ MOIS

LA NAISSANCE

LES 1ʳᵉˢ SEMAINES DE MAMAN

LES 1ʳᵉˢ SEMAINES DE BÉBÉ

GROSSESSES DIFFÉRENTES

ANNEXES

Enfant jaloux

Cependant, il est des moments plus tendus que d'autres dans la relation difficile avec le nouveau venu. Ainsi, les repas seront pratiquement toujours mal vécus par l'aîné. Pour qu'il ne se sente pas trop exclu, pourquoi ne pas lui demander une participation ? Faute de quoi, il imaginera forcément une bêtise à faire pour monopoliser l'attention. Bien calé dans un fauteuil et sous l'œil attentif des parents, il peut donner le biberon au bébé ou tout simplement surveiller le moment où la petite lumière du chauffe-biberon s'éteint pour indiquer que le lait est à la bonne température. ▪

Seul contre deux

La jalousie est un sentiment naturel. Il est d'autant plus fort que l'on est petit et que se raisonner est impossible. Mais bon nombre de psychologues pensent que plus on est jaloux, plus on l'a dit, mieux on saura se contrôler à l'âge adulte. D'ailleurs, dans certaines ethnies, si la mère n'a pas eu d'enfant depuis plusieurs années, elle adop-te momentanément un bébé du voisinage, l'allaitant au sein, le cajolant tant et plus, lui accordant toute son attention pour rendre son propre enfant jaloux ; les adultes de la famille lui répètent que le grand doit toujours céder.

Les visites des grands-parents, des oncles, des tantes et des amis sont souvent éprouvantes. Le nouveau-né a beaucoup trop de qualités et l'aîné se sent totalement dévalorisé.

Laissez-lui présenter « son bébé » et pensez à le gratifier de compliments et d'une pincée de réconfort.

La naissance de jumeaux peut se révéler particulièrement perturbatrice pour l'aîné, surtout s'il n'a pas été réellement préparé à l'événement (ce qui est de plus en plus rare grâce à l'échographie). Il risque alors de se sentir seul contre deux. De plus, les jumeaux occupant beaucoup ses parents, il aura l'impression de ne plus avoir assez d'espace pour lui. Il est alors indispensable de prendre quelqu'un pour aider au maternage des deux plus petits afin de se libérer un peu pour l'aîné. Le père a alors un rôle important, il peut entretenir une relation privilégiée avec son « grand » l'aidant ainsi plus facilement à partager sa maman. ▪

L'accueil mitigé de l'aîné

L'ARRIVÉE D'UN PETIT FRÈRE OU D'UNE PETITE SŒUR ENTRAÎNE TOUJOURS UN PROFOND BOULEVERSEMENT CHEZ L'AÎNÉ. Ses sentiments sont faits d'un mélange de joie et de jalousie. Aussi, il est recommandé de préparer la rencontre.

Première rencontre

Vous lui avez peut-être montré les échographies, vous lui avez sans doute demandé de poser sa main sur votre ventre au moment où le bébé faisait des cabrioles, alors, poursuivez son initiation. Il vaut mieux que vous évitiez la projection des images de l'accouchement, souvent trop réalistes pour ne pas être traumatisantes. En revanche, à la naissance de son petit frère ou de sa petite sœur, l'aîné sera heureux, grâce à quelques photos prises à la maternité, de faire sa connaissance (p. 319). Vous pouvez aussi réaliser une cassette audio des premiers cris et des premiers vagissements.

À la recherche d'un nouveau statut

Pour l'aîné, c'en est fini de sa vie d'enfant unique. Les premières manifestations d'un certain inconfort psychique se traduisent souvent par des nuits agitées. Beaucoup d'enfants profitent de l'absence de leur mère pour essayer de s'installer dans le lit conjugal. Dormir contre papa peut être d'un grand réconfort pour une nuit, mais mieux vaut lui expliquer au réveil que cette expérience n'est qu'une exception.

Si ses nuits sont perturbées le temps de votre absence, on peut compenser son sentiment d'abandon par un câlin un peu plus long au moment du coucher. Mais les choses se compliquent souvent dès le retour à la maison.

Bon nombre d'aînés régressent, jouent au bébé, ne veulent plus manger qu'au biberon, recommencent à mouiller leur lit alors qu'ils étaient propres. Exigences et colères se multiplient. Ils peuvent même exprimer clairement leur envie de voir disparaître l'intrus. N'y attachez pas trop d'importance. Valorisez plutôt le statut d'aîné et de grand, et aménagez dans votre emploi du temps des instants rien que pour vous et lui. Très vite, l'enfant s'apercevra que le rôle de bébé ne lui convient plus (p. 422).

De nouvelles responsabilités

L'amour entre frère et sœur naîtra de gestes quotidiens ; après tout, ce bébé est aussi un peu à lui et il aimera jouer à l'aîné. Il prendra certainement un réel plaisir à participer aux repas ou à la toilette du bébé. Il peut donner le biberon ou encore, au moment du change, aller chercher les couches ou les vêtements du bébé. Il peut aussi lui parler doucement et le bercer pour l'aider à s'endormir.

Il est important de lui réserver des moments bien à lui, qu'il retrouve l'affection de ses parents comme avant. Jamais il ne doit se sentir exclu ou abandonné. Ce n'est pas le moment d'abréger l'histoire du soir où même de le changer de chambre. Mieux vaut attendre. ▪

" Laissez votre aîné exprimer ses sentiments même si certains propos vous choquent, ce ne sont que des mots mis sur des fantasmes. ,,

1ER MOIS

2E MOIS

3E MOIS

4E MOIS

5E MOIS

6E MOIS

7E MOIS

8E MOIS

9E MOIS

LA NAISSANCE

LES 1RES SEMAINES DE MAMAN

LES 1RES SEMAINES DE BÉBÉ

GROSSESSES DIFFÉRENTES

ANNEXES

Grossesses différentes

1ER MOIS

2E MOIS

3E MOIS

4E MOIS

5E MOIS

6E MOIS

7E MOIS

8E MOIS

9E MOIS

LA NAISSANCE

LES 1RES SEMAINES DE MAMAN

LES 1RES SEMAINES DE BÉBÉ

GROSSESSES DIFFÉRENTES

ANNEXES

Grossesses différentes

Vous

AUJOURD'HUI, DES FEMMES QUI N'AURAIENT JAMAIS DÛ CONNAÎTRE LES JOIES DE LA MATERNITÉ ont un bébé grâce notamment aux procréations médicalement assistées. Celles-ci ont des limites qui d'ailleurs ne sont pas toujours bien acceptées par ceux qui en espèrent beaucoup trop. C'est vrai que les repères sont parfois difficiles à comprendre tant les techniques médicales ont repoussé les limites du possible. Il n'a jamais été dans l'esprit de la médecine d'aller contre la nature, son rôle est de réparer les injustices.

Nombre de maladies qui, autrefois, étaient cause d'inquiétude au moment de la grossesse sont, aujourd'hui, bien maîtrisées. Les femmes cardiaques, hypertendues, diabétiques, sont capables de donner la vie à un enfant en parfaite santé.

Les maladies « modernes » posent maintenant les plus grands problèmes. C'est la trop grande fatigue des futures mamans qui, parce qu'elles ont une vie stressante, éprouvante physiquement ou nerveusement, ne peuvent mener leur grossesse jusqu'à leur terme. C'est aussi le redoutable virus du sida. Ce sont encore les formidables progrès dans les traitements des stérilités qui, fâcheux revers de la médaille, augmentent les risques de grossesses multiples.

C'est parfois une lutte acharnée, difficile à vivre dans son corps et dans sa tête. Ces techniques nouvelles auraient tendance à nous faire croire que tout est possible, ce qui n'est pas le cas. Elles ont aussi pour conséquence de nous amener à réfléchir en permanence à ce que nous voulons faire de la procréation et de la naissance sur le plan moral et philosophique.

Votre bébé

LA MATERNITÉ N'EST PAS TOUJOURS ÉVIDENTE. Certains couples ont des difficultés à concevoir, pour d'autres, ce sont les neuf mois de grossesse qui sont source de problèmes. Ces difficultés d'intensité variable dépendent du passé médical des parents, de leur âge, de leur qualité de vie et d'un certain nombre de facteurs impossibles à évaluer avant. Les progrès de la médecine, de la reproduction et des soins néonatals permettent de donner un peu d'espoir à des couples qui ne pensaient pas avoir la capacité de fonder une famille.

Ces bébés issus de maternités parfois compliquées sont particulièrement pris en charge par la médecine anténatale et néonatale. Leur croissance est surveillée, leur développement observé et leur santé contrôlée. S'il le faut, ils peuvent même être soignés in utero ou opérés dans les heures qui suivent la naissance.

C'est le cas d'un grand nombre d'anomalies mineures ou modérées. Elles touchent majoritairement l'appareil urinaire. Certaines malformations, considérées comme graves hier du fait de leur risque immédiat dans les premières heures ou les premiers jours de la vie, ont maintenant largement bénéficié de ce procédé. C'est une médecine en pleine évolution, porteuse de formidables espoirs notamment dans le domaine des thérapies géniques qui n'en sont qu'à leurs balbutiements.

Le XXIᵉ siècle sera sans doute celui de la révolution dans l'art de faire un bébé.

1ᴱᴿ MOIS

2ᴱ MOIS

3ᴱ MOIS

4ᴱ MOIS

5ᴱ MOIS

6ᴱ MOIS

7ᴱ MOIS

8ᴱ MOIS

9ᴱ MOIS

LA NAISSANCE

LES 1ᴿᴱˢ SEMAINES DE MAMAN

LES 1ᴿᴱˢ SEMAINES DE BÉBÉ

GROSSESSES DIFFÉRENTES

ANNEXES

Sensible aux relations

Aujourd'hui, on veille tout particulièrement à son développement psychique. On sait que les visites de ses parents ont une influence sur son envie de vivre. Mots tendres, caresses, bain aident à l'établissement de liens précoces. De même, on s'est aperçu qu'une infirmière uniquement soignante pouvait être cause d'angoisse pour le bébé, aussi demande-t-on à celles qui en ont la charge de lui faire des petites visites amicales pour lui parler ou le caresser. Certains services de néo-natalogie reçoivent même la visite de musiciens. De même, il semble que la personnalisation des soins qui leur sont prodigués ait une influence sur leur devenir ; ainsi, au CHU de Brest on est convaincu de l'intérêt d'une nouvelle approche des soins néonataux. La méthode baptisée NECAP consiste à adapter les soins à chaque enfant après une observation pointue par les équipes soignantes. Ainsi, on évite de réveiller le bébé lorsqu'il dort, de lui imposer lumière et bruit inutiles et on traite toute manifestation de la douleur. Neuf à douze mois plus tard, ces bébés sont moins hospitalisés et se développent mieux que les autres. ■

Le rôle du père

L'accouchement d'un enfant prématuré n'est pas tout à fait l'événement attendu par les parents, La mère est à la fois inquiète et déçue de ne pas avoir mené à bien sa tâche. Le rôle du père est alors double. C'est lui qui voit l'enfant en premier, qui le visite régulièrement, qui a le contact avec l'équipe du service de néonatalogie. Il a donc la mission d'informer la mère sur l'état de santé du bébé et sur les soins qui lui sont prodigués. C'est encore lui qui tisse les premiers liens entre l'enfant et ses parents. Par ces mots doux, par ses caresses, par le contact peau à peau si la santé de l'enfant le permet, il va stimuler le besoin d'attachement de ce bébé et lui donner l'énergie de surmonter cette entrée délicate dans la vie. Si la mère se sent étrangère à cet enfant qu'elle n'a pas pu porter jusqu'au bout, le père prend le relais et tout doucement se « maternise ». ■

Des soins de plus en plus sophistiqués

Depuis dix ans, les soins apportés aux enfants prématurés ont fait des progrès considérables. Il semble même qu'on ait atteint un niveau maximal de performance. Ainsi, des enfants prématurés pesant 750 g sont aujourd'hui couramment sauvés. Leur survie est due, d'une part aux soins apportés à leur transport de leur lieu de naissance au service spécialisé de néonatalogie en respectant la « chaîne du chaud » et, d'autre part, à plusieurs grandes découvertes, notamment à la ventilation assistée avec calcul du taux d'oxygène dans le sang, à la nutrition parentérale continue avec une alimentation directe dans l'estomac parfaitement calculée en fonction des besoins de l'enfant, et à la mise au point du surfactant de synthèse qui accélère la maturation pulmonaire.

L'enfant prématuré est installé dès sa naissance dans une couveuse, pour lui garantir la chaleur nécessaire à sa survie et le maintenir à l'abri de tout microbe.

En effet, l'enfant né avant terme souffre d'un manque de défenses contre les infections, c'est pourquoi, les soins sont donnés avec un respect strict des mesures d'hygiène : infirmières et parents portent des blouses stériles, un bonnet sur les cheveux et des bottes protectrices.

L'enfant vit les yeux couverts d'un petit masque, et il est installé sous une lumière bleue pour lui éviter une bilirubine en raison de son immaturité hépatique.

Il ne doit souffrir d'aucune déperdition de chaleur et porte souvent un petit bonnet de laine et des chaussons. Si, par contre, il ne porte qu'une couche, c'est pour mieux contrôler sa respiration et la couleur de sa peau.

Il est nourri à l'aide d'une sonde directement reliée à son estomac, à laquelle on ajoute parfois une perfusion installée dans une veine de son crâne. Une protection de Plexiglas équipe parfois l'intérieur de l'incubateur, il se peut même qu'on pose un film en plastique directement sur son corps. ■

L'enfant prématuré

C'EST UN ENFANT QUI A DÉCIDÉ DE NAÎTRE PLUS TÔT QUE PRÉVU OU QUI,
pour des raisons médicales, n'a pas pu attendre d'être tout à fait prêt pour faire
son entrée dans le monde. On classe sur le plan médical ces enfants en trois
catégories distinctes.

Le classement médical

Les prématurés sont les enfants nés entre 32 et 36 semaines. Les grands prématurés, nés entre 28 et 32 semaines et dont le poids de naissance se situe entre 1 000 et 1 500 g, sont des enfants menacés mais qui ont bénéficié des grands progrès de la néonatalogie. Enfin, les prématurissimes sont nés à moins de 28 semaines et leur poids de naissance est inférieur à 1 000 g. Plus ces enfants naissent tôt, plus ils sont petits, plus leur démarrage dans la vie est délicat. Un rapport de l'Académie de médecine déconseille l'acharnement thérapeutique, le risque de séquelles pour ces enfants étant très important.

Favoriser son développement

Le bébé s'est généralement très bien développé jusqu'au jour de sa naissance, mais il naît non fini, car la formation de ses organes est programmée le jour même de sa conception et il leur faut neuf mois pour être achevés. Dans l'incubateur (la couveuse), tous ses organes vitaux continuent à se développer au même rythme que dans l'utérus maternel. Ce sont particulièrement ses poumons, son cerveau, son système immunitaire et son foie, ce qui explique parfois l'apparition d'un ictère. Cet enfant peut encore manquer de globules rouges et il est donc nécessaire parfois de lui faire des transfusions sanguines. Dans tous les cas, il devra recevoir des suppléments en fer ainsi qu'en vitamines.

Des prématurés de cinq mois et demi

Il y a des éléments qui maturent plus vite que d'autres. L'appareil digestif se met rapidement en place, comme un certain nombre d'enzymes, nécessaires à la vie. Les grands organes continuent leur évolution d'une façon absolument immuable. Exceptionnellement, et souvent au prix de séquelles, on réussit à sauver des enfants prématurés de 5 mois et demi, soit 24 semaines (de 28 à 30 semaines, on en sauve près de 60 % ; à 32 semaines, 75 % et à partir de 36 semaines, 95 %). Mais la grande difficulté dans les soins tient à ce qu'aucun prématuré n'est identique à un autre de même âge et de même poids.

Les problèmes liés à leur survie sont très variables. Lorsque l'enfant est sorti de sa couveuse et rendu à ses parents, c'est un nourrisson comme les autres. Il n'est pas plus fragile. Simplement, pendant la première année, surtout si cet enfant est né à 6 mois, il ne faut pas que la mère le compare à un enfant né à terme. À partir de 12 ou 15 mois, les différences s'estompent. Mais il faut toujours corriger son âge par rapport à l'âge de la naissance. ▪

" Il faut insister sur la nécessité du suivi des grossesses à risque afin d'éviter des naissances traumatisantes. „

1ER MOIS

2E MOIS

3E MOIS

4E MOIS

5E MOIS

6E MOIS

7E MOIS

8E MOIS

9E MOIS

LA NAISSANCE

LES 1RES SEMAINES DE MAMAN

LES 1RES SEMAINES DE BÉBÉ

GROSSESSES DIFFÉRENTES

ANNEXES

Le bébé donné

LA NAISSANCE D'UN BÉBÉ PRÉMATURÉ N'EST PAS SANS PROVOQUER quelques difficultés dans la relation mère-enfant. Elles peuvent être dues à plusieurs facteurs : un accouchement difficile, dont le déroulement n'a pas été tout à fait celui que la mère avait espéré ; le bébé qui, physiquement, ne ressemble pas exactement à l'enfant imaginé ; la jeune maman qui, presque instinctivement, ne veut pas s'attacher à un enfant en grande difficulté vitale ; et surtout le manque de contacts peau à peau au moment de la naissance dont on sait l'importance dans l'attachement mère-enfant.

Problèmes relationnels

Depuis quelques années, plusieurs équipes de médecins s'intéressent tout particulièrement à ces problèmes relationnels. Ce sentiment d'avoir un bébé donné plutôt que de l'avoir fait est connu de beaucoup de mères de prématurés. Il est d'abord dû au déroulement interrompu de la grossesse. Les neuf mois de la gestation sont indispensables à la préparation psychologique de la future maman, les derniers mois étant particulièrement riches en projets, en fantasmes, stimulés par le poids et les mouvements de l'enfant. L'accouchement n'est plus l'événement heureux qu'elles attendaient : beaucoup de jeunes mères ne réussissent pas à associer dans le temps accouchement et naissance, car le plus souvent elles ne font qu'entrevoir leur bébé avant sa mise en couveuse. Dans la plupart des cas, l'enfant est dirigé vers une unité de néonatalogie située, au mieux dans un autre endroit de l'hôpital, mais le plus souvent, dans un lieu distant de plusieurs kilomètres.

Aider à la rencontre

L'équipe médicale met en place toute une stratégie pour aider la mère à s'attacher à son bébé. Elle lui propose souvent de l'allaiter à distance, la jeune maman tire son lait qui est apporté à son enfant. Le lait maternel enrichi en vitamines et en fer est idéal pour sa croissance et pour lui donner les défenses immunitaires qu'il n'a pas encore. Dans certaines maternités, on a mis en place un système d'enregistrements sur cassette des voix maternelle et paternelle ; on leur demande de se mettre dans la condition de parents lisant une comptine pour aider leur enfant à s'endormir le soir, en lui parlant vraiment, à lui, comme s'il était effectivement près d'eux et non pas dans un incubateur. Cette « musique » ou celle d'un enregistrement musical écouté très souvent par la mère pendant sa grossesse, déjà familière au bébé in utero, est diffusée dans sa couveuse.

Cette écoute apporte à l'enfant une sensation d'apaisement ; recherche oculaire, mouvements lents des membres apparaissent chez l'enfant inquiet ou agité. Ces manifestations d'apaisement ou d'éveil sont souvent suivies d'un endormissement profond induisant une modification importante des rythmes cardiaque et respiratoire. Cette technique est adoptée par les services de réanimation néonatale des hôpitaux de Metz, d'Évry et par l'hôpital Antoine-Béclère de Clamart.

Bien sûr, dès que la mère est capable de se déplacer, même sur un fauteuil roulant si elle a dû accoucher par césarienne, elle est invitée à venir le plus souvent possible voir son bébé, lui parler et participer aux soins.

Les mères-kangourous

Mais certaines maternités vont encore plus loin dans la recherche du confort psychique de la mère et de l'enfant. Elles ont créé des unités « kangourous », une technique de maternage des petits prématurés qui nous vient de Colombie.

La Colombie est un pays pauvre où la médecine, et notamment celle s'intéressant aux prématurés, doit se débrouiller avec les moyens du bord. Il y a quelques années, des médecins ont constaté que les enfants qui, faute de place dans les couveuses, étaient laissés à leur mère avaient pratiquement plus de chances de survie que ceux qui en avaient bénéficié ; ils se sont également aperçus qu'il y avait moins de problèmes relationnels entre la mère et l'enfant. Psychologiquement, il est certain que le confort du bébé est bien meilleur que dans une couveuse. L'enfant doit être ainsi porté 24 heures sur 24. Ce maternage étant assez fatigant, il n'est pas rare que toute la famille se mobilise pour porter le bébé. Les mères-kangourous, dans les premières semaines qui suivent leur accouchement,

viennent à l'hôpital tous les jours, puis au moins une fois par semaine. C'est ainsi que même des bébés de 700 g ont pu être sauvés !

Les unités kangourous sont nées en France en 1987. Selon leur organisation, elles reçoivent des enfants souffrant de troubles différents. Mais il s'agit toujours de nouveau-nés qui demandent une surveillance et des soins spécialisés mais dont la survie ne nécessite pas des soins lourds avec, notamment, la mise en réanimation. Elles accueillent des bébés prématurés, des enfants de petits poids, malades ou souffrant de malformations légères et qui sont installés dans une chambre en compagnie de leur mère. Celle-ci peut pratiquer les soins habituels d'hygiène, porter son bébé peau contre peau, interroger les soignants au moindre doute, recevoir la visite des autres membres de la famille.

Cette méthode favorise les contacts mère-enfant et aide à la naissance d'une relation affective qui aurait pu être fragilisée par la maladie des enfants et l'angoisse des mères. La moyenne de ces séjours « familiaux » est de six jours environ.

Les deux premiers centres à avoir ouvert un tel service sont les hôpitaux Antoine-Béclère à Clamart et Rothschild à Paris. Ils ont fait école et de tels services se sont répandus dans des maternités tant publiques que privées. ▪

1ER MOIS

2E MOIS

3E MOIS

4E MOIS

5E MOIS

6E MOIS

7E MOIS

8E MOIS

9E MOIS

LA NAISSANCE

LES 1RES SEMAINES DE MAMAN

LES 1RES SEMAINES DE BÉBÉ

GROSSESSES DIFFÉRENTES

ANNEXES

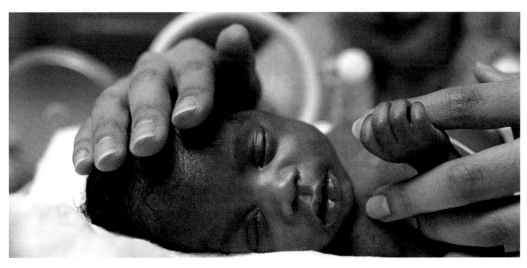

Les naissances multiples *en savoir plus*

Les traitements de la stérilité

À ces facteurs, s'ajoute aujourd'hui la stimulation ovarienne par médication dans le cas de certaines stérilités. Les traitements hormonaux peuvent provoquer l'éclosion de deux ou de plusieurs ovules qui sont fécondés ensemble. On estime alors que 10 à 25 % des grossesses sont gémellaires.

La fécondation in vitro entraîne 20 % environ de naissances multiples. Dans certains cas, pour obtenir plus de chances de réussite, des médecins réimplantent plusieurs œufs, mais la pratique courante veut que l'on ne transfère généralement que trois embryons au maximum (p. 506). La nature décide de ceux qui se développeront, à moins que les médecins ne décident d'effectuer une réduction embryonnaire.

Aujourd'hui, les traitements de mieux en mieux maîtrisés évitent la production d'ovules en grand nombre, à l'origine de grossesses difficiles. Ainsi, sur 865 grossesses qui ont été menées à terme dans un grand centre de fécondation in vitro, 155 ont abouti à la naissance de jumeaux et 35 à celle de triplés ou de quadruplés. ■

La réduction embryonnaire

Bon nombre de grossesses multiples sont le résultat des stimulations ovariennes et des fécondations in utero, ce sont donc des grossesses multiples prévues et très surveillées médicalement.

Lorsqu'il y a trop d'embryons, les médecins peuvent proposer d'interrompre le développement de l'un ou plusieurs d'entre eux afin de permettre aux autres un développement meilleur, et de limiter les risques de grande prématurité. Médecins et psychologues encadrent les futures mamans confrontées à ce problème.

Cette technique de réduction embryonnaire est soumise à des délais légaux, elle doit se faire avant la 14e semaine d'aménorrhée. ■

Grossesse à surveiller

La découverte de deux sacs gestationnels (enveloppes entourant l'embryon) n'est pas toujours suivie de la naissance de deux enfants. En effet, on constate parfois une réduction embryonnaire spontanée (*vanishing twin*), au cours du premier trimestre de la grossesse, qui entraîne le développement normal et la naissance d'un seul enfant.

Dans le cas de jumeaux dizygotes (fécondation de deux ovules par deux spermatozoïdes), l'enfant vivant se développe normalement ; en cas de jumeaux monozygotes (fécondation d'un ovule qui se sépare en deux), le pronostic est plus réservé et le développement du jumeau survivant dépend avant tout de l'âge gestationnel.

Pourquoi les grossesses gémellaires donnent-elles lieu à une naissance précoce ? Les médecins ont deux explications : la tension plus grande de l'utérus en raison d'un contenu plus important (à la 32e semaine de grossesse, l'utérus d'une future maman attendant des jumeaux est le même que celui d'une femme à terme attendant un seul enfant) et l'insuffisance des échanges placentaires. Les accouchements prématurés sont plus fréquents si la grossesse ne fait pas l'objet d'un suivi spécifique comme une surveillance médicale à domicile ou un arrêt de travail précoce. Enfin, plus le diagnostic a été fait tardivement, plus il y a risque de prématurité. ■

Chacun son rythme

Les jumeaux, les triplés ou quadruplés poussent rarement de façon identique et l'on constate souvent une différence de poids et de maturation à la naissance. Cependant, in utero, le fœtus qui semble le plus fragile développe souvent plus rapidement (et avant celui qui va bien) son appareil respiratoire : en cas de naissance prématurée, ce n'est pas forcément lui qui sera le plus en difficulté. ■

Deux enfants... ou plus !

1ER MOIS

2E MOIS

3E MOIS

4E MOIS

5E MOIS

6E MOIS

7E MOIS

8E MOIS

9E MOIS

LA NAISSANCE

LES 1RES SEMAINES DE MAMAN

LES 1RES SEMAINES DE BÉBÉ

GROSSESSES DIFFÉRENTES

ANNEXES

C'EST GÉNÉRALEMENT AU COURS DE LA PREMIÈRE ÉCHOGRAPHIE que le médecin révèle à la future maman qu'elle attend deux ou trois enfants (ou plus !). Ces grossesses peuvent provenir d'un, de deux ou de trois ovules et, selon le cas, donneront naissance à de vrais jumeaux, à de faux jumeaux ou à des triplés. Plus il y a d'enfants, plus les risques de naissance prématurée sont grands.

À grossesse exceptionnelle, surveillance exceptionnelle

Le déroulement de ces grossesses demande alors une attention toute particulière : surveillance médicale toutes les trois semaines jusqu'à 18 semaines d'aménorrhée, tous les quinze jours ensuite jusqu'à la 34e semaine, puis une fois par semaine. Dans la plupart des cas, il est souhaitable que ces dernières visites soient faites au domicile de la future maman par une sage-femme (p. 122). Beaucoup plus nombreuses que lors d'une grossesse normale, ces consultations permettent de prévenir les problèmes d'hypertension (p. 493), trois à quatre fois plus fréquents dans ces grossesses, ou encore d'hydramnios (quantité excessive de liquide amniotique). On constate aussi des risques accrus de retard de croissance des fœtus et des anomalies de l'insertion placentaire. À ces contrôles médicaux s'ajoute une échographie mensuelle, systématique, après 28 semaines d'aménorrhée. Elle est indispensable pour s'assurer de la bonne croissance des bébés.

Un repos mérité

La grossesse gémellaire, ou triple et plus, demande un repos accru de la future maman et, si elle travaille, on lui conseille de s'arrêter dès la 24e semaine d'aménorrhée. Toutes ces précautions sont indispensables, notamment pour éviter une naissance prématurée (20 à 30 % des grossesses gémellaires ne dépassent pas la 32e semaine d'aménorrhée). Il est parfois indispensable d'hospitaliser les futures mamans à mi-grossesse. L'accouchement se déroule le plus souvent avant terme et les deux (ou trois) bébés sont de petit poids. La moitié des jumeaux qui naissent pèsent moins de 2,5 kg à la naissance. Il n'est pas rare que la manière dont ils se présentent, ou la position d'un membre ou d'un des cordons ombilicaux, entraîne des accouchements plus compliqués, de même que l'on note, souvent, un temps de travail plus long. L'expulsion du placenta (p. 359), souvent fort volumineux, demande au médecin ou à la sage-femme d'être particulièrement attentifs aux problèmes d'hémorragie. L'accouchement des grossesses multiples doit se pratiquer dans des maternités spécialisées (p. 328). ▪

❝ Pour les grossesses gémellaires, les échographies sont mensuelles pour une surveillance optimale. Elles sont intéressantes dès le début pour identifier les vrais et les faux jumeaux. ❞

Les jumeaux et les triplés

LES GROSSESSES MULTIPLES SONT UNE EXCEPTION POUR L'ESPÈCE HUMAINE. Une grossesse sur 80 est gémellaire, une naissance est triple pour 100 naissances gémellaires et une naissance est quadruple pour 95 naissances triples. Il existe deux types de jumeaux. Les « faux » dits dizygotes et les « vrais » dits monozygotes.

Jumeaux dizygotes

Les grossesses dizygotes représentent plus des deux tiers des grossesses gémellaires. Les bébés sont le résultat de la fécondation de deux ovules par deux spermatozoïdes, très souvent au cours du même rapport sexuel. Les deux embryons se développent côte à côte et ont chacun leurs annexes. Chacun a ses membranes et son propre placenta, il n'y a aucune communication entre eux. Ces enfants n'ont pas obligatoirement le même sexe et se ressemblent simplement comme frère et sœur. On cite même le cas de deux jumeaux n'ayant pas la même couleur de peau, leur mère ayant eu deux rapports fécondants rapprochés avec deux hommes de couleur différente. Certains scientifiques pensent parfois, devant la différence de développement in utero de deux jumeaux, qu'ils ont été conçus à quelques jours d'intervalle ; certains encore pensent même qu'ils peuvent avoir un mois d'écart, la première grossesse n'ayant pas bloqué le fonctionnement des ovaires. Aucune preuve scientifique n'a, pour l'instant, étayé leurs dires.

Un bébé en double exemplaire

Les grossesses monozygotes sont beaucoup plus rares et représentent un tiers des cas. Les enfants sont issus de la fécondation d'un seul ovule par un unique spermatozoïde.

Cet œuf va se diviser en deux sans que l'on sache pourquoi et à quel moment exactement. Ce qui est sûr, c'est que cette division doit se faire avant le 15e jour qui suit la fécondation.

Il semble que ce moment ait une importance sur l'installation de l'œuf dans la paroi utérine. Selon les cas, chaque œuf a ses propres annexes, ses propres membranes et son propre placenta, mais il se peut aussi que les embryons se nourrissent sur un seul placenta : ils peuvent avoir chacun leur amnios ou au contraire se développer dans le même sac amniotique. Les annexes communes posent parfois des problèmes de communication de circulation, l'un des jumeaux recevant plus de sang que l'autre. Le jumeau « transfusé » risque de recevoir trop de sang et de souffrir d'insuffisance cardiaque alors que le jumeau « transfuseur » peut manquer d'apport sanguin, ce qui provoque chez lui une anémie et une hypotrophie. Dans ce cas, on pratique une intervention in utero. Les « vrais » jumeaux sont bien sûr du même sexe et se ressemblent presque à l'identique puisqu'ils ont le même patrimoine génétique. Leurs empreintes digitales sont presque superposables et ils ont souvent les mêmes capacités intellectuelles et les mêmes goûts.

De plus en plus nombreux

La dernière enquête périnatale française estime le nombre de naissances multiples à 15 300 environ en 2003. Si les jumeaux sont de plus en plus nombreux, le chiffre des triplés et des quadruplés est en baisse en raison des nouvelles pratiques touchant les PMA (voir p. 476). De tout temps, ces grossesses multiples ont étonné et, selon les civilisations, elles étaient la manifestation d'un don de Dieu... ou de sa défiance. Souvent encore, ces enfants étaient considérés comme possédant des dons surnaturels.

Aujourd'hui, la superstition a laissé place à la curiosité des chercheurs qui, dans le monde entier, cherchent à en percer le mystère.

Les enfants nés du même œuf sont les plus « passionnants » sur le plan scientifique puisque, porteurs de la même hérédité, ils permettent d'étudier l'influence du milieu sur leur développement. Certains facteurs « favorisants » sont connus depuis longtemps. Ainsi, bon nombre de ces grossesses s'observent chez les mères âgées de 35 à 40 ans, notamment si elles sont de groupe sanguin AB. Elles sont fréquentes aussi lorsque la conception survient dans les mois qui suivent l'arrêt de la pilule. Bien sûr, les antécédents familiaux pèsent pour beaucoup et il existe des familles « à jumeaux ». La transmission génétique se ferait par la mère et de manière récessive.

Il semble que la race ait aussi une influence. Ainsi aux États-Unis, les couples de couleur ont une fois et demie plus de jumeaux que les couples blancs et, dans certaines régions d'Afrique, on constate des taux de naissances gémellaires qui peuvent aller jusqu'à 5 %. À l'inverse, les peuples asiatiques connaissent très peu de naissances multiples.

Le climat semble aussi apporter des modifications : il y a plus de jumeaux dans le Nord de l'Europe que dans le Sud.

Y a-t-il un aîné ?

En théorie, oui : sur le registre d'état civil, le premier-né est considéré comme l'aîné, puisque l'heure de sa naissance se situe avant celle de son jumeau. Comme quoi il ne faut pas grand-chose pour faire de vous celui dont le comportement quotidien servira d'exemple. ▪

1ER MOIS

2E MOIS

3E MOIS

4E MOIS

5E MOIS

6E MOIS

7E MOIS

8E MOIS

9E MOIS

LA NAISSANCE

LES 1RES SEMAINES DE MAMAN

LES 1RES SEMAINES DE BÉBÉ

GROSSESSES DIFFÉRENTES

ANNEXES

Un bébé différent

DANS LE CIEL BLEU DE LA NAISSANCE, un gros nuage gris voile le soleil. La sage-femme ou le médecin accoucheur vient de vous annoncer avec délicatesse que le bébé qui vient de naître n'est pas comme les autres. Le premier sentiment qu'éprouve la jeune maman est d'abord celui de l'injustice.

Négation et refus

Certains parents se protègent en niant cette infirmité et refuseront, tout au moins pendant les premiers mois, de la reconnaître. D'autres, au contraire, l'acceptent mais vont chercher auprès des médecins ce qu'ils ont envie d'entendre et peut-être la proposition d'un traitement ou d'une opération qui va pouvoir effacer le handicap. Malheureusement, il n'existe pas d'intervention miracle. Il est toujours difficile d'indiquer une conduite à suivre. Le cheminement des parents est lent et douloureux. Le processus psychologique qu'ils parcourent est un processus de deuil, celui de l'enfant qu'ils avaient attendu et qui n'est pas au rendez-vous.

Accepter le handicap

La découverte du handicap se fait dans certains cas dès la naissance, quand il est visible (comme la trisomie 21 ou la microcéphalie). Le médecin va s'efforcer de préciser le diagnostic (pp. 482 et 489). Il en recherche la nature, de même que sa gravité et son origine. Ce diagnostic est important pour déterminer l'existence d'un risque de transmission dans la famille. Le handicap peut encore se manifester par un mauvais développement de l'enfant dans les premiers mois. Semaine après semaine, le diagnostic, révélé plus tardivement, devient évident. Le choc subi n'en est pas moins douloureux. L'expérience montre que tout se passe mieux si les parents comprennent le problème et l'acceptent.

Un enfant handicapé aura besoin plus qu'un autre de l'attention et de l'amour de sa mère et de son père, grâce auxquels il pourra développer au maximum ses possibilités. C'est certainement un déchirement quotidien que de regarder cet enfant dont l'avenir est plus ou moins compromis, mais ses parents doivent essayer à tout prix de ne pas le lui faire sentir. Tout va dépendre de leur attitude et de celle de toute la famille qui va le considérer comme un enfant comme les autres ou comme un enfant définitivement à part. Ils doivent également l'aider à vivre avec ses difficultés et lui permettre de les surmonter. Ceci ne peut se faire que lorsque le handicap est bien compris et que les parents ont la volonté de se battre pour aider l'enfant.

La vie au quotidien

Quelques principes peuvent aider psychologiquement cet enfant différent. Éviter de le surprotéger plus que de raison. Lorsque l'enfant handicapé est le premier-né, il peut sembler préférable de s'en occuper et de l'entourer de soins constants. Bon nombre de parents ont tendance parfois à se replier sur eux-mêmes ou à se replier sur l'enfant pour le protéger et se protéger par la même occasion. Si cette attitude est bénéfique dans un premier temps, elle ne peut être profitable à long terme. Elle risque de les enfermer dans un cycle infernal : l'emprisonnement dans une idée du devoir à accomplir coûte que coûte ; l'enfant est totalement couvé et son épanouissement risque d'être compromis. Au contraire, il faut le mettre le plus tôt possible en contact avec d'autres enfants. De cette façon, il ne souffrira pas d'être diminué ou d'être différent de ses petits camarades. Il va s'accepter tel qu'il est : c'est un des éléments fondamentaux de son bon équilibre mental.

Expliquer aux autres

Mieux il aura accepté son état, mieux il pourra affronter toutes ces difficultés. Lui témoigner de la pitié serait lui faire ressentir encore plus son infirmité. Par exemple, il faut éviter de lui réserver un traitement de faveur au sein de la famille, hormis pour les activités qu'il n'est pas capable de réaliser. Pour le reste, il a droit au même niveau d'exigence que pour les autres enfants. Il le comprendra très bien. De leur côté, les frères ou les sœurs doivent accepter ce handicap, même si de temps en temps ils peuvent manifester quelque impatience. Il faut rappeler qu'ils auront tendance à calquer leur attitude sur celle de leurs parents : expliquer le plus tôt possible en quoi consiste le handicap de leur frère ou de leur sœur permet d'éviter qu'ils en ressentent honte ou malaise ; plus l'atmosphère est détendue et non focalisée uniquement sur le petit handicapé, plus les rapports se mettent en place naturellement. L'enfant sera alors accepté et se sentira bien à sa place, sans que la vie de famille tourne uniquement autour de cet enfant « différent ». La famille a droit, comme avant, à ses loisirs et à ses activités habituelles. Les parents d'enfants handicapés décrivent souvent leur vie comme un parcours de souffrance, de détresse et d'isolement. Ils parlent de blessure qu'ils ont du mal à « faire cicatriser » ; d'un sentiment de culpabilité dont ils ne peuvent se défaire et, surtout, de ce regard des autres contre lequel il faut bien arriver à se blinder. C'est ce regard que chacun de nous pose sur un enfant handicapé qui est fondamental pour aider tous ces parents. ■

1ER MOIS

2E MOIS

3E MOIS

4E MOIS

5E MOIS

6E MOIS

7E MOIS

8E MOIS

9E MOIS

LA NAISSANCE

LES 1RES SEMAINES DE MAMAN

LES 1RES SEMAINES DE BÉBÉ

GROSSESSES DIFFÉRENTES

ANNEXES

Maman ado

La grossesse chez une adolescente est considérée comme une grossesse à risque. Non qu'elle se déroule forcément mal, mais elle nécessite une surveillance particulière.

Les motifs sont principalement d'ordre médical : le corps n'a pas toujours terminé sa maturation ; ces très jeunes mères présentent souvent des troubles de la tension et les problèmes d'albumine sont fréquents. Par contre, l'accouchement se passe généralement sans difficulté bien que, souvent, ces jeunes femmes n'aient pas encore un bassin à la taille adulte.

Mais le plus grand risque généré par ces grossesses est d'ordre social. Ces jeunes filles entretiennent souvent des relations difficiles avec leur entourage, ce qui les conduit à dissimuler leur état le plus longtemps possible, donc à ne pas profiter d'un suivi médical normal. Sur le plan psychique, de grands bouleversements se produisent : ces jeunes filles deviennent mères tout en étant encore des enfants. La maternité signifie souvent l'arrêt des études ou d'une formation professionnelle ; de plus, la responsabilité d'élever un bébé (le plus souvent seule) n'est pas toujours bien assumée. Aussi, ces grossesses nécessitent généralement un soutien psychologique et affectif important.

On compte en France, chaque année, 10 000 grossesses chez des jeunes femmes de moins de 18 ans et 2 000 chez des adolescentes de moins de 16 ans. Ces très jeunes mamans viennent le plus souvent de milieux sociaux défavorisés ou de familles réfractaires à toute contraception.

Les spécialistes considèrent la grossesse chez l'adolescente comme une difficulté dans l'élaboration de sa sexualité. En effet, sur le plan psychique, ces grossesses précoces, alors que les informations sur la contraception sont largement diffusées, témoignent souvent de perturbation de l'identité sexuelle ou de relations déficientes avec les parents. ▪

Dépistage de la trisomie 21

La trisomie 21 est une perturbation du nombre de chromosomes (47 au lieu de 46), le chromosome 21 étant au nombre de trois et non de deux.

Le dépistage de la trisomie se fait généralement à la 16-17e semaine d'aménorrhée par analyse du liquide amniotique, à la 10e semaine par une biopsie du trophoblaste, il peut encore se faire par ponction du sang fœtal à partir de la 20e semaine d'aménorrhée. Tous ces examens sont pris en charge en totalité par la Sécurité sociale, mais sous condition que la future maman soit identifiée comme « à risque ».

Bien sûr l'âge de la mère est pris en compte mais l'âge n'est pas le seul critère qui détermine la prescription d'une amniocentèse. Le médecin doit faire une évaluation des risques pour chaque femme en tenant compte de l'âge, de l'épaisseur de la nuque mesurée à l'échographie de la 12e semaine et des marqueurs sériques analysés entre 14 et 17 semaines. C'est l'ensemble de ces données qui détermine si le geste médical est judicieux.

Aujourd'hui, le calcul de risques se fait à 17 semaines mais il devrait, demain, pouvoir se pratiquer dès le premier trimestre grâce aux recherches sur les marqueurs sériques.

À l'inverse, quel que soit l'âge, si tous les marqueurs sont rassurants, on peut l'éviter sous couvert d'une nouvelle échographie à 22 semaines d'aménorrhée.

Il y a encore quelques années, le taux de naissances d'enfants porteurs d'une trisomie était plus élevé lorsque la mère dépassait 38 ans. Aujourd'hui, grâce au dépistage mis en place justement pour ces futures mamans, il y a beaucoup moins de naissances d'enfants trisomiques dans cette tranche d'âge que dans celle des mamans de 25 à 35 ans. ▪

Mère après 40 ans

1ᵉʳ MOIS

2ᵉ MOIS

3ᵉ MOIS

4ᵉ MOIS

5ᵉ MOIS

6ᵉ MOIS

7ᵉ MOIS

8ᵉ MOIS

9ᵉ MOIS

LA NAISSANCE

LES 1ʳᵉˢ SEMAINES DE MAMAN

LES 1ʳᵉˢ SEMAINES DE BÉBÉ

GROSSESSES DIFFÉRENTES

ANNEXES

AUJOURD'HUI, LES PROGRÈS DE L'OBSTÉTRIQUE PERMETTENT D'AFFIRMER qu'il est possible d'avoir des enfants, même tardivement, sans risque démesuré. Le choix volontaire de ces grossesses fait que les mères se prêtent volontiers aux nombreux contrôles médicaux qu'elles imposent.

Plus de complications

Bien qu'elles soient aujourd'hui plus fréquentes, les maternités dites tardives (40 ans et plus) ne sont pas encore légion mais leur fréquence a tendance à augmenter. Aujourd'hui, elles représentent 2,4 % du total des naissances soit un peu plus de 27 000 bébés par an.

Après 38 ou 39 ans, les femmes risquent de souffrir d'un inconfort plus grand pendant leur grossesse : fatigue générale et troubles veineux sont plus fréquents ou, pour celles qui y sont sujettes, aggravés tant par la grossesse que par l'âge (p. 206). On note encore que plus une femme enceinte est âgée, plus elle est exposée à l'hypertension (p. 493), au diabète (p. 491), aux problèmes gynécologiques et surtout à ceux entraînant des naissances prématurées (pp. 281 et 473). En effet, les chiffres montrent que le taux de prématurité passe de 6 % à 16 % quand la mère a plus de 40 ans.

Une grossesse tardive doit être bien surveillée et l'on recommande une échographie à 12 semaines et un dosage sérique à la 15ᵉ semaine afin de dépister suffisamment tôt toute malformation, en particulier la trisomie 21. Responsable du mongolisme, sa fréquence est de 1 % à partir de 40 ans (1 pour 2 000 dans une population générale). Ces difficultés peuvent être attribuées au vieillissement des ovocytes. En effet, la femme naît avec un potentiel de 300 000 ovules environ. À 35 ans, elle produit donc des ovules qui ont, eux aussi, 35 ans. De plus, ces grossesses sont menacées. Après 40 ans, les risques d'hémorragie au moment de l'accouchement sont aussi augmentés. Enfin, on constate dans le domaine de la fécondation médicalement assistée (p. 505) un taux d'échecs très important, à tel point que certaines équipes médicales dissuadent les candidates de plus de 37 ans.

Plus de césariennes

L'accouchement n'est pas toujours facile. Les femmes de plus de 40 ans accouchent par césarienne deux fois plus que les autres mères (p. 349) ; les hémorragies sont fréquentes, soit à cause de plusieurs grossesses antérieures, soit en raison d'un placenta praevia (p. 156). Leur bébé est souvent plus gros que la normale et, après l'accouchement, elles ont de plus grandes difficultés à retrouver leur ligne.

L'âge du père

Ce n'est pas tout à fait démontré, mais il semble que l'âge du père puisse aussi avoir des conséquences génétiques. On sait simplement qu'il est plus difficile de devenir père à 60 ans qu'à 20 ans en raison de la qualité et de la quantité des spermatozoïdes. Sur le plan psychologique, on ne saurait trop recommander aux pères en âge d'être plutôt grands-pères de faire le point sur leur capacité à supporter les pleurs et la turbulence d'un petit enfant. Se pose aussi la question de l'avenir familial à l'adolescence, à un moment où la présence d'un père est importante. ■

Les bébés de la quarantaine

DE LA PUBERTÉ À LA MÉNOPAUSE, LA FEMME PEUT THÉORIQUEMENT CONCEVOIR. En fait, le taux de fécondité augmente régulièrement jusqu'à 25 ans, reste stationnaire, puis diminue rapidement après 35 ans. On assiste, depuis quelques années, à un grand mouvement en faveur des maternités tardives.

Entre exaltation et fatigue

D'après l'avis des médecins, ces femmes vivent leur grossesse avec beaucoup d'attention et de précautions, au point qu'elles n'ont presque jamais d'accouchement prématuré. Elles prennent soin de leur grossesse, parce que c'est la première ou, à l'inverse, parce que ce sera la dernière. Malgré leur bonne volonté, les mères de 40 ans, dans leur majorité, vivent l'expérience de la grossesse comme une aventure exaltante mais particulièrement éprouvante pour l'organisme. Elles disent avoir besoin de plus de sommeil, sans toutefois aussi bien récupérer qu'avant.

La remise en marche de l'organisme est plus difficile après l'accouchement, la fatigue générale plus importante.

Certaines femmes ont l'impression de ne plus retrouver leur corps, ont le sentiment d'avoir vieilli. À cela s'ajoute le désagrément d'avoir pris du poids, trop de poids et d'avoir du mal à retrouver la ligne. En revanche, elles avouent que leur vie quotidienne est considérablement allégée : le papa aide plus volontiers dans les tâches ménagères. Les grands enfants participent à la grossesse, accompagnent même leur maman aux échographies et ne rechignent pas à aider si on le leur demande.

Une fois les premières semaines d'adaptation passées, elles trouvent que, finalement, elles sont plus décontractées face à ce nouveau bébé qu'elles ne l'auraient été vingt ans plus tôt.

Alors qu'à 20 ans, elles ont eu conscience de tout faire en même temps, la vie de couple, le travail, les enfants, à 40 ans elles n'ont plus rien à prouver et préfèrent goûter l'instant présent. Certaines mamans vont même jusqu'à mettre leur vie professionnelle de côté pour élever ce petit dernier. L'heure n'est plus à la carrière, priorité à la famille !

Des grossesses particulièrement désirées

Le profil des femmes a changé. Autrefois, les maternités tardives survenaient dans des milieux défavorisés, à la suite de nombreux enfants. Aujourd'hui, elles fleurissent dans des milieux socio-professionnels élevés, sont désirées et non plus subies. Ces grossesses qui surviennent après 40 ans ne sont jamais autant désirées.

Elles sont l'aboutissement d'une réelle maturation psychologique. Ces femmes ont essentiellement deux motivations : celle de faire un bébé, vite, pendant qu'il en est encore temps alors qu'elles ont fait leurs preuves sur le plan professionnel, ou encore en raison d'un changement dans leur vie sentimentale (mariage tardif ou remariage, etc.). À 40 ans, elles se sentent encore jeunes. Pour beaucoup, ce nourrisson est, quelque part, la garantie de le rester plus longtemps encore. Pour certaines, elles ont souvent mené une carrière professionnelle tambour battant, et ressentent le besoin de faire une pause et de fonder une famille. D'autres encore ont déjà vécu une vie de couple, avec des enfants déjà grands et ont l'envie de faire un « petit dernier », avant qu'il ne soit trop tard. Quelquefois, c'est la famille qui fait pression : le père veut trois ou quatre enfants parce que lui-même est issu d'une famille nombreuse, ou bien ce sont les autres enfants qui réclament un petit frère ou une petite sœur. D'autres femmes encore ont suivi le douloureux chemin de la stérilité et sont enfin enceintes. À moins qu'elles ne s'inscrivent dans un autre schéma, celui de la famille recomposée : des enfants d'un premier mariage, mais le désir de sceller une nouvelle union avec un bébé tout neuf. Les bébés de la quarantaine sont des bébés choyés, gâtés, auxquels la mère se dévoue beaucoup plus que pour les aînés, et dont elle découvre avec ravissement toutes les capacités, toutes les séductions.

Si la maternité ne va pas de soi

Vers 40 ans, l'éventualité de devenir enceinte chute nettement au-dessous de 10 %, avec un délai pour concevoir de l'ordre de un an, voire plus. Autre cause d'infertilité : l'endométriose, due au fait que les cellules normales de la muqueuse de l'utérus, celles qui tapissent l'intérieur de la cavité, bougent parfois pour se loger ailleurs (trompes, ovaires). Cette endométriose peut réduire la fertilité quand elle bloque les trompes, celles-ci ne laissant plus passer l'œuf. La grossesse alors se niche ailleurs (p. 89). La fertilité peut être également modifiée par les suites d'une salpingite. Cette infection se manifeste par de la fièvre accompagnée de fortes douleurs au bas-ventre et de pertes vaginales importantes. Même soignée et guérie, elle peut laisser des cicatrices sur les trompes, qui risquent alors de bloquer le passage de l'œuf. Mais l'infection a pu être totalement ignorée. Vous n'en verrez alors que les cicatrices au moment des examens médicaux que vous ferez si vous avez des difficultés pour être enceinte. Si vous voulez planifier la naissance d'un enfant, n'attendez pas le dernier moment pour vérifier que tout va bien. Il vaudrait mieux éviter de découvrir qu'à 40 ans vous êtes stérile, sinon quel drame ! Aussi prenez quelques précautions. ∎

1ᴱᴿ MOIS

2ᴱ MOIS

3ᴱ MOIS

4ᴱ MOIS

5ᴱ MOIS

6ᴱ MOIS

7ᴱ MOIS

8ᴱ MOIS

9ᴱ MOIS

LA NAISSANCE

LES 1ʳᴱˢ SEMAINES DE MAMAN

LES 1ʳᴱˢ SEMAINES DE BÉBÉ

GROSSESSES DIFFÉRENTES

ANNEXES

Des gammaglobulines anti-D

Une femme de Rhésus négatif doit être particulièrement surveillée tous les mois à partir du 6e mois de grossesse. Ainsi, s'il survient un saignement même minime, un traumatisme abdominal ou si une amniocentèse est pratiquée, il est indispensable de lui injecter des gammaglobulines anti-D. On procédera de même en cas de fausse couche ou d'IVG. Aujourd'hui se développe une vaccination systématique vers la 28e semaine. ■

Hépatites et grossesse

L'hépatite A ne perturbe en rien ni la grossesse ni le développement du fœtus. En revanche, l'hépatite B, contractée avant ou pendant la grossesse, peut atteindre le bébé puisqu'elle se transmet par voie sanguine et que le virus, même après guérison des troubles, reste dans le sang. C'est pourquoi la recherche d'anticorps antihépatite Hbs et Hbe est aujourd'hui faite systématiquement au cours de la grossesse, souvent dès le premier trimestre. En cas de suspicion d'une atteinte fœtale, le bébé à la naissance doit être vacciné immédiatement et subir une injection de gammaglobulines (globulines sériques qui contiennent la majeure partie des anticorps sanguins), assurant ainsi une protection immédiate et durable. L'hépatite C se transmet par voie sanguine, son risque de transmission est de 6 %. Pour l'instant, l'allaitement est déconseillé par précaution mais cette disposition est aujourd'hui remise en question. ■

Incompatibilité des groupes sanguins

Elle se manifeste lorsque la mère est de groupe sanguin O. Celui-ci possède naturellement des anticorps anti-A et anti-B. Ils peuvent passer la barrière placentaire et provoquer une anémie et un ictère chez un bébé de groupe sanguin A ou B. Ces incompatibilités ne gênent pas le bon développement du fœtus ou le déroulement normal de la grossesse. L'enfant devra pourtant être mis sous surveillance dès sa naissance.

La détermination du groupe sanguin ainsi que du groupe Rhésus complet et du groupe Kell, si elle n'a pas été faite auparavant, est obligatoire. Les futures mamans de facteur Rhésus négatif doivent se soumettre à des examens répétés : à la fin du 3e puis tous les mois jusqu'à l'accouchement. ■

▮ MON AVIS

Dans certains cas d'incompatibilité Rhésus entre la mère et l'enfant, nous devons pratiquer une transfusion in utero. Le médecin repère alors sous échographie le cordon ombilical du bébé, il y introduit une aiguille, dans la veine, pour transfuser l'enfant. Cette intervention se fait lorsque nous diagnostiquons une anémie du fœtus. Chaque transfusion corrige l'anémie sur une dizaine de jours et doit être renouvelée jusqu'à la naissance. Il est préférable que l'anémie du fœtus ne se déclare que tardivement. Dans le cas contraire, les transfusions sont poursuivies jusqu'au huitième mois de gestation et l'accouchement est provoqué précocement. ■

Les liens du sang

QUATRE-VINGT-CINQ POUR CENT DES HUMAINS ONT UN RHÉSUS POSITIF ET 15 % UN RHÉSUS NÉGATIF. Et l'on sait que ceux-ci ne sont pas compatibles. En cas de transfusion, le sang de Rhésus négatif réagit en fabriquant des anticorps anti-Rhésus, les agglutinines.

Les Rhésus différents

Si le père et la mère du futur bébé ne sont ni du même groupe sanguin ni du même facteur Rhésus, l'enfant héritera de l'un ou de l'autre, pouvant aussi se trouver dans une situation d'incompatibilité avec sa mère.

Ainsi, les futures mamans de Rhésus négatif peuvent porter un enfant de Rhésus positif. Il est alors impératif que jamais le sang de la mère ne se mêle au sang fœtal, ce qui n'est, de toute façon, pas obligatoire.

Il suffit pourtant du passage de 0,1 ml de sang fœtal Rhésus positif vers le sang maternel de Rhésus négatif pour qu'elle fabrique des anticorps et s'immunise. En voici le fonctionnement.

Les anticorps anti-Rhésus

Le fœtus positif envoie un message positif vers sa mère de Rhésus négatif ; l'organisme de celle-ci réagit « normalement ».

Elle analyse le message comme inconnu et étranger, et développe des anticorps qui passent la barrière placentaire et vont attaquer, chez l'enfant, les globules rouges porteurs de Rhésus positif. Le fœtus souffre alors d'anémie plus ou moins grave selon l'immunisation de la mère. Cette immunisation deviendra redoutable si elle porte, pour une seconde grossesse, un enfant à nouveau de Rhésus positif. En effet, les anticorps « anti-Rhésus » restent présents pour toujours dans le sang maternel.

Sous surveillance

On constate à la naissance de l'enfant l'apparition d'un ictère dû à un pigment, la bilirubine, lui-même formé à partir des globules rouges détruits. Si le taux de ce pigment est élevé, il peut être à l'origine de graves séquelles cérébrales. Il est indispensable qu'une future maman de Rhésus négatif soit étroitement surveillée dès le début de sa grossesse. Chaque mois, on vérifiera que son sang ne contient pas d'anticorps maternels, les agglutinines irrégulières. La montée de leur taux signifie que son organisme réagit à une agression, concrètement au fœtus. Si tel est le cas, on peut être amené à rechercher la trace de bilirubine dans le liquide amniotique.

Suivant les risques encourus par le fœtus, la date prévue de l'accouchement, la tolérance du fœtus, on décide une naissance prématurée (pp. 281 et 283) ou une transfusion in utero de sang O de Rhésus négatif en petite quantité. À la naissance, l'enfant peut subir une ou plusieurs exsanguino-transfusions avec du sang de Rhésus négatif. Il existe heureusement un traitement préventif pour les futures mamans non immunisées. Il consiste à injecter à la mère des gammaglobulines anti-D tout au long de la grossesse et dans les 72 heures qui suivent l'accouchement. C'est ce qu'on appelle la vaccination anti-Rhésus +.

Il existe depuis peu un nouveau moyen de déterminer le facteur Rhésus du fœtus : le génotypage qui se fait à partir d'une prise de sang de la mère. ∎

1ER MOIS

2E MOIS

3E MOIS

4E MOIS

5E MOIS

6E MOIS

7E MOIS

8E MOIS

9E MOIS

LA NAISSANCE

LES 1RES SEMAINES DE MAMAN

LES 1RES SEMAINES DE BÉBÉ

GROSSESSES DIFFÉRENTES

ANNEXES

Les acteurs du diagnostic

Nombreux sont les médecins qui interviennent lors d'un dépistage prénatal. Leurs rôles sont complémentaires ; c'est la confrontation des diagnostics qui donne sa valeur à la recherche. Voici ceux qui peuvent intervenir : anatomo-fœtopathologiste, biochimiste, biologiste moléculaire, chirurgien pédiatrique, cytgénéticien, échographiste, généticien clinicien, néo-natalogiste, obstétricien, pédiatre et spécialistes de diverses pathologies, leurs diagnostics s'appuyant toujours sur différents résultats d'examens. ■

Quelques notions de génétique

La base de tout être vivant est la cellule, composée d'un noyau et de cytoplasme (à l'exception des globules rouges). Le corps humain en possède une dizaine de milliards. Au moment de la division cellulaire, le noyau, fait d'une substance, la chromatine, change d'aspect, se matérialise en ADN (acide désoxyribonucléique) qui se fragmente en chromosomes.

Chaque chromosome est un ruban de longueur variable, qui contient toutes les informations nécessaires à la formation d'un être humain et à son bon fonctionnement : ce sont les gènes et tous les gènes d'une cellule forment le génome.

L'examen du ruban d'ADN montre qu'il est ponctué de petites barres toujours liées entre elles de la même façon, chacune de ces barres étant constituée d'une substance (quatre au total).

Chaque gène est porteur d'un message héréditaire. Le gène peut, selon le cas, être responsable de plusieurs caractères ou chargé du bon fonctionnement d'autres cellules, mais il faut, dans certains cas, plusieurs gènes pour induire un caractère ou une fonction.

De plus, les gènes responsables de tel ou tel caractère héréditaire n'ont pas la même valeur, certains sont dominants et s'expriment aussitôt, d'autres sont dits récessifs et pour s'exprimer devront rencontrer un semblable.

Une anomalie génétique est le résultat d'une mauvaise transmission d'informations à d'autres cellules de la part d'un gène défectueux. Le séquençage du génome humain va permettre de mieux comprendre les causes d'un grand nombre de maladies et de mettre au point des thérapies géniques.

Le grand problème du moment est de savoir si les recherches sur la génétique humaine resteront au service de la santé ou si elles deviendront des enjeux économiques. ■

▌ MON AVIS

Si on applique les lois de Mendel, un des pionniers des lois de l'hérédité, aux problèmes des maladies génétiques on peut prévoir que si dans un couple l'un de ses membres est atteint d'une telle maladie, l'enfant qu'il va concevoir aura 25 % de chances d'être indemne ou 25 % d'être atteint et 50 % de possibilités d'être porteur de l'anomalie sans qu'elle se manifeste forcément. Même si 2 500 maladies génétiques sont connues, toutes ne se dépistent pas de manière simple. Seules les familles qui ont été touchées par certaines de ces maladies auront recours à un médecin spécialisé qui définira avec elles les risques de transmission. Mais il y a encore un grand nombre de choses que l'on ne connaît pas dans la fécondation, notamment en matière de génétique, comme, par exemple, le jeu des gènes les uns sur les autres. ■

Bilan du passé génétique

POUR CERTAINS COUPLES, LE DÉSIR D'ENFANT SE TROUVE PERTURBÉ par l'angoisse de l'enfant handicapé, ils s'interrogent sur leurs antécédents personnels ou familiaux. Les raisons peuvent être multiples : des personnes porteuses de handicaps de nature héréditaire dans leurs familles, un enfant handicapé, des avortements précoces à répétition, des mariages consanguins, une exposition à une catastrophe écologique ou à un accident de nature radioactive, les parents sont âgés de plus de 38 ans.

Une lignée douloureuse

La crainte d'être porteurs d'un gène « perturbateur » qu'ils risquent de transmettre à leur descendance amène ces couples à consulter un médecin conseiller en génétique. En les écoutant, en les interrogeant, celui-ci établira l'arbre généalogique de la famille et demandera un caryotype à chacun des membres du couple. L'étude de ces chromosomes et des gènes qu'ils portent permet d'établir un diagnostic de probabilité de maladie génétique et de transmission.

La maladie génétique la plus fréquente en France est la mucoviscidose (maladie qui provoque l'altération des sécrétions des muqueuses). Depuis peu, on est capable d'en reconnaître le gène, ce qui devrait permettre, d'après les antécédents familiaux, de qualifier certaines grossesses comme étant à risque génétique. Dans ce cas, on fait appel à un diagnostic anténatal (p. 276) pour déterminer avec certitude si l'enfant est atteint ou non.

Les progrès du dépistage

Un grand pas a été franchi par des chercheurs français qui viennent de dresser la carte du patrimoine génétique de l'homme, ce qui représente un espoir fantastique dans le dépistage des maladies génétiques héréditaires.

Parmi les maladies les mieux dépistées, il faut signaler la trisomie 21, qui peut être décelée en pratiquant un caryotype fœtal.

La découverte de malformations à l'échographie permet de détecter six fois plus d'anomalies chromosomiques que celles soupçonnées par les antécédents familiaux. Mais ces découvertes sont souvent faites tardivement et toutes les anomalies chromosomiques ne peuvent malheureusement être décelées.

Des études se mettent en place sur les signes mineurs échographiques, ainsi que sur les dosages de quelques protéines sériques maternelles d'origine placentaire.

On sait encore qu'un certain nombre de maladies récessives autosomiques (p. 47) apparaissent plus fréquemment chez certaines populations, ce qui conduit à en surveiller plus spécialement les grossesses. ▪

" La rencontre de deux êtres offre à l'enfant une part importante d'incertitude et de hasard, garantie de sa liberté et de son autonomie. "

1ᴱᴿ MOIS

2ᴱ MOIS

3ᴱ MOIS

4ᴱ MOIS

5ᴱ MOIS

6ᴱ MOIS

7ᴱ MOIS

8ᴱ MOIS

9ᴱ MOIS

LA NAISSANCE

LES 1ᴿᴱˢ SEMAINES DE MAMAN

LES 1ᴿᴱˢ SEMAINES DE BÉBÉ

GROSSESSES DIFFÉRENTES

ANNEXES

Grossesse et diabète *en savoir plus*

Le diabète gestationnel

Dans certains cas, le diabète peut apparaître pendant la grossesse, puis disparaître après : c'est ce que l'on appelle le diabète gestationnel lié aux changements hormonaux de la grossesse. Ses conséquences ne sont pas anodines : accouchement plus difficile, recours plus fréquent à la césarienne, nourrisson plus fragile et plus gros que la normale. Au début de la grossesse, le taux de glycémie est normal, puis il s'élève brusquement, d'un jour à l'autre, généralement après 26 semaines d'aménorrhée. Il n'est pas possible de savoir si ce diabète était préexistant ou s'il a été provoqué par la gestation. En effet, pendant cette période, les reins n'éliminent pas le sucre dans les urines de la même façon qu'avant, et la grossesse est diabétogène. Sont particulièrement touchées par ce phénomène les futures mamans obèses, ayant des antécédents familiaux de diabète ou ayant dépassé la quarantaine. Une courte hospitalisation permet habituellement de faire un bilan précis du taux de glycémie et de mettre en place un traitement. On conseille généralement un régime strict qui permet, dans bien des cas, un retour à un taux de sucre dans le sang proche de la normale. Ce régime est de nature hypocalorique avec suppression des sucres et répartition des apports glucidiques dans la journée. La prise de poids sur les neuf mois ne peut pas dépasser les 14 kg.
Le médecin conseille la pratique d'un peu d'exercice physique, comme la marche ou une gymnastique appropriée à la grossesse. Souvent encore, le repos demandé pour mener cette grossesse à terme exige un arrêt de travail anticipé.
Dans les cas les plus extrêmes, la future maman est hospitalisée et traitée à l'insuline avec installation d'une pompe qui diffuse le médicament dans le sang, et ce de manière permanente. Après une maternité, la mère ayant souffert d'un diabète gestationnel reste prédisposée au diabète, surtout si elle prend du poids et consomme beaucoup de sucre. ■

Un vrai dépistage

Actuellement, toutes les femmes doivent bénéficier d'un test mensuel de détection du sucre dans les urines, mais ce test n'est pas suffisant pour le diabète. Aujourd'hui, il existe un test qui consiste en une prise de sang au 6e mois de grossesse (date à laquelle le diabète apparaît le plus souvent) qui permet de doser une heure, puis deux heures, après absorption de 75 g de glucide, la glycémie. Si le risque de diabète existe, ce test est suivi rapidement d'une hyperglycémie provoquée dans la semaine suivante. Si le diabète est mis en évidence, on conseille à la future maman de suivre un régime alimentaire. Si cela ne suffit pas, on y associe des injections d'insuline, qui sont sans danger pour le bébé. Une auto-surveillance de la glycémie à jeun 4 fois par jour peut être nécessaire. ■

Qu'est-ce que le diabète ?

On parle de diabète lorsque le taux de sucre dans le sang est plus élevé que la normale (0,95 g/l). Le pancréas est l'organe chargé de cette régulation par la production d'une hormone, l'insuline. Son fonctionnement peut être insuffisant au cours d'une grossesse en raison de l'effet contraire des hormones de la grossesse sur l'insuline. Ce sont les analyses d'urine et de sang, systématiquement pratiquées lors des examens médicaux obligatoires, qui le révèlent.
Les symptômes les plus courants sont la soif permanente, l'envie d'uriner fréquente et une haleine qui sent l'acétone. La santé des futures mamans qui étaient déjà reconnues comme diabétiques ou de celles qui avaient déjà une prédisposition doit être étroitement surveillée. ■

Maman diabétique

LE DIABÈTE N'EST PLUS UNE CONTRE-INDICATION À LA GROSSESSE SI, avant même la conception, la diabétique procède à un bilan médical complet. L'hyperglycémie à redouter chez la femme diabétique est cause de complications maternelles et de malformations fœtales.

Des bilans réguliers

Pour mener à bien une grossesse, la future maman diabétique doit, deux à trois mois avant de concevoir son bébé, faire le bilan de son diabète et obtenir, grâce à un traitement à l'insuline et à un régime alimentaire, un équilibre glycémique proche de la normale pendant la période préconceptionnelle et les trois premiers mois de la grossesse. Le médecin spécialiste établit le dosage d'insuline qu'elle devra s'injecter quotidiennement. Le médecin pratiquera également des examens complémentaires. Il prescrira un examen ophtalmologique de fond d'œil pour dépister une éventuelle atteinte de la rétine : la rétrospective se manifeste par une augmentation du nombre des vaisseaux sanguins qui nourrissent la rétine entraînant un risque accru de saignement. Il demandera une analyse d'urine pour déterminer la présence ou non d'une infection, celles-ci étant plus fréquentes chez la future maman diabétique. Enfin, il examinera la tension, les risques d'hypertension associée au diabète étant plus grands.

Tout au long de sa grossesse, la future maman contrôlera elle-même le taux de sucre dans ses urines au moyen de tests d'autosurveillance. En cas de problème, le médecin pourra prescrire facilement une glycémie capillaire en recherchant le sucre dans son sang (en piquant simplement un capillaire au bout d'un de ses doigts). De plus, elle constatera une baisse de son besoin d'insuline en début de grossesse, une augmentation au milieu de celle-ci et une stabilisation à la fin.

Aux rendez-vous mensuels chez l'obstétricien s'ajoutera, tous les quinze jours, une visite chez son spécialiste. Une surveillance particulière sera demandée en fin de grossesse avec, notamment, le comptage des mouvements fœtaux dès la 32e semaine d'aménorrhée et l'enregistrement régulier du rythme cardiaque du futur bébé.

Une naissance sous surveillance

L'accouchement peut se faire normalement à terme par les voies basses si l'enfant n'est pas trop gros. Mais il arrive que l'excès de liquide amniotique, fréquent dans ce trouble, soit à l'origine d'un déclenchement prématuré de l'accouchement. Les médecins peuvent encore décider de provoquer l'accouchement (pp. 281 et 283) à 38 ou 39 semaines en raison de la grosseur du bébé et de l'appauvrissement de la fonction placentaire (p. 306).

Le bébé d'une maman diabétique est souvent placé à la naissance dans un service de soins spécialisés, afin de surveiller tout risque d'hypoglycémie, trouble tout à fait transitoire.

La mère diabétique peut parfaitement nourrir son enfant au sein. Les médecins le lui recommandent même. Par contre, elle devra faire surveiller son enfant régulièrement, car il a malheureusement trois fois plus de chances que les autres de développer cette maladie au cours de sa vie. ∎

1ER MOIS

2E MOIS

3E MOIS

4E MOIS

5E MOIS

6E MOIS

7E MOIS

8E MOIS

9E MOIS

LA NAISSANCE

LES 1RES SEMAINES DE MAMAN

LES 1RES SEMAINES DE BÉBÉ

GROSSESSES DIFFÉRENTES

ANNEXES

Ce qu'il faut faire

En cas d'hypertension, le médecin prescrit presque toujours un arrêt de travail immédiat et un repos complet. Il est même conseillé de s'allonger plusieurs fois dans la journée sur le côté gauche, jambes surélevées de manière à renvoyer le sang vers la veine cave.

L'exercice physique s'apparentera plus à de la relaxation. L'alimentation doit aussi être contrôlée. Le sel n'est pas exclu du régime, mais doit être utilisé en quantité réduite, et la prise de poids au cours des neuf mois doit également être modérée. La future maman peut vérifier elle-même quotidiennement sa tension, il existe aujourd'hui des appareils de maniement fort simple. La tension « normale » est variable selon le moment de la grossesse. Les deux premiers trimestres, elle se situe plutôt aux environs de 10-6 et, en fin de grossesse, à 12-8. Tout résultat élevé exige la consultation d'un médecin, ainsi que des phénomènes comme les bourdonnements d'oreilles, les taches noires devant les yeux, une prise de poids rapide, des maux de tête et des œdèmes sous les yeux. Plus que toute autre, la future maman hypertendue doit être étroitement surveillée médicalement. Enfin, si besoin est, le médecin prescrit des médicaments adaptés à la gestation. Il semble que de plus en plus de futures mamans soient hypertendues en raison de l'augmentation générale de l'âge de la maternité.

Après l'accouchement, l'hypertension peut disparaître. Cependant, le plus souvent, elle persiste et a tendance à s'aggraver sous une forme particulièrement redoutable : l'hypertension gravidique récidivante. ￭

Symptômes fœtaux

Du fait de la limitation de la circulation sanguine, l'hypertension ralentit les apports nutritifs au fœtus. Le développement de ses organes peut en souffrir et il naît petit et maigre ; sans graisse protectrice, il se refroidit très vite. De plus, la raréfaction de l'oxygène l'oblige à consommer ses réserves naturelles en sucre, provoquant à la naissance des accidents d'hypoglycémie. Le manque d'oxygène entraîne encore le ralentissement des mouvements du bébé in utero.

Pour surveiller l'état de santé du fœtus, le médecin demande à la future maman de surveiller tous ses mouvements, forts ou faibles, trois fois par jour, le matin, l'après-midi et le soir après le dîner, toujours aux mêmes heures, durant une demi-heure à une heure. Cette vérification doit se faire en position allongée, sur le côté gauche de préférence, dans une pièce calme.

La future maman note les mouvements sur une feuille spéciale qu'elle communique au médecin. Si le nombre de mouvements, lors des trois comptages (matin, après-midi, soir), diminue pendant deux jours, il faut absolument alerter le spécialiste. ￭

Dépistage précoce

Selon une équipe médicale anglaise, les complications de l'hypertension pourraient être constatées précocement, ce qui permettrait de mettre en place un véritable traitement préventif pour l'enfant à naître. Grâce aux ultrasons du Doppler, on peut mesurer la qualité de la circulation utéro-placentaire. Ainsi, les hypertensions chez les futures mamans pourraient être dépistées dès la 22e semaine d'aménorrhée. ￭

Les complications de l'hypertension

L'HYPERTENSION EST, LE PLUS SOUVENT, diagnostiquée au cours de la consultation mensuelle. Mais elle se signale parfois aussi par des maux de tête, des bourdonnements d'oreilles et des troubles de la vue. Elle apparaît dans 6 % des grossesses et au cours des derniers mois.

1ER MOIS

2E MOIS

3E MOIS

4E MOIS

5E MOIS

6E MOIS

7E MOIS

8E MOIS

9E MOIS

LA NAISSANCE

LES 1RES SEMAINES DE MAMAN

LES 1RES SEMAINES DE BÉBÉ

GROSSESSES DIFFÉRENTES

ANNEXES

Un suivi médical sérieux

La future maman peut être victime de deux types d'hypertension : il peut s'agir d'une hypertension artérielle gravidique vraie, liée à la grossesse, ou d'une hypertension artérielle antérieure à la grossesse ou révélée par elle.

La première apparaît au troisième trimestre. Elle s'accompagne d'œdèmes des membres et du visage et d'une élévation du taux d'albumine dans les urines. C'est une toxémie gravidique.

La seconde apparaît plus tôt. Quelles qu'elles soient, elles peuvent être cause de complications importantes telles que crise d'éclampsie (convulsions très graves) ou décollement du placenta, révélé par une hémorragie.

Ces complications peuvent mettre la vie de l'enfant en danger ou être la cause d'un petit poids à la naissance du bébé. La surveillance de la grossesse est essentielle ; elle s'effectue tous les quinze jours.

On mesure la tension artérielle, aux deux bras, en position debout ou assise. Le chiffre supérieur ne doit pas dépasser 13 et le chiffre inférieur ne doit pas être égal ou supérieur à 9.

On contrôle ensuite le bon développement du fœtus par le dosage de l'acide urique, par l'analyse de certaines hormones propres à la grossesse dans les urines maternelles, par l'enregistrement des bruits du cœur du fœtus et l'examen du liquide amniotique.

Pour quelles raisons ?

On connaît encore mal les causes de ce trouble. Il s'agit dans de nombreux cas d'un facteur héréditaire.

D'autres spécialistes évoquent une anomalie de la formation du placenta qui provoquerait une sécrétion excessive de la thromboxane, substance qui favorise la vasoconstriction (c'est-à-dire le rétrécissement des vaisseaux). Dès lors, le flux sanguin fait pression sur les vaisseaux. On conseille la surveillance, associée à des mesures simples (comme le repos). Un traitement médical peut être mis en place : traitement par médicaments antihypertenseurs ou, selon le cas, tout simplement par de l'aspirine. En effet, des travaux récents ont montré son efficacité à très faible dose pour prévenir les complications maternelles et fœtales ; attention par contre, à forte dose, elle demeure contre-indiquée.

Cela peut être aussi un symptôme de complications plus graves, tel un mauvais fonctionnement des reins, incapables de filtrer et de mélanger la masse sanguine qui est considérablement augmentée ; les reins produisent alors une hormone qui augmente la tension artérielle. Dans ce cas, la mesure de l'acide urique et de la créatinine du sang permet de savoir si les reins fonctionnent bien. Enfin, il faut savoir qu'en cas de grossesse multiple, le risque d'hypertension est multiplié par trois ou quatre. ∎

Grossesse et sida *en savoir plus*

Des chiffres alarmants

Parmi les femmes qui accouchent en France, 0,02 % sont séropositives. Sur 1 200 femmes enceintes, 55 % décident de poursuivre leur grossesse. Les mères et les enfants d'Afrique sont parmi les plus touchés au monde. Afin d'endiguer l'épidémie, des programmes de prévention de la transmission du virus de la mère à l'enfant se mettent en place.

Ainsi, un traitement consiste à prescrire un médicament antirétroviral quelques semaines en fin de grossesse. Il réduirait la contagion de la mère à l'enfant de 15 à 18 %. Selon l'OMS (Organisation mondiale de la santé), plus de 1 500 000 enfants sont porteurs du sida dans le monde. ■

Sida et toxicomanie

Ils sont intimement liés. À Paris, 50 % des futures mamans toxicomanes sont aussi séropositives. Et 30 % des enfants de ces femmes seront à leur tour atteints par le virus. Malgré ce risque, la moitié de ces femmes mènent leur grossesse à terme. Pour aider ces mères, un centre postnatal a été créé à Paris. Le centre Pierre-Nicole accueille la mère et l'enfant, le temps de préparer l'insertion sociale de la mère. Ce centre compte également une unité d'accueil et de consultation et une unité de postcure pour les toxicomanes. ■

Une évolution particulière ?

Les cycles hormonaux menstruels et les modifications liées à la grossesse, malgré les changements qu'ils occasionnent sur le système immunitaire, ne sont pas des accélérateurs de la maladie chez les femmes séropositives et ils ne semblent jouer aucun rôle. Par contre, la femme séropositive est plus facilement atteinte par diverses pathologies gynécologiques, les médecins lui conseillent une surveillance gynécologique tous les six mois. L'herpès génital accélérerait la propagation du virus. ■

Au moment de l'accouchement

Le mode d'accouchement sera discuté, soit par césarienne soit par les voies naturelles sous certaines conditions. Il semble que la rupture des membranes plus de quatre heures avant l'accouchement soit un facteur d'aggravation du risque de transmission, ce qui oblige pratiquement toujours à une césarienne. Il est recommandé encore de ne pas poser le monitoring de surveillance sur le crâne de l'enfant si la surveillance peut se faire extérieurement. Enfin, il est souhaitable que le temps de l'accouchement soit le plus bref possible. Pour ce type d'accouchement les médecins et les sages-femmes doivent se protéger par le port de doubles gants et de lunettes. ■

Un test recommandé mais non imposé

Le dépistage du sida n'est pas obligatoire dans les tests prénatals et prénuptiaux. Il est simplement proposé, ce qui n'empêche pas 99 % des futures mamans de le demander. C'est pour plus de la moitié des femmes séropositives la première information sur leur maladie. Plus de 50 % d'entre elles décident alors de ne pas poursuivre leur grossesse. De plus, il faut savoir qu'un père séropositif ne transmet pas le sida à son enfant, le virus contenu dans le sperme ne touche pas directement l'embryon mais infecte la mère qui, elle, risque de le transmettre au futur bébé. ■

Un virus redoutable

1ER MOIS

2E MOIS

3E MOIS

4E MOIS

5E MOIS

6E MOIS

7E MOIS

8E MOIS

9E MOIS

LA NAISSANCE

LES 1RES SEMAINES DE MAMAN

LES 1RES SEMAINES DE BÉBÉ

GROSSESSES DIFFÉRENTES

ANNEXES

VOULOIR UN ENFANT alors que l'on se sait porteuse du virus du sida est une lourde responsabilité. Mais tous les enfants de mères contaminées ne développent pas la maladie, bien au contraire. Des recherches tendent à conclure que la contamination se fait le plus souvent de manière tardive, dans les derniers mois de grossesse.

Un traitement efficace

Il naît dans le monde plus de 700 000 enfants séropositifs, 15 à 20 % d'entre eux sont contaminés pendant la grossesse, 50 % au cours de l'accouchement et plus de 30 % par l'allaitement. Seule la mise en place d'un traitement permet de les mettre correctement à l'abri du virus. Les futures mamans reçoivent également un traitement à base d'AZT, antiviral actif sur le virus du sida dès le deuxième trimestre de leur grossesse, au cours de l'accouchement et durant les six premières semaines de la vie du bébé. Il semble que l'AZT évite le passage du virus de la mère à l'enfant mais, en passant la barrière placentaire, il a aussi un rôle protecteur sur le fœtus. Ce protocole a fait chuter le taux d'enfants contaminés de 20 % à 10 %. Le protocole est complété par un accouchement volontaire avant terme puisque la naissance est un moment critique dans la transmission du virus. En revanche, si l'enfant est contaminé, le pronostic vital est sombre : 80 % d'entre eux développent très vite des symptômes proches de ceux de l'adulte.

Certains médecins préconisent la mise en place de traitements par quadrithérapie dès la huitième semaine après la naissance. Le risque de contamination est essentiellement, semble-t-il, lié au stade de la maladie de la mère et au taux de réplication du virus. Le risque est encore fonction du virus lui-même. De plus, compte tenu de la présence d'anticorps maternels dans le sang du nouveau-né, le diagnostic de contamination ne peut se faire que 12 à 15 mois après la naissance. L'allaitement maternel est déconseillé en raison du passage du VIH dans le lait. Mais si l'allaitement artificiel n'est pas réalisable en totalité, il semble préférable d'avoir recours à l'allaitement au sein plutôt que de pratiquer un allaitement mixte. L'introduction d'autres aliments au cours des premiers mois favoriserait la pénétration du VIH à travers la muqueuse digestive du bébé.

Un avenir difficile

L'enfant peut être atteint de deux formes de sida. L'une, très sévère, se déclare rapidement et ne laisse pas beaucoup plus de cinq ans de vie à l'enfant. L'autre, plus évolutive, ne se révèle qu'au bout de six ou sept ans et pourrait ne pas être fatale. Mais les difficultés pour ces enfants ne sont pas uniquement d'ordre médical. Un certain nombre sont aussi des orphelins, soit parce que leur mère décède, soit par abandon, leur famille se sentant incapable d'affronter cette terrible maladie.

Du côté du père

Lorsque le père est porteur du virus VIH ou de l'hépatite C, les couples peuvent avoir recours à la procréation médicalement assistée. Il faut faire appel à un service spécialisé d'un laboratoire agréé et volontaire, en raison des précautions matérielles indispensables. ■

Les naissances multiples *en savoir plus*

Un diagnostic précoce

Grâce à l'échographie, on peut diagnostiquer très tôt une grossesse gémellaire, dès la 5e semaine d'aménorrhée, en visualisant des sacs gestationnels. À la 7e semaine, on peut voir les embryons et à la 8e semaine, on distingue leurs premiers mouvements. Généralement, ce diagnostic précoce est réalisé lorsque le médecin s'interroge sur des manifestations telles qu'un volume utérin plus important que la normale ou des vomissements difficiles à enrayer. Bien sûr, à ces signes s'ajoutent des informations concernant les antécédents familiaux ou la présence d'une grossesse obtenue par procréation assistée avec transfert de plusieurs embryons. D'une manière générale, il est important pour la suite de savoir si les fœtus sont de vrais jumeaux (homozygotes ou monozygotes) ou de faux jumeaux (hétérozygotes ou dizygotes). Mais ce diagnostic n'est possible que par une échographie avant la fin du premier trimestre de grossesse. Plus tard, la distinction est impossible à faire. Seul un caryotype, fait à partir d'un prélèvement de trophoblaste ou de sang fœtal, peut donner cette information. Mais les risques de fausse couche réservent cette recherche à des cas très spécifiques. Vrais et faux jumeaux ne se développent pas de la même façon. Les vrais jumeaux ayant tendance à avoir plus de problèmes médicaux que les faux. Bien évidemment, si les deux enfants sont de sexe différent ce sont des faux jumeaux. ■

Institut spécialisé

Le spécialiste mondial des jumeaux, le docteur Luigi Gedda, a créé à Rome un dispensaire unique au monde, l'Institut Georgio-Mendel. Là, il étudie et soigne gratuitement tous les jumeaux qui le désirent. Seule condition, ils doivent venir ensemble même si seul l'un d'entre eux est malade : la maladie de l'un permet de prévenir la même maladie qui ne va tarder à atteindre l'autre. ■

Le chouchou de ses parents

Des études menées au Canada et aux États-Unis mettent en évidence une nette préférence de la mère, et souvent des deux parents, pour l'un des jumeaux. Dans plus de 80 % des cas, c'est l'enfant le plus beau, celui qui semble en meilleure santé qui est le chouchou, et cela dès les premières semaines après la naissance.

Un chercheur américain a mené son enquête à partir de photos de famille montrant des jumeaux ensemble. On remarque alors très vite celui qui a toutes les préférences. Il est mieux habillé, plus à son avantage sur la photo, souvent au premier plan par rapport à son frère ou à sa sœur.

On a cherché à savoir si la sollicitude parentale était multipliée par deux en présence de jumeaux. Les chiffres montrent que les parents sont un peu plus disponibles mais pas dans des proportions doubles.

Ainsi s'est-on aperçu que les jumeaux prématurés reçoivent la visite de leurs parents un peu plus souvent que l'enfant seul prématuré et que cette visite est plus longue.

Les études mettent aussi en évidence que la préférence de l'un à l'autre peut varier avec le temps et qu'elle aurait tendance à s'estomper au fur et à mesure que les deux enfants grandissent. ■

Triple don

L'hôpital Tenon a accueilli la naissance de triplés, conçus grâce à un don d'ovules. Comme pour toutes les fécondations in vitro, celles faites à partir de dons d'ovules nécessitent l'implantation de plusieurs embryons pour être sûr d'obtenir au moins une grossesse. Souvent, ces réimplantations donnent des naissances multiples.

Récemment, des triplés ayant bénéficié du nouveau diagnostic préimplantatoire (DPI) sont nés à l'hôpital Antoine-Béclère. ■

Naissance gémellaire

VOUS ATTENDEZ DES JUMEAUX, VOIRE DES TRIPLÉS. Le choix du lieu de votre accouchement demande quelques précautions. La naissance de jumeaux, ou d'enfants plus nombreux, exige, plus encore que dans le cas d'un accouchement ordinaire, le choix d'un hôpital ou d'une clinique de qualité. Il est préférable de s'assurer qu'un médecin accoucheur sera présent, ainsi qu'un pédiatre néonatalogiste et un anesthésiste.

Quel accouchement ?

Il est conseillé de le faire sous péridurale (pp. 345 et 347). L'utilisation de l'ocytocine pour favoriser les contractions est parfois jugée délicate pour les enfants prématurés ou de petit poids, ce qui est le cas de la plupart des jumeaux. La surveillance de l'accouchement se fait par monitoring (p. 328), en plaçant deux capteurs externes pour surveiller chacun des bébés. Tout comme pour l'accouchement d'un seul enfant, la future maman est parfois soutenue par une perfusion de glucose. Si le médecin aide la dilatation par l'injection d'ocytocine, celle-ci sera arrêtée dès la naissance du premier jumeau. Si l'épisiotomie (p. 343) n'a pas été nécessaire pour sa sortie, on la pratique généralement pour faciliter celle du second bébé. Dès la naissance du premier enfant, le médecin replace le capteur pour surveiller le rythme cardiaque du deuxième, et il vérifie sa présentation. Normalement, sa naissance doit être rapide, pas plus de 20 minutes.

Le recours à la césarienne (p. 349) n'est obligatoire, dans le cas de naissance gémellaire, que lorsqu'il y a souffrance fœtale, présentation non céphalique du premier enfant ou en cas d'anomalie de la dilatation, ce qui est assez fréquent. Elle peut être pratiquée entre les deux naissances, le premier enfant naissant par voie basse, le second par césarienne, mais cela est rarissime.

Éviter la prématurité

Dans certaines maternités, on préfère programmer la naissance de jumeaux. Dans ce cas, elle est prévue entre la 38e et la 39e semaine d'aménorrhée (p. 307). À ce terme, les enfants n'ont plus à craindre les risques de la prématurité.

Actuellement, 45 % des jumeaux naissent avant l'heure, très souvent avant le 8e mois, parfois même plus tôt, auquel cas ce sont de grands prématurés (p. 473). Les choses ne sont pas simples non plus pour la mère. En effet, on constate après la naissance de jumeaux beaucoup plus d'hémorragies au moment de la délivrance (p. 359), en raison de la présence de deux placentas (ou d'un seul, mais très gros) et de deux sacs amniotiques. ■

1ER MOIS

2E MOIS

3E MOIS

4E MOIS

5E MOIS

6E MOIS

7E MOIS

8E MOIS

9E MOIS

LA NAISSANCE

LES 1RES SEMAINES DE MAMAN

LES 1RES SEMAINES DE BÉBÉ

GROSSESSES DIFFÉRENTES

ANNEXES

Des troubles associés

Certaines stérilités féminines sont dues à des dérèglements hormonaux à mettre au compte du dysfonctionnement de l'hypothalamus qui commande toute la régulation hormonale. L'hypothalamus ou l'hypophyse peuvent encore être dans l'incapacité de donner des ordres aux ovaires. Bien des maladies peuvent aussi gêner l'ovulation. Ainsi, les insuffisances de la glande thyroïdienne peuvent perturber le mécanisme de la fécondité ; les glandes surrénales peuvent agir de la même façon ; le diabète est un mauvais agent, lui aussi. Rares sont les stérilités simples ; on constate souvent qu'ayant traité un trouble fonctionnel, on en voit apparaître un autre tout aussi perturbateur pour la fertilité, tant le corps et le psychisme sont liés. Concevoir un bébé demande la mobilisation du couple dans sa globalité, et il est souvent indispensable de faire le point sur qui on est et ce que l'on veut. C'est en écoutant l'histoire familiale de chacun, en recherchant le fondement du désir d'enfant que se révèle souvent la véritable raison de la stérilité. En moyenne, 10 à 12 % des couples ont des difficultés pour avoir un enfant. Mais seulement 3 % des stérilités sont définitives. Toutes les autres cèdent face à un traitement médical. Dans un cas sur deux, leur origine est d'ailleurs tout à fait bénigne. ∎

Des mauvais fonctionnements

Enfin, il peut encore s'agir d'un mauvais fonctionnement du corps jaune, celui-ci ne produisant pas la progestérone indispensable à la nidation de l'œuf dans la paroi utérine (pp. 53 et 55).
La stérilité peut aussi être due à une anomalie de la glaire sécrétée par le col de l'utérus.
Si elle est absente, trop abondante, de mauvaise qualité ou infectée, elle ne peut jouer son rôle qui est d'aider les spermatozoïdes à monter à la rencontre de l'ovocyte. ∎

Les conséquences du passé médical

Un antécédent de maladie sexuellement transmissible multiplie par 7,5 le risque d'altération tubaire chez la femme qui n'a jamais eu d'enfant et le multiplie par 5,7 chez celle qui ont déjà eu un enfant. De même, des antécédents de chirurgie pelvienne multiplient par 4,5 le risque d'atteinte tubaire en cas d'infertilité primaire et par 7,1 en cas d'infertilité secondaire. Une simple appendicite peut être à l'origine d'adhérences autour de l'un des deux ovaires. Enfin, des antécédents de salpingite multiplient par 32,1 pour une infertilité primaire et de 22 pour une infertilité secondaire. ∎

Trouver la cause

Le plus compliqué est de déterminer la cause de la stérilité. Heureusement, la médecine dispose de toute une batterie d'examens : aux dosages hormonaux s'ajoutent l'échographie, les radios de l'utérus, l'hystéroscopie qui permet de visualiser la cavité utérine et la cœlioscopie. Enfin par un caryotype on peut déterminer si la stérilité est due à une difficulté d'ordre génétique (p. 489). Sur le plan des traitements, la médecine a fait depuis quelques années de nombreux progrès. La chirurgie avec la microchirurgie ou cœliochirurgie permet de supprimer les adhérences et de réparer les malformations. De leur côté, les médicaments sont de plus en plus efficaces et les traitements hormonaux de mieux en mieux maîtrisés. ∎

Les stérilités féminines

L'INFERTILITÉ, COMME LA STÉRILITÉ, A DES CAUSES MULTIPLES. Il peut s'agir de malformations diverses : de l'utérus, du col de l'utérus, ou encore de malformations congénitales comme l'absence d'utérus ou d'ovaires, ou même de l'appareil génital complet.

Des causes mécaniques...

Indépendamment de ces malformations, il existe d'autres causes mécaniques, telles que la stérilité par oblitération des trompes (stérilité tubaire) survenant à la suite d'une infection vaginale, ou encore certains fibromes de l'utérus qui est une tumeur bénigne atteignant 20 % des femmes (le plus souvent entre 35 et 50 ans). De simples infections des parois vaginales ou utérines sont ennemies de la fécondité. La plupart de ces troubles se soignent bien. Si le col de l'utérus est infecté, le médecin prescrira des antibiotiques qui guériront l'infection au bout de 10 à 15 jours. Si le col est trop fermé, on peut prévoir des dilatations douces (ouverture progressive du col). L'utérus malformé ou en rétroversion mobile n'est pas une cause de stérilité définitive. La rétroversion d'un utérus fixé, collé aux autres organes, se signale par des douleurs, voire même une frigidité. Une intervention chirurgicale est parfois nécessaire. Elle peut aussi remédier à bien des anomalies congénitales : demi-utérus, une seule corne, etc.

...et physiologiques

• Les glandes de l'utérus fonctionnent mal : l'appareil sexuel féminin devient inhospitalier. Cette mauvaise production hormonale peut entraîner la présence de polypes à l'intérieur de l'utérus. C'est la nature de l'affection qui décidera le gynécologue à employer des antibiotiques, des hormones ou à pratiquer un curetage. Si la glaire cervicale produite par le col utérin est inexistante ou insuffisante (son rôle est important dans la fécondation), la prescription d'œstrogènes suivra généralement des examens approfondis.

• Certains fibromes : il faut intervenir chirurgicalement pour procéder à leur ablation et rendre ainsi à la cavité utérine la possibilité d'accueillir l'ovule fécondé.

• La trompe malade : l'infection des trompes (ou salpingite) nécessite l'emploi d'antibiotiques et d'anti-inflammatoires. Rappelons que les maladies des trompes sont responsables de 50 % des stérilités durables. Un traitement est donc indispensable.

• L'endométriose : cette maladie touche près de 10 % des femmes. La muqueuse utérine s'installe en dehors de sa localisation normale. Cette affection touche l'ensemble de l'appareil génital supérieur tout en détériorant la structure des trompes et des ovaires. Par un traitement hormonal, on parvient, dans 50 % des cas, à obtenir une grossesse.

• Le kyste aux ovaires : c'est une tumeur bénigne qui relève de la chirurgie. ■

"Il est recommandé de consulter un spécialiste si, au bout de deux ans d'attente aucune grossesse ne s'annonce. ,,

1ER MOIS

2E MOIS

3E MOIS

4E MOIS

5E MOIS

6E MOIS

7E MOIS

8E MOIS

9E MOIS

LA NAISSANCE

LES 1RES SEMAINES DE MAMAN

LES 1RES SEMAINES DE BÉBÉ

GROSSESSES DIFFÉRENTES

ANNEXES

Chiffres à l'appui

Sur les 40 000 couples qui se forment chaque année, 30 % attendent un enfant dans les trois mois qui suivent leur union, 80 % dans les neuf mois, 90 % au bout d'un an. Ces chiffres sont établis sur deux données : les grossesses constatées et le nombre de couples qui viennent consulter pour stérilité.

On estime qu'un couple jeune a une fécondabilité de 25 % (25 couples sur 100 obtiendront une grossesse dès le premier cycle).

Des études de l'Institut national d'études démographiques montrent que la proportion de couples ayant tenté sans succès, pendant plusieurs années, d'avoir un enfant s'élève à 3 %. ■

Reconnaître le bon moment

Le meilleur moyen d'avoir un bébé est sans aucun doute de le concevoir à la bonne période du cycle. Il est donc important de connaître la date de l'ovulation. De même, toutes celles qui ont des difficultés doivent connaître avant tout la régularité de leur ovulation sur plusieurs cycles. La méthode des températures est un moyen très classique d'investigation mais, malheureusement, elle n'est pas toujours très fiable : une grippe, une légère infection et toute la courbe est faussée. De plus, elle ne vous renseigne qu'au moment où se produit l'ovulation alors qu'il faudrait l'anticiper d'un jour ou deux. Il existe aujourd'hui des tests qui permettent de déterminer à domicile la période de fécondité maximale. Leur principe consiste à déceler la présence de l'hormone « lutéinisante », dite plus couramment LH, dont le taux augmente à l'approche de l'ovulation. Son dosage maximal est le signe que l'on entre dans la période la plus féconde. Ces tests se font à partir de l'urine recueillie le matin dans laquelle il faut plonger une bandelette réactive dont la coloration change. ■

Prise en charge

C'est depuis le 7 février 1989 que les actes de procréation médicalement assistée sont pris en charge par la Sécurité sociale. Jusqu'alors, seuls étaient remboursés les examens cliniques.

Aujourd'hui s'ajoutent tous les examens biologiques. La Sécurité sociale a fixé la limite des remboursements des essais de FIV à quatre par couple. Sont aussi remboursés les actes tels que la congélation d'embryons (leur décongélation ou leur conservation).

Attention : pour bénéficier de ces remboursements, il faut faire appel à un centre agréé par le ministère ; il en existe 100 sur toute la France. ■

Chirurgie réparatrice

Certaines infertilités sont dues à des problèmes gynécologiques qui nécessitent une intervention chirurgicale pour que la femme puisse poursuivre une grossesse naturelle. C'est le cas des kystes sur l'ovaire. Ils sont enlevés par cœlioscopie : on opère sous anesthésie générale, en pratiquant simplement deux petites incisions.

Les fibromes sont aussi opérés tout comme les polypes ; ces derniers sont extraits par les voies naturelles en dilatant simplement le col de l'utérus. Les trompes bouchées peuvent être débouchées à condition que leurs tissus soient en bon état. L'intervention se fait en incisant le fond du vagin pour accéder à l'utérus et aux trompes. ■

Des troubles physiques...
mais aussi psychiques

MALGRÉ TOUS LES EXAMENS DONT DISPOSENT LES MÉDECINS, un certain nombre de stérilités restent inexpliquées. On parle parfois à leur propos de stérilités pathogènes qui seraient dues à un refus de l'inconscient à satisfaire le désir conscient de grossesse.

Le rôle de l'inconscient

Le psychisme aurait une influence sur la fécondité principalement à deux niveaux.

Il serait capable de perturber le fonctionnement des ovaires et de bloquer la pénétration des spermatozoïdes en stoppant leur remontée dans les trompes au niveau de la glaire cervicale. Chez les femmes souffrant de ce type d'infertilité, les ovulations sont inexistantes ou tout à fait aléatoires. Cette réaction de l'organisme peut être parfois mise en corrélation avec un deuil ou une grande émotion. Elle se produit aussi souvent en cas de maladie psychique comme la dépression nerveuse ou l'anorexie. Généralement, après une prise en charge réussie, on constate la reprise de l'ovulation et du fonctionnement normal de la fonction reproductrice. Certaines perturbations, entraînant une mauvaise maturation du corps jaune, ne peuvent être expliquées que par un trouble psychique. Autre phénomène étonnant, la sécrétion par l'organisme féminin d'une glaire « hostile » ou toxique aux spermatozoïdes. Une perturbation qui résiste, dans ce cas, aux traitements par œstrogènes proposés habituellement pour lutter contre les stérilités dites immunologiques.

Le résultat d'anciens conflits

Les stérilités psychogènes sont presque toujours difficiles à admettre pour la femme qui éprouve consciemment un désir d'enfant suffisamment fort pour s'engager dans des investigations médicales lourdes. Se rendre compte que l'on est victime de son inconscient et qu'il gouverne le corps est forcément perturbant. Pourtant, il faut bien se résoudre à analyser ce type d'infertilité comme un profond refus de grossesse. L'infertilité s'installe alors que la femme vit inconsciemment un conflit psychique qu'elle ignore totalement.

Il semble que 10 % des infertilités sont ainsi diagnostiquées. Personne ne peut dire si elles sont définitives ou non puisque, dans certains cas, le conflit interne résolu « libère » toutes les fonctions reproductrices.

La grossesse devient-elle possible en raison de la disparition d'une certaine tension ou d'une certaine angoisse, ou est-ce encore le choix heureux du hasard ?

À savoir, les hommes ne sont pas épargnés par les problèmes psychiques, liés très souvent à leur passé et aux relations qu'ils ont établies avec leurs parents. ■

" L'infertilité masculine représente 20 à 30 % des cas de stérilité. La femme est en cause dans 30 à 40 % des cas. „

1ᴱᴿ MOIS

2ᴱ MOIS

3ᴱ MOIS

4ᴱ MOIS

5ᴱ MOIS

6ᴱ MOIS

7ᴱ MOIS

8ᴱ MOIS

9ᴱ MOIS

LA NAISSANCE

LES 1ᴿᴱˢ SEMAINES DE MAMAN

LES 1ᴿᴱˢ SEMAINES DE BÉBÉ

GROSSESSES DIFFÉRENTES

ANNEXES

Les stérilités masculines

LA STÉRILITÉ MASCULINE RESTE ENCORE UN SUJET DÉLICAT À ABORDER,
tant fertilité et virilité demeurent associées dans l'esprit de beaucoup de personnes.
Alors que les recherches et les soins concernant la stérilité féminine existent depuis
longtemps, l'infertilité masculine constitue pour les médecins un terrain à explorer.

Les examens

Tout diagnostic repose d'abord sur un examen du sperme : le spermogramme. Il permet d'étudier le nombre de gamètes mâles, leur morphologie, leur mobilité, ainsi que le liquide de l'éjaculat. D'autres examens peuvent le compléter. Ils ont pour but de mesurer les dosages hormonaux et d'étudier la naissance de la cellule mâle, base de la fabrication des spermatozoïdes. À partir de toutes ces investigations, on détermine deux grandes classes d'anomalies : celles qui portent sur le nombre et celles qui affectent le fonctionnement. Dans 8 % des cas, on découvre la cause de stérilité la plus irrémédiable : l'azoospermie. C'est l'absence totale de spermatozoïdes. La raison de ce trouble est hormonale, soit au niveau glandulaire, soit au niveau de l'hypophyse. Certaines thérapeutiques hormonales en viennent pourtant à bout.

De nombreuses causes physiologiques

• L'atteinte de l'épididyme : les testicules font leur travail mais le système de distribution est déficient. Cela peut être le résultat d'une infection vénérienne ou d'une anomalie congénitale (déformation, absence ou obstruction des conduits). Les traitements, à base d'antibiotiques notamment, sont les meilleurs remèdes dans le premier cas. L'intervention chirurgicale est souvent nécessaire dans le second. Mais un tiers seulement des sujets traités pourront retrouver une fécondité suffisante.

• La distribution est bonne mais les testicules fonctionnent mal : les spermatozoïdes sont absents à la suite d'une lésion, d'oreillons mal soignés après la puberté, ou après une dose trop importante de rayons X. Il peut s'agir aussi d'une anomalie chromosomique. Dans tous ces cas, la stérilité est souvent grave, parfois définitive.

• L'oligozoospermie : c'est la présence en trop petit nombre de spermatozoïdes. Plusieurs raisons peuvent être avancées pour expliquer cette anomalie, notamment une cryptorchidie ou mauvaise descente des bourses. La chirurgie est souvent indispensable. Il est préférable pourtant de fixer le ou les testicules avant la puberté.

• Une varicocèle : il s'agit d'une varice du testicule. C'est l'une des principales causes de stérilité masculine. La chirurgie élimine facilement cette varicocèle. L'intervention est bénigne. Le spermogramme va s'améliorer une fois sur deux environ. Mais il faudra attendre plusieurs mois, voire plusieurs années, avant d'avoir la possibilité de procréer.

• Une infection : elle n'est pas toujours facile à détecter. Elle se soigne avec des antibiotiques. Le traitement peut durer plusieurs mois.

• Les testicules ne sont pas maintenus dans les bourses : une intervention chirurgicale est nécessaire.

Des raisons accidentelles

La stérilité masculine peut aussi être accidentelle : choc sur les testicules, suites opératoires (hernies) ou simplement forte fièvre.

Sous l'effet d'une forte fièvre, les testicules sont sujets à une inflammation avec une certaine tuméfaction. Quand elle disparaît et après cicatrisation, il arrive que les tubes séminifères, chargés de la production des spermatozoïdes, soient endommagés (p. 63). La stérilité peut aussi s'expliquer par la profession du sujet si celui-ci travaille, par exemple, dans une atmosphère très chaude (comme les boulangers, les métallurgistes, etc.) ou s'il manipule fréquemment des éléments radioactifs.

Les hommes obèses, atteints de cirrhose ou diabétiques peuvent également devenir de mauvais procréateurs. Mais leurs cas se soignent généralement bien. Enfin, les angoissés et les hyper anxieux peuvent connaître les mêmes troubles. Un bon traitement psychologique est alors capable de les aider.

L'examen du sperme

Les anomalies du nombre de spermatozoïdes permettent le diagnostic clair d'une stérilité momentanée ou définitive. On sait également qu'une anomalie de la mobilité ou du pouvoir fécondant du spermatozoïde est rarement à l'origine d'une véritable stérilité, mais plutôt d'une hypofertilité. Les causes des asthénozoospermies (manque de mouvement) sont multiples et leur traitement, aujourd'hui encore, fort infructueux.

Les examens les plus courants pour rechercher les causes d'une stérilité masculine sont essentiellement le spermogramme (p. 63), la spermoculture, si on suppose la présence de germe infectieux, et les dosages hormonaux. Depuis peu de temps est née une spécialisation médicale, l'andrologie, qui s'applique à tous les troubles de l'appareil génital masculin en y ajoutant les difficultés de la fertilité et de la sexualité.

Il semble que, dans l'ensemble, les hommes vivent les difficultés de leur couple à avoir un enfant beaucoup plus mal que leur épouse. Ils ne sont pas enthousiasmés par les recherches sur les causes de cette infertilité et, lorsqu'elle leur est attribuée, ils culpabilisent, dépriment. Pour beaucoup d'entre eux, stérilité et impuissance ne font qu'un.

L'insémination artificielle avec recours à un donneur (p. 507) pour satisfaire le besoin d'enfant d'un couple est très souvent vécue douloureusement par les hommes.

Il leur faut parfois de longs mois pour accepter cette situation.

Sexualité et infertilité

Certains troubles de la sexualité masculine ont une incidence sur la fertilité comme les troubles de l'érection. Les spécialistes estiment que 10 à 20 % de la population masculine en souffriraient à des degrés divers.

L'éjaculation précoce avant pénétration est le trouble le plus fréquent et celui que l'on réussit à soigner le mieux. Les causes en sont presque toujours psychologiques.

À chacun ses responsabilités

Longtemps, ce sont les femmes qui ont porté seules la responsabilité de l'infertilité du couple. Aujourd'hui, les chiffres montrent que cette difficulté est largement partagée dans le couple. Dans 30 % à 40 % des cas, c'est la femme qui est exclusivement en cause, dans 20 % à 30 %, la cause est exclusivement masculine, dans 15 % à 30 %, les causes sont partagées entre les deux partenaires et, dans 5 % à 10 %, les raisons de l'infertilité sont inexpliquées.

Enfin, on sait que le sperme des hommes d'aujourd'hui est plus pauvre en spermatozoïdes qu'autrefois (2 % de moins par an). Les hypothèses vont bon train : est-ce dû à la pollution ou à un changement de mode de vie ? ■

1ER MOIS

2E MOIS

3E MOIS

4E MOIS

5E MOIS

6E MOIS

7E MOIS

8E MOIS

9E MOIS

LA NAISSANCE

LES 1RES SEMAINES DE MAMAN

LES 1RES SEMAINES DE BÉBÉ

GROSSESSES DIFFÉRENTES

ANNEXES

À surveiller

Les grossesses obtenues après fécondation in vitro sont souvent à risque et demandent donc une surveillance accrue. Différentes études montrent pourtant un taux de fausses couches au premier trimestre identique à celui des fécondations naturelles (28 % environ). La naissance survient prématurément si plusieurs embryons ont été implantés. C'est ce qui justifie la tendance actuelle à ne pas réimplanter trop d'embryons. Il semble que le retard de croissance soit un peu plus fréquent que la normale. Le nombre d'accouchements par césarienne est élevé. Par contre, toutes les études faites sur les enfants nés d'une fécondation in vitro montrent qu'ils ont un développement physique et psychique tout à fait dans les normes. ▪

Le nombre fait la force

Le recours à la FIV a une influence sur le nombre de grossesses multiples. En effet, pour être sûrs de provoquer une grossesse, les médecins implantent plusieurs œufs à la fois. Certains d'entre eux ne poursuivent pas leur évolution mais d'autres (un, deux, trois ou quatre) peuvent devenir des embryons parfaitement viables. C'est aux parents alors de décider s'ils veulent autant d'enfants en une seule fois. Très souvent, leur décision est de garder deux ou trois enfants. Aujourd'hui, bien des médecins estiment que le nombre normal d'embryons réimplantés ne devrait pas dépasser deux. Le recours à la congélation des embryons permet aussi de limiter le nombre d'enfants par grossesse, ceux-ci pouvant être réimplantés ultérieurement. ▪

Un peu de vocabulaire

Derrière tous ces sigles se cachent des techniques capables d'aider à la procréation.

• AMP ou PMA signifie la même chose, respectivement : assistance médicale à la procréation et procréation médicalement assistée. C'est l'ensemble des techniques qui permettent d'obtenir une grossesse sans rapport sexuel et tous les gestes qui précèdent et suivent cette assistance tels que le recueil du sperme et de l'ovocyte, la « culture » de l'embryon et la congélation des embryons surnuméraires.

• IA signifie insémination artificielle. IAD, insémination avec recours à un donneur. IAC, insémination avec le sperme du conjoint.

• FIV ou fécondation in vitro est le nom donné à la fécondation en éprouvette d'un spermatozoïde et d'un ovocyte en vue d'une réimplantation dans l'utérus maternel.

• Induction ovarienne ou stimulation ovarienne : la production d'ovocytes est stimulée par des médicaments au moment de l'ovulation. Naturellement, l'ovaire ne libère qu'un ovocyte par ovulation, ces stimulations permettent d'en faire éclore plusieurs afin de pouvoir pratiquer plusieurs fécondations in vitro pour obtenir, en un seul acte médical, plusieurs embryons.

• Coculture : mise en culture de l'embryon sur un tapis de cellules humaines ou animales pour favoriser son développement avant réimplantation.

• DPI : diagnostic préimplantatoire (choix d'embryons indemnes d'une maladie génétique transmise par les parents). ▪

▍ MON AVIS

Les biologistes sont capables, aujourd'hui, de cultiver in vitro les embryons pendant quatre ou cinq jours. Cette technique toute récente permet d'obtenir des embryons plus âgés et donc de pouvoir n'en transplanter qu'un ou deux avec des chances de survie plus importantes. C'est aussi le moyen d'éviter les grossesses multiples qui ne sont jamais simples et de donner plus de chances aux femmes qui, en raison d'un utérus petit ou cloisonné, ne peuvent supporter l'implantation de tous les embryons qui leur étaient destinés. ▪

La fécondation in vitro

ON ESTIME À 15 % LE NOMBRE DE COUPLES AYANT DES DIFFICULTÉS À AVOIR UN ENFANT. Certains font appel à la fécondation in vitro ou à tout autre mode de fécondation assistée. Aujourd'hui, en France, 40 000 bébés par an sont issus de l'assistance médicale à la procréation dont 20 000 grâce à une FIV ; 5 000 bébés sont conçus à la suite d'une FIV réalisée avec le sperme du conjoint et 2 000 avec le sperme d'un donneur. Quant aux naissances issues d'un don d'ovocyte, elles ne dépassent pas quelques dizaines.

La solution à bien des stérilités

Pour 60 % des FIV, il s'agit de stérilités dues soit à des problèmes mécaniques tels que trompes absentes, obstruées ou altérées, soit à des difficultés dues à la glaire. Mais ces infertilités sont parfois idiopathiques ; ce sont celles qui, pour l'instant, sont inexplicables et pour lesquelles tous les traitements ont échoué. Enfin, cette technique est encore tentée en cas d'échec à l'insémination artificielle ou de problèmes immunologiques. Tout commence pour la future maman candidate à une FIV, et qui a un fonctionnement ovarien normal, par un contrôle rigoureux de son ovulation qui, s'il le faut, sera stimulée par des médicaments. Cette stimulation se fait en utilisant des dosages hormonaux et en contrôlant par l'échographie la taille des follicules ovariens. La précision est telle qu'il est possible pour le médecin de prévoir très précisément quand aura lieu l'ovulation. Puis les ovocytes sont récupérés. Les prélèvements d'ovocytes se font par ponction à l'aide d'une aiguille introduite par voie vaginale et sous contrôle échographique.

La rencontre des gamètes

Les spermatozoïdes du conjoint sont recueillis par masturbation. Ils sont lavés quelques heures avant la mise en contact avec l'ovule qui, lui, est conservé dans un milieu particulier. On mêle alors dans l'éprouvette un ovocyte à 10 000 ou 20 000 spermatozoïdes mobiles. Les œufs ainsi formés sont placés dans un incubateur à 37 °C. Quelque 48 heures plus tard, l'œuf compte déjà quatre cellules. La réimplantation d'un et souvent de plusieurs embryons dans le fond utérin se fait par un cathéter et ne demande à la femme que quelques minutes de repos. Elle peut ensuite avoir une vie de future maman tout à fait normale.

Plus récente est la technique de la micro-injection. On prélève par micro-aspiration un spermatozoïde de l'éjaculat masculin et, après prélèvement de l'ovule maternel, et par l'intermédiaire d'une micropipette, on place au centre de l'ovocyte le seul et unique spermatozoïde. Cette méthode est de plus en plus utilisée, dans 40 % des FIV. Elle tend à se développer pour traiter les stérilités masculines les plus fréquentes. Elle exige une enquête génétique poussée avant toute programmation. ■

" Toutes les études montrent que les enfants nés d'une fécondation in vitro, même après congélation, sont tout à fait semblables aux autres. "

1ER MOIS

2E MOIS

3E MOIS

4E MOIS

5E MOIS

6E MOIS

7E MOIS

8E MOIS

9E MOIS

LA NAISSANCE

LES 1RES SEMAINES DE MAMAN

LES 1RES SEMAINES DE BÉBÉ

GROSSESSES DIFFÉRENTES

ANNEXES

505

La fécondation in vitro *en savoir plus*

Fécondation sans spermatozoïdes

L'ICSI (Intracytoplasmic Sperm Injection) est une technique dérivée de la fécondation in vitro. Elle est en plein développement car elle donne un espoir nouveau dans les soins des stérilités masculines, notamment celles dues à des insuffisances spermatiques sévères, les spermatozoïdes étant alors souvent incapables de pénétrer la membrane qui entoure l'ovocyte. L'ICSI donne des résultats identiques à ceux obtenus par les fécondations in vitro, soit 20 à 25 % de grossesses. Cette technique a même permis à des hommes dont le sperme ne contenait pas de spermatozoïdes de devenir pères. En effet, aujourd'hui, on la pratique en prélevant des spermatozoïdes dans l'épididyme ou dans le testicule, et même en utilisant des spermatides cellules qui, après évolution, deviennent des spermatozoïdes. La rencontre des gamètes masculins et féminins est réalisée par le biologiste grâce à un matériel microscopique sophistiqué. Il introduit doucement un spermatozoïde choisi pour ses qualités de fécondabilité dans le cytoplasme de l'ovocyte. Les embryons ainsi formés sont ensuite transférés dans l'utérus de la femme. ●

Réalité ou science-fiction

Il semble que les embryons congelés résistent parfaitement au temps et que la réussite de l'implantation ne soit pas liée à la date de leur cryptoconservation.

Aujourd'hui, la loi limite la conservation des embryons à cinq ans. Le sperme se conserve sans dommage, et des recherches en cours tendent à faire penser que, dans quelques années, il sera possible de congeler les cellules souches des spermatozoïdes, les spermatogonies. De même, des recherches se développent pour parvenir à congeler les ovules et à les aider, in vitro, à mûrir. Les chercheurs aimeraient savoir pourquoi parmi tous les embryons de la même origine, certains se développent alors que d'autres périssent.

Ils souhaitent encore connaître les raisons qui font échouer une implantation sur deux. Ils travaillent sur l'effet d'une substance, la cytokine qui favorise l'accrochage de l'embryon dans la paroi utérine. Toutes ces recherches ont pour but de traiter de plus en plus de types de stérilité. Elles éviteraient aussi, dans l'avenir, d'avoir à conserver des embryons et permettraient de régler ainsi un certain nombre de problèmes éthiques. ●

▌ MON AVIS

Aujourd'hui, grâce aux progrès des analyses génétiques et à la fécondation in vitro, la médecine peut aider les couples susceptibles de transmettre des maladies héréditaires graves à leur descendance. Par la technique du diagnostic préimplantatoire (DPI), les médecins peuvent choisir de ne transférer dans l'utérus maternel que les embryons non porteurs de la maladie. Le DPI s'adresse à des parents porteurs non atteints, mais dont la maladie génétique a été parfaitement identifiée. Il ne faut pas craindre la dérive vers un eugénisme qui aboutirait au tri des embryons, les « bons » et les « mauvais », pour des raisons autres que médicales, parce que ces techniques de procréation sont strictement encadrées par des lois et des comités scientifiques de surveillance. Le DPI est proposé aux couples, à eux ensuite de faire leur choix. Je rencontre tous les jours des couples qui ne demandent pas un enfant parfait, mais un enfant qui soit le fruit de leur amour. ●

Quand le donneur
est indispensable

DANS CERTAINS CAS DE STÉRILITÉS, le couple qui désire avoir un enfant doit faire appel à un donneur. Ces dons peuvent être de deux natures, un don de sperme ou bien un don d'ovocyte.

Avoir recours à un donneur

Le don de sperme permet une insémination artificielle. C'est la plus ancienne méthode de procréation médicalement assistée. Le sperme d'un donneur anonyme est recueilli après masturbation. Il est analysé pour contrôler qu'il n'est pas porteur d'anomalies, notamment chromosomiques, et que son pouvoir fécondant est normal. Le sperme sélectionné est alors congelé, dans de l'azote liquide, sous forme de paillettes. Depuis 1973, en France, ce sont les CECOS, Centres d'étude et de conservation des œufs et du sperme, qui sont seuls habilités à recueillir les dons (légalement bénévoles). À la demande des centres hospitaliers agréés pour effectuer des procréations médicalement assistées, ils livrent des paillettes correspondant aux critères de morphologie du couple que lui donne l'équipe médicale. Ces paillettes sont déposées à l'entrée du col de l'utérus ou dans l'utérus même de la femme qui en a fait la demande. La fécondation se déroule ensuite comme s'il y avait eu un rapport sexuel. Le don de sperme peut aussi être utilisé pour une FIV ou une micro-injection.

Solliciter une donneuse

Le don d'ovocytes permet aux femmes souffrant d'insuffisance ovarienne de devenir mères. Dans ce cas, les ovocytes sont prélevés puis fécondés in vitro avec le sperme du conjoint de la femme désirant une grossesse. Le transfert peut se faire avec des embryons congelés ou frais. Dans le second cas, il faut alors que donneuse et receveuse aient des cycles synchronisés. Mais la plus grande difficulté de ce traitement contre la stérilité tient au nombre de dons. Alors que les demandes sont de plus en plus nombreuses chaque année, les ponctions sont de l'ordre de quelques centaines par an. Il semble que la loi de 2004, qui impose le don anonyme et gratuit, soit à l'origine de difficultés dans le recrutement des donneuses. En effet, avant cette loi, la plupart des patientes à la recherche d'un don trouvaient elles-mêmes la donneuse, bien souvent une sœur ou une amie. Les dons spontanés sont peu nombreux et les couples choisissent souvent de partir à l'étranger, dans des pays où les lois sont différentes.

Solidarité entre couples

Lors de la préparation d'une fécondation in vitro, les biologistes provoquent la conception de plus d'embryons qu'il n'en sera réimplanté. Ces embryons surnuméraires sont conservés dans l'éventualité d'un autre projet d'enfants. Les couples qui y renoncent peuvent faire dons de leurs embryons à des couples stériles ou porteurs d'une maladie génétique. Ce don anonyme et gratuit est soumis à des règles précises, le couple receveur doit être reconnu comme souffrant d'une double stérilité c'est-à-dire que l'homme et la femme sont médicalement infertiles. ∎

1ER MOIS

2E MOIS

3E MOIS

4E MOIS

5E MOIS

6E MOIS

7E MOIS

8E MOIS

9E MOIS

LA NAISSANCE

LES 1RES SEMAINES DE MAMAN

LES 1RES SEMAINES DE BÉBÉ

GROSSESSES DIFFÉRENTES

ANNEXES

Les annexes

1ER MOIS

2E MOIS

3E MOIS

4E MOIS

5E MOIS

6E MOIS

7E MOIS

8E MOIS

9E MOIS

LA NAISSANCE

LES 1RES SEMAINES DE MAMAN

LES 1RES SEMAINES DE BÉBÉ

GROSSESSES DIFFÉRENTES

ANNEXES

L'état civil

Le nom de l'enfant

Depuis le 1er janvier 2005, les enfants nés d'un couple marié ou non peuvent porter le nom de leur père ou de leur mère, voire les deux, dans l'ordre choisi par eux.

Seule restriction à cette nouvelle loi : les enfants des mêmes père et mère devront avoir les mêmes noms et toujours dans le même ordre.

L'enfant peut-il changer de nom ?

• L'enfant qui porte uniquement le nom de sa mère peut, par la suite, prendre celui de son père si celui-ci le reconnaît. Mais les parents doivent en faire la demande conjointe auprès du greffier en chef du juge aux affaires familiales tant qu'il est mineur. À partir de 13 ans, le juge lui demandera son avis.

• Si l'enfant n'a pas de père reconnu et que sa mère se marie, l'époux de celle-ci peut lui donner son nom. Pour faire une « dation de nom », les époux doivent en faire la déclaration conjointe devant le greffier du tribunal de grande instance. Si l'enfant a plus de 13 ans, il devra donner son accord. Dans les deux ans qui suivent sa majorité, il pourra, s'il le souhaite, reprendre son nom d'origine en faisant la demande au juge des affaires familiales.

Le prénom de l'enfant

Aujourd'hui, les parents sont libres de choisir le(s) prénom(s) de leur enfant.

Si ce ou ces prénoms seuls, associés entre eux ou associés au nom de famille, paraissent contraires à l'intérêt de l'enfant ou au droit des tiers à protéger leur patronyme, l'officier d'état civil en avisera sans délai le procureur de la République qui, lui-même, saisira le juge aux affaires familiales. En attendant le jugement, l'état civil de l'enfant portera le prénom choisi par les parents. Si le jugement oblige les parents à changer le prénom, celui-ci sera supprimé de l'état civil.

Le juge demandera alors un autre prénom aux parents, ou, à défaut, en attribuera un lui-même. Toutes ces décisions seront portées en marge des actes d'état civil de l'enfant.

La déclaration de naissance

Dans un délai maximal de trois jours suivant l'accouchement, la déclaration de naissance de l'enfant doit être faite à la mairie dont dépend la maternité (arrondissement, ville, village).

La personne effectuant cette déclaration doit obligatoirement avoir avec elle le livret de famille remis au couple au moment du mariage (ou du moins une pièce d'identité), ainsi que le certificat de naissance délivré par le médecin ou la sage-femme ayant pratiqué l'accouchement.

La déclaration de naissance donne lieu à l'enregistrement d'un acte de naissance.

Celle-ci, officiellement reconnue et inscrite sur le livret de famille, permettra l'établissement de documents tels que copie ou extrait de l'acte de naissance, fiche simple ou familiale d'état civil.

La copie ou l'extrait d'acte de naissance

Sur l'acte officiel de naissance sont inscrits le jour, l'heure, le lieu de naissance de l'enfant, ses nom et prénom(s) ainsi que les identités, les dates de naissance, les professions et adresse(s) du père et de la mère.

La copie ou l'extrait de cet acte sont délivrés sur simple demande, directement ou par correspondance, à la mairie ayant enregistré la déclaration.

Comment obtenir un extrait de naissance

• Les seuls renseignements à fournir sont le nom, le(s) prénom(s) et la date de naissance de la personne concernée. Cette formalité peut être effectuée par toute personne mandatée.

Comment obtenir la copie de l'acte de naissance

• Les renseignements à fournir sont le nom, le(s) prénom(s) et la date de naissance de l'intéressé. Cette formalité ne peut être effectuée que par les parents ou un membre de la famille devant faire la preuve de son lien de parenté. Chacune de ces pièces est gratuite. En cas de demande par correspondance, ne pas omettre de joindre une enveloppe timbrée et libellée à l'adresse de retour.

La filiation, la légitimation

La filiation légitime est celle d'un enfant conçu ou né dans le mariage.

Légalement et dans ce contexte, l'enfant a pour père le mari de sa mère. En plus des enfants légitimes de naissance, il existe des enfants légitimes, soit par la reconnaissance déclarée conjointement ou le mariage de leurs parents, soit par un acte d'adoption officiel. Cette filiation ou légitimation entraîne des droits et des devoirs de la part des parents envers l'enfant, mais aussi de l'enfant envers ses parents.

Action en reconnaissance de paternité

On peut en faire la demande au tribunal de grande instance si on peut :

- apporter la preuve de relations intimes avec le père pendant la période de conception (180 à 300 jours avant la naissance) ;
- justifier d'une « bonne conduite » pendant cette période.

La procédure doit être engagée dans les deux ans qui suivent la naissance, ou à la fin d'un concubinage notoire, ou encore à la majorité de l'enfant. Le père peut, dans certains cas, être condamné à verser des dommages-intérêts et une pension alimentaire.

Reconnaissance d'un enfant naturel

Elle établit la filiation entre un enfant, né hors mariage, et ses parents.

Le père et la mère de l'enfant peuvent le reconnaître s'ils sont tous deux célibataires, si le père est marié de son côté, si la mère est mariée de son côté. Il est alors indispensable que son mari légitime n'élève pas l'enfant. La reconnaissance par la mère est automatique dès l'établissement de l'acte de naissance et ne demande aucune démarche. Elle peut également reconnaître l'enfant avant sa naissance pour qu'il porte son nom. Elle doit alors s'adresser à la mairie de son domicile. L'enfant porte le nom du premier de ses parents qui l'a reconnu. Il peut porter le nom de son père ou le double nom si celui-ci l'a reconnu en second, en s'adressant au juge des tutelles avant que l'enfant ait 18 ans. À partir de 15 ans, on lui demandera son avis. Enfant naturel et enfant légitime ont les mêmes droits en matière de prestations familiales. L'enfant naturel donne droit à une augmentation du quotient familial pour le parent qui en a la charge. Une pension alimentaire peut être versée par le parent qui n'a pas la charge de l'enfant.

Le statut légal de l'enfant

L'enfant légitime est celui qui naît d'un couple marié. L'enfant naturel simple est né dans une famille où les deux parents sont célibataires. L'enfant naturel adultérin a un de ses deux parents marié avec une autre personne que celle qui est son père ou sa mère. Sont nés de parents inconnus les enfants dont le nom d'un ou des deux parents ne figure pas sur le registre d'état civil. Ils ont été déclarés à l'état civil par un seul des parents ou même, en cas d'abandon, par une personne ayant assisté à l'accouchement.

Un « acte solennel »

Un texte officiel prévoit que la reconnaissance d'un enfant à la mairie soit l'occasion d'une petite cérémonie appelée « acte solennel ». Au cours de cette cérémonie, l'officier d'état civil ou son représentant lit aux parents les articles du code civil portant sur leurs droits et leurs devoirs vis-à-vis de l'enfant. Cette pratique permet la reconnaissance conjointe avant la naissance et assure clairement la filiation des enfants naturels, leur donnant ainsi un statut presque équivalent à celui d'enfant légitime.

1ER MOIS

2E MOIS

3E MOIS

4E MOIS

5E MOIS

6E MOIS

7E MOIS

8E MOIS

9E MOIS

LA NAISSANCE

LES 1RES SEMAINES DE MAMAN

LES 1RES SEMAINES DE BÉBÉ

GROSSESSES DIFFÉRENTES

ANNEXES

Le suivi de la maternité

La déclaration de grossesse

Pour bénéficier de tous les avantages et de tous les droits que donne une grossesse, il est indispensable de la déclarer dans les quatorze premières semaines (soit avant la fin du troisième mois).

Cette reconnaissance officielle est faite par le médecin. Ce praticien peut être un médecin généraliste, un gynécologue, ou un médecin de PMI (protection maternelle et infantile). À l'issue de cette visite, il remet à la future maman un formulaire signé, composé de quatre feuillets.

Quels feuillets envoyer ?

• Les deux premiers feuillets (bleus) sont à adresser à l'organisme chargé des prestations familiales (CAF, Caisse de mutualité sociale, organisme spécifique) ;

• le troisième feuillet (rose) est destiné à l'organisme d'assurance maladie-maternité, ainsi que les feuilles de soins des différents examens médicaux et de laboratoire que le médecin aura prescrits. À la réception de ce dossier, la Sécurité sociale établit le carnet de maternité ;

• à l'issue des examens de contrôle, le quatrième feuillet (bleu) doit être envoyé, avant la fin du 4e mois, à la Caisse d'allocations familiales.

Les visites obligatoires

Longtemps au nombre de quatre, ces visites viennent de passer à sept, pour une meilleure surveillance de la maternité.

• La première visite est celle qui correspond à la déclaration de grossesse et elle a lieu obligatoirement avant la fin du troisième mois. Seul un médecin est habilité à la faire. Cette première visite comporte un examen clinique général, une prise de sang avec recherche du groupe sanguin et du facteur Rhésus, un dépistage de la syphilis, la recherche des défenses immunitaires acquises contre la rubéole et la toxoplasmose.

Est laissée à l'appréciation de la future maman la recherche d'une éventuelle séropositivité ou d'une hépatite C ou B.

• Les autres visites obligatoires peuvent être faites auprès d'une sage-femme. Elles ont lieu à peu près une fois par mois, dès le début du quatrième mois jusqu'à l'accouchement.

Tous les examens dont, systématiquement, un examen clinique et une analyse d'urine, sont remboursés par la Sécurité sociale.

L'examen du 6e mois de grossesse comprend d'autre part un dépistage de l'antigène HBS et une numération globulaire.

L'examen des 8e et 9e mois exige le contrôle du groupe sanguin.

Bien sûr, à ces examens cliniques classiques, s'ajoutent des surveillances spécifiques adaptées aux cas particuliers. C'est notamment le cas des grossesses dites « pathologiques ». Tout examen complémentaire est remboursé à 100 % par la Sécurité sociale sur justification médicale.

Le Guide de surveillance médicale mère et nourrisson

Il est envoyé à la future maman par la caisse de Sécurité sociale dont elle dépend. Pour le recevoir, il faut justifier du versement de cotisations sociales au cours du trimestre précédant le début de la grossesse (sous forme de bulletins de salaire ou d'attestations de versement) et envoyer un certificat du premier examen médical signé par un médecin avant la fin de la quatorzième semaine d'aménorrhée.

Ce nouveau guide est un calendrier personnalisé qui regroupe les informations sur les différents soins, examens, visites obligatoires, déclarations qui jalonnent la grossesse :

- les sept examens prénataux dont un examen facultatif du père au 3e mois ;
- la préparation à l'accouchement ;
- le repos prénatal ;
- le bulletin d'hospitalisation ;
- le certificat d'accouchement (à envoyer sous 48 heures à la Sécurité sociale avec une photocopie du livret de famille) ;
- la déclaration de naissance ;
- l'examen postnatal ;
- la surveillance médicale du bébé jusqu'à ses trois mois.

Votre guide maternité informe chaque professionnel de santé rencontré (médecins, sages-femmes, etc.) que vous bénéficiez de l'assurance maternité. Il utilisera les feuilles de soins habituelles. Ce guide est accompagné d'une série d'étiquettes informatisées à coller sur chaque feuille de soins remise au cours des différents examens médicaux et que vous adresserez à votre Caisse d'assurance-maladie (CPAM). Ce guide sera ensuite relayé par le guide de surveillance médicale enfant. En cas d'interruption de grossesse, ce carnet doit être retourné au centre de paiement de la Caisse d'assurance maladie.

Qu'est-ce que l'assurance maternité ?

Grâce à cette « assurance », la future maman devient un assuré social particulier.
Elle donne droit :
• au remboursement des différents frais de santé occasionnés par la grossesse et par l'accouchement ;
• aux indemnités journalières pendant les congés de maternité pour :
- les femmes salariées ;
- les femmes assurées sociales personnellement, telles que les commerçantes ;
- les femmes dont le mari est salarié (elles sont dites « ayants droit » d'un assuré social) ;
- les femmes dont le concubin est salarié, qui sont à sa charge effective lorsqu'ils vivent sous le même toit ;
- les jeunes filles encore à la charge de leurs parents, eux-mêmes assurés sociaux ;
- les femmes au chômage à condition d'être encore dans une période de maintien des droits ou de toucher le RMI ;
- les veuves ou les divorcées depuis moins de 1 an.

Le maintien des droits

La qualité d'ayant droit est conservée quatre ans après la date du changement de situation :
- à laquelle la future maman cesse d'être à la charge de ses parents ;
- à laquelle la future maman cesse de vivre en concubinage ou jusqu'au troisième anniversaire du dernier enfant à charge ;
- du décès du conjoint ou du concubin, ou jusqu'au troisième anniversaire du dernier enfant à charge ;
- de transcription du jugement de divorce dans les registres de l'état civil, ou jusqu'au troisième anniversaire du dernier enfant à charge ;
- de l'arrêt des études pour les jeunes femmes ayant terminé leur scolarité.

L'assurance personnelle

Pour celles qui n'ont aucune couverture sociale, il est possible de bénéficier de prestations maternité moyennant le paiement de cotisations (commerçantes, agricultrices, membres des professions libérales, artisanes).

L'affiliation s'effectue soit à votre initiative, soit à celle de votre Caisse d'assurance maladie.
Le montant des cotisations est calculé en fonction des revenus précédents, ou forfaitairement. Cette adhésion est définitive, tant que l'on ne bénéficie pas d'une couverture sociale à un autre titre.

Les conditions des prestations

Elles sont de deux ordres : remboursement des soins, des examens, des frais médicaux, pharmaceutiques, d'hospitalisation, et indemnités journalières ou revenu de remplacement.

Les salariées
Elles ont droit aux remboursements sous condition d'une durée d'immatriculation ou d'un versement minimal de cotisation soit :
- de 120 heures dans le mois civil précédant le début de la grossesse ;
- de 200 heures dans le trimestre civil précédant le début de la grossesse ;
- de 600 heures dans les six mois civils précédant le début de la grossesse (ou une cotisation de 1 040 fois le SMIC horaire dans la même période) ;
- de 1 200 heures dans l'année civile précédant le début de la grossesse ou une cotisation de 2 080 fois le SMIC horaire dans la même période ;
En cas de chômage, la future maman a droit à ces prestations si elle a cessé son activité moins de douze mois avant la grossesse et si elle justifie des conditions ci-dessus.
Les indemnités journalières sont versées aux salariées si, avant le début de la grossesse, ou avant le début des congés de maternité, ou avant la date de l'accouchement, elles justifient de :
- leur immatriculation à la Sécurité sociale dix mois au moins avant la date de l'accouchement ;
- d'un travail salarié de 200 heures dans le trimestre civil, date à date (ou une cotisation de 1 040 fois le SMIC dans les six mois civils).

Les non-salariées
Pour avoir droit aux prestations, elles doivent :
- être immatriculées à la Sécurité sociale dix mois avant la date de l'accouchement ;
- justifier de versements de cotisations dès la déclaration de grossesse.
Le droit aux prestations est apprécié à la date :
- de la conception de l'enfant ;
- ou du début du repos prénatal.

Mois civil : du 1er au 30, et selon le nombre d'heures de travail dans le mois (120 heures à temps plein et 60 heures à mi-temps).

1ER MOIS

2E MOIS

3E MOIS

4E MOIS

5E MOIS

6E MOIS

7E MOIS

8E MOIS

9E MOIS

LA NAISSANCE

LES 1RES SEMAINES DE MAMAN

LES 1RES SEMAINES DE BÉBÉ

GROSSESSES DIFFÉRENTES

ANNEXES

De quoi serez-vous remboursée ?

La prise en charge des frais par l'assurance maternité s'effectue dès la déclaration de grossesse jusqu'à l'examen postnatal.

L'assurance maternité s'applique :

• aux actes médicaux correspondant aux visites obligatoires, ainsi que les radiographies et les examens qui sont remboursés à 100 % selon le tarif de la Sécurité sociale, et gratuits dans les dispensaires et les PMI ;

• aux autres frais médicaux engagés à partir du sixième mois de grossesse jusqu'à la date de l'accouchement ;

• à l'achat d'une ceinture de grossesse sur prescription médicale ;

• aux frais médicaux occasionnés par une fausse couche ;

• aux séances de préparation à l'accouchement, animées par un médecin ou par une sage-femme (à 100 %) ;

• aux frais de transport en ambulance ou toute forme d'assistance médicale, du domicile à la maternité ou à l'hôpital, si l'état de santé l'exige ;

• aux frais d'hospitalisation et d'accouchement selon le type d'établissement (conventionné, agréé, etc.) ;

• au remboursement de l'examen postnatal. Le remboursement des soins ne sera effectué que si, d'une part, la déclaration de grossesse a été faite et si, d'autre part, les examens médicaux obligatoires ont bien eu lieu.

Il concerne :

- l'examen facultatif du père ;

- les examens médicaux obligatoires pré et post-nataux de la mère ;

- les huit séances de préparation à l'accouchement sans douleur, si elles sont effectuées par un médecin ou une sage-femme ;

- le remboursement des frais relatifs à la formule d'accouchement choisie ;

- les 10 séances maximales de rééducation de la paroi abdominale, prescrites sur avis médical.

Il est possible d'accoucher :

• à l'hôpital public : les frais sont pris en charge à 100 % dans la limite de douze jours d'hospitalisation et réglés directement par la Caisse d'assurance maladie. Au-delà, les frais sont pris en charge en fonction du régime d'assurance contracté ;

• dans une clinique conventionnée : selon le type de convention, les frais sont pris en charge pour tout ou partie et réglés directement par la Caisse d'assurance maladie. Au-delà de douze jours d'hospitalisation, l'assurance maladie prend le relais ;

• dans une clinique privée agréée, non conventionnée : la future maman fait l'avance de tous les frais et ne sera pas remboursée de la totalité de ses dépenses. Ainsi, les frais de séjour ne sont pas pris en compte et le remboursement des frais médicaux est fonction de la situation du médecin (conventionné ou non) ;

• chez soi : la Caisse d'assurance maladie verse dans ce cas un forfait de remboursement des frais médicaux et pharmaceutiques.

Sont également remboursées les dix séances de remise en forme après l'accouchement, effectuées chez un kinésithérapeute, sous réserve d'une entente préalable avec la Caisse d'assurance maladie.

Les soins ou les interventions particulières

L'accouchement sous anesthésie péridurale est remboursé en fonction de la convention que le médecin anesthésiste a passée avec la Sécurité sociale.

L'accouchement par césarienne est remboursé à 100 % (au tarif de la Sécurité sociale).

Votre enfant bénéficiera d'une prise en charge totale pour :

- l'hospitalisation et les soins dus à une prématurité ;

- les frais d'hospitalisation lorsque celle-ci intervient au cours des trente jours qui suivent la naissance ;

- la fourniture de lait maternel par un lactarium.

La durée de l'assurance maternité se modifie lorsque le médecin :
- prescrit un repos de deux semaines en plus, dès la déclaration de grossesse (grossesse pathologique) ;
- demande un repos supplémentaire de quatre semaines, après le congé de maternité (couches pathologiques).

Le Guide de surveillance médicale enfant

Il fait suite au Guide de surveillance médicale mère et nourrisson. Il est adressé aux mamans par la Caisse d'assurance maladie.
Ce guide est réparti en trois volets :
- première année du bébé ;
- deuxième et troisième années de l'enfant ;
- et la période de 4 ans à 6 ans.

Il se présente sous la forme d'un calendrier personnalisé accompagné d'étiquettes informatisées, à coller sur chaque feuille de soins remise lors des différentes visites et à envoyer à la Caisse d'assurance maladie.

Au cours de sa première année, votre bébé devra passer sept visites médicales obligatoires qui vous donneront droit au paiement des allocations postnatales et familiales. Elles doivent avoir lieu tous les deux mois au cours de la seconde année et tous les six mois lors des quatre années suivantes.

Le remboursement des soins de l'enfant

Durant sa première année, l'enfant bénéficie de l'assurance maternité qui rembourse tous les frais correspondant aux examens médicaux obligatoires et à une éventuelle hospitalisation. Après, toutes les visites médicales, les soins et les médicaments prescrits sont remboursés au titre de l'assurance maladie.

Réforme de l'assurance maladie

À savoir :
• Le pédiatre fait partie des spécialistes pouvant être consultés directement sans avoir à demander l'avis à un généraliste (le gynécologue entre aussi dans cette exception).
• Les remboursements des consultations ne seront pas pénalisés d'un euro s'il s'agit d'enfants de moins de 16 ans ou de futures mamans (à partir du 6e mois de grossesse).

1ER MOIS

2E MOIS

3E MOIS

4E MOIS

5E MOIS

6E MOIS

7E MOIS

8E MOIS

9E MOIS

LA NAISSANCE

LES 1RES SEMAINES DE MAMAN

LES 1RES SEMAINES DE BÉBÉ

GROSSESSES DIFFÉRENTES

ANNEXES

Vous et votre employeur

Le contrat de travail

Les femmes enceintes salariées sont protégées par les contrats à durée indéterminée.

Quelle que soit l'ancienneté, l'employeur ne peut pas licencier une femme enceinte pendant toute la période de sa grossesse, excepté pour faute grave non liée à l'état de grossesse ou en cas de maintien impossible du poste pour des raisons dites économiques.

• Pour les contrats à durée déterminée : jusqu'à la date du terme normal du contrat, l'employeur ne peut licencier la future maman.

De plus, le non-renouvellement du contrat, si celui-ci était prévu, ne peut être lié à l'état de grossesse.

• Pour les femmes en période d'essai : l'employeur ne peut prendre pour motif la grossesse pour arrêter l'essai. Cependant, en cas de rupture pour motif déguisé, la future maman devra faire la preuve que c'est bien la grossesse qui est la cause de l'interruption de la période d'essai.

• Pour celles qui sont à la recherche d'un emploi : aucun employeur ne peut invoquer l'état de grossesse pour refuser une embauche. Lors de l'entretien d'embauche, la future maman n'est pas tenue de le révéler. De même, le médecin du travail, suite à la visite médicale d'embauche, n'a pas à en informer l'employeur.

• S'il y a licenciement malgré tout : la future maman dispose d'un délai de quinze jours à partir de la notification de licenciement pour adresser à l'employeur, par lettre recommandée avec accusé de réception, un certificat médical attestant la grossesse. Ce certificat aura pour effet soit d'annuler le licenciement, soit d'obliger l'employeur à verser la totalité des salaires qu'elle aurait dû percevoir pendant la durée de protection légale.

Les formalités vis-à-vis de l'employeur

À aucun moment, la future maman n'est tenue légalement d'informer son employeur. Cependant, pour bénéficier de la protection sociale et percevoir les indemnités journalières durant la période du congé, il est indispensable de l'informer dès que possible, par lettre recommandée avec accusé de réception, de la date légale du départ en congé de maternité ainsi que de celle prévue pour la fin du congé. Y joindre un certificat médical attestant la grossesse.

Les conditions particulières de travail

La mutation temporaire

Si l'état de santé de la future maman l'exige, elle peut demander à son employeur un changement provisoire de type ou de poste de travail. Il faut alors présenter un certificat médical établi par le médecin traitant. En cas de désaccord entre le médecin et l'employeur, c'est le médecin du travail qui tranchera. L'employeur est alors tenu d'accepter cette décision et devra, quelle que soit la nature du changement apporté, maintenir la rémunération initiale si la future maman justifie de un an d'ancienneté dans l'entreprise.

Les horaires de travail

Mis à part la durée des congés de maternité, la loi ne prévoit pas d'aménagement d'horaires pour les femmes enceintes, sauf convention collective particulière.

La démission

Durant la grossesse, la future maman peut démissionner sans effectuer de préavis ni avoir d'indemnités de rupture de contrat à payer.

Les garanties...

... liées au contrat de travail

Pendant le congé de maternité, le contrat de travail est provisoirement suspendu ; mais la future maman continue à faire partie des effectifs de l'entreprise.

De ce fait, la période de congé de maternité est prise en compte dans le calcul tant des congés payés que de la retraite, tout comme des droits liés à l'ancienneté.

... liées à la reprise du travail

Lors de la reprise du travail, elle retrouve dans l'entreprise le poste qu'elle occupait initialement. De plus, elle bénéficie d'une protection complémentaire contre le licenciement durant les quatre semaines qui suivent la fin du congé de maternité.

Le congé de maternité

Divisée en deux périodes, sa durée varie selon le rang de l'enfant à venir et le nombre d'enfants à charge. En cas de grossesse à risque ou pathologique, et sur prescription médicale, le repos prénatal peut être prolongé de deux semaines. Ces deux semaines supplémentaires peuvent être prises à tout moment de la grossesse.

Si l'accouchement a eu lieu plus tôt que prévu, le repos postnatal est prolongé d'autant. Si l'accouchement se produit alors qu'aucun congé de maternité n'a été pris, le repos postnatal est de seize semaines après l'accouchement.

Si l'accouchement a lieu plus tard que prévu, la durée du congé postnatal sera maintenue. Que vous accouchiez à terme, avant ou après terme, les indemnités versées par la Sécurité sociale ne peuvent dépasser le temps légal des congés, soit 16 semaines.

Attention, si vous désirez prendre un congé de maternité plus court et bénéficier des prestations, notamment des indemnités journalières, il est obligatoire de vous arrêter de travailler au moins deux semaines avant la date de l'accouchement et six semaines après, soit une période minimale de huit semaines. La réduction du congé prénatal ne peut entraîner l'augmentation du congé postnatal (sauf convention collective particulière de l'entreprise).

De nombreuses conventions collectives prévoient des durées de congé et des rémunérations plus avantageuses. Il est donc fort utile de consulter celle dont vous dépendez.

En cas de grossesse multiple

Dans le cas d'une première grossesse gémellaire, il est possible d'ajouter quatre semaines au congé prénatal, mais la période postnatale en est réduite d'autant, à moins que la jeune maman ne demande une prolongation de ce congé pour raison médicale. Si la future maman a déjà un ou deux enfants à charge, le congé prénatal peut être augmenté de deux semaines sans justification médicale.

En cas de difficulté

Si, en raison d'une difficulté à l'accouchement ou d'une naissance prématurée, le bébé est encore hospitalisé six semaines après l'accouchement, il est possible de reprendre le travail et de garder les deux semaines restantes du congé postnatal pour accueillir l'enfant lors du retour à la maison. Cette disposition est soumise à l'accord du centre de Sécurité sociale. À partir de la naissance d'un troisième enfant, le congé postnatal est de dix-huit semaines.

Si le bébé est toujours hospitalisé six semaines après sa naissance, la mère peut reprendre son emploi et garder le solde de ses congés de maternité pour le moment où l'enfant rentrera chez lui.

Les indemnités journalières

Pour les salariées

L'indemnité journalière est égale à 100 % du salaire journalier de base. Le salaire journalier de base se détermine à partir du salaire de référence qui est divisé par le nombre de jours ouvrables (exemple 30 jours par mois, dans le cas d'un salaire mensuel). Les trois derniers mois de salaire soumis à cotisation étant pris en considération, le salaire de référence est divisé par 90 jours.

1ER MOIS

2E MOIS

3E MOIS

4E MOIS

5E MOIS

6E MOIS

7E MOIS

8E MOIS

9E MOIS

LA NAISSANCE

LES 1RES SEMAINES DE MAMAN

LES 1RES SEMAINES DE BÉBÉ

GROSSESSES DIFFÉRENTES

ANNEXES

Nombre d'enfants à charge	Naissances nouvelles	Congé parental	Congé postnatal	Durée totale du congé de maternité
0	• Naissance simple • jumeaux • triplés et plus	6 semaines 12 semaines 24 semaines	10 semaines 22 semaines 22 semaines	16 semaines 34 semaines 46 semaines
1	• Naissance simple • jumeaux • triplés et plus	6 semaines 12 semaines 24 semaines	10 semaines 22 semaines 22 semaines	16 semaines 34 semaines 46 semaines
2	• Naissance simple • jumeaux • triplés et plus	8 semaines 12 semaines 24 semaines	18 semaines 22 semaines 22 semaines	26 semaines 34 semaines 46 semaines

Les formalités

Les indemnités journalières sont perçues généralement six semaines avant la date présumée de l'accouchement (congé prénatal) pour se terminer dix semaines après la date de l'accouchement (congé postnatal), soit seize semaines au total. Cette durée varie lorsqu'il y a naissance multiple : elle est alors de douze semaines après la naissance ; pour le troisième enfant, la durée totale est portée à vingt-six semaines.

À condition d'être personnellement assurée et sous réserve d'un minimum de dix mois d'immatriculation à la Sécurité sociale, la maman bénéficie d'indemnités équivalant, au minimum, à 100 % de son salaire journalier de base. Elles ne peuvent pas dépasser un montant net de 77,24 € (75,65 € en Alsace-Moselle).

Selon les employeurs et les conventions collectives, la salariée peut toucher l'intégralité de son salaire. Soit l'employeur continue à la payer, soit il ne lui verse que le complément de salaire, la salariée touchant directement ses indemnités journalières.

Celles-ci sont alors versées automatiquement tous les quatorze jours. Les congés de maternité comptent comme des périodes de travail dans le calcul des congés et des retraites. Les indemnités journalières versées par la Sécurité sociale sont soumises à l'impôt sur le revenu et aux prélèvements sociaux.

Pour les agricultrices chefs d'exploitation ou salariées

Elles bénéficient d'indemnités journalières qu'elles soient salariées ou qu'elles exercent une activité à titre secondaire dès lors qu'elles sont immatriculées depuis au moins 10 mois au régime d'assurances sociales. Elles doivent cesser tout travail pendant la période d'indemnisation et au minimum pendant 8 semaines.

Les indemnités sont dues 6 semaines avant la date de l'accouchement et 10 semaines après si c'est un premier ou un deuxième enfant.

Pour la naissance d'un troisième enfant, le congé prénatal est porté à 8 semaines et le congé postnatal à 18. Pour une naissance de jumeaux, le congé indemnisé est de 12 semaines avant l'accouchement et de 22 semaines après.

Le montant des indemnités est calculé à partir du salaire de la future maman encadré par un minima et un maxima. Le congé et l'indemnisation pour une adoption est de 10 semaines à partir de l'arrivée de l'enfant.

Pour les agricultrices conjointes non salariées

Elles peuvent bénéficier d'une indemnité de remplacement au prorata de leur activité à temps partiel sur l'exploitation dans la limite de 60 % de la durée légale du travail et dans la période allant de 6 semaines avant l'accouchement à 10 semaines après pour une grossesse normale. Le montant de l'indemnisation journalière est fixé tous les ans entre la Mutualité sociale agricole et les organismes de remplacement.

Pour les professions libérales, les commerçantes et les artisanes, pour les « chefs d'entreprise »

Si elles souhaitent interrompre leur activité, elles peuvent percevoir une indemnité journalière forfaitaire à condition de s'arrêter 44 jours consécutifs au moins entre le 9e mois de grossesse et le 1er mois de l'enfant. Elles reçoivent alors une indemnité d'environ 2 115 €.

Elles peuvent prolonger cet arrêt de travail par 2 fois 15 jours consécutifs dont elles sont indemnisées chaque fois par une aide de 721,50 € soit d'environ 2 835 € pour 59 jours d'arrêt et 3 560 € pour 74 jours.

En cas de grossesse difficile ou de grossesse multiple, l'arrêt d'activité peut compter 30 jours supplémentaires compensés par un versement d'environ 1 440 €.

S'il s'agit d'une adoption, il est prévu un arrêt de 56 jours suivi ou non d'une période de 30 jours. L'indemnité pour 56 jours est d'environ 2 695 € et d'environ 4 135 € pour 86 jours.

Ces futures mamans ont droit à une allocation forfaitaire de repos maternel, cumulable avec les indemnités précédentes selon la durée de l'arrêt (44, 59, 74 jours pour une naissance simple ; 104 jours pour une naissance pathologique ou multiple).

Elle est versée pour moitié au 7e mois de grossesse et pour moitié après l'accouchement.

Son montant est de 2 885 €. En cas d'adoption, il est d'environ 1 440 €.

Pour les conjointes collaboratrices

Si elles cessent toute activité et se font remplacer par une personne salariée pendant au moins une semaine dans la période comprise entre 6 semaines avant l'accouchement et 10 semaines après, elles touchent une indemnité de remplacement d'environ 51 € par jour.

- En cas de grossesse pathologique, l'indemnité est portée à 2 141,58 € pour 42 jours d'arrêt.

- En cas de grossesse multiple, l'indemnité est portée à 2 855,44 € pour 56 jours d'arrêt. Si la grossesse est responsable d'un état pathologique, l'indemnité est de 3 569,30 € pour 70 jours d'arrêt.

- L'adoption donne droit à une indemnité maximale de 1 427,72 € pour 28 jours.
Les conjointes collaboratrices perçoivent également une allocation forfaitaire de repos maternel d'environ 2 855 € pour une naissance et de 1 427 € pour une adoption.

Le congé pour l'adoption

Les parents adoptifs ont droit à 10 semaines de congé à partir de la date où l'enfant est arrivé dans la famille. Si cet enfant est le troisième de la famille, ce congé est porté à 18 semaines et si l'adoption est multiple à 22 semaines. Il peut être pris par la mère ou le père, est fractionnable en deux à condition qu'il ne soit pas de moins de 4 semaines.
Si c'est la mère qui en profite, le père a droit aux 15 jours accordés à tout nouveau papa. Les indemnités journalières sont calculées sur la même base que celles accordées pour une maternité. Toutes les clauses du droit du travail liées à la maternité s'appliquent également en cas d'adoption d'un enfant.

Chômage et maternité

Seules les personnes recevant des allocations de chômage peuvent prétendre à un congé de maternité avec paiement d'indemnités journalières versées par la Sécurité sociale.
Elles sont calculées sur le salaire brut antérieur. Elles remplacent alors les allocations de chômage. Il est préférable d'informer sa Caisse d'allocations familiales de sa nouvelle situation afin de postuler au versement de l'allocation pour jeune enfant avant et après la naissance. La naissance d'un troisième enfant permet de bénéficier de l'allocation parentale d'éducation après les congés de maternité, mais là encore cette allocation suspend le versement des allocations de chômage.

Le congé parental d'éducation

Pour en bénéficier, il faut justifier de 1 an d'ancienneté dans l'entreprise à la date de naissance de l'enfant. Il peut s'appliquer à la future maman ou à son conjoint.
Ce congé initial est de 1 an, mais il peut être prolongé deux fois, jusqu'aux 3 ans de l'enfant, que l'on travaille à plein-temps ou à mi-temps.
Ce congé est sans solde et peut s'appliquer à l'un ou l'autre des parents, ensemble ou l'un après l'autre. À son retour, la personne ayant bénéficié

d'un congé parental retrouvera son poste ou un poste similaire. Selon la date à laquelle on décide de prendre ce congé parental, les formalités à accomplir sont différentes :
• si le congé parental prolonge immédiatement le congé de maternité, il faut avertir l'employeur par lettre recommandée avec accusé de réception, au moins un mois avant la fin du congé de maternité ;
• si le congé parental ne suit pas immédiatement le congé de maternité, il faut informer l'employeur (selon le même principe) au moins deux mois avant la date du début du congé souhaité. Il doit bien sûr être pris dans les trois ans qui suivent la naissance de l'enfant ;
• si le congé parental d'éducation se transforme en travail à mi-temps ou inversement, la demande doit être faite au moins un mois avant la date prévue. Dans une entreprise de plus de cent salariés, le congé parental d'éducation ne peut être refusé. À l'inverse, dans une entreprise de moins de cent salariés, l'employeur peut le refuser s'il estime que l'absence du salarié qui en fait la demande est préjudiciable à l'entreprise. Ce refus doit alors être notifié par lettre explicative, remise en main propre contre décharge, ou par courrier recommandé avec accusé de réception.
Cette disposition s'applique aussi en cas d'adoption. Dans la fonction publique, le congé parental peut être obtenu d'emblée pour 3 ans. Les parents adoptifs peuvent en bénéficier à condition qu'il soit pris dans les 3 ans qui suivent l'arrivée de l'enfant dans la famille ou dans les six ans si l'adoption porte sur plusieurs enfants.

Le congé du père

Depuis le 1er janvier 2002, les pères peuvent bénéficier de 11 jours supplémentaires aux 3 jours accordés et payés par l'employeur. En cas de naissance multiple, la durée est de 18 jours. Ils doivent être pris dans les 4 premiers mois qui suivent la naissance ou l'adoption. Lors de ce congé, le contrat de travail est suspendu, le salarié n'est plus rémunéré, mais il touche une indemnité.
S'il appartient au régime général de la Sécurité sociale, l'indemnité est égale à 100 % du salaire brut, moins les cotisations sociales, dans la limite du plafond mensuel de la Sécurité sociale. Pour les autres régimes, c'est une indemnité de remplacement qui est accordée à 1/60e du plafond mensuel de la Sécurité sociale pour les chefs d'entreprise et à 1/28e pour les conjoints collaborateurs.

1ER MOIS

2E MOIS

3E MOIS

4E MOIS

5E MOIS

6E MOIS

7E MOIS

8E MOIS

9E MOIS

LA NAISSANCE

LES 1RES SEMAINES DE MAMAN

LES 1RES SEMAINES DE BÉBÉ

GROSSESSES DIFFÉRENTES

ANNEXES

Il est maintenant possible de prendre un congé limité à un an. La rémunération est de 750 euros par mois. Cette disposition a pour but de faciliter le retour à l'emploi sans un trop grand déphasage.

Les possibilités de réduction ou de suspension d'activité

À l'issue de son congé de maternité, la jeune mère peut décider de démissionner ou de ne reprendre son travail qu'à mi-temps.

• En cas de démission, il faut avertir l'employeur par lettre recommandée avec accusé de réception, au minimum quinze jours avant la reprise du travail. Cette formalité évite d'effectuer un préavis ou d'avoir à payer une indemnité de rupture de contrat. La jeune mère peut aussi, dans un délai maximal de douze mois après sa démission, solliciter sa réembauche auprès de l'employeur (par lettre recommandée avec accusé de réception).
En principe, celui-ci est tenu pendant un an de l'embaucher en priorité dans l'emploi correspondant à sa qualification.

• Pour obtenir un emploi à mi-temps, sauf convention ou accords collectifs plus favorables, il faut justifier d'au moins un an d'ancienneté dans l'entreprise au moment de la naissance de l'enfant. Cette possibilité de travail à mi-temps peut être accordée jusqu'au troisième anniversaire de l'enfant. Les modalités d'obtention sont identiques à celles du congé parental d'éducation.

L'allaitement pendant le temps de travail

Les conditions :
Les mères désirant allaiter leur enfant après la reprise de leur travail peuvent bénéficier d'une réduction d'horaires à raison d'une heure par jour durant toute la période de l'allaitement, répartie en deux pauses de 30 minutes chacune, l'une le matin, l'autre l'après-midi. Cette période ne peut excéder un an. Légalement, cette heure n'est pas rémunérée, mais de nombreuses conventions collectives en prévoient l'indemnisation.

Congé pour enfant malade

Sur justification d'un certificat médical, le père ou la mère d'un enfant malade peut prendre un congé non rémunéré, dans la mesure où il ne dépasse pas cinq jours, si l'enfant a moins de 1 an ou si le salarié assume la charge de trois enfants, ou plus, de moins de 16 ans. Certaines entreprises ont institué des conventions collectives plus confortables ouvrant droit à plus de jours d'absence ou à une rémunération de ces congés.

Allocation journalière de présence parentale

Cette aide est destinée à permettre à l'un des parents d'interrompre momentanément son activité professionnelle pour soigner un enfant gravement malade ou accidenté s'il a entre 0 et 20 ans. Elle est attribuée sans condition de ressource et quel que soit le type d'activité exercée. Elle est versée pour quatre mois, renouvelable deux fois. Pendant toute la durée du versement, le contrat de travail et la protection sociale sont maintenus. L'allocation est versée aussitôt après l'arrêt de travail. Son montant est variable selon que l'activité est suspendue totalement ou partiellement.

Mais il faut :

- avertir l'employeur de sa demande d'interruption totale ou partielle de l'activité. Celui-ci établira une attestation.
Pour les professions non salariées, une attestation sur l'honneur sera établie.
- remplir une demande auprès de la CAF et l'accompagner d'un certificat médical détaillé établi par un médecin hospitalier ;
- renouveler sa demande quinze jours avant le terme du congé initialement prévu.

La naissance d'un enfant prématuré

Depuis février 2005, les mamans ayant mis au monde un enfant prématurément peuvent bénéficier d'un allongement de leur congé de maternité équivalent au nombre de jours séparant la naissance effective et la date présumée de l'accouchement. Ces congés sont pris en charge par la Sécurité sociale.

Les modes de garde

Tous modes de garde confondus, la France dispose en matière de capacité d'accueil de la petite enfance de 242 600 places. Bien que ces chiffres soient tous les ans en augmentation, il existe de grosses disparités régionales.

La crèche publique ou privée

Elle accueille les petits de 2 mois à 3 ans, toute la journée, sous la surveillance d'un personnel qualifié. Elle est généralement gérée par la commune, le département ou la Caisse d'allocations familiales. Il faut s'inscrire soit à la crèche, soit au service social de la mairie. Pour la crèche publique, les deux parents doivent justifier d'une activité rémunérée. Les tarifs sont calculés en fonction des revenus du couple parental. Il existe 224 crèches d'entreprises qui accueillent 15 000 enfants. Le plus grand nombre de ces crèches sont rattachées à des hôpitaux. Des aides publiques devraient permettre la création de 4 000 nouvelles places.
Dernière tendance, l'ouverture de crèches à horaires décalés qui ouvrent très tôt le matin et ferment très tard le soir ; elles sont particulièrement destinées à recevoir les enfants dont les parents ont des horaires de travail particuliers.

La crèche parentale

C'est un mode de garde autogéré par des parents sous la responsabilité d'un professionnel.
Les parents y assurent à tour de rôle une présence, avec l'aide d'un ou de plusieurs permanents recrutés et salariés par les parents réunis en association.

La crèche familiale

Elle assure la garde d'un ou de plusieurs enfants au domicile d'assistantes maternelles agréées par la DASES (Direction de l'action sociale de l'enfance et de la santé).
Cet agrément garantit des conditions sanitaires, matérielles et psychologiques satisfaisantes. Les assistantes maternelles sont sous la responsabilité d'une directrice, puéricultrice diplômée d'État. Elle les réunit toutes les semaines et contrôle régulièrement leur activité à leur domicile.

L'assistante maternelle

Elle garde les enfants à domicile, elle est agréée par la DASES.
Tarif et prestation se négocient directement avec elle. La liste de ces personnes est fournie par les services sociaux de la mairie.

La halte-garderie

Elle accueille pendant la journée les enfants de 3 mois à 6 ans.
L'inscription se fait auprès des responsables d'établissement. La direction est assurée soit par une puéricultrice, soit par une éducatrice de jeunes enfants.

La garde à domicile régulière

Elle est assurée par un jeune homme ou une jeune fille au pair, sur la base de cinq heures par jour avec obligation de logement.

La garde à domicile temporaire

Elle est faite par une baby-sitter sans obligation de logement.
Se renseigner au CROUS (Centre régional des œuvres universitaires et scolaires), dans les CIJ (Centres d'information pour la jeunesse) ou les CIDF (Centres d'information sur les droits des femmes).

Les centres maternels

Ils accueillent des femmes enceintes en difficulté, seules ou avec un enfant de moins de 3 ans. Généralement, les futures mamans y sont hébergées à partir du 7e mois de grossesse et jusqu'à ce que l'enfant ait 3 ans. Le montant de l'hébergement est calculé en fonction des revenus.

La Croix Rouge (américaine, suisse et française) a mis en place une formation pour les baby-sitters. à raison de 32 heures par session. Les candidats reçoivent des cours théoriques et pratiques assurés par des pédiatres, des puéricultrices et des infirmières.
Au programme : le développement physique et psychomoteur, les soins d'hygiène, l'éveil et le jeu, les gestes d'urgence et la prévention des accidents domestiques.
Un stage d'une journée ou deux dans une crèche ou un centre de PMI permet de passer de la théorie à la pratique. Les lauréats reçoivent une « Attestation nationale de formation de baby-sitter ».
Pour tout renseignement, téléphonez au correspondant départemental le plus proche.

1ER MOIS

2E MOIS

3E MOIS

4E MOIS

5E MOIS

6E MOIS

7E MOIS

8E MOIS

9E MOIS

LA NAISSANCE

LES 1RES SEMAINES DE MAMAN

LES 1RES SEMAINES DE BÉBÉ

GROSSESSES DIFFÉRENTES

ANNEXES

Les allocations et les prestations

Les conditions de versement des prestations

Un certain nombre de règles sont communes à toutes les prestations sociales. Mieux vaut les connaître pour être sûr de recevoir exactement son dû.

• Les prestations familiales ne sont pas soumises à l'impôt ni à la CSG ; en revanche, certaines sont soumises à la RDS.

• Pour bénéficier de toute prestation versée par la caisse d'allocations familiales, il faut résider en France.

• Selon les allocations, il faut remplir certaines conditions de ressources, vérifiées directement par la CAF à partir de votre déclaration de revenus (ce sont toujours celles de votre déclaration fiscale de l'année précédente). Les droits aux prestations familiales sont revus au 1er juillet de chaque année, en fonction des revenus des années précédentes.

Si votre situation familiale ou sociale change en cours d'année, la CAF effectue de nouveaux calculs de vos droits. Il est donc important de l'avertir par courrier de toute modification de ressources. Votre numéro d'allocataire doit être porté sur tous vos courriers.

Pour vous aider sur Internet : www.caf.fr. Ce site permet d'obtenir aussi des informations générales et spécifiques.

En dehors des prestations légales, un certain nombre de municipalités accordent des aides particulières aux habitants, n'hésitez pas à vous renseigner auprès des services d'aide sociale de la mairie.

Les allocations versées dès la maternité

La prime à la naissance ou à l'adoption

C'est la seule allocation versée au cours de la maternité, au 7e mois de la grossesse pour chaque enfant à naître.
Elle est liée à la déclaration de grossesse avant la 14e semaine et au respect du premier examen prénatal obligatoire. Cette allocation est destinée à aider les familles à faire face aux dépenses occasionnées par l'arrivée d'un bébé.

Son montant
Il est d'un peu moins de 890 € versés en une seule fois, sous condition de ressources.
En cas de grossesse multiple, ce montant est multiplié par le nombre d'enfants à naître.
Le plafond de ressources est :
• modulé en fonction du nombre d'enfants à charge ;

• plus élevé lorsque les deux parents ont une activité professionnelle.
Pour l'ouverture du droit à cette prime, la situation de la famille sera appréciée le mois civil suivant le 5e mois de la grossesse.

La nouvelle loi sur l'adoption instaure une prime d'environ 1780 € versée aux parents adoptifs, sous certaines conditions de ressources. Pour l'obtenir, il faut adresser à la CAF les justificatifs d'adoption à l'arrivée de l'enfant dans la famille.

L'allocation de parent isolé (API)

Cette allocation garantit un revenu mensuel minimum aux femmes enceintes et aux personnes seules ayant au moins un enfant à charge de moins de 3 ans.
L'allocation est accordée si :
• ces personnes vivent véritablement seules

depuis au minimum 1 mois et au maximum 18 mois suivant l'événement à l'origine de leur solitude (séparation, divorce, abandon, veuvage). Le droit à l'API est ouvert à la date de la déclaration de grossesse. Elle peut être versée aux futures mamans vivant dans leur famille ou dans un hôtel maternel ;

• leur conjoint ou concubin est incarcéré depuis 1 mois, sauf s'il est astreint à un régime de semi-liberté. Le parent incarcéré ne peut prétendre à cette allocation que s'il verse une pension à un tiers pour l'entretien de son enfant ;

• la moyenne de leurs ressources mensuelles des 3 mois précédant la demande est inférieure au montant maximal de l'API.

Son montant

Cette allocation est un complément de ressources dont le montant est variable selon les situations. Elle est égale à la différence entre le montant des revenus maximaux que garantit cette allocation et la totalité des revenus imposables (salaire, pension alimentaire, autres prestations), plus un forfait « logement ». Celui-ci s'applique que vous soyez locataire, propriétaire ou bien logé gracieusement.

Sa durée

Elle est fonction de votre situation :

• si la demande est déposée dans les 6 mois qui suivent votre isolement, elle vous sera versée pendant 12 mois consécutifs ;

• si vous avez la charge d'un enfant de moins de 3 ans, elle vous sera versée jusqu'au mois précédent son troisième anniversaire.

Les futures mamans isolées commencent donc par la percevoir 12 mois et peuvent la voir se prolonger jusqu'au troisième anniversaire du dernier enfant à charge.

Les allocations versées dès la naissance de l'enfant

Votre enfant est né après le 1er janvier 2004

Dans le nouveau régime des prestations, la prestation d'accueil du jeune enfant, la PAJE, regroupe les cinq prestations versées jusqu'ici au titre la petite enfance (l'allocation pour jeune enfant, l'allocation d'adoption, l'allocation parentale d'éducation, l'allocation de garde d'enfant à domicile et l'aide à la famille pour l'emploi d'une assistante maternelle agréée) dans un objectif de simplification et de lisibilité de ces prestations ; 90 % des familles percevront désormais cette prestation.

La réforme améliore et simplifie toutes les aides existantes. Elle institue :

• une prime au 7e mois de la grossesse (p. 526) ;

• une allocation de base, un complément de libre choix d'activité ;

• un complément de libre choix du mode de garde lors de la reprise d'une activité professionnelle. Sachez que toute nouvelle naissance dans une famille fait « basculer » tous les aînés dans le nouveau régime quelles que soient leurs années de naissance.

La prestation d'accueil du jeune enfant (PAJE)

L'allocation de base

Elle intéresse les parents d'enfant de moins de 3 ans qui ne dépassent pas un certain plafond de ressources. Le versement de l'allocation de base est subordonné au respect des examens médicaux obligatoires de l'enfant, soit : au 8e jour, aux 9e et 24e mois.

1ER MOIS

2E MOIS

3E MOIS

4E MOIS

5E MOIS

6E MOIS

7E MOIS

8E MOIS

9E MOIS

LA NAISSANCE

LES 1RES SEMAINES DE MAMAN

LES 1RES SEMAINES DE BÉBÉ

GROSSESSES DIFFÉRENTES

ANNEXES

Pour tout complément d'information, adressez-vous à votre CAF ou consultez www.caf.fr

Son montant

Il est d'environ 178 € mensuels. En cas de naissance multiple, l'allocation de base sera versée pour chacun des enfants.

Pour l'obtenir, vous devez fournir à votre CAF ou à l'organisme dont vous dépendez, une déclaration de ressources.

Plafond de ressources

Il est modulé en fonction du nombre d'enfants à charge et est plus élevé lorsque les deux parents exercent une activité professionnelle.

L'adoption d'un enfant ouvre droit à l'allocation de base. Elle est versée pendant la même durée que pour les enfants naturels (soit 36 mensualités).

Le complément de libre choix d'activité

Il est attribué lorsque l'un des parents décide de ne plus exercer d'activité professionnelle ou de travailler à temps partiel pour s'occuper d'un enfant de moins de 3 ans (date anniversaire).

Le parent qui arrête de travailler devra avoir exercé une activité professionnelle :

• de 2 ans (ayant donné lieu à la validation de 8 trimestres d'assurance vieillesse) dans les 2 ans qui précèdent la naissance d'un premier enfant. Les périodes de perception d'indemnités journalières « maladie » sont assimilées à une activité professionnelle ;

• de 4 ans s'il s'agit d'un deuxième enfant ;

• de 5 ans pour les enfants de rang trois ou plus. Dans le cas d'un second enfant, d'un troisième, d'un quatrième et plus, sont prises en compte les périodes de chômage indemnisé, de formation professionnelle rémunérée, de perception d'indemnités journalières maladie, de l'allocation parentale d'éducation ou du complément de libre choix d'activité.

Les deux parents peuvent bénéficier chacun de ce complément de libre choix d'activité à taux partiel.

Son montant

À taux plein, il est d'environ 374 € par mois. À taux partiel, le montant des allocations est calculé sur deux taux, selon que la réduction d'activité correspond à un mi-temps ou à une activité professionnelle qui se situe entre 50 et 80 % d'un travail à plein-temps.

Pour les familles de 2 enfants et plus, le cumul, pendant 2 mois, de la PAJE à taux plein et d'un revenu professionnel est possible, lorsqu'il y a reprise de l'activité professionnelle. Le complément de libre choix d'activité peut être majoré pour les personnes n'ayant pas droit à l'allocation de base pour cause de condition de ressources trop élevée. Ces parents perçoivent l'équivalent du cumul de l'allocation de base et du complément de libre choix d'activité.

En cas de naissance multiple, de triplés et plus, le versement est prolongé jusqu'à 6 ans.

Pour l'obtenir, vous devez fournir une déclaration de ressources et informer votre CAF de l'arrêt de votre activité professionnelle.

Le complément de libre choix du mode de garde

Il s'adresse aux parents qui ont un enfant ou plus, de moins de 6 ans, confié à la garde d'une assistante maternelle ou faisant garder leur enfant à domicile.

Il est multiplié par le nombre d'enfants gardés par une assistante maternelle agréée mais versé par famille en cas de garde à domicile. Son versement est lié à l'exercice d'une activité professionnelle procurant un minimum de revenus.

• Pour les salariés, vivant en couple, le revenu minimum dû à l'activité professionnelle est fixé à un peu plus de 778 € par mois.

• Pour les personnes élevant seules leurs enfants, il est fixé à une fois le montant de cette base, soit un peu plus de 389 € par mois.

• Pour les non-salariés, c'est l'affiliation à l'Assurance vieillesse et l'acquittement du dernier terme de cotisations exigibles qui est pris en compte.

Les périodes de chômage indemnisé, de formation professionnelle rémunérée et de perception d'indemnités journalières sont assimilées à de l'activité professionnelle.

Son montant

Cette aide prend en charge :

• la totalité des cotisations liées à l'emploi d'une assistante maternelle à la condition que sa rémunération ne dépasse pas 5 Smic par heure et par enfant gardé ;

• 50 % des cotisations pour une garde à domicile mais dans la limite d'un plafond. Montant mensuel du plafond : autour de 400 € ;

• 85 % du salaire net de la personne qui assure la garde des enfants, dans la limite d'un plafond variable selon les revenus des parents.

Cas particuliers

Vous bénéficiez d'un complément de libre choix d'activité à taux partiel.

•L'un des parents exerce une activité égale ou supérieure à 50 %, le complément de libre choix de garde prend en charge la totalité des cotisations sociales pour la garde par une assistante maternelle et 50 % de celles-ci en cas de garde à domicile. Vous percevez également une aide compensatrice du coût de la garde divisé par deux.

•L'un des parents exerce une activité comprise entre 50 % et 80 %, le complément de garde à taux plein est attribué.

Votre mode de garde est original

Votre enfant est gardé au cours du même mois par une assistante maternelle et par une personne à domicile :

•les cotisations sociales sont prises en charge au titre de chaque emploi. Pour le calcul de la prise en charge partielle de la rémunération, les rémunérations des deux emplois sont totalisées.

Vous avez plusieurs enfants et des modes de garde différents pour chacun :

• les cotisations sociales sont prises en charge au titre de chaque emploi. Une prise en charge partielle de la rémunération est versée pour chaque enfant gardé par une assistante maternelle calculée en fonction des salaires et indemnités versés par la garde des enfants concernés. Le même dispositif est applicable pour la garde à domicile.

Le complément est attribué aux personnes qui recourent à un organisme privé pour assurer la garde de leurs enfants selon des modalités spécifiques dès lors qu'elles répondent aux conditions de droit de ce complément et que l'enfant est gardé un minimum d'heure.

Un centre spécifique de gestion

Votre demande du complément doit être adressée à la CAF dont vous dépendez ou à la caisse de mutualité sociale agricole concernée. Ces organismes transmettent les informations reçues à un centre spécifique de recouvrement chargé de gérer ce complément. L'allocataire reçoit un carnet de volets sociaux PAJE sous forme de chèques dits « PAJEMPLOI » très simples à remplir (voir modèle p. 527).

Le droit au complément est subordonné à l'envoi, par la famille, du volet social au centre de recouvrement. Le formulaire de déclaration peut également être adressé par Internet au centre de gestion. Le centre assure le calcul et le recouvrement des cotisations sociales. Il délivre l'attestation d'emploi du salarié ainsi que l'attestation annuelle permettant à l'employeur de bénéficier des réductions d'impôt au titre de la garde des enfants.

Les allocations spécifiques

L'allocation de soutien familial (ASF)

Cette allocation est accordée sans conditions de ressources au parent seul.

Il faut avoir au moins à charge :

• un enfant orphelin de père ou de mère ou des deux, qu'ils soient biologiques ou adoptifs ;

• un enfant non reconnu par l'un de ses parents ou avec une filiation établie vis-à-vis d'un seul de ses parents ;

• un enfant dont le père ou la mère n'assure pas l'entretien ;

• un enfant adopté par une personne seule. Cette allocation est versée pour chaque enfant.

Son montant

Il varie selon la situation de l'enfant et s'élève, après le prélèvement de la CRDS, à :

• un peu plus de 87 € pour un enfant élevé seul par l'un de ses parents ou orphelin d'un de ses parents ;

Pour tout complément d'information, adressez-vous à votre CAF ou consultez www.caf.fr

1ER MOIS

2E MOIS

3E MOIS

4E MOIS

5E MOIS

6E MOIS

7E MOIS

8E MOIS

9E MOIS

LA NAISSANCE

LES 1RES SEMAINES DE MAMAN

LES 1RES SEMAINES DE BÉBÉ

GROSSESSES DIFFÉRENTES

ANNEXES

• près de 116 € pour un enfant orphelin de père et de mère. Le versement de cette allocation de soutien familial ne se fait pas automatiquement ; il faut en faire la demande auprès de la CAF.

L'allocation d'éducation de l'enfant handicapé

C'est une aide supplémentaire pour élever un enfant handicapé de moins de 20 ans.
Pour avoir droit à cette allocation, il faut :
• que le taux d'invalidité permanent soit d'au moins 80 % ;
• que le taux d'invalidité permanent soit estimé entre 50 % et 80 %, si l'enfant fréquente un établissement pris en charge par un service d'éducation.
Si, en raison des soins que nécessite son état, il reste au domicile de ses parents, c'est la commission départementale de l'éducation spéciale (CDES) qui attribue ou non cette allocation.

Son montant
L'allocation comprend un montant de base d'environ 95 € par enfant et par mois.
Des compléments sont attribués selon les situations. Toute demande doit être adressée à la CDES, accompagnée de certificats médicaux et, le cas échéant, de la photocopie de la carte d'invalidité.

L'allocation journalière de présence parentale

Elle permet de compenser une partie de la perte de revenus liée à l'arrêt de travail de parents qui, en raison de la maladie de leur enfant, cessent en totalité ou en partie de travailler.

Son montant
Il varie selon qu'il y a un ou deux parents et en fonction du taux de cessation d'activité. Les deux parents peuvent tous deux réduire leur activité ; dans ce cas, ils cumulent deux aides à taux réduit.

Les allocations versées au deuxième enfant

Les allocations familiales (AF)

Elles sont versées, sans plafond de ressources, dès que la famille compte deux enfants à charge.
Pour avoir droit à cette allocation, il faut :
• avoir deux enfants à charge n'ayant pas dépassé 20 ans ;
• avoir une activité professionnelle quelle qu'elle soit ou pouvoir justifier d'une impossibilité de travailler ou bien toucher des indemnités, des rentes ou des pensions.

Leur montant
Il augmente en fonction du nombre d'enfants à charge :
• pour deux enfants : plus de 123 € ;
• pour trois enfants : plus de 282 € ;
• pour quatre enfants : un peu plus de 441 € ;
• par enfant en plus : plus de 158 €.

À ces montants s'ajoutent environ 35 € pour un enfant âgé de 11 à 16 ans, et 62 € pour chaque enfant de plus de 16 ans.
Ces majorations ne s'appliquent qu'au deuxième enfant lorsque la famille compte deux enfants et à tous les enfants lorsqu'elle a au moins trois enfants à charge. Les allocations familiales sont versées tous les mois.

Le complément familial (CF)

Cette aide a été conçue pour prendre le relais de l'allocation pour jeune enfant dans les familles à revenus modestes. Une seule allocation est versée quel que soit le nombre d'enfants à charge.
Pour avoir droit à cette allocation, il faut :
• avoir au moins trois enfants à charge âgés de plus de 3 ans et de moins de 21 ans ;
• ne pas dépasser un certain plafond de ressources.

Son montant
Après CRDS, celui-ci s'élève à un peu plus de 160 € par mois. Si les ressources de la famille dépassent légèrement le plafond, la CAF peut verser un complément familial d'un montant réduit.

Pour les naissances multiples
La naissance de jumeaux, de triplés ou plus ouvre le droit à plusieurs PAJE pour une même famille. Vous recevrez ensuite un peu plus de 160 € par mois, somme multipliée par le nombre d'enfants dès le 4e mois de chacun de vos enfants et jusqu'à ce qu'ils aient 3 ans. Pour l'obtenir, il suffit d'envoyer à votre CAF une photocopie certifiée de votre livret de famille.

Le carnet Pajemploi

Cette procédure simplifiée est spécifiquement destinée aux parents qui embauchent une personne pour garder leur enfant. Pour avoir droit au carnet Pajemploi il faut percevoir la prestation d'accueil du jeune enfant et avoir demandé le complément de libre choix du mode de garde. Celui-ci vous sera versé dès l'envoi du volet de déclaration Pajemploi. Il vous est adressé pour le dernier-né de vos enfants et, dans certains cas, pour d'autres. Le carnet se compose de volets qui vous permettent de déclarer très simplement l'activité de l'assistante maternelle qui garde vos enfants, et de volets d'identification de la salariée, destinés à déclarer les changements de situation ou une nouvelle embauche. Il est à renvoyer toutes les fins de mois à la CAF ou à la MSA dans une enveloppe pré-adressée.

Vous y portez la rémunération de votre assistante maternelle, la date de paiement et vous signez. Le centre Pajemploi vous adressera un décompte et vous précisera les cotisations à votre charge, si vous employez une garde à domicile, et à quelle date celles-ci seront prélevées. La salariée reçoit de son côté une attestation lui servant de bulletin de salaire. Vous pouvez désormais remplir cette déclaration directement sur Internet, *via* le site de la CAF (www.caf.fr).

Sur ce volet, vous indiquez :
• l'identité de votre salariée.

Attention, votre assistante maternelle doit être obligatoirement agréée par le Conseil général.

Pour la garde d'enfant à domicile, vous complétez :
• le nombre d'heures effectives et supplémentaires ;
• le salaire net horaire ;
• le salaire net total ;
• l'option retenue pour le calcul des cotisations : réel ou forfaitaire.

MME FEAT TATIANA SIRET : Y0000917580003

VOLET PAJEMPLOI   *cerfa* N° 12333*02

Nom du salarié : **MARTIN**   Prénom : **JEANNE**

N° Sécurité Sociale : **2 6 0 0 5 2 5 2 3 7 5 2 2**   Clé : **31**

MOIS D'ACTIVITÉ   Du **01** au **30** Mois **06** Année **2006**   Date de paiement du salaire **30 06 06**

Nombre d'heures normales ou effectives : **157**   Nombre d'heures majorées ou supplémentaires   Nombre de jours de congés payés au cours du mois : **25**

ASSISTANTE MATERNELLE AGRÉÉE   OU   GARDE D'ENFANT À DOMICILE

Date de naissance de vos enfants gardés

Nombre de jours d'activité : **18**   1er enfant **12 12 05**   Salaire horaire net : €

Salaire net total (Hors indemnités d'entretien) : **403 00** €   2e enfant   Salaire net total : €

Total indemnités d'entretien : **150 00** €   3e enfant   Base forfaitaire   ou   Salaire réel

Y0000917580003   Pour déclarer la rémunération de votre salarié par Internet, www.pajemploi.urssaf.fr   S 2357 a   Signature de l'employeur

---

Le montant de cette indemnité est librement fixé entre l'employeur et la salariée. Il peut comprendre les frais liés à l'électricité et au chauffage, à une collation (goûter), au repas...

Sur le second volet, vous indiquez :
• la période d'emploi (le mois concerné) ;
• le nombre d'heures rémunérées au taux de base convenu avec l'assistante maternelle ;
• le nombre d'heures supplémentaires ;
• le nombre de jours d'activité ;
• le salaire net total ;
• les indemnités d'entretien ;
• la date de naissance de votre ou vos enfants gardés.

Il s'agit du nombre de jours d'absence de votre salariée pour congés payés.

1ER MOIS
2E MOIS
3E MOIS
4E MOIS
5E MOIS
6E MOIS
7E MOIS
8E MOIS
9E MOIS
LA NAISSANCE
LES 1RES SEMAINES DE MAMAN
LES 1RES SEMAINES DE BÉBÉ
GROSSESSES DIFFÉRENTES
ANNEXES

Les aides au logement

Les aides au logement s'appliquent aussi bien aux locataires qu'aux propriétaires, mais à condition que la maison ou l'appartement occupé soit la résidence principale du couple ou du parent célibataire. Elles sont réservées aux revenus les plus modestes et ne s'appliquent que s'il n'y a aucun lien de parenté directe entre le locataire et le bailleur.

L'allocation de logement social (ALS)

Elle n'est pas versée à toutes les familles et ne peut être cumulée avec d'autres allocations logement. Pour avoir droit à cette allocation, il faut :
• habiter un logement répondant à certaines normes de salubrité et disposant d'une superficie minimale de 16 m² pour deux personnes, plus 9 m² par personne supplémentaire. Dans certains cas, lorsque ces conditions ne sont pas remplies, l'aide peut être accordée, toujours à titre exceptionnel, pour 2 ans ;
• payer un loyer ou des mensualités de remboursement de prêt et y consacrer un pourcentage minimal de ses ressources ;
• ne pas dépasser un certain montant de ressources : les revenus ne doivent pas excéder 812 fois le montant du Smic horaire brut.

Son montant
L'allocation varie avec la situation et les ressources de chaque famille, le loyer (sans les charges) et la zone géographique dans laquelle vous habitez. Elle peut aussi être versée directement au propriétaire ou à l'organisme prêteur. Son montant, qui est recalculé chaque année au 1er juillet, peut aller jusqu'à 75 % du loyer ou des mensualités de remboursement. Cette allocation s'ajoute aux prestations familiales.
Pour l'obtenir, il faut s'adresser à la caisse d'allocations familiales ou à la caisse de mutualité sociale agricole.

L'aide personnalisée au logement (APL)

Cette aide est accessible à tous.
Les locataires comme les propriétaires peuvent en bénéficier, à condition que le logement soit leur résidence principale et à usage exclusif d'habitation.
Pour avoir droit à cette allocation, il faut :
• pour les accédants à la propriété, avoir souscrit un prêt d'accession sociale (PAS) ou un prêt conventionné (PC). Cette condition n'est pas exigée s'il s'agit d'un logement HLM ou appartenant à une société d'économie mixte ;
• pour les locataires, avoir signé avec le propriétaire un bail conforme à une convention établie entre celui-ci et l'État.

Son montant
Il est variable selon :
• les ressources des personnes habitant dans le logement ;
• le nombre de personnes à charge ;
• les charges occasionnées par le logement ;
• la région habitée ;
• pour les accédants à la propriété : la nature de leur achat, le mode de financement et la date de la signature de leur prêt.
Pour l'obtenir, il faut s'adresser à la caisse d'allocations familiales (CAF) ou à la caisse de mutualité sociale agricole (MSA). Ces organismes envoient un formulaire à remplir.

L'allocation de logement familial (ALF)

Cette aide s'adresse à ceux qui ne peuvent prétendre à l'APL.
Pour avoir droit à cette allocation, il faut :
• être enceinte ou avoir au moins un enfant de moins de 20 ans ou un ascendant à charge ;
• être marié depuis moins de 5 ans, le mariage ayant eu lieu avant les 40 ans de chacun des conjoints ;
• être locataire ou en accession à la propriété d'un appartement répondant à des normes d'équipement et de surface ;
• percevoir une prestation familiale (p. 526) : allocations familiales, complément familial, AJE, AES, allocation de soutien familial.
Cette allocation est soumise à des conditions de ressources.

Son montant
Il est variable et est calculé sur les mêmes critères que l'APL. Il est le plus souvent versé directement aux locataires ou aux propriétaires.
Pour l'obtenir, il faut vous renseigner à la CAF, à

la MSA ou à l'organisme chargé du paiement de vos prestations familiales si vous appartenez à un autre régime. Ils vous adresseront un formulaire.

La prime de déménagement

Elle permet de diminuer le coût du déménagement d'une famille qui s'agrandit.
Pour avoir droit à cette prime, il faut :
• attendre ou venir d'avoir un troisième enfant ou de rang plus élevé ;
• pouvoir prétendre pour le nouveau logement aux allocations de logement dans un délai de 6 mois à compter du déménagement ;
• emménager entre le 4e mois de grossesse et le 2e anniversaire de l'enfant de rang trois ou plus.

Son montant
Il est égal aux frais réels du déménagement dans la limite de plafonds.
Vous aurez droit à cette aide d'autant plus que vos revenus sont faibles, que votre loyer est élevé et que vos enfants à charge sont nombreux.

Pour l'obtenir, il faut :
• envoyer le formulaire de demande dans les 6 mois maximum qui suivent le déménagement à la CAF ou à l'organisme dont vous dépendez ;
• joindre la facture du déménagement ou de la location de véhicule.

Pour tout complément d'information, adressez-vous à votre CAF ou consultez www.caf.fr

1ER MOIS

2E MOIS

3E MOIS

4E MOIS

5E MOIS

6E MOIS

7E MOIS

8E MOIS

9E MOIS

LA NAISSANCE

LES 1RES SEMAINES DE MAMAN

LES 1RES SEMAINES DE BÉBÉ

GROSSESSES DIFFÉRENTES

ANNEXES

Droits et devoirs envers l'enfant

L'autorité parentale

Elle représente l'ensemble des droits et des devoirs attribués au père et à la mère pour mieux protéger l'enfant mineur et assurer son éducation. Elle recouvre les droits et les devoirs de garde, de surveillance, d'éducation et, s'il y a lieu, de gestion des biens de l'enfant. Désormais, la loi consacre l'égalité des droits et des devoirs entre la mère et le père. Chacun des parents contribue à l'entretien et à l'éducation des enfants à proportion de ses ressources, de celles de l'autre parent ainsi que des besoins de l'enfant.

• *En cas de mariage*, l'autorité parentale est exercée conjointement entre mari et femme ; l'un et l'autre ont les mêmes droits et les mêmes devoirs à l'égard de l'enfant, et chacun d'entre eux est réputé agir avec l'accord de l'autre.

• *En cas de désaccord grave*, l'un des parents doit s'adresser directement au juge des tutelles du tribunal de grande instance dont dépend le domicile familial. C'est une solution ultime. En cas de désaccord persistant, le juge prend lui-même la décision qui lui semble la plus conforme à l'intérêt de l'enfant.

• *En cas de séparation ou de divorce*, la séparation des parents ne change rien à l'exercice de l'autorité parentale et chacun des parents doit maintenir des relations personnelles avec l'enfant. S'il y a désaccord sur cet exercice ou si le changement de résidence d'un des parents pose des difficultés, c'est le juge aux affaires familiales qui statue selon l'intérêt de l'enfant. L'autorité parentale peut alors être attribuée à l'un des parents. Le parent qui n'a pas l'exercice de l'autorité parentale conserve le droit de surveiller l'entretien et l'éducation de ses enfants. De même, il doit être tenu informé des choix importants relatifs à leur vie.

• *En cas de concubinage*, l'autorité parentale est exercée en commun par les deux parents dès lors qu'ils ont tous deux reconnu l'enfant dans la première année de sa naissance. La condition de communauté de vie est supprimée. En cas de séparation d'un couple non marié, les règles sont identiques à celles qui s'appliquent en cas de divorce.

• *En cas de décès du mari*, l'autorité parentale est attribuée en totalité à la mère. À défaut, il y a ouverture d'une tutelle que la mère peut choisir d'avance par testament ou par déclaration spéciale devant notaire.

En l'absence d'une telle déclaration, la tutelle est généralement transmise aux ascendants les plus proches, comme les grands-parents, ou à un tuteur désigné par le conseil de famille.

Une commission mise en place par le ministère de la Justice mène actuellement une réflexion sur l'autorité parentale. Les orientations sur le droit de garde sont les suivantes :
- redonner sa place au père dans les cas de divorce en favorisant la garde équitable de l'enfant par ses deux parents avec la résidence partagée,
- accorder la résidence au parent le plus apte à respecter la relation de l'enfant avec l'autre parent,
- renforcer les sanctions en cas de non-respect des droits de visite,
- généraliser le recours à un médiateur,
- redéfinir l'autorité parentale des parents non mariés.

L'adoption

La loi de mai 2005 institue la création d'une agence française de l'adoption. Son rôle est de simplifier et d'harmoniser les procédures selon les départements. Elle servira aussi d'intermédiaire entre les parents et le pays d'origine de l'enfant. L'objectif de cette nouvelle loi est de faciliter l'adoption et de faire doubler le nombre d'adoptions. Sur 5 000 enfants adoptés, 1 000 viennent de France, les 4 000 autres de 70 pays différents. Les enfants sont originaires de Russie, d'Ukraine, d'Éthiopie, d'Haïti, de Madagascar, de Colombie et de la Chine. Ce pays représentera bientôt un enfant sur deux.

Conditions pour adopter

Toute personne de plus de 28 ans peut demander l'agrément. Les couples mariés peuvent adopter avant cet âge s'ils sont unis depuis plus de deux ans. La différence d'âge entre adoptant et adopté doit être d'au moins 15 ans. Un célibataire peut donc adopter, mais le lien de filiation ne sera établi qu'à son égard. Seuls les couples peuvent adopter de manière plénière.

L'adoption nécessite l'intervention de deux ordres, administratif et judiciaire. La phase administrative menée par l'Aide sociale à l'enfance, sous le contrôle du conseil général, examine l'agrément nécessaire pour les pupilles de l'État et les enfants étrangers. L'agrément constitue un « certificat de bonnes vie et mœurs » avant le jugement d'adoption prononcé par le tribunal de grande instance. En cas de refus d'agrément, les adoptants peuvent saisir le tribunal administratif qui jugera s'il y a eu ou non erreur d'appréciation des services sociaux.

Il existe deux types d'adoption. Toute demande doit être présentée au tribunal de grande instance du domicile de l'adoptant qui a six mois pour statuer. Une enquête sociale confirme que la famille adoptante est capable d'accueillir un enfant.

L'adoption plénière
C'est la plus fréquente pour les enfants de moins de 15 ans. Si l'enfant a plus de 13 ans, le tribunal demandera son consentement. Elle peut être faite à la demande d'un couple marié ou d'une personne célibataire âgée de plus de 30 ans. L'adoption plénière est irrévocable et donne à l'enfant adopté tous les droits d'un enfant légitime.

L'adoption simple
Elle est permise quel que soit l'âge de l'enfant. L'enfant garde des liens de sang avec sa famille d'origine. Cette adoption lui donne des droits de succession et elle peut être révoquée. Elle est aujourd'hui fréquente dans les situations de familles recomposées.

Le secret des origines

En France, les enfants candidats à l'adoption sont souvent des enfants nés sous X, c'est-à-dire que leur mère a demandé que l'identité de l'enfant soit tenue secrète au moment de son admission à la maternité pour accoucher. Ils peuvent aussi avoir été confiés par leurs parents aux services de l'Aide sociale à l'Enfance avec la demande du secret de leur identité. Pourtant, les parents sont de plus en plus encouragés à laisser une trace de leur existence sous pli fermé et avec la garantie que le Conseil national pour l'accès aux origines n'en révélera le contenu qu'avec leur accord et à la demande de l'adopté.

L'adoption d'un enfant étranger
Actuellement, 4 000 ou 5 000 enfants adoptés en France viennent de l'étranger. Les deux tiers des familles font des démarches seules et sont parfois victimes de « trafics ». Les représentations françaises doivent maintenant les accompagner

dans leurs démarches. Ainsi, elles ont reçu une note signée du ministre délégué à la Famille et du ministre des Affaires étrangères les enjoignant d'offrir aux adoptants accueil et écoute.
Les informations relatives au lieu de naissance et à l'environnement direct de l'enfant doivent être collectées afin de permettre aux familles et aux enfants de mieux connaître leurs origines. Enfin, il est recommandé aux familles de ne pas changer le prénom d'origine de l'enfant. Les délais d'acquisition de la nationalité seront raccourcis en cas d'adoption simple.

La convention internationale de La Haye
Depuis février 1998, la loi française en matière d'adoption s'est alignée sur la Convention internationale de La Haye tout particulièrement en ce qui concerne l'adoption d'enfants venus de l'étranger. Cette convention cherche à garantir que toute adoption est faite dans l'intérêt supérieur de l'enfant et le respect de ses droits fondamentaux. Elle définit un cadre de coopération juridique entre les États d'où sont originaires les enfants et ceux des parents adoptants.
Ainsi, il est obligatoire que :
- le pays d'origine de l'enfant s'assure, notamment, de l'adaptabilité de l'enfant ;
- le principe de subsidiarité soit respecté : l'enfant adopté par une famille étrangère ne peut l'être que par une famille originaire de son pays d'origine, afin de lui permettre, entre autres, d'être élevé dans sa culture ;
- les pays d'accueil s'assurent que les familles adoptives offrent toutes les garanties. L'agrément des services sociaux est obligatoire ;
- les enfants adoptés soient autorisés à entrer et à séjourner sans restriction dans les pays d'accueil.
Afin de s'assurer le respect de ces règles, les États ont l'obligation de mettre en place une autorité centrale de contrôle. Toutes les démarches d'adoption internationale doivent d'abord s'adresser à ce service. Aujourd'hui, en France, la Mission à l'adoption internationale (MAI), rattachée au Quai d'Orsay, a cette fonction. En théorie, les candidats à l'adoption peuvent, selon leur choix, faire appel à une association agréée ou effectuer une démarche individuelle mais en respectant cette loi. La France est le deuxième pays d'accueil après les États-Unis. Un tiers des enfants viennent du Vietnam, les autres sont d'origine colombienne, malgache, roumaine, bulgare, haïtienne, brésilienne ou guatémaltèque.

1ᴱᴿ MOIS

2ᴱ MOIS

3ᴱ MOIS

4ᴱ MOIS

5ᴱ MOIS

6ᴱ MOIS

7ᴱ MOIS

8ᴱ MOIS

9ᴱ MOIS

LA NAISSANCE

LES 1ᴿᴱˢ SEMAINES DE MAMAN

LES 1ᴿᴱˢ SEMAINES DE BÉBÉ

GROSSESSES DIFFÉRENTES

ANNEXES

Les formalités

Des démarches simplifiées

L'adoption en France est longue et compliquée : il faut en moyenne trois ans pour adopter. Les dernières mesures prises par le ministère délégué à la Famille ont pour but de faciliter et simplifier les démarches.

Le ministère a ainsi soutenu la publication d'un guide largement diffusé qui explique dans le détail les démarches et les étapes de la procédure tant pour les enfants français qu'étrangers. Les postulants à l'adoption y trouvent également des conseils psychologiques car, comme dans les familles biologiques, les enfants doivent apprendre à construire les liens qui unissent une famille. Il conseille les candidats avant, pendant et dans les mois qui suivent l'adoption. Il est également diffusé sur le net : www.famille-enfance.gouv.fr

Pour accompagner les parents dans leurs démarches et les soutenir, les organismes privés, habilités pour l'adoption, 38 en France, ont été regroupés et modernisés. Le régime d'autorisation et d'habilitation est réformé et unifié, le financement a été accru pour faire d'eux des organismes professionnels. Le Conseil supérieur de l'adoption a été chargé d'harmoniser le contenu des enquêtes afin de faire disparaître leur côté inquisitoire. Ainsi, la notion de famille moralement « parfaite » n'a plus lieu d'être. Elle a par le passé entraîné bien des obstacles administratifs et, par exemple, interdit l'adoption aux familles recomposées.

Autre mesure, l'ouverture à l'adoption des enfants pupilles de l'État âgés de plus de 8 ans, appartenant à une fratrie ou porteurs de handicaps. Deux mille enfants seraient dans cette situation. Les familles d'accueil peuvent maintenant adopter plus facilement (adoption simple) les enfants dont elles ont la charge.

Accouchement sous X

Désormais, les démarches des enfants nés sous X pour retrouver leurs parents biologiques sont rendues plus faciles grâce à la création du Conseil national d'accès aux origines personnelles, organisme chargé de conserver les informations laissées par les parents au moment de la naissance. Les mères sont d'ailleurs encouragées à laisser le plus possible de renseignements identifiants. Par la suite, le pouvoir de décision de rencontrer ou non leur enfant leur appartient.

Les lois de bioéthique

Les découvertes en matière de génétique, les procréations médicalement assistées, soulèvent bien sûr de nouvelles questions tant sur le plan juridique qu'éthique.

Pour les juristes, le statut de l'embryon humain n'est pas défini et à aucun moment la loi ne dit clairement quand commence la vie. Le fœtus n'est pas une personne et l'enfant n'existe en réalité qu'après la naissance.

Depuis le 30 mai 2001, la loi autorise l'avortement volontaire à 12 semaines de grossesse (14 semaines d'aménorrhée). La France s'aligne ainsi sur les législations européennes.

Pour les femmes mineures, l'autorisation parentale est de règle, mais elle n'est pas une obligation si la jeune femme se fait accompagner d'une personne majeure de son choix. Les femmes majeures ne sont plus tenues de participer à un entretien social. L'IVG doit être pratiqué dans un centre agréé.

L'avortement thérapeutique, pour des raisons médicales, est lui possible jusqu'à la fin de la grossesse. Il est décidé après le diagnostic de deux médecins qui attestent que la vie de la mère est en danger ou que les examens médicaux laissent fortement suspecter un enfant porteur de malformations gravement handicapantes. Ces règles permettent aussi de pouvoir pratiquer ce que médicalement on appelle la réduction embryonnaire. Depuis peu, un médicament, le RU 486, dite pilule du lendemain, permet d'interrompre une grossesse avant la 5e semaine, mais il est préférable qu'elle soit utilisée dans les quelques jours qui suivent la fécondation.

En France, deux lois s'appliquent aux problèmes de la reproduction.

La loi du 29 juillet 1994 donne quelques grandes règles de bioéthique. Elle s'intéresse au don et à l'utilisation des éléments et produits du corps humain, à l'assistance médicale, à la procréation, au diagnostic prénatal.

En mars 1998, elle a été complétée pour permettre le diagnostic pré-implantatoire qui consiste à retirer une cellule de l'embryon de trois jours conçu en éprouvette afin de l'analyser et ainsi de s'assurer qu'il n'est pas porteur de maladie génétique.

Elle autorise le diagnostic prénatal par un laboratoire autorisé dans le cas des grossesses « naturelles » mais ne l'autorise qu'à titre exceptionnel sur les cellules prélevées sur l'embryon in vitro et dans des conditions très précises. Ainsi un médecin appartenant à un centre de diagnostic prénatal pluridisciplinaire doit attester qu'il y a une forte probabilité que l'enfant soit atteint d'une maladie génétique reconnue comme incurable au moment du diagnostic. Le couple doit exprimer par écrit son accord et le diagnostic ne peut avoir pour objet que de rechercher cette affection.

Enfin, ce diagnostic ne peut être réalisé que dans un centre agréé. Seuls trois centres sont autorisés aujourd'hui en France à pratiquer cette recherche.

Cette même loi fixe le champ d'action des procréations médicalement assistées. Celles-ci ont pour but de pallier une stérilité médicalement reconnue ou d'éviter la transmission à l'enfant d'une maladie particulièrement grave et incurable. Elles s'appliquent à des couples, hommes et femmes en âge de procréer, vivants et consentants.

Les dons de sperme et d'ovules ou d'embryon sont autorisés et assimilés aux dons d'organes : ils doivent être gratuits et faire l'objet d'un « consentement éclairé ». Les embryons congelés non réimplantés sont conservés à la demande des couples pour une durée de cinq ans sauf s'ils changent d'avis.

En août 2004, une loi de bioéthique valable pour 5 ans a été adoptée. Elle interdit le clonage reproductif ou thérapeutique. Elle ouvre la possibilité de faire des recherches à titre dérogatoire sur les embryons congelés en surnombre, qui ne font pas l'objet d'un projet parental, et sur les cellules-souches.

Elle accepte l'élargissement du diagnostic préimplantatoire dans le cadre d'une aide médicale à la procréation, afin de choisir un embryon indemne de la maladie du groupe tissulaire HLA compatible, et pour tenter de sauver un aîné atteint d'une maladie génétique incurable.

Elle n'autorise ni l'aide médicale à la procréation pour les couples non mariés, qui ne justifieraient pas de 2 ans de vie commune, ni l'implantation d'un embryon congelé chez une femme dont le compagnon est décédé.

L'Agence de biomédecine a été créée en mai 2005. Elle a pour mission de délivrer les autorisations aux projets de recherche, de les évaluer et d'émettre des avis.

Son rôle est encore d'apporter une certaine cohérence dans les pratiques et les interdits actuels comme l'élargissement des conditions d'accès aux fécondations artificielles. Cette agence aura encore un rôle de conseil auprès des autorités sanitaires et politiques.

En Europe

Les lois sur la bioéthique sont très disparates en Europe. La loi française interdit aujourd'hui toute recherche et expérimentation sur l'embryon humain conçu in vitro notamment à des fins eugéniques. Si la France a fait le choix d'une législation très restrictive, ce n'est pas le cas en Angleterre et en Espagne où, notamment, des recherches sur l'embryon humain sont autorisées jusqu'au quatorzième jour du développement sous certaines conditions et sous le contrôle d'un comité d'éthique. La Belgique ne s'est toujours pas dotée d'une législation alors que l'Allemagne interdit toute forme de recherche sur l'embryon humain.

La déclaration universelle sur le génome humain

Le 11 novembre 1997, l'Unesco a adopté la déclaration universelle sur le génome humain, véritable charte en vingt-cinq articles qui appelle au respect de la personne humaine et établit, au nom des droits de l'homme, des règles dans le domaine de la génétique.

C'est une étape fondamentale dans la définition des critères de bioéthique. L'article fondateur proclame que « chaque individu a droit au respect de sa dignité et de ses droits, quelles que soient ses caractéristiques génétiques ». Les signataires s'engagent aussi à ne pas autoriser, dans leur pays, le clonage d'êtres humains à des fins de reproduction. Il est stipulé encore que chaque individu doit donner son consentement préalable à toute intervention sur son génome et que toute discrimination fondée sur les caractéristiques génétiques est interdite. En revanche, ce texte appelle à la diffusion la plus large des connaissances scientifiques sur le génome humain.

1ER MOIS

2E MOIS

3E MOIS

4E MOIS

5E MOIS

6E MOIS

7E MOIS

8E MOIS

9E MOIS

LA NAISSANCE

LES 1RES SEMAINES DE MAMAN

LES 1RES SEMAINES DE BÉBÉ

GROSSESSES DIFFÉRENTES

ANNEXES

Le PACS et le concubinage

Aujourd'hui, deux formes juridiques permettent de lier un couple qui ne souhaite pas se marier : le PACS et le certificat de concubinage. Parents pacsés ou concubins ont les mêmes droits et devoirs envers leurs enfants. L'un comme l'autre permettent notamment de bénéficier d'avantages identiques à ceux des couples mariés. Ainsi, PACS et certificat de concubinage sont utiles pour obtenir le statut d'ayant droit à l'égard de la Sécurité sociale et des caisses d'allocations familiales.

PACS (pacte civil de solidarité)

Dernier-né dans l'arsenal des lois qui régissent les liens d'un couple :

- Il est accessible à deux personnes, quel que soit leur sexe, mais il est interdit entre frères et sœurs et entre parents et enfants.

- L'acte se fait à la mairie par une simple déclaration ; il ne nécessite pas la présence d'un officier d'état civil. Il est interrompu par le décès ou par la volonté de l'un des partenaires.

- Les partenaires s'apportent aide mutuelle et matérielle et contribuent selon leurs facultés respectives aux besoins de la vie courante. Les contractants sont solidaires de leurs dettes.

- Ils sont soumis au régime matrimonial de la communauté réduite aux acquêts.

- Ils établissent une déclaration d'impôts commune.

- En cas d'abandon du logement ou d'un décès, le contrat de location continue au profit du partenaire.

- Le PACS est interrompu par le décès ou par la volonté d'un des partenaires.

Une convention type aide à ne rien omettre dans la rédaction du contrat.

Certificat de concubinage

Pour l'obtenir, à la mairie ou au commissariat de police du domicile, il faut :

- deux témoins majeurs, français, non apparentés entre eux ni avec les concubins,

- une pièce d'identité,

- un justificatif de domicile connu,

- si l'un des concubins est étranger, il doit présenter son titre de séjour.

Pour la location d'un lieu de résidence, il est prudent, pour l'un comme pour l'autre des concubins, de faire établir le bail locatif aux deux noms. En cas de séparation, le concubin restant est assuré de garder son toit. Chacun prend à sa charge pour moitié le loyer ainsi que sa part d'impôts et de charges locatives. Le congé de la résidence doit être donné par les deux concubins. Par contre, le propriétaire doit avertir les deux locataires séparément en cas de rupture du bail. Un bail aux deux noms est un atout supplémentaire pour obtenir un crédit d'équipement. Le concubinage prend fin par le départ de l'un des concubins.

Statut des enfants

Un enfant né de parents non mariés a le statut d'enfant naturel.

Le lien de filiation entre l'enfant et ses parents est établi par un acte personnel et volontaire de chacun : la reconnaissance. Cette reconnaissance peut résulter d'une déclaration devant un officier d'état civil ou d'un acte notarié avant la naissance, à la naissance, ou à tout moment de la vie de l'enfant. L'enfant peut être reconnu par son père, ou par sa mère, ou par ses deux parents. La reconnaissance peut être simultanée ou successive. Lorsque le lien de filiation n'a pas été établi par la reconnaissance volontaire des parents, il peut être établi par la possession d'état.

La possession d'état est caractérisée par un ensemble de faits permettant d'établir une filiation. Elle peut être constatée à tout moment, et sa preuve apportée par tous les moyens. Le lien de filiation peut également être établi judiciairement par les actions en recherche de paternité ou de maternité.

Quand les parents se séparent

En cas de rupture du PACS ou du concubinage si des enfants sont nés de cette union, les règles concernant l'autorité parentale continuent à s'appliquer. Lorsque le lien de filiation paternelle (par reconnaissance volontaire) n'a pas été établi, la mère peut, à la place de son enfant mineur, demander à ce que cette filiation soit établie judiciairement par une action en recherche de paternité.

Une fois le lien de filiation paternelle établi, la mère peut demander au père de participer à l'entretien de l'enfant (pension alimentaire). De son côté, le père peut obtenir certains droits vis-à-vis de l'enfant, comme par exemple un droit de visite et d'hébergement.

L'enfant pourra lui-même exercer cette action dans les deux ans qui suivent sa majorité, si elle ne l'a pas été durant sa minorité.

De même, lorsque sa filiation n'a pas été établie vis-à-vis de sa mère, l'enfant peut, en principe, engager une action en recherche de maternité s'il existe des « présomptions ou indices graves » relatifs à sa filiation maternelle. Toutefois, lors de son accouchement, la mère peut demander que son identité soit gardée secrète.

Le livret de famille

Toute mère célibataire peut demander un livret de famille à la mairie du lieu de naissance de son enfant (il est habituellement donné au moment du mariage). La date et le lieu de naissance de l'enfant seront inscrits dessus avec la mention « reconnu par », puis suivront les extraits de naissance de la mère et du père.

Si les concubins se marient, un nouveau livret leur sera remis et les enfants nés de leur couple seront automatiquement légitimés.

Si l'enfant n'a pas été reconnu par le père avant le mariage, celui-ci devra le faire séparément devant un officier d'état civil.

Le nom

Tous les enfants, dont la filiation est légalement établie, ont les mêmes droits et les mêmes devoirs dans leurs rapports avec leurs père et mère. Ils entrent dans la famille de chacun d'eux. L'enfant naturel prend le nom de celui de ses parents qui l'a reconnu le premier. Il prend le nom du père si les parents l'ont reconnu tous les deux ensemble.

L'enfant qui a pris le nom de sa mère peut prendre le nom de son père par substitution si, pendant sa minorité, ses deux parents en font la déclaration conjointe devant le juge des tutelles du tribunal d'instance.

Lorsque l'enfant a plus de 15 ans, son consentement est nécessaire. À titre d'usage seulement, l'enfant peut porter les noms accolés de ses deux parents.

L'autorité parentale

La loi du 8 janvier 1993 a posé le principe de « l'autorité parentale conjointe ». La loi du 4 mars 2002 confirme ce principe, même en cas de séparation des parents.

L'autorité parentale est exercée conjointement (article 372 du Code civil) lorsque les deux parents :

- ont reconnu leur enfant avant qu'il ait atteint l'âge de 1 an,
- vivaient ensemble soit au moment de la reconnaissance simultanée, soit lors de la seconde reconnaissance (lorsque les parents ont effectué des reconnaissances successives).

Par dérogation, l'autorité parentale est exercée par un seul des parents (père ou mère) si celui-ci exerçait seul l'autorité parentale et vivait seul avec l'enfant à la date d'entrée en vigueur de la loi du 8 janvier 1993 (soit le 12 janvier 1993).

L'autorité parentale est exercée par un seul des parents :

- par le père ou par la mère lorsqu'il ou elle a reconnu seul (e) son enfant,
- par la mère lorsque les conditions d'exercice conjoint (posées par l'article 372 du Code civil) ne sont pas remplies. Dans le cas où l'autorité parentale n'est pas exercée conjointement, alors que l'enfant a été reconnu par ses deux parents, ces derniers peuvent faire ensemble une déclaration d'autorité parentale conjointe devant le juge des tutelles.

En cas de désaccord sur les conditions d'exercice de l'autorité parentale, chacun des parents peut saisir le juge aux affaires familiales. Celui-ci prend les mesures les plus conformes à l'intérêt de l'enfant. Il peut soit confier l'autorité parentale conjointement aux deux parents, soit seulement à l'un deux. Quelle que soit la situation antérieure, si l'un des parents décède, l'autorité parentale est attribuée en entier au parent survivant, à condition que sa filiation avec l'enfant ait été établie.

Les prestations familiales

La vie maritale est entièrement assimilée au mariage pour l'appréciation du droit aux prestations familiales.

Lorsque les deux membres d'un couple assument la charge d'un enfant, ils choisissent d'un commun accord lequel des deux aura la qualité d'allocataire.

En ce qui concerne les allocations dont l'attribution est subordonnée à des conditions de ressources, les revenus des deux concubins sont pris en compte.

Le divorce et les enfants

Le jugement du tribunal officialisant le divorce des parents fixe certaines dispositions vis-à-vis de l'enfant. C'est notamment :

• *La garde*, appelée aujourd'hui la résidence. Dans la majorité des cas, si l'enfant a moins de 15 ans,

1ER MOIS

2E MOIS

3E MOIS

4E MOIS

5E MOIS

6E MOIS

7E MOIS

8E MOIS

9E MOIS

LA NAISSANCE

LES 1RES SEMAINES DE MAMAN

LES 1RES SEMAINES DE BÉBÉ

GROSSESSES DIFFÉRENTES

ANNEXES

elle est attribuée à la mère. Ce qui n'est pas sans provoquer des discussions tendues entre les parents lorsque le divorce ne se fait pas par consentement mutuel.

Si l'enfant a moins de 13 ans, le juge peut lui demander son avis, s'il a plus de 13 ans, il doit l'entendre. Aujourd'hui, la loi légalise la résidence alternée, une pratique qu'un certain nombre de parents ont largement expérimentée.

• *L'autorité parentale.* Elle est le plus souvent confiée au parent qui a la garde pour des raisons pratiques, mais cette décision n'est plus systématique. Lorsqu'il s'agit d'un divorce par consentement mutuel, ce sont les parents qui prévoient ses modalités d'exercice sous le contrôle du juge aux affaires familiales. Dans les autres cas, l'autorité parentale est fixée par le juge. Elle est généralement commune et, en cas de circonstances particulières, attribuée à l'un des parents. La loi Malhuret précise que le parent qui n'a pas l'exercice de l'autorité parentale conserve un droit de regard sur l'entretien et l'éducation de son enfant. Il est encore possible que le jugement stipule une autorité parentale conjointe si les parents semblent capables d'entretenir un dialogue cohérent vis-à-vis de leur enfant.

• *Le droit de visite.* Sauf motif grave, le juge fixe le temps que l'enfant passera obligatoirement avec le parent dont il est séparé : jours de la semaine, rythme des week-ends et temps des vacances. Le non-respect de ces règles par le parent qui a la garde de l'enfant est un délit de « non-représentation ». Si l'enfant refuse ce droit de visite, c'est le tribunal qui décidera, ou non, d'une dispense, souvent après avoir entendu l'enfant.

• *Une pension alimentaire.* Le montant est fixé en fonction des revenus des deux parents. En cas de non-paiement, le parent floué peut faire appel à la justice qui prendra les mesures pour obliger son règlement. Les CAF se chargent souvent des procédures et, dans les cas difficiles, versent une avance sur pension.

• *Le divorce des couples binationaux* pose souvent de dramatiques problèmes de droit de garde et de visite. Des difficultés dues en grande partie au manque de réglementation internationale. Un progrès vient d'être fait à l'échelon européen. Les ministres de la Justice de la communauté se sont mis d'accord pour qu'à partir du 1er mars 2001 un seul juge statue sur la garde des enfants. Ce sera le magistrat du pays dans lequel se trouve la résidence habituelle des époux.

L'enfant et le juge

L'audition d'un enfant par la justice est toujours un exercice délicat. La loi parle de « capacité de discernement » pour déterminer si le témoignage de l'enfant est important dans la prise de décision. Le juge se doit d'être d'une grande prudence car un enfant, quel que soit son âge, est toujours impressionnable. Choisir entre ses deux parents est pour lui une véritable épreuve. De plus, cet enfant peut être victime d'un chantage affectif. Le juge a d'ailleurs la possibilité de compléter ses informations par une enquête sociale.

La protection de l'enfance

Elle vient d'être réformée afin de mieux protéger les enfants. Voici quelques points forts :

- renforcer la prévention grâce à l'entretien du 4e mois qui doit identifier les futures mamans en difficulté.

- Organiser le signalement notamment les mauvais traitements à enfant. Chaque département devrait avoir rapidement une cellule de signalement.

- Diversifier les modes de prises en charge avec les accueils de jour des enfants à risque ou des alternances entre les soins à domicile et le placement.

Comment choisir sa maternité ?

Voici une liste de questions à poser et des précisions indispensables à connaître au moment de choisir la maternité dans laquelle vous allez accoucher.

Si vous savez que votre grossesse risque d'être un peu plus compliquée qu'une grossesse normale, soit en raison de votre santé ou de votre âge soit parce que c'est une grossesse multiple, n'hésitez pas, choisissez de vous faire suivre et d'accoucher dans une maternité de centre hospitalier universitaire (CHU). Dans tous les autres cas, des questions portant sur la sécurité médicale et le confort de l'établissement doivent vous permettre de faire votre choix personnel.

Questions de sécurité

- Cet établissement est-il conventionné ou non ?
- Quelle est la durée normale du séjour à la maternité ?
- Quelle est la personne qui va me suivre tout au long de ma grossesse : un médecin ou une sage-femme ?
- Rencontrerai-je toujours la même personne ?
- Lors de mon arrivée à la maternité pour l'accouchement, qui m'accueillera ? Cette personne suivra-t-elle l'accouchement du début à la fin ?
- Quelle équipe médicale est présente la nuit ?
- Si une difficulté survient, telles que menace d'accouchement prématuré ou hypertension, l'établissement est-il en mesure de prendre en charge ce problème par une hospitalisation ou par une hospitalisation à domicile (HAD) ?
- Si un événement imprévu se passe au cours de l'accouchement, vers quelle unité spécialisée va-t-on me diriger ?
- Y a-t-il un pédiatre présent en permanence à la maternité ? Si non, quel est le nom du pédiatre et peut-il être joint à tout moment ?
- Y a-t-il un psychologue attaché à la maternité ?

Questions de confort

- Les chambres sont-elles individuelles ? Si ce n'est pas le cas, combien ont-elles de lits ?
- Quels sont les éléments de confort de la chambre : téléphone, radio, TV ?
- Quels sont les horaires des visites et peuvent-elles avoir lieu tard le soir ?
- Les visites des aînés sont-elles admises à la maternité ?
- De combien de couveuses disposez-vous dans l'établissement ?
- Qui donnera les soins au bébé lors du séjour à la maternité ? Pourrai-je les donner ?
- Une personne est-elle là pour m'aider dans les premiers gestes à faire ?
- Le bébé est-il gardé dans une nursery ou reste-t-il dans ma chambre ? Est-ce que j'ai le choix entre ces deux possibilités ?
- Si je souhaite rentrer plus tôt chez moi, avez-vous prévu un suivi de naissance à domicile ?

Penser à l'accouchement

- Quels types de préparation à la naissance proposez-vous ?
- Quand commencent les cours ?
- Par qui sont-ils assurés ?
- Pratiquez-vous l'accouchement sous péridurale ?
- Est-ce que je peux demander la péridurale à n'importe quel moment du jour ou de la nuit, même les jours fériés, à tout moment de l'accouchement, même en salle de travail ?
- Lorsque vous déclenchez un accouchement, le faites-vous systématiquement sous péridurale ?
- S'il y a une difficulté à l'accouchement, par exemple présentation par le siège, quelle est la pratique la plus courante dans l'établissement : césarienne systématique ou examens pelvimétriques avant toute décision ?
- Recevez-vous les futures mamans à toute heure du jour et de la nuit ou déclenchez-vous les accouchements ?
- Est-ce que mon mari ou une autre personne peut rester auprès de moi au moment de l'accouchement ?
- Me laissez-vous choisir ma position d'accouchement ?
- Avant d'aller en salle d'accouchement, existe-t-il une pièce particulière pour toute la durée du travail ?
- La salle de travail est-elle équipée d'une baignoire ?
- La perfusion et le monitoring sont-ils mis en place dès le début des contractions ?

1ᴱᴿ MOIS

2ᴱ MOIS

3ᴱ MOIS

4ᴱ MOIS

5ᴱ MOIS

6ᴱ MOIS

7ᴱ MOIS

8ᴱ MOIS

9ᴱ MOIS

LA NAISSANCE

LES 1ᴿᴱˢ SEMAINES DE MAMAN

LES 1ᴿᴱˢ SEMAINES DE BÉBÉ

GROSSESSES DIFFÉRENTES

ANNEXES

- Quel est le taux d'épisiotomies de l'établissement ?
- Quel est le prix d'une péridurale ? d'une césarienne ?
- Pratiquez-vous le bain du bébé à la naissance ? Le père pourra-t-il le donner ?
- Après la naissance, le bébé reste-t-il avec moi le temps que je reste en salle de travail ?
- Pratiquez-vous la mise au sein à la naissance ?

Les réseaux de maternités

Il y a quelque temps, sont parus au Journal Officiel les décrets qui classent les maternités selon leur type, dans une région donnée. Ainsi, aujourd'hui les patientes peuvent s'adresser à l'établissement qui correspond à la pathologie dont elles souffrent, qu'il soit public ou privé. En revanche, il est totalement inutile de vouloir accoucher dans une maternité possédant une haute technologie médicale si l'on n'appartient pas aux 2 % de grossesses dites à risque. D'autant plus que l'on a constaté que les futures mamans accueillies dans un service trop médicalisé étaient sujettes à des perturbations.

Cette nouvelle organisation oblige les maternités à se mettre en réseaux. Il existe deux types de réseaux :

• Le premier relie les maternités classiques aux maternités spécialisées, ce qui permet de transférer la future maman qui a une difficulté vers le centre le mieux adapté pour l'accueillir, parfois juste quelques jours, le temps d'un examen ou d'un soin spécifique, et pour y accoucher si son état l'exige.

• Le second réseau relie les maternités spécialisées entre elles afin de pouvoir toujours accueillir une future maman en difficulté sans la séparer de son enfant, pour des raisons médicales. Ainsi, toutes les maternités deviennent de bons établissements car adaptés à un problème médical particulier.

Ce classement a été fait sous la responsabilité des agences régionales de l'hospitalisation qui ont une connaissance parfaite des établissements de la région. De plus, afin d'améliorer les réponses aux attentes et aux besoins des parents, des « comités de la naissance » se mettent en place dans les régions.

Ils regroupent des professionnels libéraux et hospitaliers mais aussi des usagers. Ils sont chargés du pointage des manques constatés dans certains établissements et de leur transmission auprès des agences régionales de l'hospitalisation.

Les petites maternités privées d'accouchement s'organisent et les grandes unités s'humanisent

L'organisation en réseaux entraîne la fermeture de certaines petites maternités. Celles-ci se transforment en lieux de consultation pour les futures mamans et les jeunes mamans, créant ainsi une obstétrique de proximité.

À titre d'exemple, La maison de Paimpol innove. Cette maternité s'est reconvertie en une maison périnatale où sages-femmes, puéricultrices, auxiliaires de puériculture et pédiatres accompagnent les femmes avant et après la naissance. Elles peuvent y trouver des consultations et une aide 24 heures sur 24.

De même, à Strasbourg, la toute première maison de naissance vient de s'installer au cœur de l'hôpital de Hautepierre. Le principe : une femme accouche naturellement sans péridurale, ni perfusion, ni touchers vaginaux si besoin, la maternité hospitalière est là pour prendre le relais et offrir ses dernières techniques médicales.

Depuis quelque temps les maternités peuvent choisir d'afficher leur engagement pour l'allaitement maternel. Elles affichent alors le label « maternité qui aime les bébés ».

Questions de santé

1ER MOIS

2E MOIS

3E MOIS

4E MOIS

5E MOIS

6E MOIS

7E MOIS

8E MOIS

9E MOIS

LA NAISSANCE

LES 1RES SEMAINES DE MAMAN

LES 1RES SEMAINES DE BÉBÉ

GROSSESSES DIFFÉRENTES

ANNEXES

Depuis l'enfance, je suis asthmatique. Quelles précautions dois-je prendre et que se passera-t-il si j'ai une crise au moment de l'accouchement ?
Dans la majorité des cas, l'asthme est traité par des aérosols de bêtamimétique. Ce produit est le même dont on se sert pour diminuer les contractions. Si l'asthme dont vous souffrez n'a pas une forme trop sévère, il n'y a aucun problème. Si, par contre, vous êtes sujette à des crises importantes, il est recommandé de vous faire suivre régulièrement tout au long de la grossesse, tant sur le plan pneumologique que gynécologique. Si une crise survient au moment de l'accouchement, un traitement classique peut être mis en place, qui ne gênera en rien les contractions dites de « travail ». Cependant, pour calmer vos inquiétudes, vous pouvez demander d'accoucher sous péridurale. Vous préciserez simplement le trouble dont vous souffrez lors de la consultation pré-anesthésique.

Qu'arrivera-t-il si j'ai une crise d'appendicite pendant ma grossesse ?
Précisons tout d'abord que la grossesse n'est pas un facteur favorisant ; c'est simplement une possibilité. D'autre part, le diagnostic peut ne pas être spontanément posé, en raison de toutes les causes de souffrance abdominale dont peut souffrir une femme enceinte. Cependant, jusqu'au 7e mois, on opère de l'appendicite par cœlioscopie sans problèmes. Si cette crise survient pendant le dernier trimestre de la grossesse et s'il y a menace de péritonite, le chirurgien programme généralement une césarienne et pratique en même temps l'ablation de l'appendice.

Je sais que je ne suis pas immunisée contre la toxoplasmose. Quels sont les risques pour moi et surtout pour mon bébé ?
On sait tout d'abord qu'il existe plusieurs formes de toxoplasmose : certaines sont graves pour le fœtus, d'autres pas, le placenta faisant parfois barrage contre l'infection. Une future maman que l'on sait non immunisée est systématiquement contrôlée tous les mois. Si un examen se révèle positif, le médecin prescrit immédiatement des antibiotiques pour empêcher l'infection de l'enfant (pour la mère, elle est toujours bénigne). On vérifie également la présence (ou non) de toxoplasme dans le liquide amniotique par amniocentèse. S'il est diagnostiqué, le traitement antibiotique est ren-

forcé. En cas de doute, le médecin peut procéder à une analyse du sang fœtal : si le fœtus est contaminé, on vérifie qu'il ne développe pas l'infection. La surveillance se fera au moyen d'échographies. C'est seulement après avoir constaté une infection et des signes probants de celle-ci que se prend la décision de poursuivre ou non la grossesse. D'après la dernière enquête du Réseau national de santé publique, une future maman sur deux n'est pas immunisée contre cette maladie alors qu'il y a quelques années ce taux était de 20 %. Cette augmentation est due aux changements d'habitudes alimentaires avec, notamment, l'augmentation de la consommation de produits surgelés qui évite ou retarde la mise en contact avec le virus. Il semble encore que le chat domestique, autrefois souvent mis en cause dans la diffusion du virus, soit de moins en moins porteur. Toujours pour les mêmes raisons d'habitudes alimentaires, sa nourriture n'étant plus constituée de souris crues, mais de boîtes de viande cuisinée. Il est donc indispensable d'effectuer le dépistage proposé systématiquement à toutes les mamans. Les Françaises sont les seules au monde à en bénéficier.

J'ai un enfant de 4 ans qui fréquente l'école maternelle. J'ai peur qu'il attrape une maladie infantile et qu'il me contamine.
La première prudence est de savoir si vous êtes immunisée : un simple examen du sang suffit à le déterminer. Par une méthodologie moléculaire, les résultats sont connus sous 24 heures. Parmi les maladies infantiles, la rubéole et la varicelle sont les plus risquées, surtout si elles se déclarent au début du premier trimestre de la grossesse. Si la future maman n'est pas immunisée, elle peut se protéger par un traitement à base de gammaglobulines. Le traitement se fait en intraveineuse et ne nécessite qu'une journée d'hospitalisation. Un second dépistage par analyse de sang est fait en cours de grossesse. Si la maman est contaminée, le médecin procède à une analyse du liquide amniotique. La prévention de la maladie chez le fœtus se fait, comme pour la toxoplasmose, par prescription d'antibiotiques et par des contrôles du développement du fœtus sous échographie. En ce qui concerne le zona, proche de la varicelle, il est sans conséquences sur le déroulement de la grossesse, puisque c'est un virus qui se développe localement.

539

Je souhaite avoir un enfant, mais je souffre d'une maladie cardiaque. Une grossesse est-elle déconseillée ?

Les problèmes cardiaques ne sont pas une contre-indication à la grossesse, si vous êtes bien suivie médicalement, et, de préférence, dans un service hospitalier spécialisé. Ce qu'il vous faut absolument éviter, ce sont les problèmes infectieux qui ont souvent des conséquences sur le plan cardiaque.

C'est durant le premier trimestre que le cœur est le plus mis à l'épreuve, en raison de l'augmentation du volume sanguin, et pendant l'accouchement. Mis à part cela, on connaît même des femmes greffées du cœur qui sont devenues mères. Dans ce cas précis, et quel que soit le type de greffe, la difficulté de la grossesse peut être due aux traitements mis en place pour éviter le phénomène de rejet. Les corticoïdes, par exemple, peuvent être à l'origine d'accouchements prématurés et de bébés de faible poids à la naissance. En ce qui concerne les greffées du cœur, il est conseillé d'attendre dix-huit mois après la greffe pour mettre en route une grossesse.

J'ai un certain embonpoint et je voudrais être enceinte. Dois-je maigrir avant la grossesse ou plutôt après ?

Il serait plus judicieux de perdre quelques kilos avant d'être enceinte. Le surpoids est souvent un symptôme associé à l'hypertension et au diabète et même parfois aux deux. Ces deux maladies compliquent la grossesse. De plus, trop de poids entraîne un réel inconfort, surtout dans les dernières semaines de gestation. La plupart des hôpitaux ont des services spécialisés où des diététiciennes accompagnent et conseillent les futures mamans un peu trop rondes.

Je suis enceinte et on vient de me diagnostiquer un cancer du sein. Puis-je poursuivre ma grossesse ?

Tout dépend de la nature et du type du cancer et du moment où il est diagnostiqué. Si la grossesse est déjà bien avancée (6e mois), la future maman peut commencer une chimiothérapie. On lui prescrit également des corticoïdes pour aider les poumons du bébé à se développer plus vite, ce qui permettra d'envisager une naissance avant la date prévue, afin que la mère puisse commencer un traitement de fond. Dans d'autre cas, si la grossesse vient de commencer, il est sans doute plus raisonnable de l'interrompre. Le cancer soigné, elle pourra envisager une grossesse ensuite.

Pourquoi conseille-t-on aux futures mamans de faire très attention aux infections urinaires ?

Les infections urinaires sont responsables de beaucoup d'accouchements prématurés. En effet, elles entraînent des poussées de fièvre qui provoquent des contractions. La future maman est particulièrement sensible à ces infections parce que son état entraîne une stase vésicale (la vessie se vide moins bien) qui crée un potentiel de foyer infectieux.

Quelques personnes de ma famille souffrent d'herpès. Ai-je plus de risques qu'une autre d'en souffrir et est-ce dangereux pour mon bébé ?

L'herpès est une maladie virale contagieuse. Vivant auprès de personnes en souffrant, vous avez donc plus de risques que d'autres d'être contaminée. Il existe deux types d'herpès : l'herpès labial très répandu qui peut se transmettre par un simple baiser et l'herpès génital qui se transmet lors d'un rapport sexuel. Dans les deux cas, une fois contracté, l'herpès reste à vie dans l'organisme et réapparaît lors de poussées dont le rythme et l'intensité sont extrêmement variables. L'herpès est dangereux pour tous ceux dont les défenses immunitaires sont faibles ou affaiblies : c'est le cas du fœtus et du nourrisson dont le système immunitaire est encore immature. La contamination peut se faire pendant la grossesse si la future maman est atteinte pour la première fois par le virus (prima infection). Celui-ci passe dans le sang maternel et peut atteindre le fœtus. Lors de l'accouchement, le virus présent dans les sécrétions vaginales peut contaminer le bébé au moment de son passage au travers des voies génitales. Vous devrez donc surveiller de très près toute manifestation dermatologique telles que démangeaisons, brûlures ou picotements au niveau des organes sexuels qui pourraient être le signe d'une première poussée, et en parler immédiatement à votre médecin qui pourra vous prescrire un traitement si les crises sont trop rapprochées.

J'ai lu dernièrement que les professions de sage-femme et de gynécologue étaient menacées, pourquoi ?

Les sages-femmes sont essentielles dans le suivi de la maternité. Leur rôle devrait être accru par la mise en place d'un forfait hospitalier de 3 ou 4 jours pour un accouchement accompagné d'un système de visites au domicile des mamans. Un autre projet est d'instituer une première visite auprès d'une sage-femme au tout début de la grossesse pour aborder de manière globale tous les problèmes de santé de la mère et de l'enfant. Les sages-femmes devraient faire le suivi physiologique de la grossesse et compléter la prise en charge pathologique faite par le médecin.

Pour les gynécologues médicaux, le problème est différent. En effet, leur nombre diminue car depuis quinze ans, cette spécialité médicale n'existe plus dans nos facultés. Aujourd'hui, seuls les médecins faisant l'internat sont à la fois gynécologues et obstétriciens. La formation de ces médecins est donc plus globale et met la médecine française en harmonie avec la médecine européenne. S'ils le souhaitent, ces médecins peuvent exercer en tant que gynécologues médicaux chargés des problèmes de contraception et de ménopause. Mais nous avons, en ce moment, un manque certain d'obstétriciens, en partie en raison de la haute responsabilité et de l'extrême fatigue engendrée par cette spécialité. De plus en plus de problèmes gynécologiques devraient ainsi être traités par les médecins généralistes, grâce à leur nouvelle formation. Les spécialistes, s'occuperaient alors seulement des cas plus difficiles.

Le médecin a dit qu'il envisageait de me faire un cerclage : est-ce que je vais devoir prendre des précautions particulières après ?

Il existe deux types de cerclage : ceux qui sont programmés en raison du risque d'accouchement prématuré, notamment en cas de col court. Il me semble que ce diagnostic est de plus en plus fréquent grâce aux examens échographiques qui permettent une mesure beaucoup plus précise de l'état du col de l'utérus qu'un simple toucher.

Le cerclage à chaud est une intervention d'urgence pour prolonger la grossesse en cas d'accouchement prématuré. On refoule la poche des eaux à l'intérieur de l'utérus et on referme le col. La réussite de cette pratique est très aléatoire mais doit être tentée. Dans le premier cas, une fois le cerclage fait, la future maman vit tout à fait normalement. Les fils sont retirés vers la 36e semaine et, en cas d'accouchement inopiné, dès les premières contractions.

Enfin, dans le cas très particulier de la « réparation » d'un col de l'utérus très abîmé, on peut avoir recours à un cerclage qui restera en place à vie, les accouchements devant alors se faire obligatoirement par césarienne.

J'ai entendu parler d'une nouvelle technique, l'amnio-infusion, qu'est-ce exactement ?

Cette pratique est en cours d'évaluation. Elle peut être pratiquée lorsque le liquide amniotique est rare et consiste à injecter du sérum physiologique dans la poche des eaux. Elle se prescrit habituellement au moment de l'accouchement, pour empêcher le bébé d'être trop comprimé et de souffrir. S'il manque vraiment trop de liquide, on peut en injecter au travers de la paroi abdominale ou par les voies naturelles.

Les médias parlent du clonage humain comme d'une actualité imminente : que faut-il en penser ?

Malgré tout ce que vous pouvez lire ou entendre, sachez que le clonage humain reste du domaine de la science-fiction. Déjà dans le règne animal, l'autoproduction n'est pas une réussite. Le clonage humain n'est donc pas techniquement possible. Il est surtout éthiquement condamné.

1ER MOIS

2E MOIS

3E MOIS

4E MOIS

5E MOIS

6E MOIS

7E MOIS

8E MOIS

9E MOIS

LA NAISSANCE

LES 1RES SEMAINES DE MAMAN

LES 1RES SEMAINES DE BÉBÉ

GROSSESSES DIFFÉRENTES

ANNEXES

Courbe de la prise de poids idéale de la **future maman**

La prise de poids durant la grossesse est progressive. La moyenne se situe entre 10 et 12 kg, et selon la corpulence initiale, elle peut aller jusqu'à 13 kg et demi. Les trois premiers mois sont stables. La prise de poids progresse vraiment à partir du 4e mois. D'une façon générale, pour la santé de la mère et de l'enfant, il vaut mieux respecter cette moyenne, sachant que les kilos supplémentaires seront toujours plus difficiles à perdre ensuite. Si votre courbe dépasse légèrement cette moyenne, il ne faut en aucun cas culpabiliser. Parfois, les conseils d'un nutritionniste au cours de la grossesse peuvent aider à trouver un bon équilibre.

Pour en savoir plus, reportez-vous aux **pages 205 et 254.**

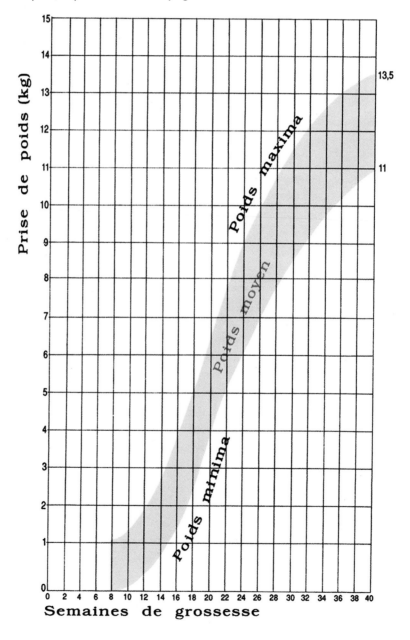

Courbe de poids des **six premiers mois du bébé**

Une croissance physique rapide est une caractéristique essentielle des premières années de l'enfant ; les douze premiers mois sont particulièrement déterminants. Les courbes de poids, de taille et du périmètre crânien permettent de la surveiller. Établissez la courbe soigneusement ou, encore mieux, faites-la établir par le pédiatre, qu'il est recommandé de consulter régulièrement. Sur cette courbe, les zones blanches correspondent aux écarts de part et d'autre de la moyenne.

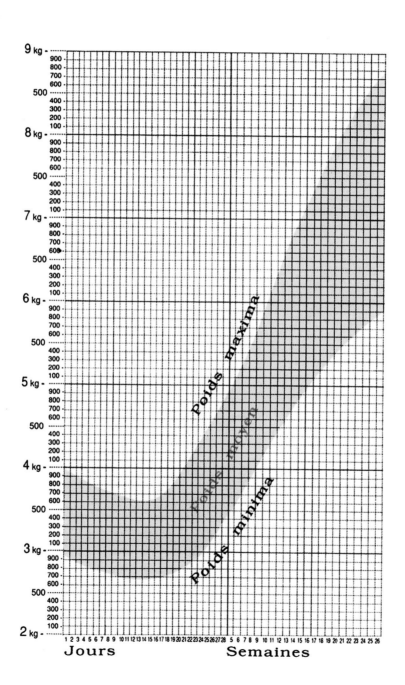

1ᴱᴿ MOIS

2ᴱ MOIS

3ᴱ MOIS

4ᴱ MOIS

5ᴱ MOIS

6ᴱ MOIS

7ᴱ MOIS

8ᴱ MOIS

9ᴱ MOIS

LA NAISSANCE

LES 1ᴿᴱˢ SEMAINES DE MAMAN

LES 1ᴿᴱˢ SEMAINES DE BÉBÉ

GROSSESSES DIFFÉRENTES

ANNEXES

Menus Printemps / Été

Tous ces menus sont adaptés aux besoins de la future maman. Nous avons volontairement pensé léger pour éviter au maximum les nausées en début de grossesse et pour vous permettre de limiter votre prise de poids (si besoin est) en fin de grossesse.

• *N'hésitez pas à utiliser les herbes et les épices :* coriandre, cardamome, quatre-épices, curry, genièvre, cannelle, thym, basilic, aneth... Elles apportent beaucoup de saveur aux cuissons les plus simples.

• *La plupart de ces plats ont été conçus pour être réalisés avec un minimum de matière grasse* au moment de la cuisson. Cependant, selon vos goûts, selon votre tendance aux nausées ou non, et selon votre prise de poids, vous pouvez ajouter :
- un peu de beurre frais ;
- une cuillerée à café de crème fraîche ;

- un peu d'huile d'olive ou de tournesol ou de pépins de maïs.

• *La cuisson au sel est diététiquement intéressante ;* elle permet de garder aux produits tout leur moelleux sans avoir à y ajouter de matière grasse. On cuit ainsi le poisson (entier), la viande et les volailles. Rassurez-vous, les produits cuits ainsi, une fois débarrassés soigneusement de leur gangue de sel, ne sont pas plus salés qu'il ne faut.

Si vous n'êtes pas immunisée contre la toxoplasmose, mieux vaut ne pas consommer de viande rouge ou crue ; une bonne cuisson détruit tous les germes de cette maladie.

De même, il est préférable, pour vous préserver de la listériose ou des hépatites, de laver soigneusement et plusieurs fois les légumes ou les fruits que vous souhaitez consommer crus.

	Petit déjeuner	Déjeuner	Dîner
lundi	café ou thé au lait, 1 kiwi, pain (60 g), beurre (10 à 15 g), jambon	salade d'épinards crus et tomates, bœuf à la ficelle, légumes nouveaux, fromage blanc sucré au miel	gaspacho, 2 œufs à la coque, fruit
mardi	café ou thé au lait, 1 jus d'orange, pain + beurre, 1 œuf à la coque	salade de courgettes crues, pain de poisson, pâtes au basilic, fromage, fruit	melon à l'italienne, rognons de veau (sauce légère), carottes nouvelles à la crème, fromage, fruit
mercredi	café ou thé au lait, 1 pomme, céréales (4 cuil. à café), 30 g de comté	salade de cresson, poulet au couscous, yaourt aux fruits rouges	salade de mesclun, saumon cru mariné au cerfeuil ou au basilic, flan d'épinards, fromage, fruit
jeudi	café ou thé au lait, 1 jus de pamplemousse, müesli, 50 g de fromage blanc	salade romaine au chèvre frais, gigot à la vapeur, aubergines dans leur peau (au four), fromage, fruit	julienne de légumes vapeur, chavignol chaud et salade, soupe de fruits rouges à la menthe
vendredi	café ou thé au lait, cocktail d'agrumes, pain + beurre	caviar d'aubergines, brochette de bœuf, gratin de carottes, fromage, fruit	soupe de concombres au yaourt, 2 œufs à la coque, fromage, fruit
samedi	café ou thé au lait, 1 jus d'orange + 1/2 citron, 1 crêpe légère, fromage	salade de haricots verts, lapin en papillote, fromage, sorbet	asperges sauce fromage blanc, tomates + aubergines farcies à la provençale, clafoutis aux cerises
dimanche	café ou thé au lait, bol de fraises, 1 œuf au bacon	crudités et sauces yaourt-roquefort, jambon à la virginienne, pâtes cuites (30 g), pêches rafraîchies à la menthe	bouquet frais cuit au gril, truite au sel, fromage, crème brûlée

Menus Automne / Hiver

1ᴱᴿ MOIS

2ᴱ MOIS

3ᴱ MOIS

4ᴱ MOIS

5ᴱ MOIS

6ᴱ MOIS

7ᴱ MOIS

8ᴱ MOIS

9ᴱ MOIS

LA NAISSANCE

LES 1ᴿᴱˢ SEMAINES DE MAMAN

LES 1ᴿᴱˢ SEMAINES DE BÉBÉ

GROSSESSES DIFFÉRENTES

ANNEXES

C'est vraiment à partir du 7ᵉ mois que la future maman doit manger plus. Elle doit augmenter sa ration quotidienne de 500 à 1 000 calories selon son poids d'avant la grossesse, soit au total un apport calorique de 2 800 calories par jour. À trente semaines de gestation, la balance doit normalement indiquer plus 8,5 kg par rapport au 1ᵉʳ mois.

• *Aucun aliment n'est particulièrement à privilégier*. Il faut jouer l'équilibre en répartissant le surplus sur les trois repas principaux, et notamment en s'efforçant de démarrer sa journée par un petit déjeuner copieux. Au besoin, l'apport supplémentaire peut se faire en prenant une petite collation vers 16 ou 17 heures.

• *Nausées et vomissements* peuvent également réapparaître en fin de grossesse. Ils ne sont pas le signe d'une difficulté particulière et peuvent être prévenus par quelques précautions. Certaines futures mamans se sentiront beaucoup mieux en fractionnant encore plus leurs repas.

En effet, le bébé, en grandissant, a tendance à prendre de plus en plus de place dans l'abdomen et comprime l'estomac.

• *Le faux sucre* peut être un palliatif pour aider à une rééducation vis-à-vis du goût sucré. Mais attention, on lui reproche, par un phénomène physiologique de compensation, de favoriser le besoin de sucre et de développer l'appétit.

• *Les allégés*, comme leur nom l'indique, ne sont qu'allégés et, à titre d'exemple, les beurres allégés sont équivalents en matière grasse aux fromages les plus courants. Dans tous les cas, c'est la modération en sucres et en graisses qui a le plus de chance d'être efficace.

	Petit déjeuner	Déjeuner	Dîner
lundi	raisin, café ou thé, pain + beurre, 1 œuf à la coque	avocat au citron, rôti de veau au lait, gratin de blettes, fromage, ananas	magret grillé, salade de haricots verts, fromage, pomme au four en papillote
mardi	jus d'orange, café ou thé, céréales (4 cuil. à café), 30 g de comté	salade verte au roquefort et aux noix, escalope de dindonneau et gratin de chou-fleur, fruit	soupe à l'ail, dorade au sel, riz, yaourt au miel et aux fruits secs
mercredi	pamplemousse, café ou thé, pain (60 g), beurre (10 à 15 g), jambon	brocolis en salade, porc aux oignons et au thym, fromage, fruit	soupe de potiron, ratatouille aux œufs, gâteau au fromage blanc
jeudi	pomme, café ou thé, 1 petite crêpe légère, fromage	salade de choux, foie de veau à l'anglaise, fruit	mâche et magret fumé, gratin de coquilles Saint-Jacques, œufs à la neige
vendredi	poire, café ou thé, 1 œuf bacon	pamplemousse en salade, brandade de morue, crème caramel	gratin de poireaux, rôti de veau, fromage, crumble aux fruits rouges
samedi	raisin, café ou thé, pain + beurre	bouillon dégraissé, poule au pot, fromage, gratin de poires	ragoût de légumes, papillote de saumon, fromage, tarte pommes-cannelle
dimanche	jus de pamplemousse, café ou thé, müesli, 50 g de fromage blanc	salade de champignons de Paris à la crème, canard aux pêches, fromage, fruits exotiques	soupe de légumes, salade de foies de volaille, fromage, gâteau de carottes

Menus minceur après bébé

Après la grossesse, il n'y a pas de restrictions particulières, mais quelques principes, bases d'une alimentation équilibrée, qu'il faut connaître.
Tout d'abord, vous pouvez manger de tout (ou presque) à condition de limiter les graisses et les sucres rapides. Les légumes sont conseillés. Ils peuvent être consommés en quantité alors que les fruits crus ou cuits le seront avec modération, tout comme les laitages.
• Il est recommandé de privilégier les modes de cuisson « minceur ». Pour les viandes, vous avez le choix entre le gril, le four ou la poêle antiadhésive. Pour le poisson, préférez la papillote et la cuisson vapeur, il en va de même pour les légumes car la vapeur conserve tout leur parfum. Si vous n'êtes pas une adepte de la vapeur, faites au moins cuire les légumes dans très peu d'eau.
• Ne sautez jamais un repas car l'organisme, par un système de compensation, accumule plus facilement les graisses. En revanche, si vous constatez que des fringales vous tenaillent au milieu de la matinée, buvez un grand verre d'eau et augmentez les rations de votre petit déjeuner. De même, si vous avez du mal à patienter jusqu'au repas du soir, offrez-vous une petite collation vers 16 heures, composée d'une tranche de pain complet ou d'un yaourt nature.
• Buvez un litre et demi à deux litres d'eau plate par jour, mangez à heure fixe. Efforcez-vous toujours de vous installer confortablement même si vous êtes seule et prenez le temps de mâcher vos aliments.

	Petit déjeuner	Déjeuner	Dîner
LUNDI	café ou thé au lait, 60 g de pain complet + 10 g de beurre allégé, 1 jus d'orange ou de pamplemousse	brochettes de bœuf mariné dans 2/3 de jus d'ananas et 1/3 de vinaigre, haricots verts + beurre, yaourt nature	petite salade verte + 1/2 cuil. d'huile, 2 petites côtes d'agneau, 2 tomates à la poêle, 1 crème caramel

	Petit déjeuner	Déjeuner	Dîner
MARDI	café ou thé au lait, 1 jus d'orange ou 1 jus de pamplemousse, 30 g de corn-flakes dans un bol de lait écrémé	120 g de steak, carottes vichy, 1/4 d'ananas frais	soupe de 5 légumes (courgettes, carottes, poireaux, navets, tomates), 2 œufs à la coque, 1 yaourt peu sucré

	Petit déjeuner	Déjeuner	Dîner
MERCREDI	café ou thé au lait, 1/2 pamplemousse, 30 g de müesli, 1 yaourt, 1 cuil. à café de miel	100 g de poisson maigre, 200 g de pommes de terre vapeur + beurre, 1 pomme cuite au four	100 g de magret grillé, haricots verts en salade + 1/2 cuil. d'huile, 1 kiwi

• Enfin, sachez que vous perdrez d'autant plus vite les quelques kilos qui vous pèsent en bougeant. Si la gymnastique vous ennuie, faites de la marche ; par beau temps, vous pouvez même en faire profiter votre bébé. Pourquoi aussi ne pas faire vos courses à bicyclette, c'est idéal pour faire fondre le ventre et les cuisses. À savoir également, un corps entraîné aux activités sportives dépense plus facilement les graisses que celui qui est inactif.

	Petit déjeuner	Déjeuner	Dîner
JEUDI	café ou thé au lait, 30 g de céréales, 1 bol de fromage blanc à 0 %, 1/2 pomme	200 g de pilpi ou de semoule, 1 champignon et 1 blanc de poireau, 30 g de camembert, 1 tranche de pain	salade de mâche avec 80 g de magret de canard fumé, 1 cuil. d'huile, gratin de poire à l'aspartame

	Petit déjeuner	Déjeuner	Dîner
VENDREDI	café ou thé au lait, 3 petits pains grillés, 10 g de beurre, 1 cuil. à café de confiture	foie de veau à l'anglaise, 300 g de pâtes bolognaise + 1 cuil. d'huile d'olive et 1 feuille de basilic, 30 g de parmesan	noix de Saint-Jacques sur lit de blanc de poireaux, 1/2 cuil. de crème fraîche, 100 g de riz, 1 pomme ou 1 pêche

	Petit déjeuner	Déjeuner	Dîner
SAMEDI	café ou thé au lait, 1 jus de pamplemousse, 30 g de müesli	bouillon dégraissé, 100 g de blanc de poulet, courgette, 1 yaourt nature	100 g de quasi de veau cuisiné avec des tomates, 2 oignons, 3 pruneaux, crumble aux fruits rouges

	Petit déjeuner	Déjeuner	Dîner
DIMANCHE	café ou thé au lait, 3 abricots, 1 œuf à la coque, 30 g de pain	salade du pêcheur (50 g de thon, 100 g de maïs, 100 g de riz, 1 tomate, 5 ou 6 tranches de concombre), 30 g de fromage blanc à 20 %	2 fines tranches de jambon blanc, méli-mélo de légumes, 1 bol de crème au chocolat noir

1ER MOIS

2E MOIS

3E MOIS

4E MOIS

5E MOIS

6E MOIS

7E MOIS

8E MOIS

9E MOIS

LA NAISSANCE

LES 1RES SEMAINES DE MAMAN

LES 1RES SEMAINES DE BÉBÉ

GROSSESSES DIFFÉRENTES

ANNEXES

Le calendrier de votre grossesse

Cochez la date du premier jour de vos dernières règles, le chiffre correspondant dans la colonne en vert foncé indique la date présumée de votre accouchement.

JANVIER	OCTOBRE	FÉVRIER	NOVEMBRE	MARS	DÉCEMBRE	AVRIL	JANVIER	MAI	FÉVRIER	JUIN	MARS
1	14	1	14	1	12	1	12	1	11	1	14
2	15	2	15	2	13	2	13	2	12	2	15
3	16	3	16	3	14	3	14	3	13	3	16
4	17	4	17	4	15	4	15	4	14	4	17
5	18	5	18	5	16	5	16	5	15	5	18
6	19	6	19	6	17	6	17	6	16	6	19
7	20	7	20	7	18	7	18	7	17	7	20
8	21	8	21	8	19	8	19	8	18	8	21
9	22	9	22	9	20	9	20	9	19	9	22
10	23	10	23	10	21	10	21	10	20	10	23
11	24	11	24	11	22	11	22	11	21	11	24
12	25	12	25	12	23	12	23	12	22	12	25
13	26	13	26	13	24	13	24	13	23	13	26
14	27	14	27	14	25	14	25	14	24	14	27
15	28	15	28	15	26	15	26	15	25	15	28
16	29	16	29	16	27	16	27	16	26	16	29
17	30	17	30	17	28	17	28	17	27	17	30
18	31	18	1	18	29	18	29	18	28	18	31
19	1	19	2	19	30	19	30	19	1	19	1
20	2	20	3	20	31	20	31	20	2	20	2
21	3	21	4	21	1	21	1	21	3	21	3
22	4	22	5	22	2	22	2	22	4	22	4
23	5	23	6	23	3	23	3	23	5	23	5
24	6	24	7	24	4	24	4	24	6	24	6
25	7	25	8	25	5	25	5	25	7	25	7
26	8	26	9	26	6	26	6	26	8	26	8
27	9	27	10	27	7	27	7	27	9	27	9
28	10	28	11	28	8	28	8	28	10	28	10
29	11			29	9	29	9	29	11	29	11
30	12			30	10	30	10	30	12	30	12
31	13			31	11			31	13		
JANVIER	NOVEMBRE	FÉVRIER	DÉCEMBRE	MARS	JANVIER	AVRIL	FÉVRIER	MAI	MARS	JUIN	AVRIL

Les rendez-vous de votre grossesse
• La déclaration de grossesse : avant la fin de la 14e semaine de grossesse

Les échographies
• 12e semaine : 1re échographie • 22e semaine : 2e échographie • 32e semaine : 3e échographie

JUILLET	AVRIL	AOÛT	MAI	SEPTEMBRE	JUIN	OCTOBRE	JUILLET	NOVEMBRE	AOÛT	DÉCEMBRE	SEPTEMBRE
1	13	1	14	1	14	1	14	1	14	1	13
2	14	2	15	2	15	2	15	2	15	2	14
3	15	3	16	3	16	3	16	3	16	3	15
4	16	4	17	4	17	4	17	4	17	4	16
5	17	5	18	5	18	5	18	5	18	5	17
6	18	6	19	6	19	6	19	6	19	6	18
7	19	7	20	7	20	7	20	7	20	7	19
8	20	8	21	8	21	8	21	8	21	8	20
9	21	9	22	9	22	9	22	9	22	9	21
10	22	10	23	10	23	10	23	10	23	10	22
11	23	11	24	11	24	11	24	11	24	11	23
12	24	12	25	12	25	12	25	12	25	12	24
13	25	13	26	13	26	13	26	13	26	13	25
14	26	14	27	14	27	14	27	14	27	14	26
15	27	15	28	15	28	15	28	15	28	15	27
16	28	16	29	16	29	16	29	16	29	16	28
17	29	17	30	17	30	17	30	17	30	17	29
18	30	18	31	18	1	18	31	18	31	18	30
19	1	19	1	19	2	19	1	19	1	19	1
20	2	20	2	20	3	20	2	20	2	20	2
21	3	21	3	21	4	21	3	21	3	21	3
22	4	22	4	22	5	22	4	22	4	22	4
23	5	23	5	23	6	23	5	23	5	23	5
24	6	24	6	24	7	24	6	24	6	24	6
25	7	25	7	25	8	25	7	25	7	25	7
26	8	26	8	26	9	26	8	26	8	26	8
27	9	27	9	27	10	27	9	27	9	27	9
28	10	28	10	28	11	28	10	28	10	28	10
29	11	29	11	29	12	29	11	29	11	29	11
30	12	30	12	30	13	30	12	30	12	30	12
31	13	31	13			31	13			31	13
JUILLET	MAI	AOÛT	JUIN	SEPTEMBRE	JUILLET	OCTOBRE	AOÛT	NOVEMBRE	SEPTEMBRE	DÉCEMBRE	OCTOBRE

1ER MOIS

2E MOIS

3E MOIS

4E MOIS

5E MOIS

6E MOIS

7E MOIS

8E MOIS

9E MOIS

LA NAISSANCE

LES 1RES SEMAINES DE MAMAN

LES 1RES SEMAINES DE BÉBÉ

GROSSESSES DIFFÉRENTES

ANNEXES

Glossaire médical

A

ACCIDENT MATERNEL : sous ce terme sont regroupées toutes les complications qui peuvent intervenir au cours de l'accouchement et qui mettent en danger la vie de la mère. Les accidents maternels les plus fréquents sont habituellement dus à des problèmes vasculaires ou hémorragiques et parfois à un mauvais diagnostic antérieur ou à une manœuvre obstétricale dangereuse. Accoucher dans une maternité bien équipée, sous la responsabilité d'une équipe prête à intervenir au bon moment ou capable de diriger au plus vite les cas qu'elle ne peut pas traiter vers un établissement spécialisé, est la meilleure prévention.

ACIDE FOLIQUE : vitamine que l'on trouve dans le foie et la plupart des végétaux verts, indispensable pour un bon déroulement de la grossesse.

A.D.N. OU ACIDE DÉSOXYRIBONUCLÉIQUE : substance appartenant au noyau de la cellule et constituant notamment les chromosomes.

AGGLUTININE : anticorps réagissant en présence d'un antigène correspondant. L'agglutination est un phénomène biologique qui caractérise l'accolement de cellules ou de microbes sous l'action d'un corps dit agglutinine. L'étude de l'agglutination permet le diagnostic de l'attaque virale ou microbienne.

ALBUMINE : protéine pouvant avoir diverses origines ; celle qui est synthétisée par le foie est la sérumalbumine. Le taux de cette albumine est constant dans le sang. Tout changement dans ce taux est signe de mauvais fonctionnement organique.

ALPHA-FŒTOPROTÉINE : nom d'une protéine que l'on trouve dans le sang et dont l'élévation invite à pratiquer une échographie à la recherche d'une anomalie fœtale.

AMÉNORRHÉE : absence des règles chez la femme.

AMNIOS : fine membrane qui tapisse la cavité où flotte le fœtus, entourant aussi le cordon ombilical jusqu'à sa jonction avec le fœtus. Elle est séparée de la paroi utérine par une autre membrane, le chorion.

ANÉMIE : réduction du nombre de globules rouges. Les causes peuvent en être nombreuses. Se signale par une peau très pâle.

ANENCÉPHALIE : malformation de la tête qui ne présente que la face. Il n'y a pas de boîte crânienne. Cause de mort in utero ou dans les quelques heures qui suivent la naissance.

ANTICORPS : substance produite par l'organisme pour se défendre de l'attaque de virus ou de microbes appelés antigènes. À chaque antigène correspond un anticorps qu'il rend inactif.

ANTISPASMODIQUE : effet d'un médicament ou d'une substance qui combat le spasme et la douleur qui l'accompagne souvent. L'un ou l'autre agit sur le système nerveux du muscle ou de l'organe contracté involontairement.

APLASIE MÉDULLAIRE : trouble de la formation de la moelle osseuse qui perturbe la fabrication des globules du sang, caractérisé par leur appauvrissement dans l'organisme. Tous les types de globules sont touchés : globules rouges, leucocytes (globules blancs) et plaquettes.

A.R.N. : acide ribonucléique — acide nucléique du cytoplasme et du noyau cellulaire. Son rôle est important dans le transport des messages génétiques et la synthèse des protéines.

AUTOSOMES : variété de chromosomes ne déterminant pas le sexe de l'individu. L'homme possède 44 chromosomes autosomes et 2 chromosomes sexuels (XX ou XY). Les altérations des chromosomes autosomes provoquent des maladies héréditaires touchant les deux sexes.

B

BÉANCE DE L'ISTHME : ouverture anormale du col de l'utérus.

BÉBÉ-ÉPROUVETTE : formulation populaire pour parler des enfants obtenus par fécondations in vitro.

BIOPSIE : prélèvement d'un fragment de tissu en vue d'analyse. Le tissu prélevé est analysé au microscope ou au microscope électronique, étudié sur le plan chimique ou mis en culture, par exemple pour l'étude d'un caryotype.

BRADYCARDIE : ralentissement du rythme cardiaque.

C

CANAL GALACTOPHORE : canal par lequel est conduit le lait produit par la glande mammaire.

CANDIDA ALBICANS : présence de « champignons », de levures, dites Candida. Ces levures, pour différentes raisons, peuvent devenir pathogènes.

CÉPHALHÉMATOME : épanchement sanguin situé entre l'os du crâne et le périoste. Assez rare mais peut se voir même après un accouchement normal. Se résorbe naturellement.

CHORION : tissu enveloppant le fœtus, servant d'appui à l'amnios et soudé à la muqueuse utérine. De nature différente au niveau de l'implantation de l'œuf dans la cavité utérine (chorion placentaire) et dans les autres parties (chorion lisse). Le chorion placentaire a de très nombreux vaisseaux sanguins où s'implantent les villosités choriales, en contact direct avec la muqueuse utérine.

CHROMATINE : substance présente dans toute cellule vivante. Lors de la division cellulaire, c'est la chromatine qui est à l'origine de la formation des chromosomes.

CHROMOSOME : élément en forme de bâtonnet, présent dans toute cellule vivante. Sur les chromosomes, on trouve les gènes, matériel héréditaire de tout être vivant. Chaque espèce a un nombre de chromosomes déterminé. Toute différence entraîne une anomalie, dite maladie génétique.

CIRCULAIRE DU CORDON : nom médical donné à la position enroulée du cordon ombilical autour du cou de l'enfant.

CŒLIOSCOPIE : examen pratiqué avec un endoscope, tube optique muni d'un éclairage pour examiner les organes internes abdominaux et pelviens. L'endoscope est introduit par le nombril.

COLOSTRUM : liquide jaunâtre sécrété par la glande mammaire avant que ne se produise la sécrétion de lait. Il est très riche en protéines, sels minéraux et anticorps maternels.

CORPS JAUNE : partie de l'ovaire qui sécrète la progestérone ; sa fonction est transitoire et périodique. C'est une véritable glande endocrine qui, s'il n'y a pas fécondation, se flétrit et dégénère.

CURETAGE : à l'aide d'une curette, on enlève les fragments de tissu restés accrochés à la paroi utérine, notamment après un avortement spontané.

CYCLE MENSTRUEL : manifestation physiologique caractéristique de l'appareil génital de la femme. Dans la grande majorité des cas, le cycle menstruel dure vingt-huit jours, aboutissant aux menstruations ; ce mécanisme est essentiellement placé sous la commande de l'hypophyse.

CYSTITE : irritation de la vessie due habituellement à une infection.

CYTOMÉGALOVIRUS : ce virus est fréquent dans les communautés de jeunes enfants. Il a la particularité de rester plusieurs mois présent dans leur salive et leurs urines. Son dépistage n'est pas obligatoire mais conseillé aux futures mamans. En effet, le virus peut se transmettre de la mère au fœtus et, dans quelques cas rares, il peut être à l'origine de troubles de l'audition qui se révèlent tardivement dans l'enfance. La prévention passe par le lavage fréquent des mains, notamment après les changes, et par quelques précautions avec les enfants fréquentant la crèche : ne pas utiliser leurs ustensiles de repas, ne pas « goûter » les biberons, ne pas utiliser leurs accessoires de toilette, ne pas les embrasser sur la bouche.

D

DÉSHYDRATATION : perte d'eau importante du corps. Elle peut, chez le nourrisson, mettre sa vie en danger.

DIAMÈTRE BIPARIÉTAL : mesure d'un os pariétal à l'autre. Ils sont situés de part et d'autre du crâne autour d'une ligne médiane située entre l'occipital arrière et le frontal en avant.

DOPPLER : appareil permettant de mesurer la vitesse de circulation du sang dans les vaisseaux ; son principe est la réflexion sur les globules rouges d'ultrasons qu'il émet.

DORSALGIE : douleur du dos au niveau de la colonne vertébrale.

DURE-MÈRE : une des méninges enveloppant le cerveau et la moelle épinière. La dure-mère suit très exactement la face interne du crâne. Cette enveloppe résistante est épaisse d'un millimètre.

1ᴱᴿ MOIS

2ᴱ MOIS

3ᴱ MOIS

4ᴱ MOIS

5ᴱ MOIS

6ᴱ MOIS

7ᴱ MOIS

8ᴱ MOIS

9ᴱ MOIS

LA NAISSANCE

LES 1ᴿᴱˢ SEMAINES DE MAMAN

LES 1ᴿᴱˢ SEMAINES DE BÉBÉ

GROSSESSES DIFFÉRENTES

ANNEXES

DYSPLASIE DE LA HANCHE : déformation osseuse de la hanche due à une malformation embryonnaire.

DYSTOCIE OSSEUSE : se manifeste par des rétrécissements et des aplatissements du bassin de façon symétrique. Elle peut être cause de déformations vertébrales et de luxation bilatérale des hanches.

E

ÉCLAMPSIE : crise de convulsions pouvant aboutir à un coma plus ou moins profond. Albuminurie, œdème et hypertension sont des manifestations prémonitoires.

ECTOBLASTE : feuillet de l'embryon à l'origine de la peau et du système nerveux.

EMBOLIE AMNIOTIQUE : passage de liquide et de cellules amniotiques dans la circulation maternelle au cours de l'accouchement.

EMBRYOGENÈSE : formation des différents organes de l'organisme humain.

EMBRYON : chez l'homme, on parle d'embryon de la fécondation à trois mois de gestation où il devient fœtus.

ENDOBLASTE : feuillet intérieur du disque embryonnaire. À l'origine, pour une part, de la formation de l'intestin primitif, puis du tympan, d'une partie de l'appareil respiratoire, des amygdales, de la thyroïde, du foie, du pancréas, du thymus et de la vessie.

ENDOMÉTRIOSE : affection signalée par la présence de muqueuse utérine hors de sa localisation normale (sur le muscle utérin, les trompes, les ovaires) sur le péritoine ou la vessie.

ENDORPHINE : substance sécrétée par l'hypophyse et les tissus nerveux pour atténuer la douleur.

ÉPIDIDYME : organe constitué d'un fin canal, situé sur le testicule.

EXSANGUINO-TRANSFUSION : remplacement du sang de l'enfant dès sa naissance par le sang d'un donneur, notamment dans les cas d'incompatibilité entre les Rhésus maternel et fœtal. L'opération se fait par l'intermédiaire de la veine ombilicale.

F

FÉCONDATION IN VITRO (FIV) : technique qui consiste à provoquer la fécondation en éprouvette puis à réimplanter dans l'utérus maternel l'œuf ainsi obtenu.
- Le GIFT (Gamete Intra Fallopian Transfer) : la fécondation est obtenue dans les trompes maternelles après y avoir replacé les ovocytes préalablement ponctionnés et les spermatozoïdes « préparés » au laboratoire.
- Le ZIFT (Zygote Intra Fallopian Transfer) : la fécondation est réalisée en éprouvette, l'œuf est réimplanté sous 24 ou 48 heures dans la trompe.

FIBROBLASTE : cellule du tissu conjonctif responsable de sa formation.

FIBROME OU FIBROMYOME DE L'UTÉRUS : tumeur bénigne qui se forme à partir du muscle utérin.

FŒTOSCOPIE : examen permettant de voir le fœtus in utero par introduction d'un endoscope (appareil muni d'un éclairage) à travers la paroi utérine.

FOLLICULE DE DE GRAAF : ensemble de cellules déterminant une cavité à la surface de l'ovaire, où se forme l'ovule.

FOLLICULINE : hormone sécrétée par l'ovaire.

FONTANELLES : espaces non soudés entre les os du crâne du nouveau-né, reliés entre eux par des membranes. Il y a au total trois fontanelles.

G

GAMMAGLOBULINE : globuline du sérum sanguin. Elle est le support de la majorité des anticorps. Elle est aussi utilisée en prévention de certaines maladies infectieuses.

GLAIRE CERVICALE : sécrétion produite par les tissus du col de l'utérus au moment de l'ovulation. Ce liquide transparent, de la consistance du blanc d'œuf, joue à la fois le rôle de filtre et de conducteur. La glaire cervicale guide les spermatozoïdes vers l'utérus et les trompes. Pendant la grossesse, cette glaire s'épaissit et protège le fœtus de toute infection. Le jour de la naissance ou les quelques jours qui la précèdent, elle redevient souple et abondante ; elle est alors expulsée. C'est ce qu'on appelle le bouchon muqueux.

GONADE : organe destiné à fournir des cellules reproductrices. La gonade mâle est le testicule, la gonade femelle est l'ovaire.

GONADOTROPHINE CHORIONIQUE OU HORMONE GONADO-

TROPE (HCG) : elle est produite par le placenta ; on la dose dans les urines. Elle témoigne de la grossesse.

GRAVIDIQUE : qui a rapport à la grossesse.

GROSSESSE MOLAIRE : le placenta évolue en tumeur cancéreuse, aux dépens de la muqueuse qui tapisse la cavité utérine ou du muscle utérin plus profond (mais c'est plus rare). Cela peut survenir après une grossesse et se signale par des saignements, des pertes blanches ou jaunes et malodorantes.

H

HÉMATOME RÉTRO-PLACENTAIRE : hémorragie plus ou moins grave selon son étendue, pouvant aller jusqu'au décollement du placenta. Elle met en danger la vie de l'enfant.

HÉMOGLOBINE : protéine colorée caractéristique des globules rouges, assurant le transport de l'oxygène.

HÉMOPHILIE : maladie héréditaire du sang touchant uniquement les garçons mais transmise par les femmes. Se caractérise par des difficultés de coagulation.

HÉMORROÏDE : dilatation d'une veine de la paroi rectale. Elle peut être interne ou externe. Favorisée durant la grossesse par la compression du système veineux.

HÉPATITE : inflammation du foie due à des substances toxiques mais aussi à des virus ou à une infection. La plus fréquente est l'hépatite virale qui est due soit au virus A, soit au virus B ou C.

HÉTÉROZYGOTE : se dit d'un caractère génétique porté par l'individu mais non exprimé.

HORMONE : substance chimique produite par les glandes endocrines. Elle joue un rôle essentiel dans le fonctionnement du corps.

HYDRAMNIOS : quantité anormale de liquide amniotique qui augmente. Cette abondance excessive a des causes multiples, liées à la formation ou à la non-résorption de ce liquide.

HYPERGLYCÉMIE : taux de glucose dans le sang anormalement élevé révélant un diabète dit sucré.

HYPOGLYCÉMIE : chute brutale du taux de glucose dans le sang, pouvant entraîner des malaises.

HYPOPHYSE : glande endocrine située sous l'encéphale et qui produit de nombreuses hormones. Elle commande notamment les ovaires et la plupart des glandes de notre corps. Sous l'effet du LHRH (hypothalamus), elle libère deux autres hormones, la FSH et la LH ; l'une est destinée à faire grandir et mûrir le follicule qui contient l'ovule, l'autre agit sur le follicule pour libérer l'ovule et en modifier certaines cellules afin de donner naissance au corps jaune.

HYPOTENSION : abaissement au-dessous de la normale de la tension artérielle.

HYPOTHALAMUS : il est situé à la base du cerveau et régule tout le système hormonal ; il contrôle la température du corps, l'appétit, le poids, les émotions. Il traduit les influx nerveux venus du cerveau et de toute autre partie du corps ; ses agents de liaison : les hormones.

La substance hormonale qu'il libère, le LHRH, atteint toutes les 90 minutes l'hypophyse par l'intermédiaire du sang. L'hypothalamus a encore un rôle régulateur dans toute la sécrétion hormonale de l'organisme.

HYPOTROPHE : qualificatif attribué à un enfant de petit poids.

HYPOXÉMIE : diminution du taux d'oxygène dans le sang.

HYPOXIE : manque d'oxygène au cours de l'accouchement.

I

ICTÈRE OU JAUNISSE PHYSIOLOGIQUE : il se manifeste chez beaucoup de nouveau-nés dans les trois premiers jours de la vie. Il est dû à une lente mise en route du foie, il est à distinguer de la jaunisse due à une incompatibilité sanguine fœto-maternelle.

IMMUNITÉ : capacité de résister à une maladie infectieuse ou parasitaire. Elle peut être naturelle ou acquise, notamment par le vaccin.

IMMUNOGLOBULINE : anticorps qui assure l'immunité. Elle est présente à l'état naturel dans le sang.

INSULINE : hormone qui a pour effet de faire baisser le taux de glycémie. L'insuline est employée dans le traitement du diabète.

INTERRUPTION THÉRAPEUTIQUE DE GROSSESSE : arrêt volontaire de la grossesse pour des raisons médicales, en cas de danger pour la vie de la mère ou si l'on a la certitude de voir naître un enfant gravement malformé. En France, elle peut être pratiquée à tout moment de la grossesse.

1ER MOIS

2E MOIS

3E MOIS

4E MOIS

5E MOIS

6E MOIS

7E MOIS

8E MOIS

9E MOIS

LA NAISSANCE

LES 1RES SEMAINES DE MAMAN

LES 1RES SEMAINES DE BÉBÉ

GROSSESSES DIFFÉRENTES

ANNEXES

INTERRUPTION VOLONTAIRE DE LA GROSSESSE : doit être pratiquée avant la fin de la 12e semaine de grossesse ou 14e semaine d'aménorrhée.

K

KYSTE : cavité pathologique située dans un tissu ou un organe, tel l'ovaire. Il peut être dû à un problème pathologique : la rupture du follicule libérant l'ovule ne se fait pas et le follicule continue à grossir. Il peut également être organique ; il est alors permanent et sa taille ne varie pas quel que soit le moment du cycle.

L

LEUCORRHÉE : écoulement non sanglant de la vulve, normal au cours de la grossesse, en raison de la desquamation abondante du vagin.

LIQUIDE CÉPHALO-RACHIDIEN : liquide qui baigne les ventricules cérébraux et la moelle épinière.

LISTÉRIOSE : maladie infectieuse due à un germe qui se transmet à l'homme par l'intermédiaire de la viande contaminée et se dépiste essentiellement dans le sang maternel lors d'un syndrome grippal.

LYMPHANGITE : inflammation des vaisseaux lymphatiques.

M

MÉCONIUM : substance constituée de bile, de débris épithéliaux et de mucus qui emplit les intestins de l'enfant au cours de sa vie in utero. Elle est évacuée dans les premiers jours qui suivent la naissance. Son évacuation in utero est souvent la manifestation d'une souffrance fœtale.

MÉIOSE : mécanisme très particulier qui permet aux gamètes mâles et femelles de ne diviser que 23 chromosomes à partir des 46 cellules mères.

MÉSOBLASTE : feuillet intermédiaire de l'embryon.

MÉTABOLISME : phénomène de construction et de dégradation organique des cellules du corps humain, complexe et incessant.

MÉTRORRAGIE : saignement anormal.

MORULA : premier stade de développement embryonnaire.

MUCOVISCIDOSE : maladie héréditaire récessive qui se manifeste par une altération des sécrétions des muqueuses. Cette maladie atteint les appareils respiratoire, digestif, pancréatique et hépatique. L'évolution de cette maladie est souvent fatale. Un enfant sur 3 500 en est atteint. Malheureusement, son dépistage est souvent tardif : 60 % avant 1 an et 90 % à 5 ans. Le dépistage précoce existe et s'il ne permet pas de guérir l'enfant, il aide à améliorer sensiblement sa qualité de vie. Depuis 2001, la Caisse nationale de l'assurance maladie des travailleurs salariés a décidé de financer sur trois ans la mise en œuvre progressive d'un dépistage systématique chez les nouveau-nés. Après accord des parents, il consiste, à trois ou quatre jours de vie, à prélever une goutte de sang au talon. Cet examen sera mis en place en priorité dans les régions équipées d'un réseau de soins spécialisés. Un régime alimentaire particulier, des manœuvres de kinésie respiratoire quotidienne, un traitement antibiotique font espérer une meilleure qualité de vie.

MULTIGESTE : qui a eu plusieurs grossesses.

MYCOSE : affection provoquée par un champignon atteignant la peau, les ongles, le cuir chevelu et les orteils.

MYOPATHIE : maladie des fibres musculaires. La plus connue, d'origine héréditaire, la myopathie de Duchenne, est transmise par la femme et n'atteint que les garçons. En revanche, la myopathie facio-scapulo humérale atteint les deux sexes.

N

NÉONATALOGIE : spécialité médicale s'intéressant au nouveau-né et à l'enfant prématuré.

NEURONE : cellule nerveuse comprenant un corps central – l'axone – et des prolongements – les dendrites.

O

OCYTOCINE : hormone d'origine posthypophysaire qui renforce d'une manière générale la contraction des muscles et plus particulièrement celle du muscle utérin.

OCYTOCIQUE : médicament qui renforce l'efficacité des contractions.

ŒDÈME : infiltration de liquide dans les tissus conjonctifs, provoquant un gonflement.

ŒDÈME MALLÉOLAIRE : œdème au niveau des chevilles.

ŒSTROGÈNES : hormones sécrétées par l'ovaire, par les surrénales, par le placenta et, chez l'homme, en faible quantité par les testicules.

ŒSTRADIOL : catégorie d'hormone appartenant aux œstrogènes.

OLIGO-AMNIOS : manque de liquide amniotique en fin de grossesse (moins de 200 cm^3).

OLIGO-ÉLÉMENTS : éléments minéraux présents dans l'organisme. Certains jouent un rôle important dans le fonctionnement de la cellule. Parmi les oligo-éléments : le fluor, l'iode, le magnésium, le manganèse...

OVOCYTE : cellule femelle de reproduction n'ayant pas encore effectué les deux phases de méiose.

OVULE : cellule née de l'ovaire après maturation d'un follicule. Gamète femelle.

P

PARAPLÉGIE : paralysie des deux membres inférieurs.

PARTURIENTE : nom donné à la femme enceinte.

PÉRINÉOPLASTIE : réparation chirurgicale du périnée.

PÉRITOINE : membrane qui tapisse l'abdomen, en contact avec les intestins.

PH : cotation pour mesurer l'acidité ou l'alcalinité d'un liquide. On peut mesurer ainsi le pH du sang et celui des urines. Le sperme, de pH alcalin, rencontre dans le vagin un pH normalement acide ; plus ce milieu sera acide, moins il sera favorable à la survie des spermatozoïdes.

PHIMOSIS : orifice du prépuce anormalement étroit.

PHLÉBITE : inflammation d'une veine avec formation d'un caillot bouchant celle-ci.

PLACENTA RECOUVRANT : le placenta est inséré contre le col utérin et le recouvre.

PLANCHER PELVIEN : région située en bas du petit bassin et constituant un plancher musculaire qui soutient les organes génitaux externes et l'anus.

PLACENTA PRÆVIA : c'est une implantation trop basse et donc anormale du placenta. Il s'ensuit des hémorragies souvent graves, bien qu'indolores, au cours de la grossesse. Elles nécessitent une hospitalisation immédiate.

PRÉSENTATION : position de l'enfant au moment de la naissance.

POLYPES : tumeurs bénignes s'installant sur les muqueuses des cavités naturelles.

PRIMIPARE/PRIMIGESTE : femme ayant pour la première fois un enfant ou une grossesse.

PROCIDENCE DU CORDON : position du cordon devant la tête de l'enfant. Dans certains cas, il peut sortir hors de la vulve avant l'enfant, le mettant dans une situation délicate.

PROGESTÉRONE : hormone sexuelle de la femme, sécrétée par l'ovaire après l'ovulation.

PROLACTINE : hormone de l'allaitement.

PROLAPSUS : nom scientifique donné à la descente d'organes ; descente de l'utérus et du vagin à la suite d'un relâchement des muscles du périnée.

PROPHYLAXIE : thérapeutique destinée à prévenir la maladie.

PROSTAGLANDINE : substance (présente notamment dans le liquide séminal) qui, selon sa nature, agit sur le muscle utérin en le relâchant ou en en augmentant la tonicité.

PROTÉINE : substance constituée d'acides aminés.

PROTÉINE PLASMATIQUE : protéine contenue dans le plasma sanguin.

PROTÉINURIE : recherche d'albumine dans les urines.

PTYALISME : sécrétion excessive de salive.

R

RÉVISION UTÉRINE : examen effectué après la délivrance pour vérifier qu'aucune partie du placenta et des diverses membranes n'est restée accolée à la paroi utérine.

RADIOPELVIMÉTRIE : radiographie permettant de mesurer le diamètre du bassin ; on l'effectue dans les jours ou les semaines précédant l'accouchement.

RÉTENTION PLACENTAIRE : le placenta reste anormalement collé à la paroi utérine après l'accouchement.

S

SCORE D'APGAR : série de tests pratiqués à la naissance, aboutissant à une notation et permettant d'appréhender les possibilités de l'enfant à s'adapter à sa nouvelle vie.

1ER MOIS

2E MOIS

3E MOIS

4E MOIS

5E MOIS

6E MOIS

7E MOIS

8E MOIS

9E MOIS

LA NAISSANCE

LES 1RES SEMAINES DE MAMAN

LES 1RES SEMAINES DE BÉBÉ

GROSSESSES DIFFÉRENTES

ANNEXES

Glossaire médical

SPÉCULUM : instrument permettant d'élargir les cavités du corps. En obstétrique, le spéculum permet de voir la cavité vaginale et le col de l'utérus.

SPERMATOZOÏDE : gamète mâle composé d'une tête, porteuse du patrimoine génétique, et d'un flagelle, assurant sa mobilité.

SPERMOGRAMME : étude au microscope du nombre des spermatozoïdes et de leur mobilité dans un éjaculat.

SYNAPSE : partie de la cellule nerveuse qui assure le contact entre deux neurones.

T

TÉRATOGÈNE : qui peut être cause de malformations. Les facteurs tératogènes peuvent être génétiques ou dus à une agression au cours du développement fœtal.

TEST DE GUTHRIE : il se pratique systématiquement dans les premiers jours de la vie. Quelques gouttes de sang prélevées au talon du nouveau-né vont permettre de dépister une maladie rare mais grave : la phényl-cétonurie qui atteint le cerveau. Prise à temps, elle se soigne très facilement par un régime alimentaire consistant à éliminer la plupart des apports en protéines. Associé à ce test, un autre examen sert à dépister l'hypothyroïdie (insuffisance en hormones thyroïdiennes) ; un dépistage et un traitement précoces permettent le bon développement mental de l'enfant.

TESTOSTÉRONE : hormone mâle sécrétée par les cellules de Leydig situées dans les testicules.

TÉTRACYCLINE : nom de divers antibiotiques.

THALASSÉMIE : désordre sanguin entraînant des maladies graves, observées le plus souvent sur le pourtour de la Méditerranée.

TOUCHER VAGINAL : toucher de la cavité vaginale avec deux doigts, pour étudier le col de l'utérus.

TOXÉMIE GRAVIDIQUE : perturbation grave en fin de grossesse, se manifestant par un œdème, la présence d'albumine et une hypertension. Doit être diagnostiquée très tôt pour que la future maman puisse poursuivre normalement sa grossesse.

TRANCHÉES : contractions après l'accouchement, déclenchées par la tétée du bébé. Plus il y a eu de grossesses, plus elles sont douloureuses.

V

VAGINISME : contraction douloureuse et involontaire du muscle du vagin due à des troubles psychiques ou organiques.

VAGINITE : inflammation de la muqueuse du vagin.

VARICE : dilatation anormale et permanente d'une veine.

VERSION : intervention obstétricale destinée à modifier la présentation de l'enfant. Elle peut se pratiquer à travers la paroi abdominale ou par manipulation directe au moment de l'accouchement.

VERNIX CASEOSA : substance blanche et grasse qui couvre la peau du bébé à la naissance.

VILLOSITÉS PLACENTAIRES : franges vasculaires par lesquelles s'effectuent les échanges mère-enfant au niveau du placenta.

Carnet d'adresses

1ᴱᴿ MOIS

2ᴱ MOIS

3ᴱ MOIS

4ᴱ MOIS

5ᴱ MOIS

6ᴱ MOIS

7ᴱ MOIS

8ᴱ MOIS

9ᴱ MOIS

LA NAISSANCE

LES 1ᴿᴱˢ SEMAINES DE MAMAN

LES 1ᴿᴱˢ SEMAINES DE BÉBÉ

GROSSESSES DIFFÉRENTES

ANNEXES

Dépistage préimplantatoire

Il existe en France trois centres habilités à pratiquer le DPI :

Hôpital Antoine-Béclère
Hôpital Necker
157, rue de la Porte-de-Trivaux
92141 Clamart Cedex
Tél. : 01 45 37 44 44

CHU de Strasbourg
Avenue de Molière
67098 Strasbourg
Tél. : 03 88 12 80 80

CHU de Montpellier
191, avenue Doyen-Gaston
Girard
39059 Montpellier Cedex
Tél. : 04 67 33 67 33

Diagnostic prénatal

Hôpitaux universitaires de
Strasbourg
Hôpital de Hautepierre
1, avenue Molière
67098 Strasbourg

Maison de santé protestante de
Bordeaux-Bagatelle, BP 48
201, rue Robespierre
33401 Talence Cedex

CHU de Bordeaux
12, rue Dubernat
33404 Talence

CHU de Clermont-Ferrand
Maternité de l'Hôtel-Dieu
Rue Montalembert, BP 69
63003 Clermont-Ferrand

CHU de Brest
Hôpital Morvan
5, avenue Foch
29609 Brest Cedex

CHU de Saint-Brieuc
Pavillon de la femme et de
l'enfant,

10, place Marcel-Proust,
BP 2367
22023 Saint-Brieuc Cedex 1

CHU de Rennes
Rue Henri-Le-Guillou
35033 Rennes Cedex 9

CHU de Dijon
1, bd Jeanne-d'Arc, BP 1542
21034 Dijon Cedex

CHU de Tours
3, bd Tonnelé
37044 Tours Cedex 1

CHR d'Orléans,
Hôpital Porte-Madeleine
BP 2439
45032 Orléans Cedex 1

Institut de puériculture de Paris
26, bd Brune
75014 Paris

Hôpital Saint-Antoine
184, rue du fg Saint-Antoine
75012 Paris

Hôpital Saint-Vincent-de-Paul
82, rue Denfert-Rochereau
75014 Paris

Hôpital Necker
149, rue de Sèvres
75743 Paris Cedex 15

Hôpital Robert-Debré
48, bd Sérurier — 75019 Paris

Hôpital Antoine-Béclère
157, rue de la Porte-de-Trivaux
92141 Clamart Cedex

CHI Poissy-Saint-Germain
10, rue du Champ-Gaillard
BP 3082 - 78303 Poissy Cedex

CHU de Nîmes
5, rue Hoche
30029 Nîmes Cedex

CHU de Montpellier
191, avenue Doyen-Gaston-
Giraud

Centre administratif A.-Benech
34295 Montpellier Cedex

Maternité régionale A.-Pinard
10, rue Heydenreich, BP 4213
54042 Nancy Cedex

CHU de Toulouse
Hôtel-Dieu Saint-Jacques
2, rue Viguerie
31052 Toulouse Cedex
Hôpital Jeanne-de-Flandre
Clinique de gynécologie
obstétrique et néonatalogie
2, avenue Oscar-Lambert
59037 Lille Cedex
CHU de Caen Hôpital
Clemenceau Avenue
Clemenceau
14033 Caen Cedex

CHU de Rouen
1, rue de Germont
76031 Rouen Cedex

CHU du Havre
55 bis, rue Gustave-Flaubert
BP 24 - 76083 Le Havre

CHU de Nantes
5, allée de l'Île-Gloriette
44093 Nantes Cedex 1

CHU d'Amiens
124, rue Camille-Desmoulins
80000 Amiens

CHU de Poitiers
BP 577 - 86021 Poitiers Cedex

CHU de Grenoble
BP 217 - 38043 Grenoble Cedex

Hôpital Édouard-Herriot
Place d'Arsonval
69437 Lyon Cedex 4

Hôpital de l'Hôtel-Dieu
61, quai Jules-Courmont
69002 Lyon

Hôpital de la Croix-Rousse
97, grande-rue
de la Croix-Rousse
69317 Lyon Cedex 4

Carnet d'adresses

CHD Félix-Guyon-Bellepierre
97405 Saint-Denis-la-Réunion

CHU de Fort-de-France
La Maynard, BP 632
67261 Fort-de-France Cedex

CHU de Point-à-Pitre
97159 Point-à-Pitre Cedex

Suivi de grossesse

06. Hôpital Lenval
67, avenue de Californie
06200 Nice
Tél. : 04 92 03 03 92

06. CHU, Hôpital Archet
Route St Antoine Ginestière
06 200 Nice
Tél. : 04 92 03 55 55

13. Hôpitaux de Marseille
Tél. : 04 91 38 00 00

13. Hôpitaux publics, pavillon
mère-enfant
Chemin Bourrely
13015 Marseille
Tél. : 04 91 96 87 63

13. Hôpital de la Conception
147 Bd Braille
13005 Marseille
Tél. : 04 91 38 30 00

14. CHR de Caen, Hôpital
Clemenceau
Avenue Clemenceau
14033 Caen cedex
Tél. : 02 31 27 27 27

21. CHU de Dijon
1, bd Jeanne-d'Arc, BP 1542
21034 Dijon cedex
Tél. : 03 80 29 30 31

22. CHU de Saint-Brieuc
Pavillon de la femme et de
l'enfant,
10, rue Marcel Proust, BP 2367
22023 Saint-Brieuc cedex 1
Tél. : 02 96 01 71 23

29. CHU de Brest
Hôpital Morvan

2, avenue Foch
29609 Brest cedex
Tél. : 02 98 22 33 33

30. CHU de Nîmes
Place Professeur R. Debré
30029 Nîmes
Tél. : 04 66 68 68 68

31. CHU, Hôpital Paule de
Viguiers
330 av de Grande Bretagne
TSA 70034
31059 Toulouse Cedex 9
Tél. : 05 67 77 13 33

33. Maison de santé protestante
de Bordeaux-Bagatelle
201, rue Robespierre
33401 Talence cedex
Tél. : 05 57 12 35 37

33. CHU de Bordeaux
12, rue Dubernat
33404 Talence
Tél. : 05 56 79 55 79

34. CHU de Montpellier –
Hôpital Arnaud de Villeneuve
191, avenue Doyen-Gaston-
Giraud
34295 Montpellier cedex 5
Tél. : 04 67 33 58 17

35. CHU de Rennes
Rue Henri-Le-Guillou
35033 Rennes cedex 9
Tél. : 02 99 28 43 21

37. CHRU de Tours
2, bd Tonnelé
37044 Tours cedex 9
Tél. : 02 47 47 47 47

38. CHU de Grenoble
Bd Chantourne
38700 La Tronche
Tél. : 04 76 76 75 75
04 76 76 54 00
(gynécologie/maternité)

42. CHU de St Etienne
42055 St Etienne cedex 2
Tél. : 04 77 82 80 00

44. CHU de Nantes, hôpital
mère-enfant
7, quai Moncousu

44093 Nantes cedex 1
Tél. : 02 40 08 33 33

45. CHR d'Orléans,
Hôpital Porte-Madeleine
BP 2439 - 45032 Orléans cedex 1
Tél. : 02 38 51 44 44

49. CHU d'Angers
4, rue Larrey
49100 Angers
Tél. : 02 41 35 36 37

50. Hôpital Louis-Pasteur
rue Vastel
50100 Cherbourg Octeville
Tél. : 02 33 20 70 00
Tél. : 02 33 20 70 42
(maternité/gynécologie)

54. Maternité régionale
A.-Pinard
10, rue Heydenreich, BP 4213
54042 Nancy cedex
Tél. : 03 83 34 44 44

56. Centre Hospitalier de
Bretagne Atlantique
20, bd Guillaudot
BP 70555 - 56017 Vannes Cedex
Tél. : 02 97 01 41 41
Tél. : 02 97 01 41 92 (secrétariat
gynécologie)

58. Hôpital de Nevers
1, bd de l'hôpital
58000 Nevers
Tél. : 03 86 93 70 00
Tél. : 03 86 93 73 11 (maternité)

59. CHR de Lille
Hôpital Jeanne de Flandres,
Clinique de gynécologie
obstétrique et néonatalogie
2, avenue Oscar Lambret
59037 Lille cedex
Tél. : 03 20 44 59 62 (standard)
Tél. : 03 20 44 69 08
(consultation prénatale)

63. CHU de Clermont-Ferrand
Maternité de l'Hôtel-Dieu
Rue Montalembert
63003 Clermont-Ferrand
Tél. : 04 73 75 07 50

67. Hôpitaux universitaires de
Strasbourg

Hôpital de Hautepierre
1, avenue Molière
67098 Strasbourg
Tél. : 03 88 12 80 00

68. Hôpital Hasenrain
87, avenue d'Altkirch
68051 Mulhouse
Tél. : 03 89 64 64 64
Tél. : 03 89 64 69 66 (maternité)

69. Hôpitaux de Lyon
Tél. : 0820 0820 69

69. Édouard-Herriot
Place d'Arsonval
69437 Lyon cedex 4
Tél. : 04 72 11 77 20 (maternité)

69. Hôtel-Dieu
61, quai Jules-Courmont
69002 Lyon
Tél. : 04 72 41 34 78 (maternité)

69. Hôpital de la Croix-Rousse
97, grande rue de la Croix-Rousse
69317 Lyon cedex 4
Tél. : 04 72 07 16 45 (maternité)

69. Maternité de l'Hôpital Lyon Sud
Tél. : 04 78 86 56 20

73. Hôpital de Chambéry
place Dr. Chiron
73000 Chambéry
Tél. : 04 79 96 50 50

75. Institut de puériculture de Paris
26, bd Brune
75014 Paris
Tél. : 01 40 44 39 39

75. Hôpital Saint-Antoine
184, rue du fg Saint-Antoine
75012 Paris
Tél. : 01 49 28 20 00

75. Hôpital Saint-Vincent-de-Paul
82, rue Denfert-Rochereau
75014 Paris
Tél. : 01 40 48 81 11

75. Hôpital Necker
149, rue de Sèvres

75743 Paris cedex 15
Tél. : 01 44 49 40 00

75. Hôpital Robert-Debré
48, bd Sérurier
75019 Paris
Tél. : 01 40 03 20 00

75. Hôpital Pitié-Salpétrière
47, bd de l'hôpital
75013 Paris
Tél. : 01 42 16 00 00

76. CHU de Rouen, Hôpital Charles Nicoll
1, rue de Germont
76000 Rouen
Tél. : 02 32 88 89 90
Tél. : 02 32 88 82 44 (consultations maternité/gynécologie)

76. CHU du Havre
55 bis, rue Gustave-Flaubert
BP 24 - 76083 Le Havre
Tél. : 02 32 73 32 32

78. CHI Poissy-Saint-Germain
10, rue du Champ-Gaillard
78300 Poissy
Tél. : 01 39 27 40 50
Tél. : 01 39 27 40 88 (maternité)

78. Hôpital André-Mignot
177 rue de Versailes
78150 Le Chesnay
Tél. : 01 39 63 91 33
Tél. : 01 39 63 87 85 (Centre de la femme)
Tél. : 01 39 63 90 76 (maternité)

80. CHU d'Amiens, Service de gynécologie et obstétrique
124, rue Camille Desmoulins
80000 Amiens
Tél. : 03 22 66 80 00 (standard CHU)
Tél. : 03 22 66 36 22 (secrétariat gynécologie)

86. CHU de Poitiers
BP 577 - 86021 Poitiers cedex
Tél. : 05 49 44 44 44

87. CHU Dupuytren
2, avenue Martin Luther King
87042 Limoges cedex
Tél. : 05 55 05 55 55

Tél. : 05 55 05 61 01 (maternité)

92. Hôpital Antoine-Béclère
157, rue de la Porte-de-Trivaux
92141 Clamart cedex
Tél. : 01 45 37 44 44

94. Hôpital Henri-Mondor
5, avenue du Maréchal-de-Lattre-de-Tassigny
94000 Créteil
Tél. : 01 49 81 21 11

CHD Félix-Guyon-Bellepierre
97405 Saint-Denis-la-Réunion
Tél. : 0262 90 50 50

CHU de Fort-de-France
La Maynard, BP 632
67261 Fort-de-France cedex
Tél. : 0596 55 20 00

CHU de Point-à-Pitre
97159 Point-à-Pitre cedex 10
Tél. : 0590 89 10 10

Accouchement

CHOISIR SA PRÉPARATION

Pour connaître les antennes régionales des sages-femmes libérales effectuant les préparations à la naissance, contactez les adresses parisiennes qui donneront leurs antennes régionales.

Conseil national de l'ordre des sages-femmes
56, rue de Vouillé
75015 Paris
Tél. : 01 45 51 82 50

Association nationale des sages-femmes
Faculté de médecine de Paris
184, rue du faubourg Saint-Antoine
75012 Paris
Tél. : 01 43 44 52 04

Association des sages-femmes libérales (ANSFL) -
www.ansfl.org
Tél. : 04 75 88 90 80

1ER MOIS

2E MOIS

3E MOIS

4E MOIS

5E MOIS

6E MOIS

7E MOIS

8E MOIS

9E MOIS

LA NAISSANCE

LES 1RES SEMAINES DE MAMAN

LES 1RES SEMAINES DE BÉBÉ

GROSSESSES DIFFÉRENTES

ANNEXES

Carnet d'adresses

Les Doulas
http://www.doulas.info

ACUPUNCTURE
Association française
d'acupuncture
3, rue de l'Arrivée, Tour Cit
75015 Paris
Tél. : 01 43 20 26 26

CHANT PRÉNATAL
En région parisienne, maternité
des Lilas et maternité des
Bleuets.
En province, à Besançon,
Colmar, Nantes, Pertuis,
Pithiviers, Rouen. En Belgique, à
Mons et Bruxelles ; au Canada,
à Montréal et Québec.

« Harmonie par le chant » -
cours en groupe, en individuel
ou en couple -
- Marie-France Humery-Mutel
29, rue des Boulets
75011 Paris
Tél. : 01 43 70 94 20
- Chantal Verdière
4, passage Geffroy-Didelot
75017 Paris
Tél. : 01 45 22 57 96

Pour celles qui ne pourront
assister au cours, il existe une
cassette : Chansons pour un
enfant à naître, 16 chansons à
chanter pendant la grossesse.
Éditions Résonances, Suisse.

HAPTONOMIE
Centre international de
recherche et de développement
de l'haptonomie (CIRDH) Frans
Veldman
Mas del Ore, Oms, 66400 Céret

HOMÉOPATHIE
Syndicat national des médecins
homéopathes français (SNMHF)
79, rue de Tocqueville
75017 Paris
Tél. : 01 44 29 01 31

OSTÉOPATHIE
UFOF - rue des Trois-Capitaines
26400 Crest
Tél. : 04 75 25 79 04

Syndicat national des médecins
ostéopathes
148, bd Malesherbes
75017 Paris - Tél. : 01 46 22 35
54

Association des médecins
ostéopathes de France
1, rue de l'Hôpital
76000 Rouen
Tél. : 02 35 52 01 01

PISCINE
Fédération des activités
aquatiques d'éveil et de loisir
(FAAEL)
5, cité Griset
75011 Paris
Tél. : 01 43 55 98 76

Fédération française de natation
(FFN) - Tél. : 01 40 31 17 70
Minitel : 36 15 code FFN

SOPHROLOGIE
Les cours sont organisés dans
les maternités ou par des
sages-femmes libérales
spécialisées. Renseignez-vous à
la maternité où vous avez choisi
d'accoucher ou contactez :

Société française de sophrologie
39, bd Garibaldi
75015 Paris
24, quai de la Loire
75019 Paris
Tél. : 01 40 56 94 95
(Accueil téléphonique de 10 h à
12 h 30)

Centre de préparation à la
naissance
13, rue de Trétaigne (3e étage)
75018 Paris
Tél. : 01 46 06 40 01
Tél. : 06 60 66 40 01

WATSU
À Paris :
06 23 25 50 30
et www. watsu.fr
À La Baule : 02 40 11 33 11

YOGA
Tous les cours sont privés,
même dans les maternités.
Pour trouver un cours à

proximité de chez vous,
renseignez-vous :

École Française de Yoga
3, rue Aubriot
75004 Paris
Tél. : 01 42 78 03 05

Fédération française de hatha-
yoga
50, rue Vaneau
75007 Paris
Tél. : 01 42 22 80 11

Fédération Française de Yoga
Viniyoga
2, rue de Valois
75001 Paris
Tél. : 01 42 96 44 55

Fédération française de yoga
(sous contrôle médical)
11, passage Saint-Pierre-
Amelot
75011 Paris
Tél. : 01 47 00 26 12

La Maison du yoga
68, rue de la Folie-Méricourt
75011 Paris
Tél. : 01 48 06 01 23

Allaitement

Vous souhaitez donner un peu
de votre lait ou vous avez des
doutes sur la qualité de votre
lait :

Les lactariums
21 DIJON Hôpital du Bocage
Tél. : 03 80 29 38 34

29 BREST Hôpital Morvan CHU
Tél. : 02 98 22 33 33

33 BORDEAUX Hôpital Pellegrin
Tél. : 05 56 79 59 25

34 MONTPELLIER Hôpital
Arnaud-de-Villeneuve
Tél. : 04 67 33 66 99

37 TOURS Hôpital de Clocheville
Tél. : 02 47 47 37 34

38 GRENOBLE Hôpital La Tronche
Tél. : 04 76 42 51 45 ou 04 72 00 41 43

42 SAINT-ÉTIENNE Saint-Priest-en-Jarez
Tél. : 04 77 93 64 66

44 NANTES CHR, Lactarium Hôpital Jacques-Grislain
Tél. : 02 40 08 34 82

45 ORLÉANS Lactarium
Tél. : 02 38 74 41 81

47 MARMANDE Lactarium Raymond-Fourcade
Tél. : 05 53 64 26 22

50 CHERBOURG Hôpital Louis-Pasteur
Tél. : 02 33 20 70 00

59 LILLE Hôpital Jeanne de Flandres
Tél. : 03 20 44 50 50

63 CLERMONT-FERRAND CHU, Hôtel-Dieu
Tél. : 04 73 75 07 50

67 STRASBOURG CHU, Lactarium
Tél. : 03 88 11 60 54

67 STRASBOURG Institut de puériculture
Tél. : 03 88 11 60 54

68 MULHOUSE Hôpital Hasenrain
Tél. : 03 89 64 68 91

69 LYON Hôpital de la Croix-Rousse
Tél. : 04 72 00 41 43

75 PARIS Lactarium
Tél. : 01 40 44 39 14

80 AMIENS Hôpital Nord
Tél. : 03 22 66 82 88

86 POITIERS Hôpital Jean-Bernard
Tél. : 05 49 44 44 44

Demande de conseils

Vous avez des difficultés dans la conduite de votre allaitement, contactez :
Lactarium de Paris - Solidarlait
26, bd Brune
75014 Paris
Tél. : 01 40 44 39 39

La Leche League France Centre de documentation LLLF,
BP 18
78620 L'Étang-la-ville
Tél. : 01 39 58 45 84
(info par boîte vocale)
http://www.lllffrance.org

Action pour l'allaitement
19, rue Dalhein
67100 Strasbourg
Tél. : 03 88 27 31 72

Aide aux parents

Inter-Service Parents :
Paris - Tél. : 01 44 93 44 93, demander les numéros pour la province
Colmar - Tél. : 03 89 24 25 00
Grenoble - Tél. : 04 76 87 54 82
Metz - Tél. : 03 87 69 04 56
Lyon - Tél. : 04 72 00 05 30

Conseils médicaux et psychologiques pour tout ce qui concerne la petite enfance :

Institut de puériculture (renseignements par téléphone uniquement)
26, bd Brune
75014 Paris
Tél. : 01 40 44 39 39

Allô Maman Bébé
Tél. : 08 36 68 34 36 (serveur vocal)

SOS Grossesse
51, rue Jeanne-d'Arc
75013 Paris
Tél. : 01 45 84 55 91

Secours aux futures mères
6, cour Saint-Éloi
75012 Paris
Tél. : 01 64 37 35 54 (matin)
01 43 41 55 65 (après-midi)
06 19 82 71 10 (urgence)

Fédération jumeaux et plus
28, place Saint Georges
75009 Paris
Tél. : 01 44 53 06 03
(vous permettra d'obtenir des adresses proches de votre domicile)

Fédération syndicale des familles monoparentales
53, rue Riquet
75019 Paris
Tél. : 01 44 89 86 80

Grade (groupe de réflexion et d'action pour la défense de l'enfant)
8, av. du Maréchal-Foch
83200 Toulon
Tél. : 04 94 24 07 97

Association des collectifs enfants-parents-professionnels (ACEPP)
15, rue du Charolais
75012 Paris
Tél. : 01 44 73 85 20
Fax : 01 44 73 85 39
www.acepp.ass.fr

Fédération nationale « À domicile »
80, rue de la Roquette
75011 Paris
Tél. : 01 49 23 75 50

Aide aux mères de famille
12, rue Chomel
75007 Paris
Tél. : 01 45 48 46 00

SOS Préma
La maison des associations
2 bis, rue du château
92200 Neuilly-sur-Seine

1ER MOIS

2E MOIS

3E MOIS

4E MOIS

5E MOIS

6E MOIS

7E MOIS

8E MOIS

9E MOIS

LA NAISSANCE

LES 1RES SEMAINES DE MAMAN

LES 1RES SEMAINES DE BÉBÉ

GROSSESSES DIFFÉRENTES

ANNEXES

Écoute et informations

Mouvement français pour
le planning familial
94, bd Masséna, Tour Mantoue
75013 Paris
Tél. : 01 45 84 28 25
10, rue Vivienne
75010 Paris
Tél. : 01 42 60 93 20

Association française des
centres de consultation
conjugale et familiale (AFCCC)
44, rue Danton
94270 Kremlin Bicêtre
Tél. : 01 46 70 88 44

Fédération nationale couple
et famille
28, place Saint-Georges
75009 Paris
Tél. : 01 42 85 25 98
(pour connaître les antennes
en province)

Inter-Service Parents
École des parents et
des éducateurs
5, impasse Bon-secours
75011 Paris
Tél. : 01 44 93 44 93

Écoute cannabis
Tél. : 08 11 91 20 20

Trouver un mode de garde

Les adresses des crèches et des
assistantes maternelles sont à
la disposition des parents dans
la plupart des mairies et aux
bureaux des Directions de
l'action sociale de l'enfant et de
la santé.

DASES
94-96, quai de la Rapée
75570 Paris Cedex 12
Tél. : 01 43 47 77 77

Dépann'Famille
23, rue de la Sourdière
75001 Paris

Tél. : 01 42 96 58 32

Paris Service Familles
6, rue Bardinet
75014 Paris
Tél. : 01 56 53 59 50
Tél. : 0810 13 32 33

ACEPP (Association des
collectifs enfants-parents-
professionnels)
15, rue du Charolais
75012 Paris
Tél. : 01 44 73 85 20
www.acepp.ass.fr

Union nationale des
associations familiales
Tél. : 01 40 16 12 76
Tél. : 01 48 74 80 74
Pour obtenir des
renseignements sur les
possibilités de garde en
crèches, proches de votre
domicile.

Pour quelques heures en dépannage

Nursing : le relais des mamans
3, rue Cino-del-Duca
75017 Paris
Tél. : 01 40 55 03 03

Kid services
17, rue Molière
75001 Paris
Tél. : 0820 00 02 30

Allô Maman dépannage
38 rue Greuze
75116 Paris
Tél. : 01 47 55 15 75

Fondation pour l'enfance :
Service Allô Maman Bébé
17, rue Castagnary
75015 Paris
Tél. : 01 53 68 16 50

Pour répondre à une difficulté urgente

SOS Urgence Maman
56, rue de Passy
75016 Paris

Tél. : 01 46 47 89 98
Permanence : mardi : 9 h - 12 h ;
vendredi : 9 h 15 - 12 h 15

Pour rencontrer d'autres mamans et d'autres bébés

La Maison verte
13, rue Meilhac
75015 Paris
Tél. : 01 43 06 02 82
Fax : 01 43 06 41 46
Lun-ven : 14 h - 19 h
Sam : 15 h - 18 h 30

Maison ouverte
de l'école des parents
164, bd Voltaire
75011 Paris
Tél. : 01 44 93 24 10
Ouvert du mardi au samedi de
13 h 30 à 18 h 30.

Il existe une trentaine de ces
lieux d'accueil en France.
Pour connaître la Maison
ouverte la plus proche de chez
vous, contactez le service petite
enfance de votre mairie, la
conseillère technique petite
enfance de la Caisse
d'allocations familiales, le
médecin de votre PMI.

L'Arbre bleu
52, rue Polonceau
75018 Paris
Tél. : 01 42 59 38 26

La Maisonnée
13, rue Kageneck
67000 Strasbourg
Tél. : 03 88 22 30 54
Lun- vend : 14 h 30 - 18 h 30
Sam : 15 h - 18 h

Pour connaître les antennes en
province, contactez les adresses
parisiennes ou bien téléphonez
à la Fondation de France.
40, avenue Hoche
75008 Paris
Tél. : 01 44 21 31 00
Fax : 01 44 21 31 01
www.fdf.org

Renseignements administratifs

Centres d'informations et de renseignements administratifs (CIRA) : 0821 08 09 10

Centre national d'information et de documentation des femmes et des familles (CNIDFF)
7, rue du Jura
75013 Paris
Tél. : 01 42 17 12 00
(communique toutes les antennes régionales).
Minitel : 3615 ELLETEL

Fédération syndicale des familles monoparentales (FSFM)
53, rue Riquet - 75019 Paris
Tél. : 01 44 89 86 80

Union nationale des associations familiales (UNAF)
28, place Saint-Georges
75009 Paris
Tél. : 01 49 95 36 00
ou 01 48 74 80 74

Union nationale des associations de défense de la famille et de l'individu (UNADIF)
130, rue Clignancourt
75018 Paris
Tél. : 01 44 92 35 92
ou 01 44 92 00 23

Caisse nationale d'allocations familiales (CNAF)
101, rue nationale
75013 Paris
Tél. : 01 40 77 58 00
www.caf.fr
Pour connaître les antennes locales. Siège des Caisses primaires d'assurance maladie :
Siège des Caisses primaires d'assurance maladie
21, rue Georges-Auric
75948 Paris Cedex 19
Tél : 01 53 38 70 00

Sites Internet

Assistance publique des hôpitaux parisiens
http://www.aphp.fr

Ministère de l'Emploi de la cohésion sociale et du logement
http://www.social.gouv.fr

Ministère de la Santé et de la Solidarité
http://www.sante.gouv.fr

Caisse des allocations familiales
http://www.caf.fr

Sécurité sociale
http://www.securite-sociale.fr

Assurance maladie en ligne
http://www.ameli.fr

3617 PARENTS
(Pour tous conseils et recherche de matériel de puériculture)

SOS Grossesse
http://www.sosgrossesse.org

Croix rouge
(On peut joindre La Croix rouge également par téléphone :
0 820 16 17 18)
http://www.croix-rouge.fr

www.ansfl.org
www.aufeminin.com
www.babyfrance.com
www.bebe-arrive.com
www.bebenet.com
www.bebe-zone.com
www.infobebes.com
www.lamaternite.com
www.bebepassion.com
www.sosprema.com

Santé

Dans tous les départements, des centres de PMI (Protection maternelle et infantile) permettent d'avoir des soins gratuits. On peut trouver leurs adresses dans les Dass et dans les annuaires téléphoniques.
DASES
94-96, quai de la Rapée
75570 Paris Cedex 12
Tél. : 01 43 47 77 77

DASS (Direction des Affaires Sanitaires et Sociales)
75, rue Tocqueville
75017 Paris
Tél. : 01 58 57 11 00

Comité français d'éducation pour la santé
42, bd de la Libération
93203 St Denis cedex
Tél. : 01 49 33 22 22

Médicaments

Pour connaître les effets tératogènes des médicaments :
Centre de pharmacovigilance
27, rue de Chaligny,
75012 Paris
Tél. : 01 43 47 54 69

Les centres anti-poisons
Angers - Tél. : 02 41 48 21 21
Bordeaux - Tél. : 05 56 96 40 80
Lille - Tél. : 03 20 44 44 44 ou 0825 812 822
Lyon - Tél. : 04 72 11 69 11
Marseille - Tél. : 04 91 75 25 25
Nancy - Tél. : 03 83 32 36 36
Paris - Tél. : 01 40 05 48 48
Reims - Tél. : 03 26 86 26 86
Rennes - Tél. : 02 99 59 22 22
Rouen - Tél. : 02 35 88 44 00
Strasbourg - Tél. : 03 88 37 37 37
Toulouse - Tél. : 05 61 77 74 47

Mort subite du nourrisson

Aide aux parents d'enfants victimes de la mort subite.

CAIRN-Hôpital Antoine-Béclère
157, rue de la Porte-de-Trivaux
92141 Clamart
Tél. : 01 45 37 44 44
Tél. : 01 45 37 48 37

1ER MOIS

2E MOIS

3E MOIS

4E MOIS

5E MOIS

6E MOIS

7E MOIS

8E MOIS

9E MOIS

LA NAISSANCE

LES 1RES SEMAINES DE MAMAN

LES 1RES SEMAINES DE BÉBÉ

GROSSESSES DIFFÉRENTES

ANNEXES

Index des mots clefs

1ER MOIS

2E MOIS

3E MOIS

4E MOIS

5E MOIS

6E MOIS

7E MOIS

8E MOIS

9E MOIS

LA NAISSANCE

LES 1RES SEMAINES DE MAMAN

LES 1RES SEMAINES DE BÉBÉ

GROSSESSES DIFFÉRENTES

ANNEXES

Index des mots clefs

1ER MOIS

2E MOIS

3E MOIS

4E MOIS

5E MOIS

6E MOIS

7E MOIS

8E MOIS

9E MOIS

LA NAISSANCE

LES 1RES SEMAINES DE MAMAN

LES 1RES SEMAINES DE BÉBÉ

GROSSESSES DIFFÉRENTES

ANNEXES

Index des mots clefs

1ER MOIS

2E MOIS

3E MOIS

4E MOIS

5E MOIS

6E MOIS

7E MOIS

8E MOIS

9E MOIS

LA NAISSANCE

LES 1RES SEMAINES DE MAMAN

LES 1RES SEMAINES DE BÉBÉ

GROSSESSES DIFFÉRENTES

ANNEXES

Index des mots clefs

1ER MOIS
2E MOIS
3E MOIS
4E MOIS
5E MOIS
6E MOIS
7E MOIS
8E MOIS
9E MOIS
LA NAISSANCE
LES 1RES SEMAINES DE MAMAN
LES 1RES SEMAINES DE BÉBÉ
GROSSESSES DIFFÉRENTES
ANNEXES

Index des mots clefs

René FRYDMAN et Marcel RUFO

à l'écoute des parents

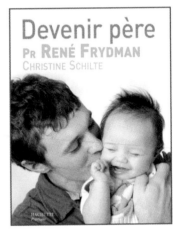

Pr Marcel RUFO

Christine SCHILTE

ÉDITION 2011

Élever bébé

hachette
PRATIQUE

Crédits photographiques

Impression : Lego Italie

Dépôt légal : août 2010
23-49-0246-01-1
ISBN : 978-2-01-230246-4